**W9-AUG-233**

Fonctions 11

Auteurs

Roland W. Meisel
B.Sc., B.Ed., M.Sc.
Port Colborne, Ontario

David Petro
B.Sc. (Hons.), B.Ed., M.Sc.
Windsor Essex Catholic District
School Board

Jacob Speijer
B.Eng., M.Sc.Ed., P.Eng.
District School Board of Niagara

Ken Stewart
B.Sc. (Hons.), B.Ed.
York Region District School
Board

Barb Vukets
B.Ed., M.Ed.
Waterloo Region District School
Board

Collaborateurs

Bryce Bates
Toronto District School Board

Kirsten Boucher
Durham District School Board

Mary Card
Toronto District School Board

Wayne Erdman
Toronto District School Board

Rob Gleeson
Bluewater District School Board

Consultants

Consultante en évaluation

Antonietta Lenjosek
Ottawa Catholic School Board

Consultant en technologie

Dan Ciarmoli
Hamilton-Wentworth District
School Board

Roland W. Meisel
Port Colborne, Ontario

Consultante en processus mathématiques

Susan Siskind
Toronto, Ontario

Consultante en littératie

Carol Miron
Toronto District School Board

Consultants pédagogiques

Antonietta Lenjosek
Ottawa Catholic School Board

Larry Romano
Toronto Catholic District School
Board

Consultant principal

Wayne Erdman
Toronto District School Board

Conseillers

Kirsten Boucher
Durham District School Board

Patricia Byers
Georgian College

Chris Dearling
Burlington, Ontario

Dr Steven J. Desjardins
University of Ottawa

Karen Frazer
Ottawa-Carleton District School
Board

Rob Gleeson
Bluewater District School Board

Jeff Irvine
Peel District School Board

Colleen Morgulis
Durham Catholic District School
Board

Andrzej Pienkowski
Toronto District School Board

Antonio Stancati
Toronto Catholic District School
Board

Consultant à l'édition française

Zino Russo

Chenelière
McGraw-Hill

CHENELIÈRE ÉDUCATION

Fonctions 11

Traduction de : *Functions 11* de Roland W. Meisel et coll.
    © 2009 McGraw-Hill Ryerson (ISBN 978-0-07-000978-3)

© 2011 Chenelière Éducation inc.

Édition : Johanne L. Massé
Coordination : Daniel Bouillon
Traduction : Sylvie Charbonneau, Marc Genest et Anouk Jaccarini
Révision linguistique : Évelyne Miljours
Correction d'épreuves : Muriel Steenhoudt
Impression : Imprimeries Transcontinental

Conception graphique : Valid Design and Layout
Conception de la couverture : Michelle Losier

Source de la photo de la couverture :
© Andrew Kornylak/Getty Images

CHENELIÈRE ÉDUCATION

7001, boul. Saint-Laurent
Montréal (Québec) Canada H2S 3E3
Téléphone : 514 273-1066
Télécopieur : 450 461-3834 / 1 888 460-3834
info@cheneliere.ca

ISBN 978-2-7651-0625-8

Dépôt légal : 2e trimestre 2011
Bibliothèque et Archives nationales du Québec
Bibliothèque et Archives Canada

Imprimé au Canada

1   2   3   4   5   ITIB   15   14   13   12   11

Nous reconnaissons l'aide financière du gouvernement du Canada par l'en-
tremise du Programme d'aide au développement de l'industrie de l'édition
(PADIÉ) pour nos activités d'édition.

Gouvernement du Québec – Programme de crédit d'impôt pour l'édition de
livres – Gestion SODEC.

Membre du CERC

Membre de
l'Association nationale
des éditeurs de livres

ASSOCIATION
NATIONALE
DES ÉDITEURS
DE LIVRES

Remerciements

Les éditeurs et auteurs de *Fonctions 11* souhaitent remercier sincèrement les élèves, enseignants, consultants et réviseurs qui ont contribué à la parution de ce manuel en nous offrant leur temps, leur énergie et leur expertise. Nous les remercions pour la pertinence de leurs commentaires et suggestions. Leur contribution s'est révélée inestimable dans la mesure où elle nous a permis de mieux cerner les besoins des élèves et des enseignants.

John Giroux
Niagara Catholic District School Board

Russell Gordon
Peel District School Board

Beverly Hitchman
Upper Grand District School Board

Paul Hargot
Hamilton-Wentworth Catholic District School Board

Ursula Irwin
Simcoe County District School Board

Murray Johnston
Halton District School Board

David Keffer
Durham Catholic District School Board

Jane Lee
Toronto District School Board

Sheila Mascarin
Halton Catholic District School Board

Ria McNicholls-Ramrattan
Peel District School Board

Donald Mountain
Thames Valley District School Board

Marc Nimigon
York Region District School Board

Tina Poldervaart
Upper Canada District School Board

Monica Preiner
Halton District School Board

Silvia Rotolo
Toronto Catholic District School Board

Mary Schofield
Thames Valley District School Board

Peggy Slegers
Thames Valley District School Board

Robert Slemon
Toronto District School Board

Nancy Tsiobanos
Dufferin-Peel Catholic District School Board

Sharon Young
Halton District School Board

Table des matières

Préface

Le manuel *Fonctions 11* a été conçu à l'intention des élèves qui prévoient faire des études postsecondaires. Il présente des principes de mathématiques tout en offrant diverses applications qui associent théorie mathématique, situations concrètes et choix de carrière.

Organisation du manuel

- Le chapitre 1 présente le concept de fonction et la notation associée. On y explore les fonctions affines et du second degré, leur domaine, leur image et d'autres caractéristiques. Les radicaux sont également étudiés.

- Le chapitre 2 explore les transformations révélées par l'équation de fonctions, de même que la réciproque de fonctions.

- Le chapitre 3 te permet d'approfondir ta connaissance des exposants et d'appliquer ces notions aux fonctions exponentielles.

- Le chapitre 4 traite de la trigonométrie. Il définit les rapports trigonométriques de tout angle et propose des problèmes portant sur des triangles quelconques. Ces concepts sont ensuite appliqués à l'analyse de fonctions trigonométriques au chapitre 5.

- Le chapitre 6 présente les concepts de suite et de série arithmétiques ou géométriques. Ces concepts sont ensuite appliqués à des situations financières au chapitre 7.

Processus mathématiques

- Ce manuel intègre les sept processus mathématiques, à savoir la résolution de problèmes, le raisonnement, la réflexion, la sélection d'outils et de matériel approprié, l'établissement de liens, la modélisation et la communication. Ces processus sont interreliés et utilisés dans l'ensemble du manuel. Un schéma accompagne certains exemples et exercices pour t'indiquer les processus en cause dans la résolution du problème.

Contenu des chapitres

- Au début de chaque chapitre, on te présente ce que tu apprendras et une liste des contenus du programme que le chapitre couvre.

- La section **Connaissances préalables** passe en revue les connaissances nécessaires à la compréhension du chapitre. Dans l'annexe Connaissances préalables, aux pages 478 à 495, on te propose des exemples et des exercices supplémentaires. Le **Problème du chapitre** est présenté à la fin de la section **Connaissances préalables**. Des questions en lien avec celui-ci font partie des exercices. Enfin, la rubrique **Problème du chapitre – la conclusion** termine la section **Révision du chapitre**.

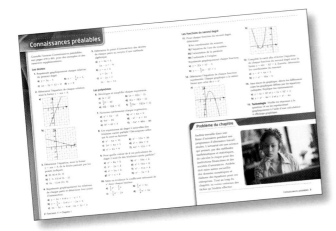

- La rubrique **Explore** est le premier élément de la plupart des sections numérotées. Elle te permet de comprendre les nouveaux concepts. Bon nombre de ces explorations se font plus facilement à l'aide d'une calculatrice à affichage graphique ou d'un logiciel de représentation graphique, mais dans la plupart des cas le choix te revient.

- Les **Exemples** font voir l'utilisation des nouveaux concepts. Souvent, on y propose plus d'une méthode, avec et sans la technologie. Les nouveaux termes mathématiques sont **surlignés** et définis en contexte. Le **Glossaire**, aux pages 587 à 594, en offre une liste complète.

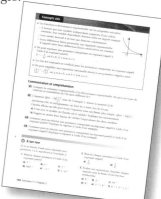

- L'encadré **Concepts clés** résume les idées de la leçon, tandis que les questions de la rubrique **Communication et compréhension** t'incitent à réfléchir aux concepts abordés dans la section.

- Les exercices sont répartis en trois groupes : **À ton tour, Liens et mise en application** et **Approfondissement**. Toute question qui nécessite l'utilisation d'outils technologiques est précédée de la mention **Technologie**. Les questions **Concours de maths** te proposent un défi additionnel.

- Chaque chapitre, se termine par une **Révision du chapitre** section par section et une **Révision cumulative** suit les chapitres 3, 5 et 7.

- Un **Test préparatoire** se trouve aussi à la fin de chaque chapitre.

- À la fin de chaque chapitre, on te propose une **Activité** qui nécessite l'application de plusieurs des concepts abordés dans les chapitres précédents. Tu peux réaliser certaines de ces activités individuellement ou en groupe.

- À la suite de l'**Activité** du chapitre 7, une **Révision globale** t'est proposée. Cet ensemble de questions t'aidera à déterminer ton niveau de préparation à l'examen final.

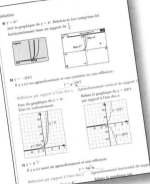

Évaluation

● Certaines questions sont des **Questions d'évaluation**. Elles t'offrent l'occasion de démontrer tes connaissances et ta compréhension de même que ta capacité de réfléchir aux choses apprises, de les appliquer et de les communiquer.

● À la fin de la **Révision du chapitre**, la rubrique **Problème du chapitre – la conclusion** présente un problème récapitulatif qui peut être un projet à réaliser.

Technologie

● Le manuel donne des exemples d'utilisation des calculatrices à affichage graphique TI-83 Plus et TI-84 Plus, des logiciels *Cybergéomètre* et *Fathom*® ainsi que d'un tableur.

● La calculatrice TI-Nspire™ CAS est un autre outil qui t'est présenté.

● Les sections facultatives **Technologie** te permettent d'approfondir les concepts étudiés à l'aide d'outils technologiques. L'utilisation de la calculatrice TI-Nspire™ CAS ou du *Cybergéomètre* te donne l'occasion de relever des défis et d'aborder de nouvelles idées mathématiques.

Maths et monde

Cette rubrique, en marge du texte, comporte :

● des liens entre des sujets abordés au cours de la leçon ou précédemment,

● des faits intéressants en lien avec les sujets abordés dans les exemples et les exercices.

Réponses

● Les réponses aux problèmes de la section **Connaissances préalables**, des sections numérotées ainsi que des sections **Révision du chapitre** et **Test préparatoire du chapitre** sont fournies aux pages 517 à 586.

● Les réponses aux problèmes des sections **Explore, Communication et compréhension, Question d'évaluation** et **Problème du chapitre – la conclusion** sont fournies dans le guide d'enseignement.

Les fonctions

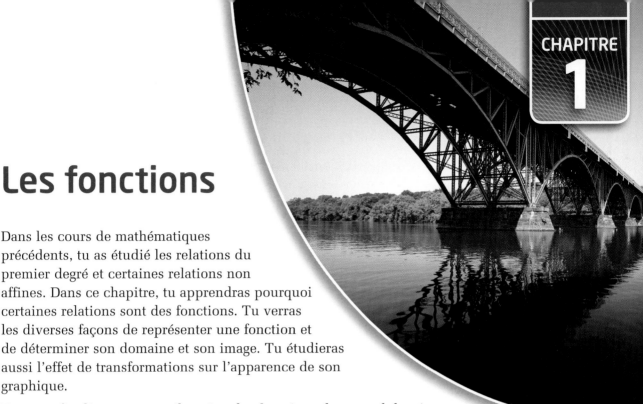

Dans les cours de mathématiques précédents, tu as étudié les relations du premier degré et certaines relations non affines. Dans ce chapitre, tu apprendras pourquoi certaines relations sont des fonctions. Tu verras les diverses façons de représenter une fonction et de déterminer son domaine et son image. Tu étudieras aussi l'effet de transformations sur l'apparence de son graphique.

Tu approfondiras ta compréhension des fonctions du second degré et tu apprendras comment déterminer l'intersection d'une fonction affine et d'une fonction du second degré. Tu utiliseras tes connaissances des fonctions du second degré pour résoudre des problèmes concrets, par exemple la modélisation de l'arche d'un pont.

Après l'étude de ce chapitre, tu pourras :

- simplifier des expressions contenant des radicaux à l'aide de factorisations, d'additions, de soustractions et de multiplications ;

- distinguer une fonction d'une relation à l'aide de différentes représentations de relations et démontrer une compréhension de ce que représente une fonction ;

- utiliser la notation fonctionnelle pour représenter des fonctions affines et des fonctions du second degré définies de différentes façons, c'est-à-dire algébrique, graphique et numérique, et calculer des valeurs particulières de $f(x)$;

- déterminer par exploration, à l'aide d'outils technologiques, le domaine et l'image des fonctions définies par $f(x) = x$, $f(x) = x^2$, $f(x) = \sqrt{x}$, et $f(x) = \frac{1}{x}$, représentées de façon numérique, graphique et algébrique, et identifier les restrictions additionnelles imposées par le contexte ;

- déterminer la valeur maximale ou minimale d'une fonction du second degré exprimée sous la forme $y = ax^2 + bx + c$ au moyen de méthodes algébriques ;

- résoudre, à l'aide de la formule quadratique, des équations du second degré en situation ;

- établir le lien entre les racines réelles d'une équation du second degré et les abscisses à l'origine de la représentation graphique de la fonction correspondante ;

- déterminer le nombre de racines d'une fonction du second degré en utilisant diverses méthodes ;

- déterminer une équation du second degré ayant des racines réelles données ;

- résoudre un système composé d'une équation du premier degré et d'une équation du second degré.

Connaissances préalables

Consulte l'annexe Connaissances préalables, aux pages 478 à 495, pour des exemples et des exercices supplémentaires.

Les droites

1. Représente graphiquement chaque relation du premier degré.

a) $y = 3x - 1$ **b)** $y = -\frac{1}{4}x + 5$

c) $2x - 3y + 12 = 0$ **d)** $y = 6$

2. Détermine l'équation de chaque relation sous la forme $y = mx + b$.

a)

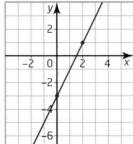

b)

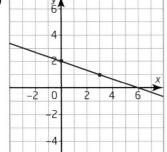

3. Détermine l'équation, sous la forme $y = mx + b$, de la droite passant par les points indiqués.

a) $(0, 8)$ et $(4, 3)$

b) $(-3, 13)$ et $(2, -2)$

c) $(4, -1)$ et $(12, 9)$

4. Représente graphiquement les relations de chaque paire et détermine leur point d'intersection.

a) $y = 2x + 4$ et $y = -x + 1$

b) $y = \frac{1}{2}x - 5$ et $y = -2x + 5$

c) $3x - 5y = -4$ et $-2x + 3y = 2$

5. Détermine le point d'intersection des droites de chaque paire au moyen d'une méthode algébrique.

a) $y = 3x + 5$

$2x - y = -6$

b) $y = x + 4$

$y = 2x - 1$

c) $x - 2y = 7$

$2x - 3y = 13$

Les polynômes

6. Développe et simplifie chaque expression.

a) $(x + 2)^2$ **b)** $(n + 3)(n - 3)$

c) $\frac{1}{2}(t - 4)^2$ **d)** $3(x + 3)(x - 2)$

e) $4(k - 1)(k + 1)$ **f)** $\frac{2}{3}(3x - 1)(2x + 3)$

7. Factorise entièrement chaque expression.

a) $x^2 + 2x - 15$ **b)** $x^2 + 6x + 9$

c) $9n^2 - 25$ **d)** $-x^2 - x + 12$

e) $3t^2 + 6t + 3$ **f)** $-5x^2 + 40x - 80$

8. Ces expressions de degré 2 sont-elles des trinômes carrés parfaits? Décompose celles qui le sont en facteurs.

a) $x^2 - 6x + 12$ **b)** $x^2 - 12x + 36$

c) $2x^2 + 4x + 1$ **d)** $x^2 + 18x + 9$

e) $x^2 + 4x + 4$ **f)** $4n^2 + 12n + 9$

9. Pour quelle valeur de k ces polynômes de degré 2 sont-ils des trinômes carrés parfaits?

a) $x^2 + 8x + k$ **b)** $x^2 - 10x + k$

c) $x^2 - 2x + k$ **d)** $x^2 + 14x + k$

e) $x^2 + 5x + k$ **f)** $x^2 - 11x + k$

g) $x^2 + x + k$ **h)** $x^2 - 3x + k$

10. Mets en évidence le coefficient rationnel de x^2 dans chaque binôme.

a) $\frac{1}{2}x^2 - \frac{3}{2}x$ **b)** $\frac{2}{3}x^2 + 5x$

c) $-\frac{1}{5}x^2 - 2x$ **d)** $-\frac{3}{4}x^2 + 9x$

Les fonctions du second degré

11. Pour chaque fonction du second degré, détermine :

    I) les coordonnées du sommet,

    II) l'équation de l'axe de symétrie,

    III) l'orientation de la parabole

    IV) l'ordonnée à l'origine.

Représente graphiquement chaque fonction.

a) $y = 2(x + 1)^2 - 3$

b) $y = -\dfrac{5}{3}(x - 3)^2 + 1$

12. Détermine l'équation de chaque fonction représentée. Chaque graphique a la même forme que celui de $y = x^2$.

a)

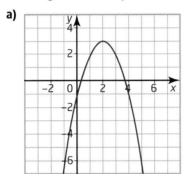

b)

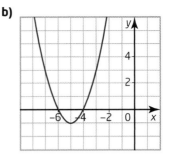

13. Complète le carré afin d'écrire l'équation de chaque fonction du second degré sous la forme $y = a(x - h)^2 + k$. Ensuite, détermine les coordonnées du sommet.

a) $y = x^2 + 4x + 1$

b) $y = x^2 - 10x - 5$

14. Sans tracer de graphique, décris les différences entre les graphiques définis par les équations indiquées. Explique ton raisonnement.

a) $y = (x + 5)^2$ et $y = (x + 5)^2 + 2$

b) $y = x^2 - 4x + 3$ et $y = x^2 - 4x$

15. Technologie Vérifie tes réponses à la question 14 en les représentant graphiquement à l'aide d'une calculatrice à affichage graphique.

Problème du chapitre

Andréa travaille dans une firme d'actuaires pendant son programme d'alternance travail-études. L'actuariat est une science qui permet, par des méthodes mathématiques et statistiques, de calculer le risque pour des institutions financières et des sociétés d'assurances. Andréa doit entre autres recueillir des données numériques et élaborer des équations pour ces entreprises. Tout au long du chapitre, tu verras certaines des tâches qu'Andréa effectue.

Les fonctions, leur domaine et leur image

Quand les mathématiciennes, les mathématiciens et les scientifiques reconnaissent une relation entre deux éléments du monde qui les entoure, ils essaient de la représenter au moyen d'une équation. L'élaboration d'équations se fait aussi dans d'autres domaines. Par exemple, les économistes prédisent une croissance dans certains secteurs à partir d'équations. Les spécialistes des sondages essaient de prédire le résultat d'une élection en se basant sur des équations. La valeur d'une première quantité mesurée correspond-elle à une valeur unique de la seconde quantité ? C'est la réponse à cette question qui détermine la différence entre une **relation** et une **fonction**.

relation

- un lien entre deux variables qui peut être représenté par des couples, par une table de valeurs, par un graphique ou par une équation

fonction

- une relation dans laquelle chaque valeur de la variable indépendante (abscisse) est associée à une et une seule valeur de la variable dépendante (ordonnée)

Explore A

Comment peut-on établir qu'une relation est une fonction ?

Les tableaux qui suivent présentent des données recueillies au sujet du travail d'été d'élèves d'une classe de 11ᵉ année. L'analyse de ces données permet de voir des liens entre les données.

Tableau A : Le nombre d'heures de travail de Neil et son revenu hebdomadaire

Nombre d'heures (h)	Revenu hebdomadaire ($)
20	190
18	171
26	247
22	209
30	285
24	228
10	95
14	126

Tableau B : Le nombre de semaines de travail de 10 élèves et leur revenu total

Nombre de semaines	Revenu total ($)
10	1 850
8	675
6	520
9	480
8	1 100
10	1 400
8	975
6	1 200
8	1 580
9	1 740

1. Représente graphiquement les deux ensembles de données.

2. Décris toute tendance observée dans chaque graphique.

3. À partir de la représentation graphique des données du tableau A, peux-tu prédire le revenu de Neil s'il travaille durant 28 h au cours d'une semaine?

4. À partir de la représentation graphique des données du tableau B, peux-tu prédire le revenu total d'un élève qui travaille durant huit semaines?

5. **Réflexion** Quel ensemble de données représente une fonction? Explique ta réponse en utilisant les termes *variable indépendante* et *variable dépendante*.

Matériel

• papier quadrillé
ou
• calculatrice à affichage graphique

Explore B

Quels liens peut-on faire entre une équation, un graphique et une fonction?

Matériel

• papier quadrillé

Méthode 1 : Utiliser du papier et un crayon

La première activité d'exploration a montré qu'une valeur de la variable indépendante pouvait être associée à plus d'une valeur de la variable dépendante. Toute relation qui a cette caractéristique n'est pas une fonction. Dans cette deuxième exploration, tu verras comment faire un lien entre cette caractéristique et l'équation d'une relation.

1. Remplis ces tables de valeurs pour les relations $y = x^2$ et $x = y^2$.

x	$y = x^2$	Coordonnées
−3	9	(−3, 9)
−2		
−1		
0		
1		
2		
3		

$x = y^2$	y	Coordonnées
9	−3	(9, −3)
	−2	
	−1	
	0	
	1	
	2	
	3	

2. Représente graphiquement chaque relation dans le même plan cartésien.

3. Dans ce plan cartésien, trace les droites verticales définies par les équations $x = −3$, $x = −2$, $x = −1$, $x = 1$, $x = 2$ et $x = 3$.

4. **Réflexion** Compare la façon dont les droites verticales tracées à l'étape 3 coupent le graphique de chaque relation. Quelle relation est une fonction? Explique ton raisonnement.

Conseil techno

Si tu as besoin d'aide pour représenter graphiquement des équations, consulte l'annexe Technologie, aux pages 496 à 516.

Méthode 2 : Utiliser une calculatrice à affichage graphique

1. Appuie sur $\boxed{Y=}$ et représente x^2.
Utilise les paramètres d'affichage par défaut.

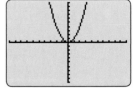

2. • Appuie sur $\boxed{2nd}$ [DRAW].

• Sélectionne **4:Vertical** dans le menu.

• Déplace la droite verticale à l'aide des touches fléchées gauche et droite.

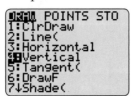 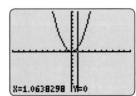

Si tu appuies sur $\boxed{ENTER}$, la droite devient fixe. Tu peux la supprimer en appuyant sur $\boxed{2nd}$ [DRAW] et en sélectionnant **1:ClrDraw**.

3. Est-ce que $y = x^2$ est une fonction ? Explique ton raisonnement.

4. Représente graphiquement $x = y^2$ en isolant d'abord y dans l'équation, ce qui donne $y = \pm\sqrt{x}$.

• Saisis $\mathbf{Y1} = (x)^{\wedge}0.5$ et $\mathbf{Y2} = -(x)^{\wedge}0.5$.

5. Refais l'étape 2. Est-ce que $x = y^2$ est une fonction ? Pourquoi ?

Exemple 1

Effectuer le test de la droite verticale

À partir du **test de la droite verticale**, détermine si les relations suivantes sont des fonctions. Explique ta réponse.

test de la droite verticale

- un procédé qui sert à déterminer si une relation est une fonction
- si chaque droite verticale coupe le graphique d'une relation en un et un seul point, alors cette relation est une fonction

a)

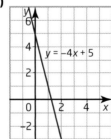

b)

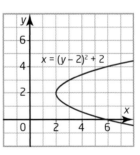

c)

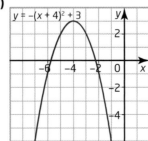

d)

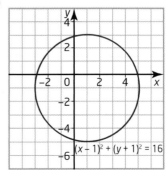

> **Solution**

a) Cette relation est une fonction.
Il est impossible de tracer une
droite verticale qui passe par
plus d'un point de la droite.

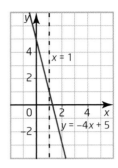

b) Cette relation n'est pas une fonction.
On peut tracer un nombre infini de
droites verticales qui passent par plus
d'un point de la courbe. Par exemple,
la droite d'équation $x = 6$ passe par
$(6, 4)$ et $(6, 0)$.

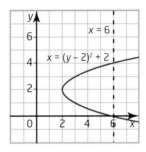

c) Cette relation est une fonction. Il est
impossible de tracer une droite verticale
qui passe par plus d'un point de la courbe.

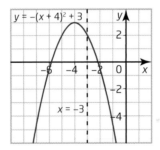

d) Cette relation n'est pas une fonction.
On peut tracer un nombre infini de
droites verticales qui passent par plus
d'un point du cercle.

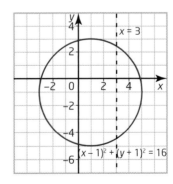

domaine

• l'ensemble de toutes les abscisses des couples d'une relation

image

• l'ensemble de toutes les ordonnées des couples d'une relation

Dans toute relation, l'ensemble des valeurs de la variable indépendante (souvent des valeurs de x) est le **domaine** de la relation. L'ensemble des valeurs correspondantes de la variable dépendante (souvent des valeurs de y) est l'**image** de la relation. Dans une fonction, chaque valeur du domaine est associée à une et une seule valeur de l'image.

Exemple 2

Déterminer le domaine et l'image à partir d'un ensemble de données

Détermine le domaine et l'image de chaque relation. À partir du domaine et de l'image, détermine si la relation est une fonction.

a) $\{(-3, 4), (5, -6), (-2, 7), (5, 3), (6, -8)\}$

b) Le tableau présente le nombre d'enfants de chaque âge dans un camp de jour.

Âge	Nombre d'enfants
4	8
5	12
6	5
7	22
8	14
9	9
10	11

Maths et monde

On utilise des accolades { } pour noter un ensemble de points ou de valeurs qui sont reliés.

Solution

a) Domaine : $\{-3, -2, 5, 6\}$, image : $\{-8, -6, 3, 4, 7\}$

La relation n'est pas une fonction. Pour la valeur $x = 5$, il y a deux valeurs correspondantes de y, soit $y = -6$ et $y = 3$. Le domaine contient quatre éléments, mais l'image en contient cinq. Par conséquent, une valeur du domaine est associée à deux valeurs de l'image.

b) Domaine : $\{4, 5, 6, 7, 8, 9, 10\}$, image : $\{5, 8, 9, 11, 12, 14, 22\}$

La relation est une fonction, car chaque valeur du domaine est associée à une et une seule valeur de l'image.

nombre réel

• tout élément de l'ensemble formé des nombres entiers et des nombres qui, en notation décimale, comporte une partie décimale limitée ou une partie décimale illimitée, périodique ou non ; cet ensemble est représenté par le symbole $\mathbb{R}$

Quand on connaît l'équation d'une relation, on peut déterminer le domaine et l'image en analysant les valeurs possibles des variables dans l'ensemble des **nombres réels**.

Exemple 3

Déterminer le domaine et l'image à partir de l'équation

Détermine le domaine et l'image de chaque relation. Représente graphiquement chaque relation.

a) $y = 2x - 5$
b) $y = (x - 1)^2 + 3$
c) $y = \dfrac{1}{x + 3}$

d) $y = \sqrt{x - 1} + 3$
e) $x^2 + y^2 = 36$

Solution

a) $y = 2x - 5$ est une relation du premier degré. Aucune restriction ne s'applique aux valeurs qui peuvent être choisies pour x ou y.

domaine : $\{x \in \mathbb{R}\}$
image : $\{y \in \mathbb{R}\}$

On dit : « le domaine est l'ensemble des nombres réels ».

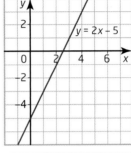

Maths et monde

La notation $\{x \in \mathbb{R}\}$ est la notation ensembliste. C'est une façon concise d'indiquer que x est un nombre réel. Le symbole $\in$ veut dire « est élément de » ou « appartient à ».

b) $y = (x - 1)^2 + 3$ est une relation du second degré. Aucune restriction ne s'applique aux valeurs qui peuvent être choisies pour x, alors le domaine est l'ensemble des nombres réels.

domaine : $\{x \in \mathbb{R}\}$

La parabole a un minimum en son sommet $(1, 3)$.

Toutes les valeurs de y sont des nombres réels supérieurs ou égaux à 3.

image : $\{y \in \mathbb{R} \mid y \geq 3\}$

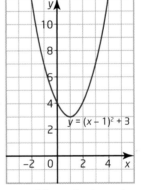

c) La division par zéro n'est pas définie. L'expression au dénominateur de $\dfrac{1}{x + 3}$ ne peut pas être égale à zéro. Par conséquent, $x + 3 \neq 0$, ce qui signifie que $x \neq -3$. Toutes les autres valeurs peuvent être attribuées à x. La droite verticale d'équation $x = -3$ est ici une **asymptote**.

domaine : $\{x \in \mathbb{R} \mid x \neq -3\}$

On dit : « le domaine est l'ensemble des nombres réels tels que x n'égale pas -3 ».

Pour l'image, aucun cas où la division donne 0 n'est possible, puisque 1 divisé par une valeur non nulle ne donne jamais un quotient égal à 0. La fonction a donc une autre asymptote qui est l'axe des x. Tout nombre réel autre que -3 peut être utilisé comme valeur de x et on obtient tous les nombres réels sauf 0 pour l'image. Vérifie-le en traçant le graphique à partir d'une table de valeurs ou à l'aide d'une calculatrice à affichage graphique.

image : $\{y \in \mathbb{R} \mid y \neq 0\}$

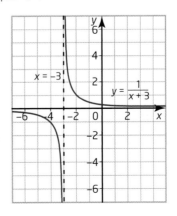

asymptote

• une droite de laquelle une courbe s'approche de plus en plus, sans jamais la toucher

• par exemple, dans le graphique de $y = \dfrac{1}{x}$, l'axe des x et l'axe des y sont des asymptotes

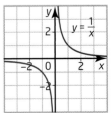

d) L'expression sous le radical doit être supérieure ou égale à 0.

Donc, dans $\sqrt{x-1} + 3$, $x - 1 \geq 0$, ou $x \geq 1$.

domaine : $\{x \in \mathbb{R} \mid x \geq 1\}$

La valeur du radical, qui est toujours supérieure ou égale à 0, est ajoutée à 3 pour donner la valeur de y. La valeur de y est donc toujours égale ou supérieure à 3, ce qui donne l'image suivante.

image : $\{y \in \mathbb{R} \mid y \geq 3\}$

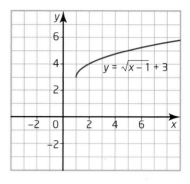

e) Dans $x^2 + y^2 = 36$, x^2 doit être inférieur ou égal à 36, de même que y^2, car x^2 et y^2 sont toujours positifs. Donc, les valeurs de x et de y se situent entre -6 et 6.

domaine : $\{x \in \mathbb{R} \mid -6 \leq x \leq 6\}$

On dit : « le domaine est l'ensemble des nombres réels tels que x est supérieur ou égal à -6 et inférieur ou égal à 6 ».

image : $\{y \in \mathbb{R} \mid -6 \leq y \leq 6\}$

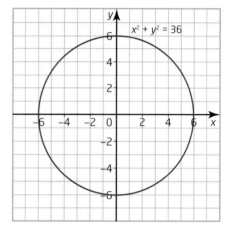

Exemple 4

Déterminer le domaine et l'image d'une fonction qui représente une aire

Anne se porte volontaire pour aider à construire un enclos rectangulaire derrière l'édifice de la société pour la protection des animaux. L'enclos sera délimité d'un côté par le mur de l'édifice. La société dispose de 100 m de clôture.

a) Exprime l'aire de l'enclos en fonction de sa largeur.

b) Détermine le domaine et l'image de la fonction qui représente l'aire.

Solution

Soit x, la largeur de l'enclos rectangulaire, et $100 - 2x$, sa longueur, en mètres. Soit A, l'aire de l'enclos en mètres carrés.

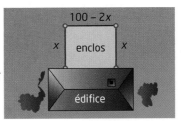

a) $A(x) = x(100 - 2x)$ Aire = longueur × largeur

$= -2x^2 + 100x$

b) Pour le domaine, $x > 0$, puisque l'enclos doit avoir une largeur non nulle. Pour que la longueur soit supérieure à 0, il faut que $x < 50$.

domaine : $\{x \in \mathbb{R} \mid 0 < x < 50\}$

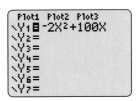

L'aire est représentée par une fonction du second degré dont le graphique est ouvert vers le bas. Trace le graphique de la fonction pour déterminer son maximum. Le sommet se situe en $(25, 1\,250)$.

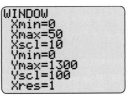

La valeur maximale de la fonction est de 1 250.

image : $\{A \in \mathbb{R} \mid 0 < A < 1\,250\}$

L'aire doit être supérieure à 0.

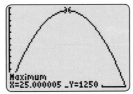

Maths et monde

Tu peux déterminer algébriquement les coordonnées du sommet en exprimant la fonction sous la forme canonique, $y = a(x - h)^2 + k$.

Concepts clés

- Une relation est une fonction si chaque valeur du domaine est associée à une et une seule valeur de l'image. Cette table de valeurs représente une fonction.

x	-2	-1	0	1	2
y	5	3	1	-1	-3

- Pour déterminer si une relation est une fonction, on utilise le test de la droite verticale. Si aucune droite verticale ne passe par plus d'un point du graphique, alors la relation est une fonction.

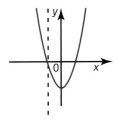

- On détermine le domaine et l'image d'une fonction en vérifiant s'il y a des restrictions d'après son équation. Des restrictions peuvent être imposées au domaine parce que la division par 0 n'est pas définie ou parce que la valeur d'un radical doit être supérieure ou égale à 0. De même, des restrictions peuvent être imposées à l'image. Par exemple, une parabole ouverte vers le haut a un minimum.

- On utilise la notation ensembliste pour indiquer le domaine et l'image d'une fonction. Par exemple, dans le cas de la fonction $y = x^2 + 2$:

  le domaine est $\{x \in \mathbb{R}\}$ et l'image est $\{y \in \mathbb{R} \mid y \geq 2\}$.

Communication et compréhension

C1 Suzanne n'est pas certaine de comprendre pourquoi les graphiques de $y = x^2$ et de $x = y^2$ sont différents, et pourquoi l'un d'eux représente une fonction et pas l'autre. Comment peux-tu aider Suzanne?

C2 Peux-tu déterminer si une relation est une fonction uniquement à partir de son domaine et de son image en notation ensembliste? Explique ton raisonnement.

C3 Sagar a manqué le cours sur les restrictions et il te demande de l'aider. Explique-lui les étapes à suivre pour déterminer le domaine et l'image de la fonction $y = \dfrac{-4}{2x + 1}$.

Ⓐ À ton tour

Si tu as besoin d'aide pour répondre aux questions 1 et 2, reporte-toi à l'exemple 1.

1. Quels graphiques représentent une fonction? Explique tes réponses.

a)

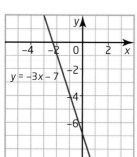

$y = -3x - 7$

b)

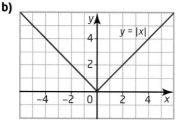

$y = |x|$

c)

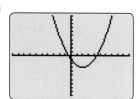

d)

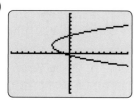

2. Chaque relation est-elle une fonction? Explique tes réponses et représente graphiquement chaque relation.

a) $y = x - 5$

b) $x = y^2 - 3$

c) $y = 2(x - 1)^2 - 2$

d) $x^2 + y^2 = 4$

Si tu as besoin d'aide pour répondre aux questions 3 et 4, reporte-toi à l'exemple 2.

3. Détermine le domaine et l'image de chaque relation. Chaque relation est-elle une fonction? Explique tes réponses.

a) $\{(5, 5), (6, 6), (7, 7), (8, 8), (9, 9)\}$

b) $\{(3, -1), (4, -1), (5, -1), (6, -1)\}$

c) $\{(1, 6), (1, -14), (1, 11), (1, -8), (1, 0)\}$

d) $\{(1, 5), (4, 11), (3, 9), (5, 1), (11, 4)\}$

e) $\{(3, 2), (2, 1), (1, 0), (2, -1), (3, -2)\}$

4. Voici le domaine et l'image de quatre relations qui comptent chacune cinq couples. Chaque relation est-elle une fonction? Explique ta réponse.

a) domaine: $\{1, 2, 3, 4, 5\}$, image: $\{4\}$

b) domaine: $\{-3, -1, 1, 3, 5\}$, image: $\{2, 4, 6, 8, 10\}$

c) domaine: $\{2, 3, 6\}$, image: $\{-4, 6, 7, 11, 15\}$

d) domaine: $\{-2\}$, image: $\{9, 10, 11, 12, 13\}$

B Liens et mise en application

Si tu as besoin d'aide pour répondre aux questions 5 et 6, reporte-toi à l'exemple 3.

5. Détermine le domaine et l'image de chaque relation.

a)

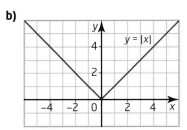

b)

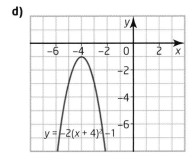

c)

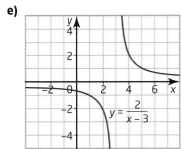

d)

e)

6. Détermine le domaine et l'image de chaque relation. Au besoin, représente chacune graphiquement.

a) $y = -x + 3$

b) $y = (x + 1)^2 - 4$

c) $y = -3x^2 + 1$

d) $x^2 + y^2 = 9$

e) $y = \dfrac{1}{x + 3}$

f) $y = \sqrt{2x + 1}$

7. À partir du domaine et de l'image indiqués, représente graphiquement une relation qui est une fonction et une relation qui n'est pas une fonction, dans le même plan cartésien.

a) domaine : $\{x \in \mathbb{R}\}$, image : $\{y \in \mathbb{R}\}$

b) domaine : $\{x \in \mathbb{R} \mid x \geq 4\}$, image : $\{y \in \mathbb{R}\}$

c) domaine : $\{x \in \mathbb{R}\}$, image : $\{y \in \mathbb{R} \mid y \leq -1\}$

d) domaine : $\{x \in \mathbb{R} \mid x \leq 2\}$, image : $\{x \in \mathbb{R} \mid y \geq -2\}$

Si tu as besoin d'aide pour répondre aux questions 8 et 9, reporte-toi à l'exemple 4.

8. Nagui a 90 m de clôture pour délimiter un parc dans un zoo pour enfants. Ce parc doit être divisé en trois enclos destinés chacun à un type différent d'animaux. Les trois enclos doivent avoir la même aire.

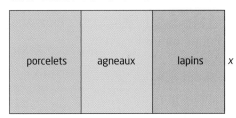

a) Exprime l'aire des trois enclos en fonction de x.

b) Détermine le domaine et l'image de la fonction qui représente l'aire.

9. Chaque relation décrite est-elle une fonction ? Explique pourquoi. Pour toute fonction, indique la variable indépendante et la variable dépendante.

a) La somme amassée lors d'une soirée-bénéfice est reliée au nombre de billets vendus pour le tirage de prix.

b) L'âge des élèves est relié à leur niveau scolaire.

c) Le temps nécessaire à Jung Yoo pour se rendre à pied à l'école est lié à sa vitesse de marche.

10. Dans un stationnement, on doit clôturer une zone rectangulaire pour y effectuer des réparations. On

dispose de 14 sections de clôture de 3 m chacune et on souhaite délimiter la plus grande aire possible.

a) Comment doit-on placer les sections de clôture afin d'entourer la plus grande aire possible?

b) Explique pourquoi cette configuration crée la plus grande aire dans le contexte, mais non la plus grande aire qu'il est possible de délimiter à l'aide de 42 m de clôture.

11. Détermine l'image de chaque relation pour le domaine {1, 2, 3, 4, 5}.

a) $y = 6x - 6$ **b)** $y = x^2 - 4$

c) $y = 3$ **d)** $y = 2(x - 1)^2 - 1$

e) $y = \dfrac{1}{x + 2}$ **f)** $x^2 + y^2 = 25$

12. Technologie Utilise une calculatrice à affichage graphique ou un logiciel équivalent.

a) Reproduis la table de valeurs et remplis-la. Crée le nuage de points correspondant aux données.

$x = y^2 - 3$	y
6	−3
	−2
	−1
	0
	1
	2
	3

b) Saisis les équations

$y = \sqrt{x + 3}$ et

$y = -\sqrt{x + 3}$ et affiche leur graphique.

c) Explique le lien entre la représentation graphique des données et celle des équations.

d) Explique comment cela montre que l'équation $x = y^2 - 3$ définit une relation qui n'est pas une fonction.

Conseil techno

Si tu as besoin d'aide pour représenter graphiquement des données ou des équations, consulte l'annexe Technologie, aux pages 496 à 516.

13. On dit qu'il est impossible de se trouver à deux endroits à la fois. Explique le sens de cet énoncé lorsqu'on l'applique aux relations et aux fonctions.

14. Décris le graphique d'une relation :

a) dont le domaine et l'image comptent chacun un élément ;

b) dont le domaine compte un élément et dont l'image en compte plusieurs ;

c) dont le domaine compte plusieurs éléments et dont l'image en compte un.

15. Représente graphiquement une relation :

a) qui est une fonction dont le domaine est l'ensemble des nombres réels et dont l'image est l'ensemble des nombres réels inférieurs ou égaux à 5 ;

b) qui n'est pas une fonction et dont le domaine et l'image sont les valeurs comprises entre −3 et 3.

16. Le salaire d'un vendeur de voitures d'occasion est calculé à partir de deux relations selon ses ventes de la semaine. Dans

les deux relations, m représente le montant des ventes et S, le salaire du vendeur, en dollars.

Si le montant des ventes est inférieur à 100 000 $,
$S = 0,002m + 400$.
Si le montant des ventes est de 100 000 $ ou plus,
$S = 0,002\,5m + 400$.

a) Détermine le domaine et l'image de chaque relation.

b) Est-ce que chaque relation est une fonction? Explique ta réponse.

c) Représente graphiquement ces deux relations dans le même plan cartésien.

d) Que veut dire le point du graphique où $m = 100\,000$ pour le vendeur ?

C Approfondissement

17. Deux fonctions différentes peuvent-elles avoir le même domaine et la même image ? Explique ta réponse en donnant des exemples.

18. Indique le domaine et l'image de ces relations. Chacune est-elle une fonction ?

a)

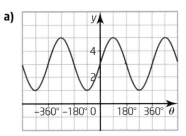

b)

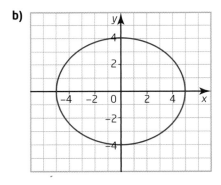

19. **Concours de maths** Quel est le domaine de la fonction $y = \dfrac{\sqrt{x-3}}{\sqrt{5-x}}$?

20. **Concours de maths** Francis a acheté des fournitures scolaires. Au premier magasin, il a dépensé la moitié de son argent, plus 10 $. Au deuxième magasin, il a dépensé la moitié de l'argent qui lui restait, plus 10 $. Au troisième magasin, il a dépensé 80 % de l'argent qui lui restait. Il est revenu à la maison avec 5 $. Combien d'argent avait-il au départ ?

21. **Concours de maths** Détermine le nombre de facteurs de 2 520.

22. **Concours de maths** Pour quelles valeurs de x a-t-on $\sqrt{x+2} > x$?

Les maths au travail

Après quatre années d'études, Akadjé a obtenu un diplôme en génie minier de l'Université Laurentienne. Il travaille dans le nord du Canada pour une entreprise internationale d'extraction de diamants. Dans son travail, Akadjé fait appel à ses connaissances en mathématiques, en physique, en géologie et en science de l'environnement pour évaluer la faisabilité de l'exploitation d'un nouveau site. La décision d'exploiter le site dépendra de la valeur du gisement, de son accessibilité et d'autres facteurs liés à la sécurité. Comme l'exploitation d'un gisement coûte des millions de dollars, l'analyse est une étape cruciale. Akadjé examine des échantillons et le site lui-même avant d'estimer la valeur du gisement. On extraira les diamants seulement si les bénéfices dépassent les coûts.

La notation fonctionnelle

Les premières tentatives de notation remontent à l'époque où les êtres humains ont essayé de présenter le concept de nombres. Au musée Deutsches Museum de Munich, en Allemagne, on en trouve un exemple sur une mâchoire datée d'environ 30 000 ans avant notre ère. Elle comporte 55 traits gravés à égale distance et regroupés 5 par 5. Il s'agit d'une des plus anciennes preuves de l'intérêt des êtres humains pour l'élaboration d'une notation commune afin de représenter un système de nombres.

Dans cette section, tu approfondiras ta compréhension du concept de fonctions et tu observeras les divers types de notations qu'on utilise pour représenter une fonction.

Matériel

Facultatif
- papier quadrillé

ou
- calculatrice à affichage graphique

Maths et monde

Le terme anglais *digit* désigne les chiffres (0 à 9). Il a la même origine latine (*digitus*) que le mot «doigt», sans doute parce que les gens comptaient sur leurs doigts. Lorsque la quantité à compter était trop grande, ils utilisaient des cailloux (du latin *calculus*, dont est dérivé le mot «calcul»).

Explore

Comment peut-on utiliser une machine à fonctions?

Une machine à fonctions génère des couples en effectuant des opérations mathématiques sur une valeur d'entrée. Chaque valeur du domaine qui entre dans une machine à fonctions particulière donne une seule valeur de l'image. La valeur obtenue dépend de la règle qui définit la fonction. Si on connaît certaines valeurs de x et les valeurs correspondantes de y, il est souvent possible de déterminer la fonction utilisée par la machine.

Suppose qu'une machine à fonctions affines procède en deux étapes. La première étape fait appel à une multiplication ou à une division et la deuxième, à une addition ou à une soustraction. Lorsque la valeur d'entrée est $x = 5$, la valeur de sortie est $y = -9$. De la même manière, lorsque la valeur d'entrée est $x = 1$, la valeur de sortie est $y = 3$.

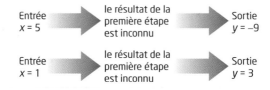

1. D'après l'information ci-dessus, quelles sont les coordonnées de deux points du graphique de la fonction affine?

2. À partir de ces deux points, détermine l'équation de la fonction affine sous la forme $y = mx + b$.

3. À partir de l'équation, détermine la valeur de :

a) y si $x \in \{-3, -2, -1\}$.

b) x si $y \in \{-6, -15, -18\}$.

4. **Réflexion** À partir de l'équation de l'étape 3, décris les opérations effectuées par la machine pour générer les données.

5. **Réflexion** Au début de la section Explore, on dit que la première opération est une multiplication ou une division, et que la deuxième est une addition ou une soustraction.

a) Quel genre de valeur de m voudrait dire que la première opération est une multiplication ? une division ?

b) Quel genre de valeur de b voudrait dire que la première opération est une addition ? une soustraction ?

6. Construis ta propre machine à fonctions affines. Échange deux couples générés par ta machine contre ceux d'une ou d'un camarade, puis essaie de définir la fonction de sa machine.

En notation fonctionnelle, on utilise la forme $f(x) = \ldots$ lorsqu'il est question d'une fonction f dont la variable indépendante est x. La notation $f(3)$ correspond à la valeur obtenue lorsqu'on attribue à x la valeur 3. Elle se lit « f de 3 ».

Maths et monde

En notation fonctionnelle, on peut utiliser d'autres lettres que f. Souvent, les scientifiques, les mathématiciennes et les mathématiciens choisissent une lettre qui évoque la quantité mesurée. Par exemple, on représente la hauteur en fonction du temps par $h(t)$.

Exemple 1

Calculer des valeurs à l'aide de la notation fonctionnelle

Pour chaque fonction, détermine $f(-2)$, $f(5)$ et $f\left(\dfrac{1}{2}\right)$.

a) $f(x) = 2x - 4$

b) $f(x) = 3x^2 - x + 7$

c) $f(x) = 11$

d) $f(x) = \dfrac{2x}{x^2 - 3}$

Solution

a) $f(x) = 2x - 4$

$f(-2) = 2(-2) - 4$ Remplace x par –2.

$ = -8$

$f(5) = 2(5) - 4$

$ = 6$

$f\left(\dfrac{1}{2}\right) = 2\left(\dfrac{1}{2}\right) - 4$

$\phantom{f\left(\dfrac{1}{2}\right)} = 1 - 4$

$\phantom{f\left(\dfrac{1}{2}\right)} = -3$

b) $f(x) = 3x^2 - x + 7$

$$f(-2) = 3(-2)^2 - (-2) + 7$$
$$= 12 + 2 + 7$$
$$= 21$$

$$f(5) = 3(5)^2 - 5 + 7$$
$$= 75 - 5 + 7$$
$$= 77$$

$$f\left(\frac{1}{2}\right) = 3\left(\frac{1}{2}\right)^2 - \frac{1}{2} + 7$$
$$= \frac{3}{4} - \frac{1}{2} + 7$$
$$= 7\frac{1}{4}$$

c) $f(x) = 11$ est une fonction constante.

$$f(-2) = 11 \qquad f(5) = 11 \qquad f\left(\frac{1}{2}\right) = 11$$

d) $f(x) = \dfrac{2x}{x^2 - 3}$

$$f(-2) = \frac{2(-2)}{(-2)^2 - 3} \qquad\qquad f(5) = \frac{2(5)}{5^2 - 3} \qquad\qquad f\left(\frac{1}{2}\right) = \frac{2\left(\frac{1}{2}\right)}{\left(\frac{1}{2}\right)^2 - 3}$$

$$= \frac{-4}{4 - 3} \qquad\qquad\qquad\quad = \frac{10}{22} \qquad\qquad\qquad = \frac{1}{\frac{1}{4} - 3}$$

$$= -4 \qquad\qquad\qquad\qquad = \frac{5}{11} \qquad\qquad\qquad = \frac{1}{-\frac{11}{4}}$$

$$\qquad\qquad\qquad\qquad\qquad\qquad\qquad\qquad\qquad\qquad\qquad\qquad = -\frac{4}{11}$$

diagramme sagittal

- une représentation graphique qui relie les éléments d'un premier ensemble (le domaine) à ceux d'un deuxième ensemble (l'image) par des flèches orientées du domaine vers l'image

Un **diagramme sagittal** est un mode de représentation d'un ensemble de couples. Dans un diagramme sagittal, on relie par des flèches les éléments du domaine, inscrits dans un ovale, à ceux de l'image, inscrits dans un autre ovale. La relation est une fonction s'il n'y a qu'une flèche tracée à partir de chaque élément du domaine, c'est-à-dire si chaque élément du domaine est associé à un et un seul élément de l'image.

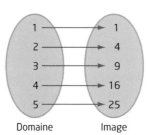

Exemple 2

Interpréter un diagramme sagittal

À partir des diagrammes sagittaux suivants :

I) écris l'ensemble des couples de la relation,

II) indique si la relation est une fonction.

a)

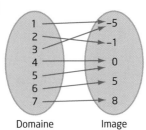

Domaine   Image

b)

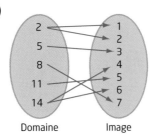

Domaine   Image

Solution

a) **I)** $\{(1, -5), (2, -1), (3, -5), (4, 0), (5, 0), (6, 5), (7, 8)\}$

II) Puisque chaque élément du domaine est associé à un et un seul élément de l'image, cette relation est une fonction.

b) **I)** $\{(2, 1), (2, 2), (5, 3), (8, 7), (11, 5), (14, 4), (14, 6)\}$

II) Puisque les valeurs $x = 2$ et $x = 14$ sont toutes deux associées à plus d'une valeur de l'image, cette relation n'est pas une fonction.

Bien qu'un diagramme sagittal soit utile dans le cas d'une relation donnée sous la forme de couples, on ne peut pas l'utiliser quand une fonction est en notation fonctionnelle. Pour cette raison, on a élaboré un autre mode de représentation. Il s'agit de la règle de correspondance, qui est illustrée dans l'exemple qui suit.

Exemple 3

Représenter une fonction à l'aide d'une règle de correspondance

Définis chaque fonction à l'aide d'une règle de correspondance.

a) $f(x) = 3x^2 - 2x + 1$

b) $g(x) = 3x + 4$

c) $h(t) = -4,9t^2 - 4$

d) $P(x) = (500 - 2x)(300 + x)$

Solution

a) $f: X \rightarrow Y: x \rightarrow 3x^2 - 2x + 1$

b) $g: X \rightarrow Y: x \rightarrow 3x + 4$

c) $h: T \rightarrow Y: t \rightarrow -4{,}9t^2 - 4$

d) $P: X \rightarrow Y: x \rightarrow (500 - 2x)(300 + x)$

f est une fonction d'un ensemble X dans un ensemble Y qui associe à chaque élément x de X un élément y de Y egal à $3x^2 - 2x + 1$.

Exemple 4

Résoudre un problème à l'aide de la notation fonctionnelle

Une journée d'été, la température de l'eau à la surface d'un lac profond est de 22 °C. Au cours d'une plongée dans ce lac, Renaldo remarque que la température diminue de 1,5 °C chaque fois qu'il descend de 8 m.

a) Représente la température de l'eau en fonction de la profondeur à l'aide de la notation fonctionnelle.

b) À partir de cette fonction, détermine la température de l'eau à une profondeur de 40 m.

c) Au fond du lac, la température est de 5,5 °C. Quelle est la profondeur du lac ?

Solution

a) Soit p, la profondeur du lac en mètres, et T, la température à cette profondeur en degrés Celsius.

$$T(p) = 22 - 1{,}5\left(\frac{p}{8}\right)$$ La température diminue de 1,5 °C à tous les 8 m de profondeur.

b) Pour une profondeur de 40 m, substitue 40 à p dans l'équation.

$$T(40) = 22 - 1{,}5\left(\frac{40}{8}\right)$$
$$= 22 - 7{,}5$$
$$= 14{,}5$$

La température à une profondeur de 40 m est de 14,5 °C.

c) Substitue 5,5 à $T(p)$ et détermine la valeur de p.

$$5{,}5 = 22 - 1{,}5\left(\frac{p}{8}\right)$$
$$1{,}5\left(\frac{p}{8}\right) = 22 - 5{,}5$$
$$1{,}5p = 8 \times 16{,}5$$
$$p = \frac{8 \times 16{,}5}{1{,}5}$$
$$p = 88$$

La profondeur du lac est de 88 m.

- En notation fonctionnelle, le symbole $f(x)$ représente la variable dépendante. Il indique que la fonction f est définie en lien avec la variable indépendante x.
Par exemple, $y = 3x^2 - 5$ s'écrit $f(x) = 3x^2 - 5$.

- Les relations et les fonctions données sous forme de couples peuvent être représentées par un diagramme sagittal. Il s'agit alors de relier au moyen de flèches chaque élément du domaine, inscrit dans un ovale, à l'élément correspondant ou aux éléments correspondants de l'image, inscrits dans un autre ovale.

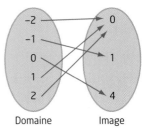

- Sur un diagramme sagittal, la relation n'est pas une fonction si deux ou plusieurs flèches relient un même élément du domaine à différents éléments de l'image.

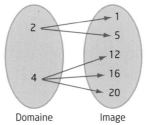

- Une règle de correspondance peut remplacer la notation fonctionnelle. Par exemple, $f(x) = 3x^2 - 5$ peut s'écrire $f : X \to Y : x \to 3x^2 - 5$.

Communication et compréhension

C1 Samuel a manqué l'explication au sujet de la notation fonctionnelle. Explique-lui comment répondre à la question suivante.

Sachant que $f(x) = x^2 + 5$, détermine $f(-2)$.

C2 Michelle a écrit la fonction définie par $y = 3t^2 + 5t - 5$ comme la fonction $f(x) = 3t^2 + 5t - 5$. A-t-elle raison ? Explique pourquoi.

C3 Le graphique d'une fonction du second degré a la même forme que celui de $y = x^2$, mais son ouverture est vers le bas et son sommet se situe en $(0, 3)$. Est-ce la même fonction qui est représentée dans chaque cas ?

A $y = -x^2 + 3$ **B** $f : X \to Y : x \to -x^2 + 3$ **C**   **D** $f(x) = 3 - x^2$

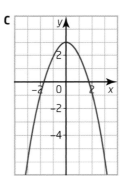

A À ton tour

Si tu as besoin d'aide pour répondre aux questions 1 à 4, reporte-toi à l'exemple 1.

1. Pour chaque fonction, détermine $f(4)$, $f(-5)$ et $f\left(-\dfrac{2}{3}\right)$.

a) $f(x) = \dfrac{2}{5}x + 11$

b) $f(x) = 3x^2 + 2x + 1$

c) $f(x) = 2(x + 4)^2$

d) $f(x) = -6$

e) $f(x) = \dfrac{1}{x}$

f) $f(x) = \sqrt{x + 5}$

2. Détermine la valeur de chaque fonction pour $x = 0$. Trace le graphique de chaque fonction.

a) $f(x) = 5x + 4$

b) $k(x) = 4x$

c) $p(x) = -4$

d) $g(x) = 11x^2 + 3x - 1$

e) $f(x) = (3x - 3)(2x + 2)$

f) $h(x) = -\dfrac{2}{3}(5 - 4x)(x - 7)$

3. Une machine à fonctions affines utilise une fonction de la forme $f(x) = ax$. Détermine la valeur de a aux points indiqués et écris l'équation de la fonction.

a) $(3, -12)$ b) $(5, 15)$

c) $\left(1, \dfrac{2}{3}\right)$ d) $(-3, 3)$

4. Donne un exemple de fonction affine et un exemple de fonction constante, les deux en notation fonctionnelle. Décris les similarités et les différences entre les deux fonctions.

Si tu as besoin d'aide pour répondre aux questions 5 à 8, reporte-toi à l'exemple 2.

5. Représente chaque ensemble de données par un diagramme sagittal.

a) $\{(1, 4), (2, 1), (3, -2), (4, -5), (5, -8), (6, -11), (7, -14), (8, -17)\}$

b) $\{(-3, 4), (-2, -1), (-1, -4), (0, -5), (1, -4), (2, -1)\}$

c) $\{(-5, 6), (-4, 9), (-3, 1), (-5, -6), (1, -2), (3, 8), (8, 8)\}$

d) $\{(9, 9), (7, 9), (5, 9), (3, 9)\}$

6. Détermine si chaque relation de la question 5 est une fonction. Explique ta réponse.

7. Écris les couples représentés par chaque diagramme sagittal.

a)

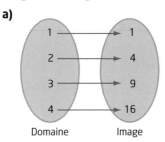

b)

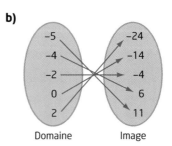

c)

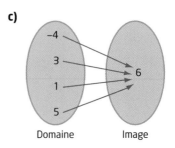

8. Détermine si les relations de la question 7 sont des fonctions. Explique tes réponses.

9. Quels sont les avantages d'un diagramme sagittal par rapport à un ensemble de couples?

Si tu as besoin d'aide pour répondre à la question 10, reporte-toi à l'exemple 3.

10. Représente chaque fonction par une règle de correspondance.

a) $f(x) = -x + 4$

b) $g(x) = x^2 + 5x - 3$

c) $s(x) = \sqrt{4x - 4}$

d) $r(k) = -\dfrac{1}{2k - 1}$

B Liens et mise en application

11. Décris deux moyens de déterminer si une relation est une fonction.

12. Technologie Si les valeurs de sortie d'une machine à fonctions du second degré correspondent à une équation de la forme $f(x) = ax^2 + bx + c$, on peut déterminer cette équation à l'aide d'une calculatrice à affichage graphique quand on connaît au moins trois couples. Une telle machine a donné les couples suivants: $\{(1, 4), (2, 11), (3, 24)\}$.

a) Saisis les valeurs du domaine dans **L1** et les valeurs de l'image dans **L2**.

b) Trace les points obtenus.

c) Utilise la régression du second degré pour déterminer l'équation du second degré qui correspond aux données. Note cette équation.

d) À partir de la fonction, détermine les valeurs de l'image pour les valeurs du domaine $x = -3$, $x = 0$ et $x = 5$.

13. a) Remplis une table de valeurs pour $f(x) = \sqrt{x}$ et représente les données graphiquement.

b) Cette relation est-elle une fonction? Explique ta réponse.

c) Pouvais-tu déterminer si la relation est une fonction à partir de la table?

Si tu as besoin d'aide pour répondre aux questions 14 à 16, reporte-toi à l'exemple 4.

14. Dans les fleuves situés près de la mer, on observe une forte vague appelée «mascaret», attribuable aux marées. La vitesse v du mascaret, en kilomètres à l'heure, dépend de la profondeur p du fleuve, en mètres. Cela donne la fonction $v(p) = 11{,}27\sqrt{p}$.

a) Détermine le domaine et l'image.

b) Crée une table de valeurs et trace le graphique de la fonction.

15. La valeur V d'une voiture, en dollars, au bout de n années est donnée par
$$V(n) = \frac{23\,000}{n + 1} + 1\,000.$$

a) Combien cette voiture valait-elle au moment de l'achat?

b) Détermine la valeur de la voiture:
I) dans 10 ans; **II)** dans 12 ans.

c) Combien d'années faudra-t-il pour que sa valeur diminue jusqu'à 2 000 $?

d) La relation $V(n)$ est-elle une fonction? Explique ta réponse.

16. Le capital C, en dollars, qu'il faut placer à un taux d'intérêt i pour avoir 100 $ au bout d'un an est donné par la relation $C(i) = \dfrac{100}{1 + i}$. La valeur de i doit être sous forme décimale.

a) Détermine le domaine et l'image.

b) Représente graphiquement la relation.

c) Combien d'argent doit-on placer à 5 % d'intérêt pour avoir 100 $ dans un an?

d) Quel doit être le taux d'intérêt si le capital placé est de 90 $?

Raisonnement
Modélisation Sélection d'outils
Résolution de problèmes
Liens Réflexion
Communication

Conseil techno

Si tu as besoin d'aide au sujet de l'affichage de données, de la régression ou du calcul de valeurs, consulte l'annexe Technologie, aux pages 496 à 516.

17. Crée une machine à fonctions affines et deux couples générés par cette machine. Échange ces couples contre ceux d'une ou d'un camarade, puis détermine la fonction qui a généré les couples reçus.

18. Crée une machine à fonctions du second degré de la forme $f(x) = ax^2 + b$. Détermine les coordonnées de l'ordonnée à l'origine et celles d'un autre point généré par la machine. Échange ces couples contre ceux d'une ou d'un camarade, puis détermine la fonction qui a généré les couples reçus.

19. Problème du chapitre À la firme d'actuaires, on demande à Andréa d'utiliser une fonction à deux variables pour déterminer certaines primes d'assurance. Elle doit calculer certaines valeurs de la fonction et les inscrire dans les bonnes cellules d'une feuille de calcul. La fonction est $f(n, c) = 500 + 2n - 10c$ dans le cas d'une conductrice ou d'un conducteur d'âge n (de 40 à 45 ans) qui a une cote c (reliée à son dossier de conduite : 1 désignant un mauvais dossier et 5, un excellent dossier). Par exemple, un conducteur de 42 ans ayant une cote de 4 devrait payer une prime d'assurance de

$$f(42, 4) = 500 + 2(42) - 10(4)$$
$$= 500 + 84 - 40$$
$$= 544$$

Cette valeur est déjà inscrite sur la feuille de calcul suivante.

Cote, c / Âge, n	1	2	3	4	5
40					
41					
42				544	
43					
44					
45					

Reproduis cette feuille de calcul et remplis-la pour aider Andréa.

✔ **Question d'évaluation**

20. Sur Terre, le temps t, en secondes, qu'un objet qui tombe d'une hauteur h, en mètres, met à atteindre le sol est donné par la formule $t(h) = \sqrt{\dfrac{h}{4,9}}$. Sur la Lune, la formule est plutôt $t(h) = \sqrt{\dfrac{h}{1,8}}$.

a) Définis chaque relation à l'aide d'une règle de correspondance.

b) Détermine le domaine et l'image de chaque relation.

c) Chaque relation est-elle une fonction ? Explique ta réponse.

d) Représente graphiquement les deux relations dans le même plan cartésien. Indique les similarités et les différences.

e) Détermine la différence entre le temps qu'il faut à un objet pour tomber d'une hauteur de 25 m sur Terre et sur la Lune. Explique ta réponse.

C **Approfondissement**

21. La relation $v(d) = 12,6\sqrt{d} + 8$ permet de déterminer la longueur d, en mètres, de la trace de freinage d'une voiture qui roule à v kilomètres à l'heure au moment où les roues arrêtent de tourner sous l'action des freins.

a) Détermine le domaine et l'image.

b) Représente graphiquement la relation.

c) La relation est-elle une fonction ? Explique ta réponse.

22. Concours de maths Soit $f(x) = f(x + 1) + 3$ et $f(2) = 5$. Quelle est la valeur de $f(8)$?

A 5   **B** 11   **C** 20   **D** -13

23. Concours de maths Sachant que $f(x) + 2g(x) = 12x^2 + 3x + 8$ et que $2f(x) + 3g(x) = 18x^2 + 6x + 13$, détermine la valeur de $f(2) + g(3)$.

24. Concours de maths Soit $f(x)$ et $f(f(x))$, des fonctions affines. Si $f(f(3)) = 2$ et $f(f(2)) = 1$, quelle est la valeur de $f(0)$?

A 1   **B** 0   **C** $-0,5$ **D** -1

Le maximum ou le minimum d'une fonction du second degré

Certains ponts ont une ou des arches définies par une fonction du second degré. Les ingénieures et ingénieurs se servent de fonctions du second degré pour déterminer la hauteur maximale d'une arche ou la hauteur libre à divers endroits sous celle-ci. Ils peuvent ensuite transmettre ces renseignements aux responsables de la construction.

Une fonction du second degré peut s'écrire sous diverses formes, qui ont chacune des avantages. Quelle que soit la forme de l'équation, a détermine l'orientation de l'ouverture et la forme du graphique.

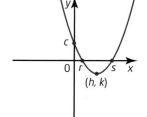

- Sous la forme générale, $f(x) = ax^2 + bx + c$, l'ordonnée à l'origine est donnée par c.

- Sous la forme factorisée, $f(x) = a(x - r)(x - s)$, les abscisses à l'origine sont données par r et s.

- Sous la forme canonique, $y = a(x - h)^2 + k$, les coordonnées du sommet sont données par (h, k). Si a est positif, k est la valeur minimale. Si a est négatif, k est la valeur maximale.

Matériel

- calculatrice à affichage graphique

ou

- papier quadrillé

Explore A

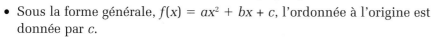

Comment peut-on faire le lien entre diverses formes d'une même fonction du second degré ?

1. Trace le graphique de chaque paire de fonctions.
   a) $f(x) = (x + 2)^2 + 3$ et $f(x) = x^2 + 4x + 7$
   b) $f(x) = (x + 3)^2 - 4$ et $f(x) = x^2 + 6x + 5$
   c) $f(x) = 2(x - 3)^2 + 4$ et $f(x) = 2x^2 - 12x + 22$
   d) $f(x) = 3(x - 1)^2 - 7$ et $f(x) = 3x^2 - 6x - 4$

2. Pourquoi le graphique est-il le même pour chaque paire de fonctions ?

3. Comment peux-tu réécrire la première équation de chaque paire sous la forme de la deuxième équation ?

4. Comment peux-tu réécrire la deuxième équation de chaque paire sous la forme de la première équation ?

5. **Réflexion** Comment un graphique peut-il t'aider à vérifier que deux équations du second degré sous des formes différentes représentent la même fonction ? Si tu utilises une calculatrice à affichage graphique, suffit-il de constater que les graphiques se ressemblent ?

Pour réécrire l'équation d'une fonction du second degré de la forme générale sous la forme canonique, tu peux compléter le carré.

Exemple 1

Déterminer le sommet du graphique d'une fonction du second degré

Détermine le sommet du graphique de chaque fonction en complétant le carré. Le sommet est-il un maximum ou un minimum? Explique tes réponses.

a) $f(x) = x^2 + 5x + 7$

b) $f(x) = -\dfrac{2}{3}x^2 + 8x + 5$

Solution

a) $f(x) = x^2 + 5x + 7$

$= x^2 + 5x + \left(\dfrac{5}{2}\right)^2 - \left(\dfrac{5}{2}\right)^2 + 7$ Additionne le carré de la moitié du coefficient de x, pour que les trois premiers termes

$= \left(x + \dfrac{5}{2}\right)^2 - \dfrac{25}{4} + \dfrac{28}{4}$ forment un trinôme carré parfait. Soustrais la même valeur, $\left(\dfrac{5}{2}\right)^2$, afin de ne pas modifier

$= \left(x + \dfrac{5}{2}\right)^2 + \dfrac{3}{4}$ la valeur de la fonction.

Le sommet se situe en $\left(-\dfrac{5}{2}, \dfrac{3}{4}\right)$. Il s'agit d'un minimum, car a est égal à 1, une valeur positive, ce qui indique que la parabole est ouverte vers le haut.

b) $f(x) = -\dfrac{2}{3}x^2 + 8x + 5$ Mets en évidence le coefficient de x^2.

$= -\dfrac{2}{3}(x^2 - 12x) + 5$ $8 \div \left(-\dfrac{2}{3}\right) = 8 \times \left(-\dfrac{3}{2}\right)$
$= -12$

$= -\dfrac{2}{3}(x^2 - 12x + 36 - 36) + 5$ Additionne et soustrais $6^2 = 36$ pour obtenir un trinôme carré parfait.

$= -\dfrac{2}{3}[(x - 6)^2 - 36] + 5$

$= -\dfrac{2}{3}(x - 6)^2 + 24 + 5$ $-\dfrac{2}{3} \times (-36) = 24$

$= -\dfrac{2}{3}(x - 6)^2 + 29$

Le sommet se situe en $(6, 29)$. Il s'agit d'un maximum, car a a une valeur négative, ce qui indique que la parabole est ouverte vers le bas.

Explore B

Comment peut-on utiliser la factorisation partielle pour déterminer un minimum ou un maximum ?

1. Trace le graphique de la fonction $f(x) = 2x^2 + 4x$.

2. Combien d'abscisses à l'origine cette fonction a-t-elle ?

3. Détermine le sommet de la parabole à partir des abscisses à l'origine.

4. Trace le graphique des fonctions $g(x) = 2x^2 + 4x + 2$ et $h(x) = 2x^2 + 4x + 5$ dans le même plan cartésien que celui de la fonction $f(x)$.

5. Combien d'abscisses à l'origine la fonction $g(x)$ et la fonction $h(x)$ ont-elles ?

6. Décris comment déterminer le sommet des paraboles de $g(x)$ et de $h(x)$, à partir du sommet de la parabole de $f(x)$.

7. **Réflexion** À partir de ta réponse à la question 6, suggère une méthode pour déterminer le maximum ou le minimum d'une parabole d'équation $f(x) = 2x^2 + 4x + k$, pour toute valeur de k.

Matériel

- calculatrice à affichage graphique

ou

- papier quadrillé

Exemple 2

Déterminer le sommet du graphique d'une fonction du second degré par la factorisation partielle

Détermine le sommet du graphique de la fonction $y = 4x^2 - 12x + 3$ par la factorisation partielle. Le sommet est-il un minimum ou un maximum ? Explique ta réponse.

Solution

Utilise la fonction $y = 4x^2 - 12x$ pour déterminer l'abscisse du sommet, car l'abscisse du sommet sera la même pour $y = 4x^2 - 12x + 3$.

$y = 4x(x - 3)$

Pour $y = 0$:

$0 = 4x(x - 3)$ Pense au principe du produit nul.

$4x = 0$ ou $x - 3 = 0$ Si $AB = 0$, alors $A = 0$ ou $B = 0$.

$x = 0$ ou $\quad x = 3$ Ce sont les abscisses à l'origine de la fonction $y = 4x^2 - 12x$.

La moyenne de ces deux abscisses à l'origine donne l'abscisse du sommet des paraboles de $y = 4x^2 - 12x$ et de $y = 4x^2 - 12x + 3$:

$$\frac{0 + 3}{2} = \frac{3}{2}$$

Maths et monde

Le sommet de la parabole d'une fonction du second degré se situe sur son axe de symétrie, qui est à mi-chemin entre les abscisses à l'origine.

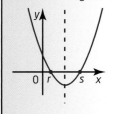

Maths et monde

Par la factorisation partielle, tu peux écrire $f(x) = ax^2 + bx + k$ sous la forme

$f(x) = ax\left(x + \dfrac{b}{a}\right) + k.$

C'est l'équation d'une famille de fonctions du second degré dont l'axe de symétrie est défini par $x = -\dfrac{b}{2a}$.

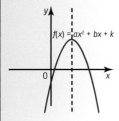

Pour déterminer l'ordonnée du sommet, substitue $\dfrac{3}{2}$ à x dans $y = 4x^2 - 12x + 3$.

$$y = 4\left(\dfrac{3}{2}\right)^2 - 12\left(\dfrac{3}{2}\right) + 3$$

$$= 4\left(\dfrac{9}{4}\right) - 18 + 3$$

$$= 9 - 18 + 3$$

$$= -6$$

Le sommet du graphique de $y = 4x^2 - 12x + 3$ est en $\left(\dfrac{3}{2}, -6\right)$. C'est un minimum, car la valeur de a est positive.

Exemple 3

Résoudre un problème comportant un minimum ou un maximum

Rachel et Ken tricotent des foulards pour les vendre dans une foire artisanale. La laine de chaque foulard coûte 6 $. Ils ont prévu vendre chaque foulard 10 $, le même prix que l'année précédente ; ils en avaient alors vendu 40. Toutefois, ils savent qu'une hausse du prix augmenterait leurs bénéfices, même s'ils vendent un peu moins de foulards. On leur a dit que pour chaque augmentation de prix de 50 ¢, ils doivent s'attendre à vendre 4 foulards de moins. Quel prix de vente maximisera leurs bénéfices et quel sera alors le montant des bénéfices ?

Solution

Soit x, le nombre d'augmentations de 50 ¢ du prix de vente.

Puisque chaque foulard coûte 6 $ et se vend 10 $, le bénéfice est de 4 $ par foulard. Si Rachel et Ken haussent le prix, leur bénéfice par foulard sera de $(4 + 0,5x)$ pour x augmentations de 50 ¢. Ils vendront alors $40 - 4x$ foulards.

Bénéfices = bénéfice par foulard × nombre de foulards vendus

$$B(x) = (4 + 0,5x)(40 - 4x)$$
$$= -2x^2 + 4x + 160$$

Méthode 1 : Compléter le carré pour déterminer le sommet

$$B(x) = -2(x^2 - 2x) + 160$$
$$= -2(x^2 - 2x + 1 - 1) + 160$$
$$= -2(x - 1)^2 + 2 + 160$$
$$= -2(x - 1)^2 + 162$$

La valeur maximale de cette fonction du second degré est de 162, pour $x = 1$. Ken et Rachel obtiendront donc un montant maximal de 162 $, avec une seule augmentation du prix. Le prix de vente sera alors de $10 + 0,5(1)$ ou 10,50 $.

Méthode 2 : Déterminer le sommet par la factorisation partielle

Détermine l'abscisse du sommet de $Q(x) = -2x^2 + 4x$, en sachant que le sommet de $P(x) = -2x^2 + 4x + 160$ a la même abscisse.

$$Q(x) = -2x(x - 2)$$

Remplace $Q(x)$ par 0 pour déterminer les abscisses à l'origine.

$$0 = -2x(x - 2)$$
$$-2x = 0 \text{ ou } x - 2 = 0$$
$$x = 0 \text{ ou } \qquad x = 2$$

L'abscisse du sommet est $x = 1$ (la moyenne de 0 et 2).

$$P(1) = -2(1)^2 + 4(1) + 160$$
$$= 162$$

Le sommet de la parabole est en (1, 162). Ken et Rachel obtiendront donc un montant maximal de 162 $, avec une seule augmentation du prix. Le prix de vente sera alors de 10 + 0,5(1) ou 10,50 $.

Exemple 4

Faire un lien entre des projectiles et une fonction du second degré

Josée lance une balle, qui suit une trajectoire parabolique à cause de la force gravitationnelle. La hauteur h, en mètres, de la balle par rapport au sol au bout de t secondes est modélisée par $h(t) = -4,9t^2 + 40t + 1,5$.

a) Détermine les zéros de la fonction et explique ce qu'ils représentent.

b) Détermine le temps qu'il faut à la balle pour atteindre sa hauteur maximale.

c) Quelle est la hauteur maximale atteinte par la balle ?

> **Maths et monde**
>
> Les zéros d'une fonction sont les valeurs de la variable indépendante pour lesquelles la valeur de la fonction est zéro. Les zéros correspondent aux abscisses à l'origine de la représentation graphique de la fonction.

Solution

a) • Règle les paramètres d'affichage comme indiqué.

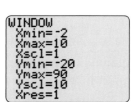

• Affiche le graphique de **Y1** = $-4,9x^2 + 40x + 1,5$.

• Appuie sur (2nd) [CALC] pour afficher le menu CALCULATE.

Conseil techno

Pour savoir comment résoudre ce problème à l'aide de la calculatrice TI-Nspire™ CAS, reporte-toi à la section Technologie de la page 33.

• Sélectionne **2:zero** pour déterminer les abscisses à l'origine.

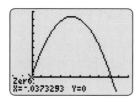 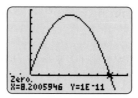

Les zéros sont approximativement $-0{,}037$ et $8{,}2$.

La solution $t = -0{,}037$ indique le moment où la balle aurait dû être lancée à partir du sol pour suivre la trajectoire donnée. Toutefois, cette valeur négative ne s'applique pas, car le temps est toujours positif ou nul. La solution $t = 8{,}2$ indique le moment où la balle retombe au sol. La balle retombe au sol $8{,}2$ s après que Josée l'a lancée.

b) Le maximum se situe à mi-chemin entre les deux zéros. Donc, calcule la moyenne des deux zéros obtenus en a).

$$\frac{-0{,}037 + 8{,}2}{2} = 4{,}081\,5$$

La balle prendra environ $4{,}1$ s pour atteindre sa hauteur maximale.

c) Pour connaître la hauteur maximale, substitue $4{,}1$ à t dans l'équation.

$$h(t) = -4{,}9t^2 + 40t + 1{,}5$$
$$h(4{,}1) = -4{,}9(4{,}1)^2 + 40(4{,}1) + 1{,}5$$
$$\approx 83{,}13$$

La balle atteint une hauteur maximale d'environ $83{,}1$ m.

Tu peux vérifier cette réponse à l'aide de la fonction maximum de la calculatrice à affichage graphique.

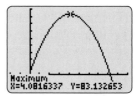

Concepts clés

- Le minimum ou le maximum d'une fonction du second degré se trouve au sommet de la parabole correspondante.

- On peut déterminer le sommet de la parabole d'une fonction du second degré :
  - en la représentant graphiquement ;
  - en complétant le carré : le sommet de $f(x) = a(x - h)^2 + k$ est en (h, k) ;
  - en effectuant une factorisation partielle : l'abscisse du sommet de
    $$f(x) = ax\left(x + \frac{b}{a}\right) + k \text{ est } -\frac{b}{2a}.$$

- Le signe du coefficient a de la fonction du second degré $f(x) = ax^2 + bx + c$ ou $f(x) = a(x - h)^2 + k$ détermine si le sommet est un minimum ou un maximum.
  Si $a > 0$, alors la parabole est ouverte vers le haut et possède un minimum.
  Si $a < 0$, alors la parabole est ouverte vers le bas et possède un maximum.

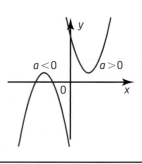

Communication et compréhension

C1 Une des étapes pour compléter le carré consiste à diviser le coefficient de x par 2 et à élever le résultat au carré. Pourquoi ?

C2 Quel lien y a-t-il entre les fonctions $f(x) = 4x(x - 3)$, $g(x) = 4x(x - 3) + 2$ et $h(x) = 4x(x - 3) - 1$? Explique ta réponse à l'aide de graphiques et de mots.

C3 Rémi ne comprend pas la méthode de la factorisation partielle pour déterminer le sommet. Montre-lui cette méthode à l'aide de l'équation $y = 3x^2 - 9x - 17$.

A À ton tour

Si tu as besoin d'aide pour répondre aux questions 1 et 2, reporte-toi à l'exemple 1.

1. Complète le carré de chaque fonction.

a) $y = x^2 + 4x$

b) $f(x) = x^2 + 7x + 11$

c) $g(x) = x^2 - 3x + 1$

d) $y = x^2 - 11x - 4$

e) $f(x) = x^2 + 13x + 2$

f) $y = x^2 - 9x - 9$

2. Détermine le sommet de chaque fonction en complétant le carré. Indique s'il s'agit d'un minimum ou d'un maximum.

a) $f(x) = x^2 + 10x + 6$

b) $f(x) = 2x^2 + 12x + 16$

c) $f(x) = -3x^2 + 6x + 1$

d) $f(x) = -x^2 + 12x - 5$

e) $f(x) = -\frac{1}{2}x^2 - x + \frac{3}{2}$

f) $f(x) = \frac{2}{3}x^2 + \frac{16}{3}x + \frac{25}{3}$

Si tu as besoin d'aide pour répondre à la question 3, reporte-toi à l'exemple 2.

3. Détermine le sommet de chaque fonction par la factorisation partielle. Indique s'il s'agit d'un minimum ou d'un maximum.

a) $f(x) = 3x^2 - 6x + 11$

b) $f(x) = -2x^2 + 8x - 3$

c) $f(x) = \frac{1}{2}x^2 - 3x + 8$

d) $f(x) = -\frac{5}{3}x^2 + 5x - 10$

e) $f(x) = 0{,}3x^2 - 3x + 6$

f) $f(x) = -0{,}2x^2 - 2{,}8x - 5{,}4$

4. Technologie Vérifie tes réponses aux questions 1 et 2 à l'aide d'une calculatrice à affichage graphique.

B Liens et mise en application

Si tu as besoin d'aide pour répondre aux questions 5 et 6, reporte-toi à l'exemple 3.

5. Un magasin vend en moyenne 60 systèmes de cinéma maison par mois, à un prix supérieur de 800 $ au coût du produit. Pour chaque augmentation de 20 $ du prix, le magasin vend un système de moins. De combien le prix doit-il dépasser le coût pour maximiser les bénéfices ?

6. L'an dernier, 60 personnes ont payé 30 $ chacune pour assister à un banquet. Cette année, l'organisateur a annoncé que pour toute augmentation de 10 du nombre de personnes, il réduira le prix par personne de 1,50 $. Quelle taille du groupe maximiserait les recettes ?

Si tu as besoin d'aide pour répondre à la question 7, reporte-toi à l'exemple 4.

7. La trajectoire d'un ballon botté est donnée par $h(t) = -4{,}9t^2 + 6t + 0{,}6$, où t est le temps en secondes et h est la hauteur du ballon par rapport au sol, en mètres. Détermine la hauteur maximale du ballon, au dixième de mètre près.

8. Le montant en dollars que Sanjay dépense chaque mois pour faire le plein de carburant de son camion est défini par $C(v) = 0,0029v^2 - 0,48v + 142$, où v représente sa vitesse moyenne en kilomètres à l'heure. Détermine la vitesse moyenne la plus économique pour Sanjay.

9. Arnold a 24 m de clôture pour délimiter son jardin, dont un côté est bordé par sa maison. Indique les dimensions du plus grand jardin rectangulaire possible.

10. La zone illustrée sera entourée d'une clôture de 30 m. Détermine les dimensions qui donnent la plus grande aire possible.

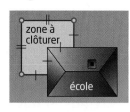

11. La somme de deux nombres est 10. Quel est le produit maximal de ces nombres ?

12. Une fonction modélise l'efficacité d'un message publicitaire télévisé. L'efficacité e, après n diffusions, est donnée par $e = -\dfrac{1}{90}n^2 + \dfrac{2}{3}n$.

a) Détermine l'image de l'efficacité et le domaine du nombre de diffusions. Explique tes réponses.

b) Détermine le sommet, en complétant le carré ou par la factorisation partielle. S'agit-il d'un minimum ou d'un maximum ? Explique ta réponse.

c) Quelles conclusions tires-tu ?

d) Trace le graphique de la fonction à l'aide d'une calculatrice à affichage graphique pour vérifier tes conclusions en c).

13. Toutes les fonctions du second degré de la forme $y = 2x^2 + bx$ possèdent des caractéristiques semblables.

a) Attribue cinq valeurs à b et trace le graphique de chaque fonction.

b) Quelles sont les caractéristiques semblables ?

c) Détermine le sommet de chaque parabole.

d) Détermine la relation qui existe entre les sommets des paraboles.

⒞ Approfondissement

14. Une feuille de métal de 30 cm sur 6 m est repliée le long des pointillés pour fabriquer une gouttière de section rectangulaire. Quelle valeur de x maximise la capacité de la gouttière ?

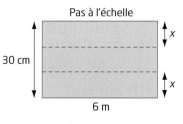

15. Une balle lancée à la verticale vers le haut à une vitesse initiale de v mètres à la seconde subit la force gravitationnelle g. Sa hauteur h, en mètres, t secondes après le lancer est $h(t) = -\dfrac{1}{2}gt^2 + vt$.

a) Montre que la balle atteint sa hauteur maximale à $t = \dfrac{v}{g}$.

b) Montre que la hauteur maximale est $\dfrac{v^2}{2g}$.

16. **Concours de maths** Soit l'équation $x^2 = y^3 = z$, où x, y et z sont des nombres entiers. Combien de valeurs distinctes de z y a-t-il si $z < 1\,001$?

A 0   **B** 3   **C** 4   **D** 10

17. **Concours de maths** Une fonction à deux variables est définie par $f(x, y) = x^2 + y^2 + 4x - 6y + 7$. Quelle est la valeur minimale de cette fonction ?

A 7   **B** -13 **C** -6 **D** 0

18. **Concours de maths** Un chien est attaché à un édifice par une laisse de 15 m. La laisse est fixée à 10 m d'un coin de l'édifice. La longueur du mur empêche le chien de dépasser un autre coin de l'édifice. Quelle est l'aire la plus grande que le chien peut parcourir, en mètres carrés ?

A 250π **B** $\dfrac{475\pi}{4}$ **C** $112,5\pi$ **D** 125π

Déterminer le maximum ou le minimum et les zéros d'une fonction du second degré à l'aide de la calculatrice TI-Nspire™ CAS

Matériel

- calculatrice à affichage graphique TI-Nspire™ CAS

Josée lance une balle, qui suit une trajectoire parabolique à cause de la force gravitationnelle. La hauteur h, en mètres, de la balle par rapport au sol au bout de t secondes est modélisée par $h(t) = -4,9t^2 + 40t + 1,5$.

a) Détermine les zéros de la fonction et explique ce qu'ils représentent.

b) Détermine le temps qu'il faut à la balle pour atteindre sa hauteur maximale.

c) Quelle est la hauteur maximale atteinte par la balle ?

Maths et monde

L'exemple 4, à la page 29, est repris ici afin de décrire les étapes à suivre pour déterminer le maximum ou le minimum et les zéros d'une fonction du second degré à l'aide de la calculatrice TI-Nspire™ CAS.

Solution

a) Allume la calculatrice TI-Nspire™ CAS.

- Appuie sur (⌂ on) et sélectionne **1: Nouveau**, puis sélectionne **2: Ajouter application Graphiques**.
- Saisis $-4,9x^2 + 40x + 1,5$ pour la fonction **f1** et appuie sur (enter).
- Appuie sur (menu). Sélectionne **4: Fenêtre**, puis sélectionne **1: Réglages de la fenêtre**. Règle **XMin** à -2, **XMax** à 10, **YMin** à -40 et **YMax** à 100. Amène le curseur sur **OK** et appuie sur (enter).
- Appuie sur (menu) et sélectionne **7: Points et droites**, puis sélectionne **2: Point sur**. Amène le curseur sur le graphique et appuie sur (enter) deux fois.
- Appuie sur (esc).
- Appuie sur (ctrl) puis sur [📋] pour sélectionner le point. À l'aide des flèches du pavé tactile, déplace le point le long du graphique jusqu'au zéro à gauche. Lorsque tu as atteint le zéro, la mention « zéro » s'affiche. Tu peux alors lire les coordonnées du zéro. Ici, la valeur de temps cherchée est d'environ $-0,037$ s.

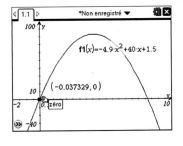

  De la même manière, tu peux déterminer que le zéro à droite correspond à environ 8,20 s.

b) Pour déterminer la hauteur maximale de la balle, déplace le point jusqu'au maximum du graphique. Lorsque tu l'atteins, la mention « maximum » s'affiche. Tu peux alors lire les coordonnées du maximum. La valeur de temps cherchée est d'environ 4,08 s.

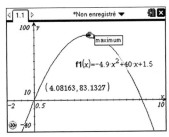

c) La hauteur maximale atteinte par la balle est d'environ 83,13 m.

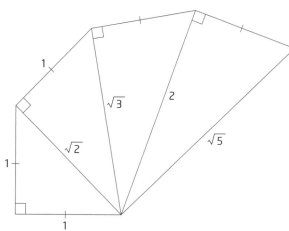

1.4

Les opérations sur les expressions comportant des radicaux

Les disciples du mathématicien grec Pythagore ont découvert des valeurs qui ne correspondaient pas à des nombres rationnels. On a défini une nouvelle catégorie de nombres pour les représenter. Ces valeurs s'appellent des « **nombres irrationnels** ». Certains de ces nombres sont de la forme $\sqrt{n}$, où n n'est pas un carré parfait. On leur donne parfois le nom de « radicaux ».

Dans cette section, tu verras comment effectuer l'addition, la soustraction et la multiplication de radicaux.

nombre irrationnel
- un nombre qui ne peut pas être écrit sous la forme $\frac{a}{b}$, où a et b sont des nombres entiers et $b \neq 0$

Explore

Comment multiplie-t-on des radicaux ?

1. Reproduis ce tableau et complète-le. Au besoin, utilise une calculatrice scientifique pour évaluer chaque expression, et arrondis tes résultats au centième près.

A	B
$\sqrt{4} \times \sqrt{4}$ = ■	$\sqrt{4 \times 4}$ = ■
$\sqrt{81} \times \sqrt{81}$ = ■	$\sqrt{81 \times 81}$ = ■
$\sqrt{225} \times \sqrt{225}$ = ■	$\sqrt{225 \times 225}$ = ■
$\sqrt{5} \times \sqrt{5}$ = ■	$\sqrt{5 \times 5}$ = ■
$\sqrt{31} \times \sqrt{31}$ = ■	$\sqrt{31 \times 31}$ = ■
$\sqrt{12} \times \sqrt{9}$ = ■	$\sqrt{12 \times 9}$ = ■
$\sqrt{23} \times \sqrt{121}$ = ■	$\sqrt{23 \times 121}$ = ■

2. Que remarques-tu au sujet des résultats de chaque rangée ?

3. Quelle conclusion tires-tu de ces observations ? Explique ta réponse.

4. **Réflexion a)** Tire une conclusion générale au sujet d'une expression équivalente à $\sqrt{a} \times \sqrt{b}$.

   b) Crois-tu que l'énoncé soit vrai pour toutes les valeurs de a et de b ? Explique ta réponse.

Le nombre ou l'expression qui se trouve sous le symbole d'un radical s'appelle le « **radicande** ». Si le radicande est supérieur ou égal à zéro et n'est pas un carré parfait, alors le radical est un nombre irrationnel. On peut l'évaluer à l'aide d'une calculatrice. Dans plusieurs situations, il est préférable d'effectuer les opérations sur la valeur exacte, c'est-à-dire sur la forme radicale. Utilise le radical chaque fois qu'un résultat approximatif ne suffit pas et qu'un résultat exact est nécessaire. Parfois, on peut simplifier un radical par factorisation, en extrayant un facteur carré parfait.

radicande

- le nombre ou l'expression sous le symbole d'un radical

Exemple 1

Simplifier des radicaux

Exprime chaque radical sous sa forme la plus simple.

a) $\sqrt{50}$

b) $\sqrt{27}$

c) $\sqrt{180}$

Solution

a) $\sqrt{50} = \sqrt{25 \times 2}$ Choisis 25 × 2, et non 5 × 10, car 25 est un facteur carré parfait.

$\qquad = \left(\sqrt{25}\right)\left(\sqrt{2}\right)$ Applique $\sqrt{ab} = \sqrt{a} \times \sqrt{b}$.

$\qquad = 5\sqrt{2}$

b) $\sqrt{27} = \sqrt{9 \times 3}$

$\qquad = \left(\sqrt{9}\right)\left(\sqrt{3}\right)$ Applique $\sqrt{ab} = \sqrt{a} \times \sqrt{b}$.

$\qquad = 3\sqrt{3}$

c) $\sqrt{180} = \sqrt{36 \times 5}$

$\qquad = \left(\sqrt{36}\right)\left(\sqrt{5}\right)$ Applique $\sqrt{ab} = \sqrt{a} \times \sqrt{b}$.

$\qquad = 6\sqrt{5}$

ou

$\sqrt{180} = \sqrt{9 \times 4 \times 5}$

$\qquad = \left(\sqrt{9}\right)\left(\sqrt{4}\right)\left(\sqrt{5}\right)$ Applique $\sqrt{abc} = \sqrt{a} \times \sqrt{b} \times \sqrt{c}$.

$\qquad = (3)(2)\sqrt{5}$

$\qquad = 6\sqrt{5}$

On additionne et on soustrait les expressions contenant des radicaux comme on additionne et on soustrait les polynômes. Seuls les termes semblables, ou les radicaux semblables dans le présent cas, peuvent être additionnés. Par exemple, puisque les termes de l'expression $2\sqrt{3} + 5\sqrt{7}$ ne contiennent pas le même radical, ils ne peuvent pas être additionnés. Par contre, les termes de l'expression $3\sqrt{5} + 6\sqrt{5}$, qui ont un radical commun, peuvent être additionnés : $3\sqrt{5} + 6\sqrt{5} = 9\sqrt{5}$.

Exemple 2

Additionner ou soustraire des radicaux

Simplifie chaque expression.

a) $9\sqrt{7} - 3\sqrt{7}$

b) $4\sqrt{3} - 2\sqrt{27}$

c) $5\sqrt{8} + 3\sqrt{18}$

d) $\dfrac{1}{4}\sqrt{28} - \dfrac{3}{4}\sqrt{63} + \dfrac{2}{3}\sqrt{50}$

Solution

a) $9\sqrt{7} - 3\sqrt{7} = 6\sqrt{7}$

b)
$$
\begin{aligned}
4\sqrt{3} - 2\sqrt{27} &= 4\sqrt{3} - 2\sqrt{9 \times 3} \\
&= 4\sqrt{3} - 2\sqrt{9} \times \sqrt{3} \\
&= 4\sqrt{3} - 2 \times 3\sqrt{3} \\
&= 4\sqrt{3} - 6\sqrt{3} \\
&= -2\sqrt{3}
\end{aligned}
$$
Simplifie d'abord $\sqrt{27}$.

c)
$$
\begin{aligned}
5\sqrt{8} + 3\sqrt{18} &= 5\sqrt{4 \times 2} + 3\sqrt{9 \times 2} \\
&= 5\sqrt{4}\sqrt{2} + 3\sqrt{9}\sqrt{2} \\
&= 5 \times 2\sqrt{2} + 3 \times 3\sqrt{2} \\
&= 10\sqrt{2} + 9\sqrt{2} \\
&= 19\sqrt{2}
\end{aligned}
$$
Simplifie d'abord $\sqrt{8}$ et $\sqrt{18}$.

d)
$$
\begin{aligned}
\frac{1}{4}\sqrt{28} - \frac{3}{4}\sqrt{63} + \frac{2}{3}\sqrt{50} &= \frac{1}{4}\sqrt{4 \times 7} - \frac{3}{4}\sqrt{9 \times 7} + \frac{2}{3}\sqrt{25 \times 2} \\
&= \frac{1}{4}\sqrt{4}\sqrt{7} - \frac{3}{4}\sqrt{9}\sqrt{7} + \frac{2}{3}\sqrt{25}\sqrt{2} \\
&= \frac{1}{4} \times 2\sqrt{7} - \frac{3}{4} \times 3\sqrt{7} + \frac{2}{3} \times 5\sqrt{2} \\
&= \frac{2}{4}\sqrt{7} - \frac{9}{4}\sqrt{7} + \frac{10}{3}\sqrt{2} \\
&= -\frac{7}{4}\sqrt{7} + \frac{10}{3}\sqrt{2} \text{ ou } -\frac{7\sqrt{7}}{4} + \frac{10\sqrt{2}}{3}
\end{aligned}
$$

Exemple 3

Multiplier des radicaux

Simplifie entièrement chaque expression.

a) $(2\sqrt{3})(3\sqrt{6})$ **b)** $2\sqrt{3}(4 + 5\sqrt{3})$ **c)** $-7\sqrt{2}(6\sqrt{8} - 11)$

d) $(\sqrt{3} + 5)(2 - \sqrt{3})$ **e)** $(2\sqrt{2} + 3\sqrt{3})(2\sqrt{2} - 3\sqrt{3})$

Solution

a) $(2\sqrt{3})(3\sqrt{6}) = (2 \times 3)(\sqrt{3} \times \sqrt{6})$ Utilise la commutativité et l'associativité.

$$= 6\sqrt{3 \times 6}$$

Multiplie les coefficients, puis les radicandes.

$$= 6\sqrt{18}$$
$$= 6\sqrt{9 \times 2}$$
$$= 6 \times 3\sqrt{2}$$
$$= 18\sqrt{2}$$

b) $2\sqrt{3}(4 + 5\sqrt{3}) = 2\sqrt{3}(4) + (2\sqrt{3})(5\sqrt{3})$ Utilise la distributivité de la multiplication sur l'addition.

$$= 8\sqrt{3} + 10\sqrt{9}$$
$$= 8\sqrt{3} + 10(3)$$
$$= 8\sqrt{3} + 30$$

> **Maths et monde**
>
> Rappelle-toi que $3(x + 2) = 3x + 6$ par distributivité. La même propriété s'applique à la multiplication de radicaux.

c) $-7\sqrt{2}(6\sqrt{8} - 11) = (-7\sqrt{2})(6\sqrt{8}) - (7\sqrt{2})(-11)$

$$= -42\sqrt{16} + 77\sqrt{2}$$
$$= (-42)(4) + 77\sqrt{2}$$
$$= -168 + 77\sqrt{2}$$

d) $(\sqrt{3} + 5)(2 - \sqrt{3}) = \sqrt{3}(2) + \sqrt{3}(-\sqrt{3}) + 5(2) + 5(-\sqrt{3})$

$$= 2\sqrt{3} - \sqrt{9} + 10 - 5\sqrt{3}$$
$$= 2\sqrt{3} - 3 + 10 - 5\sqrt{3}$$
$$= -3\sqrt{3} + 7$$

e) $(2\sqrt{2} + 3\sqrt{3})(2\sqrt{2} - 3\sqrt{3}) = (2\sqrt{2})^2 - (3\sqrt{3})^2$

$$= 4(2) - 9(3)$$
$$= 8 - 27$$

Simplifie chaque expression et regroupe les termes semblables.

$$= -19$$

> **Maths et monde**
>
> Rappelle-toi la différence de carrés : $(a + b)(a - b) = a^2 - b^2$. Les facteurs en e) sont de la même forme. On les appelle des « conjugués ».
> Par exemple, $\sqrt{2} + \sqrt{3}$ est le conjugué de $\sqrt{2} - \sqrt{3}$ et vice versa.

Exemple 4

Résoudre un problème comportant des radicaux

Une pyramide à base carrée a une hauteur de 9 cm.
Le volume de la pyramide est de 1 089 cm³. Détermine
la longueur d'un côté de la base carrée, sous sa forme la
plus simple.

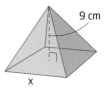

Solution

Soit x, la longueur d'un côté de la base.

$v = \dfrac{1}{3} \times$ aire de la base $\times$ hauteur

$1\ 089 = \dfrac{1}{3}x^2(9) = \left(\dfrac{1}{3}\right)(9)x^2$

$1\ 089 = 3x^2$

$x^2 = \dfrac{1\ 089}{3}$

$x^2 = 363$

$x = \sqrt{363}$ On rejette la racine négative $-\sqrt{363}$, car x est une

$x = \sqrt{121 \times 3}$ longueur.

$x = 11\sqrt{3}$

La longueur exacte des côtés de la base de la pyramide est de $11\sqrt{3}$ cm.

Maths et monde

$11\sqrt{3}$ cm est un résultat exact. Tu peux obtenir une réponse approximative à l'aide d'une calculatrice. Arrondie au centième près, la longueur d'un côté est de 19,05 cm.

Concepts clés

- $\sqrt{a} \times \sqrt{b} = \sqrt{ab}$ pour $a \geq 0$ et $b \geq 0$.

- On peut simplifier certains radicaux par factorisation, en extrayant le plus grand carré parfait possible.

  Par exemple, $\sqrt{50} = \sqrt{25 \times 2}$
  $= 5\sqrt{2}$

- On peut additionner ou soustraire les radicaux semblables. Par exemple,
  $3\sqrt{7} + 2\sqrt{7} = 5\sqrt{7}$

- On peut multiplier des radicaux à l'aide de la distributivité.

  Par exemple, $4\sqrt{2}\left(5\sqrt{3} - 3\right) = 20\sqrt{6} - 12\sqrt{2}$ et
  $\left(\sqrt{2} - 3\right)\left(\sqrt{2} + 1\right) = \sqrt{4} + \sqrt{2} - 3\sqrt{2} - 3$
  $= 2 - 2\sqrt{2} - 3$
  $= -2\sqrt{2} - 1$

Communication et compréhension

C1 On a demandé à Marc de simplifier l'expression $\sqrt{3} - \sqrt{75}$. Il affirme qu'il ne peut pas combiner les termes puisque les radicaux sont différents. A-t-il raison ? Explique ta réponse.

C2 Décris toutes les étapes à suivre pour simplifier l'expression $\sqrt{3}(2\sqrt{3} - 4\sqrt{2})$.

C3 Anne veut simplifier le radical $\sqrt{108}$. Elle décompose d'abord 108 en facteurs premiers : $108 = 2 \times 2 \times 3 \times 3 \times 3$. De son côté, Rayanne cherche le plus grand carré parfait qui permet de diviser 108 sans reste. Elle trouve la valeur 36.
Explique pourquoi les deux méthodes donnent la même réponse. Quelle méthode est plus efficace ?

A À ton tour

Si tu as besoin d'aide pour répondre à la question 1, reporte-toi à la rubrique Explore.

1. Simplifie ces expressions.

a) $3(4\sqrt{5})$ b) $\sqrt{3}(5\sqrt{2})$

c) $\sqrt{5}(-2\sqrt{7})$ d) $5\sqrt{3}(-4\sqrt{5})$

e) $2\sqrt{3}(3\sqrt{2})$ f) $-6\sqrt{2}(-\sqrt{11})$

Si tu as besoin d'aide pour répondre à la question 2, reporte-toi à l'exemple 1.

2. Exprime chaque radical sous sa forme la plus simple.

a) $\sqrt{12}$ b) $\sqrt{242}$ c) $\sqrt{147}$

d) $\sqrt{20}$ e) $\sqrt{252}$ f) $\sqrt{392}$

Si tu as besoin d'aide pour répondre aux questions 3 et 4, reporte-toi à l'exemple 2.

3. Simplifie chaque expression.

a) $2\sqrt{3} - 5\sqrt{3} + 4\sqrt{3}$

b) $11\sqrt{5} - 4\sqrt{5} - 5\sqrt{5} - 6\sqrt{5}$

c) $\sqrt{7} - 2\sqrt{7} + \sqrt{7}$

d) $2\sqrt{2} - 8\sqrt{5} + 3\sqrt{2} + 4\sqrt{5}$

e) $\sqrt{6} - 4\sqrt{2} + 3\sqrt{6} - \sqrt{2}$

f) $2\sqrt{10} - \sqrt{10} - 4\sqrt{10} + \sqrt{5}$

4. Effectue les opérations demandées.

a) $8\sqrt{2} - 4\sqrt{8} + \sqrt{32}$

b) $4\sqrt{18} + 3\sqrt{50} + \sqrt{200}$

c) $\sqrt{20} - 4\sqrt{12} - \sqrt{125} + 2\sqrt{3}$

d) $2\sqrt{28} + \sqrt{54} + \sqrt{150} + 5\sqrt{7}$

e) $5\sqrt{3} - \sqrt{72} + \sqrt{243} + \sqrt{8}$

f) $\sqrt{44} + \sqrt{88} + \sqrt{99} + \sqrt{198}$

Si tu as besoin d'aide pour répondre aux questions 5 à 7, reporte-toi à l'exemple 3.

5. Simplifie chaque expression.

a) $5\sqrt{6}(2\sqrt{3})$ b) $-2\sqrt{2}(4\sqrt{14})$

c) $8\sqrt{5}(\sqrt{10})$ d) $3\sqrt{15}(-2\sqrt{3})$

e) $11\sqrt{2}(5\sqrt{3})$ f) $-2\sqrt{6}(2\sqrt{6})$

6. Simplifie chaque expression.

a) $3(8 - \sqrt{5})$

b) $\sqrt{3}(5\sqrt{2} + 4\sqrt{3})$

c) $\sqrt{3}(\sqrt{6} - \sqrt{3})$

d) $-2\sqrt{5}(4 + 2\sqrt{5})$

e) $8\sqrt{2}(2\sqrt{8} + 3\sqrt{12})$

f) $3\sqrt{3}(2\sqrt{7} - 5\sqrt{2})$

7. Simplifie chaque expression.

a) $(\sqrt{2} + 5)(\sqrt{2} + 5)$

b) $(2\sqrt{2} + 4)(\sqrt{2} - 4)$

c) $(\sqrt{3} + 2\sqrt{2})(5 + 5\sqrt{2})$

d) $(3 + 2\sqrt{5})(\sqrt{5} - 5)$

e) $(1 + \sqrt{5})(1 - \sqrt{5})$

f) $(4 - 3\sqrt{7})(\sqrt{7} + 1)$

8. Simplifie chaque expression.

a) $\frac{1}{4}\sqrt{54} - \frac{1}{4}\sqrt{150}$

b) $2\sqrt{20} + \frac{3}{4}\sqrt{80} - \sqrt{125}$

c) $\frac{1}{2}\sqrt{8} + \frac{3}{5}\sqrt{50} - \frac{2}{3}\sqrt{18}$

d) $\frac{2}{5}\sqrt{125} - \frac{2}{3}\sqrt{243} - \frac{1}{3}\sqrt{45} + \frac{1}{2}\sqrt{48}$

B Liens et mise en application

Si tu as besoin d'aide pour répondre aux questions 9 à 11, reporte-toi à l'exemple 4.

9. Détermine l'expression la plus simple de l'aire de chaque figure.

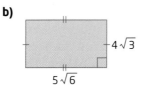

a)

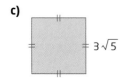

b)

c)

d)

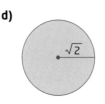

10. Explique les étapes à suivre pour simplifier entièrement $\sqrt{2\,880}$.

11. Un carré a une aire de 675 m². Détermine sa longueur de côté et simplifie le radical obtenu le plus possible.

12. Un plateau de jeu, de forme carrée, est couvert de petits carrés de 2 cm de côté. La diagonale du plateau mesure $20\sqrt{2}$ cm. Combien de carrés y a-t-il sur le plateau?

13. Détermine l'aire et le périmètre de ce rectangle. Donne tes réponses sous la forme de radicaux simplifiés.

14. L'expression $\sqrt{16 + 9}$ est-elle égale à $\sqrt{16} + \sqrt{9}$? Explique ton raisonnement.

15. L'expression $1 + \sqrt{3}$ est-elle une solution de l'équation $x^2 - 2x - 2 = 0$? Explique ta réponse.

C Approfondissement

16. Simplifie chaque expression.

a) $\dfrac{10 + 15\sqrt{5}}{5}$

b) $\dfrac{21 - 7\sqrt{6}}{7}$

c) $\dfrac{\sqrt{14}}{\sqrt{2}}$

d) $\dfrac{12 - \sqrt{48}}{4}$

e) $\dfrac{-10 + \sqrt{50}}{5}$

17. On simplifie une racine carrée en extrayant les facteurs qui apparaissent deux fois sous le radical et en laissant les autres facteurs. Pour simplifier une racine cubique, il faut extraire les facteurs qui apparaissent trois fois sous le radical et laisser les autres facteurs. Simplifie chaque racine cubique.

a) $\sqrt[3]{54}$ **b)** $\sqrt[3]{3\,000}$ **c)** $\sqrt[3]{1\,125}$

18. a) Pour quelles valeurs de a a-t-on $\sqrt{a} < a$?

b) Pour quelles valeurs de a a-t-on $\sqrt{a} > a$? Explique ton raisonnement.

19. Concours de maths

Si $\sqrt{4^2 + 4^2 + \ldots + 4^2} = 16$, combien de fois compte-t-on 4^2 sous le radical?

A 4 **B** 8 **C** 12 **D** 16

20. Concours de maths Les racines de l'équation $\sqrt{3x - 11} = x - 3$ sont m et n. Donne une valeur possible de $m - n$.

A 9 **B** 0 **C** -1 **D** -5

21. Concours de maths Si $\sqrt{128} = \sqrt{2} + \sqrt{x}$, quelle est la valeur de x?

A 126 **B** 64 **C** 98 **D** 256

22. Concours de maths Sachant que $f(a + b) = f(a)f(b)$ et que $f(x)$ est toujours positive, détermine la valeur de $f(0)$.

Explorer les opérations sur les expressions comportant des radicaux à l'aide de la calculatrice TI-Nspire™ CAS

1. a) Allume la calculatrice TI-Nspire™ CAS.

- Appuie sur (⌂on) et sélectionne **5: Réglages et état**. Choisis ensuite **2: Réglages**, puis **1: Général**.

- Sers-toi de la touche (tab) pour te déplacer vers le bas jusqu'à Mode de calcul et assure-toi que **Auto** est sélectionné. Appuie sur (enter) deux fois.

b) Appuie sur (⌂on) et sélectionne **1: Nouveau**.
Dans le menu, sélectionne **4: Ajouter Tableur & listes**.

c) Amène le rectangle de sélection sur la cellule **A1** à l'aide des flèches du pavé tactile. Appuie sur (ctrl) (x²) pour saisir le symbole d'une racine carrée. Ensuite, appuie sur **2** puis sur (enter).

d) Amène le rectangle de sélection sur la cellule **B1** et saisis $\sqrt{3}$.

e) Amène le rectangle de sélection au-dessus de la cellule **C1** et saisis la formule = a*b.
Appuie sur (enter). Le résultat apparaît dans la cellule **C1**, comme sur la figure.

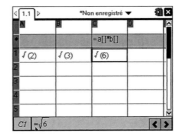

f) Saisis $\sqrt{5}$ dans la cellule **A2** et $\sqrt{7}$ dans la cellule **B2**. Note le résultat en **C2**.

g) Essaie quelques autres exemples de ton choix.

2. Le logiciel de calcul formel de la calculatrice permet aussi de simplifier des radicaux par factorisation.

a) Appuie sur (⌂on) et sélectionne le premier icône sous **Ajouter une page**.

b) Appuie sur (menu) et sélectionne **2: Nombre**, puis **3: Factoriser**.

c) Saisis 50 et appuie sur (enter). Note le résultat.

d) Appuie sur (ctrl) (x²) pour afficher le symbole d'une racine carrée.

e) Appuie sur (ctrl) (←) pour inscrire la réponse précédente au radicande.
Appuie sur (enter). Note le résultat.

f) Voici un raccourci. Affiche d'abord le symbole d'une racine carrée. Ensuite, entre la commande **factor()**, suivie de 50. Appuie sur (enter).

g) Essaie avec d'autres exemples de ton choix.

Matériel

- calculatrice à affichage graphique TI-Nspire™ CAS

3. Tu peux vérifier tes résultats après l'addition ou la soustraction de radicaux.

a) Saisis $9\sqrt{7} - 3\sqrt{7}$ et appuie sur (enter). Note le résultat.

◀ 1.1 1.2 ▷	*Non enregistré ▼
$9 \cdot \sqrt{7} - 3 \cdot \sqrt{7}$	$6 \cdot \sqrt{7}$
$4 \cdot \sqrt{3} - 2 \cdot \sqrt{3}$	$2 \cdot \sqrt{3}$
$5 \cdot \sqrt{8} + 3 \cdot \sqrt{18}$	$19 \cdot \sqrt{2}$
	3/99

b) Essaie avec d'autres expressions, comme

$$4\sqrt{3} - 2\sqrt{3}$$
$$5\sqrt{8} + 3\sqrt{18}$$

Assure-toi que tu peux expliquer d'où vient la réponse.

c) Essaie avec d'autres exemples de ton choix.

4. Essaie quelques multiplications de radicaux. Commence par les exemples de la figure, puis essaie quelques multiplications de ton choix.

◀ 1.1 1.2 ▷	*Non enregistré ▼
$2 \cdot \sqrt{3} \cdot 4 \cdot \sqrt{2}$	$8 \cdot \sqrt{6}$
$5 \cdot \sqrt{2} \cdot 3 \cdot \sqrt{7}$	$15 \cdot \sqrt{14}$
$3 \cdot \sqrt{2} \cdot 7 \cdot \sqrt{6}$	$42 \cdot \sqrt{3}$
	3/99

5. Essaie de combiner plusieurs opérations. Commence par les exemples de la figure, puis essaie quelques exemples de ton choix.

◀ 1.1 1.2 ▷	*Non enregistré ▼
$2 \cdot \sqrt{3} \cdot (4 + 5 \cdot \sqrt{3})$	$8 \cdot \sqrt{3} + 30$
$-7 \cdot \sqrt{2} \cdot (6 \cdot \sqrt{8} - 11)$	$77 \cdot \sqrt{2} - 168$
$(\sqrt{3} + 5) \cdot (2 - \sqrt{3})$	$7 - 3 \cdot \sqrt{3}$
$(2 \cdot \sqrt{2} + 3 \cdot \sqrt{3}) \cdot (2 \cdot \sqrt{2} - 3 \cdot \sqrt{3})$	-19
	4/99

La résolution d'équations du second degré

Alexandre Despatie est un plongeur canadien. Il a remporté deux médailles d'argent aux Jeux olympiques. Pour bien exécuter un plongeon, Alexandre doit sauter vers le haut tout en s'éloignant assez de la tour pour ne pas la toucher durant sa descente, et rester en vol assez longtemps pour compléter son mouvement.

Une mathématicienne analyse les plongeons d'une équipe. On peut modéliser la trajectoire d'un plongeon à l'aide de la fonction du second degré $f(t) = -4,9t^2 + 3t + 10$. Comment peut-on déterminer le temps passé en vol par la plongeuse ou le plongeur à partir de cette fonction ? Quelle partie de l'équation faut-il modifier si cette personne doit rester en vol plus longtemps ? Dans ce cas, combien de temps de plus la personne passe-t-elle en vol ?

Dans cette section, tu verras les concepts qui sous-tendent les réponses à de telles questions. Un de ces concepts est la résolution d'une **équation du second degré**.

équation du second degré

- une équation de la forme $ax^2 + bx + c = 0$, où a, b et c sont des nombres réels et $a \neq 0$

Explore

Comment peux-tu résoudre une équation de la forme $a(x - h)^2 + k = 0$?

1. Résous $x^2 = 4$. Combien de racines cette équation a-t-elle ?

2. Résous $(x + 1)^2 = 4$.

3. Résous $2(x + 1)^2 = 8$.

4. Résous $2(x + 1)^2 - 8 = 0$.

5. Quel est le lien entre les équations des étapes 1 à 4 ?

6. Réflexion Décris une méthode qui permet de résoudre $a(x - h)^2 + k = 0$. Applique-la pour résoudre $2(x - 3)^2 - 32 = 0$.

Maths et monde

Toute solution d'une équation donnée est une racine de cette équation.

Exemple 1

Choisir une stratégie pour résoudre une équation du second degré

a) Résous $2x^2 - 12x - 14 = 0$:

   I) en complétant le carré,

   II) en utilisant une calculatrice à affichage graphique,

   III) en factorisant,

   IV) en utilisant la formule quadratique.

b) Quelle stratégie préfères-tu? Explique ton raisonnement.

Solution

a) **I)**
$$2x^2 - 12x - 14 = 0$$
$$x^2 - 6x - 7 = 0 \quad \text{Divise les deux membres de l'équation par 2.}$$
$$x^2 - 6x + 9 - 9 - 7 = 0$$
$$(x - 3)^2 - 16 = 0$$
$$(x - 3)^2 = 16$$
$$x - 3 = 4 \text{ ou } x - 3 = -4 \quad \text{Extrais la racine carrée des deux côtés.}$$

Les solutions sont $x = 7$ et $x = -1$.

II) • Règle les paramètres d'affichage comme indiqué.

   • Représente graphiquement $\mathbf{Y1} = 2x^2 - 12x - 14$.

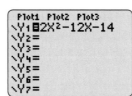

Conseil techno

Pour savoir comment déterminer les zéros d'une fonction à l'aide de la calculatrice TI-Nspire™ CAS, reporte-toi à la section Technologie de la page 33.

   • Exécute la commande **Zero** pour obtenir les abscisses à l'origine.

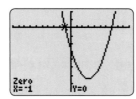

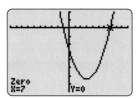

Les solutions sont $x = -1$ et $x = 7$.

III)
$$2x^2 - 12x - 14 = 0$$
$$x^2 - 6x - 7 = 0 \quad \text{Divise les deux membres par 2.}$$
$$(x - 7)(x + 1) = 0 \quad \text{Décompose le trinôme } x^2 - 6x - 7 \text{ en un produit de binômes.}$$
$$x - 7 = 0 \text{ ou } x + 1 = 0$$
$$x = 7 \text{ ou } \quad x = -1$$

IV) $2x^2 - 12x - 14 = 0$

$$x^2 - 6x - 7 = 0$$

Divise les deux membres de l'équation par 2.

$$a = 1, b = -6 \text{ et } c = -7.$$

$$x = \frac{-b \pm \sqrt{b^2 - 4ac}}{2a}$$

Remplace a, b et c dans la formule quadratique et simplifie-la.

$$= \frac{-(-6) \pm \sqrt{(-6)^2 - 4(1)(-7)}}{2(1)}$$

$$= \frac{6 \pm \sqrt{64}}{2}$$

$$= \frac{6 \pm 8}{2}$$

$$= \frac{14}{2} \text{ ou } \frac{-2}{2}$$

$$= 7 \text{ ou } -1$$

b) Bien que les quatre méthodes donnent les mêmes solutions, la factorisation est probablement la meilleure stratégie pour cet exemple. L'expression est simple à factoriser, alors c'est la méthode la plus rapide. S'il était impossible de décomposer l'expression en un produit de binômes, utiliser une calculatrice à affichage graphique ou la formule quadratique aurait été un meilleur choix.

Résoudre $2x^2 - 12x - 14 = 0$ équivaut à déterminer les zéros de la fonction $f(x) = 2x^2 - 12x - 14$. Les deux solutions de l'exemple 1 représentent les deux abscisses à l'origine de la courbe représentative de $f(x) = 2x^2 - 12x - 14$. Toutefois, les fonctions du second degré n'ont pas toutes deux zéros. Certaines n'en ont qu'un, et d'autres n'en ont aucun. L'exemple suivant illustre ces trois cas.

Exemple 2

Faire le lien entre le nombre de zéros et le graphique d'une fonction

Pour chaque équation du second degré de la forme $ax^2 + bx + c = 0$, trace le graphique de la fonction correspondante, $f(x) = ax^2 + bx + c$, à l'aide d'une calculatrice à affichage graphique. Indique le nombre de racines de l'équation initiale. Explique chaque réponse.

a) $-2x^2 + 8x - 5 = 0$ **b)** $8x^2 - 11x + 5 = 0$

c) $-4x^2 + 12x - 9 = 0$

Solution

a) La parabole est ouverte vers le bas et le sommet est situé au-dessus de l'axe des x, donc la fonction a deux zéros.

L'équation $-2x^2 + 8x - 5 = 0$ a deux racines (solutions) distinctes.

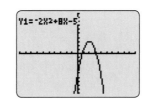

b) La parabole est ouverte vers le haut et le sommet est situé au-dessus de l'axe des x, donc la fonction n'a aucun zéro.

L'équation $8x^2 - 11x + 5 = 0$ n'a aucune racine réelle.

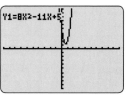

c) La parabole est ouverte vers le bas et le sommet est situé sur l'axe des x, donc la fonction a un zéro double.

L'équation $-4x^2 + 12x - 9 = 0$ a une racine double.

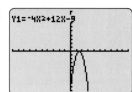

Le graphique d'une fonction du second degré te fournit une représentation visuelle du nombre d'abscisses à l'origine. Sans la calculatrice à affichage graphique, obtenir cette représentation visuelle peut prendre beaucoup de temps. Existe-t-il un moyen de déterminer le nombre de zéros sans tracer le graphique? Dans le prochain exemple, tu referas l'activité de l'exemple 2 à l'aide de la formule quadratique afin de trouver une méthode pour déterminer le nombre d'abscisses à l'origine sans tracer le graphique.

Maths et monde

Les ingénieures et ingénieurs utilisent les zéros d'une fonction du second degré pour établir un modèle mathématique de la structure de soutien d'un pont qui doit avoir une longueur donnée.

Exemple 3

Faire le lien entre le nombre de zéros et la formule quadratique

Résous chaque équation de l'exemple 2 à l'aide de la formule quadratique. Indique la valeur exacte des abscisses à l'origine. Compare tes réponses au nombre d'abscisses à l'origine déterminé à l'exemple 2.

Solution

a) $-2x^2 + 8x - 5 = 0$

$a = -2$, $b = 8$ et $c = -5$.

$$x = \frac{-b \pm \sqrt{b^2 - 4ac}}{2a}$$

$$= \frac{-8 \pm \sqrt{8^2 - 4(-2)(-5)}}{2(-2)}$$

$$= \frac{-8 \pm \sqrt{24}}{-4}$$

$$x = \frac{-8 + 2\sqrt{6}}{-4} \text{ ou } x = \frac{-8 - 2\sqrt{6}}{-4}$$

$$x = \frac{4 - \sqrt{6}}{2} \quad \text{ou } x = \frac{4 + \sqrt{6}}{2}$$

La formule quadratique confirme le nombre de solutions réelles distinctes (deux) obtenu dans l'exemple 2. Il y a deux solutions distinctes parce que la valeur sous le radical est positive et donne deux racines approximatives.

b) $8x^2 - 11x + 5 = 0$

$a = 8$, $b = -11$ et $c = 5$.

$$x = \frac{-b \pm \sqrt{b^2 - 4ac}}{2a}$$

$$= \frac{-(-11) \pm \sqrt{(-11)^2 - 4(8)(5)}}{2(8)}$$

$$= \frac{11 \pm \sqrt{-39}}{16}$$

Puisque la racine carrée d'un nombre négatif n'est pas un nombre réel, cette équation du second degré n'a aucune racine réelle.

c) $-4x^2 + 12x - 9 = 0$

$a = -4$, $b = 12$ et $c = -9$.

$$x = \frac{-b \pm \sqrt{b^2 - 4ac}}{2a}$$

$$= \frac{-12 \pm \sqrt{12^2 - 4(-4)(-9)}}{2(-4)}$$

$$= \frac{-12 \pm \sqrt{0}}{-8}$$

$$= \frac{-12}{-8}$$

$$= \frac{3}{2}$$

Il y a une solution double, car la valeur sous le radical est égale à zéro. Donc, l'équation du second degré $-4x^2 + 12x - 9 = 0$ a une racine double.

L'exemple 3 montre que la valeur sous le radical dans la formule quadratique détermine le nombre de racines d'une équation du second degré et le nombre de zéros de la fonction correspondante.

Exemple 4

Déterminer le nombre de solutions à partir du discriminant

Détermine le nombre de solutions (racines) de chaque équation du second degré à l'aide du **discriminant**.

a) $-2x^2 + 3x + 8 = 0$ **b)** $3x^2 - 5x + 11 = 0$ **c)** $\frac{1}{4}x^2 - 3x + 9 = 0$

Solution

a) $-2x^2 + 3x + 8 = 0$

$a = -2$, $b = 3$ et $c = 8$.

$$b^2 - 4ac = 3^2 - 4(-2)(8)$$

$$= 9 + 64$$

$$= 73$$

discriminant

- la valeur de l'expression $b^2 - 4ac$, qui sert à déterminer le nombre de racines d'une équation du second degré de la forme $ax^2 + bx + c = 0$
- si $b^2 - 4ac > 0$, l'équation admet deux solutions distinctes
- si $b^2 - 4ac = 0$, l'équation admet une solution double
- si $b^2 - 4ac < 0$, l'équation n'admet aucune solution

Puisque le discriminant est supérieur à zéro, il y a deux solutions distinctes.
Tu peux vérifier ce résultat à l'aide d'une calculatrice à affichage graphique.

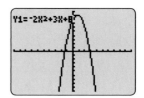

b) $3x^2 - 5x + 11 = 0$

$a = 3$, $b = -5$ et $c = 11$.

$$b^2 - 4ac = (-5)^2 - 4(3)(11)$$
$$= 25 - 132$$
$$= -107$$

Puisque le discriminant est inférieur à zéro, il n'y a aucune solution réelle.

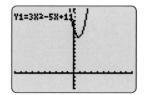

c) $\frac{1}{4}x^2 - 3x + 9 = 0$

$a = \frac{1}{4}$, $b = -3$ et $c = 9$.

$$b^2 - 4ac = (-3)^2 - 4\left(\frac{1}{4}\right)(9)$$
$$= 9 - 9$$
$$= 0$$

Puisque le discriminant est égal à zéro, il y a une solution double.

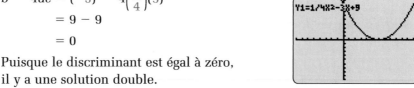

Concepts clés

- On peut résoudre une équation du second degré :
  - en complétant le carré,
  - en utilisant la factorisation,
  - en appliquant la formule quadratique,
  - en représentant graphiquement la fonction correspondante.

- On peut déterminer le nombre de solutions (racines) d'une équation du second degré et le nombre de zéros de la fonction correspondante à l'aide du discriminant.

Si $b^2 - 4ac > 0$, alors l'équation admet deux solutions (deux racines réelles distinctes).

Si $b^2 - 4ac = 0$, alors l'équation admet une solution double (deux racines réelles identiques).

Si $b^2 - 4ac < 0$, alors l'équation n'admet aucune solution réelle.

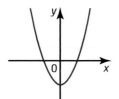

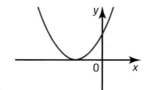

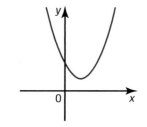

Communication et compréhension

C1 On demande à Minh de résoudre une équation du second degré de la forme $ax^2 + bx + c = 0$, mais il hésite entre factoriser le polynôme, compléter le carré, appliquer la formule quadratique ou utiliser une calculatrice à affichage graphique. Que lui conseillerais-tu? Explique ta réponse.

C2 Plusieurs méthodes permettent de résoudre une équation du second degré de la forme $ax^2 + bx = 0$. Laquelle est la plus facile à utiliser? Pourquoi?

C3 Julie veut déterminer le nombre d'abscisses à l'origine d'une fonction du second degré. Comment peut-elle le faire sans tracer le graphique de la fonction? Explique ton raisonnement.

A À ton tour

Si tu as besoin d'aide pour répondre aux questions 1 à 3, reporte-toi à l'exemple 1.

1. Résous par la factorisation.
- **a)** $x^2 + 2x - 3 = 0$
- **b)** $x^2 + 3x - 10 = 0$
- **c)** $4x^2 - 36 = 0$
- **d)** $6x^2 - 14x + 8 = 0$
- **e)** $15x^2 - 8x + 1 = 0$
- **f)** $6x^2 + 19x + 10 = 0$

2. Vérifie tes réponses à la question 1 à l'aide d'une calculatrice ou par substitution.

3. Détermine les racines exactes à l'aide de la formule quadratique.
- **a)** $2x^2 - 17x + 27 = 0$
- **b)** $-4x^2 + 3x + 8 = 0$
- **c)** $-x^2 - x + 7 = 0$
- **d)** $x^2 + 6x - 4 = 0$
- **e)** $3x^2 + x - 11 = 0$
- **f)** $-\frac{1}{2}x^2 + 4x - 1 = 0$

Si tu as besoin d'aide pour répondre à la question 4, reporte-toi à l'exemple 2.

4. Technologie Détermine le nombre de racines de chaque équation en traçant le graphique de la fonction à l'aide d'une calculatrice à affichage graphique.
- **a)** $3x^2 - 4x + 5 = 0$
- **b)** $8x^2 - 20x + 12,5 = 0$
- **c)** $-x^2 + 2x + 5 = 0$
- **d)** $\frac{3}{4}x^2 - 5x + 2 = 0$

Si tu as besoin d'aide pour répondre à la question 5, reporte-toi à l'exemple 3.

5. Détermine les zéros exacts.
- **a)** $f(x) = 6x^2 + 3x - 2$
- **b)** $f(x) = -\frac{1}{3}x^2 + 4x - 8$
- **c)** $f(x) = \frac{3}{4}x^2 - 2x - 7$
- **d)** $f(x) = \frac{1}{4}x^2 - 2x + 4$

Si tu as besoin d'aide pour répondre à la question 6, reporte-toi à l'exemple 4.

6. Détermine le nombre de racines de chaque équation à l'aide du discriminant.
- **a)** $x^2 - 5x + 4 = 0$
- **b)** $3x^2 + 4x + \frac{4}{3} = 0$
- **c)** $2x^2 - 8x + 9 = 0$
- **d)** $-2x^2 + 0,75x + 5 = 0$

B Liens et mise en application

7. Quelle méthode utiliserais-tu pour résoudre chaque équation? Explique tes choix. Résous chaque équation. Avais-tu choisi la meilleure méthode dans chaque cas? Pourquoi?
- **a)** $2x^2 - 5x - 12 = 0$ **b)** $x^2 - 25 = 0$
- **c)** $2x^2 + 3x - 1 = 0$ **d)** $\frac{1}{2}x^2 + 4x = 0$
- **e)** $3x^2 - 4x + 2 = 0$ **f)** $x^2 - 4x + 4 = 0$
- **g)** $0,57x^2 - 3,7x - 2,5 = 0$
- **h)** $9x^2 - 24x + 16 = 0$

8. Détermine la valeur de k pour laquelle l'équation $x^2 + kx + 9 = 0$ admet :

a) deux racines identiques,

b) deux racines distinctes.

9. a) Crée une table de valeurs pour la fonction $f(x) = 2x^2 - 3x$ pour le domaine $\{-2, -1, 0, 1, 2, 3, 4\}$.

b) Représente graphiquement la fonction.

c) Dans le même plan cartésien, trace la droite d'équation $y = 6$.

d) À partir de ton graphique, détermine les abscisses approximatives des points où la droite coupe le graphique de la fonction.

e) Détermine algébriquement les abscisses des points d'intersection de $f(x) = 2x^2 - 3x$ et de la droite horizontale d'équation $y = 6$.

10. Technologie Vérifie tes réponses à la question 9 à l'aide d'une calculatrice à affichage graphique.

11. Quelle valeur ou quelles valeurs de k, où k est un nombre entier, permettent de résoudre chaque équation du second degré par factorisation ?

a) $x^2 + kx + 12 = 0$　　**b)** $x^2 + kx = 8$

c) $x^2 - 3x = k$

12. La hauteur h, en mètres, d'un ballon de football au-dessus du sol, t secondes après qu'on l'a lancé, est modélisée par la fonction $h(t) = -4,9t^2 + 19,6t + 2$. Détermine le temps pendant lequel le ballon est dans les airs, au dixième de seconde près.

13. Pour s'arrêter sans déraper, une voiture qui roule à une vitesse v, en kilomètres à l'heure, a besoin d'une distance de freinage d, en mètres, modélisée par la fonction $d = 0,006\ 7v^2 + 0,15v$. Détermine la vitesse à laquelle une voiture doit rouler pour s'arrêter à la distance donnée. Arrondis tes réponses au dixième de km/h près.

a) 37 m　　　**b)** 75 m　　　**c)** 100 m

14. Un règlement limite la hauteur des structures près d'un aéroport. Pour respecter ce règlement, on construit des réservoirs de combustible cylindriques de capacités différentes en faisant varier leur rayon. L'aire totale A_t, en mètres carrés, d'un réservoir de rayon r, en mètres, correspond approximativement à la fonction du second degré $A_t(r) = 6,28r^2 + 47,7r$. Quel est le rayon de chaque réservoir selon l'aire totale indiquée ?

a) 1 105 m^2　　　　**b)** 896,75 m^2

15. La longueur d'un rectangle dépasse sa largeur de 2 m. Si l'aire du rectangle est égale à 20 m^2, quelles sont ses dimensions, au dixième de mètre près ?

16. On veut bâtir un édifice de 90 m sur 60 m. Une zone pavée de largeur uniforme entourera l'édifice. Cette zone pavée couvrira 9 000 m^2. Quelle sera sa largeur ?

zone pavée

17. On veut enlever la même longueur à 3 morceaux de bois qui ont respectivement 21 cm, 42 cm et 45 cm de longueur. Une fois raccourcis, ces morceaux de bois doivent pouvoir former un triangle rectangle. Quelle longueur doit-on enlever à chacun ?

18. À Vancouver, la hauteur h, en mètres, à laquelle il faut se trouver pour voir la côte atlantique du Canada est modélisée par l'équation $h^2 + 12\ 740h = 20\ 000\ 000$. Si la racine positive est la solution de l'équation, quelle est la hauteur nécessaire, au kilomètre près ?

19. Problème du chapitre Le volume d'actions V, en centaines de titres, d'une entreprise inscrite en Bourse depuis x semaines peut être modélisé par la fonction $V(x) = 250x - 5x^2$. Andréa doit déterminer quand (le cas échéant) le volume d'actions atteindra:

a) 275 000 actions,   **b)** 400 000 actions.

Quelle devrait être la réponse d'Andréa?

20. De petites modifications dans une équation du second degré peuvent avoir des effets importants sur les solutions. Illustre cet énoncé en résolvant ces équations.

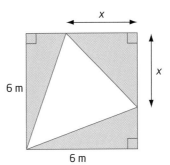

Raisonnement
Modélisation   Sélection d'outils
Résolution de problèmes
Liens   Réflexion
Communication

a) $x^2 + 50x + 624 = 0$

b) $x^2 + 50x + 625 = 0$

c) $x^2 + 50x + 626 = 0$

✔ **Question d'évaluation**

21. Une plongeuse exécute un plongeon selon une trajectoire modélisée par $h(t) = -4,9t^2 + 3t + 10$, où t est le temps écoulé en secondes et h, la hauteur de la plongeuse au-dessus de l'eau, en mètres.

a) De quelle hauteur la plongeuse s'est-elle élancée?

b) Pendant combien de temps est-elle restée dans les airs?

c) La valeur $-4,9$ devant le terme t^2 est constante, car elle dépend de l'accélération due à la force gravitationnelle. Si la plongeuse s'élance toujours de la même hauteur, quelle autre valeur de l'expression de degré 2 demeure constante?

d) Quelle est la seule valeur qui peut changer dans l'expression? Suggère une modification possible de cette valeur.

e) Si on remplace la valeur en d) par 6, pendant combien de temps de plus la plongeuse restera-t-elle dans les airs?

⊙ Approfondissement

22. Montre comment on peut obtenir la formule quadratique en complétant le carré de l'équation $ax^2 + bx + c = 0$.

23. Un bloc de béton cubique rétrécit en séchant. Le bloc sec a un volume inférieur de 30,3 cm³ à son volume initial et sa longueur d'arête est plus courte de 0,1 cm. Détermine la longueur d'arête du bloc de béton ainsi que son volume avant le séchage.

24. Les côtés du carré sur le schéma suivant mesurent 6 cm. On divise le carré en trois triangles rectangles et un triangle isocèle. Les trois triangles rectangles ont la même aire.

a) Détermine la valeur de x.

b) Détermine l'aire du triangle acutangle isocèle.

25. Concours de maths Si $f(x) = 2x^2 - 13x + c$ et $f(c) = -16$, alors c peut être égal à

   A -2 **B** 2 **C** -4 **D** 8

26. Concours de maths La fonction $f(x) = 3x^2 + 9x - 3$ a deux abscisses à l'origine, p et q. La valeur de $p - pq + q$ est

   A -2 **B** $3 + 5\sqrt{13}$

   C 0 **D** -4

27. Concours de maths Les carrés MNOP et IJKL se chevauchent, comme le montre l'illustration. K est le centre de MNOP. Quelle est l'aire du quadrilatère KROQ exprimée en fonction de l'aire de MNOP?

La détermination d'une équation du second degré à partir de ses racines

Beaucoup de ponts, comme celui de la photo, ont une structure de soutien en forme de parabole. Si les piliers de chaque côté du pont sont distants de 42 m et que la hauteur maximale de l'arche du pont est de 26 m, quelle est la fonction qui modélise cette arche ? Les ingénieures et ingénieurs doivent déterminer cette fonction pour s'assurer que le pont répond aux exigences en ce domaine. Comment peut-on utiliser les données fournies pour déterminer l'équation de la parabole qui modélise l'arche ?

Matériel

- papier quadrillé

Explore

Les zéros d'une fonction du second degré et son équation sous la forme factorisée

L'introduction donne de l'information au sujet de l'arche parabolique qui soutient un pont. Quelle est l'équation de la parabole qui modélise cette arche si le sommet se trouve sur l'axe des y et que la base de chaque pilier de l'arche est sur l'axe des x ?

Méthode 1 : Utiliser du papier et un crayon

1. À partir de l'information fournie, détermine trois points : les abscisses à l'origine et le sommet. Trace le graphique de la fonction et nomme ces trois points.

2. L'équation d'une fonction du second degré sous la forme factorisée est $y = a(x - r)(x - s)$, où r et s sont les abscisses à l'origine. Écris une équation sous cette forme en prenant les données du problème initial comme abscisses à l'origine.

3. Comment peux-tu déterminer la valeur de a à l'aide du troisième point ?

4. **a)** Écris l'équation de la forme factorisée qui représente l'arche.

   b) Réécris l'équation en a) sous la forme générale $y = ax^2 + b = c$.

5. **Réflexion** Peux-tu déterminer l'équation d'une fonction du second degré dont tu connais les zéros ? Si oui, explique comment. Sinon, explique pourquoi.

Méthode 2 : Utiliser une calculatrice à affichage graphique

Matériel

• calculatrice à affichage graphique

1. Détermine trois points à partir de l'information donnée et esquisse un schéma. Entre les trois points dans une calculatrice à affichage graphique à l'aide de **L1** et de **L2**.

2. Détermine l'équation de la fonction du second degré sous la forme $y = ax^2 + bx + c$, à l'aide de la régression du second degré.

3. Saisis la fonction en tant que **Y1** et affiche son graphique pour la vérifier.

4. **a)** L'équation d'une fonction du second degré sous la forme factorisée est $y = a(x - r)(x - s)$, où r et s sont les abscisses à l'origine. Écris cette équation, en utilisant la valeur de a obtenue à l'étape 2 et les données du problème initial. Saisis l'équation en tant que **Y2** dans la calculatrice à affichage graphique. Choisis une épaisseur différente pour son graphique et affiche-le.

   b) Que remarques-tu dans la fenêtre d'affichage de la calculatrice au moment où la deuxième parabole apparaît?

5. **Réflexion** Peux-tu déterminer l'équation d'une fonction du second degré dont tu connais les zéros? Si oui, explique comment. Sinon, explique pourquoi.

Exemple 1

Maths et monde

Un groupe de fonctions qui ont une caractéristique commune est appelé une «famille». En 9e année, tu as travaillé avec des familles de fonctions affines ayant la même pente: il s'agissait de droites parallèles.

Déterminer l'équation d'une famille de fonctions du second degré

Détermine l'équation, sous la forme factorisée, d'une famille de fonctions du second degré ayant les abscisses à l'origine données. Représente graphiquement au moins trois fonctions de chaque famille dans le même plan cartésien.

a) 4 et 2

b) 0 et -5

c) -3 et 3

d) 6 est la seule abscisse à l'origine

Solution

a) Puisque $x = 4$ et $x = 2$ sont les racines de l'équation, $(x - 4)$ et $(x - 2)$ sont les facteurs de la fonction.

L'équation de cette famille de fonctions est $f(x) = a(x - 4)(x - 2)$.

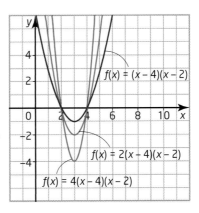

$f(x) = (x - 4)(x - 2)$
$f(x) = 2(x - 4)(x - 2)$
$f(x) = 4(x - 4)(x - 2)$

b) Puisque $x = 0$ et $x = -5$ sont les racines de l'équation, x et $(x + 5)$ sont les facteurs de la fonction. L'équation de cette famille de fonctions est $f(x) = ax(x + 5)$.

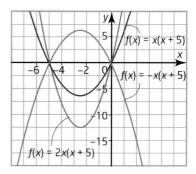

c) Puisque $x = 3$ et $x = -3$ sont les abscisses à l'origine, $(x - 3)$ et $(x + 3)$ sont les facteurs de la fonction. L'équation de cette famille de fonctions est $f(x) = a(x - 3)(x + 3)$.

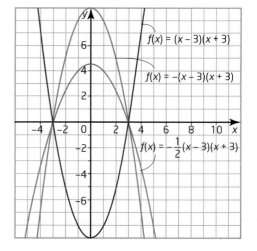

d) Puisque $x = 6$ est le zéro double de la fonction, $(x - 6)$ doit être un facteur répété. L'équation de cette famille de fonctions est $f(x) = a(x - 6)^2$.

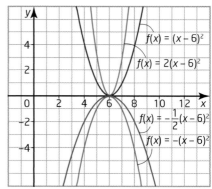

Exemple 2

Déterminer l'équation exacte d'une fonction du second degré

Détermine l'équation de la fonction du second degré dont les zéros et un autre point du graphique sont donnés. Écris chaque équation sous la forme générale.

a) 2 et -3 ; son graphique passe par le point $(0, 3)$

b) zéro double en $x = -2$; son graphique passe par le point $(3, 10)$

c) $\left(3 + \sqrt{5}\right)$ et $\left(3 - \sqrt{5}\right)$; son graphique passe par le point $(2, -12)$

a) Puisque les zéros sont 2 et -3, alors $(x - 2)$ et $(x + 3)$ sont les facteurs.

$f(x) = a(x - 2)(x + 3)$

Substitue les coordonnées du point donné : $f(0) = 3$

$3 = a(0 - 2)(0 + 3)$

$3 = -6a$

$a = -\dfrac{1}{2}$

Sous la forme factorisée, on obtient $f(x) = -\dfrac{1}{2}(x - 2)(x + 3)$.

Sous la forme générale : $f(x) = -\dfrac{1}{2}(x^2 + x - 6)$

$\qquad\qquad = -\dfrac{1}{2}x^2 - \dfrac{1}{2}x + 3$

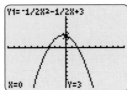

Vérifie le résultat en traçant le graphique de la fonction à l'aide d'une calculatrice à affichage graphique.

b) Puisque -2 est un zéro double, alors le facteur $(x + 2)$ est répété.

$f(x) = a(x + 2)^2$

Substitue les coordonnées du point donné : $f(3) = 10$

$10 = a(3 + 2)^2$

$10 = 25a \qquad\qquad$ Simplifie l'expression et détermine la valeur de a.

$a = 0{,}4$

Sous la forme factorisée, on obtient
$f(x) = 0{,}4(x + 2)^2$.

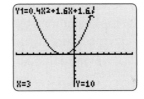

Sous la forme générale :

$f(x) = 0{,}4(x^2 + 4x + 4)$

$\qquad = 0{,}4x^2 + 1{,}6x + 1{,}6$

c) Puisque les zéros sont $\left(3 + \sqrt{5}\right)$ et $\left(3 - \sqrt{5}\right)$, alors
$\left(x - \left(3 + \sqrt{5}\right)\right)$ et $\left(x - \left(3 - \sqrt{5}\right)\right)$ sont les facteurs.

$f(x) = a\left(x - \left(3 + \sqrt{5}\right)\right)\left(x - \left(3 - \sqrt{5}\right)\right)$

$\qquad = a\left((x - 3) - \sqrt{5}\right)\left((x - 3) + \sqrt{5}\right) \quad$ C'est la forme $(c - d)(c + d)$, où

$\qquad = a\left((x - 3)^2 - \left(\sqrt{5}\right)^2\right) \qquad\qquad c = x - 3$ et $d = \sqrt{5}$.

$\qquad = a(x^2 - 6x + 9 - 5)$

$\qquad = a(x^2 - 6x + 4)$

Substitue les coordonnées du point donné : $f(2) = -12$

$-12 = a(2^2 - 6(2) + 4)$

$-12 = a(-4)$

$a = 3$

Sous la forme factorisée, on obtient
$f(x) = 3(x^2 - 6x + 4)$.

Sous la forme générale :
$f(x) = 3(x^2 - 6x + 4)$
$\qquad = 3x^2 - 18x + 12$

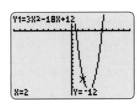

Exemple 3

Représenter des données par une fonction du second degré

L'ouverture parabolique d'un tunnel a une largeur de 32 m, mesurée au sol d'un côté à l'autre. À une distance de 4 m de chaque côté, la hauteur du tunnel est de 6 m.

a) Fais un schéma à partir des données fournies.

b) Détermine l'équation de la fonction qui modélise l'ouverture du tunnel.

c) Détermine la hauteur maximale du tunnel, au dixième de mètre près.

Solution

a) Le point (12, 6) est donné. En effet, on te dit qu'à une distance de 4 m de chaque côté, la hauteur est de 6 m. Le point $(-12, 6)$ peut aussi être utilisé et donnera la même réponse.

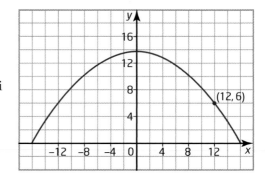

Maths et monde

Si tu supposes qu'un côté de l'ouverture est situé à l'origine, tu obtiendras une équation différente. Il s'agira d'une translation de l'équation obtenue dans l'exemple. Tu examineras les effets des translations sur l'équation d'une fonction au chapitre 2.

b) À partir des abscisses à l'origine 16 et -16, écris l'équation sous la forme factorisée : $f(x) = a(x - 16)(x + 16)$.

Pour déterminer a, substitue les coordonnées du point (12, 6).

$6 = a(12 - 16)(12 + 16)$

$6 = a(-4)(28)$

$6 = a(-112)$

$a = -\dfrac{6}{112}$

$\quad = -\dfrac{3}{56}$

La fonction qui modélise l'ouverture du tunnel est

$f(x) = -\dfrac{3}{56}(x - 16)(x + 16)$.

c) La hauteur maximale du tunnel se trouve à mi-chemin entre les abscisses à l'origine, c'est-à-dire au point où $x = 0$.

$f(0) = -\dfrac{3}{56}(0 - 16)(0 + 16)$

$\quad = -\dfrac{3}{56}(-16)(16)$

$\quad \approx 13{,}71$

La hauteur maximale du tunnel est de 13,7 m, au dixième près.

- À partir des racines, on peut déterminer l'équation d'une famille de fonctions du second degré ayant les mêmes abscisses à l'origine.

- Pour déterminer l'équation d'une fonction du second degré particulière, tu dois aussi connaître un autre point de son graphique.

Communication et compréhension

C1 Résume les étapes à suivre pour déterminer l'équation d'une fonction du second degré à partir des abscisses à l'origine et d'un autre point de son graphique.

C2 On te donne l'équation d'une famille de fonctions du second degré aynt les mêmes abscisses à l'origine. Rita affirme : « Le sommet est le seul point qui ne permet pas de déterminer l'équation exacte, car c'est le centre du graphique et on peut obtenir plus d'une fonction. » De son côté, Samuel répond : « Le sommet est aussi bon que n'importe quel autre point pour déterminer l'équation exacte. » Qui a raison ? Explique ta réponse.

C3 Mona a décidé que, lorsqu'une des abscisses à l'origine est une fraction, par exemple $-\frac{1}{2}$, elle peut utiliser le binôme $(2x + 1)$ au lieu de $\left(x + \frac{1}{2}\right)$ et obtenir la même fonction du second degré. A-t-elle raison ? Explique ta réponse.

Ⓐ À ton tour

Si tu as besoin d'aide pour répondre aux questions 1 et 2, reporte-toi à l'exemple 1.

1. Détermine l'équation, sous la forme factorisée, de la famille des fonctions qui ont les racines données. Esquisse le graphique de quatre fonctions de chaque famille.

a) $x = 3$ et $x = -6$

b) $x = -1$ et $x = -1$

c) $x = -3$ et $x = -4$

2. Réécris chaque équation de la question 1 sous la forme générale.

Si tu as besoin d'aide pour répondre aux questions 3 à 5, reporte-toi à l'exemple 2.

3. Détermine l'équation de la fonction du second degré dont les abscisses à l'origine et un point du graphique sont donnés. Exprime la fonction sous la forme factorisée. Trace son graphique pour vérifier ton résultat.

a) -3 et 5, point $(4, -3)$

b) -4 et 7, point $(-3, -12)$

c) 0 et $-\frac{2}{3}$, point $(-1, 5)$

4. Exprime chaque fonction de la question 3 sous la forme générale.

5. Détermine l'équation de la fonction du second degré dont les abscisses à l'origine et un point du graphique sont donnés. Exprime la fonction sous la forme générale. Trace son graphique pour vérifier ton résultat.

a) $1 \pm \sqrt{11}$, point $(4, -6)$

b) $-2 \pm \sqrt{7}$, point $(1, 2)$

c) $-5 \pm \sqrt{2}$, point $(-2, -14)$

6. Détermine l'équation de la fonction du second degré dont les abscisses à l'origine et un point du graphique sont donnés. Exprime la fonction sous la forme canonique. Trace son graphique pour vérifier ton résultat.

a) 3 et -1, point $(1, -2)$

b) 1 et -2, point $(0, 4)$

c) 3 et -5, point $(1, -4)$

B Liens et mise en application

Si tu as besoin d'aide pour répondre à la question 7, reporte-toi à l'exemple 3.

7. On botte un ballon de soccer à partir du sol. Après avoir parcouru une distance horizontale de 35 m, le ballon passe tout juste au-dessus d'une clôture de 1,5 m de hauteur avant de retomber au sol, à 37 m de son point de départ.

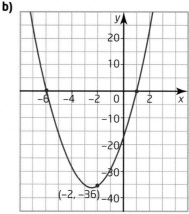

Raisonnement

Modélisation · Sélection d'outils

Résolution de problèmes

Liens · Réflexion

Communication

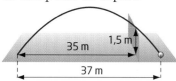

a) Place l'axe des x le long du sol et le sommet sur l'axe des y. Détermine l'équation de la fonction du second degré qui modélise la trajectoire parabolique du ballon.

b) Détermine la hauteur maximale du ballon.

c) À quelle distance horizontale de son point de départ le ballon atteint-il sa hauteur maximale?

d) Détermine l'équation de la fonction du second degré qui décrit la hauteur du ballon si son point de départ coïncide avec l'origine.

e) Indique les ressemblances et les différences entre les fonctions déterminées en a) et en d).

f) **Technologie** Compare tes solutions à l'aide d'une calculatrice à affichage graphique.

8. Détermine l'équation sous la forme générale de chaque fonction représentée.

a)

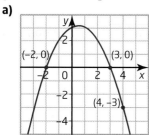

b)

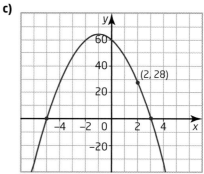

c)

9. **Technologie** Pour chaque fonction de la question 8, vérifie ton résultat à l'aide d'une calculatrice à affichage graphique à partir des trois points connus ainsi que de l'équation obtenue. Explique comment vérifier l'exactitude de ta solution avec cette méthode.

10. Explique comment utiliser la méthode étudiée dans cette section pour déterminer l'équation d'une fonction du second degré dont la seule abscisse à l'origine se situe en $(0, 0)$ et dont tu connais un autre point du graphique.

11. Détermine la fonction du second degré dont la seule abscisse à l'origine et un point du graphique sont donnés.

a) abscisse à l'origine de 0, point $(5, -2)$

b) abscisse à l'origine de 5, point $(4, 3)$

c) abscisse à l'origine de -1, point $(2, 6)$

12. **Technologie** Vérifie tes solutions à la question 11 à l'aide d'une calculatrice à affichage graphique.

13. Si la fonction $f(x) = ax^2 + 5x + c$ a une seule abscisse à l'origine, quelle est la relation mathématique entre a et c?

14. **Problème du chapitre** La firme d'actuaires où Andréa travaille a reçu un ensemble de données qui obéit à une fonction du second degré. Ces données comparent le nombre d'années d'expérience et le nombre de collisions déclarées à une compagnie d'assurance au cours du dernier mois. On demande à Andréa de récupérer les données perdues lorsque le papier s'est coincé dans le télécopieur. Seulement trois couples sont lisibles : (5, 22), (8, 28) et (9, 22). Il manque les valeurs de $f(x)$ pour $x = 6$ et $x = 7$. Andréa décide de soustraire 22 à l'ordonnée de chaque couple pour obtenir deux zéros : (5, 0), (8, 6) et (9, 0).

a) À l'aide de ces trois points, détermine la fonction du second degré qui peut modéliser les données modifiées.

b) Ajoute la valeur $y = 22$ à cette fonction pour obtenir une fonction qui modélise les données initiales.

c) Détermine les valeurs manquantes pour $x = 6$ et $x = 7$ à l'aide de cette fonction.

15. L'arche d'un viaduc a la forme d'une parabole. Elle s'étend sur 12 m. La hauteur de l'arche est de 8 m à une distance de 2 m de ses côtés.

Raisonnement

Modélisation   Sélection d'outils

Résolution de problèmes

Liens   Réflexion

Communication

a) Esquisse le graphique de la fonction du second degré si le sommet de la parabole est sur l'axe des y et que la route est le long de l'axe des x.

b) À partir de cette information, détermine la fonction qui modélise l'arche.

c) Détermine la hauteur maximale de l'arche, au dixième de mètre près.

16. Reprends l'information de la question 15, mais place un côté de l'arche à l'origine. Tu obtiendras une équation différente, car les abscisses à l'origine sont alors 0 et 12.

a) Détermine l'équation de la fonction du second degré pour cette position.

b) Détermine la hauteur maximale du viaduc et compare ce résultat à celui obtenu à la question 15.

17. Explique pourquoi les deux équations obtenues aux questions 15 et 16 modélisent la même arche, même si elles sont différentes.

✔ **Question d'évaluation**

18. Une fonction du second degré a les zéros -2 et 6 et son graphique passe par (3, 15).

a) Détermine l'équation de cette fonction sous la forme factorisée.

b) Écris l'équation de la fonction sous la forme générale.

c) Réécris l'équation en b) sous la forme canonique, en complétant le carré, et indique le sommet.

d) Vérifie ta réponse en c), à l'aide de la factorisation partielle.

e) Détermine la fonction du second degré qui a les mêmes zéros qu'en a), mais dont le graphique passe par (3, -30). Écris-la sous la forme générale.

f) Trace le graphique des deux fonctions. Explique comment ces graphiques peuvent servir à vérifier l'exactitude des équations obtenues en a) et en e).

C **Approfondissement**

19. Est-il possible de déterminer l'équation d'une fonction à partir de l'information donnée ? Si oui, explique ta réponse et donne un exemple.

a) le sommet et une abscisse à l'origine

b) le sommet et un autre point de la parabole

c) trois points quelconques de la parabole

20. **Concours de maths** Détermine l'équation de la fonction du second degré dont les zéros sont $x = \dfrac{-1 \pm \sqrt{7}}{3}$.

21. **Concours de maths** Montre que le graphique de $f(x) = ax^2 + c$ n'a pas d'abscisse à l'origine si $ac > 0$.

La résolution d'un système formé d'une équation du premier degré et d'une équation du second degré

Marina est décoratrice. Elle conçoit les décors de films à l'aide de croquis à main levée et de son ordinateur. Dans une scène, on doit voir une bannière qui s'étend d'un côté à l'autre d'une arcade parabolique. Pour rendre le coup d'œil plus intéressant, Marina veut incliner légèrement la bannière. Elle la place sur une droite définie par l'équation $y = 0{,}24x + 7{,}2$, où x représente la distance horizontale, en mètres, à partir d'une extrémité de l'arcade et y, la distance verticale. L'arcade est modélisée par l'équation du second degré $y = -0{,}48x^2 + 4{,}8x$. Comment Marina peut-elle déterminer les points où fixer la bannière et sa longueur à partir des équations? Dans cette section, tu vas acquérir les outils nécessaires pour effectuer ces calculs.

Matériel

- papier quadrillé

Facultatif

- calculatrice à affichage graphique

Explore A

Quelle peut être l'intersection d'une droite et d'une parabole?

Travaille avec une ou un camarade.

1. Soit une droite et une parabole. Combien de points d'intersection peuvent-elles avoir? Fais des schémas pour illustrer ta réponse.

2. Crée une paire d'équations pour chaque possibilité mentionnée à l'étape 1. À l'aide d'un raisonnement algébrique, montre que tes exemples sont justes.

3. Dans ton raisonnement algébrique de l'étape 2, tu as résolu une équation du second degré pour chaque situation. Calcule la valeur du discriminant de chacune.

4. **Réflexion** Comment peux-tu prédire le nombre de points d'intersection d'une fonction affine et d'une fonction du second degré à l'aide d'un raisonnement algébrique?

Explore B

Quel est le lien entre le discriminant et les points d'intersection d'une fonction affine et d'une fonction du second degré ?

Tu vas ici déterminer l'équation de droites de pente -2 qui coupent la parabole définie par $y = x^2 + 4x + 4$.

1. Écris l'équation sous la forme explicite, $y = mx + b$, d'une fonction affine dont la pente est -2 et dont l'ordonnée à l'origine est une valeur inconnue, k.

2. Pour éliminer la variable y dans l'équation du second degré, remplace-la par l'expression correspondante de l'équation de la fonction affine. Simplifie ensuite l'équation pour obtenir une équation du second degré de la forme $ax^2 + bx + c = 0$.

3. Substitue les valeurs ou expressions correspondantes à a, b et c dans le discriminant, $b^2 - 4ac$.

4. À la section 1.6, tu as appris que le discriminant détermine le nombre de racines (solutions) d'une équation du second degré. Base-toi sur ce fait pour répondre aux questions suivantes :

    a) Pour quelles valeurs de k le discriminant est-il positif ? Combien de points d'intersection la droite et la parabole ont-elles dans ce cas ?

    b) Pour quelles valeurs de k le discriminant est-il égal à zéro ? Combien de points d'intersection la droite et la parabole ont-elles dans ce cas ?

    c) Pour quelles valeurs de k le discriminant est-il négatif ? Combien de points d'intersection la droite et la parabole ont-elles dans ce cas ?

5. **Réflexion** À partir des solutions obtenues à l'étape 4, écris l'équation sous la forme $y = mx + b$ d'une fonction affine dont la droite a une pente de -2 et :

    a) coupe la parabole de la fonction du second degré en deux points,

    b) coupe la parabole de la fonction du second degré en un point,

    c) ne coupe pas la parabole de la fonction du second degré.

6. Vérifie chaque solution obtenue à l'étape 5 en représentant graphiquement la fonction du second degré $y = x^2 + 4x + 4$ et chaque fonction affine.

Matériel

- papier quadrillé

ou

- calculatrice à affichage graphique

Exemple 1

Déterminer les points d'intersection d'une droite et d'une parabole

Dans l'introduction de cette section, tu as fait la connaissance de Marina. Pour un décor de film, elle a prévu une bannière inclinée fixée à une arcade. Elle utilise les équations $y = 0,24x + 7,2$ et $y = -0,48x^2 + 4,8x$, où x représente la distance horizontale et y, la distance verticale, toutes deux en mètres, à partir d'une extrémité de l'arcade.

a) Détermine les coordonnées des points d'intersection des deux fonctions.

b) Interprète ces solutions selon le contexte.

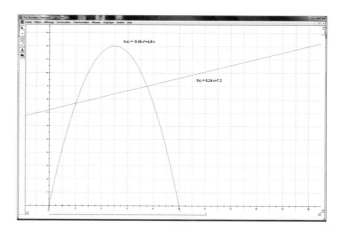

Solution

a) Méthode 1 : Utiliser du papier et un crayon

Pose les deux fonctions égales entre elles pour éliminer la variable y.

$$-0,48x^2 + 4,8x = 0,24x + 7,2$$

$-0,48x^2 + 4,8x - 0,24x - 7,2 = 0$ Réécris l'équation pour que le membre de droite soit égal à zéro.

$-0,48x^2 + 4,56x - 7,2 = 0$ Simplifie le membre de gauche.

$2x^2 - 19x + 30 = 0$ Divise les deux membres par -0,24.

$2x^2 - 4x - 15x + 30 = 0$ Effectue une mise en évidence double pour factoriser l'équation.

$2x(x - 2) - 15(x - 2) = 0$

$(x - 2)(2x - 15) = 0$

Par conséquent, $x = 2$ ou $x = 7,5$.

Reporte ces valeurs dans l'une ou l'autre des équations pour déterminer les valeurs correspondantes de y. Cette substitution est plus facile dans la fonction affine.

$y = 0,24x + 7,2$

Pour $x = 2$:

$y = 0,24(2) + 7,2$

$\quad = 7,68$

Pour $x = 7,5$:

$y = 0,24(7,5) + 7,2$

$\quad = 9$

Les coordonnées des points d'intersection des deux fonctions sont $(2, 7,68)$ et $(7,5, 9)$.

Méthode 2 : Utiliser une calculatrice à affichage graphique

- Saisis les deux fonctions :
  $\mathbf{Y1} = -0,48x^2 + 4,8x$ et $\mathbf{Y2} = 0,24x + 7,2$.
- Règle les paramètres d'affichage comme le montre l'illustration.
- Appuie sur (GRAPH).

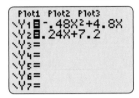 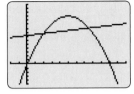 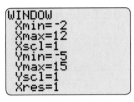

- Appuie sur (2nd) [CALC].
- Détermine les coordonnées de chaque point d'intersection à l'aide de la commande **Intersect**.

 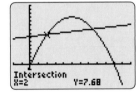 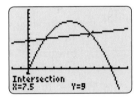

Les coordonnées des points d'intersection des deux fonctions sont (2, 7,68) et (7,5, 9).

Méthode 3 : Utiliser la calculatrice TI-Nspire™ CAS

Allume la calculatrice.

- Appuie sur (⌂ on) et sélectionne **6: Nouveau.**
- Sélectionne **2: Ajouter l'application Graphiques.**
- Saisis $-0,48x^2 + 4,8x$ pour la fonction **f1**. Appuie sur (enter).
- Saisis $0,24x + 7,2$ pour la fonction **f2**. Appuie sur (enter).
- Appuie sur (menu). Sélectionne **4: Fenêtre.**
- Sélectionne ensuite **6: Zoom – 1er quadrant.**

Les graphiques s'afficheront à l'écran.

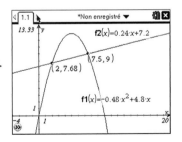

- Appuie sur (menu). Sélectionne **7: Points et droites.**
- Sélectionne ensuite **3: Point(s) d'intersection.**
  Place le curseur sur le premier graphique et appuie sur (enter). Place le curseur sur l'autre graphique et appuie sur (enter). Appuie sur (esc).

Les coordonnées des points d'intersection des deux fonctions s'affichent à l'écran : (2, 7,68) et (7,5, 9).

b) D'après ces résultats, Marina doit accrocher un bout de la bannière à 2 m de distance horizontale de l'extrémité gauche de l'arcade, à une hauteur de 7,68 m. L'autre bout doit être fixé à une distance horizontale de 7,5 m et à une hauteur de 9 m.

Exemple 2

Déterminer si la représentation graphique d'une fonction affine et celle d'une fonction du second degré ont des points d'intersection

Détermine algébriquement si la fonction affine et la fonction du second degré de chaque paire ont des points d'intersection. Si oui, détermine leur nombre de points d'intersection.

a) $y = 3x + 5$ et $y = 3x^2 - 2x - 4$

b) $y = -x - 2$ et $y = -2x^2 + x - 3$

Solution

a) Pose les équations égales entre elles et simplifie-les.

$$3x^2 - 2x - 4 = 3x + 5$$

$$3x^2 - 2x - 4 - 3x - 5 = 0 \qquad \text{Réécris l'équation pour que le membre de droite soit égal à zéro.}$$

$$3x^2 - 5x - 9 = 0 \qquad \text{Simplifie le membre de gauche.}$$

$a = 3$, $b = -5$ et $c = -9$.

Évalue le discriminant :

$$b^2 - 4ac = (-5)^2 - 4(3)(-9)$$

$$= 25 + 108$$

$$= 133$$

Puisque le discriminant est supérieur à zéro, il y a deux solutions. Donc, la fonction affine et la fonction du second degré ont deux points d'intersection.

b) Pose les équations égales entre elles et simplifie-les.

$$-2x^2 + x - 3 = -x - 2$$

$$-2x^2 + x - 3 + x + 2 = 0 \qquad \text{Réécris l'équation pour que le membre de droite soit égal à zéro.}$$

$$-2x^2 + 2x - 1 = 0 \qquad \text{Simplifie le membre de gauche.}$$

$a = -2$, $b = 2$ et $c = -1$.

Évalue le discriminant :

$$b^2 - 4ac = 2^2 - 4(-2)(-1)$$

$$= 4 - 8$$

$$= -4$$

Puisque le discriminant est inférieur à zéro, il n'y a aucune solution réelle. Donc, la fonction affine et la fonction du second degré n'ont aucun point d'intersection.

Dans cette section, tu as examiné les points d'intersection possibles d'une droite et d'une courbe, par exemple, celle d'une fonction du second degré. Toute droite qui a une intersection avec le graphique d'une fonction du second degré est une **sécante** ou une **tangente**.

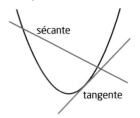
Exemple 3

Déterminer l'ordonnée à l'origine de la tangente au graphique d'une fonction du second degré

Si une droite de pente 4 a un point d'intersection avec le graphique de la fonction du second degré $y = \frac{1}{2}x^2 + 2x - 8$, quelle est l'ordonnée à l'origine de cette droite? Écris son équation sous la forme $y = mx + b$.

Solution

La droite peut être modélisée par $y = 4x + k$, où k représente l'ordonnée à l'origine.

Remplace y par cette expression dans la fonction du second degré:

$$\frac{1}{2}x^2 + 2x - 8 = 4x + k$$

$$\frac{1}{2}x^2 - 2x - 8 - k = 0$$

$$\frac{1}{2}x^2 - 2x + (-8 - k) = 0$$

De ce fait, $a = \frac{1}{2}$, $b = -2$ et $c = -8 - k$.

Si le discriminant est égal à 0, il y a une racine double.

Reporte les valeurs obtenues dans $b^2 - 4ac = 0$.

$$(-2)^2 - 4\left(\frac{1}{2}\right)(-8 - k) = 0$$

$$4 - 2(-8 - k) = 0$$

$$4 + 16 + 2k = 0$$

$$2k = -20$$

$$k = -10$$

L'ordonnée à l'origine de la droite qui touche le graphique de la fonction du second degré en un seul point est −10. L'équation de la droite est $y = 4x - 10$.

Tu peux vérifier la solution à l'aide d'une calculatrice à affichage graphique. Représente graphiquement

Y1 $= \frac{1}{2}x^2 + 2x - 8$ et **Y2** $= 4x - 10$. La commande

Intersect montre que le seul point d'intersection des deux graphiques est le point (2, −2) et que la droite est donc tangente à la courbe.

Maths et monde

Un des principaux sujets d'étude en calcul différentiel est la détermination de la pente d'une tangente à une courbe en un point donné.

Conseil techno

Parfois, il faut une «fenêtre conviviale» pour que la calculatrice affiche les valeurs exactes. Choisis des multiples de 94 pour définir le domaine. Pour afficher le point d'intersection exact de l'exemple 3, on a utilisé **Xmin** = −4,7 et **Xmax** = 4,7. La commande **0:ZoomFit** permet de choisir une image appropriée.

Exemple 4

Résoudre un problème comportant un système formé d'une équation du premier degré et d'une équation du second degré

Un policier à cheval se dirige vers une banque à sa vitesse maximale constante de 10 m/s. Il se trouve à 100 m de la banque lorsqu'un voleur en sort et s'éloigne, en accélérant, dans la même direction que le policier. La distance d, en mètres, entre le voleur et la banque au bout de t secondes est modélisée par l'équation $d = 0{,}2t^2$.

a) Écris l'équation qui définit la position du policier en fonction du temps.

b) Le policier rattrapera-t-il le voleur ? Si oui, détermine le moment et l'endroit où cela se produira. Sinon, explique pourquoi.

Solution

a) Suppose que la banque se situe à l'origine. Puisque le policier est à 100 m de la banque et que le voleur s'éloigne dans la même direction que lui, représente la position du policier par −100. Le policier se déplace à la vitesse de 10 m/s, donc sa position par rapport à la banque est donnée par $d = 10t − 100$.

b) Pour que le policier rattrape le voleur, il faut que les deux équations soient égales :

$$10t − 100 = 0{,}2t^2$$

Résous l'équation :

$$0 = 0{,}2t^2 − 10t + 100$$

$$0 = t^2 − 50t + 500 \qquad \text{Multiplie chaque terme par 5.}$$

Dans la formule quadratique, $a = 1$, $b = -50$ et $c = 500$.

$$t = \frac{-b \pm \sqrt{b^2 - 4ac}}{2a}$$

$$= \frac{-(-50) \pm \sqrt{(-50)^2 - 4(1)(500)}}{2(1)}$$

$$= \frac{50 \pm \sqrt{2\,500 - 2\,000}}{2}$$

$$= \frac{50 \pm \sqrt{500}}{2}$$

$$= \frac{50 \pm 10\sqrt{5}}{2}$$

$$= 25 \pm 5\sqrt{5}$$

Donc, $t \approx 13{,}8$ s ou $t \approx 36{,}2$ s. La première valeur indique le temps nécessaire au policier pour rattraper le voleur.

La deuxième valeur signifie que si le policier n'arrête pas lorsqu'il rejoint le voleur, il va le dépasser. Cependant, comme le policier se déplace à une vitesse constante et que le voleur accélère, ce sera au tour du voleur de rattraper le policier.

Le policier rattrapera le voleur au bout de 13,8 s.

Pour déterminer l'endroit, substitue 13,8 s à t dans la fonction initiale.

$$d(t) = 10t - 100$$
$$d(13,8) = 10(13,8) - 100$$
$$= 138 - 100$$
$$= 38$$

Le policier rattrapera le voleur à 38 m de la banque.

Concepts clés

- Une fonction affine et une fonction du second degré peuvent :
  - avoir deux points d'intersection (la droite est une sécante),
  - avoir un seul point d'intersection (la droite est tangente à la courbe),
  - n'avoir aucun point d'intersection.
- Le discriminant permet de déterminer la nature des points d'intersection.
- La formule quadratique permet de déterminer l'abscisse des points d'intersection.

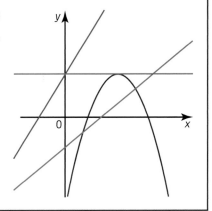

Communication et compréhension

C1 Larissa utilise toujours la formule quadratique complète pour déterminer le nombre de zéros d'une fonction du second degré. Que peux-tu lui dire pour l'aider à comprendre qu'il suffit d'évaluer le discriminant ?

C2 Raphaël résout une équation du second degré pour déterminer les abscisses des points d'intersection d'une fonction affine et d'une fonction du second degré. Il reporte ensuite ces valeurs dans l'équation de la fonction affine pour déterminer les valeurs correspondantes de y. Est-ce une bonne idée ? Explique ta réponse.

C3 Décris les avantages et les inconvénients de chaque méthode pour déterminer les points d'intersection d'une fonction affine et d'une fonction du second degré.
- la méthode algébrique • la méthode graphique

Ⓐ À ton tour

Si tu as besoin d'aide pour répondre aux questions 1 et 2, reporte-toi à l'exemple 1.

1. Résous algébriquement chaque système pour déterminer les coordonnées du point ou des points d'intersection de ces fonctions.
- **a)** $y = x^2 - 7x + 15$ et $y = 2x - 5$
- **b)** $y = 3x^2 - 16x + 37$ et $y = 8x + 1$
- **c)** $y = \frac{1}{2}x^2 - 2x - 3$ et $y = -3x + 1$
- **d)** $y = -2x^2 - 7x + 10$ et $y = -x + 2$

2. Vérifie les résultats obtenus à la question 1 à l'aide d'une calculatrice à affichage graphique ou par substitution dans les équations initiales.

Si tu as besoin d'aide pour répondre aux questions 3 et 4, reporte-toi à l'exemple 2.

3. Détermine si la fonction du second degré et la fonction affine données ont deux points d'intersection, en ont un seul ou n'en ont aucun.

   a) $y = 2x^2 - 2x + 1$ et $y = 3x - 5$

   b) $y = -x^2 + 3x - 5$ et $y = -x - 1$

   c) $y = \frac{1}{2}x^2 + 4x - 2$ et $y = x + 3$

   d) $y = -\frac{2}{3}x^2 + x + 3$ et $y = x$

4. Vérifie tes réponses à la question 3 à l'aide d'une calculatrice à affichage graphique.

Si tu as besoin d'aide pour répondre aux questions 5 et 6, reporte-toi à l'exemple 3.

5. Détermine l'ordonnée à l'origine de la droite de pente donnée qui est tangente à la courbe de la fonction indiquée.

   a) $y = -2x^2 + 5x + 4$ et une droite dont la pente est 1

   b) $y = -x^2 - 5x - 5$ et une droite dont la pente est −3

   c) $y = 2x^2 + 4x - 1$ et une droite dont la pente est 2

   d) $y = 3x^2 - 4x + 1$ et une droite dont la pente est −2

6. Vérifie tes réponses à la question 5 à l'aide d'une calculatrice à affichage graphique ou par substitution dans les équations initiales.

B Liens et mise en application

7. Le trajet d'un cours d'eau souterrain est donné par la fonction $y = 4x^2 + 17x - 32$. Deux nouvelles maisons ont besoin d'un puits. Selon le plan de la région, ces maisons sont situées sur une droite définie par l'équation $y = -15x + 100$. Détermine les coordonnées des deux endroits où creuser un puits.

8. Un astéroïde suit une trajectoire parabolique modélisée par la fonction $y = -6x^2 - 370x + 100\ 900$. Durant la période où elle se trouve dans la région, une sonde spatiale se déplace dans le même plan que l'astéroïde, selon une trajectoire rectiligne définie par l'équation du premier degré $y = 500x - 83\ 024$. Une agence spatiale veut déterminer si l'astéroïde présente un danger pour la sonde. Leurs trajectoires se croisent-elles ? Montre ton travail.

9. Technologie Vérifie tes réponses aux questions 7 et 8 à l'aide d'une calculatrice à affichage graphique.

10. Détermine la valeur de k pour laquelle la parabole de $y = -x^2 + 4x + k$ et la droite de $y = 8x - 2$ ont le nombre indiqué de points d'intersection.

   a) deux   **b)** un   **c)** aucun

11. Détermine la valeur de k pour laquelle la parabole de $y = kx^2 - 5x + 2$ et la droite de $y = -3x + 4$ ont le nombre indiqué de points d'intersection.

   a) deux   **b)** un   **c)** aucun

12. L'arche d'un pont est modélisée par l'équation $y = -\frac{1}{200}x^2 + \frac{6}{25}x - 5$, où l'axe des x représente le tablier du pont. Il y a aussi des poutres de soutien parallèles sous le pont. Chaque poutre a une pente de 0,8 ou de −0,8. À partir de la pente de −0,8, détermine l'ordonnée à l'origine de la droite associée à la plus longue poutre. **Indice :** La plus longue poutre est celle qui touche l'arche en un point.

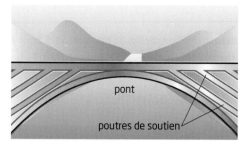

13. La droite $x = 2$ coupe le graphique de la fonction du second degré $y = x^2 - 9$ en un point, $(2, -5)$. Explique pourquoi cette droite n'est pas une tangente à la courbe.

14. Problème du chapitre Le superviseur d'Andréa lui a demandé de délimiter la zone de sécurité du site de feux d'artifice. Andréa doit déterminer où placer la clôture. Les feux d'artifice seront tirés d'une plate-forme au bas d'une colline. Andréa situe l'origine sur le dessus de la plate-forme, prend quelques mesures en mètres et établit les équations suivantes.

Coupe transversale du versant de la colline : $y = 4x - 12$

Trajectoire des feux d'artifice : $y = -x^2 + 15x$

a) Illustre la situation en traçant le graphique des deux fonctions dans le même plan cartésien.

b) Calcule les coordonnées du point d'intersection de la trajectoire des feux et du versant de la colline.

c) À quelle hauteur sur la colline la clôture doit-elle être placée ? **Indice :** Utilise le théorème de Pythagore.

15. Un parachutiste saute d'un avion et ouvre son parachute aussitôt. Son altitude y, en mètres, au bout de t secondes est modélisée par l'équation $y = -4t + 300$. Une parachutiste saute 5 s plus tard et reste en chute libre pendant quelques secondes. Durant ce temps, son altitude en mètres est modélisée par l'équation $y = -4,9(t - 5)^2 + 300$. À quel moment la parachutiste rattrape-t-elle son compagnon ?

16. On peut modéliser l'indice UV d'une journée ensoleillée par la fonction $f(x) = -0,15(x - 13)^2 + 7,6$, où x représente l'heure en notation de 24 heures et $f(x)$ représente l'indice UV. Durant quelle période l'indice UV était-il supérieur à 7 ?

✓ **Question d'évaluation**

17. Les arches du pont pour piétons de la rivière Humber, à Toronto, peuvent être modélisées par la fonction du second degré $y = -0,004\,4x^2 + 21,3$ si la passerelle est représentée par la droite $y = 0$. On prévoit construire à North Bay un pont semblable dont les arches correspondront à la même équation. Toutefois, la passerelle de ce pont sera légèrement inclinée, selon l'équation $y = 0,026\,3x + 1,82$.

a) Détermine les points d'intersection entre les arches de soutien et la passerelle inclinée, au dixième près.

b) Technologie Vérifie ta solution en a) à l'aide d'une calculatrice à affichage graphique.

c) Détermine la longueur du pont.

d) De combien cette passerelle sera-t-elle plus courte que celle du pont à Toronto ? Explique ta réponse.

Ⓒ Approfondissement

18. Dans cette section, on a utilisé la substitution pour déterminer le ou les points d'intersection d'une droite et d'une parabole. Cette méthode peut servir dans le cas d'autres courbes.

a) Détermine les points d'intersection du cercle d'équation $(x - 5)^2 + (y - 5)^2 = 25$ et de la droite de $y = -\dfrac{1}{3}x + \dfrac{5}{3}$.

b) Vérifie ta réponse à l'aide d'une calculatrice en affichant la droite et le graphique des fonctions $y = 5 + \sqrt{25 - (x - 5)^2}$ et $y = 5 - \sqrt{25 - (x - 5)^2}$.

19. Concours de maths Détermine les points d'intersection de la droite $y = 7x - 42$ et du cercle d'équation $x^2 + y^2 - 4x + 6y = 12$.

20. Concours de maths Les cercles définis par $x^2 + y^2 = 11$ et $(x - 3)^2 + y^2 = 2$ se coupent en deux points, P et Q. Quelle est la longueur de $\overline{PQ}$?

A 2   **B** $2\sqrt{2}$ **C** 13   **D** $\sqrt{13}$

Révision du chapitre 1

1.1 Les fonctions, leur domaine et leur image, pages 4 à 15

1. Détermine le domaine et l'image de chaque relation.

a)

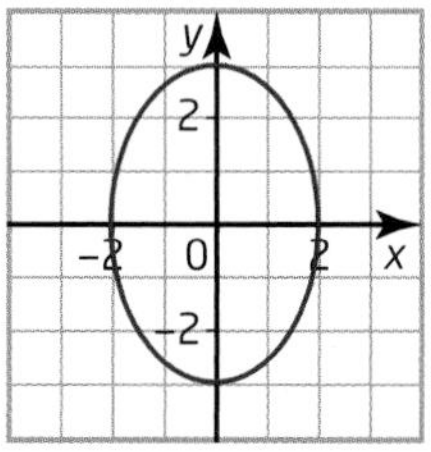

b)

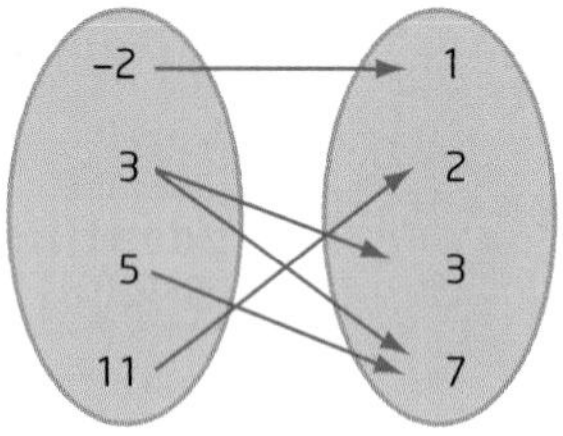

c) $\{(1, 4), (2, 6), (3, 10), (4, 18), (5, 29)\}$

d) $y = 2x^2 + 11$

2. Indique si chaque relation de la question 1 est une fonction. Explique tes réponses.

1.2 La notation fonctionnelle, pages 16 à 24

3. Une machine à fonctions génère les couples $(2, 5)$ et $(-3, -15)$.

a) Détermine l'équation de la fonction.

b) Est-il possible qu'une autre fonction donne les mêmes valeurs ? Explique ta réponse.

4. a) Construis un diagramme sagittal à partir de ces données :
$\{(4, -2), (6, 1), (11, -7), (6, 7), (4, -7)\}$

b) Cette relation est-elle une fonction ? Pourquoi ?

1.3 Le maximum ou le minimum d'une fonction du second degré, pages 25 à 33

5. Chaque personne doit payer 30 \$ pour assister à un banquet sportif s'il y a 200 personnes en tout. Pour chaque tranche additionnelle de 10 personnes, le tarif est réduit de 1,50 \$. Quel nombre de personnes permet de maximiser les revenus ?

6. La puissance P, en watts, produite par un panneau solaire est donnée par la fonction $P(I) = -5I^2 + 100I$, où I est l'intensité du courant, en ampères.

a) Quelle intensité maximise la puissance ?

b) Quelle est cette puissance maximale ?

1.4 Les opérations sur les expressions comportant des radicaux, pages 34 à 42

7. Effectue les opérations et simplifie le résultat si possible.

a) $\sqrt{27} - 4\sqrt{3} + \sqrt{243} - 8\sqrt{81} + 2$

b) $-3\sqrt{3}(\sqrt{3} + 5\sqrt{2})$

c) $(\sqrt{3} + 5)(5 - \sqrt{3})$

d) $5\sqrt{2}(11 + 2\sqrt{2}) - 4(8 + 3\sqrt{2})$

8. Détermine une expression simplifiée pour l'aire de chaque figure.

a)

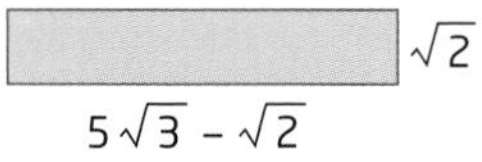

b)

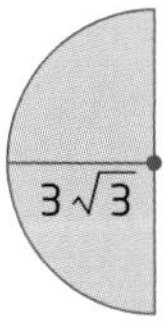

1.5 La résolution d'équations du second degré, pages 43 à 51

9. Résous chaque équation du second degré. Donne des réponses exactes.

a) $3x^2 - 2x - 2 = 0$

b) $6x^2 - 23x + 20 = 0$

10. Détermine le nombre de racines de chaque équation à l'aide du discriminant.

a) $3x^2 + 4x - 5 = 0$

b) $-2x^2 + 5x - 1 = 0$

c) $9x^2 - 12x + 4 = 0$

11. Jessica se dit que puisque $2 \times 2 = 4$ et $2 + 2 = 4$, alors $\sqrt{2} + \sqrt{2}$ doit avoir la même valeur que $\sqrt{2} \times \sqrt{2}$. A-t-elle raison? Explique ta réponse.

1.6 La détermination d'une équation du second degré à partir de ses racines, pages 52 à 59

12. Détermine l'équation sous la forme générale de chaque fonction du second degré.

a) abscisses à l'origine -2 et 5; graphique passant par le point $(3, 5)$

b) abscisses à l'origine $-2 \pm \sqrt{5}$; graphique passant par le point $(-4, 5)$

13. Un golfeur frappe une balle. La balle retombe au sol à une distance de 53 m dans le même plan horizontal. Elle est passée juste au-dessus d'un arbre de 9 m qui se trouve à 8 m devant le golfeur.

a) Suppose que la balle est frappée de l'origine d'un plan cartésien. Détermine une fonction du second degré qui décrit sa trajectoire.

b) Quelle est la hauteur maximale de la balle?

c) Est-il possible de déplacer l'origine et de définir une autre fonction du second degré pour modéliser la trajectoire? Si oui, fais-le.

14. Technologie Vérifie ta solution à la question 13 à l'aide d'une calculatrice à affichage graphique.

1.7 La résolution d'un système formé d'une équation du premier degré et d'une équation du second degré, pages 60 à 69

15. Détermine les points d'intersection des fonctions de chaque paire.

a) $y = 4x^2 - 15x + 20$ et $y = 5x - 4$

b) $y = -2x^2 + 9x + 9$ et $y = -3x - 5$

16. Pour quelle valeur de b la droite de $y = -2x + b$ est-elle tangente à la parabole de $y = 3x^2 + 4x - 1$?

17. Les systèmes formés d'une équation du premier degré et d'une équation du second degré ont-ils toujours une solution? Explique ta réponse à l'aide d'un exemple de la vie courante.

Problème du chapitre — LA CONCLUSION

Partie A

Pour terminer sa formation en entreprise, Andréa doit analyser deux placements.

• Le premier exige un capital initial de 5 000 $, et le montant accumulé croît suivant l'équation $M(t) = 10t^2 - 48t + 5\,000$.

• Le deuxième exige un capital initial de 10 000 $, et le montant accumulé croît suivant l'équation $M(t) = 10\,000 + 497t$.

Dans les deux équations, t représente le temps écoulé, en semaines, et M représente le montant accumulé, en dollars.

a) Au bout de combien de temps les deux placements auront-ils la même valeur?

b) Dans quels cas Andréa devrait-elle recommander le premier placement?

Partie B

Dans ce chapitre, tu as exploré certains des types de calculs effectués par les actuaires. Fais une recherche dans Internet pour en savoir plus sur cette profession.

1. Les énoncés suivants sont-ils vrais ou faux?

   a) Toute relation est un type particulier de fonction.

   b) Toute fonction est un type particulier de relation.

   c) Dans $f(x) = \dfrac{3}{x-2}$, x peut prendre n'importe quelle valeur réelle, sauf $x = 2$.

   d) $3\sqrt{9}$ est la forme la plus simple de $\sqrt{81}$.

   e) Une fonction du second degré et une fonction affine ont toujours au moins un point d'intersection.

Pour les questions 2 à 6, choisis la meilleure réponse.

2. Que permet de déterminer le test de la droite verticale?

   A Qu'une relation est une fonction.

   B Qu'une relation est constante.

   C Qu'une fonction est une relation.

   D Toutes ces réponses

3. L'image de la fonction $f(x) = -x^2 + 7$ est:

   A $\{y \in \mathbb{R} \mid y \geq 7\}$ **B** $\{y \in \mathbb{R} \mid y \leq 7\}$

   C $\{y \in \mathbb{R} \mid y > 0\}$ **D** $\{y \in \mathbb{R}\}$

4. Quelle fonction donne la valeur $y = 9$ pour les valeurs $x = 1$ et $x = -1$?

   A $y = 2x + 7$ **B** $y = x^2 - 3x + 1$

   C $y = 2x^2 + 7$ **D** Toutes ces réponses

5. Le sommet de $y = -3x^2 + 6x - 2$ est:

   A $(1, -2)$ **B** $(1, 1)$

   C $(-1, 1)$ **D** $(-1, -2)$

6. Soit $f(x) = x^2 - 6x + 10$. Si $f(a) = 1$, quelle est la valeur de a?

   A 5   **B** 3

   C 2   **D** 1

7. Représente graphiquement une relation:

   a) qui est une fonction de domaine $\{x \in \mathbb{R}\}$ et d'image $\{y \in \mathbb{R} \mid y \leq 3\}$.

   b) qui n'est pas une fonction et a comme domaine $\{x \in \mathbb{R} \mid -5 \leq x \leq 5\}$ et comme image $\{y \in \mathbb{R} \mid -5 \leq y \leq 5\}$.

8. Détermine le domaine et l'image de chaque fonction.

   a)

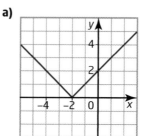

   b)

x	$f(x)$
0	−5
1	−8
2	−12
3	−21

9. La période d'un pendule est le temps nécessaire au pendule pour faire une oscillation complète. On peut représenter la période T, en secondes, d'un pendule de longueur L, en mètres, par

$$T = 2\sqrt{L}.$$

   a) Indique le domaine et l'image de T.

   b) Représente graphiquement la relation.

   c) S'agit-il d'une fonction? Pourquoi?

10. Énumère les couples de ce diagramme sagittal. S'agit-il d'une fonction?

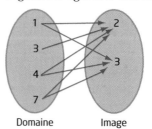

Domaine   Image

11. a) Détermine le sommet de la parabole définie par $f(x) = -\dfrac{1}{2}x^2 + 4x + 3$.

   b) Représente-t-il un minimum ou un maximum? Explique ta réponse.

   c) Combien d'abscisses à l'origine la fonction a-t-elle?

12. Patrick a 30 m de clôture pour délimiter trois enclos identiques derrière la grange, comme sur le schéma.

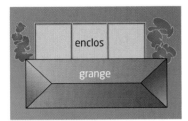

a) Quelles dimensions maximisent l'aire de chaque enclos?

b) Quelle est l'aire maximale de chaque enclos?

13. On peut vendre 500 billets pour un spectacle à 30 $ chacun. Chaque augmentation de 1 $ du prix réduira de 10 le nombre de billets vendus.

a) Modélise les recettes par une fonction du second degré.

b) Quel prix du billet génère des recettes maximales?

c) Quelles sont les recettes maximales?

14. Effectue chaque multiplication de radicaux et simplifie le résultat si possible.

a) $3\sqrt{2}\left(2\sqrt{3} - 3\sqrt{2}\right)$

b) $\left(\sqrt{2} + x\right)\left(\sqrt{2} - x\right)$

15. Pour quelle valeur de x a-t-on
$$\sqrt{x} + \sqrt{x} = \sqrt{x} \times \sqrt{x}, \text{ où } x > 0?$$
Explique ta réponse.

16. Soit la fonction du second degré
$$f(x) = -\frac{1}{2}x^2 + 4x + 10.$$

a) Détermine les abscisses à l'origine.

b) Détermine le sommet à l'aide de deux méthodes.

c) Esquisse le graphique de la fonction.

17. La longueur d'un rectangle a 3 m de plus que le double de sa largeur. Si l'aire du rectangle est de 65 m², quelles sont ses dimensions?

18. Détermine l'équation, sous la forme générale, de la fonction du second degré dont les abscisses à l'origine sont $-5 \pm \sqrt{3}$ et dont le graphique passe par le point $(-3, 8)$.

19. Voici le graphique d'une fonction du second degré.

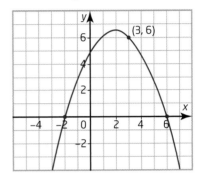

a) Détermine l'équation de la fonction.

b) Détermine le maximum de la fonction.

20. Détermine le ou les points d'intersection de $y = -x^2 + 5x + 8$ et de $y = 2x - 10$.

21. a) Compare le graphique de $f(x) = 3x^2 - 4$ à celui de $g(x) = 3(x - 2)(x + 2)$.

b) Que faut-il modifier dans l'équation de $f(x)$ pour que ces deux fonctions appartiennent à une famille avec les mêmes abscisses à l'origine?

c) Décris, sous la forme factorisée, la famille de fonctions qui a les mêmes abscisses à l'origine que $h(x) = 5x^2 - 7$.

22. Une balle de baseball suit une trajectoire donnée par l'équation $y = -0,011x^2 + 1,15x + 1,22$. La vue de coupe des gradins au champ extérieur est modélisée par l'équation $y = 0,6x - 72$. Toutes les distances sont en mètres. La balle atteindra-t-elle les gradins s'il y a coup de circuit? Explique ta réponse.

Les faisceaux laser

Une scène de spectacles est munie d'un toit parabolique. Le devant du toit est défini par l'équation $h(x) = -\frac{1}{8}x^2 + 8$, où x représente la distance horizontale à partir du centre et h, la hauteur, toutes deux en mètres. On construit une tour d'éclairage verticale en $x = 9$. On installe ensuite des projecteurs laser colorés à divers intervalles de bas en haut de la tour. Leurs faisceaux lumineux doivent éclairer le devant du toit, et leurs trajectoires respectives sont définies par les équations suivantes.

Faisceau bleu : $6x + 8y - 73 = 0$

Faisceau vert : $x + 2y - 17 = 0$

Faisceau orangé : $x + y - 10 = 0$

Faisceau rouge : $2x + 8y - 67 = 0$

a) Trace le graphique de $h(x)$.

b) Détermine les coordonnées de tout point où un faisceau laser atteint le toit.

c) Tous les faisceaux laser sauf un ont une propriété en commun. Décris cette propriété.

d) Détermine la hauteur de chaque projecteur sur la tour.

e) Détermine l'équation de la trajectoire d'un cinquième faisceau laser, qui est tangent au bord du toit à son sommet. Où devrait-on placer cette source de lumière sur la tour?

f) Soit le faisceau laser qui ne partage pas la même propriété que les autres. Sans déplacer la source de ce faisceau, détermine une équation de sa trajectoire qui lui permettra de partager cette propriété. À quel endroit le faisceau atteint-il le bord du toit?

CHAPITRE

2

Les transformées et la réciproque de fonctions

Dans ce chapitre, tu étudieras les caractéristiques des transformations appliquées à des fonctions et tu apprendras qu'il existe divers liens entre les fonctions complexes et les fonctions simples. Tu analyseras les liens entre les modifications de la représentation graphique d'une fonction et les paramètres de son équation. Tu exploreras aussi la réciproque de fonctions affines et de fonctions du second degré.

Après l'étude de ce chapitre, tu pourras :

- simplifier des expressions de polynômes à l'aide d'additions, de soustractions et de multiplications ;
- simplifier des expressions contenant des radicaux à l'aide de factorisations, d'additions, de soustractions et de multiplications ;
- simplifier des expressions rationnelles à l'aide d'additions, de soustractions, de multiplications et de divisions, et indiquer les restrictions imposées aux variables ;
- établir, à l'aide d'une variété de représentations numériques, le lien entre une fonction et sa réciproque comme un processus inverse ;
- déterminer la représentation numérique ou graphique de la réciproque d'une fonction affine et d'une fonction du second degré données de façon algébrique ou numérique, et faire le lien entre les représentations graphiques de la fonction et de sa réciproque, c'est-à-dire la symétrie de leurs graphiques par rapport à la droite définie par l'équation $y = x$;
- déterminer par exploration la relation entre le domaine et l'image d'une fonction, et le domaine et l'image de la relation réciproque, et déterminer si la relation réciproque est une fonction ;
- déterminer, à l'aide de la représentation graphique d'une fonction affine, la représentation algébrique

de la fonction et de sa réciproque, établir le lien entre ces deux représentations algébriques et vérifier ce lien pour la fonction du second degré écrite sous forme canonique $f(x) = a(x - h)^2 + k$ et sa réciproque ;
- déterminer la réciproque de fonctions affines et de fonctions du second degré, et représenter les fonctions réciproques à l'aide de la notation fonctionnelle, soit $f^{-1}(x)$, lorsque c'est approprié ;
- déterminer, à l'aide d'outils technologiques, le rôle des paramètres a, c, d et k dans la représentation graphique de la fonction $y = af(k(x - c)) + d$, où $f(x) = x$, $f(x) = x^2$, $f(x) = \sqrt{x}$ et $f(x) = \frac{1}{x}$, et décrire ce rôle à l'aide de transformations appliquées à la fonction $y = f(x)$, c'est-à-dire translation horizontale, translation verticale, symétrie par rapport à l'axe des x, par rapport à l'axe des y, agrandissement, rétrécissement vertical ;
- décrire, oralement et par écrit, les transformations que l'on doit appliquer au graphique d'une fonction de base donnée pour obtenir le graphique de la fonction définie par $y = af(k(x - c)) + d$ et esquisser la transformée ;
- déterminer, à l'aide de transformations sur les fonctions de base, le domaine et l'image d'une transformée à partir de son équation.

75

Connaissances préalables

Consulte l'annexe Connaissances préalables, aux pages 478 à 495, pour des exemples et des exercices supplémentaires.

Les caractéristiques des fonctions du second degré

1. Compare la représentation graphique de chaque fonction du second degré au graphique de $y = x^2$. Détermine l'orientation de l'ouverture de la parabole et indique si elle a subi un agrandissement ou un rétrécissement vertical. Explique tes réponses.

   a) $y = 3x^2$

   b) $y = -0,5x^2$

   c) $y = 0,1x^2 - 0,1x + 3$

   d) $y = \dfrac{3}{5}(x - 6)^2 + 5$

2. Détermine les coordonnées du sommet de chaque parabole.

   a) $y = -(x - 5)^2 + 10$

   b) $y = \dfrac{3}{2}(x + 6)^2 + 20$

   c) $y = 2(x - 1)^2 - 5$

   d) $y = \dfrac{1}{4}(x + 3)^2 - 4$

Les translations

3. Applique au graphique de chaque relation une translation verticale de 2 unités vers le haut.

   a)

   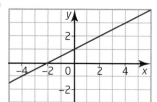

   b)

   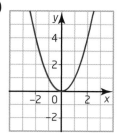

c)

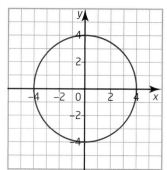

d)

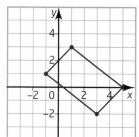

4. Applique au graphique de chaque relation de la question 3 une translation horizontale de 4 unités vers la gauche.

La représentation graphique de fonctions

5. Représente graphiquement chaque fonction.

   a) $y = \dfrac{1}{4}x + 5$

   b) $y = x^2 + 2x - 3$

   c) $y = (x - 2)(x + 3)$

   d) $y = -0,5(x - 2)^2 + 10$

La distributivité

6. Développe et simplifie chaque expression.

   a) $3x(5x - 8)$

   b) $12x^2y(5x - 10y)$

   c) $-3x(4x^2 + 13x - 7)$

   d) $(3x + 4)(2x - 5)$

   e) $(4x - 5)(4x + 5)$

   f) $3x(4x - 5) - 4x(6 - 10x)$

Les facteurs communs

7. Détermine le plus grand facteur commun de chaque ensemble.

- **a)** 16, 40
- **b)** 15, 18, 30
- **c)** 48, 72, 108
- **d)** $4x^2y^3$, $8xy^2$, $16x^3y^2$
- **e)** $3x^2 + 6x$, $5x^2 + 10x$
- **f)** $x^2 + 5x + 4$, $x^2 - 3x - 28$

8. Factorise entièrement chaque expression.

- **a)** $15x^2 + 10x$
- **b)** $-35x^3 - 45x^2$
- **c)** $18x^2y^3 - 36xy^3 + 6y^3$
- **d)** $-5x^5 - 100x^4 - 30x^2$
- **e)** $2x(4x - 10) + 5(4x - 10)$
- **f)** $x(6 - 11x) - (6 - 11x)$

La factorisation d'expressions de degré 2

9. Factorise entièrement chaque expression.

- **a)** $x^2 + 5x + 6$
- **b)** $x^2 - 4x - 12$
- **c)** $x^2 + 6x - 27$
- **d)** $x^2 - 14x + 49$
- **e)** $x^2 - 64$
- **f)** $3x^2 - 9x - 120$
- **g)** $2x^2 + 20x + 50$
- **h)** $4x^2 - 256$

10. Factorise entièrement chaque expression.

- **a)** $2x^2 - 7x - 15$
- **b)** $9x^2 + 24x + 16$
- **c)** $12x^2 - 2x - 2$
- **d)** $18x^2 - 54x - 20$
- **e)** $4x^2 + 10x - 24$
- **f)** $20x^2 + 47x + 24$

Les expressions comportant des fractions

11. Détermine le plus petit commun multiple (PPCM) de chaque ensemble.

- **a)** 18, 30, 42
- **b)** $4x^2y$, $2xy$, $6xy^2$
- **c)** $x^2 + 3x - 40$, $x^2 - 11x + 30$

12. Effectue l'addition ou la soustraction en utilisant le PPCM des dénominateurs.

- **a)** $\dfrac{3}{5} + \dfrac{8}{15}$
- **b)** $\dfrac{8}{9} - \dfrac{1}{4}$
- **c)** $\dfrac{x}{6} + \dfrac{y}{4}$
- **d)** $\dfrac{2x}{3} - \dfrac{3y}{8}$

13. Simplifie chaque expression.

- **a)** $\left(\dfrac{5}{6}\right)\left(-\dfrac{3}{20}\right)$
- **b)** $\left(\dfrac{12}{7}\right)\left(\dfrac{28}{15}\right)$
- **c)** $\dfrac{20}{9} \div \dfrac{15}{32}$
- **d)** $-\dfrac{24}{25} \div \left(-\dfrac{12}{125}\right)$

La transformation de formules

14. Dans chaque expression, isole la variable indiquée.

- **a)** $A = \pi r^2$, isole r
- **b)** $P = 2(L + \ell)$, isole ℓ
- **c)** $x^2 + y^2 = 16$, isole y
- **d)** $y = x^2 - 20$, isole x
- **e)** $y = \sqrt{x^2 - 5}$, isole x
- **f)** $A = 2\pi r^2 + 2\pi rh$, isole h

Problème du chapitre

Matthieu travaille dans un bureau de sécurité routière. Il étudie la fluidité de la circulation et le comportement des automobilistes dans diverses situations. Dans ce chapitre, tu exploreras le lien entre les transformations et ce vaste champ de recherche.

Les expressions algébriques équivalentes

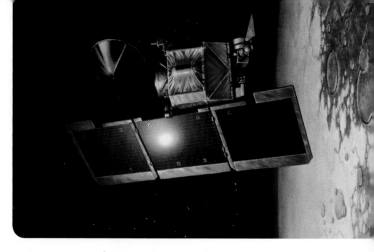

Le 23 septembre 1999, au cours de son premier jour en orbite, le satellite Mars Climate Orbiter s'est écrasé. Deux groupes de scientifiques ont effectué les calculs de navigation à partir de deux systèmes d'unités différents (le système impérial et le système SI). Cela a créé une confusion qu'on croit être la cause de la perte du satellite de 125 millions de dollars américains. Même si la National Aeronautics and Space Administration (NASA) impose un système de vérification, l'erreur n'a jamais été détectée.

Il est possible qu'une mauvaise compréhension des équations complexes explique cette confusion. En général, pour réduire le risque d'erreurs de calcul en mathématiques et en génie, on simplifie les équations et les expressions algébriques avant de les appliquer.

Exemple 1

Déterminer si deux fonctions sont équivalentes

Détermine si les fonctions de chaque paire sont équivalentes :

  I) en remplaçant x par trois valeurs distinctes,

  II) en simplifiant l'expression du membre gauche,

  III) en les représentant graphiquement à l'aide d'un outil technologique.

  a) $f(x) = 2(x - 1)^2 + (3x - 2)$ et $g(x) = 2x^2 - x$

  b) $f(x) = \dfrac{x^2 - 2x - 8}{x^2 - x - 12}$ et $g(x) = \dfrac{x + 2}{x + 3}$

Solution

a) I) Choisis trois valeurs de x qui facilitent les calculs.

x	$f(x) = 2(x - 1)^2 + (3x - 2)$	$g(x) = 2x^2 - x$
-1	$f(-1) = 2(-1 - 1)^2 + (3(-1) - 2)$ $\quad = 2(-2)^2 + (-5)$ $\quad = 8 - 5$ $\quad = 3$	$g(-1) = 2(-1)^2 - (-1)$ $\quad = 2(1) + 1$ $\quad = 3$
0	$f(0) = 2(0 - 1)^2 + (3(0) - 2)$ $\quad = 2(-1)^2 + (-2)$ $\quad = 0$	$g(0) = 2(0)^2 - 0$ $\quad = 0$
1	$f(1) = 2(1 - 1)^2 + (3(1) - 2)$ $\quad = 2(0)^2 + 1$ $\quad = 1$	$g(1) = 2(1)^2 - 1$ $\quad = 1$

Ces résultats suggèrent que les fonctions sont équivalentes. Toutefois, trois exemples ne suffisent pas à prouver l'équivalence de ces fonctions pour toute valeur de x appartenant à l'ensemble des nombres réels.

II) Puisque la fonction $g(x)$ est déjà simplifiée, simplifie $f(x)$.

$$f(x) = 2(x - 1)^2 + (3x - 2)$$
$$= 2(x^2 - 2x + 1) + 3x - 2$$
$$= 2x^2 - 4x + 2 + 3x - 2$$
$$= 2x^2 - x$$

Algébriquement, les deux fonctions sont équivalentes.

III) Représente graphiquement les deux fonctions comme **Y1** et **Y2** à l'aide d'une calculatrice à affichage graphique. Augmente l'épaisseur du trait du graphique de **Y2**.

- Amène le curseur à gauche sur la ligne inclinée, à côté de **Y2**.
- Appuie sur ENTER pour changer l'épaisseur du trait.

- Dans le menu **ZOOM**, sélectionne **6:ZStandard**.

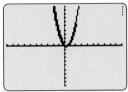

Le graphique de $f(x) = 2(x - 1)^2 + (3x - 2)$ s'affiche en premier. Ensuite, le graphique de $g(x) = 2x^2 - x$ s'affiche avec un trait plus épais. Tu peux suspendre le traçage en cours en appuyant sur ENTER. Si tu appuies de nouveau sur ENTER, le traçage reprend.

Le même graphique semble s'afficher. Les fonctions seraient donc équivalentes.

Tu peux tracer le graphique des fonctions $f(x) = 2(x - 1)^2 + (3x - 2)$ et $g(x) = 2x^2 - x$ côte à côte, à l'aide de la calculatrice à affichage graphique TI-Nspire™ CAS, afin de les comparer.

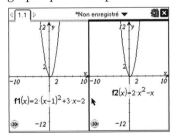

Conseil techno

Pour savoir comment tracer des graphiques à l'aide de la calculatrice à affichage graphique TI-Nspire™ CAS, reporte-toi à la section Technologie, aux pages 86 et 87.

b) **I)**

x	$f(x) = \dfrac{x^2 - 2x - 8}{x^2 - x - 12}$	$g(x) = \dfrac{x + 2}{x + 3}$
−1	$f(-1) = \dfrac{(-1)^2 - 2(-1) - 8}{(-1)^2 - (-1) - 12}$ $= \dfrac{1 + 2 - 8}{1 + 1 - 12}$ $= \dfrac{-5}{-10}$ $= \dfrac{1}{2}$	$g(-1) = \dfrac{-1 + 2}{-1 + 3}$ $= \dfrac{1}{2}$
0	$f(0) = \dfrac{0^2 - 2(0) - 8}{0^2 - 0 - 12}$ $= \dfrac{-8}{-12}$ $= \dfrac{2}{3}$	$g(0) = \dfrac{0 + 2}{0 + 3}$ $= \dfrac{2}{3}$
1	$f(1) = \dfrac{1^2 - 2(1) - 8}{1^2 - 1 - 12}$ $= \dfrac{-9}{-12}$ $= \dfrac{3}{4}$	$g(1) = \dfrac{1 + 2}{1 + 3}$ $= \dfrac{3}{4}$

Ces résultats suggèrent que les fonctions sont équivalentes. Toutefois, trois exemples ne suffisent pas à prouver l'équivalence de ces fonctions pour toute valeur de x.

II) Puisque la fonction $g(x)$ est déjà simplifiée, simplifie $f(x)$. Factorise le numérateur et le dénominateur de $f(x)$.

$$f(x) = \frac{x^2 - 2x - 8}{x^2 - x - 12}$$

$$= \frac{(x - 4)(x + 2)}{(x - 4)(x + 3)} \qquad \text{Factorise le numérateur et le dénominateur.}$$

$$= \frac{x + 2}{x + 3} \qquad \text{Divise le résultat par le facteur commun.}$$

Algébriquement, les deux fonctions semblent équivalentes. Toutefois, l'effet de la division par un facteur commun comportant une variable doit être examiné de plus près.

III) Représente graphiquement les deux fonctions à l'aide d'une calculatrice à affichage graphique. Dans ce cas-ci, les deux graphiques présentent une légère différence. Pour examiner les graphiques de plus près, appuie sur (ZOOM) et sélectionne **4:ZDecimal**.

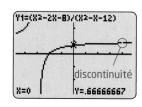
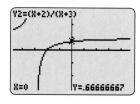

> **Conseil techno**
>
> On repère plus facilement les discontinuités dans le graphique d'une fonction à l'aide d'une fenêtre d'affichage comme celle de **ZDecimal**, où chaque pixel représente une marque de graduation.

Le premier graphique semble présenter une discontinuité. On peut le vérifier plus précisément par la commande **TABLE** de la calculatrice à affichage graphique. On constate l'équivalence des deux fonctions pour toute valeur de $x \in \mathbb{R}$ autre que $x = 4$.

X	Y1	Y2
0	.66667	.66667
1	.75	.75
2	.8	.8
3	.83333	.83333
4	ERROR	.85714
5	.875	.875
6	.88889	.88889

Y1=ERROR

Maths et monde

On utilise un cercle vide pour indiquer une discontinuité (un trou ou un bris) dans le graphique d'une fonction.

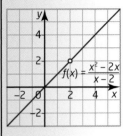

Les polynômes dont la simplification algébrique donne la même expression sont équivalents. Il n'en va pas toujours ainsi des **expressions rationnelles**.

En effet, puisque la division par zéro n'est pas définie, il y a parfois des restrictions imposées aux variables. Par exemple, la factorisation de $f(x) = \dfrac{x^2 - 2x - 8}{x^2 - x - 12}$ donne $f(x) = \dfrac{(x - 4)(x + 2)}{(x - 4)(x + 3)}$. Puisque le dénominateur est égal à zéro si

$$x - 4 = 0 \quad \text{ou} \quad x + 3 = 0$$
$$x = 4 \qquad\qquad x = -3$$

la fonction simplifiée s'écrit $f(x) = \dfrac{x + 2}{x + 3}$, où $x \neq -3$ et $x \neq 4$.

expression rationnelle

• une expression algébrique dans laquelle la ou les variables ne sont pas des arguments d'un radical

Exemple 2

Déterminer les restrictions

Simplifie chaque expression et indique toute restriction imposée à la variable.

a) $\dfrac{x^2 + 10x + 21}{x + 3}$

b) $\dfrac{6x^2 - 7x - 5}{3x^2 + x - 10}$

Solution

a) $\dfrac{x^2 + 10x + 21}{x + 3} = \dfrac{(x + 3)(x + 7)}{x + 3}$

Factorise le numérateur et le dénominateur. Avant de simplifier, détermine les restrictions. Dans ce cas-ci, $x \neq -3$.

$$= \dfrac{(x + 3)(x + 7)}{x + 3}, x \neq -3$$

Divise par tout facteur commun.

$$= x + 7, \text{ où } x \neq -3$$

Ainsi, $\dfrac{x^2 + 10x + 21}{x + 3} = x + 7$, où $x \neq -3$.

b) $\dfrac{6x^2 - 7x - 5}{3x^2 + x - 10} = \dfrac{(2x + 1)(3x - 5)}{(3x - 5)(x + 2)}$

Factorise le numérateur et le dénominateur.

$$= \dfrac{(2x + 1)(3x - 5)}{(3x - 5)(x + 2)}, x \neq -2, x \neq \dfrac{5}{3}$$

Indique les restrictions. Divise par tout facteur commun.

$$= \dfrac{2x + 1}{x + 2}, \text{ où } x \neq -2 \text{ et } x \neq \dfrac{5}{3}$$

Ainsi, $\dfrac{6x^2 - 7x - 5}{3x^2 + x - 10} = \dfrac{2x + 1}{x + 2}$, où $x \neq -2$ et $x \neq \dfrac{5}{3}$.

Exemple 3

Simplifier les calculs

On découpe un carré de 7 cm de côté dans un plus grand carré de côté x.

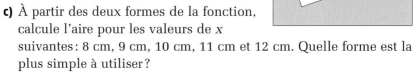

a) Exprime l'aire de la région ombrée en fonction de x.

b) Écris cette fonction sous sa forme factorisée.

c) À partir des deux formes de la fonction, calcule l'aire pour les valeurs de x suivantes : 8 cm, 9 cm, 10 cm, 11 cm et 12 cm. Quelle forme est la plus simple à utiliser ?

d) Quel est le domaine de la fonction ?

Solution

a)
$$A_{\text{ombrée}} = A_{\text{grand carré}} - A_{\text{petit carré}}$$
$$= x^2 - 7^2$$
$$= x^2 - 49$$

b)
$$A_{\text{ombrée}} = x^2 - 49$$
$$= (x - 7)(x + 7)$$

c)

x	$A = x^2 - 49$	$A = (x - 7)(x + 7)$
8	$A = 8^2 - 49$ $= 15$	$A = (8 - 7)(8 + 7)$ $= 15$
9	$A = 9^2 - 49$ $= 32$	$A = (9 - 7)(9 + 7)$ $= 32$
10	$A = 10^2 - 49$ $= 51$	$A = (10 - 7)(10 + 7)$ $= 51$
11	$A = 11^2 - 49$ $= 72$	$A = (11 - 7)(11 + 7)$ $= 72$
12	$A = 12^2 - 49$ $= 95$	$A = (12 - 7)(12 + 7)$ $= 95$

Les aires sont respectivement de 15 cm², 32 cm², 51 cm², 72 cm² et 95 cm².

L'évaluation des deux expressions comporte le même nombre d'étapes. Toutefois, la forme factorisée facilite le calcul mental.

d) Puisque la fonction représente l'aire, il faut restreindre le domaine aux valeurs de x qui ne donnent pas un résultat négatif ou nul. Par conséquent, le domaine est $\{x \in \mathbb{R} \mid x > 7\}$.

- Pour déterminer l'équivalence de deux expressions, il faut les simplifier et vérifier qu'elles sont algébriquement identiques.

- Vérifier plusieurs valeurs peut donner à penser que deux expressions sont équivalentes, mais ne le prouve pas.

- On doit vérifier les expressions rationnelles pour déterminer si des restrictions s'imposent à la variable afin que le dénominateur n'égale pas zéro. Il faut indiquer ces restrictions au moment de simplifier l'expression.

- Les représentations graphiques peuvent suggérer l'équivalence de deux fonctions ou de deux expressions.

Communication et compréhension

C1 Les points $(-3, 5)$ et $(5, 5)$ appartiennent tous deux aux graphiques des fonctions $y = x^2 - 2x - 10$ et $y = -x^2 + 2x + 20$. Explique pourquoi la vérification de quelques points seulement ne suffit pas à déterminer si deux expressions sont équivalentes.

C2 Un élève a effectué la simplification suivante.

$$\frac{x^2 + 6x + 3}{6x + 3} = \frac{x^2 + \cancel{6x} + \cancel{3}}{\cancel{6x} + \cancel{3}}$$
$$= x^2$$

Explique comment montrer à cet élève qu'il s'est trompé.

C3 Explique pourquoi il n'y a pas de restrictions sur x dans l'expression $4x^3 + 4x^2 - 5x + 3$.

A À ton tour

Si tu as besoin d'aide pour répondre aux questions 1 à 6, reporte-toi aux exemples 1 et 2.

1. **Technologie** Représente graphiquement les fonctions de chaque paire à l'aide d'une calculatrice à affichage graphique. Te semblent-elles équivalentes ?

   a) $f(x) = 5(x^2 + 3x - 2) - (2x + 4)^2$, $g(x) = x^2 - x - 26$

   b) $f(x) = (8x - 3)^2 + (5 - 7x)(9x + 1)$, $g(x) = x^2 - 10x - 14$

   c) $f(x) = (x^2 + 3x - 5) - (x^2 + 2x - 5)$, $g(x) = 2(x - 1)^2 - (2x^2 - 5x - 1)$

   d) $f(x) = (x - 3)(x + 2)(x + 5)$, $g(x) = x^3 + 4x^2 - 11x - 30$

   e) $f(x) = (x^2 + 3x - 5)(x^2 - 5x + 4)$, $g(x) = x^4 - 2x^3 - 15x^2 + 37x - 20$

2. Reporte-toi à la question 1. Si les fonctions semblent équivalentes, montre-le algébriquement. Sinon, montre qu'elles diffèrent en substituant une valeur à x.

3. Indique la ou les restrictions imposées à la variable x dans chaque fonction.

   a)
   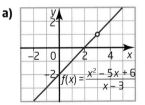
   $$f(x) = \frac{x^2 - 5x + 6}{x - 3}$$

   b)
   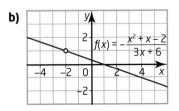
   $$f(x) = -\frac{x^2 + x - 2}{3x + 6}$$

4. Indique la ou les restrictions imposées à la variable x dans chaque fonction.

a)

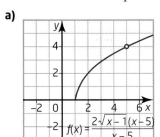

$$f(x) = \frac{2\sqrt{x-1}(x-5)}{x-5}$$

b)

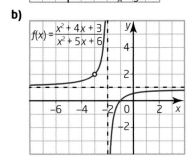

$$f(x) = \frac{x^2 + 4x + 3}{x^2 + 5x + 6}$$

5. Détermine si $g(x)$ est une forme simplifiée de $f(x)$. Si c'est le cas, indique la ou les restrictions imposées à la variable x. Sinon, détermine la forme simplifiée.

a) $f(x) = \dfrac{x^2 + 11x + 30}{x + 6}$, $g(x) = x + 5$

b) $f(x) = \dfrac{x^2 - 16}{x^2 - 8x + 16}$, $g(x) = x + 4$

c) $f(x) = \dfrac{x^2 + 6x + 5}{x + 5}$, $g(x) = x^2$

d) $f(x) = \dfrac{x^2 + 10x + 16}{x^2 + 2x - 48}$, $g(x) = \dfrac{x + 2}{x - 6}$

e) $f(x) = \dfrac{12x^2 - 5x - 2}{3x^2 - 2x}$, $g(x) = \dfrac{4x + 1}{x}$

f) $f(x) = \dfrac{5x^2 - 23x - 10}{5x + 2}$, $g(x) = -23x - 2$

6. Simplifie chaque expression et indique les restrictions imposées à la variable x.

a) $\dfrac{x - 8}{x^2 - 13x + 40}$ **b)** $\dfrac{3(x - 7)^2(x - 10)}{x^2 - 17x + 70}$

c) $\dfrac{x^2 - 3x - 18}{x^2 + x - 42}$ **d)** $\dfrac{x^2 + 7x - 18}{x^2 + 3x - 10}$

e) $\dfrac{x + 8}{x^2 - 6x - 16}$ **f)** $\dfrac{25x^2 + 10x - 8}{10x^2 + 26x - 12}$

B Liens et mise en application

7. Évalue chaque expression pour $x = -2$, -1, 0, 3 et 10. Décris toute difficulté.

a) $(x - 6)(x - 2) - (x - 11)(x + 2)$

b) $\dfrac{2x^3 + 12x^2 + 10x}{x^2 + 6x + 5}$

Si tu as besoin d'aide pour répondre à la question 8, reporte-toi à l'exemple 3.

8. On enlève un cercle d'un rayon de 3 cm d'un cercle plus grand de rayon r.

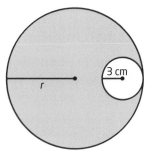

a) Exprime l'aire de la région ombrée en fonction de r.

b) Indique le domaine et l'image de cette fonction.

9. Un fabricant de meubles modulaires a conçu une boîte extensible destinée à des articles de tailles diverses.

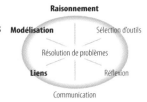

Ses dimensions sont données par $L = 2x + 0,5$, $\ell = x - 0,5$ et $h = x + 0,5$, où x est en mètres.

a) Exprime le volume de la boîte en fonction de x.

b) Exprime l'aire totale de la boîte en fonction de x.

c) Détermine le volume et l'aire totale pour $x = 0,75$ cm, 1 m et 1,5 m.

d) Indique le domaine et l'image des fonctions en a) et en b).

10. Problème du chapitre Matthieu fait une étude sur les feux de circulation à une intersection donnée. Il constate qu'une moyenne de 12 voitures traversent l'intersection en toute sécurité à chaque feu vert quand il y a 18 feux verts à l'heure. Il remarque aussi que s'il y a un feu vert de plus par heure, une voiture de moins traverse l'intersection à chaque feu vert.

a) Détermine la fonction qui définit le nombre total de voitures qui traversent l'intersection quand on ajoute x feux verts par heure.

b) Matthieu représente la situation par la fonction $f(x) = 216 - 6x - x^2$. Montre qu'il s'agit de la même fonction que celle que tu as déterminée en a).

c) Combien de feux verts à l'heure doit-il y avoir pour maximiser le nombre de voitures qui traversent l'intersection ?

11. Dans le roman de Mark Haddon intitulé *Le bizarre incident du chien pendant la nuit*, le personnage principal est un adolescent qui aime les mathématiques. Un des problèmes mathématiques auquel il s'intéresse consiste à prouver qu'un triangle dont les côtés mesurent $x^2 + 1$, $x^2 - 1$ et $2x$ sera toujours un triangle rectangle pour $x > 1$.

a) À partir du théorème de Pythagore, vérifie que l'énoncé est vrai pour $x = 2$, 3 et 4.

b) Laquelle des expressions associées aux côtés représente la longueur de l'hypoténuse ? Explique ta réponse.

c) À partir du théorème de Pythagore et des expressions associées aux côtés, prouve que ces côtés seront toujours ceux d'un triangle rectangle pour $x > 1$.

12. On nomme parfois la fonction $y = \dfrac{a^3}{a^2 + x^2}$ « sorcière d'Agnesi » d'après la mathématicienne Maria Gaetana Agnesi (1718–1799). Elle génère une famille de fonctions pour diverses valeurs de $a \in \mathbb{R}$.

a) Technologie À l'aide d'une calculatrice à affichage graphique, trace le graphique de cette fonction pour $a = 1$, 2, 3 et 4.

b) Explique pourquoi on n'applique aucune restriction au domaine de cette fonction rationnelle.

c) Effectue une recherche sur Maria Gaetana Agnesi afin de découvrir qui d'autre avant elle avait étudié cette courbe.

> **Maths et monde**
>
> Maria Gaetana Agnesi a d'abord nommé cette fonction *verseria*, qui signifie « tourner ». Au moment de traduire ce terme, on l'a confondu avec *avversiere*, qui signifie « sorcière » ou « femme du diable », d'où le nom actuel de cette fonction.

ⓒ Approfondissement

13. Quelle est la représentation graphique de $f(x) = \dfrac{(x + 6)(2x^2 - x - 6)}{x^2 + 4x - 12}$?

14. Détermine algébriquement le domaine et l'image de la fonction qui représente la région ombrée.

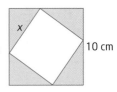

15. Quelle erreur a été commise dans cette démonstration ?

Soit $a = b$.
Alors, $a^2 = ab$.
$a^2 + a^2 = a^2 + ab$
$2a^2 = a^2 + ab$
$2a^2 - 2ab = a^2 + ab - 2ab$
$2a^2 - 2ab = a^2 - ab$
$2(a^2 - ab) = 1(a^2 - ab)$
On divise les deux membres par $(a^2 - ab)$, ce qui donne $2 = 1$.

16. Concours de maths Soit les fonctions affines $y = 6x - 12$ et $\dfrac{y}{x - 2} = 6$. Quel couple définit un point de la première droite, mais non de la deuxième ?

Technologie

- calculatrice à affichage graphique TI-Nspire™ CAS

Tracer le graphique de fonctions à l'aide de la calculatrice TI-Nspire™ CAS

1. Ouvre un nouveau classeur. Dans le menu, choisis **2: Ajouter l'application Graphiques**.

2. Sur la ligne de saisie, tu verras $f1(x)=$.
   - Saisis x^2 comme exemple de fonction.
   - Appuie sur (enter).

   Note que la fonction s'affiche avec son équation et que la ligne de saisie indique maintenant $f2(x)=$.

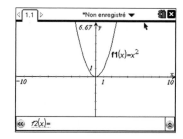

3. Examine les axes. C'est la fenêtre affichée par défaut.

   Pour voir ou modifier les paramètres de la fenêtre :
   - Appuie sur (menu).
   - Sélectionne **4: Fenêtre**, puis **1: Réglages de la fenêtre**.

   Tu peux modifier l'apparence de la fenêtre.
   - Appuie sur (menu) et sélectionne **2: Affichage**.

   Diverses options s'affichent. Par exemple, si tu choisis **8: Cacher les valeurs extrêmes des axes**, les valeurs indiquant l'étendue de chaque axe disparaissent.

Conseil techno

Tu peux modifier le nom de la fonction. Par exemple, pour changer $f1(x)$ en $g(x)$:

- amène le curseur sur la ligne de saisie et appuie plusieurs fois sur (del) pour effacer $f1(x)$;
- saisis g, puis appuie sur (enter).

La fonction s'affichera avec le nom voulu.

4. Appuie une fois sur la flèche vers le haut du pavé. La fonction $f1(x)$ s'affiche sur la ligne de saisie. Tu peux modifier l'apparence de son graphique :
   - Appuie sur (tab) jusqu'à ce que que tu aies sélectionné l'icône **Attributs**, 🗐, qui apparaît à gauche de la ligne.
   - Appuie sur (enter).

   Tu peux utiliser cet outil pour modifier l'épaisseur du trait, le style du trait et de l'étiquette, ainsi que la continuité du trait.
   - Sélectionne un attribut à l'aide de la flèche vers le haut ou vers le bas. Ensuite, affiche les diverses options de cet attribut à l'aide des flèches droite et gauche.

   Expérimente les attributs. Quand tu as terminé, appuie sur (esc).

Conseil techno

Si l'icône **Attributs** n'est pas affiché dans la ligne de saisie, appuie sur (ctrl) (menu) et choisi l'option 1.

5. Déplace l'équation de la fonction.
   - Appuie sur (tab) pour amener le curseur dans la fenêtre graphique.
   - Amène le pointeur sur l'équation de la fonction à l'aide des flèches du pavé. Le mot « étiquette » devrait s'afficher, et le pointeur prendra la forme d'une main.

- Appuie sur ⓒⓣⓡⓛ 🖱. La main « s'empare » de l'équation.
- Déplace l'équation à l'aide des flèches.
- Appuie sur ⒺⓈⒸ.

Tu peux aussi déplacer le graphique.

- Amène le pointeur sur un espace vide dans le quadrant II.
- Appuie sur ⓒⓣⓡⓛ 🖱. Le pointeur prendra la forme d'une main.
- Déplace le graphique à l'aide des flèches du pavé.
- Quand tu as terminé, appuie sur ⒺⓈⒸ.

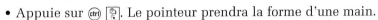

Conseil techno

Pour passer de la ligne de saisie à la fenêtre graphique, appuie sur ⒺⓈⒸ.

Pour passer de la fenêtre graphique à la ligne de saisie, appuie sur ⓉⒶⒷ.

6. Tu peux afficher la table de valeurs de la fonction.

- Appuie sur ⓉⒶⒷ pour revenir à la ligne de saisie.
- Appuie sur la flèche vers le haut pour revenir à la fonction $f1(x)$.
- Appuie sur ⓜⒺⓝⓤ et sélectionne **2: Affichage**, puis **9: Afficher la table de valeurs**.

Fais défiler la table pour vérifier différentes valeurs.

Pour régler les paramètres **Début de la table** et **Incrément**:

- Appuie sur ⓜⒺⓝⓤ et sélectionne **5: Table des valeurs de la fonction,** puis **5: Éditer les réglages de la table**.

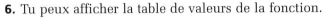

7. Tu peux diviser l'écran en deux pour afficher deux fonctions simultanément.

- Ouvre un nouveau classeur. Dans le menu, choisis **2: Ajouter l'application Graphiques**.
- Trace le graphique de la fonction $f1(x) = x^2$.
- Appuie sur (doc▾).
- Sélectionne **5: Format de page**, puis **2: Sélectionner un format.**

Divers formats de mise en page s'affichent.

Par exemple, pour afficher deux graphiques côte à côte:

- Sélectionne **2: Format 2**. Une fenêtre vide s'affiche.
- Appuie sur ⓒⓣⓡⓛ ⓉⒶⒷ pour passer à la nouvelle fenêtre.
- Appuie sur ⓜⒺⓝⓤ et sélectionne **2: Ajouter l'application Graphiques**.
- Trace le graphique de la fonction $f2(x) = x^3$.

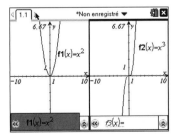

Conseil techno

Tu peux masquer la ligne de saisie.
- Appuie sur ⓒⓣⓡⓛ Ⓖ. La ligne de saisie disparaît.
- Appuie sur ⓒⓣⓡⓛ Ⓖ de nouveau pour que la ligne de saisie s'affiche.

Tu peux annuler une sélection ou une saisie faite par erreur.
- Appuie sur ⓒⓣⓡⓛ Ⓩ.

Tu peux revenir en arrière dans une suite d'opérations à l'aide de cette commande.

Les opérations sur les expressions rationnelles

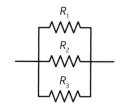

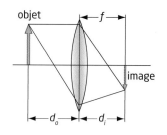

objet

f

image

d_o d_i

$$\frac{1}{R_T} = \frac{1}{R_1} + \frac{1}{R_2} + \frac{1}{R_3}$$

$$\frac{1}{f} = \frac{1}{d_o} + \frac{1}{d_i}$$

La manipulation d'expressions rationnelles figure parmi les habiletés que doivent maîtriser les spécialistes du génie, des sciences et des mathématiques pour calculer, par exemple, la résistance de circuits électriques montés en parallèle ou la longueur focale de lentilles courbées.

Exemple 1

Multiplier et diviser des expressions rationnelles

Simplifie chaque expression et indique toute restriction imposée aux variables.

a) $\dfrac{4x^2}{3x} \times \dfrac{12x^3}{2x}$

b) $\dfrac{10ab^2}{4a} \div \dfrac{15a^2}{12b^2}$

Solution

a) Méthode 1 : Multiplier puis simplifier

$$\frac{4x^2}{3x} \times \frac{12x^3}{2x} = \frac{48x^5}{6x^2}$$

Multiplie les numérateurs et multiplie les dénominateurs.

$$= \frac{\overset{8}{48}x^{\overset{3}{5}}}{\underset{}{6}x^{2}}, \; x \neq 0$$

Indique la restriction. Divise par les facteurs communs.

$$= 8x^3$$

Ainsi, $\dfrac{4x^2}{3x} \times \dfrac{12x^3}{2x} = 8x^3$, où $x \neq 0$.

Méthode 2 : Simplifier puis multiplier

$$\frac{4x^2}{3x} \times \frac{12x^3}{2x} = \frac{\overset{2}{4}x^{\overset{1}{2}}}{\underset{}{3}x} \times \frac{\overset{4}{12}x^{\overset{2}{3}}}{\underset{}{2}x}, \; x \neq 0$$

Divise par les facteurs communs.

$$= 2x \times 4x^2$$

$$= 8x^3$$

Ainsi, $\dfrac{4x^2}{3x} \times \dfrac{12x^3}{2x} = 8x^3$, où $x \neq 0$.

b) $\dfrac{10ab^2}{4a} \div \dfrac{15a^2}{12b^2} = \dfrac{10ab^2}{4a} \times \dfrac{12b^2}{15a^2}$ Multiplie par la fraction inverse.

$$= \dfrac{120ab^4}{60a^3}$$ Multiplie les numérateurs et multiplie les dénominateurs.

$$= \dfrac{\overset{2}{\cancel{120}}ab^4}{\underset{}{\cancel{60}a^3}}, \, a \neq 0$$ Indique la restriction. Divise par les facteurs communs.

$$= \dfrac{2b^4}{a^2}$$

Dans l'expression initiale, les variables a et b étaient au dénominateur, donc ni l'une ni l'autre ne doit être égale à zéro.

Alors, $\dfrac{10ab^2}{4a} \div \dfrac{15a^2}{12b^2} = \dfrac{2b^4}{a^2}$, où $a \neq 0$ et $b \neq 0$.

Exemple 2

Multiplier et diviser des expressions rationnelles qui comportent des polynômes

Simplifie les expressions et indique toute restriction.

a) $\dfrac{a^2 + 2a}{3a} \times \dfrac{20a^2}{5a^2 + 10a}$

b) $\dfrac{2x^2 - 8x}{x^2 - 3x - 10} \div \dfrac{4x^2}{x^2 - 9x + 20}$

Solution

a) $\dfrac{a^2 + 2a}{3a} \times \dfrac{20a^2}{5a^2 + 10a}$

$$= \dfrac{a(a + 2)}{3a} \times \dfrac{20a^2}{5a(a + 2)}$$ Factorise les binômes, si possible.

$$= \dfrac{\cancel{a}\cancel{(a + 2)}}{3\cancel{a}} \times \dfrac{\overset{4}{\cancel{20}}\,\overset{1}{a^2}}{\cancel{5}\,\cancel{a}\cancel{(a + 2)}}, \, a \neq -2, \, a \neq 0$$ Indique les restrictions. Divise par les facteurs communs.

$$= \dfrac{1}{3} \times 4a$$ Multiplie les numérateurs et multiplie les dénominateurs.

$$= \dfrac{4a}{3}$$

Alors, $\dfrac{a^2 + 2a}{3a} \times \dfrac{20a^2}{5a^2 + 10a} = \dfrac{4a}{3}$, où $a \neq -2$ et $a \neq 0$.

b) $\dfrac{2x^2 - 8x}{x^2 - 3x - 10} \div \dfrac{4x^2}{x^2 - 9x + 20}$

$= \dfrac{2x(x-4)}{(x-5)(x+2)} \div \dfrac{4x^2}{(x-4)(x-5)}$

$= \dfrac{2x(x-4)}{(x-5)(x+2)} \times \dfrac{(x-4)(x-5)}{4x^2}$

$= \dfrac{\overset{}{2}x(x-4)}{(x-5)(x+2)} \times \dfrac{(x-4)(x-5)}{\underset{2}{4}x^{2\ 1}}, \ x \neq -2, \ x \neq 0, \ x \neq 5$

$= \dfrac{(x-4)^2}{2x(x+2)}$

Factorise les binômes et les trinômes, si possible. Multiplie par la fraction inverse. Divise par les facteurs communs.

Au moment de noter les restrictions, il faut tenir compte de toute valeur qui rend le dénominateur égal à zéro. C'est le cas de l'expression initiale quand $x - 5 = 0$, $x + 2 = 0$ et $x - 4 = 0$. Une fois la deuxième expression inversée, son dénominateur égale zéro quand $x = 0$.

Ainsi, $\dfrac{2x^2 - 8x}{x^2 - 3x - 10} \div \dfrac{4x^2}{x^2 - 9x + 20} = \dfrac{(x-4)^2}{2x(x+2)}$,

où $x \neq -2$, $x \neq 0$, $x \neq 4$ et $x \neq 5$.

Exemple 3

Additionner et soustraire des expressions rationnelles dont le dénominateur est un monôme

Simplifie les expressions et indique les restrictions imposées aux variables.

a) $\dfrac{1}{5x} + \dfrac{1}{2x}$

b) $\dfrac{ab^2 + 2}{2ab^2} - \dfrac{b+2}{2b}$

Solution

a) Détermine d'abord le plus petit commun multiple (PPCM) des dénominateurs.

$5x = (5)(x)$

$2x = (2)(x)$

$(5)(2)(x) = 10x$

Le PPCM est le plus petit dénominateur commun (PPDC) des deux expressions rationnelles.

$\dfrac{1}{5x} + \dfrac{1}{2x} = \dfrac{1(2)}{5x(2)} + \dfrac{1(5)}{2x(5)}$

Multiplie chaque expression rationnelle par une fraction égale à 1 de sorte que chaque dénominateur égale $10x$.

$= \dfrac{2}{10x} + \dfrac{5}{10x}$

$= \dfrac{7}{10x}$

Additionne les numérateurs.

Ainsi, $\dfrac{1}{5x} + \dfrac{1}{2x} = \dfrac{7}{10x}$, où $x \neq 0$.

b) Détermine le PPCM des dénominateurs.

$$2ab^2 = \boxed{(2)(a)(b)(b)}$$

$$\boxed{(2)(a)(b)(b)} = 2ab^2$$

$$2b = \boxed{(2)(b)}$$

Le PPDC est $2ab^2$.

$$\frac{ab^2 + 2}{2ab^2} - \frac{b + 2}{2b} = \frac{ab^2 + 2}{2ab^2} - \frac{(b + 2)(ab)}{2b(ab)}$$ Multiplie chaque expression rationnelle par une fraction égale à 1 de sorte que chaque dénominateur égale $2ab^2$.

$$= \frac{ab^2 + 2}{2ab^2} - \frac{ab^2 + 2ab}{2ab^2}$$

$$= \frac{2 - 2ab}{2ab^2}$$ Soustrais les numérateurs.

$$= \frac{2(1 - ab)}{2ab^2}$$ Mets 2 en évidence au numérateur.

$$= \frac{1 - ab}{ab^2}$$ Divise par le facteur commun 2.

Ainsi, $\dfrac{ab^2 + 2}{2ab^2} - \dfrac{b + 2}{2b} = \dfrac{1 - ab}{ab^2}$, où $a \neq 0$ et $b \neq 0$.

Exemple 4

Additionner et soustraire des expressions rationnelles dont le dénominateur est un polynôme

Simplifie les expressions et indique les restrictions imposées aux variables.

a) $\dfrac{x + 5}{x - 3} + \dfrac{x - 7}{x + 2}$

b) $\dfrac{x + 9}{x^2 + 2x - 48} - \dfrac{x - 9}{x^2 - x - 30}$

Solution

a) Il n'y a aucun facteur commun dans les dénominateurs, alors le PPDC est $(x - 3)(x + 2)$.

$$\frac{x + 5}{x - 3} + \frac{x - 7}{x + 2}$$

$$= \frac{(x + 5)(x + 2)}{(x - 3)(x + 2)} + \frac{(x - 7)(x - 3)}{(x + 2)(x - 3)}$$ Multiplie chaque expression rationnelle par une fraction égale à 1 de sorte que chaque dénominateur égale $(x - 3)(x + 2)$.

$$= \frac{x^2 + 7x + 10}{(x - 3)(x + 2)} + \frac{x^2 - 10x + 21}{(x - 3)(x + 2)}$$

$$= \frac{2x^2 - 3x + 31}{(x - 3)(x + 2)}$$ Additionne les numérateurs.

Ainsi, $\dfrac{x + 5}{x - 3} + \dfrac{x - 7}{x + 2} = \dfrac{2x^2 - 3x + 31}{(x - 3)(x + 2)}$, où $x \neq -2$ et $x \neq 3$.

b) Détermine le PPCM des dénominateurs.

$$x^2 + 2x - 48 = \boxed{(x + 8)(x - 6)}$$

$$x^2 - x - 30 = \boxed{(x - 6)(x + 5)}$$

$$\boxed{(x + 8)(x - 6)(x + 5)}$$

Le PPCD est $(x + 8)(x - 6)(x + 5)$.

$$\frac{x + 9}{x^2 + 2x - 48} - \frac{x - 9}{x^2 - x - 30}$$

$$= \frac{(x + 9)(x + 5)}{(x + 8)(x - 6)(x + 5)} - \frac{(x - 9)(x + 8)}{(x - 6)(x + 5)(x + 8)}$$

$$= \frac{x^2 + 14x + 45}{(x + 8)(x - 6)(x + 5)} - \frac{x^2 - x - 72}{(x + 8)(x - 6)(x + 5)}$$

$$= \frac{15x + 117}{(x + 8)(x - 6)(x + 5)}$$

Multiplie chaque expression rationnelle par une fraction égale à 1 de sorte que chaque dénominateur égale $(x + 8)(x - 6)(x + 5)$.

Soustrais les numérateurs.

Ainsi, $\dfrac{x + 9}{x^2 + 2x - 48} - \dfrac{x - 9}{x^2 - x - 30} = \dfrac{15x + 117}{(x + 8)(x - 6)(x + 5)}$,

où $x \neq -8$, $x \neq -5$ et $x \neq 6$.

Exemple 5

Un relais à bicyclette

Raj et Marc font équipe dans une course de relais à bicyclette de 50 km. L'étape A compte 30 km et l'étape B compte 20 km.

a) Suppose que chaque cycliste roule à une vitesse moyenne différente. Détermine une expression simplifiée qui représente la durée totale de la course.

b) Raj maintient une vitesse moyenne de 35 km/h et Marc, de 25 km/h. Détermine la durée minimale de la course.

Solution

a) Pour tout calcul de distance-vitesse-temps, le temps écoulé correspond à $t = \dfrac{d}{v}$, où d représente la distance et v, la vitesse (qui est constante).

Pour calculer la durée totale, additionne le temps à chaque étape. Représente ces temps par t_A et t_B, et représente la vitesse à chaque étape par v_A et v_B respectivement.

$$t = t_A + t_B$$

$$= \frac{30}{v_A} + \frac{20}{v_B}$$

$$= \frac{30v_B}{v_A v_B} + \frac{20v_A}{v_A v_B} \qquad \text{Écris les fractions avec un dénominateur commun.}$$

$$= \frac{30v_B + 20v_A}{v_A v_B} \qquad \text{Additionne les numérateurs.}$$

b) Pour obtenir la durée totale minimale, il faut attribuer l'étape la plus longue au cycliste le plus rapide. Raj doit donc parcourir l'étape A et Marc, l'étape B.

$$t = \frac{30(25) + 20(35)}{35(25)} \qquad \text{Remplace chaque variable de la vitesse par sa valeur.}$$

$$\approx 1{,}66$$

Il faudra à l'équipe environ 1,66 h pour terminer la course.

Concepts clés

- Pour multiplier ou diviser des expressions rationnelles :
  - factorise tout polynôme, si possible,
  - si tu dois diviser, multiplie la première expression par l'inverse de la seconde
  - divise par les facteurs communs,
  - indique toute restriction imposée aux variables.

- Pour additionner ou soustraire des expressions rationnelles :
  - factorise les dénominateurs,
  - détermine le plus petit commun multiple des dénominateurs,
  - réécris les expressions avec un dénominateur commun,
  - additionne ou soustrais les numérateurs,
  - simplifie l'expression obtenue et indique toute restriction imposée aux variables.

Communication et compréhension

C1 Décris comment tu simplifierais $\frac{(x+3)(x-6)}{(x+4)(x+5)} \div \frac{(x-6)(x+8)}{(x+4)(x-7)}$. Quelles restrictions sont imposées à la variable ?

C2 Écris deux expressions rationnelles dont le produit est $\frac{x+5}{x-2}$, où $x \neq -4$, $x \neq 1$ et $x \neq 2$.

C3 Une élève simplifie $\frac{x+3}{4} + \frac{x-3}{6}$ et obtient $\frac{2x}{12}$. Quelle erreur l'élève a-t-elle probablement commise ?

C4 Décris comment tu simplifierais $\frac{5}{x+3} - \frac{7x}{x-1}$. Quelles restrictions sont imposées à la variable ?

A À ton tour

Si tu as besoin d'aide pour répondre aux questions 1 et 2, reporte-toi à l'exemple 1.

1. Simplifie chaque expression et indique toute restriction imposée aux variables.

a) $\dfrac{14y}{11x} \times \dfrac{121y}{7x}$ **b)** $\dfrac{20x^3}{7x} \times \dfrac{35x^5}{4x}$

c) $\dfrac{15b^3}{4b} \times \dfrac{20b}{30b^2}$ **d)** $\dfrac{30ab}{12a^2} \times \dfrac{18a}{45b^2}$

2. Simplifie chaque expression et indique toute restriction imposée aux variables.

a) $\dfrac{5x}{9y} \div \dfrac{5x}{18y^2}$ **b)** $\dfrac{55xy}{8y} \div \dfrac{1}{48x^2}$

c) $\dfrac{26ab}{4a} \div \dfrac{39a^4b^3}{12b^4}$ **d)** $\dfrac{32a^2b}{6c} \div \dfrac{16ab}{24c^3}$

Si tu as besoin d'aide pour répondre aux questions 3 à 6, reporte-toi à l'exemple 2. À chaque question, indique toute restriction imposée à la variable.

3. Simplifie chaque expression.

a) $\dfrac{25}{x + 10} \times \dfrac{x + 10}{5}$ **b)** $\dfrac{x - 1}{x} \times \dfrac{2x}{x - 1}$

c) $\dfrac{x + 5}{x - 3} \times \dfrac{x - 3}{x + 7}$ **d)** $\dfrac{2x + 3}{x + 8} \times \dfrac{x + 8}{2x + 3}$

4. Simplifie chaque expression.

a) $\dfrac{3x^2}{12x^2 + 18x} \times \dfrac{4x + 6}{3x + 30}$

b) $\dfrac{4x + 24}{x^2 + 8x} \times \dfrac{12x^2}{3x + 18}$

c) $\dfrac{x^2 + 10x + 21}{x + 3} \times \dfrac{x + 2}{x^2 + 9x + 14}$

d) $\dfrac{x^2 + 2x - 15}{x^2 - 9x + 18} \times \dfrac{x - 6}{x + 5}$

5. Simplifie chaque expression.

a) $\dfrac{x + 1}{x} \div \dfrac{x + 1}{2x}$ **b)** $\dfrac{x}{x - 3} \div \dfrac{1}{x - 3}$

c) $\dfrac{x + 12}{x + 10} \div \dfrac{x + 12}{x - 5}$ **d)** $\dfrac{x - 7}{x + 3} \div \dfrac{x - 7}{x + 3}$

6. Simplifie chaque expression.

a) $\dfrac{x^2 + 15x}{4x + 24} \div \dfrac{3x}{3x + 18}$

b) $\dfrac{6x}{8x - 72} \div \dfrac{9x}{2x - 18}$

c) $\dfrac{x^2 + 15x + 26}{6x^2} \div \dfrac{x^2 - 3x - 10}{30x^3}$

d) $\dfrac{x^2 + 11x + 24}{x^2 + 2x - 3} \div \dfrac{x - 8}{x - 1}$

Si tu as besoin d'aide pour répondre à la question 7, reporte-toi à l'exemple 3.

7. Simplifie chaque expression et indique toute restriction.

a) $\dfrac{x + 1}{18} + \dfrac{x - 1}{45}$ **b)** $\dfrac{x + 10}{12} - \dfrac{2x - 1}{15}$

c) $\dfrac{2}{3x} - \dfrac{1}{4x}$ **d)** $\dfrac{7}{6x} + \dfrac{3}{8x}$

e) $\dfrac{3}{ab} + \dfrac{5}{4b}$ **f)** $\dfrac{13}{10a^2b} + \dfrac{11}{4b^2}$

g) $\dfrac{2 + a}{a^2b} + \dfrac{4 - a}{3ab^2}$ **h)** $\dfrac{4 - ab}{9ab} + \dfrac{2ab}{6a^2b^2}$

Si tu as besoin d'aide pour répondre aux questions 8 et 9, reporte-toi à l'exemple 4. À chaque question, indique toute restriction imposée à la variable.

8. Simplifie chaque expression.

a) $\dfrac{1}{x - 6} - \dfrac{1}{x + 6}$

b) $\dfrac{12}{x + 8} + \dfrac{3}{x - 9}$

c) $\dfrac{x + 10}{x - 6} - \dfrac{x - 3}{x + 4}$

d) $\dfrac{x + 5}{x + 1} + \dfrac{x + 2}{x - 2}$

9. Simplifie chaque expression.

a) $\dfrac{x}{x^2 - 9x + 8} + \dfrac{2}{x - 8}$

b) $\dfrac{x + 3}{x + 5} + \dfrac{x + 2}{x^2 + 3x - 10}$

c) $\dfrac{x}{x^2 + 3x + 2} - \dfrac{3x - 2}{x^2 + 8x + 7}$

d) $\dfrac{x + 4}{x^2 - 121} - \dfrac{2x - 1}{x^2 + 8x - 33}$

B Liens et mise en application

Si tu as besoin d'aide pour répondre à la question 10, reporte-toi à l'exemple 5.

10. Alice participe à une course de 20 km. Elle parcourt la première moitié de la distance à une vitesse moyenne supérieure de 2 km/h à sa vitesse moyenne durant le reste de la course.

   a) Soit x, sa vitesse pendant la première moitié du parcours. Détermine une expression simplifiée qui définit la durée de sa course en fonction de x.

   b) Si x égale 10 km/h, combien de temps faudra-t-il à Alice pour terminer la course?

11. Des expressions binomiales peuvent différer d'un facteur de -1. Mets en évidence -1 dans un des dénominateurs pour déterminer le dénominateur commun. Simplifie ensuite chaque expression. Indique les restrictions.

   a) $\dfrac{1}{x-2} - \dfrac{1}{2-x}$ **b)** $\dfrac{2x-7}{x-3} + \dfrac{x-9}{3-x}$

   c) $\dfrac{a+1}{5-2a} - \dfrac{a-4}{2a-5}$ **d)** $\dfrac{2b+3}{4b-1} + \dfrac{b+6}{1-4b}$

12. Pour fabriquer une boîte ouverte à partir d'un carton de 100 cm sur 80 cm, on découpe un carré de côté x à chaque coin.

   a) Exprime le volume de la boîte en fonction de x.

   b) Exprime l'aire totale de la boîte ouverte en fonction de x.

   c) Écris une expression du rapport du volume de la boîte à son aire totale.

   d) Selon ta réponse en c), quelles sont les restrictions imposées à x? Quelles restrictions sont imposées par le contexte?

13. On trouve des résistances sur la plupart des circuits imprimés et dans des appareils électroniques. Il faut parfois les combiner pour obtenir la résistance totale voulue. Pour trois résistances montées en parallèle, la résistance totale, R_T, est donnée par l'équation $\dfrac{1}{R_T} = \dfrac{1}{R_1} + \dfrac{1}{R_2} + \dfrac{1}{R_3}$, où chaque résistance est en ohms (Ω).

   a) Détermine une expression de la résistance totale, R_T.

   b) Détermine une expression de la résistance totale si $R_1 = R_2 = R_3$.

   c) Détermine une expression de la résistance totale si $R_1 = 2R_2 = 6R_3$.

14. Un cylindre a une hauteur h et un rayon r.

   a) Détermine le rapport entre le volume du cylindre et son aire totale.

   b) Quelles restrictions sont imposées à r et à h?

15. En eau calme, Olivia nage à une vitesse moyenne de v mètres à la seconde. Elle va participer à une course dans un

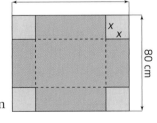

lac et à une course dans une rivière où le courant est de 0,5 m/s. Chaque trajet est de 800 m. Dans la rivière, Olivia doit parcourir la moitié du trajet à contre-courant.

   a) Détermine une expression qui représente le temps qu'il faudra à Olivia pour terminer la course dans le lac.

   b) Détermine une expression qui représente le temps qu'il faudra à Olivia pour terminer la course dans la rivière.

   c) Olivia croit que si elle nage à la même vitesse et que le courant diminue ou augmente sa vitesse de 0,5 m/s, elle obtiendra le même temps à chaque course. A-t-elle raison? Explique ta réponse.

16. Technologie

a) Trace le graphique de

$$f(x) = \frac{1}{x + 2} + \frac{1}{x - 2}$$ à l'aide d'une

calculatrice à affichage graphique.

b) Réécris la fonction avec un dénominateur commun. Trace le graphique de la fonction obtenue.

c) Compare les deux graphiques. Indique l'effet des restrictions.

✔ Question d'évaluation

17. a) Simplifie les expressions A et B,

où $A = \dfrac{x + 4}{x^2 + 9x + 20}$

et $B = \dfrac{3x^2 - 9x}{x^2 + 3x - 18}$. Indique les restrictions imposées à la variable.

b) Les deux expressions sont-elles équivalentes? Explique ta réponse.

c) Écris une autre expression qui semble équivalente à chaque expression en a).

d) Détermine $A + B$, $A \times B$ et $B \div A$.

● Approfondissement

18. Archimède de Syracuse (287-212 avant notre ère) s'intéressait à la relation entre un cylindre et une sphère. Il a étudié en particuler le cas où la sphère est inscrite dans le cylindre. Les deux solides ont alors le même rayon et la hauteur du cylindre égale le diamètre de la sphère.

a) Détermine le rapport entre le volume de la sphère et celui du cylindre pour cette situation.

b) Détermine le rapport entre l'aire totale de la sphère et celle du cylindre.

c) Que semblent confirmer tes réponses en a) et en b)?

> **Maths et monde**
>
> Ce lien entre la sphère et le cylindre exerçait une telle fascination sur Archimède qu'il en a fait graver une représentation sur sa pierre tombale.

19. Simplifie l'expression et indique toute restriction imposée à la variable.

$$\frac{x + 8}{2x^2 + 9x + 10} - \frac{x^2 + 13x + 40}{2x^2 - x - 15}$$

$$\div \frac{x^2 + 10x + 16}{x^2 - 9}$$

20. a) Évalue cette expression.

$$1 + \cfrac{1}{0 + \cfrac{1}{1 + \cfrac{1}{1 + \cfrac{1}{2 + \cfrac{1}{1 + \cfrac{1}{1 + \cfrac{1}{4 + \cfrac{1}{1 + \cfrac{1}{1 + \cfrac{1}{6}}}}}}}}}}$$

b) Repère la touche e^x d'une calculatrice et calcule e^1. Compare ta réponse en a) à la constante e.

c) La régularité en a) se poursuit à l'infini. Quels sont les trois termes suivants de cette suite? Quel effet ont-ils sur la comparaison faite en b)?

21. Concours de maths Quand on divise n par 4, il reste 3. Que reste-t-il quand on divise $6n$ par 4?

A 1 **B** 2 **C** 3 **D** 0

22. Concours de maths Quelle est la somme des racines de $(x^2 + 4x + 3)(x^2 + 3x - 10) - (8x^2 - 8x - 16) = 0$?

A -7 **B** -6 **C** 6 **D** 8

23. Concours de maths Soit

$$f(x) = \frac{36}{x - 2} + \frac{35}{x - 1}.$$ Quelle est la plus

petite valeur entière de x qui donne une valeur entière de $f(x)$?

24. Concours de maths Soit

$$\frac{2x}{x - 3} = \frac{3y}{y - 4} = \frac{4z}{z - 5} = 5.$$ Que vaut

l'expression $x + y + z$?

A 40 **B** -40 **C** 200 **D** -200

La translation horizontale ou verticale du graphique d'une fonction

La conceptrice d'un jeu vidéo déplace plusieurs objets à l'écran sans en modifier la forme ou l'orientation. En fait, on peut considérer qu'elle fait « glisser » ces objets à l'écran.

Dans cette section, tu examineras la manière dont la représentation graphique d'une fonction de base « glisse » dans un plan cartésien et l'effet de cette transformation sur son équation.

Explore

Matériel

- calculatrice à affichage graphique

Quel est l'effet d'une translation sur la représentation graphique d'une fonction et sur son équation ?

A : Trace le graphique de fonctions de la forme $g(x) = f(x) + d$

1. Efface tout graphique existant. Représente graphiquement les fonctions de l'ensemble 1 dans un même plan cartésien, en tant que **Y1**, **Y2** et **Y3**. Utilise la fenêtre d'affichage par défaut.

   Ensemble 1 : $f(x) = x^2$ $g(x) = x^2 + 2$ $h(x) = x^2 - 2$

   Tu peux varier l'épaisseur du trait pour bien discerner chaque fonction.

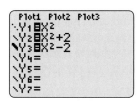 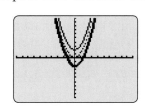

> **Conseil techno**
>
> Tu peux modifier l'apparence du trait sur une calculatrice à affichage graphique.
>
> - Appuie sur (Y=). Amène le curseur sur la barre oblique à gauche de l'équation.
> - Appuie plusieurs fois sur (ENTER) pour sélectionner une des sept options.
> - Appuie sur (GRAPH).

2. Compare les équations de $g(x)$ et de $h(x)$ à celle de $f(x)$. Ensuite, compare les représentations graphiques de $g(x)$ et de $h(x)$ à celle de $f(x)$.

3. Refais les étapes 1 et 2 pour ces ensembles de fonctions.

   Ensemble 2 : $f(x) = \sqrt{x}$ $g(x) = \sqrt{x} + 2$ $h(x) = \sqrt{x} - 2$

   Ensemble 3 : $f(x) = \dfrac{1}{x}$ $g(x) = \dfrac{1}{x} + 2$ $h(x) = \dfrac{1}{x} - 2$

4. **Réflexion** Décris comment la valeur de d dans $g(x) = f(x) + d$ modifie la représentation graphique de $f(x)$.

B : Trace le graphique de fonctions de la forme $g(x) = f(x - c)$

1. Efface tout graphique existant. Représente graphiquement les fonctions de l'ensemble 1 dans un même plan cartésien, en tant que **Y1**, **Y2** et **Y3**. Utilise la fenêtre d'affichage par défaut.

Ensemble 1 : $f(x) = x^2$ $g(x) = (x + 2)^2$ $h(x) = (x - 2)^2$

Tu peux varier l'épaisseur du trait pour bien discerner chaque fonction.

2. Compare les équations de $g(x)$ et de $h(x)$ à celle de $f(x)$. Compare les représentations graphiques de $g(x)$ et de $h(x)$ à celle de $f(x)$.

3. Refais les étapes 1 et 2 pour ces ensembles de fonctions.

Ensemble 2 : $f(x) = \sqrt{x}$ $g(x) = \sqrt{x + 2}$ $h(x) = \sqrt{x - 2}$

Ensemble 3 : $f(x) = \dfrac{1}{x}$ $g(x) = \dfrac{1}{x + 2}$ $h(x) = \dfrac{1}{x - 2}$

4. Réflexion Décris comment la valeur de c dans $g(x) = f(x - c)$ modifie la représentation graphique de $f(x)$.

5. Réflexion Compare les **transformations** appliquées aux fonctions en A et en B. Décris leurs similarités et leurs différences.

---

transformation

• une modification appliquée à une figure ou à une relation, qui entraîne un déplacement ou un changement de forme de la figure ou du graphique de la relation

translation

• une transformation qui entraîne un déplacement de la figure ou du graphique initial, sans modifier sa forme ou son orientation

valeur absolue

• la distance qui sépare un nombre de l'origine sur la droite des nombres réels

• elle est toujours positive ou nulle : $|0| = 0$, $|-2| = 2$ et $|2| = 2$

Les transformations qui entraînent le déplacement du graphique d'une fonction vers le haut, le bas, la gauche ou la droite sans en modifier la forme ou l'orientation sont des **translations**.

On a appliqué une translation verticale de d unités au graphique de $f(x)$ pour produire le graphique de la fonction $g(x) = f(x) + d$. Si d est positif, il faut déplacer le graphique de $|d|$ unités vers le haut, où $|d|$ est la **valeur absolue** de d. Si d est négatif, il faut déplacer le graphique de $|d|$ unités vers le bas.

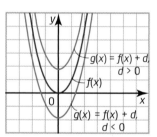

On a appliqué une translation horizontale de c unités au graphique de $f(x)$ pour produire le graphique de la fonction $g(x) = f(x - c)$. Si c est positif, il faut déplacer le graphique de $|c|$ unités vers la droite. Si c est négatif, il faut déplacer le graphique de $|c|$ unités vers la gauche.

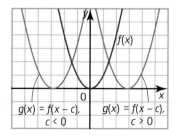

Exemple 1

Effectuer une translation à partir de points

Trace le graphique de $g(x)$ en déterminant l'**image** obtenue par translation de points du graphique de $f(x)$.

a) $g(x) = f(x) + 4$

b) $g(x) = f(x + 4)$

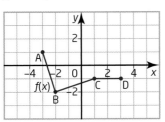

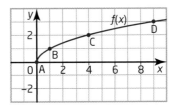

image (d'un point)
- tout point obtenu par la transformation d'un point d'une figure ou d'un graphique initial

Solution

a) Puisque $y = f(x)$, on peut réécrire la fonction $g(x) = f(x) + 4$ sous la forme $g(x) = y + 4$.

La transformation appliquée est une translation de 4 unités vers le haut. Pour chaque point, seule l'ordonnée change, comme le montre le tableau.

$f(x): (x, f(x))$	$g(x): (x, f(x) + 4)$
$A(-3, 1)$	$A'(-3, 1 + 4) = (-3, 5)$
$B(-2, -2)$	$B'(-2, -2 + 4) = (-2, 2)$
$C(1, -1)$	$C'(1, -1 + 4) = (1, 3)$
$D(3, -1)$	$D'(3, -1 + 4) = (3, 3)$

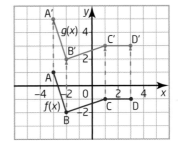

On ajoute souvent le symbole prime (') à une lettre pour représenter l'image d'un point.

b) Écris $g(x) = f(x + 4)$ sous la forme $g(x) = f(x - (-4))$. Puisque $c = -4$, chaque point subit une translation de 4 unités vers la gauche. Soustrais 4 à l'abscisse de chaque point. L'ordonnée ne change pas.

Crée une table de valeurs à partir des points définis.

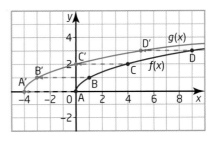

$f(x): (x, f(x))$	$g(x): (x - 4, f(x))$
$A(0, 0)$	$A'(0 - 4, 0) = (-4, 0)$
$B(1, 1)$	$B'(1 - 4, 1) = (-3, 1)$
$C(4, 2)$	$C'(4 - 4, 2) = (0, 2)$
$D(9, 3)$	$D'(9 - 4, 3) = (5, 3)$

Pour bien tracer la transformée, applique d'abord la translation à des points de la fonction de base, puis relie leurs images par une courbe.

Exemple 2

Décrire les transformations

Décris la transformation appliquée à la fonction de base $f(x) = x$, $f(x) = x^2$, $f(x) = \sqrt{x}$ ou $f(x) = \frac{1}{x}$ pour obtenir $g(x)$, d'abord en notation fonctionnelle, puis à l'aide de mots. Trace le graphique de $g(x)$ à partir de celui de $f(x)$, puis indique le domaine et l'image de chaque fonction.

a) $g(x) = (x + 5)^2 + 1$

b) $g(x) = \dfrac{1}{x + 3} - 7$

c) $g(x) = \sqrt{x - 2} + 4$

Solution

a) La fonction de base est $f(x) = x^2$. En comparaison,
$$g(x) = (x + 5)^2 + 1$$
$$= f(x + 5) + 1$$

La fonction a subi une translation de 5 unités vers la gauche ($c = -5$) et de 1 unité vers le haut ($d = 1$). Pour esquisser le graphique, définis d'abord l'image du sommet, $(0, 0)$, de la courbe représentative de $f(x)$, soit le point $(0 - 5, 0 + 1) = (-5, 1)$.

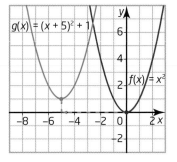

Pour $f(x)$, le domaine est $\{x \in \mathbb{R}\}$ et l'image est $\{y \in \mathbb{R} \mid y \geq 0\}$.

Pour $g(x)$, le domaine est $\{x \in \mathbb{R}\}$ et l'image est $\{y \in \mathbb{R} \mid y \geq 1\}$.

b) La fonction de base est $f(x) = \frac{1}{x}$. En comparaison,
$$g(x) = \dfrac{1}{x + 3} - 7$$
$$= f(x + 3) - 7$$

La fonction a subi une translation de 3 unités vers la gauche ($c = -3$) et de 7 unités vers le bas ($d = -7$). Pour esquisser le graphique, définis d'abord l'image du point $(1, 1)$ du graphique de $f(x)$, soit le point $(1 - 3, 1 - 7) = (-2, -6)$. De la même manière, le point $(-1, -1)$ donne l'image $(-4, -8)$. La fonction de base a une asymptote en $x = 0$ et en $y = 0$; la transformée a donc une asymptote en $x = -3$ et en $y = -7$.

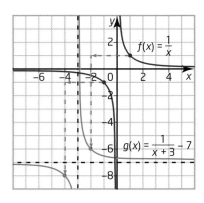

Pour $f(x)$, le domaine est $\{x \in \mathbb{R} \mid x \neq 0\}$ et l'image est $\{y \in \mathbb{R} \mid y \neq 0\}$.

Pour $g(x)$, le domaine est $\{x \in \mathbb{R} \mid x \neq -3\}$ et l'image est $\{y \in \mathbb{R} \mid y \neq -7\}$.

c) La fonction de base est $f(x) = \sqrt{x}$. En comparaison,

$$g(x) = \sqrt{x - 2} + 4$$
$$= f(x - 2) + 4$$

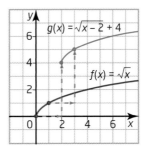

La fonction a subi une translation de 2 unités vers la droite ($c = 2$) et de 4 unités vers le haut ($d = 4$). Pour esquisser le graphique, définis d'abord l'image du point $(0, 0)$ de la courbe représentative de $f(x)$, soit le point $(0 + 2, 0 + 4) = (2, 4)$. De la même manière, le point $(1, 1)$ donne l'image $(3, 5)$.

Pour $f(x)$, le domaine est $\{x \in \mathbb{R} \mid x \geq 0\}$ et l'image est $\{y \in \mathbb{R} \mid y \geq 0\}$.

Pour $g(x)$, le domaine est $\{x \in \mathbb{R} \mid x \geq 2\}$ et l'image est $\{y \in \mathbb{R} \mid y \geq 4\}$.

Concepts clés

- Une translation est une transformation qui entraîne le déplacement de la représentation graphique de fonctions, sans modifier sa forme ou son orientation.

- On a appliqué une translation verticale de $|d|$ unités au graphique de $f(x)$ pour produire le graphique de $g(x) = f(x) + d$. Si d est positif, il faut déplacer le graphique de $|d|$ unités vers le haut. Si d est négatif, il faut déplacer le graphique de $|d|$ unités vers le bas.

- On a appliqué une translation horizontale de $|c|$ unités au graphique de $f(x)$ pour produire le graphique de la fonction $g(x) = f(x - c)$. Si c est positif, il faut déplacer le graphique de $|c|$ unités vers la droite. Si c est négatif, il faut déplacer le graphique de $|c|$ unités vers la gauche.

- On peut esquisser le graphique de toute transformée à partir de sa fonction de base.

- En général, on détermine le domaine et l'image de la fonction $g(x) = f(x - c) + d$ en additionnant les valeurs de c et de d aux restrictions imposées au domaine et à l'image de la fonction de base.

Communication et compréhension

C1 Décris comment esquisser le graphique de la fonction $g(x) = f(x + 2) - 3$ à partir du graphique de $f(x)$.

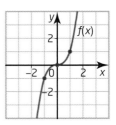

C2 Explique pourquoi le graphique de $g(x) = f(x) + d$ résulte d'une translation verticale, et non horizontale, du graphique de $f(x)$.

C3 Explique pourquoi le graphique de $g(x) = f(x - c)$ résulte d'une translation horizontale vers la droite, et non vers la gauche, pour $c > 0$.

A À ton tour

Si tu as besoin d'aide pour répondre aux questions 1 à 5, reporte-toi à l'exemple 1.

1. a) Reproduis la table de valeurs et remplis-la.

x	$f(x) = \sqrt{x}$	$r(x) = f(x) + 7$	$s(x) = f(x - 1)$
0			
1			
4			
9			

b) À partir des points en a), trace le graphique des trois fonctions dans le même plan cartésien.

c) Explique le lien entre les points des transformées et les transformations effectuées.

2. Reproduis le graphique de $f(x)$. Effectue chaque transformation en déterminant les points A′, B′, C′, D′, E′ et F′.

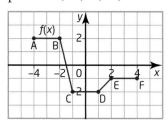

a) $b(x) = f(x) + 5$

b) $g(x) = f(x) - 7$

c) $h(x) = f(x - 8)$

d) $m(x) = f(x + 6)$

3. Reproduis le graphique de $f(x)$ à la question 2. Effectue chaque transformation en déterminant les points A′, B′, C′, D′, E′ et F′.

a) $n(x) = f(x - 3) + 6$

b) $r(x) = f(x - 2) - 10$

c) $s(x) = f(x + 5) + 4$

d) $t(x) = f(x + 12) - 3$

4. Reproduis le graphique de $f(x)$. Effectue chaque transformation en déterminant les points A′, B′, C′ et D′.

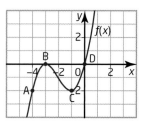

a) $b(x) = f(x) + 3$ **b)** $g(x) = f(x) - 6$

c) $h(x) = f(x - 4)$ **d)** $n(x) = f(x + 7)$

5. Reproduis le graphique de $f(x)$ à la question 4. Effectue chaque transformation en déterminant les points A′, B′, C′ et D′.

a) $m(x) = f(x - 2) + 10$

b) $r(x) = f(x - 5) - 9$

c) $s(x) = f(x + 8) + 9$

d) $t(x) = f(x + 1) - 11$

Si tu as besoin d'aide pour répondre aux questions 6 à 8, reporte-toi à l'exemple 2.

6. Pour chaque fonction $g(x)$, choisis la fonction de base $f(x) = x$, $f(x) = x^2$, $f(x) = \sqrt{x}$ ou $f(x) = \frac{1}{x}$ et décris la transformation appliquée, d'abord sous la forme $y = f(x - c) + d$ puis à l'aide de mots. Transforme le graphique de $f(x)$ pour esquisser le graphique de $g(x)$. Indique le domaine et l'image de chaque fonction.

a) $g(x) = x - 9$ **b)** $g(x) = x + 12$

c) $g(x) = x^2 + 8$ **d)** $g(x) = \sqrt{x} - 12$

e) $g(x) = (x - 6)^2$ **f)** $g(x) = \frac{1}{x} + 5$

g) $g(x) = \sqrt{x + 10}$ **h)** $g(x) = \frac{1}{x - 2}$

i) $g(x) = \sqrt{x - 9} - 5$ **j)** $g(x) = \frac{1}{x + 3} - 8$

7. Explique pourquoi il est possible de décrire les transformations en a) et en b) à la question 6 de plus d'une manière.

8. Décris la transformation qu'il faut appliquer au graphique de $f(x)$ pour produire celui de $g(x)$, d'abord à l'aide de mots, puis en notation fonctionnelle. Indique le domaine et l'image de chaque fonction.

a)

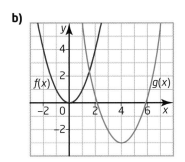

b)

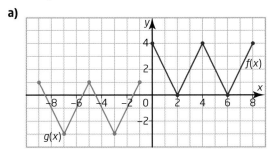

c)

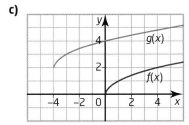

d)

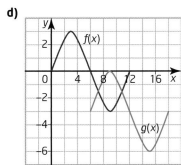

B **Liens et mise en application**

9. Une fois transformé, le graphique de $f(x) = x^2$ donne le graphique de $g(x) = f(x + 8) + 12$.

a) Décris les deux translations représentées par cette transformation.

b) Détermine trois points du graphique de la fonction de base. Applique une translation horizontale puis une translation verticale à ces points pour obtenir leur image sur le graphique de $g(x)$.

c) À partir des points de la fonction de base, effectue les mêmes translations en ordre inverse. Détermine si l'ordre des translations est important.

d) Confirme tes résultats en b) et c) en traçant le graphique.

e) Refais les étapes a) à d) à partir d'une autre fonction de base.

10. Soit $f(x) = x$. Détermine s'il existe une translation horizontale qui a le même effet qu'une translation verticale. Explique ta réponse algébriquement (par des équations), numériquement (par des points) et graphiquement (par des esquisses).

11. Soit la fonction de base $f(x) = x$. Écris l'équation de chaque transformée.

a) $n(x) = f(x - 4) - 6$

b) $r(x) = f(x + 2) + 9$

c) $s(x) = f(x + 6) - 7$

d) $t(x) = f(x - 11) + 4$

12. Refais la question 11 à partir de la fonction de base $f(x) = x^2$.

13. Refais la question 11 à partir de la fonction de base $f(x) = \sqrt{x}$.

14. Refais la question 11 à partir de la fonction de base $f(x) = \frac{1}{x}$. Indique toute restriction imposée à la variable.

15. **Problème du chapitre** Le bureau de sécurité routière recueille des données au sujet de l'accélération d'un prototype de voiture sport électrique. Sa vitesse passe de 0 à 100 km/h en 4 secondes environ. Sa position d, en mètres, au temps t, en secondes, est donnée par $d(t) = 3,5t^2$. Matthieu compare ce prototype à une voiture hybride, dont la position est donnée par $d(t) = 1,4t^2$.

a) Les deux voitures participent à une course. On donne à la voiture hybride une certaine longueur d'avance. Où la voiture hybride doit-elle démarrer si les deux voitures doivent être à la même position au bout de 4 s?

b) Vérifie ta solution à l'aide d'un graphique.

16. Le coût de fabrication de x unités d'un produit est représenté par la fonction $c(x) = \sqrt{x} + 500$.

a) Indique le domaine et l'image de la fonction et explique tes réponses.

b) Suppose que le coût du produit inclut le coût de fabrication de 10 unités prototypes. Écris une fonction qui définit le coût du produit.

c) À quel type de transformation le changement décrit en b) correspond-il?

d) Comment la transformation décrite en b) influe-t-elle sur le domaine et l'image?

C Approfondissement

17. **Technologie** Dans cette section, tu as effectué des translations statiques. En animation par ordinateur, on effectue des translations dynamiques. Utilise le logiciel *Cybergéomètre*. Suis les instructions de ton enseignante ou de ton enseignant pour obtenir le fichier **2.3_Animation.gsp**. Dans cette esquisse, un point mobile permet de modifier le paramètre t, qui représente le temps.

a) Examine la forme de $g(x)$. Comment se compare-t-elle à celle d'une transformée de la forme $g(x) = f(x - c) + d$, qui a subi des translations?

b) Que se produit-il quand tu déplaces le point t?

c) Quel effet modifier la fonction $P(x)$ du paramètre a-t-il sur le mouvement de la fonction de base $f(x)$? Explore cette situation à partir des fonctions suivantes.

   I) $P(x) = x^2$

   II) $P(x) = \sqrt{x}$

   III) $P(x) = \dfrac{1}{x}$

d) Comment peux-tu modifier la fonction $g(x)$ pour que le point mobile t produise une translation verticale seulement? pour qu'il produise une translation horizontale seulement?

e) Clique sur le bouton **Papillon** et déplace t. Tu peux observer un exemple très rudimentaire de l'animation par ordinateur. Refais les étapes c) et d) à partir de cette esquisse.

18. **Concours de maths** Les racines de $x^3 - 2x^2 - 5x + 6 = 0$ sont 3, -2, et 1. Quelle est la somme des racines de $(x + 2)^3 - 2(x + 2)^2 - 5(x + 2) + 6 = 0$?

A 2   **B** 8   **C** 0   **D** -4

19. **Concours de maths** Une translation appliquée à la parabole définie par $y = 2x^2$ produit une nouvelle parabole dont les abscisses à l'origine sont 4 et -3. Quelle est l'ordonnée à l'origine de la nouvelle parabole?

A 12   **B** -12 **C** $-0,5$ **D** -24

20. **Concours de maths** Dans un plan cartésien, il y a des points dont les coordonnées sont des nombres entiers. Combien de points de ce type y a-t-il sur la droite d'équation $2x + 3y - 600 = 0$, où $x > 0$ et $y > 0$?

A 98   **B** 99   **C** 100   **D** 200

La réflexion du graphique d'une fonction

réflexion

- une transformation dans laquelle une figure ou un graphique est rabattu par rapport à un axe
- aussi appelée « symétrie »

Matériel

- calculatrice à affichage graphique

Le magasin Teaz pour elle vend des vêtements de sport. Son logo a la même apparence à l'endroit et à l'envers. Comment des **réflexions** permettent-elles de créer ce logo?

Explore

Comment déterminer l'axe de réflexion?

1. Appuie sur $\boxed{\text{Y=}}$ et saisis la fonction $f(x) = \sqrt{x}$ pour **Y1**. Appuie sur $\boxed{\text{ZOOM}}$ et sélectionne **6:ZStandard** pour que le graphique de la fonction s'affiche.

2. Saisis la fonction $f(-x) = \sqrt{-x}$ pour **Y2**. Appuie sur $\boxed{\text{GRAPH}}$ pour que le graphique de cette nouvelle fonction s'affiche.

3. Réflexion Compare le graphique de **Y2** à celui de **Y1**. Par rapport à quelle droite le graphique de **Y1** peut-il être rabattu pour créer le graphique de **Y2**?

4. Saisis la fonction $-f(x) = -\mathbf{Y1}$ pour **Y3**. Appuie sur $\boxed{\text{GRAPH}}$ pour que le graphique de cette nouvelle fonction s'affiche.

5. Réflexion Compare le graphique de **Y3** à celui de **Y1**. Par rapport à quelle droite le graphique de **Y1** peut-il être rabattu pour créer le graphique de **Y3**?

6. Saisis la fonction $-f(-x) = -\mathbf{Y2}$ pour **Y4**. Appuie sur $\boxed{\text{GRAPH}}$ pour que le graphique de cette nouvelle fonction s'affiche.

7. Réflexion Compare le graphique de **Y4** à celui de **Y1**. Par rapport à quelle(s) droite(s) le graphique de **Y1** peut-il être rabattu pour créer le graphique de **Y4**? Compare le graphique de **Y4** à celui de **Y2**. Par rapport à quelle(s) droite(s) le graphique de **Y2** peut-il être rabattu pour créer le graphique de **Y4**?

Conseil techno

Pour saisir une fonction déjà entrée dans l'éditeur **Y=**, par exemple **Y1**, appuie sur $\boxed{\text{VARS}}$, place le curseur sur **Y-VARS** pour afficher le menu, sélectionne **1:Function...**, puis sélectionne **1:Y1**.

Le graphique de $g(x) = f(-x)$ résulte d'une réflexion (ou symétrie) du graphique de $f(x)$ par rapport à l'axe des y.

Le graphique de $h(x) = -f(x)$ résulte d'une réflexion du graphique de $f(x)$ par rapport à l'axe des x.

Le graphique de $q(x) = -f(-x)$ résulte d'une réflexion du graphique de $f(x)$ par rapport à l'axe des y et à l'axe des x.

Exemple 1

Représenter graphiquement une réflexion

Applique chaque transformation à la fonction $f(x) = \sqrt{x} + 2$. Écris l'équation de la transformée, puis trace le graphique des deux fonctions et indique leur domaine et leur image.

a) $h(x)$: une réflexion par rapport à l'axe des y

b) $r(x)$: une réflexion par rapport à l'axe des x

c) $s(x)$: une réflexion par rapport à l'axe des y, puis une réflexion par rapport à l'axe des x

Solution

a) $h(x) = f(-x)$

$\qquad = \sqrt{-x} + 2$

Esquisse le graphique de $f(x)$ à partir de points définis.

Pour une réflexion par rapport à l'axe des y, l'image de chaque point sera à la même distance de l'axe des y que ce point, mais du côté opposé. L'image de chaque point aura la même ordonnée que celle du point initial, mais leurs abscisses seront de signes opposés. Situe les points, puis esquisse le graphique de $h(x)$.

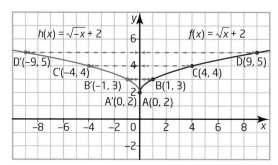

Le domaine de $f(x)$ est $\{x \in \mathbb{R} \mid x \geq 0\}$ et son image est $\{y \in \mathbb{R} \mid y \geq 2\}$.

Le domaine de $h(x)$ est $\{x \in \mathbb{R} \mid x \leq 0\}$ et son image est $\{y \in \mathbb{R} \mid y \geq 2\}$.

b) $r(x) = -f(x)$

$\qquad = -(\sqrt{x} + 2)$

$\qquad = -\sqrt{x} - 2$

Pour une réflexion par rapport à l'axe des x, l'image de chaque point sera à la même distance de l'axe des x que ce point, mais du côté opposé. L'image de chaque point aura la même abscisse que celle du point initial, mais leurs ordonnées seront de signes opposés. Situe les points, puis esquisse le graphique de $h(x)$.

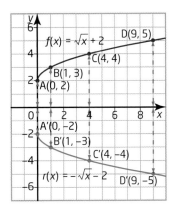

Le domaine de $f(x)$ est $\{x \in \mathbb{R} \mid x \geq 0\}$ et son image est $\{y \in \mathbb{R} \mid y \geq 2\}$.

Le domaine de $r(x)$ est $\{x \in \mathbb{R} \mid x \geq 0\}$ et son image est $\{y \in \mathbb{R} \mid y \leq -2\}$.

c) $s(x) = -f(-x)$

$\qquad = -\left(\sqrt{-x} + 2\right)$

$\qquad = -\sqrt{-x} - 2$

On doit effectuer deux réflexions, une par rapport à l'axe des y, puis une par rapport à l'axe des x. Applique une réflexion par rapport à l'axe des x aux points en a) qui ont déjà été rabattus par rapport à l'axe des y. L'image de chaque point aura d'abord une abscisse de signe opposé, puis une ordonnée de signe opposé.

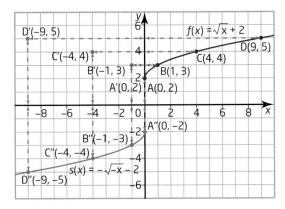

Quand on applique une réflexion par rapport aux deux axes, l'ordre n'a pas d'importance.

Le domaine de $f(x)$ est $\{x \in \mathbb{R} \mid x \geq 0\}$ et son image est $\{y \in \mathbb{R} \mid y \geq 2\}$.

Le domaine de $s(x)$ est $\{x \in \mathbb{R} \mid x \leq 0\}$ et son image est $\{y \in \mathbb{R} \mid y \leq -2\}$.

À l'aide de la calculatrice à affichage graphique TI-Nspire™ CAS, tu peux tracer le graphique de la fonction $f(x) = \sqrt{x} + 2$ et les trois graphiques produits par les réflexions.

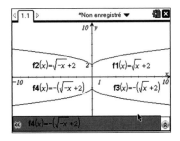

L'image d'un point (x, y) obtenue par une réflexion par rapport à l'axe des y est le point $(-x, y)$. Ainsi, tout point qui se trouve sur l'axe des y ne sera pas modifié par cette réflexion, puisque son abscisse est 0.

L'image d'un point (x, y) obtenue par une réflexion par rapport à l'axe des x est le point $(x, -y)$. Ainsi, tout point qui se trouve sur l'axe des x ne sera pas modifié par cette réflexion, puisque son ordonnée est 0.

Les points non modifiés par une transformation sont dits « invariants » ou « fixes ».

Exemple 2

Décrire des réflexions

Décris la réflexion qui a transformé $f(x)$ en $g(x)$.

a)
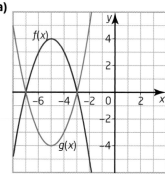

b)
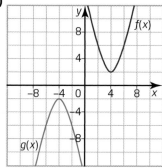

Solution

a) Les points $(-6, 3)$, $(-5, 4)$ et $(-4, 3)$ du graphique de $f(x)$ ont chacun une image à la même distance de l'axe des x de l'autre côté : en $(-6, -3)$, $(-5, -4)$ et $(-4, -3)$. Il s'agit donc d'une réflexion par rapport à l'axe des x.

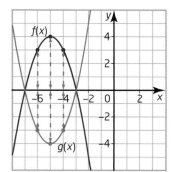

Remarque que les deux points sur l'axe des x, en $(-7, 0)$ et $(-3, 0)$, sont invariants ou fixes.

b) Si on applique une réflexion par rapport à l'axe des x aux points $(2, 6)$, $(4, 2)$ et $(6, 6)$ du graphique de $f(x)$ on obtient $(2, -6)$, $(4, -2)$ et $(6, -6)$; ce ne sont pas des points de $g(x)$. Il en va de même si on effectue une réflexion par rapport à l'axe des y. Toutefois, si les points $(2, -6)$, $(4, -2)$ et $(6, -6)$ sont réfléchis par rapport à l'axe des y, leurs images, en $(-2, -6)$, $(-4, -2)$ et $(-6, -6)$, se trouvent sur le graphique de $g(x)$. La fonction $g(x)$ est la transformée de $f(x)$ résultant d'une réflexion par rapport aux deux axes.

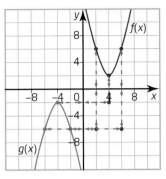

Concepts clés

Réflexion	Coordonnées des points	Représentation graphique	Représentation algébrique
$y = f(-x)$	Un point de coordonnées (x, y) devient un point de coordonnées $(-x, y)$.	Le graphique est rabattu par rapport à l'axe des y.	Remplace x par $-x$ dans l'expression.
$y = -f(x)$	Un point de coordonnées (x, y) devient un point de coordonnées $(x, -y)$.	Le graphique est rabattu par rapport à l'axe des x.	Multiplie toute l'expression par -1.
$y = -f(-x)$	Un point de coordonnées (x, y) devient un point de coordonnées $(-x, -y)$.	Le graphique est rabattu par rapport à un axe, puis à l'autre.	Remplace d'abord x par $-x$ dans l'expression, puis multiplie toute l'expression par -1.

Communication et compréhension

C1 Soit les fonctions $f(x) = x$, $f(x) = x^2$, $f(x) = \frac{1}{x}$ et $f(x) = \sqrt{x}$. Décris toute réflexion (ou symétrie) qui n'a pas d'effet sur l'une ou l'autre de ces fonctions. Explique ta réponse.

C2 Détermine si $g(x)$ est une réflexion de $f(x)$. Si c'est le cas, décris cette réflexion.

a)

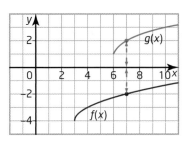

b)

$f(x)$	$g(x)$
(3, 8)	(8, −3)
(5, 12)	(12, −5)
(7, 16)	(16, −7)
(9, 20)	(20, −9)

c) $f(x) = 3(x + 3)^2 + 10$ et $g(x) = 3x^2 − 18x + 37$

C3 Une élève dit que le graphique de $g(x)$ résulte d'une réflexion du graphique de $f(x)$ par rapport à l'axe des x puisque deux points, un de chaque graphique, sont équidistants de l'axe des x. Cette élève a-t-elle raison? Explique ta réponse.

Ⓐ À ton tour

Si tu as besoin d'aide pour répondre aux questions 1 à 4, reporte-toi à l'exemple 1.

1. Reproduis chaque graphique de $f(x)$ et fais-lui subir une réflexion par rapport à l'axe des x pour esquisser le graphique de $g(x)$. Indique ensuite le domaine et l'image de chaque fonction.

a)

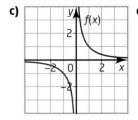

b)

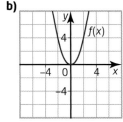

c)

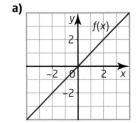

d)

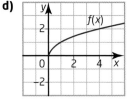

e)

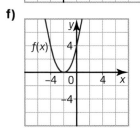

f)

2. À partir de chaque graphique de $f(x)$ de la question 1, esquisse le graphique de $h(x)$ par une réflexion par rapport à l'axe des y. Indique ensuite le domaine et l'image de chaque fonction.

3. À partir de chaque graphique de $f(x)$ de la question 1, esquisse le graphique de la fonction $k(x) = -f(-x)$. Indique ensuite le domaine et l'image de chaque fonction.

4. À partir de chaque fonction $f(x)$, détermine l'équation de $g(x)$.

a) $f(x) = \sqrt{x+4} - 4$, $g(x) = -f(x)$

b) $f(x) = (x+1)^2 - 4$, $g(x) = f(-x)$

c) $f(x) = (x-5)^2 + 9$, $g(x) = -f(-x)$

d) $f(x) = \dfrac{1}{x-3} - 6$, $g(x) = -f(-x)$

e) $f(x) = -\sqrt{x-2} + 5$, $g(x) = f(-x)$

f) $f(x) = \sqrt{x+9} - 1$, $g(x) = -f(-x)$

Si tu as besoin d'aide pour répondre à la question 5, reporte-toi à l'exemple 2.

5. Dans chaque cas, décris la réflexion qui transforme $f(x)$ en $g(x)$.

a)

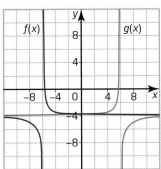

b)

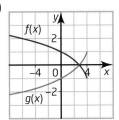

c)

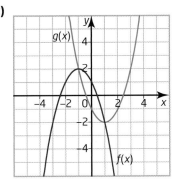

B **Liens et mise en application**

6. Examine le logo de Teaz pour elle à la page 105. Détermine la ou les réflexions qu'on y a appliquées.

7. Décris toute régularité observée dans les effets de la réflexion par rapport à l'axe des x et à l'axe des y sur le domaine et sur l'image. Explique ta réponse à l'aide d'exemples.

8. Technologie
Réponds à cette question à l'aide d'un outil technologique.

a) Détermine les points invariants du graphique de la fonction $f(x) = (x-2)^2 - 9$ lorsqu'il est rabattu :

I) par rapport à l'axe des x,

II) par raport à l'axe des y.

b) Indique une fonction qui pourrait avoir un point invariant par rapport à sa transformée $-f(-x)$ obtenue par réflexion. Explique ta réponse.

9. Détermine algébriquement si $g(x)$ est une réflexion de $f(x)$. Vérifie chaque réponse à l'aide d'une représentation graphique.

a) $f(x) = x^2$, $g(x) = (-x)^2$

b) $f(x) = \sqrt{x}$, $g(x) = \sqrt{-x}$

c) $f(x) = \dfrac{1}{x}$, $g(x) = \dfrac{-1}{x}$

d) $f(x) = (x+5)^2 + 4$, $g(x) = -(x+5)^2 - 4$

e) $f(x) = \sqrt{x-10} + 3$, $g(x) = -\sqrt{x-10} + 3$

f) $f(x) = \dfrac{1}{x+7}$, $g(x) = \dfrac{1}{-x+7}$

10. Technologie À l'aide d'un logiciel de représentation graphique, crée un logo à l'aide de fonctions et de réflexions.

11. **Technologie** La fonction $g(x) = -f(-x)$ résulte de la réflexion de $f(x)$ par rapport à l'origine.

a) Utilise le logiciel *Cybergéomètre*. Suis les instructions de ton enseignante ou de ton enseignant pour obtenir le fichier **2.4_Réflexion.gsp**. Cette esquisse permet de voir ce que signifie physiquement la réflexion d'une fonction par rapport à l'origine. Décris comment appliquer à une fonction une réflexion par rapport à l'origine.

b) Esquisse le graphique de la transformée de $f(x)$ obtenue par une réflexion par rapport à l'origine.

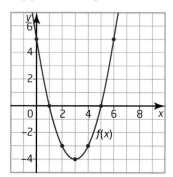

12. Détermine si certaines translations et réflexions ont le même effet.

Raisonnement
Modélisation · Sélection d'outils
Résolution de problèmes
Liens · Réflexion
Communication

a) Trace le graphique de la fonction $f(x) = (x - 4)^2$.

b) Trace le graphique de la transformée de $f(x)$ résultant d'une réflexion par rapport à l'axe des y.

c) Applique à $f(x)$ une translation qui a le même effet que la réflexion en b).

d) Vérifie algébriquement que les transformations en b) et en c) sont identiques.

e) Prédis s'il en sera de même des réflexions par rapport à l'axe des x. Explique ta réponse.

f) Tes conclusions en b), c), d) et e) seraient-elles les mêmes quel que soit le type de fonction? Explique ta réponse.

✔ **Question d'évaluation**

13. a) Quelle fonction de base correspond à $f(x) = \sqrt{x + 2} + 3$? Décris les transformations qu'elle a subies pour produire $f(x)$.

b) Écris les équations de $-f(x)$, $f(-x)$ et $-f(-x)$. Décris la ou les transformations représentées par chaque équation.

c) Esquisse le graphique des quatre fonctions dans un même plan cartésien.

d) Indique le domaine et l'image de chaque fonction. Décris leurs similarités et leurs différences.

e) Y a-t-il des points invariants? Explique ta réponse.

C Approfondissement

14. Esquisse le graphique de $f(x) = \sqrt{x}$ réfléchi par rapport à la droite d'équation.

a) $x = 4$, b) $y = x$.

15. **Concours de maths** Le point (m, n) est réfléchi par rapport à l'axe des x, et son image est réfléchie par rapport à l'axe des y. Quelle est l'ordonnée à l'origine de la droite qui passe par le point initial et par l'image finale de ce point?

16. **Concours de maths** Combien de multiples de 2 ou 3 autres que 6 y a-t-il dans les $6n$ premiers nombres entiers?

A $4n$ **B** $6n$ **C** $2n$ **D** $3n$

17. **Concours de maths** Démontre que $n^3 - n$ est toujours divisible par 6.

18. **Concours de maths** Indique le domaine et l'image de $f(x) = \dfrac{3x}{(x - 3)(x + 2)}$.

19. **Concours de maths** On peint en rouge un cube de 4 cm sur 4 cm sur 4 cm. Puis, on le découpe en petits cubes de 1 cm sur 1 cm sur 1 cm. Combien des petits cubes, ont deux côtés peints en rouge?

A 37 **B** 27 **C** 24 **D** 0

Les transformations qui modifient la forme

Dans la section 2.3, tu as appris qu'une translation entraîne le déplacement d'une figure ou d'un graphique sans en modifier la forme. Toutefois, dans le domaine de l'animation, ces déplacements s'accompagnent souvent de modifications de la forme, de la couleur ou de l'orientation. Tu verras ici comment on peut modifier la forme d'un objet ou d'un graphique.

Explore

Matériel

- calculatrice à affichage graphique

Comment certaines transformations du graphique d'une fonction modifient-elles sa forme ?

A : Trace le graphique de fonctions de la forme $g(x) = af(x)$

1. Efface tout graphique existant. Représente graphiquement les fonctions de l'ensemble 1 dans un même plan cartésien, en tant que **Y1**, **Y2** et **Y3**. Utilise la fenêtre d'affichage par défaut.

   Ensemble 1 : $f(x) = x^2$ $g(x) = 2x^2$ $h(x) = 5x^2$

   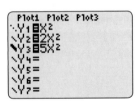   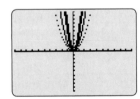

2. Compare les équations de $g(x)$ et de $h(x)$ à celle de $f(x)$. Ensuite, compare les représentations graphiques de $g(x)$ et de $h(x)$ à celle de $f(x)$.

3. Refais les étapes 1 et 2 pour ces ensembles de fonctions.

   Ensemble 2 : $f(x) = \sqrt{x}$ $g(x) = 2\sqrt{x}$ $h(x) = 5\sqrt{x}$

   Ensemble 3 : $f(x) = \dfrac{1}{x}$ $g(x) = 2\left(\dfrac{1}{x}\right)$ $h(x) = 5\left(\dfrac{1}{x}\right)$

4. **Réflexion**

   a) Décris comment la valeur de a dans $g(x) = af(x)$ modifie le graphique de $f(x)$.

   b) Y a-t-il des points invariants ?

   c) Quels sont les effets sur le domaine et l'image ?

B: Trace le graphique de fonctions de la forme $g(x) = f(kx)$

1. Efface tout graphique existant. Représente graphiquement les fonctions de l'ensemble 1 dans un même plan cartésien, en tant que **Y1**, **Y2** et **Y3**. Utilise la fenêtre d'affichage par défaut.

   Ensemble 1 : $f(x) = x^2$ $g(x) = \left(\dfrac{1}{2}x\right)^2$ $h(x) = \left(\dfrac{1}{5}x\right)^2$

2. Compare les équations de $g(x)$ et de $h(x)$ à celle de $f(x)$.
   Compare les représentations graphiques de $g(x)$ et de $h(x)$ à celle de $f(x)$.

3. Refais les étapes 1 et 2 pour ces ensembles de fonctions.

   Ensemble 2 : $f(x) = \sqrt{x}$ $g(x) = \sqrt{\dfrac{1}{2}x}$ $h(x) = \sqrt{\dfrac{1}{5}x}$

   Ensemble 3 : $f(x) = \dfrac{1}{x}$ $g(x) = \dfrac{1}{\left(\frac{1}{2}x\right)}$ $h(x) = \dfrac{1}{\left(\frac{1}{5}x\right)}$

4. **Réflexion**

   a) Décris comment la valeur de k dans $g(x) = f(kx)$ modifie le graphique de $f(x)$.

   b) Y a-t-il des points invariants ?

   c) Quels sont les effets sur le domaine et l'image ?

5. **Réflexion** Compare les transformations appliquées en A et en B. Décris toute similarité et toute différence.

Le graphique de la fonction $g(x) = af(x)$, où $a > 0$, est un agrandissement vertical ou un rétrécissement vertical du graphique de $f(x)$ de rapport a.

- Si $a > 1$, le graphique subit un agrandissement vertical de rapport a.
- Si $0 < a < 1$, le graphique subit un rétrécissement vertical de rapport a.

Tout point sur l'axe des x est invariant.

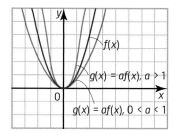

Le graphique de la fonction $g(x) = f(kx)$, où $k > 0$, est un agrandissement horizontal ou un rétrécissement horizontal du graphique de $f(x)$ de rapport $\dfrac{1}{k}$.

- Si $k > 1$, le graphique subit un rétrécissement horizontal de rapport $\dfrac{1}{k}$.
- Si $0 < k < 1$, le graphique subit un agrandissement horizontal de rapport $\dfrac{1}{k}$.

Tout point sur l'axe des y est invariant.

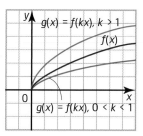

La transformation qui étire le graphique d'une fonction dans l'une ou l'autre direction est un **agrandissement**. La transformation qui comprime le graphique d'une fonction dans l'une ou l'autre direction est un **rétrécissement**.

Exemple 1

Transformer une fonction par un agrandissement ou un rétrécissement

Décris les transformations appliquées à la fonction $f(x)$. Sachant que $f(x) = \sqrt{x}$, écris l'équation de $g(x)$ et de $h(x)$. Ensuite, esquisse les graphiques de $g(x)$ et de $h(x)$ en appliquant les transformations au graphique de $f(x)$. Indique le domaine et l'image des fonctions.

a) $g(x) = 2f(x)$ et $h(x) = \dfrac{1}{2}f(x)$

b) $g(x) = f(2x)$ et $h(x) = f\left(\dfrac{1}{2}x\right)$

Solution

a) $g(x) = 2f(x)$
$ = 2\sqrt{x}$

Puisque $a = 2$, $g(x)$ est la transformée de $f(x)$ par un agrandissement vertical de rapport 2. Chaque ordonnée de $g(x)$ est deux fois plus éloignée de l'axe des x que l'ordonnée correspondante de $f(x)$.

$h(x) = \dfrac{1}{2}f(x)$
$ = \dfrac{1}{2}\sqrt{x}$

Puisque $a = \dfrac{1}{2}$, $h(x)$ est la transformée de $f(x)$ par un rétrécissement vertical de rapport $\dfrac{1}{2}$. Chaque ordonnée de $h(x)$ est $\dfrac{1}{2}$ fois moins éloignée (ou deux fois plus près) de l'axe des x que l'ordonnée correspondante de $f(x)$.

x	$f(x) = \sqrt{x}$	$g(x) = 2\sqrt{x}$	$h(x) = \dfrac{1}{2}\sqrt{x}$
0	0	0	0
1	1	2	$\dfrac{1}{2}$
4	2	4	1
9	3	6	$\dfrac{3}{2}$

Le domaine de $f(x)$ est $\{x \in \mathbb{R} \mid x \geq 0\}$ et l'image est $\{y \in \mathbb{R} \mid y \geq 0\}$.

Le domaine de $g(x)$ est $\{x \in \mathbb{R} \mid x \geq 0\}$ et l'image est $\{y \in \mathbb{R} \mid y \geq 0\}$.

Le domaine de $h(x)$ est $\{x \in \mathbb{R} \mid x \geq 0\}$ et l'image est $\{y \in \mathbb{R} \mid y \geq 0\}$.

agrandissement

- une transformation par laquelle la distance entre l'axe des x et chaque point est multipliée par un facteur supérieur à 1 (agrandissement vertical) ou par laquelle la distance entre l'axe des y et chaque point est multipliée par un facteur supérieur à 1 (agrandissement horizontal)
- aussi appelé *élongation*

rétrécissement

- une transformation par laquelle la distance entre l'axe des x et chaque point est multipliée par un facteur entre 0 et 1 (rétrécissement vertical) ou par laquelle la distance entre l'axe des y et chaque point est multipliée par un facteur entre 0 et 1 (rétrécissement horizontal)
- aussi appelé *compression*

b) $g(x) = f(2x)$

$\qquad = \sqrt{2x}$

Puisque $k = 2$, $g(x)$ est la transformée de $f(x)$ par un rétrécissement horizontal de rapport $\dfrac{1}{k}$, ou $\dfrac{1}{2}$. Chaque abscisse de $g(x)$ est $\dfrac{1}{2}$ fois moins éloignée de l'axe des y que l'abscisse correspondante de $f(x)$.

$h(x) = f\left(\dfrac{1}{2}x\right)$

$\qquad = \sqrt{\dfrac{1}{2}x}$

Puisque $k = \dfrac{1}{2}$, $h(x)$ est la transformée de $f(x)$ par un agrandissement horizontal de rapport $\dfrac{1}{k}$, ou 2. Chaque abscisse de $h(x)$ est deux fois plus éloignée de l'axe des y que l'abscisse correspondante de $f(x)$.

x	$f(x) = \sqrt{x}$	$g(x) = \sqrt{2x}$	$h(x) = \sqrt{\dfrac{1}{2}x}$
0	0	0	0
1	1	$\sqrt{2}$	$\sqrt{\dfrac{1}{2}}$
2	$\sqrt{2}$	2	1
4	2	$\sqrt{8}$	$\sqrt{2}$
8	$\sqrt{8}$	4	2

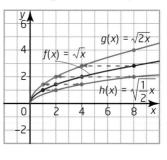

Le domaine de $f(x)$ est $\{x \in \mathbb{R} \mid x \geq 0\}$ et l'image est $\{y \in \mathbb{R} \mid y \geq 0\}$.
Le domaine de $g(x)$ est $\{x \in \mathbb{R} \mid x \geq 0\}$ et l'image est $\{y \in \mathbb{R} \mid y \geq 0\}$.
Le domaine de $h(x)$ est $\{x \in \mathbb{R} \mid x \geq 0\}$ et l'image est $\{y \in \mathbb{R} \mid y \geq 0\}$.

Exemple 2

Décrire les transformations appliquées à des équations

Décris les transformations appliquées à la fonction de base $f(x) = x$, $f(x) = x^2$, $f(x) = \sqrt{x}$ ou $f(x) = \dfrac{1}{x}$ pour produire la fonction $g(x)$.

Ensuite, esquisse le graphique de $g(x)$ en appliquant les transformations au graphique de $f(x)$.

a) $g(x) = 3x$

b) $g(x) = 4x^2$

Solution

a) La fonction $g(x) = 3x$ représente une transformation de la fonction de base $f(x) = x$. On peut décrire cette transformation de deux façons.

- Si $g(x)$ correspond à $3(x) = 3f(x)$, il s'agit d'un agrandissement vertical de rapport 3.

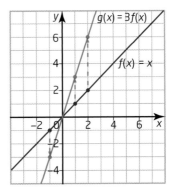

- Si $g(x)$ correspond à $(3x) = f(3x)$, il s'agit d'un rétrécissement horizontal de rapport $\frac{1}{3}$.

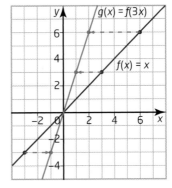

b) La fonction $g(x) = 4x^2$ représente une transformation de la fonction de base $f(x) = x^2$. On peut décrire cette transformation de deux façons.

- Si $g(x)$ correspond à $4(x^2) = 4f(x)$, il s'agit d'un agrandissement vertical de rapport 4.

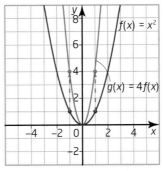

- Si $g(x)$ correspond à $(2x)^2 = f(2x)$, il s'agit d'un rétrécissement horizontal de rapport $\frac{1}{2}$.

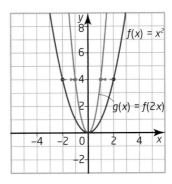

Exemple 3

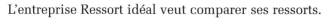

Le mouvement harmonique simple

Une masse suspendue à un ressort oscille de
haut en bas. La période est le temps nécessaire
à la masse pour atteindre son point le plus
haut, puis son point le plus bas, et revenir à sa
position de départ. La période T, en secondes,
est donnée par $T(m) = 2\pi\sqrt{\dfrac{m}{k}}$, où m est la

masse, en kilogrammes, et k est la constante du
ressort, en newtons par mètre (N/m).

L'entreprise Ressort idéal veut comparer ses ressorts.

a) Trace le graphique de la période
en fonction de la masse pour
diverses constantes du ressort.

b) Quelle est la relation entre les
graphiques du ressort fort et du
ressort très résistant, et celui du
ressort de base ?

Type de ressort	Constante du ressort (N/m)
De base	100
Fort	200
Très résistant	300

Solution

a)

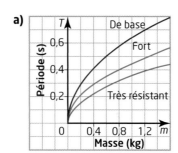

b) Suppose que le ressort de base a la fonction $T(m) = 2\pi\sqrt{\dfrac{m}{k}}$

et que les constantes du ressort fort et du ressort très résistant sont
des multiples de la constante du ressort de base.

Ressort	Constante du ressort (N/m)	Formule	Comparaison avec le ressort de base
De base	k	$T(m) = 2\pi\sqrt{\dfrac{m}{k}}$	
Fort	$k_{\text{fort}} = 2k$	$T(m) = 2\pi\sqrt{\dfrac{m}{2k}} = 2\pi\sqrt{\dfrac{\frac{1}{2}m}{k}}$	Agrandissement horizontal de rapport 2
Très résistant	$k_{\text{très résistant}} = 3k$	$T(m) = 2\pi\sqrt{\dfrac{m}{3k}} = 2\pi\sqrt{\dfrac{\frac{1}{3}m}{k}}$	Agrandissement horizontal de rapport 3

Concepts clés

- Les agrandissements et les rétrécissements sont des transformations. Ils modifient la forme du graphique d'une fonction.

- Le graphique de la fonction $g(x) = af(x)$, où $a > 0$, résulte d'un agrandissement ou d'un rétrécissement vertical du graphique de $f(x)$ de rapport a. Si $a > 1$, le graphique subit un agrandissement vertical de rapport a. Si $0 < a < 1$, le graphique subit un rétrécissement vertical de rapport a.

- Le graphique de la fonction $g(x) = f(kx)$, où $k > 0$, résulte d'un agrandissement ou d'un rétrécissement horizontal du graphique de $f(x)$ de rapport $\frac{1}{k}$. Si $k > 1$, le graphique subit un rétrécissement horizontal de rapport $\frac{1}{k}$. Si $0 < k < 1$, le graphique subit un agrandissement horizontal de rapport $\frac{1}{k}$.

Communication et compréhension

C1 Le graphique de $g(x)$ résulte d'une transformation du graphique de $f(x)$. Comment sais-tu qu'il s'agit d'un agrandissement vertical et non d'une translation?

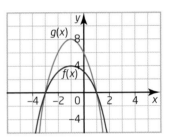

C2 Explique pourquoi le graphique de $g(x) = af(x)$, où $a > 0$, est un agrandissement vertical et non horizontal du graphique de $f(x)$.

C3 Décris la relation entre le graphique de $g(x) = \frac{3}{x}$ et celui de la fonction de base $f(x) = \frac{1}{x}$.

A À ton tour

Si tu as besoin d'aide pour répondre aux questions 1 à 3, reporte-toi à l'exemple 1.

1. a) Reproduis la table de valeurs et remplis-la.

x	$f(x) = x^2$	$g(x) = 5f(x)$	$h(x) = f\left(\frac{1}{4}x\right)$
0			
2			
4			
6			

b) Esquisse le graphique des trois fonctions dans un même plan cartésien.

c) Explique le lien entre les points des graphiques de $g(x)$ et de $h(x)$ et les transformations effectuées.

2. Reproduis chaque graphique de $f(x)$, puis trace le graphique de la transformée.

I) $g(x) = 3f(x)$ **II)** $h(x) = f(4x)$

III) $m(x) = f(2x)$ **IV)** $r(x) = f\left(\frac{x}{5}\right)$

a) 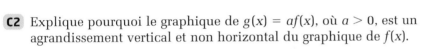 **b)**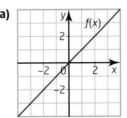

c) 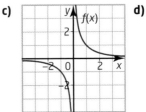 **d)**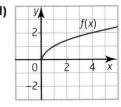

3. Pour chaque fonction $g(x)$, indique la valeur de a ou de k et décris comment produire le graphique de $g(x)$ à partir de celui de $f(x)$.

a) $g(x) = 10f(x)$ **b)** $g(x) = f(9x)$

c) $g(x) = \frac{1}{5}f(x)$ **d)** $g(x) = f\left(\frac{1}{20}x\right)$

Si tu as besoin d'aide pour répondre à la question 4, reporte-toi à l'exemple 2.

4. Décris les transformations à appliquer à la fonction de base $f(x) = x$, $f(x) = x^2$, $f(x) = \sqrt{x}$ ou $f(x) = \frac{1}{x}$ pour produire $g(x)$. Esquisse le graphique de $g(x)$ à partir du graphique de $f(x)$.

a) $g(x) = 10x$ **b)** $g(x) = (5x)^2$

c) $g(x) = \sqrt{\dfrac{x}{3}}$ **d)** $g(x) = \dfrac{4}{x}$

e) $g(x) = \sqrt{16x}$ **f)** $g(x) = \dfrac{x}{4}$

B Liens et mise en application

Si tu as besoin d'aide pour répondre à la question 5, reporte-toi à l'exemple 3.

5. L'accélération gravitationnelle varie d'une planète à une autre. La période T d'un pendule, en secondes, est donnée par

$T = 2\pi\sqrt{\dfrac{L}{g}}$, où L

représente la longueur du pendule, en mètres, et g, l'accélération gravitationnelle, en mètres par seconde carrée.

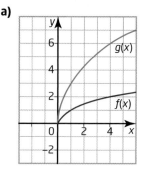

Planète	Accélération gravitationnelle (m/s²)
Terre	9,8
Mars	3,7
Lune	1,6

a) Trace le graphique de la période du pendule en fonction de sa longueur sur Terre, sur la Lune et sur Mars.

b) Si la force gravitationnelle d'une comète correspond au dixième de celle de la Terre, quelle sera l'apparence du graphique correspondant?

6. Décris la transformation qu'il faut appliquer au graphique de $f(x)$ pour obtenir celui de $g(x)$.

a)

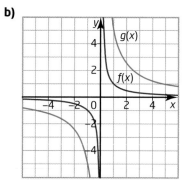

b)

7. a) Détermine trois points du graphique de $f(x) = x^2$.

b) Applique au graphique de $f(x)$ un agrandissement ou un rétrécissement vertical suivi d'un agrandissement ou d'un rétrécissement horizontal pour produire le graphique de $c(x) = 4f(2x)$.

c) Applique au graphique de $f(x)$ un agrandissement ou un rétrécissement horizontal suivi d'un agrandissement ou d'un rétrécissement vertical pour produire le graphique de $c(x) = 4f(2x)$.

d) Compare les graphiques obtenus en b) et en c).

e) Un seul agrandissement aurait-il le même effet que les deux agrandissements effectués?

f) Refais les étapes a) à e) en utilisant une autre fonction de base.

8. Une longue vague près des côtes ou un tsunami ne se disperse pas de la même manière qu'une vague plus courte. Sa vitesse dépend de la profondeur de l'eau et correspond à la formule $v = \sqrt{gp}$, où g est l'accélération gravitationnelle, 9,8 m/s², et p est la profondeur de l'eau, en mètres.

   a) Esquisse le graphique de cette fonction.

   b) Détermine la vitesse d'une vague qui atteint la côte à une profondeur de 2 m.

   c) Détermine la vitesse d'un tsunami en mer à une profondeur de 4 000 m.

9. Problème du chapitre Matthieu peut estimer la vitesse minimale d'un véhicule au moment où les freins ont été appliqués s'il connaît longueur des traces de freinage et les conditions de la route. La vitesse v, en kilomètres à l'heure, est donnée par $v = 16,0\sqrt{fd}$, où f est le coefficient de frottement à la surface de la route et d, la longueur moyenne des traces de freinage, en mètres.

Type de surface	f
béton sec	0,77
béton mouillé	0,54
asphalte sec	0,73
asphalte mouillé	0,54
pavé sec	0,65
pavé mouillé	0,34
terre	0,63

   a) Trace le graphique de la vitesse pour chaque type de surface dans un même plan cartésien.

   b) De quel facteur une automobiliste doit-elle réduire sa vitesse sur un pavé mouillé par rapport à un pavé sec pour laisser une trace de freinage de 15 m dans les deux cas?

10. Explique pourquoi le graphique de $g(x) = f(kx)$ subit un agrandissement horizontal de rapport $\frac{1}{k}$ et non de rapport k.

11. L'accélération gravitationnelle d'une balle qu'on laisse tomber d'une hauteur de 20 m est de $-9,8$ m/s². La hauteur de la balle est donnée par $h(t) = -4,9t^2 + 20$.

   a) Indique le domaine et l'image de cette fonction.

   b) Écris l'équation qui définirait la hauteur de la balle si l'accélération était de $-12,4$ m/s².

   c) Compare le domaine et l'image de la fonction définie en b) à ceux de la fonction donnée.

C **Approfondissement**

12. Technologie Dans cette section, tu as appliqué des agrandissements et des rétrécissements statiques. En animation par ordinateur, on applique des transformations dynamiques. Utilise le logiciel *Cybergéomètre*. Suis les instructions de ton enseignante ou de ton enseignant pour obtenir le fichier **2.5_Animation.gsp**. Dans cette esquisse, un point mobile permet de modifier un paramètre.

   a) Examine la forme de la fonction $g(x)$. Comment se compare-t-elle à celle d'une transformée de la forme $g(x) = f(kx)$?

   b) Que se produit-il quand tu déplaces t?

   c) Quel effet modifier la fonction $P(x)$ du paramètre a-t-il sur le mouvement de la fonction de base $f(x)$? Explore cette situation à partir des fonctions suivantes.

      I) $P(x) = x^2$

      II) $P(x) = \sqrt{x}$

      III) $P(x) = \dfrac{1}{x}$

   d) Clique sur le bouton **Fonction 2** et réponds aux questions a) à c) pour $g(x) = af(x)$.

   e) Clique sur le bouton **Papillon** et déplace t. Tu peux observer un exemple très rudimentaire de l'animation par ordinateur.

13. a) Technologie Trace le graphique de $f(x) = x^3 - 3x$ à l'aide d'un outil technologique.

b) Soit $g(x) = 3f(x)$ et $h(x) = f(3x)$. Détermine les équations de $g(x)$ et de $h(x)$.

c) Sans l'aide d'outils technologiques, décris et esquisse les graphiques de $g(x)$ et de $h(x)$.

d) Une seule transformation verticale aurait-elle le même effet que $h(x)$ sur $f(x)$?

14. Concours de maths Dans une école secondaire, le rapport garçons/filles est de 8:5. Si 400 finissants et 300 finissantes quittent l'école, le rapport sera de 8:3. Combien y a-t-il d'élèves?

A 1 300 **B** 975 **C** 935 **D** 960

15. Concours de maths La fonction du plus grand entier $[x]$ donne la valeur du plus grand nombre entier inférieur ou égal à x. Par exemple, $[5,7] = 5$ et $[-3,1] = -4$. Détermine la valeur de $[-4,1 + [-3,2] - [3,6 - 4,5] + 2]$.

A -6 **B** -5 **C** 6 **D** 0

16. Concours de maths Dans le rectangle ABFD, $m\overline{AB} = 8$ cm et $m\overline{AD} = 12$ cm. Un point C à l'intérieur du rectangle est tel que $m\overline{AC} = m\overline{BC} = m\overline{EC}$.

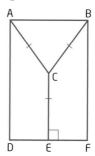

Quelle est la longueur de $\overline{AC}$?

A $6\frac{2}{3}$ cm **B** 8 cm **C** 2π cm **D** 7 cm

17. Concours de maths Détermine les coordonnées du sommet de la fonction du second degré $y = (2x - 6)^2 + 4(2x - 6) + 5$.

18. Concours de maths Soit la transformation $(x, y) \to (x, 2x + y)$. Détermine l'équation de la transformée de $3x + 5y - 30 = 0$ ainsi obtenue.

Les maths au travail

Depuis la fin de ses études universitaires en sciences, Camille travaille dans un laboratoire médicolégal. Elle se spécialise en balistique, la science qui étudie le mouvement d'un projectile. Aux fins d'une enquête criminelle, on détermine la trajectoire d'une balle pour savoir d'où elle a été tirée. Camille analyse diverses fonctions qui comportent des variables, comme la vitesse initiale de la balle, l'angle de tir, la résistance de l'air, ainsi que la constante gravitationnelle. Lors d'un procès, les résultats de ses recherches peuvent être déterminants quant au verdict rendu.

Explorer les transformations à l'aide du logiciel *Cybergéomètre*

A : Les translations

1. Utilise le logiciel *Cybergéomètre*. Suis les instructions de ton enseignante ou de ton enseignant pour obtenir le fichier **2.5 Translations1.gsp**. Dans cette esquisse, tu pourras explorer des transformations appliquées à cinq fonctions nommées chacune $f(x)$. Suis les consignes de chaque page et clique sur le bouton gris pour passer à la fonction suivante.

Matériel

- ordinateur muni du logiciel *Cybergéomètre*
- Translations1.gsp
- Translations2.gsp
- Agrandissements1.gsp
- Agrandissements2.gsp

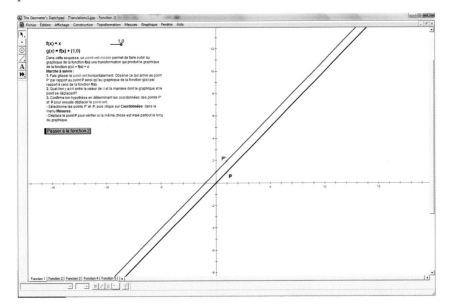

2. Réflexion Décris comment la valeur d dans $g(x) = f(x) + d$ modifie le graphique de $f(x)$.

3. Ouvre le fichier **Translations1.gsp**. Suis les consignes présentées à chaque page et clique sur le bouton gris pour passer à la fonction suivante.

4. Réflexion Décris comment la valeur c dans $g(x) = f(x - c)$ modifie le graphique de $f(x)$.

B: Les réflexions

1. Ouvre le logiciel *Cybergéomètre*. Dans le menu **Graphique**, sélectionne **Tracer une nouvelle fonction**. Dans la boîte de dialogue **Nouvelle fonction**, entre carré(x) pour représenter la fonction de base $f(x) = \sqrt{x}$.

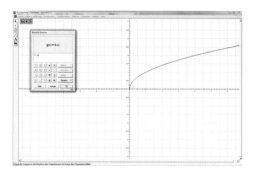

2. Ajoute une fonction. Dans le menu **Graphique**, sélectionne **Tracer une nouvelle fonction**, sélectionne $f(x)$ et saisis ensuite $-x$ dans la fonction pour créer la fonction $g(x) = f(-x)$.

3. Refais l'étape 2 pour créer les fonctions $h(x) = -f(x)$ et $q(x) = -f(-x)$.

4. **Réflexion** Compare chaque nouvelle fonction à la fonction de base $f(x)$. Décris l'axe de réflexion dans chaque cas. Confirme ton hypothèse en refaisant les étapes 1 à 3 pour $f(x) = (x - 2)^2$.

C: Les agrandissements et les rétrécissements

1. Ouvre le logiciel *Cybergéomètre*. Suis les instructions de ton enseignante ou de ton enseignant pour obtenir le fichier **Agrandissements1.gsp**. Dans cette esquisse, tu pourras explorer des transformations appliquées à cinq fonctions nommées chacune $f(x)$. Suis les consignes de chaque page et clique sur le bouton gris pour passer à la fonction suivante.

2. **Réflexion**
   a) Décris comment la valeur a dans $g(x) = af(x)$ modifie le graphique de $f(x)$.
   b) Des points qui restent les mêmes à la suite d'une transformation sont dits « invariants » ou « fixes ». Y a-t-il des points fixes ?
   c) Quels sont les effets sur le domaine et l'image ?

3. Procure-toi le fichier **Agrandissements2.gsp**. Suis les consignes présentées à chaque page et clique sur le bouton gris pour passer à la fonction suivante.

4. **Réflexion**
   a) Décris comment la valeur k dans $g(x) = f(kx)$ modifie le graphique de $f(x)$.
   b) Y a-t-il des points fixes ?
   c) Quels sont les effets sur le domaine et l'image ?

Les combinaisons de transformations

Une image anamorphosée n'est bien visible que sous un certain angle. Dans la photo, c'est le cas du visage à la surface du miroir cylindrique. Pour qu'il apparaisse correctement, on lui applique simultanément des réflexions et des agrandissements. En mathématiques, il est rare que l'on puisse décrire des situations par des relations simples. Toutefois, la combinaison de translations, réflexions, agrandissements et rétrécissements permet de modéliser de multiples situations.

Explore

Matériel

- papier quadrillé

Facultatif

- calculatrice à affichage graphique

ou

- logiciel de représentation graphique

L'ordre dans lequel on applique des transformations a-t-il de l'importance?

A : Les translations

1. À partir de la fonction $f(x) = x^2$, trace le graphique des transformées de chaque paire dans un même plan cartésien.

   a) $g(x) = f(x) + 3$ et $h(x) = g(x + 6)$

   b) $m(x) = f(x + 6)$ et $r(x) = m(x) + 3$

2. Décris chaque translation de l'étape 1.

3. Écris les équations de $h(x)$ et de $r(x)$ en fonction de $f(x)$.

4. **Réflexion** Compare les graphiques de $h(x)$ et de $r(x)$ et les équations de $h(x)$ et de $r(x)$. Que conclus-tu sur l'importance de l'ordre des translations? Explique ton raisonnement.

B : Les agrandissements

1. À partir de la fonction $f(x) = x^2$, trace le graphique des transformées de chaque paire dans un même plan cartésien.

   a) $b(x) = 5f(x)$ et $p(x) = b\left(\frac{1}{4}x\right)$

   b) $n(x) = f\left(\frac{1}{4}x\right)$ et $s(x) = 5n(x)$

2. Décris chaque agrandissement de l'étape 1.

3. Écris les équations de $p(x)$ et de $s(x)$ en fonction de $f(x)$.

4. **Réflexion** Compare les graphiques de $p(x)$ et de $s(x)$ et les équations de $p(x)$ et de $s(x)$. Que conclus-tu sur l'importance de l'ordre des agrandissements? Explique ton raisonnement.

C: Les translations et les agrandissements

1. À partir de la fonction $f(x) = x^2$, trace le graphique des transformées de chaque paire dans un même plan cartésien.

   a) $j(x) = 2f(x)$ et $s(x) = j(x) + 5$

   b) $q(x) = f(x) + 5$ et $t(x) = 2q(x)$

2. Décris chaque transformation de l'étape 1.

3. Écris les équations de $s(x)$ et de $t(x)$ en fonction de $f(x)$.

4. À partir de la fonction $f(x) = x^2$, trace le graphique des transformées de chaque paire dans un même plan cartésien.

   a) $w(x) = f\left(\frac{1}{2}x\right)$ et $u(x) = w(x + 5)$

   b) $v(x) = f(x + 5)$ et $z(x) = v\left(\frac{1}{2}x\right)$

5. Décris chaque transformation de l'étape 4.

6. Écris les équations de $u(x)$ et de $z(x)$ en fonction de $f(x)$.

7. **Réflexion** Dans quel ordre faut-il appliquer les translations et les agrandissements combinés? Explique ta réponse.

Exemple 1

Combiner des transformations

Décris la combinaison de transformations qu'il faut appliquer à la fonction de base $f(x)$ pour produire la transformée. Ensuite, écris l'équation de la transformée et esquisse son graphique.

a) $f(x) = x^2$, $g(x) = \frac{1}{2}f(4(x - 3)) - 2$

b) $f(x) = \sqrt{x}$, $g(x) = -2f(3x + 15) + 4$

Solution

a) Compare l'équation de la transformée à $y = af(k(x - c)) + d$ pour déterminer la valeur des paramètres a, k, c et d.

Pour $g(x) = \frac{1}{2}f(4(x - 3)) - 2$, $a = \frac{1}{2}$, $k = 4$, $c = 3$ et $d = -2$.

La fonction $f(x)$ a subi un rétrécissement vertical de rapport $\frac{1}{2}$, un rétrécissement horizontal de rapport $\frac{1}{4}$, puis une translation de 3 unités vers la droite et une translation de 2 unités vers le bas.

rétrécissement vertical de rapport $\frac{1}{2}$

translation verticale de 2 unités vers le bas

$$g(x) = \frac{1}{2}f(4(x - 3)) - 2$$

rétrécissement horizontal de rapport $\frac{1}{4}$

translation horizontale de 3 unités vers la droite

$$g(x) = \frac{1}{2}f(4(x - 3)) - 2$$
$$= \frac{1}{2}(4(x - 3))^2 - 2$$
$$= \frac{1}{2}(4x - 12)^2 - 2$$
$$= \frac{1}{2}(16x^2 - 96x + 144) - 2$$
$$= 8x^2 - 48x + 72 - 2$$
$$= 8x^2 - 48x + 70$$

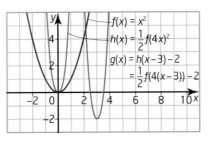

b) Réécris $g(x) = -2f(3x + 15) + 4$ sous la forme $y = af(k(x - c)) + d$.

$$g(x) = -2f(3x + 15) + 4$$
$$= -2f(3(x + 5)) + 4$$

Pour $g(x) = -2f(3(x + 5)) + 4$, $a = -2$, $k = 3$, $c = -5$ et $d = 4$.

La fonction $f(x)$ a subi une réflexion par rapport à l'axe des x, un agrandissement vertical de rapport 2, un rétrécissement horizontal de rapport $\frac{1}{3}$, une translation de 5 unités vers la gauche, puis une translation de 4 unités vers le haut.

réflexion par rapport à l'axe des x agrandissement vertical de rapport 2   translation verticale de 4 unités vers le haut

$$g(x) = -2f(3(x + 5)) + 4$$

rétrécissement horizontal de rapport $\frac{1}{3}$ translation horizontale de 5 unités vers la gauche

$$g(x) = -2f(3(x + 5)) + 4$$
$$= -2\sqrt{3(x + 5)} + 4$$
$$= -2\sqrt{3x + 15} + 4$$

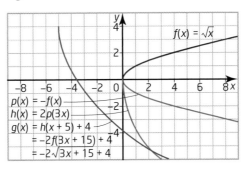

L'ordre importe quand on combine des transformations. Pour esquisser correctement le graphique d'une fonction de la forme $y = af(k(x - c)) + d$, applique les transformations que les paramètres a et k représentent avant d'appliquer celles que les paramètres c et d représentent. En d'autres mots, les agrandissements, les rétrécissements et les réflexions doivent avoir lieu avant les translations, comme la multiplication et la division ont priorité sur l'addition et la soustraction.

Exemple 2

Appliquer des transformations

Pour certaines courses d'accélération, on utilise un système de handicap. Des voitures de capacités différentes peuvent ainsi s'affronter. Par exemple, Billy court contre Ève. Puisque la voiture d'Ève est plus rapide, Billy prend le départ avec un temps d'avance. La distance E, en mètres, parcourue par la voiture d'Ève est donnée par $E(t) = 10t^2$, où t est le temps écoulé depuis son départ, en secondes. La distance B, en mètres, parcourue par la voiture de Billy est donnée par $B(t) = 5(t + h)^2$, où t est le temps écoulé depuis le départ d'Ève et h, le temps d'avance de Billy, en secondes.

a) Dans un même plan cartésien représente la distance en fonction du temps des deux voitures, pour $h = 1$ s, 2 s, 3 s et 4 s.

b) La piste mesure environ 400 m. Combien de secondes d'avance Ève peut-elle accorder à Billy sans perdre la course?

c) Détermine le domaine et l'image de chaque fonction.

d) L'agrandissement de chaque fonction représente l'accélération de chaque voiture. Compare l'accélération des deux voitures.

Solution

a) Le graphique présente cinq courbes: une pour Ève et quatre pour Billy, selon le temps d'avance accordé.

Ève	$E(t) = 10t^2$
Billy avec 1 s d'avance	$B_1(t) = 5(t + 1)^2$
Billy avec 2 s d'avance	$B_2(t) = 5(t + 2)^2$
Billy avec 3 s d'avance	$B_3(t) = 5(t + 3)^2$
Billy avec 4 s d'avance	$B_4(t) = 5(t + 4)^2$

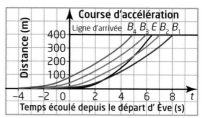

b) Selon ce graphique, il semble qu'Ève gagnera la course tant qu'elle n'accorde pas à Billy plus de 2,5 s d'avance.

c) Dans cette situation, les équations ne s'appliquent qu'au temps écoulé du départ de la voiture à son arrivée.

	Fonction	Domaine	Image
Ève	$E(t) = 10t^2$	$\{t \in \mathbb{R} \mid t \geq 0\}$	$\{E \in \mathbb{R} \mid 0 \leq E \leq 400\}$
Billy avec 1 s d'avance	$B_1(t) = 5(t + 1)^2$	$\{t \in \mathbb{R} \mid t \geq -1\}$	
Billy avec 2 s d'avance	$B_2(t) = 5(t + 2)^2$	$\{t \in \mathbb{R} \mid t \geq -2\}$	$\{B \in \mathbb{R} \mid 0 \leq B \leq 400\}$
Billy avec 3 s d'avance	$B_3(t) = 5(t + 3)^2$	$\{t \in \mathbb{R} \mid t \geq -3\}$	
Billy avec 4 s d'avance	$B_4(t) = 5(t + 4)^2$	$\{t \in \mathbb{R} \mid t \geq -4\}$	

d) Dans l'équation associée à la voiture d'Ève, $a = 10$ alors que dans les équations associées à la voiture de Billy, $a = 5$. Ainsi, l'accélération de la voiture d'Ève correspond au double de celle de la voiture de Billy.

- On peut effectuer les agrandissements, les rétrécissements et les réflexions dans n'importe quel ordre pourvu que ce soit avant les translations.

- La fonction doit être de la forme $y = af(k(x - c)) + d$ pour déterminer les transformations appliquées.

- Soit les paramètres a, k, c et d de la fonction $y = af(k(x - c)) + d$:

  a correspond à un agrandissement ou à un rétrécissement vertical et, si $a < 0$, à une réflexion par rapport à l'axe des x ;

  k correspond à un agrandissement ou à un rétrécissement horizontal et, si $k < 0$, à une réflexion par rapport à l'axe des y ;

  c correspond à une translation horizontale vers la droite ou la gauche ;

  d correspond à une translation verticale vers le haut ou le bas.

Communication et compréhension

C1 L'ordre des agrandissements, rétrécissements et réflexions n'importe pas. Pourquoi ?

C2 Un élève dit que la fonction $g(x) = f(3x + 12)$ correspond à un rétrécissement horizontal de rapport $\frac{1}{3}$ suivi d'une translation de 12 unités vers la gauche de la fonction de base $f(x)$. Explique l'erreur commise par cet élève.

A À ton tour

Si tu as besoin d'aide pour répondre aux questions 1 à 4, reporte-toi à l'exemple 1.

1. Compare l'équation transformée à $y = af(k(x - c)) + d$ pour déterminer la valeur des paramètres a, k, c et d. Décris, dans l'ordre, les transformations qu'il faut appliquer à la fonction de base $f(x)$ pour obtenir la transformée.

   a) $g(x) = 4f(x - 3)$ **b)** $g(x) = \frac{1}{3}f(x) + 1$

   c) $g(x) = f(x + 5) + 9$ **d)** $g(x) = f\left(\frac{1}{4}x\right) + 2$

   e) $g(x) = f(5x) - 2$ **f)** $g(x) = 2f(x) - 7$

2. Refais comme à la question 1.

   a) $g(x) = 3f(2x) - 1$ **e)** $g(x) = -f\left(\frac{1}{2}x\right) - 3$

   b) $g(x) = -2f(x) + 1$ **f)** $g(x) = \frac{1}{4}f(3x) - 6$

   c) $g(x) = \frac{1}{2}f(x - 4) + 5$

   d) $g(x) = f(-3x) + 4$

3. Décris, dans l'ordre, les transformations qu'il faut appliquer à la fonction de base $f(x)$ pour produire la transformée. Ensuite, écris l'équation de $g(x)$ et transforme le graphique de $f(x)$ pour esquisser celui de $g(x)$.

   a) $f(x) = \sqrt{x}$, $g(x) = 4f(3x)$

   b) $f(x) = \frac{1}{x}$, $g(x) = f(x - 1) + 2$

   c) $f(x) = x^2$, $g(x) = f\left(\frac{1}{4}(x + 2)\right)$

   d) $f(x) = x$, $g(x) = -5f(x) - 3$

4. Refais comme à la question 3.

   a) $f(x) = x$, $g(x) = -\frac{1}{2}f(2(x + 1)) - 3$

   b) $f(x) = x^2$, $g(x) = -2f(3(x - 4)) - 1$

   c) $f(x) = \sqrt{x}$, $g(x) = \frac{1}{2}f\left(\frac{1}{2}(x + 3)\right) + 5$

   d) $f(x) = \frac{1}{x}$, $g(x) = 2f(-(x - 3)) + 4$

Si tu as besoin d'aide pour répondre aux questions 5 et 6, reporte-toi à l'exemple 2.

5. Parmi les fonctions de base $f(x) = x$, $f(x) = x^2$, $f(x) = \sqrt{x}$ et $f(x) = \frac{1}{x}$, détermine celle de chaque fonction donnée. Esquisse le graphique de la fonction de base et celui de la transformée, et indique le domaine et l'image des deux fonctions.

a) $b(x) = 10x - 8$

b) $e(x) = 3x^2 - 5$

c) $h(x) = (5x + 20)^2$

d) $j(x) = 2\sqrt{x - 7}$

e) $m(x) = \dfrac{5}{x + 8}$

f) $r(x) = \dfrac{2}{3 - x} + 1$

B Liens et mise en application

6. Deux parachutistes sautent d'un avion. On peut représenter le déplacement du premier parachutiste par $g(t) = 4\,000 - 5(t + 10)^2$. Le deuxième parachutiste saute quelques secondes plus tard. Il a l'intention de rattraper le premier. On peut représenter le déplacement du deuxième parachutiste par la fonction $h(t) = 4\,000 - 5t^2$. Dans les deux cas, la distance par rapport au sol est mesurée en mètres, et t représente le temps écoulé, en secondes, depuis le saut du deuxième parachutiste.

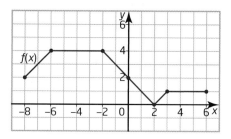

a) Représente graphiquement ces fonctions dans un même plan cartésien.

b) Le deuxième parachutiste rattrapera-t-il le premier avant qu'ils ouvrent leur parachute à 800 m ?

c) Indique le domaine et l'image des fonctions dans ce contexte.

7. Reproduis le graphique de la fonction $f(x)$. Esquisse le graphique de chaque transformée $g(x)$.

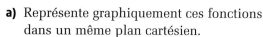

a) $g(x) = 3f(x + 4)$

b) $g(x) = f(4x) + 3$

c) $g(x) = f(2x - 12)$

d) $g(x) = 5f(0,5x + 1) - 6$

8. Le son de la sirène d'une ambulance diffère selon qu'elle se rapproche ou qu'elle s'éloigne de toi. On appelle cette variation « effet Doppler ». On peut représenter l'effet Doppler d'une sirène de 1 000 Hz par l'équation $f = 1\,000\left(\dfrac{332}{332 \pm v}\right)$, où f est la fréquence du son, en hertz, et v est la vitesse de l'ambulance, en mètres à la seconde. On utilise le signe positif (+) lorsque l'ambulance s'éloigne et le signe négatif (−), lorsqu'elle se rapproche.

a) Si une ambulance roule à une vitesse de 20 m/s, quelle est la différence de fréquence selon que l'ambulance se rapproche ou s'éloigne ?

b) Suppose que l'ambulance ne peut pas rouler à plus de 40 m/s. Indique le domaine et l'image de la fonction.

9. Même si on écrit généralement une fonction transformée sous la forme $g(x) = af(k(x - c)) + d$, elle peut aussi s'écrire sous la forme $\frac{1}{a}(g(x) - d) = f(k(x - c))$. En quoi cette forme peut-elle aider à comprendre le sens des translations horizontales (en apparence inversées) donné par les valeurs de c et de k ?

10. On peut représenter la valeur V d'une voiture, en milliers de dollars, au bout de t années par l'équation $V(t) = \dfrac{35}{t+3}$.

a) Esquisse le graphique de cette relation.

b) Quelle était la valeur initiale de la voiture?

c) Quelle sera la valeur estimée de cette voiture au bout:

    I) de 1 an?

    II) de 2 ans?

    III) de 10 ans?

✔ **Question d'évaluation**

11. La fonction de base $f(x) = \sqrt{x}$ a subi une réflexion par rapport à l'axe des x, un agrandissement vertical de rapport 3, un rétrécissement horizontal de rapport $\dfrac{1}{2}$, une translation verticale de 3 unités vers le bas et, enfin, une translation horizontale de 6 unités vers la droite.

a) Détermine l'équation de la transformée.

b) Choisis des points de la fonction de base et détermine leur image dans la transformée.

c) Esquisse le graphique de la transformée.

d) Indique le domaine et l'image de la transformée.

C **Approfondissement**

12. a) À partir de la fonction de base $f(x) = x^3$, trace le graphique de $y = f(x)$ à l'aide d'une table de valeurs ou d'une calculatrice à affichage graphique.

b) Trace le graphique de chaque transformée et détermine son équation.

    I) $g(x) = 3f(x+2)$

    II) $h(x) = -f(4x-12) + 5$

13. L'équation d'un cercle centré à l'origine, de rayon r, est $x^2 + y^2 = r^2$. Décris les transformations nécessaires pour obtenir les cercles définis par les équations suivantes. Esquisse ensuite chaque cercle.

a) $(x-2)^2 + (y-1)^2 = 25$

b) $(x+4)^2 + (y-5)^2 = 9$

14. Technologie Dans cette section, tu as effectué des transformations statiques. En animation par ordinateur, on effectue des transformations dynamiques. Utilise le logiciel *Cybergéomètre*. Suis les instructions de ton enseignante ou de ton enseignant pour obtenir le fichier **2.6_Animation.gsp**. Dans cette esquisse, un point mobile permet de modifier un paramètre t.

a) Examine la forme de $g(x)$. Comment se compare-t-elle à celle d'une transformée de la forme $g(x) = f(k(x-c)) + d$?

b) Que se produit-il quand tu déplaces t?

c) Quel effet modifier la fonction $P(x)$ du paramètre a-t-il sur le mouvement de la fonction de base $f(x)$? Explore cette situation à partir des fonctions suivantes.

    I) $P(x) = x^2$

    II) $P(x) = \sqrt{x}$

    III) $P(x) = \dfrac{1}{x}$

d) Clique sur le bouton **Papillon** et déplace t. Tu peux observer un exemple très rudimentaire de l'animation par ordinateur. Refais les étapes b) et c) à partir de cette esquisse.

15. Concours de maths Dans un carré magique, la somme des nombres de chaque colonne, de chaque rangée et de chaque diagonale est la même. Détermine la valeur de y dans le carré magique illustré.

3	y	
6	z	5

A 2   **B** 3   **C** 4   **D** 5

La réciproque d'une fonction

Deux ingénieurs ont déterminé la relation entre la vitesse d'une voiture et sa distance de freinage. Pour décrire cette relation, on utilise $D = 0,006v^2$, où D est la distance de freinage, en mètres, et v, la vitesse de la voiture, en kilomètres à l'heure. Le graphique de cette fonction (graphique de gauche) montre qu'à mesure que la vitesse augmente, la distance de freinage augmente plus rapidement. Le graphique de sa réciproque (à droite) présente la vitesse maximale permise pour une distance de freinage donnée.

Dans cette section, tu étudieras la **réciproque d'une fonction** et la manière dont elle est liée à la notion d'opérations inverses.

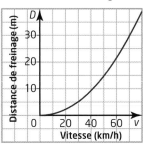

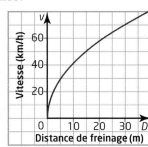

réciproque d'une fonction

- la réciproque d'une fonction f est notée f^{-1}
- une fonction et sa réciproque sont telles que si $f(a) = b$, alors $f^{-1}(b) = a$

Matériel

- papier quadrillé
- règle

Explore

Comment peut-on déterminer la réciproque d'une fonction ?

1. Esquisse le graphique de la fonction $f(x) = x^2$ et celui de sa réciproque.

   a) Examine d'abord des points du graphique de la fonction. En considérant la réciproque comme un processus inverse, reproduis la table de valeurs et remplis-la en inversant l'abscisse et l'ordonnée de chaque point.

Points de la fonction	Points de la réciproque de la fonction
(−3, 9)	
(−2, 4)	
(−1, 1)	
(0, 0)	
(1, 1)	
(2, 4)	
(3, 9)	

   b) Trace les points du graphique de la fonction initiale, relie-les par une courbe et nomme cette courbe $f(x)$.

   c) Trace les points de la réciproque dans le même plan cartésien et relie-les par une courbe. Nomme cette courbe $f^{-1}(x)$.

2. a) Indique le domaine et l'image de $f(x)$.

   b) Indique le domaine et l'image de $f^{-1}(x)$.

Maths et monde

La notation $f^{-1}(x)$ se lit « la réciproque de f de x ». Remarque que le −1 de $f^{-1}(x)$ n'agit pas comme un exposant, donc $f^{-1}(x) \neq \dfrac{1}{f(x)}$.

3. **Réflexion**

   a) Compare le domaine et l'image de $f(x)$ à ceux de $f^{-1}(x)$.

   b) Est-ce que $f^{-1}(x)$ est une fonction? Explique ta réponse.

4. a) Trace un segment de droite qui relie chaque point défini de la fonction initiale au point correspondant de sa réciproque.

   b) Repère le point milieu de chaque segment.

   c) Tous ces points milieux devraient former une droite. Quelle est l'équation de cette droite?

5. **Réflexion** Décris une façon de déterminer la réciproque d'une fonction à l'aide de réflexions.

6. Dans un même plan cartésien, esquisse les graphiques de $g(x) = -x^2$, de $h(x) = 2x - 3$ et de $k(x) = \pm\sqrt{x}$. Note que $k(x)$ représente deux fonctions: $k(x) = \sqrt{x}$ et $k(x) = -\sqrt{x}$.

7. **Réflexion** Lequel des graphiques tracés à l'étape 6 représente aussi la réciproque de $f(x)$? Compare son équation à celle de $f(x)$. Comment la notion d'«inversion» s'applique-t-elle dans le cas des équations d'une fonction et de sa réciproque?

Exemple 1

Déterminer numériquement la réciproque d'une fonction

La table de valeurs montre des couples de la fonction $f(x)$. Détermine $f^{-1}(x)$, trace le graphique de $f(x)$ et celui de sa réciproque, puis indique le domaine et l'image de $f(x)$ et ceux de sa réciproque.

$f(x)$
(–5, 0)
(–4, 2)
(–3, 5)
(–2, 6)
(0, 7)

Solution

Inverse les abscisses et les ordonnées, puis trace les points.

$f(x)$	$f^{-1}(x)$
(–5, 0)	(0, –5)
(–4, 2)	(2, –4)
(–3, 5)	(5, –3)
(–2, 6)	(6, –2)
(0, 7)	(7, 0)

Remarque que l'inversion des coordonnées produit une réflexion du graphique de $f(x)$ par rapport à la droite d'équation $y = x$.

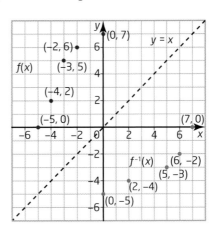

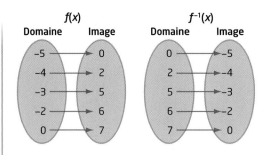

$f(x)$
Domaine — Image

$f^{-1}(x)$
Domaine — Image

Ces diagrammes sagittaux montrent que le domaine de $f(x)$ est l'image de $f^{-1}(x)$, et que l'image de $f(x)$ est le domaine de $f^{-1}(x)$.

Maths et monde

En mathématiques, il existe des opérations qui permettent de manipuler des nombres et des expressions. Plusieurs d'entre elles sont liées. L'addition et la soustraction, par exemple, sont des opérations inverses, car l'une annule l'autre. C'est le cas aussi de la multiplication et de la division.

On peut déterminer la réciproque d'une fonction en inversant les opérations que la fonction indique. Examine la fonction $f(x) = 3x + 2$. On y multiplie chaque valeur de x par 3 et on ajoute 2 au résultat. En inversant les opérations, on soustrait 2 de chaque valeur de x et on divise le résultat par 3. Ainsi, la réciproque de $f(x)$ est $f^{-1}(x) = \dfrac{x - 2}{3}$. La réciproque est « l'inverse » de la fonction initiale.

Voici les étapes d'une méthode systématique pour déterminer la réciproque d'une fonction :

1. Écris l'équation sous la forme « $y =$ », si elle ne l'est pas déjà.

2. Permute x et y dans l'équation.

3. Isole y dans la nouvelle équation.

4. Remplace y par $f^{-1}(x)$.

Exemple 2

Déterminer algébriquement la réciproque d'une fonction

Pour chaque fonction $f(x)$:

I) détermine $f^{-1}(x)$,

II) trace le graphique de $f(x)$ et celui de sa réciproque,

III) détermine si la réciproque de $f(x)$ est une fonction.

a) $f(x) = 2x - 3$

b) $f(x) = 2x^2 + 16x + 29$

Solution

a) I) $\qquad f(x) = 2x - 3$

Étape 1 : $\qquad y = 2x - 3$ $\qquad$ Remplace $f(x)$ par y.

Étape 2 : $\qquad x = 2y - 3$ $\qquad$ Permute x et y dans l'équation.

Étape 3 : $x + 3 = 2y$ $\qquad$ Isole y. Remarque que tu effectues les opérations
$\qquad \dfrac{x + 3}{2} = y$ $\qquad$ inverses.

Étape 4 : $f^{-1}(x) = \dfrac{x + 3}{2}$ $\qquad$ Remplace y par $f^{-1}(x)$.

II) Le graphique de $f(x)$ et celui de sa réciproque sont la réflexion l'un de l'autre par rapport à la droite d'équation $y = x$. Les points sur la droite sont invariants, puisque leur abscisse et leur ordonnée sont identiques.

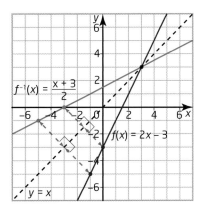

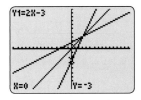 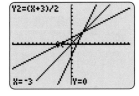

Sur une calculatrice à affichage graphique, choisis le style **Dot** pour la droite d'équation $y = x$. Tu peux ajuster la fenêtre à l'aide de l'option **ZSquare** du menu **Zoom**.

III) La réciproque de $f(x)$ est une fonction, car on peut associer une et une seule valeur de y à chaque valeur de x. En d'autres mots, le graphique de $f^{-1}(x)$ réussit le test de la droite verticale.

b) I)
$$f(x) = 2x^2 + 16x + 29$$

Étape 1 : $\quad y = 2x^2 + 16x + 29$ Remplace $f(x)$ par y.

Avant de permuter x et y, réécris l'équation du second degré sous la forme canonique, $y = a(x - h)^2 + k$, en complétant le carré.

$$y = 2(x^2 + 8x) + 29$$
$$= 2(x^2 + 8x + 16 - 16) + 29$$
$$= 2(x^2 + 8x + 16) - 32 + 29$$
$$= 2(x + 4)^2 - 3$$

Étape 2 : $\quad x = 2(y + 4)^2 - 3$ Permute x et y dans l'équation.

Étape 3 : $\quad x + 3 = 2(y + 4)^2$ Isole y. Remarque que tu effectues les opérations inverses.

$$\frac{x + 3}{2} = (y + 4)^2$$

$$\pm\sqrt{\frac{x + 3}{2}} = y + 4$$

Extrais la racine carrée des deux membres de l'équation. Rappelle-toi qu'il y a une racine positive et une racine négative.

$$\pm\sqrt{\frac{x + 3}{2}} - 4 = y$$

Étape 4 : $\quad f^{-1}(x) = \pm\sqrt{\frac{x + 3}{2}} - 4$ Remplace y par $f^{-1}(x)$.

II) Le graphique de $f(x)$ et celui de sa réciproque sont la réflexion l'un de l'autre par rapport à la droite d'équation $y = x$.

Applique aux points une réflexion par rapport à la droite d'équation $y = x$ pour esquisser le graphique de $f^{-1}(x)$.

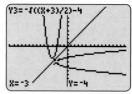

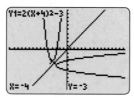 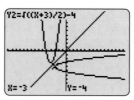 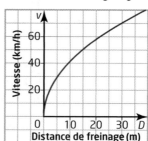

Pour tracer le graphique de $g^{-1}(x) = \pm\sqrt{\dfrac{x+3}{2}} - 4$, tu dois saisir deux équations :
$y = \sqrt{\dfrac{x+3}{2}} - 4$ et $y = -\sqrt{\dfrac{x+3}{2}} - 4$.

III) La réciproque de $f(x)$ n'est pas une fonction, car on peut associer deux valeurs de y à chaque valeur de x. En d'autres mots, le graphique de $f^{-1}(x)$ ne réussit pas le test de la droite verticale.

Exemple 3

Déterminer algébriquement la réciproque d'une fonction

On peut représenter la relation entre la vitesse d'une voiture et sa distance de freinage par la fonction $D = 0,006v^2$, où D est la distance de freinage, en mètres, et v, la vitesse de la voiture, en kilomètres à l'heure. Voici le graphique de cette fonction et de sa réciproque.

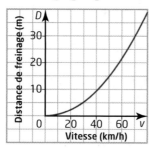 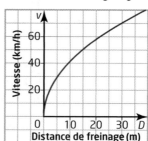

a) Indique le domaine et l'image de la fonction D.

b) Détermine l'équation de la réciproque de cette fonction. Indique son domaine et son image.

> **Solution**

a) Puisque la vitesse ne peut pas être inférieure ou égale à zéro, le domaine est $\{v \in \mathbb{R} \mid v \geq 0\}$.

La distance ne peut pas être négative, donc l'image est $\{D \in \mathbb{R} \mid D \geq 0\}$.

b) En contexte, on détermine la réciproque de la relation en isolant la variable dépendante. En effet, la relation de cause à effet entre la vitesse et la distance de freinage ne change pas. On ne peut donc pas permuter D et v.

$$D = 0{,}006v^2$$

$$\frac{D}{0{,}006} = v^2$$

$$v = \sqrt{\frac{D}{0{,}006}}$$

Extrais la racine carrée des deux membres de l'équation. Puisque la vitesse doit être supérieure ou égale à zéro, seule la racine positive est nécessaire.

Le domaine est $\{D \in \mathbb{R} \mid D \geq 0\}$ et l'image est $\{v \in \mathbb{R} \mid v \geq 0\}$.

Concepts clés

- La réciproque d'une fonction $f(x)$ est notée $f^{-1}(x)$.

- On peut déterminer la réciproque d'une fonction en inversant les abscisses et les ordonnées de cette fonction.

- Le graphique de $f^{-1}(x)$ est la réflexion du graphique de $f(x)$ par rapport à la droite d'équation $y = x$.

- On peut déterminer la réciproque d'une fonction en permutant x et y dans l'équation de cette fonction, pour ensuite isoler y.

- Pour déterminer algébriquement la réciproque d'une fonction du second degré, on doit utiliser son équation sous la forme canonique.

- La réciproque d'une fonction n'est pas nécessairement une fonction.

Communication et compréhension

C1 On te demande de résoudre l'équation $3x + 4 = 19$. En quoi la méthode utilisée ressemble-t-elle à celle qui permet de déterminer la réciproque d'une fonction ?

C2 La fonction $f(x) = 9x - 5$ a comme réciproque $f^{-1}(x) = \dfrac{x + 5}{9}$. Analyse comment la notion d'opérations inverses s'applique à une fonction et à sa réciproque.

C3 Explique pourquoi on doit utiliser l'équation d'une fonction du second degré sous sa forme canonique pour déterminer algébriquement sa réciproque.

Ⓐ À ton tour

Si tu as besoin d'aide pour répondre aux questions 1 et 2, reporte-toi à l'exemple 1.

1. Écris la réciproque de chaque fonction. Ensuite, indique le domaine et l'image de la fonction et de sa réciproque.

   a) $\{(1, 5), (4, 2), (5, -3), (7, 0)\}$

   b) $\{(3, 5), (4, 0), (5, -5), (6, -10)\}$

   c)

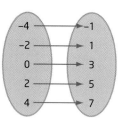

   d)

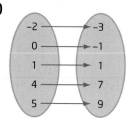

2. Reproduis chaque graphique. Ensuite, esquisse le graphique de la réciproque de la fonction. Indique le domaine et l'image de la fonction et de sa réciproque.

   a)

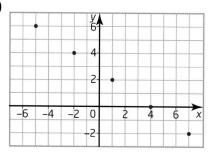

   b)

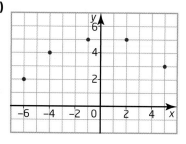

Si tu as besoin d'aide pour répondre aux questions 3 à 7, reporte-toi à l'exemple 2.

3. Reproduis chaque graphique de $f(x)$. Esquisse le graphique de la réciproque de la fonction. La réciproque de $f(x)$ est-elle une fonction? Explique pourquoi.

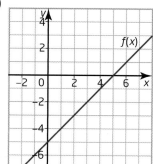

   a)

   b)

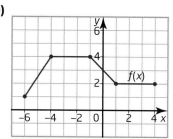

   c)

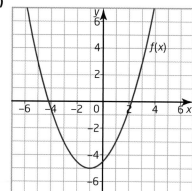

4. Détermine l'équation de la réciproque de chaque fonction.

   a) $f(x) = 2x$ **b)** $f(x) = 6x - 5$

   c) $f(x) = -x + 10$ **d)** $f(x) = \dfrac{2x + 4}{5}$

5. Détermine l'équation de la réciproque de chaque fonction.

a) $f(x) = x^2 + 6$ b) $f(x) = 4x^2$

c) $f(x) = (x + 8)^2$ d) $f(x) = \frac{1}{2}x^2 + 10$

6. Complète le carré de l'équation de chaque fonction du second degré, puis détermine l'équation de la réciproque de la fonction.

a) $f(x) = x^2 + 6x + 15$

b) $f(x) = -x^2 + 20x - 99$

c) $f(x) = 2x^2 + 24x - 3$

d) $f(x) = -3x^2 - 36x - 100$

7. Soit la fonction $f(x)$:

I) détermine $f^{-1}(x)$,

II) trace le graphique de $f(x)$ et celui de sa réciproque, avec ou sans l'aide de la technologie.

III) indique si la réciproque de $f(x)$ est une fonction et explique ton raisonnement.

a) $f(x) = -5x + 6$

b) $f(x) = \frac{1}{3}x - 8$

c) $f(x) = (x - 8)^2 + 16$

d) $f(x) = -x^2 + 20x - 64$

B Liens et mise en application

Si tu as besoin d'aide pour répondre à la question 8, reporte-toi à l'exemple 3.

8. La balistique est l'étude de la trajectoire des projectiles. La distance parcourue par un projectile est proportionnelle à sa vitesse initiale. Dans le cas d'un certain canon à ressort, on peut représenter cette relation par $d = \frac{v^2}{10}$, où d est la distance parcourue par le projectile, en mètres, et v, sa vitesse initiale en mètres à la seconde. On peut varier la vitesse en ajustant le ressort.

a) Trace le graphique de la fonction et indique son domaine et son image.

b) Trace le graphique de la réciproque de la fonction en a). Que représente cette réciproque? Indique son domaine et son image.

c) Quelle équation est la plus utile quand on utilise ce canon: celle de la fonction donnée ou celle de sa réciproque?

9. En 2008, aux Jeux olympiques de Pékin, Usain Bolt a établi un nouveau record au 100 m en améliorant de 0,3 s son record précédent. Pourtant, de l'avis de tous, il a ralenti avant le fil d'arrivée. Selon son entraîneur, si Usain avait conservé la même vitesse jusqu'à la fin, il aurait parcouru la distance en 9,52 s.

Des scientifiques ont étudié cette possibilité. Pour une grande partie de la course, on peut représenter la distance parcourue par Bolt, en mètres, par la fonction $d(t) = 11,8t - 12,5$, où t est le temps écoulé, en secondes.

a) Trace le graphique de la fonction et indique son domaine et son image.

b) Selon toi, pourquoi le domaine de cette fonction ne devrait-il pas commencer à $t = 0$?

c) Détermine la réciproque de la fonction et indique son domaine et son image.

d) En te basant sur la réciproque, détermine si l'affirmation de l'entraîneur se rapproche de la vérité.

10. Explique pourquoi $f(x) = f^{-1}(x)$ pour toute fonction de la forme $f(x) = -x + b$.

11. Détermine si les deux relations représentées ensemble sont la réciproque l'une de l'autre. Explique ton raisonnement.

a)

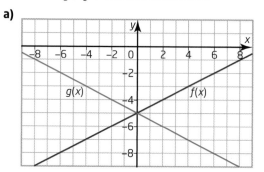

b)

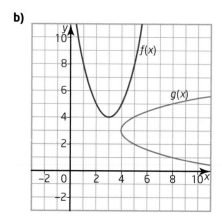

c)

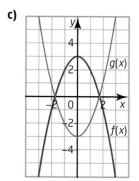

d)

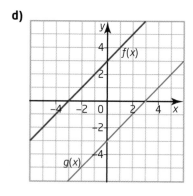

12. L'équation $y = \frac{9}{5}x + 32$ permet de convertir des températures, où x est la température en degrés Celsius et y, en degrés Fahrenheit.

a) Détermine la réciproque de cette équation. Que représente-t-elle? Que représentent les variables?

b) Représente la fonction initiale et sa réciproque dans un même plan cartésien.

c) Quelle température est la même en degrés Celsius et Fahrenheit? Explique ton raisonnement.

13. Problème du chapitre Matthieu détermine que la distance de freinage, en mètres, d'une voiture qui roule à environ 100 km/h correspond à peu près à $d = -2,8(t - 5)^2 + 70$, où t est le temps écoulé, en secondes.

a) Détermine la réciproque de cette fonction. Que représente-t-elle dans le contexte de la question?

b) Dans ce contexte, quels devraient être le domaine et l'image de la fonction et de sa réciproque?

c) Compare la distance parcourue durant chacun des trois premiers intervalles de 20 s à partir du début du freinage.

14. Soit l'exemple 2 de la section 2.6. À l'aide de réciproques, calcule le temps qu'il faut à chaque voiture pour terminer la course.

15. Pour chaque fonction $f(x)$ du second degré:

I) détermine $f^{-1}(x)$,

II) trace le graphique de $f(x)$ et celui de sa réciproque,

III) restreins le domaine de $f(x)$ à une branche de la parabole, pour que $f^{-1}(x)$ soit aussi une fonction,

IV) trace le graphique de $f(x)$ et celui de sa réciproque avec les domaines restreints.

a) $f(x) = 2x^2$

b) $f(x) = x^2 + 2$

c) $f(x) = (x - 3)^2$

16. a) Soit la fonction $f(x) = 3x + 7$. Détermine sa réciproque.

b) Détermine les valeurs de $f(f^{-1})$ et $f^{-1}(f)$, c'est-à-dire substitue la réciproque dans la fonction initiale et la fonction initiale dans la réciproque.

c) Refais a) et b) pour $f(x) = x^2 - 6$.

d) Peux-tu formuler un énoncé général au sujet de $f(f^{-1})$ et de $f^{-1}(f)$?

✔ **Question d'évaluation**

17. On lance une pierre du haut d'une falaise de 100 m. Sa hauteur h, en mètres, après t secondes est donnée par $h(t) = 100 - 5t^2$.

a) Trace le graphique de la fonction et indique son domaine et son image.

b) Détermine la réciproque de $h(t)$, et indique son domaine et son image. Explique ce que représente cette réciproque dans le contexte de la question.

c) On lance une autre pierre vers le haut à partir de la falaise. On peut représenter approximativement sa hauteur h, en mètres, après t secondes par $h(t) = 100 + 10t - 5t^2$. Isole t en déterminant la réciproque. Ensuite, détermine à quel moment la pierre touchera le sol.

C **Approfondissement**

18. a) Détermine la réciproque de la fonction $f(x) = \sqrt{x + 3}$.

b) Indique le domaine et l'image de la fonction et de sa réciproque.

c) Esquisse le graphique de la fonction et celui de sa réciproque.

19. Le volume V d'une sphère de rayon r est donné par $V = \frac{4}{3}\pi r^3$.

a) Détermine la réciproque de l'équation. Que représente-t-elle?

b) Indique le domaine et l'image de la fonction et celui de sa réciproque dans ce contexte.

20. a) Soit la fonction $f(x) = \frac{1}{x}$. Détermine sa réciproque.

b) Explique ta réponse en a) à partir du graphique de $f(x)$.

21. a) Soit la fonction $f(x) = \frac{5}{5x - 16}$. Détermine sa réciproque.

b) Indique le domaine et l'image de la fonction et de sa réciproque.

22. a) À l'aide de la propriété étudiée à la question 16, vérifie si f et g sont la réciproque l'une de l'autre.

I) $f(x) = -5x + 20$
$g(x) = -\frac{x}{5} + 4$

II) $f(x) = x^2 - 10x + 27$
$g(x) = \sqrt{x - 2} + 5$

III) $f(x) = (x + 4)^3 + 6$
$g(x) = \sqrt[3]{x - 6} - 4$

IV) $f(x) = \sqrt[4]{x + 10}$
$g(x) = x^4 - 10$

b) **Technologie** Vérifie tes réponses en a) à l'aide de la technologie.

23. Concours de maths Soit $f(x) = x^2 + 3x - 3$ et $g(x) = f^{-1}(x)$. Nomme une valeur possible de $g(1)$.

A -4 **B** 0 **C** -1

D aucune valeur possible

24. Concours de maths Si la fonction $f(x)$ comporte uniquement le point $(6, -2)$, quelle est la distance entre $f(x)$ et $f^{-1}(x)$?

A $8\sqrt{2}$ unités **B** 64 unités

C 0 unité **D** 16 unités

25. Concours de maths Le point $(5, 1)$ est réfléchi par rapport à la droite d'équation $y = x + 1$. Quelle est son image?

A $(1, 6)$ **B** $(2, 5)$ **C** $(0, 6)$ **D** $(0, 5)$

26. Concours de maths Détermine le couple d'entiers qui vérifie le système d'équations $x + xy + y = 19$ et $x^2y + xy^2 = 84$.

Révision du chapitre 2

2.1 Les expressions algébriques équivalentes, pages 78 à 87

1. Détermine si les fonctions de chaque paire sont équivalentes.

a) $f(x) = (x + 6)(x - 8) + (x + 16)(x + 3)$,
$g(x) = 3(x^2 + 3x + 5) - (x - 5)(x - 3)$

b) $f(x) = (x + 5)(x - 4) - (x - 8)(x - 1)$,
$g(x) = 2(5x - 28)$

2. Simplifie chaque expression et détermine les restrictions imposées à la variable x.

a) $\dfrac{x + 7}{x^2 + 10 + 21}$ **b)** $\dfrac{x^2 - 64}{x - 8}$

3. On fabrique une boîte de carton ouverte sur le dessus en découpant un carré de côté x à chaque coin d'un morceau de carton carré de 40 cm de côté.

a) Détermine l'expression simplifiée de l'aire totale de la boîte.

b) Détermine les restrictions imposées à la variable x.

2.2 Les opérations sur les expressions rationnelles, pages 88 à 96

4. Simplifie les expressions et détermine les restrictions imposées aux variables.

a) $\dfrac{3x^2}{5xy} \times \dfrac{20xy^3}{12xy}$ **b)** $\dfrac{150a^3b^4}{20a^2b} \div \dfrac{6b}{8ab^2}$

c) $\dfrac{1}{3x} + \dfrac{5}{2x^2}$ **d)** $\dfrac{4}{x - 6} - \dfrac{3}{x - 4}$

5. Simplifie les expressions et détermine les restrictions imposées aux variables.

a) $\dfrac{x^2 + 7x}{3x + 21} \times \dfrac{x^2 + 3x + 2}{x + 2}$

b) $\dfrac{x^2 + 4x - 60}{3x + 30} \div \dfrac{x^2 - 8x + 12}{6x - 12}$

c) $\dfrac{3}{x^2 + 7x + 10} - \dfrac{5x}{x^2 - 4}$

d) $\dfrac{-10x}{x^2 + 18x + 32} + \dfrac{12x}{x^2 + 6x - 160}$

6. Détermine une expression simplifiée qui définit le rapport du volume à l'aire totale de la boîte de la question 3. Quelles restrictions sont imposées à la variable x?

2.3 La translation horizontale ou verticale du graphique d'une fonction, pages 97 à 104

7. Reproduis le graphique de la fonction $f(x)$. Esquisse le graphique de $g(x)$ en déterminant les points A', B', C' et D'.

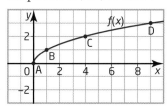

a) $g(x) = f(x) + 6$ **b)** $g(x) = f(x - 3)$

8. Pour chaque fonction $g(x)$, choisis la fonction de base, $f(x) = x$, $f(x) = x^2$, $f(x) = \sqrt{x}$ ou $f(x) = \dfrac{1}{x}$, et décris la transformation appliquée, d'abord sous la forme $y = f(x - c) + d$, puis à l'aide de mots. Transforme le graphique de $f(x)$ pour esquisser le graphique de $g(x)$. Indique le domaine et l'image de chaque fonction.

a) $g(x) = (x + 7)^2 - 8$

b) $g(x) = \sqrt{x - 6} + 3$

c) $g(x) = \dfrac{1}{x + 3} + 1$

2.4 La réflexion du graphique d'une fonction, pages 105 à 112

9. Reproduis le graphique de $f(x)$ et applique-lui une réflexion pour obtenir $g(x)$. Indique le domaine et l'image de chaque fonction.

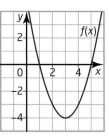

a) $g(x) = f(-x)$

b) $g(x) = -f(x)$

c) $g(x) = -f(-x)$

10. a) Détermine l'équation de chaque fonction $g(x)$ obtenue par une réflexion par rapport à l'axe des x.

I) $f(x) = \sqrt{x} + 5$ **II)** $f(x) = \dfrac{1}{x} - 7$

b) Détermine l'équation de chaque fonction $h(x)$ obtenue par une réflexion des fonctions en a) par rapport à l'axe des y.

2.5 Les transformations qui modifient la forme, pages 113 à 124

11. Soit la fonction $f(x) = x^2$. Indique la valeur de a ou de k, puis transforme le graphique de $f(x)$ pour esquisser celui de $g(x)$. Indique le domaine et l'image de chaque fonction.

a) $g(x) = 4f(x)$ **b)** $g(x) = f(5x)$

c) $g(x) = f\left(\dfrac{x}{3}\right)$ **d)** $g(x) = \dfrac{1}{4}f(x)$

12. Décris les transformations à appliquer à la fonction de base $f(x) = x$, $f(x) = x^2$, $f(x) = \sqrt{x}$ ou $f(x) = \dfrac{1}{x}$ pour produire $g(x)$. Transforme ensuite le graphique de $f(x)$ pour esquisser le graphique de $g(x)$.

a) $g(x) = 5x$ **b)** $g(x) = \dfrac{1}{4x}$

c) $g(x) = (3x)^2$ **d)** $g(x) = \sqrt{9x}$

2.6 Les combinaisons de transformations, pages 125 à 131

13. Décris, dans l'ordre, les transformations qu'il faut appliquer à la fonction de base $f(x)$ pour produire la transformée. Ensuite, écris l'équation correspondante et transforme le graphique de $f(x)$ pour esquisser celui de $g(x)$.

a) $f(x) = \sqrt{x}$, $g(x) = 3f(x + 6)$
b) $f(x) = x$, $g(x) = -f(6x) - 5$
c) $f(x) = \dfrac{1}{x}$, $g(x) = \dfrac{1}{5}f(x) + 4$
d) $f(x) = x^2$, $g(x) = -2f(3x + 12) - 6$

14. Détermine la fonction de base de $g(x)$, soit $f(x) = x$, $f(x) = x^2$, $f(x) = \sqrt{x}$ ou $f(x) = \dfrac{1}{x}$. Esquisse le graphique de la fonction de base et de la transformée. Indique le domaine et l'image des deux fonctions.

a) $g(x) = 2x + 9$ **b)** $g(x) = \dfrac{3}{x + 4}$

c) $g(x) = -4\sqrt{x} + 1$ **d)** $g(x) = (5x + 20)^2$

2.7 La réciproque d'une fonction, pages 132 à 141

15. Pour chaque fonction $f(x)$:

I) détermine $f^{-1}(x)$,

II) trace le graphique de $f(x)$ et de sa réciproque,

III) détermine si $f^{-1}(x)$ est une fonction.

a) $f(x) = 7x - 5$

b) $f(x) = 2x^2 + 9$

c) $f(x) = (x + 4)^2 + 15$

d) $f(x) = 5x^2 + 20x - 10$

16. Jade travaille dans un magasin d'appareils électroniques. Elle gagne 600 $ par semaine, et une commission de 5 % sur ses ventes.

a) Écris une fonction qui définit le salaire hebdomadaire de Jade selon ses ventes.

b) Détermine la réciproque de la fonction.

c) Qu'est-ce que la réciproque représente ?

d) Au cours d'une semaine, Jade a gagné 775 $. Calcule la valeur de ses ventes.

Problème du chapitre — LA CONCLUSION

Dans les sections 2.1, 2.3, 2.5 et 2.7, tu as exploré l'utilisation de fonctions et de transformations dans le domaine de la sécurité routière. Or, la sécurité routière fait souvent appel au génie civil.

a) Décris comment ces notions mathématiques sont reliées au génie civil.

b) Effectue une recherche sur la formation requise en génie civil. En quoi l'étude des mathématiques est-elle reliée à ce domaine ? Cite des exemples précis.

Pour les questions 1 à 5, choisis la meilleure réponse.

1. Décris la réflexion qu'il faut appliquer au graphique de $f(x)$ pour produire celui de $g(x)$.

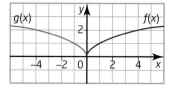

A une réflexion par rapport à l'axe des x

B une réflexion par rapport à l'axe des y

C une réflexion par rapport à l'axe des x, puis une réflexion par rapport à l'axe des y

D une réflexion par rapport à la droite d'équation $y = x$

2. Une fois transformé, le graphique de $f(x)$ devient le graphique de $g(x) = 4f(3x + 21) - 15$. Décris la translation horizontale appliquée.

A 3 unités vers la gauche

B 21 unités vers la gauche

C 7 unités vers la gauche

D 15 unités vers la gauche

3. Décris, dans l'ordre, les transformations qu'il faut appliquer au graphique de $f(x)$ pour produire le graphique de $g(x) = 5f(x - 9) + 7$.

A un agrandissement vertical de rapport 5, une translation de 9 unités vers la gauche, puis une de 7 unités vers le haut

B une translation de 9 unités vers la gauche, une translation de 7 unités vers le haut, puis un agrandissement vertical de rapport 5

C une translation de 9 unités vers la droite, une translation et de 7 unités vers le haut, puis un agrandissement vertical de rapport 5

D un agrandissement vertical de rapport 5, une translation de 9 unités vers la droite, puis une de 7 unités vers le haut

4. Indique les restrictions imposées à la variable x dans l'expression $\dfrac{(x + 7)(x - 1)}{(x - 4)(x + 7)}$.

A $x \neq 4$

B $x \neq 1, x \neq 4$

C $x \neq -7, x \neq 4$

D toutes ces réponses

5. Si une fonction est définie par un ensemble de points, on peut déterminer sa réciproque:

A en appliquant une réflexion aux points par rapport à l'axe des y.

B en inversant les coordonnées.

C en appliquant une réflexion aux points par rapport à l'origine.

D en prenant la réciproque de chaque coordonnée.

6. Est-ce que $\dfrac{6x^2 - 27x - 105}{x - 7}$ et $(x + 3)(x + 10) - (x + 3)(x + 5)$ sont des expressions équivalentes? Pourquoi?

7. Reproduis le graphique de $f(x)$ et esquisse le graphique de sa réciproque. Indique si la réciproque est une fonction.

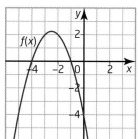

8. Simplifie chaque expression et indique toute restriction imposée à la variable.

a) $\dfrac{x - 8}{x + 7} \times \dfrac{x + 15}{x^2 + 12x - 45}$

b) $\dfrac{x^2 + 12x + 20}{x + 5} \div \dfrac{x^2 + 7x - 30}{x + 10}$

c) $\dfrac{x + 3}{x - 7} - \dfrac{x + 9}{x - 2}$

d) $\dfrac{x + 8}{x + 3} + \dfrac{x - 6}{x^2 + 9x + 18}$

9. a) Soit la fonction $g(x) = 4(3x + 6)^2 + 9$. Nomme sa fonction de base: $f(x) = x$, $f(x) = x^2$, $f(x) = \sqrt{x}$ ou $f(x) = \dfrac{1}{x}$.

b) Décris, dans l'ordre, les transformations qu'il faut appliquer à la fonction de base $f(x)$ pour produire $g(x)$.

c) Esquisse les graphiques de $f(x)$ et de $g(x)$.

d) Indique le domaine et l'image des deux fonctions.

10. a) Soit la fonction $g(x) = \frac{1}{5}\sqrt{2(x-8)} - 3$.
Nomme sa fonction de base : $f(x) = x$, $f(x) = x^2$, $f(x) = \sqrt{x}$ ou $f(x) = \frac{1}{x}$.

b) Décris, dans l'ordre, les transformations qu'il faut appliquer à la fonction de base $f(x)$ pour produire $g(x)$.

c) Esquisse les graphiques de $f(x)$ et de $g(x)$.

d) Indique le domaine et l'image des deux fonctions.

11. a) Soit la fonction $g(x) = \frac{2}{0,5x} + 5$.
Nomme sa fonction de base : $f(x) = x$, $f(x) = x^2$, $f(x) = \sqrt{x}$ ou $f(x) = \frac{1}{x}$.

b) Décris, dans l'ordre, les transformations qu'il faut appliquer à la fonction de base $f(x)$ pour produire $g(x)$.

c) Esquisse les graphiques de $f(x)$ et de $g(x)$.

d) Indique le domaine et l'image des deux fonctions.

12. Pour chaque fonction :

I) détermine $f^{-1}(x)$,

II) trace le graphique de $f(x)$ et de sa réciproque,

III) détermine si la réciproque de $f(x)$ est une fonction.

a) $f(x) = 3x + 8$

b) $f(x) = 6(x-9)^2 + 8$

c) $f(x) = 3x^2 + 36x + 8$

13. Une petite entreprise de planches à neige essaie de déterminer le meilleur prix pour ses planches. À 80 $ chacune, l'entreprise en vend 120 par mois. Après des recherches, elle constate que, pour chaque augmentation de 5 $ du prix, elle vend 15 planches de moins par mois.

a) Écris une équation qui définit le revenu R, en dollars, en fonction de x, le nombre d'augmentations de 5 $.

b) Indique le domaine et l'image de cette fonction.

c) Détermine la réciproque de la fonction. Que représente cette équation dans le contexte ? Indique le domaine et l'image de la réciproque.

d) Détermine le nombre d'augmentations de 5 $ qui généreront un revenu de 8 100 $.

14. Un petit avion qui voyage entre Windsor et l'île Pelée (une distance d'environ 60 km) subit l'effet de vents dominants. Ainsi, sa vitesse réelle par rapport au sol est égale à la vitesse de l'avion (160 km/h) plus ou moins la vitesse du vent, v, en km/h.

a) Écris une équation simplifiée qui représente le temps total d'un aller-retour si la vitesse du vent est v.

b) Trace le graphique de la relation en a).

c) Le pilote croit qu'un fort vent de face à l'aller n'allongera pas la durée de son voyage puisqu'il profitera d'un vent arrière au retour. Détermine s'il a raison.

15. Au Canada, le rendement énergétique des voitures, l, se mesure en litres aux 100 km. Aux États-Unis, le rendement énergétique, m, se mesure en miles au gallon. On utilise la formule $m = \frac{235}{l}$ pour convertir ces mesures.

a) Trace le graphique de la fonction.

b) Au Canada, les voitures ont un meilleur rendement énergétique lorsque la valeur de l est petite. Est-ce la même situation pour m ? Explique ta réponse.

c) Un litre égale 0,264 gallon américain ou 0,220 gallon impérial. Détermine une nouvelle fonction qui relie l'efficacité énergétique en gallons impériaux et en litres aux 100 km.

d) Comment le graphique de la fonction en c) se comparerait-il à celui de la fonction en a) ? Explique ta réponse.

Les fonctions dans la conception de motifs

Les pochettes de CD et les t-shirts présentent souvent des motifs. On peut définir plusieurs de ces motifs par des fonctions mathématiques.

a) Trace le motif défini par cet ensemble de fonctions, où $x \in \mathbb{R}$.

$y = \dfrac{4}{x}$, où $-2 \leq x \leq -0{,}1$ et $0{,}1 \leq x \leq 2$

$y = -\dfrac{4}{x}$, où $-2 \leq x \leq 2$

$y = \sqrt{6 - x}$, où $x \geq 2$

$y = -\sqrt{6 - x}$, où $x \geq 2$

$y = \dfrac{2}{3}\sqrt{11 - x}$, où $x \geq 2$

$y = -\dfrac{2}{3}\sqrt{11 - x}$, où $x \geq 2$

$y = \sqrt{2(4 - x)}$, où $x \geq 2$

$y = -\sqrt{2(4 - x)}$, où $x \geq 2$

$y = \sqrt{x + 6}$, où $x \leq -2$

$y = -\sqrt{x + 6}$, où $x \leq -2$

$y = \dfrac{2}{3}\sqrt{x + 11}$, où $x \leq -2$

$y = -\dfrac{2}{3}\sqrt{x + 11}$, où $x \leq -2$

$y = \sqrt{2(x + 4)}$, où $x \leq -2$

$y = -\sqrt{2(x + 4)}$, où $x \leq -2$

b) Explique ce que signifie $x = 2$.

c) Crée un motif et dessine-le à l'aide de transformations appliquées à $y = \dfrac{1}{x}$ et à $y = \sqrt{x}$. Tu peux aussi appliquer des transformations à d'autres fonctions. Énumère les fonctions que tu as utilisées, et indique le domaine de chacune.

Les fonctions exponentielles

Les exposants te font sans doute penser à la multiplication d'un nombre par lui-même. Dans ce chapitre, tu approfondiras tes connaissances des exposants et des fonctions exponentielles. Que signifie l'exposant nul (zéro)? Que signifie un exposant négatif ou fractionnaire? Qu'est-ce que ces concepts ont à voir avec les planètes, notre système solaire, la croissance des organismes vivants, la production d'énergie nucléaire ou les emprunts et les placements?

Dans l'Antiquité, des astronomes, des mathématiciennes et des mathématiciens aujourd'hui célèbres ont appliqué les bases du calcul exponentiel à toutes sortes de phénomènes scientifiques. Plus tard, des ingénieures, des ingénieurs et des scientifiques ont utilisé ces découvertes de façon novatrice pour améliorer notre qualité de vie.

Après l'étude de ce chapitre, tu pourras:

- tracer, avec et sans outils technologiques, le graphique d'une relation exponentielle définie par $y = a^x$, $a > 0$ et $a \neq 1$. Définir cette relation comme étant une fonction et indiquer les raisons;

- simplifier et évaluer des expressions formées de nombres entiers affectés d'exposants rationnels à l'aide des lois des exposants;

- simplifier, à l'aide des lois des exposants, des expressions algébriques comportant des exposants entiers;

- explorer, à l'aide d'outils technologiques, les caractéristiques principales des fonctions exponentielles définies par $f(x) = a^x$, $a > 0$ et $a \neq 1$, et leurs graphiques;

- comparer le taux de variation des fonctions exponentielles aux taux de variation des fonctions non exponentielles;

- déterminer, à l'aide d'outils technologiques, le rôle des paramètres a, c, d et k dans la représentation graphique de la fonction $y = af(k(x - c)) + d$, où $f(x) = b^x$, et décrire ce rôle à l'aide de transformations appliquées à la fonction exponentielle, c'est-à-dire translations, symétrie (réflexion) par rapport à l'axe des x, par rapport à l'axe des y, agrandissement, rétrécissement vertical;

- esquisser, à l'aide de transformations, la représentation graphique de fonctions exponentielles simples et déterminer le domaine et l'image;

- interpréter, oralement et par écrit, des situations tirées de différents domaines ayant trait à la croissance et la décroissance exponentielles en utilisant différentes représentations, c'est-à-dire ensemble de données, graphique, équation;

- formuler et résoudre des problèmes tirés de diverses applications pouvant être modélisées pour une fonction exponentielle.

Consulte l'annexe Connaissances préalables, aux pages 478 à 495, pour des exemples et des exercices supplémentaires.

Les lois des exposants

1. Associe une méthode de simplification à chaque règle.

Règle

a) La règle du produit de puissances : $(x^a)(x^b)$

b) La règle du quotient de puissances : $\dfrac{x^a}{x^b}$

c) La règle de la puissance d'une puissance : $(x^a)^b$

Méthode

A Soustraire les exposants : x^{a-b}

B Multiplier les exposants : $x^{a \times b}$

C Additionner les exposants : x^{a+b}

2. Choisis l'une des lois des exposants. Vérifie-la à l'aide d'un ou de plusieurs des outils suivants :

- exemples numériques,
- raisonnement algébrique,
- matériel concret,
- schémas.

3. Simplifie chaque expression à l'aide des lois des exposants.

a) $(x^3)(x^2)$

b) $(y^4)(y^2)(y^3)$

c) $m^6 \div m^4$

d) $\dfrac{h^4}{h^3}$

e) $a^3 \times a^4 \times b \times b^5$

f) $\dfrac{x^4 y^3}{x^2 y}$

g) $(ab^2 c^3)^4$

h) $(3uv^3)^2$

i) $\left(\dfrac{2ab^2}{2^3}\right)^2$

j) $\left(\dfrac{-3w^2}{4r^3}\right)^3$

4. Détermine la valeur de chaque expression.

a) $2^3 \times 2^4$

b) $(3^2)(3^3)(3)$

c) $5^2 \times 4^2 \times 5 \times 4^2$

d) $(-1)^3(-1)^2(-1)^5$

e) $8^5 \div 8^3$

f) $\dfrac{5^5}{5^4}$

g) $(3^2)^4$

h) $[(-2)^3]^2$

L'exposant nul et les exposants négatifs

5. Soit la fonction $y = 2^x$.

a) Reproduis la table des valeurs et complète-la.

x	y
4	$2^4 = 16$
3	$2^3 = 8$
2	$2^2 = $ ▧
1	$2^1 = $ ▧
0	$2^0 = $ ▧

b) Décris la régularité des valeurs de y.

c) Prolonge la régularité pour expliquer la valeur des exposants négatifs.

x	y
4	$2^4 = 16$
3	$2^3 = 8$
2	$2^2 = $ ▧
1	$2^1 = $ ▧
0	$2^0 = $ ▧
−1	$2^{-1} = \dfrac{1}{2} = \dfrac{1}{2^1}$
−2	$2^{-2} = \dfrac{1}{4} = $ ▧
−3	$2^{-3} = $ ▧
−n	$2^{-n} = $ ▧

6. Détermine la valeur de chaque expression.

a) 5^0

b) 4^{-2}

c) $(-6)^{-3}$

d) $3^{-4} \times 3^2$

e) $(-2)^0$

f) -2^0

g) $\left(\dfrac{4}{5}\right)^{-2}$

h) $9^{-1} \times 9^0$

7. Simplifie chaque expression. Exprime tes réponses uniquement à l'aide d'exposants positifs.

a) $(x^2)(x^{-3})$

b) $(y^{-2})^3$

c) $\dfrac{u^3 v^{-2}}{u^2 v^{-1}}$

d) $(4a^2 b)^{-2}$

La représentation graphique de fonctions

8. Pour chaque graphique, indique :

    I) le domaine,   **II)** l'image,

    III) l'abscisse et l'ordonnée à l'origine,
       si elles existent.

a)

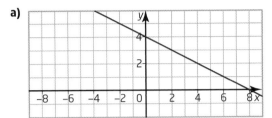

b)

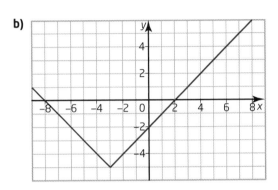

9. Trace le graphique de chaque fonction, puis indique :

    I) le domaine,   **II)** l'image,

III) l'abscisse et l'ordonnée à l'origine,
    si elles existent.

a) $y = x^2 - 9$ **b)** $y = \sqrt{x + 4}$

Les transformations de fonctions

10. Le graphique qui suit représente une transformation de la fonction $y = x^2$. Décris les transformations appliquées.

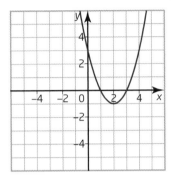

11. Trace le graphique de chaque fonction en appliquant des transformations à la fonction de base dont l'équation est $y = \sqrt{x}$.

    a) $y = 3\sqrt{x}$ **b)** $y = \sqrt{2x}$

    c) $y = -\sqrt{x}$ **d)** $y = \sqrt{x} - 5$

    e) $y = 2\sqrt{x - 3}$ **f)** $y = -\sqrt{x - 2} + 4$

Problème du chapitre

Depuis des millénaires, le Soleil, la Lune, les planètes et les étoiles fascinent les astronomes et autres chercheuses et chercheurs d'étoiles. Même si l'étude de ces corps célestes peut sembler difficile, les mathématiques et les sciences modernes permettent de décrire avec précision leur comportement et leurs interactions. Le chapitre 3 dévoilera certains des plus anciens mystères de l'Univers ; tu y apprendras comment décrire ces corps célestes fascinants.

3.1

La croissance exponentielle

Les jeux télévisés sont parfois très amusants, surtout si on gagne le premier prix! As-tu déjà vu une participante ou un participant devoir répondre à une question de mathématiques?

Suppose que tu gagnes à un jeu télévisé. Tu as le choix entre trois prix, qui augmentent tous selon une régularité. Comment pourrais-tu utiliser tes connaissances sur les régularités et les relations mathématiques pour choisir le meilleur prix? À la question 8, tu verras comment on peut appliquer le concept de croissance exponentielle au choix d'un prix lors d'un jeu télévisé.

Matériel

- carreaux de couleur ou cubes emboîtables
- papier quadrillé

ou

- calculatrice à affichage graphique

ou

- logiciel *Cybergéomètre*

Explore

Qu'est-ce que la croissance exponentielle?

Examine la régularité de ces trois suites croissantes.

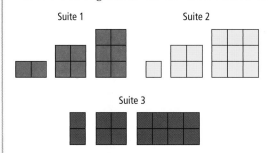

1. À l'aide de mots, décris la régularité qui définit chaque suite.

2. Dans quelle suite la croissance est-elle:

   a) la plus rapide?

   b) la plus lente?

   Explique ton raisonnement.

3. **a)** Construis ou dessine les deux termes suivants de chaque suite.

   b) Cela confirme-t-il tes réponses à l'étape 2? Explique pourquoi.

4. a) Reproduis cette table de valeurs et complète-la pour la suite 1.

Suite 1

Rang du terme, n	Nombre de carrés, c	Premières différences	Deuxièmes différences
1	2		
		2	0
2	4		
		2	
3	6		
4			
5			

b) Examine les premières différences et les deuxièmes différences. Décris toute régularité.

c) S'agit-il d'une relation du premier degré? Explique ton raisonnement.

d) Écris une équation qui associe le nombre total de carrés, c, au rang du terme, n.

e) Représente graphiquement cette relation.

5. Refais l'étape 4 pour la suite 2, puis pour la suite 3.

6. Réflexion Reporte-toi aux étapes 4 et 5.

a) Représente graphiquement les trois relations dans le même plan cartésien.

b) En quoi ces relations se ressemblent-elles? En quoi diffèrent-elles?

c) De quelle couleur de carreaux manqueras-tu en premier si tu prolonges les trois suites? Explique pourquoi.

Exemple 1

Représenter une croissance exponentielle

Suppose que des bactéries d'un certain type se multiplient de telle façon que leur nombre triple chaque jour. Le jour où Roger commence à les observer, l'échantillon compte 100 bactéries.

a) Détermine la population de bactéries à la fin de chacun des 4 premiers jours.

b) Écris une équation qui représente cette croissance.

c) Représente graphiquement cette relation. S'agit-il d'une fonction? Explique ta réponse.

d) Suppose que la croissance des bactéries se maintient. Prédis la taille de la population au bout:

I) de 1 semaine,

II) de 2 semaines.

e) Décris la régularité des différences finies pour cette relation.

> **Solution**

a) Calcule la population à la fin des 4 premiers jours. Organise l'information sous forme de tableau.

Jour	Population
0	100
1	$100 \times 3 = 300$
2	$300 \times 3 = 900$
3	$900 \times 3 = 2\ 700$
4	$2\ 700 \times 3 = 8\ 100$

La population initiale compte 100 individus.

Elle triple chaque jour.

b) Pour mieux représenter la relation entre le nombre de jours et la population totale, exprime la population en fonction du nombre de fois où la population initiale a triplé.

Jour	Population
0	100
1	$100 \times 3^1 = 300$
2	$100 \times 3^2 = 900$
3	$100 \times 3^3 = 2\ 700$
4	$100 \times 3^4 = 8\ 100$
n	100×3^n

Au bout de 1 jour, la population initiale a triplé.

Au bout de 2 jours, la population initiale a de nouveau triplé.

Au bout de n jours, la population initiale a triplé n fois.

Donc, l'équation qui définit la population, p, en fonction du nombre de jours, n, est $p(n) = 100 \times 3^n$.

c) Voici la représentation graphique de la relation $p(n) = 100 \times 3^n$. Il s'agit d'une fonction, puisqu'à chaque valeur du domaine est associée une et une seule valeur de l'image.

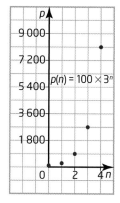

d) Les points s'élèvent rapidement à mesure que n augmente, ce qui rend l'extrapolation difficile. Utilise donc l'équation $p(n) = 100 \times 3^n$ pour déterminer toute population future.

I) Substitue 7 à n dans l'équation pour déterminer la population au bout de 1 semaine (7 jours).

$$p(7) = 100 \times 3^7$$
$$= 100 \times 2\ 187$$
$$= 218\ 700$$

Au bout de 1 semaine, la population de bactéries compte 218 700 individus.

II) Substitue 14 à n dans l'équation pour déterminer la population au bout de 2 semaines (14 jours).

$$p(14) = 100 \times 3^{14}$$
$$= 100 \times 4\ 782\ 969$$
$$= 478\ 296\ 900$$

Au bout de 2 semaines, la population de bactéries compte 478 296 900 individus.

e) Ajoute deux colonnes au tableau. Inscris-y les premières et les deuxièmes différences.

Jour	Population	Premières différences	Deuxièmes différences
0	100		
1	300	300 – 100 = 200	600 – 200 = 400
2	900	900 – 300 = 600	1 800 – 600 = 1 200
3	2 700	2 700 – 900 = 1 800	5 400 – 1 800 = 3 600
4	8 100	8 100 – 2 700 = 5 400	

Les premières différences ne sont pas constantes. Toutefois, le rapport entre deux premières différences consécutives est constant, puisque chaque valeur, sauf la première, est le triple de la valeur précédente. Le rapport entre les valeurs consécutives des deuxièmes différences est lui aussi constant.

L'exemple 1 illustre le concept de **croissance exponentielle**. Il s'agit d'un type de croissance courant dans les domaines scientifiques et financiers.

Dans la rubrique *Explore*, tu as utilisé des exposants supérieurs à zéro. Toutefois, tu verras aussi des expressions comportant un exposant nul. Que signifie un exposant nul? Tu peux l'explorer en examinant des régularités et en procédant par raisonnement algébrique ou graphique.

Exemple 2

Appliquer un exposant nul à un modèle

Détermine la valeur de 3^0 à partir des données de l'exemple 1.

Solution

Examine la table de valeurs de l'exemple 1 et travaille à rebours.

Jour	Population
4	$100 \times 3^4 = 8\ 100$
3	$100 \times 3^3 = 2\ 700$
2	$100 \times 3^2 = 900$
1	$100 \times 3^1 = 300$
0	$100 \times 3^0 = 100$

Pour que cette régularité se prolonge, 3^0 doit être égal à 1, car $100 \times 1 = 100$.

Tu peux vérifier la valeur de 3^0 en traçant le graphique de la fonction $y = 3^x$ et en déterminant son ordonnée à l'origine.

Lorsque $x = 0$, $y = 1$.

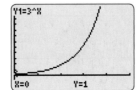

Conseil techno

Tu peux calculer les différences finies à l'aide d'une calculatrice à affichage graphique.

Consulte l'annexe Technologie aux pages 496 à 516.

croissance exponentielle

- un modèle de croissance où chaque terme est multiplié par une valeur constante supérieure à 1 pour produire le suivant

- sa représentation graphique croît à un taux qui augmente constamment

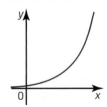

- ses différences finies présentent une régularité; le rapport entre les différences finies consécutives est constant

Conseil techno

Tu peux représenter et analyser cette fonction à l'aide d'une calculatrice à affichage graphique.

Pour déterminer l'ordonnée à l'origine:

- Appuie sur 2nd [CALC].

- Sélectionne **1: value** et appuie sur 0.

- Les fonctions à croissance exponentielle ont les propriétés suivantes :
  - À mesure que leur variable indépendante augmente d'une valeur constante, leur variable dépendante est multipliée par un facteur constant.
  - Leur graphique s'élève à un taux qui augmente constamment.
  - Leurs différences finies présentent une régularité ; le rapport entre deux différences finies consécutives est constant.
- Tout nombre réel, autre que zéro, affecté de l'exposant nul est égal à 1 :

$b^0 = 1$ pour $b \in \mathbb{R}$, où $b \neq 0$.

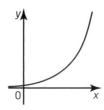

Communication et compréhension

C1 Une colonie d'insectes compte 50 individus au départ. Cette population triple chaque jour.

a) Quelle fonction représente cette croissance exponentielle ?

A $p(n) = 50 \times 2^n$

B $p(n) = 150 \times 3n$

C $p(n) = 50 \times 3^n$

b) Explique ce que représente chaque élément de l'équation choisie.

C2 Soit les trois fonctions suivantes :

$$y = x^2 \qquad y = 2x \qquad y = 2^x$$

a) En quoi leurs équations diffèrent-elles ? En quoi leurs graphiques diffèrent-ils ?

b) Indique le domaine et l'image de chaque fonction.

C3 Soit les trois fonctions suivantes :

$$y = x^3 \qquad y = 3x \qquad y = 3^x$$

Laquelle est une fonction affine ? Laquelle est une fonction exponentielle ? Explique tes réponses.

C4 Décris la régularité des différences finies pour chaque type de fonctions. Explique tes réponses à l'aide d'un exemple.

a) une fonction affine

b) une fonction du second degré

c) une fonction exponentielle

C5 Est-ce que $5^0 - 2^0 = 2^0 - 5^0$? Explique pourquoi.

A À ton tour

Si tu as besoin d'aide pour répondre à la question 1, reporte-toi à l'exemple 1.

1. Une colonie compte 20 insectes au départ. Ce nombre quadruple chaque jour.

a) Reproduis cette table de valeurs et remplis-la.

Jour	Population	Premières différences	Deuxièmes différences
0	20		
1	80		
2			
3			
4			
5			

b) La relation entre la taille de la population et le nombre de jours est-elle exponentielle? Pourquoi?

c) Examine les différences finies. Décris la relation entre les premières et les deuxièmes différences.

d) La régularité décrite en c) se prolonge-t-elle pour les troisièmes et les quatrièmes différences? Note ton hypothèse.

e) Calcule les troisièmes et les quatrièmes différences. Ton hypothèse notée en d) se vérifie-t-elle? Explique ta réponse.

Si tu as besoin d'aide pour répondre aux questions 2 à 4, reporte-toi à l'exemple 2.

2. Que vaut 10^0? Explique-le à l'aide de régularités et d'un raisonnement numérique.

3. a) Réécris l'expression $\dfrac{a^3}{a^3}$ en développant les deux puissances.

b) Simplifie les facteurs communs au numérateur et au dénominateur. Quelle est la valeur simplifiée de cette expression?

c) Réécris l'expression $\dfrac{a^3}{a^3}$ sous la forme d'une puissance en appliquant la règle du quotient de puissances.

d) Décris la relation entre les réponses données en b) et en c).

4. Évalue les expressions suivantes.

a) 6^0 **b)** $(-3)^0$ **c)** $\left(\dfrac{3}{5}\right)^0$ **d)** x^0

B Liens et mise en application

5. a) À l'aide de cubes emboîtables, de carreaux de couleur ou d'autre matériel, construis un modèle de croissance défini par $t(n) = 3^{n-1}$, où n est le rang du terme (figure ou solide) et $t(n)$ est le nombre d'objets qui le composent.

b) Dessine les quatre premiers termes de cette suite, $t(1)$ étant le premier.

c) De combien d'objets auras-tu besoin pour construire:

I) le 5e terme?   **II)** le 10e terme?

d) Tu disposes de 500 objets pour construire ce modèle de croissance. Quel est le plus grand nombre de termes que tu peux construire?

e) Tu as maintenant 1 000 objets. Quel est le plus grand nombre de termes que tu peux créer? En quoi cette réponse diffère-t-elle de ta réponse en d)? Explique ton résultat.

6. Technologie Utilise une calculatrice à affichage graphique ou un logiciel de représentation graphique.

a) Prédis ces caractéristiques du graphique de la fonction $y = 0^x$:

I) le domaine,   **II)** l'image,

III) la forme du graphique.

b) Trace le graphique de la fonction pour vérifier tes prédictions.

c) Utilise la commande **Trace** et vérifie la valeur de y quand $x = 0$. Est-ce la bonne réponse? Explique pourquoi.

7. Suppose qu'une rumeur court dans l'école : l'an prochain, toutes les fins de semaine compteront trois jours. Au jour 0, cinq élèves connaissent la rumeur. Chaque élève qui apprend la rumeur en fait part le lendemain à deux autres élèves. Personne n'entend la rumeur plus d'une fois.

a) Combien de personnes apprendront la rumeur :

  I) le jour 1 ?   **II)** le jour 2 ?

b) Estime le nombre d'élèves qui fréquentent ton école. Combien de temps faudrait-il pour que la rumeur se répande à chaque élève ?

c) S'agit-il d'un exemple de croissance exponentielle ? Explique ton raisonnement.

8. Tu viens de gagner à un jeu télévisé et on te donne le choix entre trois prix :

a) Le prix quotidien : Le jour 1, ce prix est de 1 $. Puis, chaque jour pendant deux semaines, sa valeur augmente de 1 $.

b) Le prix au carré : Le jour 1, ce prix est de 1^2, donc de 1 $. Le jour 2, il devient de 2^2, donc de 4 $, et ainsi de suite pendant deux semaines.

c) Le double prix : Le jour 1, le prix est de 1 $. Le jour 2, la valeur du prix passe à 2×1 $, donc à 2 $. Le jour 3, le prix double de nouveau et vaut donc 2×2 $, soit 4 $, et ainsi de suite pendant deux semaines.

Quel prix devrais-tu choisir à la fin de la période de deux semaines ? Pourquoi ? Explique ton choix à l'aide d'une méthode algébrique.

9. Une colonie de bactéries compte 200 individus au départ. Cette population triple chaque semaine.

a) Écris une équation qui définit la relation entre la population, p, et le temps écoulé t, en semaines.

b) Représente graphiquement cette relation pour le premier mois.

c) Détermine la population approximative au bout de 10 jours. Préfères-tu utiliser l'équation ou le graphique ? Pourquoi ?

d) Détermine la population approximative au bout de 3 mois. Préfères-tu utiliser l'équation ou le graphique ? Pourquoi ?

10. La plupart des comptes d'épargne rapportent un intérêt composé. À la fin de chaque période de capitalisation, on ajoute l'intérêt accumulé au capital (le montant déposé). Si on effectue un seul dépôt dans un compte où l'intérêt est composé annuellement, le montant M, en dollars, est calculé à l'aide de la formule $M = C(1 + i)^n$, où C est le capital en dollars, i est le taux d'intérêt annuel (sous forme décimale) et n est le nombre d'années pendant lesquelles l'intérêt s'accumule. Martin dépose 100 $ dans un compte qui rapporte un intérêt composé annuellement et calculé selon un taux annuel de 5 %.

a) Écris le taux d'intérêt annuel sous la forme d'un nombre décimal. Remplace i par ce nombre dans la formule.

b) Reproduis la table de valeurs et complète-la.

Périodes de capitalisation (années)	Montant ($)
0	100
1	105
2	
3	
4	

$M = 100(1 + 0{,}05)^1$
$= 100(1{,}05)^1$
$= 105$

c) Calcule les premières et les deuxièmes différences.

d) Trace le graphique de la fonction.

e) Si l'intérêt n'est versé qu'à la fin de chaque période, les points situés entre les valeurs de la table ont-ils un sens ? Explique pourquoi.

f) S'agit-il d'une fonction exponentielle ? Pourquoi ?

11. Utilise la formule de l'intérêt composé donnée à la question 10. Sadia dépose les 2 000 $ dont elle vient d'hériter dans un compte qui rapporte un intérêt composé annuellement et calculé selon un taux annuel de 4 %. Calcule le montant qu'il y aura dans son compte au bout :

a) de 3 ans, **b)** de 8 ans.

12. Utilise la formule de l'intérêt composé donnée à la question 10. Heidi dépose 500 $ dans un compte qui rapporte un intérêt composé annuellement et calculé selon un taux annuel de 7 %.

a) Combien de temps faudra-t-il pour que le montant déposé par Heidi double? Explique ton raisonnement.

b) Combien de temps de plus faudrait-il si le compte offrait un intérêt simple, au même taux? L'intérêt simple n'est pas ajouté au capital à la fin de chaque période. Utilise la formule $I = Ctd$, où I est l'intérêt en dollars, C, le capital en dollars, d, le taux d'intérêt annuel sous la forme décimale, et t, le temps en années.

C Approfondissement

13. Donne un exemple de croissance exponentielle tirée d'un média, tel qu'un journal ou Internet. Note ta référence et décris brièvement la nature de la relation.

14. La population de bactéries A compte 500 individus au départ et double chaque jour. La population de bactéries B compte 50 individus au départ et triple chaque jour.

a) Combien de temps faudra-t-il pour que la population de B dépasse celle de A? Quel sera alors le nombre d'individus dans chaque population?

b) Si la population de A double deux fois plus lentement, combien de temps en moins faudra-t-il à la population de B pour la dépasser?

15. Reporte-toi à la question 8.

a) Suppose que l'on fixe la valeur du double prix au jour 1 à 0,20 $ au lieu de 1 $. Le jour 2, cette valeur double et passe à 2 × 0,20 $, donc à 0,40 $. Puis, le jour 3, elle double de nouveau pour passer à 2 × 0,40 $, donc à 0,80 $, et ainsi de suite pendant deux semaines. Quel prix devrais-tu alors choisir? Explique ta réponse.

b) Quelle est la plus petite valeur initiale qui fait du double prix le meilleur choix? Explique ta réponse.

16. **Concours de maths** Chez un type de levure, le nombre de cellules double en trois jours. Soit un bocal contenant une cellule de levure. Au bout de 27 jours, il contient 512 cellules. Il faut 30 jours pour que le bocal soit plein. Combien de cellules contient-il alors?

A 512 **B** 4 096 **C** 1 024 **D** $512(2)^{30}$

17. **Concours de maths** Soit les termes de la suite 3^1, 3^2, 3^3, …, 3^{75}. Dans combien d'entre eux le chiffre des unités sera-t-il égal à 1?

A 0 **B** 25 **C** 19 **D** 18

18. **Concours de maths** Si $\dfrac{x^2y^6}{z} = 3$ et $\dfrac{x^2z^5}{y^2} = 27$, l'une des valeurs de $x^2y^2z^2$ est :

A 3 **B** 9 **C** 27 **D** 81

19. **Concours de maths** Paul et Boris jouent aux dés. Paul est le premier à lancer. S'il obtient un 1, un 2, un 3 ou un 4, il gagne. Si Boris obtient un 5 ou un 6, c'est lui qui gagne. Ils lancent le dé à tour de rôle jusqu'à ce que l'un des deux gagne. Quelle est la probabilité que Boris gagne?

20. **Concours de maths** On appelle « fraction unitaire » une fraction de la forme $\dfrac{1}{n}$, où $n \in \mathbb{N}$ et $n \neq 0$. Détermine toutes les façons d'exprimer le nombre 1 comme la somme de trois fractions unitaires, par exemple $\dfrac{1}{3} + \dfrac{1}{3} + \dfrac{1}{3}$.

Technologie

Utiliser les commandes Liste et Trace de la calculatrice TI-Nspire™ CAS

Matériel

- calculatrice à affichage graphique TI-Nspire™ CAS

A: Détermine les premières et les deuxièmes différences pour les populations de l'exemple 1 (pages 151 à 153)

1. Ouvre un nouveau classeur. Dans le menu qui s'affiche, choisis l'option **4: Ajouter Tableur & listes**.

2. Crée la table de valeurs.

- En tête de la colonne A, tape le titre *jour*. Appuie sur (enter).

- En tête de la colonne B, tape le titre *pop*. Appuie sur (enter).

- Saisis le numéro de chaque jour, en commençant dans la cellule A1.

- Saisis les données relatives à la population, en commençant dans la cellule B1.

3. Calcule les premières différences.

- En tête de la colonne C, tape le titre *prem_diff*.

- Dans la case réservée à la formule, tape =.

- Appuie sur ⊕ et sélectionne l'onglet 2.

- Amène le curseur sur **Liste** et appuie sur (enter).

- Amène le curseur sur **Opérations**, et appuie sur (enter).

- Fais défiler la page jusqu'à **Liste des différences** et appuie sur (enter).

- Tape *pop* entre les parenthèses et appuie sur (enter).

  Les premières différences s'affichent.

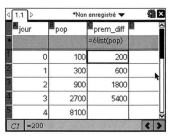

- De la même façon, tu peux calculer les deuxièmes différences dans la colonne D.

B: **Détermine les populations de l'exemple 2 (page 153)**

1. Ouvre un nouveau classeur. Dans le menu qui s'affiche, choisis l'option **4: Ajouter Tableur & listes**.

2. Crée la table de valeurs.

- En tête de la colonne A, tape le titre *jour*.

- En tête de la colonne B, tape le titre *pop*.

- Saisis le numéro de chaque jour, en commençant dans la cellule A1.

- Dans la cellule « formule » de la colonne B, tape $= 100 \times 3 \wedge$ a, et appuie sur (enter).

- Les données relatives à la population s'affichent dans la colonne B.

C: **Représente graphiquement la fonction de la population de l'exemple 2**

1. Ouvre un nouveau classeur. Dans le menu qui s'affiche, choisis l'option **3: Ajouter l'application Graphiques**.

2. Trace le graphique de la fonction.

- Pour la fonction **f1**(x), tape 100 × 3 ^ x et appuie sur (enter).

- Appuie sur (menu). Sélectionne **4: Fenêtre**, puis **1: Réglages de la fenêtre**.

- Fixe la plage de l'axe des x de −5 à 5 et celle de l'axe des y de −1 000 à 8 100.

- Appuie sur (menu). Sélectionne **5: Trace** puis **1: Trace**.

  Un pointeur apparaît sur la courbe et ses coordonnées s'affichent.

- Déplace le pointeur le long du graphique à l'aide du pavé tactile.

  Remarque que les coordonnées affichées changent au fur et à mesure que le pointeur se déplace.

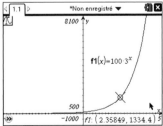

La décroissance exponentielle : comprendre les exposants négatifs

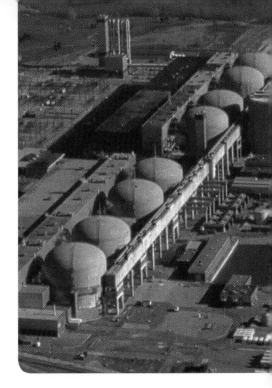

Le Canada tire plus de 15 % de son électricité de l'énergie nucléaire. Une fois décomposés, les atomes de certains éléments libèrent une énorme quantité d'énergie. On peut convertir cette énergie en électricité par la fission nucléaire, un procédé de base de la production d'énergie nucléaire.

Ce sont des réacteurs à fission qui fournissent plus de la moitié de l'énergie électrique en Ontario. La fission nucléaire comporte des inconvénients, dont la production de déchets dangereux. Scientifiques, ingénieures et ingénieurs doivent s'assurer qu'on dispose de ces matières de façon sécuritaire.

Matériel

• calculatrice à affichage graphique

demi-vie

• le temps nécessaire pour qu'une quantité donnée d'une substance radioactive diminue de moitié par désintégration

Maths et monde

Tu en apprendras davantage sur la fission nucléaire si tu étudies la physique au secondaire ou à l'université.

Explore

La décroissance exponentielle

L'uranium sert souvent de combustible dans les réacteurs nucléaires. Il peut prendre diverses formes, ou isotopes, dont certaines se trouvent dans la nature et d'autres sont produites par fission nucléaire. Un de ces isotopes, l'uranium 239 (^{239}U), a une **demi-vie** d'environ 2 ans. Ainsi, au bout de 2 ans, la moitié d'une quantité donnée d'uranium 239 s'est désintégrée ou transformée eu une nouvelle substance.

Imagine un échantillon de 1 000 mg d'uranium 239. Comment peut-on en représenter la quantité restante en fonction du temps ?

1. Reproduis la table de valeurs et complète-la.

Temps (années)	Nombre de demi-vies (2 ans)	Quantité restante de ^{239}U (mg)
0	0	1 000
2	1	500
4	2	
6	3	
8	4	

2. a) Décris la tendance qui caractérise la table de valeurs de l'étape 1.

b) La relation entre le nombre de demi-vies et la quantité restante de ^{239}U est une relation :

    • affine.   • du second degré.   • exponentielle.

Explique ta réponse.

3. a) Au bout de combien de temps environ restera-t-il :

   I) 10 mg de la quantité initiale?

   II) 0,1 % de la quantité initiale?

b) La masse de l'échantillon d'uranium 239 deviendra-t-elle nulle? Explique ton raisonnement.

4. a) À l'aide d'une calculatrice à affichage graphique, trace un nuage de points pour représenter la quantité restante d'uranium 239 en fonction du nombre de demi-vies.

- Appuie sur (STAT) et sélectionne **Edit**.
- Saisis les données dans les listes **L1** et **L2**.
- Appuie sur (2nd) [STAT PLOT] et sélectionne **Plot1**.
- Sélectionne les réglages qui figurent sur la saisie d'écran.
- Appuie sur (ZOOM) et sélectionne **9:ZoomStat**.

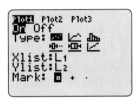

b) **Réflexion** Compare la forme du nuage de points aux courbes exponentielles que tu as étudiées dans la section 3.1. Décris leurs similarités et leurs différences.

5. a) Calcule les premières et les deuxièmes différences de la fonction.

b) S'agit-il d'une fonction exponentielle? Explique ta réponse.

6. a) Crée un modèle algébrique de la fonction à l'aide d'une calculatrice à affichage graphique :

- À partir de l'écran d'accueil, appuie sur (STAT) puis amène le curseur sur **CALC** pour afficher le menu.
- Sélectionne **0:ExpReg**.
- Appuie sur (2nd) [L1] (,) (2nd) [L2] (,). Ensuite, appuie sur (VARS), sélectionne **Y-VARS**, puis **1:Function**.
- Sélectionne **1:Y1** et appuie sur (ENTER).

Une équation exponentielle s'affiche.

b) Remplace a et b par les valeurs données pour écrire l'équation sous la forme $y = ab^x$.

c) **Réflexion** Explique le rôle de a et de b dans l'équation que tu as écrite en b).

7. a) Appuie sur (GRAPH); la courbe la mieux ajustée s'affiche.

b) Cette courbe décrit-elle bien la relation? Pourquoi?

8. Réflexion Vérifie tes réponses à l'étape 3 à l'aide des commandes **Zoom** et **Trace**. Décris tes observations.

Conseil techno

Pour revenir à l'écran d'accueil à partir de n'importe quel écran, appuie sur (2nd) (MODE).

décroissance exponentielle

- un modèle de décroissance où chaque terme est multiplié par une valeur constante située entre 0 et 1 pour produire le suivant
- sa représentation graphique décroît à un taux qui diminue constamment

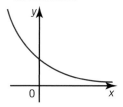

- ses différences finies présentent une régularité exponentielle : le rapport entre deux différences finies consécutives est constant

La relation étudiée dans la rubrique *Explore* est un exemple de **décroissance exponentielle**. Ce type de relation est courant dans les domaines scientifiques et financiers.

Exemple 1

Représenter une décroissance exponentielle

L'uranium 239 qui se désintègre se transforme en une autre substance, le plutonium 239 (^{239}Pu). Il s'agit d'un déchet très toxique dont la demi-vie (24 ans) est beaucoup plus longue que celle de l'uranium. Détermine approximativement le temps qu'il faut pour qu'un échantillon de 50 mg de plutonium 239 se désintègre jusqu'à ce qu'il ne reste que 10 % de la quantité initiale.

Solution

10 % de 50 mg, c'est 5 mg. Il faut donc déterminer au bout de combien de périodes de 24 ans, l'échantillon aura une masse de 5 mg.

Méthode 1 : Utiliser une table de valeurs ou un tableur

Dans trois colonnes, entre le nombre de demi-vies, le nombre d'années ainsi que la quantité restante.

- Saisis 0 dans la cellule A2 et 1 dans la cellule A3. Sélectionne les cellules A2 et A3. Place le pointeur dans le coin inférieur droit de la cellule A3, clique et fais glisser le pointeur vers le bas pour prolonger la suite.

	A	B	C	D
	A5		f_x 3	
1	**Demi-vies**	**Années**	**Quantité (mg)**	
2	0	0	50	
3	1	24	25	
4	2	48	12,5	
5	3	72	6,25	
6	4	96	3,125	
7	5	120	1,5625	

- Saisis 0 dans la cellule B2. Dans la cellule B3, tape =, puis clique sur la cellule B2, tape +24 et appuie sur $\boxed{\text{Enter}}$. Sélectionne ensuite la cellule B3, place le pointeur dans le coin inférieur gauche de cette cellule, clique et fais glisser le pointeur vers le bas.

- Procède de la même manière pour remplir la troisième colonne ; saisis 50 dans la cellule C2 et utilise l'équation C3 = C2/2.

Fais défiler la troisième colonne vers le bas : il restera 5 mg de l'échantillon dans 72 à 96 ans.

Méthode 2 : Procéder par essais systématiques

Écris l'équation qui définit la quantité restante de plutonium 239 en fonction du nombre de demi-vies. Il s'agit de : $Q(n) = 50\left(\dfrac{1}{2}\right)^n$,

où n est le nombre de demi-vies de 24 ans et Q, la quantité restante de plutonium 239, en milligrammes.

Substitue 5 à Q et détermine la valeur de n.

$$Q(n) = 50\left(\dfrac{1}{2}\right)^n$$

$$5 = 50\left(\dfrac{1}{2}\right)^n$$

$$0,1 = \left(\dfrac{1}{2}\right)^n \qquad \text{Divise les deux membres de l'équation par 50.}$$

À l'aide d'une calculatrice, effectue des essais systématiques pour déterminer la valeur de n qui satisfait à l'équation. Pour simplifier les choses, utilise 0,5 au lieu de $\dfrac{1}{2}$.

n	$0,5^n$	Raisonnement mathématique
5	0,031 25	Essaie avec 5 demi-vies. Cela donne une valeur beaucoup plus petite que 0,1. Essaie avec une période plus courte.
2	0,25	Le résultat est trop élevé. La valeur adéquate se situe entre 2 et 5. Essaie avec 3.
3	0,125	Le résultat est proche, mais trop élevé.
3,3	0,101 5...	Le résultat est très proche de 0,1. C'est une approximation acceptable.

Le nombre de demi-vies est d'environ 3,3. En le multipliant par 24, on obtient le nombre d'années.

$$3,3 \times 24 = 79,2$$

Il faudra environ 79 ans pour que l'échantillon de plutonium 239 n'ait plus que 10 % de sa masse initiale.

Méthode 3 : Utiliser un graphique

Écris l'équation de la relation, trace son graphique et lis l'information qui y figure. Voici le graphique de l'équation $A(n) = 50\left(\dfrac{1}{2}\right)^n$.

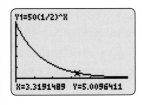
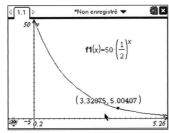

À l'aide de la commande **Trace**, détermine le point où la quantité est réduite à environ 5 mg. Ce point correspond à environ 3,3 demi-vies. Multiplie ce nombre par 24 pour déterminer le nombre d'années.

$$3,3 \times 24 = 79,2$$

Il faudra environ 79 ans pour que l'échantillon de plutonium 239 n'ait plus que 10 % de sa masse initiale.

Maths et monde

L'étude des logarithmes en 12ᵉ année t'apprendra à déterminer la solution exacte d'équations comme $5 = 50\left(\dfrac{1}{2}\right)^n$.

Avec les méthodes 2 et 3 de l'exemple 1, tu as utilisé la fonction $Q(n) = 50\left(\dfrac{1}{2}\right)^n$, où n est supérieur ou égal à zéro. Cependant, tu verras parfois des expressions exponentielles comportant un ou des exposants négatifs. Tu peux évaluer ces expressions à l'aide de cette relation :

$b^{-n} = \dfrac{1}{b^n}$ pour $b \in \mathbb{R}$, où $b \neq 0$ et $n \in \mathbb{N}$.

Exemple 2

Évaluer les expressions comportant un ou des exposants négatifs

Évalue chaque expression.

a) 3^{-2} **b)** $6^{-2} \times 6^3$ **c)** $(-2)^{-4} + 4^{-2}$ **d)** $(4^{-2})^{-3} \div 4^8$

Solution

a) $3^{-2} = \dfrac{1}{3^2}$

$\qquad\quad = \dfrac{1}{9}$

b) $6^{-2} \times 6^3 = 6^{-2+3}$ Applique la règle du produit de puissances.

$\qquad\qquad\;\; = 6^1$ Additionne les exposants.

$\qquad\qquad\;\; = 6$

c) $(-2)^{-4} + 4^{-2} = \dfrac{1}{(-2)^4} + \dfrac{1}{4^2}$ Rappelle-toi que $(-2)^4 = 2^4 = 16$.

$\qquad\qquad\qquad\;\; = \dfrac{1}{16} + \dfrac{1}{16}$

$\qquad\qquad\qquad\;\; = \dfrac{2}{16}$

$\qquad\qquad\qquad\;\; = \dfrac{1}{8}$

d) $(4^{-2})^{-3} \div 4^8 = 4^{(-2)(-3)} \div 4^8$ Applique d'abord la règle de la puissance d'une

$\qquad\qquad\qquad\; = 4^6 \div 4^8$ puissance. Multiplie les exposants.

$\qquad\qquad\qquad\; = 4^{6-8}$ Applique la règle du quotient de puissances.

$\qquad\qquad\qquad\; = 4^{-2}$ Soustrais les exposants.

$\qquad\qquad\qquad\; = \dfrac{1}{4^2}$

$\qquad\qquad\qquad\; = \dfrac{1}{16}$

Exemple 3

Simplifier des expressions comportant un ou des exposants négatifs

Simplifie chaque expression. Exprime tes réponses seulement à l'aide d'exposants positifs.

a) $(x^{-2})(x^{-3})(x^4)$ 　　　**b)** $\dfrac{a^2 b^{-3}}{a^{-1} b^2}$ 　　　**c)** $(2u^3 v^{-2})^{-3}$

Solution

a) $(x^{-2})(x^{-3})(x^4) = x^{-2-3+4}$ 　　　Applique la règle du produit de puissances.

$$= x^{-1}$$

$$= \frac{1}{x}$$

b) $\dfrac{a^2 b^{-3}}{a^{-1} b^2} = a^{2-(-1)} b^{-3-2}$ 　　　Applique la règle du quotient de puissances.

$$= a^3 b^{-5}$$

$$= \frac{a^3}{b^5}$$

c) $(2u^3 v^{-2})^{-3} = 2^{-3} u^{3(-3)} v^{(-2)(-3)}$ 　　　Applique la règle de la puissance d'une puissance.

$$= \frac{1}{2^3} u^{-9} v^6$$

$$= \frac{v^6}{8u^9}$$

Exemple 4

Évaluer les puissances qui comportent une base fractionnaire

Simplifie chaque expression.

a) $\left(\dfrac{1}{3}\right)^{-1}$ 　　　**b)** $\left(-\dfrac{27}{8}\right)^{-2}$

Solution

a) $\left(\dfrac{1}{3}\right)^{-1} = \dfrac{1}{\left(\dfrac{1}{3}\right)^1}$ 　　　Réécris l'expression avec un exposant positif.

$$= 1 \div \frac{1}{3}$$

$$= 1 \times \frac{3}{1}$$ 　　　Multiplie par le nombre inverse.

$$= 3$$

b) $\left(-\dfrac{27}{8}\right)^{-2} = \left(-\dfrac{8}{27}\right)^2$ 　　　Applique la propriété des exposants négatifs. Rappelle-toi que $(-8)^2 = 8^2 = 64$.

$$= \frac{64}{729}$$

> **Maths et monde**
>
> On peut généraliser le résultat de la partie a) de l'exemple 4 ainsi :
> $$\left(\frac{a}{b}\right)^{-n} = \left(\frac{b}{a}\right)^n \text{ pour}$$
> a et $b \in \mathbb{R}$, où a et $b \neq 0$ et $n \in \mathbb{N}$.

Concepts clés

- Les fonctions à décroissance exponentielle ont les propriétés suivantes :
  - À mesure que leur variable indépendante augmente d'une valeur constante, leur variable dépendante diminue selon un rapport constant.
  - Leur courbe descend à un taux qui diminue constamment.
  - Leurs différences finies présentent une régularité exponentielle : le rapport entre deux différences finies consécutives est constant.

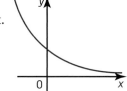

- On peut exprimer une puissance comportant un exposant négatif à l'aide d'un exposant positif :
  $b^{-n} = \dfrac{1}{b^n}$, où $b \in \mathbb{R}$, $b \neq 0$ et $n \in \mathbb{N}$.

- Les lois des exposants se vérifient pour les puissances comportant un exposant négatif.

- On peut simplifier une expression rationnelle élevée à une puissance négative ainsi :
  $\left(\dfrac{a}{b}\right)^{-n} = \left(\dfrac{b}{a}\right)^{n}$, où a et $b \in \mathbb{R}$, a et $b \neq 0$ et $n \in \mathbb{N}$.

Communication et compréhension

C1 Compare la croissance exponentielle et la décroissance exponentielle. En quoi ces types de relations se ressemblent-ils ? En quoi diffèrent-ils ?

C2 L'équation $Q(n) = 50\left(\dfrac{1}{2}\right)^{n}$, tirée de l'exemple 1, donne la quantité Q de plutonium 239, en milligrammes, au bout de n demi-vies de 24 ans.

Claudia affirme qu'elle peut écrire l'équation sous une forme plus simple : $Q(n) = 50(2)^{-n}$.

a) À ton avis, le modèle de Claudia est-il valable ? Explique ton raisonnement.

b) Suggère au moins deux façons de vérifier l'équivalence des deux modèles.

C3 Comment peut-on réécrire une puissance comportant un exposant négatif à l'aide d'un exposant positif ? Explique ta réponse à l'aide d'un exemple.

C4 Comment peut-on réécrire une puissance comportant un exposant positif à l'aide d'un exposant négatif ? Explique ta réponse à l'aide d'un exemple.

A À ton tour

Si tu as besoin d'aide pour répondre aux questions 1 à 4, reporte-toi à l'exemple 2.

1. Réécris chaque puissance à l'aide d'un exposant positif.

a) 3^{-1} **b)** x^{-1} **c)** y^{-2}

d) $(ab)^{-1}$ **e)** $-x^{-2}$ **f)** $(-x)^{-2}$

2. Réécris chaque puissance à l'aide d'un exposant négatif.

a) $\dfrac{1}{5^2}$ **b)** $\dfrac{1}{k^3}$

3. Évalue ces expressions. Exprime chaque réponse sous la forme d'une fraction irréductible.

a) 6^{-2} **b)** 2^{-5} **c)** 10^{-4}

d) 9^{-3} **e)** $2^{-2} + 4^{-1}$ **f)** $6^{-1} + 3^{-1} + 2^{-3}$

4. Applique les lois des exposants pour évaluer chaque expression.

a) $(4^{-2})^{-1}$

b) $(2^{-4})^2$

c) $\dfrac{10^4}{10^{-1}}$

d) $5^{-3} \div 5^{-2}$

e) $(7^{-2})(7^4)$

f) $4^{-3} \times 4^{-5} \times 4^6 \times 4^0$

g) $\dfrac{3(3^4)}{3^3}$

h) $\dfrac{(4^5)(4^{-2})}{4^2}$

Si tu as besoin d'aide pour répondre à la question 5, reporte-toi à l'exemple 3.

5. Simplifie ces expressions. Exprime tes réponses à l'aide d'exposants positifs.

a) $m^{-2} \times m^3$

b) $(3v^{-3})(-2v^{-6})$

c) $p^4 \div p^{-3}$

d) $\dfrac{6w^{-4}}{2w^{-2}}$

e) $(k^{-3})^{-4}$

f) $(2ab^{-3})^{-2}$

Si tu as besoin d'aide pour répondre aux questions 6 et 7, reporte-toi à l'exemple 4.

6. Évalue chaque expression.

a) $\left(\dfrac{1}{8}\right)^{-2}$

b) $\left(\dfrac{3}{10}\right)^{-6}$

c) $\left(\dfrac{9}{4}\right)^{-2}$

d) $\left(-\dfrac{5}{2}\right)^{-3}$

e) $\left(\dfrac{1}{2}\right)\left(-\dfrac{1}{4}\right)^{-2}$

f) $\left[\left(\dfrac{1}{4}\right)^2\left(\dfrac{2}{5}\right)\right]^{-2}$

7. Simplifie ces expressions. Exprime tes réponses à l'aide d'exposants positifs.

a) $\left(\dfrac{1}{ab}\right)^{-2}$

b) $\left(\dfrac{1}{8u}\right)^{-3}$

c) $\left(\dfrac{g^4}{w^2}\right)^{-2}$

d) $\left(\dfrac{4a^3}{3b^2}\right)^{-3}$

e) $\left(\dfrac{3a^2}{b^3}\right)^{-3}$

f) $\left(\dfrac{x^{-2}}{y^{-1}}\right)^{-2}$

B Liens et mise en application

8. Le tungstène 187 (^{187}W) est un isotope radioactif qui a une demi-vie de 1 jour. Imagine un échantillon initial de 100 mg.

a) Crée une table de valeurs qui donne la quantité de ^{187}W à la fin de chacun des quatre premiers jours.

Raisonnement

Modélisation — Sélection d'outils

Résolution de problèmes

Liens — Réflexion

Communication

b) Écris une équation de la forme $f(x) = ab^x$ qui définit la quantité restante de ^{187}W en fonction du temps. Indique ce que chaque variable de l'équation représente et l'unité de mesure appropriée à chacune.

c) Représente graphiquement la relation. Décris la forme de la courbe.

d) Combien de ^{187}W restera-t-il au bout de 1 semaine ?

e) Combien de temps faudra-t-il pour que la quantité restante soit égale à 5 % de la quantité initiale ? Décris les stratégies et les outils que tu as utilisés.

f) Écris une autre fonction qui permet de modéliser la même situation. Explique pourquoi les deux fonctions sont équivalentes.

9. a) Évalue chaque expression. Exprime tes réponses sous la forme de fractions.

I) 3^{-2} **II)** 3^{-3}

b) Multiplie tes réponses en a) l'une par l'autre.

c) Applique la règle du produit de puissances à l'expression $3^{-2} \times 3^{-3}$. Écris le résultat avec un exposant positif et évalue l'expression.

d) Compare tes réponses en b) et en c). Quelle propriété des exposants négatifs est illustrée ici ?

e) Illustre cette propriété à l'aide d'un autre exemple.

10. À l'aide de deux exemples numériques, vérifie que la règle du quotient de puissances s'applique aux expressions comportant un ou des exposants négatifs.

11. Par raisonnement numérique ou algébrique, vérifie que la règle d'une puissance d'une puissance s'applique aux expressions comportant un ou des exposants négatifs.

12. Shylo est vraiment contente de sa voiture neuve!

20 000 $

Elle lui a coûté 20 000 $. Sa valeur de revente diminuera de 30 % chaque année. L'équation qui représente la valeur v de la voiture (en dollars) en fonction du temps t écoulé depuis l'achat (en années) est $v(t) = 20\,000(0,7)^t$.

a) Explique ce que représente chaque partie de l'équation.

b) Combien l'automobile de Shylo vaudra-t-elle dans:

  I) un an?   **II)** deux ans?

c) Trace le graphique de cette fonction. S'agit-il d'un exemple de décroissance exponentielle? Explique comment tu le sais.

d) Combien de temps faudra-t-il pour que l'automobile de Shylo n'ait plus que 10 % de sa valeur initiale?

13. Reporte-toi à l'exemple 1. Suppose que l'échantillon initial de plutonium 239 comptait plus que les 50 mg restants du début de notre étude.

a) Explique comment tu peux décrire la désintégration qui s'est produit avant le début de l'étude à l'aide du modèle exponentiel de l'exemple 1.

Raisonnement

Modélisation   Sélection d'outils

Résolution de problèmes

Liens   Réflexion

Communication

b) Détermine la masse de l'échantillon:

  I) 1 demi-vie avant le début de l'étude,

  II) 3 demi-vies avant le début de l'étude.

14. Par raisonnement algébrique, démontre le résultat général suivant: $\left(\dfrac{a}{b}\right)^{-n} = \left(\dfrac{b}{a}\right)^{n}$ pour a et $b \in \mathbb{R}$, où a et $b \neq 0$ et $n \in \mathbb{N}$.

15. Par un raisonnement algébrique, montre comment la formule $M = C(1 + i)^n$ peut être réécrite sous la forme $C = M(1 + i)^{-n}$.

✔ **Question d'évaluation**

16. On utilise la formule $C(n) = M(1 + i)^{-n}$ pour déterminer le capital, $C(n)$, placé dans un compte qui accumule un intérêt composé annuellement. M est le montant, en dollars, qui se trouve actuellement dans le compte, i est le taux d'intérêt annuel (sous forme de nombre décimal) et n est le nombre d'années pendant lesquelles l'intérêt s'est accumulé.

a) Oscar a déposé de l'argent dans un compte dont l'intérêt annuel est de 3 %, composé annuellement. Aujourd'hui, il y a 660 $ dans le compte. Combien d'argent y avait-il dans le compte:

  I) il y a 1 an?

  II) il y a 5 ans?

b) La formule appliquée représente-t-elle une croissance ou une décroissance exponentielle? Pourquoi?

c) Réécris la formule en isolant M. Représente-t-elle maintenant une croissance ou une décroissance? Pourquoi?

17. Reporte-toi à la question 16. Lydia veut placer une somme d'argent aujourd'hui pour avoir 1 000 $ dans 6 ans. Si elle la dépose dans un compte qui rapporte un intérêt de 4,5 % composé annuellement, combien doit-elle placer?

18. Problème du chapitre Une force d'attraction gravitationnelle s'exerce entre les objets dans l'Univers. Cette force dépend de la masse des objets et de la distance qui les sépare.

La formule $F = GMmr^{-2}$ décrit la relation entre la force d'attraction, la masse de deux objets et la distance qui les sépare. G est une constante égale à $6,7 \times 10^{-11}$. M et m représentent la masse, en kilogrammes, des deux objets, et r, la distance, en mètres, entre les deux objets.

La masse de la Terre, M, est de $6,0 \times 10^{24}$ kg. Celle de la Lune, m, est de $7,4 \times 10^{22}$ kg. La distance entre la Terre et la Lune est de 380 000 km. À partir de ces données, calcule la force d'attraction F, en newtons (N), entre la Terre et la Lune.

C Approfondissement

19. Reporte-toi à la question 18.

a) Réécris la formule $F = GMmr^{-2}$ avec un exposant positif (sa forme habituelle).

b) Cette relation entre la force et la distance est un exemple de la loi de l'inverse du carré. Expliques-en la signification.

c) Cherche un autre exemple de la loi de l'inverse du carré. Décris les variables en jeu et fournis un exemple de calcul.

20. Reporte-toi à la question 18. Compare la force d'attraction déterminée à celle entre:

a) la Lune et ton corps,

b) la Terre et ton corps, si $r = 6\ 400$ km (le rayon de la Terre).

21. Concours de maths Si $f(x) = 3^{2-3x}$, quelle est la valeur de $[f(1 + x)][f(1 - x)]$?

A $\dfrac{1}{9}$ **B** 9 **C** 27 **D** 1

22. Concours de maths L'ordonnée à l'origine de la fonction $y = -2\left(\dfrac{1}{3}\right)^{2x-1} + 2$ est

A 2 **B** 0 **C** 8 **D** -4

23. Concours de maths Soit le système d'équations suivant:
$x_1 + x_2 = 120$
$x_2 + x_3 = 160$
$x_3 + x_4 = 140$
$x_4 + x_5 = 125$
$x_1 + x_3 + x_5 = 215$
Quelle est la valeur de $x_1 + x_5$?

A 160 **B** 125 **C** 120 **D** 140

Les maths au travail

Après plus de deux années d'études dans un collège canadien, Sinthujan est devenu technicien en radiation médicale. La radiothérapie est l'une des méthodes les plus courantes de lutte contre le cancer. Sous la direction d'une ou d'un oncologue, Sinthujan tente de freiner la progression du cancer au moyen d'un rayonnement externe de haute intensité. Il expose la patiente ou le patient aux radiations qu'émet un appareil et le refait un certain nombre de fois sur une période de plusieurs semaines. Sinthujan doit effectuer des calculs pour optimiser l'angle et la taille du rayon de façon à atteindre un point précis du corps et à réduire la distance qui sépare le rayon de la tumeur. Il vise non seulement à éliminer entièrement la masse cancéreuse, mais aussi à réduire au minimum les effets secondaires.

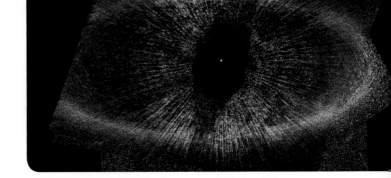

Les exposants rationnels

Y a-t-il de la vie sur d'autres planètes? Les planètes comme Formalhaut b, qu'on voit sur la photo, ressemblent-elles à la Terre? Voyagerons-nous assez loin dans l'espace pour le vérifier? Ces questions, qui nous préoccupent depuis des générations, ont inspiré d'innombrables livres et films de science-fiction. En quoi ces récits sont-ils reliés aux fonctions exponentielles?

Explore

Que signifie un exposant rationnel?

Quelque part, très très loin d'ici...

Le vilain Empire galactique envahit l'Univers à une vitesse exponentielle! Combien de temps encore avant que la Terre subisse sa domination? Une rumeur circule: une Alliance rebelle se déploie. Saura-t-elle vaincre l'Empire avant la conquête de la Terre?

L'Empire galactique domine actuellement 100 planètes, mais ce nombre quadruple tous les 10 ans. Cette croissance est définie par le graphique et l'équation qui figurent ici.

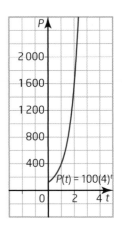

1. Examine l'équation. Explique la valeur de chaque variable et indique son unité de mesure.

2. Examine le graphique.

   a) Indique les coordonnées de l'ordonnée à l'origine. Explique ce qu'elle représente.

   b) Combien de planètes l'Empire dominera-t-il:

   I) dans 1 décennie?

   II) dans 2 décennies?

   Explique comment le graphique t'aide à obtenir cette information.

   c) Résous l'équation pour vérifier tes réponses.

3. **a)** Comment peux-tu estimer le nombre de planètes que l'Empire galactique dominera dans 5 ans, à partir du graphique? Combien de planètes seront dominées par l'Empire galactique dans 5 ans?

   b) Substitue $t = \frac{1}{2}$ à t dans l'équation et évalue $P(t)$ à l'aide d'une calculatrice. Cette réponse confirme-t-elle ta réponse en a)? Explique pourquoi.

4. a) Évalue l'expression $100 \times \sqrt{4}$.

b) Compare ta réponse en a) avec la valeur de $100 \times 4^{\frac{1}{2}}$. Que remarques-tu ?

c) **Réflexion** Que peux-tu déduire de ta réponse en b) au sujet des expressions $\sqrt{4}$ et $4^{\frac{1}{2}}$?

5. a) Soit l'équation $4 = 2^2$. Élève chaque membre à la puissance $\frac{1}{2}$ et simplifie le membre de droite à l'aide de la règle de la puissance d'une puissance.

b) **Réflexion** Puisque $\sqrt{4} = 2$, la réponse en a) confirme-t-elle que $4^{\frac{1}{2}} = \sqrt{4}$? Explique ta réponse.

6. a) **Réflexion** Le résultat de l'étape 5 b) s'applique-t-il aux puissances dont la base n'est pas 4 ? Écris ta prédiction.

b) Choisis différentes bases et évalue chacune à la puissance $\frac{1}{2}$ à l'aide d'une calculatrice.

c) Compare tes réponses à la racine carrée de chaque base. Que remarques-tu ?

À la rubrique *Explore*, tu as découvert une méthode qui permet de montrer que $b^{\frac{1}{2}} = \sqrt{b}$ pour $b \in \mathbb{R}$, où $b \geq 0$. On peut appliquer un raisonnement similaire à l'évaluation des puissances comportant d'autres exposants rationnels.

Exemple 1

Évaluer les puissances comportant un exposant rationnel de la forme $\frac{1}{n}$, où $n \in \mathbb{N}$ et $n \geq 2$

Évalue chaque expression.

a) $8^{\frac{1}{3}}$ **b)** $(-32)^{\frac{1}{5}}$ **c)** $-16^{\frac{1}{4}}$

d) $\left(\dfrac{16}{81}\right)^{\frac{1}{4}}$ **e)** $(-27)^{-\frac{1}{3}}$

Solution

a) $8^{\frac{1}{3}}$

Applique la règle du produit de puissances pour déterminer la valeur de $8^{\frac{1}{3}}$:

$$8^{\frac{1}{3}} \times 8^{\frac{1}{3}} \times 8^{\frac{1}{3}} = 8^{\frac{1}{3} + \frac{1}{3} + \frac{1}{3}}$$
$$= 8^1$$
$$= 8$$

Extrais la racine cubique des deux membres de l'équation :

$$8^{\frac{1}{3}} = \sqrt[3]{8}$$
$$= 2$$

Le cube de $8^{\frac{1}{3}}$ est 8, donc $8^{\frac{1}{3}}$ est égal à la racine cubique de 8.

Maths et monde

$\sqrt[3]{8}$ se lit : « racine cubique de huit ».

$\sqrt[4]{16}$ se lit : « racine quatrième de seize ».

Voici les termes relatifs à ce type d'expressions :

- $\sqrt[4]{16}$ est un radical.
- 16 en est le radicande.
- 4 en est l'indice.

b) $(-32)^{\frac{1}{5}} = \sqrt[5]{-32}$

$= -2$

Réfléchis : Quel nombre élevé à la puissance 5 donne −32 ?

$\sqrt[5]{-32} = -2$, parce que $(-2)(-2)(-2)(-2)(-2) = -32$.

c) $-16^{\frac{1}{4}} = -\sqrt[4]{16}$

$= -2$

Remarque que contrairement à ce qu'on voit en b), le signe « moins » ne fait pas partie de la base de la puissance.

d) $\left(\dfrac{16}{81}\right)^{\frac{1}{4}} = \sqrt[4]{\dfrac{16}{81}}$

$= \dfrac{2}{3}$

$\sqrt[4]{\dfrac{16}{81}} = \dfrac{2}{3}$, parce que $\left(\dfrac{2}{3}\right)^4 = \left(\dfrac{2}{3}\right)\left(\dfrac{2}{3}\right)\left(\dfrac{2}{3}\right)\left(\dfrac{2}{3}\right)$

$= \dfrac{2 \times 2 \times 2 \times 2}{3 \times 3 \times 3 \times 3}$

$= \dfrac{16}{81}$

e) $(-27)^{-\frac{1}{3}} = \dfrac{1}{(-27)^{\frac{1}{3}}}$

Réécris la puissance à l'aide d'un exposant positif.

$= \dfrac{1}{\sqrt[3]{-27}}$

$= \dfrac{1}{-3}$

Évalue la racine cubique du dénominateur.

$= -\dfrac{1}{3}$

Tu peux appliquer les lois des exposants pour comprendre les exposants rationnels dont le numérateur est autre que 1.

Exemple 2

Évaluer les puissances comportant un exposant rationnel de la forme $\dfrac{m}{n}$, où $m \in \mathbb{Z}$, $n \in \mathbb{N}^*$ et $n \geq 2$

Évalue chaque expression.

a) $8^{\frac{2}{3}}$　　　　**b)** $81^{\frac{5}{4}}$　　　　**c)** $\left(\dfrac{49}{81}\right)^{-\frac{3}{2}}$

Solution

a) $8^{\frac{2}{3}} = 8^{\frac{1}{3} \times 2}$

Exprime l'exposant sous forme d'un produit : $\dfrac{2}{3} = \dfrac{1}{3} \times 2$.

$= \left(8^{\frac{1}{3}}\right)^2$

Applique la règle de la puissance d'une puissance.

$= \left(\sqrt[3]{8}\right)^2$

Réécris $8^{\frac{1}{3}}$ sous la forme d'une racine cubique.

$= 2^2$

Évalue la racine cubique.

$= 4$

b) $81^{\frac{5}{4}} = \left(81^{\frac{1}{4}}\right)^5$

$= \left(\sqrt[4]{81}\right)^5$

$= 3^5$

Évalue la racine quatrième de 81.

$= 243$

c) $\left(\dfrac{49}{81}\right)^{-\frac{3}{2}} = \left(\dfrac{81}{49}\right)^{\frac{3}{2}}$ Réécris la puissance à l'aide d'un exposant positif.

$\qquad\qquad = \left(\sqrt{\dfrac{81}{49}}\right)^{3}$ Applique la règle de la puissance d'une puissance,

et écris $\left(\dfrac{81}{49}\right)^{\frac{1}{2}}$ sous la forme d'une racine carrée.

$\qquad\qquad = \left(\dfrac{\sqrt{81}}{\sqrt{49}}\right)^{3}$ Applique la règle des radicaux.

$\qquad\qquad = \left(\dfrac{9}{7}\right)^{3}$ Évalue la racine cubique.

$\qquad\qquad = \dfrac{729}{343}$

On peut appliquer de le raisonnement de la partie a) de l'exemple 2 pour obtenir le résultat général suivant : $b^{\frac{m}{n}} = \left(\sqrt[n]{b}\right)^{m}$ pour tout nombre réel b autre que zéro, où $m \in \mathbb{Z}$ et $n \in \mathbb{N}^*$. Remarque que b doit être supérieur ou égal à zéro si n est pair.

Exemple 3

Appliquer les lois des exposants

Simplifie chaque expression. Exprime tes réponses seulement à l'aide d'exposants positifs.

a) $\dfrac{\left(x^{\frac{2}{3}}\right)\left(x^{\frac{2}{3}}\right)}{x^{\frac{1}{3}}}$ **b)** $\left(y^{\frac{1}{4}}\right)^{2} \times \left(y^{-\frac{1}{3}}\right)^{2}$ **c)** $\left(5x^{\frac{1}{2}}\right)^{2} \times 4x^{-\frac{1}{2}}$

Solution

a) $\dfrac{\left(x^{\frac{2}{3}}\right)\left(x^{\frac{2}{3}}\right)}{x^{\frac{1}{3}}} = \dfrac{x^{\frac{4}{3}}}{x^{\frac{1}{3}}}$ Applique la règle du produit de puissances.

$\qquad\qquad\quad = x^{\frac{4}{3} - \frac{1}{3}}$ Applique la règle du quotient de puissances.

$\qquad\qquad\quad = x^{\frac{3}{3}}$

$\qquad\qquad\quad = x$

b) $\left(y^{\frac{1}{4}}\right)^{2} \times \left(y^{-\frac{1}{3}}\right)^{2} = y^{\frac{1}{2}} \times y^{-\frac{2}{3}}$ Applique la règle de la puissance d'une puissance.

$\qquad\qquad\qquad\qquad = y^{\frac{3}{6}} \times y^{-\frac{4}{6}}$ Donne un dénominateur commun aux exposants.

$\qquad\qquad\qquad\qquad = y^{\frac{3}{6} - \frac{4}{6}}$ Applique la règle du produit de puissances.

$\qquad\qquad\qquad\qquad = y^{-\frac{1}{6}}$

$\qquad\qquad\qquad\qquad = \dfrac{1}{y^{\frac{1}{6}}}$ Exprime ta réponse à l'aide d'un exposant positif.

c) $\left(5x^{\frac{1}{2}}\right)^{2} \times 4x^{-\frac{1}{2}} = 25x \times 4x^{-\frac{1}{2}}$ Applique la règle de la puissance d'une puissance.

$\qquad\qquad\qquad\qquad = 100x^{\frac{1}{2}}$ Applique la règle du produit de puissances.

Maths et monde

Remarque que l'expression $\dfrac{1}{y^{\frac{1}{6}}}$ peut aussi s'écrire sous la forme $\dfrac{1}{\sqrt[6]{y}}$.

Exemple 4

Résoudre un problème comportant un ou des exposants rationnels

La formule suivante relie le volume, V, d'une sphère à son aire totale, A_t.

$$V(A_t) = \frac{(4\pi)^{-\frac{1}{2}}}{3} \times A_t^{\frac{3}{2}}$$

Détermine, au mètre cube près, le volume d'un réservoir sphérique dont l'aire totale est de 100 m².

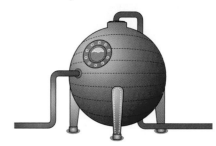

Solution

Substitue 100 à A_t dans l'équation et détermine la valeur de V:

$$V(100) = \frac{(4\pi)^{-\frac{1}{2}}}{3} \times 100^{\frac{3}{2}}$$

Évalue $(4\pi)^{-\frac{1}{2}}$ à l'aide d'une calculatrice.

Évalue $100^{\frac{3}{2}}$ par un raisonnement algébrique:

$$100^{\frac{3}{2}} = \left(\sqrt{100}\right)^3$$
$$= 10^3$$
$$= 1\ 000$$

$$V(100) \approx \frac{0{,}282}{3} \times 1\ 000$$
$$\approx 94$$

Le volume du réservoir est d'environ 94 m³.

Concepts clés

- Une puissance comportant un exposant rationnel dont le numérateur est 1 et dont le dénominateur est n correspond à la racine $n^{\text{ième}}$ de la base:

  Pour $b \in \mathbb{R}$, $b^{\frac{1}{n}} = \sqrt[n]{b}$, où $n \in \mathbb{N}^*$ et $n \geq 2$. Si n est pair, alors b doit être supérieur ou égal à zéro.

- Pour évaluer une puissance comportant un exposant rationnel dont le numérateur est m et dont le dénominateur est n, extrais la racine $n^{\text{ième}}$ de la base affectée de l'exposant m:

  Pour $b \in \mathbb{R}$, $b^{\frac{m}{n}} = \left(\sqrt[n]{b}\right)^m$, où $m \in \mathbb{Z}$, $n \in \mathbb{N}^*$ et $n \geq 2$. Si n est pair, b doit être supérieur ou égal à zéro.

- Les lois des exposants s'appliquent aux puissances comportant un exposant rationnel.

Communication et compréhension

C1 **a)** Qu'est-ce qu'une racine cubique ? Explique ta réponse à l'aide d'un exemple.

b) Reprends ce raisonnement pour la racine quatrième.

C2 **a)** Explique comment on peut écrire la racine cinquième d'un nombre :

I) sous la forme d'un radical ;

II) sous la forme d'une puissance.

b) Explique tes réponses à l'aide d'un exemple.

C3 Examine cette simplification. Pour chaque étape, explique la loi appliquée.

Étape

$$(x^{-\frac{1}{2}})^3(x^{\frac{1}{3}})^2 = (x^{-\frac{3}{2}})(x^{\frac{2}{3}})$$
$$= x^{-\frac{3}{2}+\frac{2}{3}}$$
$$= x^{-\frac{9}{6}+\frac{4}{6}}$$
$$= x^{-\frac{5}{6}}$$
$$= \frac{1}{x^{\frac{5}{6}}}$$
$$= \frac{1}{\left(\sqrt[6]{x}\right)^5}$$

Explication

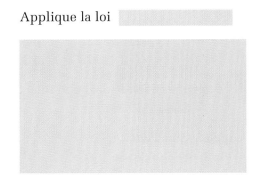

Applique la loi

Ⓐ À ton tour

Si tu as besoin d'aide pour répondre aux questions 1 et 2, reporte-toi à l'exemple 1.

1. Évalue chaque racine cubique.

a) $\sqrt[3]{64}$

b) $(-1\ 000)^{\frac{1}{3}}$

c) $\sqrt[3]{\frac{1}{8}}$

d) $\left(\frac{8}{27}\right)^{\frac{1}{3}}$

2. Évalue chaque racine.

a) $81^{\frac{1}{4}}$

b) $\sqrt[4]{\frac{16}{625}}$

c) $64^{\frac{1}{6}}$

d) $\sqrt[5]{-100\ 000}$

Si tu as besoin d'aide pour répondre aux questions 3 et 4, reporte-toi à l'exemple 2.

3. Évalue chaque expression.

a) $8^{\frac{2}{3}}$

b) $32^{\frac{4}{5}}$

c) $(-64)^{\frac{5}{3}}$

d) $\left(\frac{1}{10\ 000}\right)^{\frac{3}{4}}$

4. Évalue chaque expression.

a) $16^{-\frac{1}{4}}$

b) $25^{-\frac{3}{2}}$

c) $\left(\frac{1}{8}\right)^{-\frac{7}{3}}$

d) $\left(-\frac{1}{32}\right)^{-\frac{2}{5}}$

e) $\left(\frac{10\ 000}{81}\right)^{-\frac{3}{4}}$

f) $\left(-\frac{8}{27}\right)^{-\frac{2}{3}}$

Si tu as besoin d'aide pour répondre aux questions 5 et 6, reporte-toi à l'exemple 3.

5. Simplifie chaque expression. Exprime tes réponses seulement à l'aide d'exposants positifs.

a) $x^{\frac{1}{4}} \times x^{\frac{1}{4}}$

b) $(m^{\frac{1}{3}})(m^{\frac{3}{4}})$

c) $\frac{w^{\frac{1}{2}}}{w^{\frac{1}{3}}}$

d) $\frac{ab^2}{a^{\frac{1}{2}}b^{\frac{1}{3}}}$

e) $(y^{\frac{1}{2}})^{\frac{2}{3}}$

f) $(u^{\frac{3}{4}}v^{\frac{1}{2}})^{\frac{2}{9}}$

6. Simplifie chaque expression. Exprime tes réponses seulement à l'aide d'exposants positifs.

a) $k^{\frac{3}{4}} \div k^{-\frac{1}{4}}$

b) $\frac{p^{-\frac{2}{3}}}{p^{\frac{5}{6}}}$

c) $(y^{\frac{2}{3}})^{-3}$

d) $(w^{-\frac{8}{9}})^{-\frac{3}{4}}$

e) $(8x)^{\frac{2}{3}}(27x)^{-\frac{1}{3}}$

f) $5(7y^{-\frac{2}{3}})^{-2}$

Si tu as besoin d'aide pour répondre à la question 7, reporte-toi à l'exemple 4.

7. On peut exprimer l'aire totale d'une sphère, A_t, en fonction de son volume, V, à l'aide de la formule suivante : $A_t(V) = (4\pi)^{\frac{1}{3}}(3V)^{\frac{2}{3}}$. Soit un ballon de plage dont le volume est de 24 000 cm³. Calcule son aire totale à la centaine de cm² près.

B Liens et mise en application

8. Qu'est-ce que la loi des carrés et des cubes ? Soit cette suite de cubes.

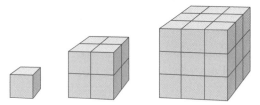

a) Écris une formule qui exprime l'aire, A, d'une face d'un cube en fonction de sa longueur d'arête, a.

b) Écris une formule qui exprime la longueur d'arête, a, en fonction de l'aire, A, à l'aide d'un exposant rationnel.

c) Quelle est la longueur d'arête d'un cube dont chaque face carrée a une aire de :

I) 36 m² ? **II)** 169 cm² ? **III)** 80 m² ?

d) Refais les étapes a) et b), mais en exprimant l'aire totale du cube, A_t, en fonction de sa longueur d'arête, a.

e) À partir ta réponse en d), calcule la longueur d'arête d'un cube dont l'aire totale est de :

I) 150 m², **II)** 600 cm², **III)** 250 m².

Maths et monde

Dans divers domaines scientifiques, on recourt à la loi des carrés et des cubes. Cette loi explique pourquoi, par exemple, les éléphants n'excèdent pas une certaine taille et les insectes géants n'existent que dans les récits de science-fiction ! Pourquoi est-ce le cas, selon toi ?

---

9. Reporte-toi à la question 8.

a) Écris une formule qui exprime le volume d'un cube, V, en fonction de sa longueur d'arête, a.

b) Écris une formule qui exprime la longueur d'arête d'un cube, a, en fonction de son volume, V, à l'aide d'un exposant rationnel.

c) Quelle est la longueur d'arête d'un cube dont le volume est de :

I) 64 m³ ? **II)** 343 cm³ ? **III)** 15,4 m³ ?

10. Reporte-toi à la question 8.

a) Laquelle de ces formules définit la relation entre l'aire totale d'un cube et son volume ?

A $A_t = 6V^{\frac{3}{2}}$ **B** $A_t = 6V^{\frac{2}{3}}$

C $V = \left(\dfrac{A_t}{6}\right)^{\frac{3}{2}}$ **D** $V = 6A_t^{\frac{3}{2}}$

b) Existe-t-il plus d'une formule juste ? Utilise le raisonnement algébrique et géométrique pour expliquer ta réponse.

c) Pourquoi cette relation est-elle appelée « loi des carrés et des cubes » ?

11. a) À l'aide d'une des formules données à la question 10, calcule l'aire totale d'un cube dont le volume est de :

I) 1 000 cm³, **II)** 200 m³.

b) Quelle formule as-tu choisie ? Explique pourquoi.

c) À l'aide d'une des formules données à la question 10, calcule le volume d'un cube dont l'aire totale est de :

I) 294 m², **II)** 36,8 cm².

d) As-tu utilisé la même formule en c) qu'en b) ? Explique pourquoi.

12. Problème du chapitre Une des lois de Kepler sur le mouvement des planètes établit que le carré de la période de révolution, T, d'une planète (son « année ») est proportionnel au cube de la distance radiale moyenne, r, qui la sépare du Soleil. On peut exprimer cette loi sous la forme de l'équation $T = kr^{\frac{3}{2}}$, où k est une constante. Le rayon de l'orbite de la Terre autour du Soleil mesure $1,5 \times 10^{11}$ m, et $T = 1$ an.

a) Détermine la valeur de la constante k.

b) Mars se trouve à environ $2,3 \times 10^{11}$ m du Soleil. Quelle est la longueur d'une année martienne, comparée à une année terrestre?

c) Vénus met environ 0,62 année terrestre à décrire une orbite autour du Soleil. Quel est le rayon approximatif de l'orbite de Vénus?

Maths et monde

Johannes Kepler a vécu en Europe, à la fin du 16e siècle et au début du 17e siècle. On lui doit certaines des plus importantes découvertes scientifiques sur le mouvement des planètes.

13. Reporte-toi à la question 12.

a) Par raisonnement algébrique, réécris l'équation $T = kr^{\frac{3}{2}}$ pour définir r en fonction de T.

b) La période de révolution de Jupiter autour du Soleil est d'environ 12 années terrestres. Quelle est la distance moyenne entre Jupiter et le Soleil?

✔ Question d'évaluation

14. Les formules $c = 241m^{-\frac{1}{4}}$ et $r = \dfrac{107}{2}m^{-\frac{1}{4}}$ donnent la fréquence cardiaque, c, en battements par minute, et la fréquence respiratoire, r, en respirations par minute, d'un animal au repos dont la masse est m (en kilogrammes).

a) Détermine la fréquence cardiaque et la fréquence respiratoire de chaque animal.

I) épaulard : 6 400 kg

II) chien : 6,4 kg

III) souris : 0,064 kg

b) Décris l'effet d'une diminution de la masse de l'animal sur chaque fréquence.

c) À l'aide de la formule $C = \dfrac{1}{100}m^{\frac{2}{3}}$, détermine la masse du cerveau, C, des animaux nommés en a).

C Approfondissement

15. a) Quelle est la formule du volume d'un cylindre?

b) Réécris cette formule de façon à définir le rayon en fonction du volume et de la hauteur du cylindre.

16. Reporte-toi à la question 15.

a) Quelle est la formule de l'aire totale d'un cylindre?

b) Dans cette formule, remplace le rayon par ta réponse en b) à la question 15.

c) Simplifie le résultat de façon à exprimer l'aire totale d'un cylindre de 10 m de hauteur en fonction de son volume.

d) Détermine l'aire totale d'un réservoir cylindrique dont la hauteur est de 10 m et le volume, de 1 000 m³.

17. L'expansion d'un certain gaz en fonction de sa pression P, en kilopascals (kPa), et de son volume V, en mètres cubes, se traduit par $P^2V^3 = 850$.

a) Détermine la valeur de V.

b) Quel est le volume de ce gaz à une pression de 10 kPa?

c) Représente graphiquement cette relation.

d) Cette relation est-elle une fonction?

18. Concours de maths On définit une nouvelle opération * de la façon suivante : $a*b = (b + 1)^{a + 1}$. Calcule la valeur de $[(-2)*3]*15$.

A 32   **B** 216

C -90 **D** 65 536

19. Concours de maths Sans l'aide d'une calculatrice, détermine la valeur de $\dfrac{25^{\frac{3}{5}}}{\sqrt[5]{5}}$.

3.4

Les caractéristiques des fonctions exponentielles

Les condensateurs emmagasinent l'énergie électrique potentielle. Lorsqu'un condensateur se décharge dans un circuit RC (résistance-condensateur), le potentiel électrique aux bornes du condensateur décroît de façon exponentielle en fonction du temps. On utilise ce type de circuit dans divers appareils électroniques comme les téléviseurs, les ordinateurs et les lecteurs MP3. Les ingénieures et ingénieurs ainsi que techniciennes et techniciens qui conçoivent et fabriquent ces appareils doivent bien comprendre les fonctions exponentielles.

On peut modéliser diverses situations à l'aide de fonctions de la forme $f(x) = ab^x$, où a et $b \in \mathbb{R}$, $a \neq 0$, $b > 0$ et $b \neq 1$. Quels effets les valeurs de a et de b ont-elles sur ce type de fonction?

Matériel

- logiciel *Cybergéomètre*
ou
- papier quadrillé
ou
- calculatrice à affichage graphique

intervalle

- une portion ininterrompue de la droite des nombres réels
- il peut comprendre tout l'ensemble $\mathbb{R}$ ou prendre l'une des formes suivantes: $x < a$, $x > a$, $x \leq a$, $x \geq a$, $a < x < b$, $a \leq x \leq b$, $a < x \leq b$, $a \leq x < b$, où a et $b \in \mathbb{R}$ et $a < b$

Maths et monde

Même si un appareil électrique n'est pas branché à une source d'alimentation, ses condensateurs peuvent encore contenir une certaine quantité d'énergie.

Explore

Les caractéristiques du graphique d'une fonction exponentielle

A: L'effet de b sur le graphique de $y = ab^x$

Soit la fonction $f(x) = 2^x$. Dans ce cas, $a = 1$.

1. a) Trace le graphique de la fonction.

    b) Décris la forme du graphique.

2. Explique tes réponses aux questions qui suivent à l'aide d'un raisonnement algébrique ou graphique.

    a) Quels sont le domaine et l'image de la fonction?

    b) Quelle est l'ordonnée à l'origine?

    c) Y a-t-il une abscisse à l'origine?

    d) Sur quel **intervalle** la fonction est-elle:

      I) croissante?   **II)** décroissante?

3. Remplace b par des valeurs supérieures à 2.

    a) Compare chaque graphique au graphique de $y = 2^x$. En quoi les graphiques se ressemblent-ils? En quoi diffèrent-ils?

    b) Décris l'effet de la valeur de b sur les caractéristiques énumérées à l'étape 2.

    c) Explique pourquoi toute valeur de b supérieure à 2 a cet effet sur le graphique.

Si tu utilises *Cybergéomètre*, tu peux définir b comme un paramètre dont tu peux modifier la valeur :

- Dans le menu **Graphique**, clique sur **Nouveau paramètre**. Nomme le paramètre b et fixe sa valeur initiale à 2. Clique sur **OK**.

- Dans le menu **Graphique**, sélectionne **Tracer une nouvelle fonction**. Clique sur le paramètre b, puis sur $\wedge$ x et sur **OK**.

Tu peux modifier la valeur de b de trois façons :

- Clique sur le paramètre b et appuie sur la touche $\boxed{+}$ ou la touche $\boxed{-}$ du clavier pour augmenter ou diminuer la valeur de b d'une unité à la fois.

- Fais un clic droit sur le paramètre b et sélectionne **Éditer le paramètre** pour saisir une valeur donnée.

- Fais un clic droit sur le paramètre b et sélectionne **Animer le paramètre**. À l'aide du **Contrôleur de mouvement**, observe les effets de la variation continue de b.

4. Remplace b par des valeurs situées, cette fois, entre 0 et 1.

   a) Comment le graphique change-t-il ?

   b) Décris l'effet de la valeur de b sur les caractéristiques énumérées à l'étape 2.

   c) Explique pourquoi toute valeur de b entre 0 et 1 a cet effet sur le graphique.

5. Qu'en est-il du graphique si tu poses $b = 1$? Explique ton résultat.

6. **Réflexion** Résume l'effet de la valeur de b sur la forme et les caractéristiques du graphique de $f(x) = b^x$.

B : L'effet de *a* sur le graphique de *y = ab^x*

Soit la fonction $f(x) = a \times 2^x$. Pour cette partie de la rubrique *Explore*, pose $b = 2$, et examine ce qui se passe lorsque tu changes la valeur de a.

1. Pose $a = 1$. Tu obtiens le graphique initial de la fonction $f(x) = 2^x$. Examine ce qui se passe lorsque :

   a) $a > 1$,

   b) $0 < a < 1$,

   c) $a < 0$.

2. **Réflexion** Résume les effets de diverses valeurs de a sur le graphique de la fonction $f(x) = a \times 2^x$. Discute des caractéristiques suivantes : le domaine, l'image, les coordonnées à l'origine et les intervalles de croissance et de décroissance. Explique pourquoi le fait de changer la valeur de a a de tels effets sur le graphique. Esquisse des graphiques pour illustrer tes explications.

Maths et monde

Dans la section 3.3, tu as appris comment traiter les exposants rationnels. La définition d'un exposant peut inclure tout nombre réel ; le domaine de la fonction $f(x) = 2^x$ est donc l'ensemble des nombres réels. Essaie d'évaluer 2^π à l'aide d'une calculatrice à affichage graphique.

Conseil techno

Sur une calculatrice à affichage graphique, tu peux modifier l'apparence de deux ou plusieurs courbes affichées ensemble, pour mieux les distinguer. Reporte-toi à l'annexe Technologie, aux pages 496 à 516.

Les fonctions exponentielles ont des caractéristiques intéressantes, notamment leur comportement asymptotique. Soit la fonction $f(x) = 2^x$. À gauche, pour des valeurs décroissantes de x, la valeur de y se rapproche de plus en plus de l'axe des x sans le toucher. Dans ce cas, l'axe des x est une asymptote.

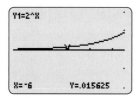 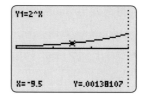

Exemple 1

Analyser le graphique d'une fonction exponentielle

Représente graphiquement chaque fonction exponentielle et indique :

- le domaine,
- l'image,
- les coordonnées à l'origine, si elles existent,
- les intervalles de croissance et de décroissance,
- l'asymptote.

a) $y = 4\left(\dfrac{1}{2}\right)^x$

b) $y = -3^{-x}$

Solution

a) $y = 4\left(\dfrac{1}{2}\right)^x$

Méthode 1 : Utiliser une table de valeurs

Attribue à x des valeurs négatives et positives qui facilitent le calcul des valeurs correspondantes de y.

x	y
–2	16
–1	8
0	4
1	2
2	1
3	$\dfrac{1}{2}$
4	$\dfrac{1}{4}$

Par exemple,

$$4\left(\frac{1}{2}\right)^{-2} = 4\left(\frac{2}{1}\right)^2$$
$$= 16$$

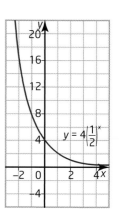

Utilise la table de valeurs pour tracer le graphique.

Méthode 2 : Utiliser une calculatrice à affichage graphique

Analyse le graphique de la fonction à l'aide d'une calculatrice à affichage graphique.

 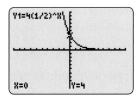

La fonction est définie pour toutes les valeurs de x. Le domaine est donc $\{x \in \mathbb{R}\}$.

La fonction prend des valeurs de y positives, mais la valeur de y n'atteint jamais zéro. L'image est donc $\{y \in \mathbb{R} \mid y > 0\}$.

Le graphique de la fonction ne coupe jamais l'axe des x ; il n'y a donc pas d'abscisse à l'origine.

Le graphique coupe l'axe des y en (0, 4). L'ordonnée à l'origine est donc 4.

Le graphique descend dans le sens positif de l'axe des x sur l'ensemble du domaine. Autrement dit, la valeur de y diminue lorsque celle de x augmente. La fonction est donc décroissante sur l'ensemble de son domaine.

Lorsque la valeur de x augmente, la valeur de y se rapproche de plus en plus de l'axe des x, sans jamais l'atteindre. L'axe des x, ou la droite d'équation $y = 0$, est donc une asymptote.

b) $y = -3^{-x}$

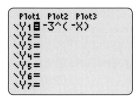 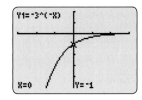

Le domaine est $\{x \in \mathbb{R}\}$.

Toutes les valeurs de la fonction sont négatives. L'image est donc $\{y \in \mathbb{R} \mid y < 0\}$.

Il n'y a pas d'abscisse à l'origine.

L'ordonnée à l'origine est -1.

Le graphique s'élève sur l'ensemble du domaine. La fonction est donc croissante pour toutes les valeurs de x.

L'axe des x, dont l'équation est $y = 0$, est une asymptote.

> **Maths et monde**
>
> Peux-tu tracer rapidement le graphique de $y = -3^{-x}$ à l'aide de transformations ? Tu exploreras cette méthode à la section 3.5.

Exemple 2

Écrire une équation exponentielle à partir d'un graphique

Écris une équation de la forme $y = ab^x$ qui définit ce graphique.

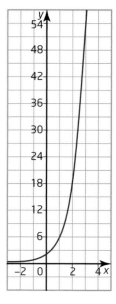

> **Solution**

Note certains des couples selon le graphique.

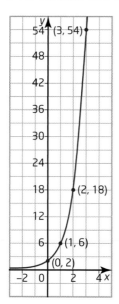

Chaque fois que la valeur de x augmente de 1, la valeur de y triple. La fonction est donc exponentielle.

x	y	Variation de y
0	2	
		× 3
1	6	
		× 3
2	18	
		× 3
3	54	

Puisque chaque valeur consécutive de y est égale à trois fois la valeur précédente, b doit être égal à 3. Comme tous les points doivent satisfaire à l'équation $y = ab^x$, remplace x et y par les coordonnées de l'un d'eux, puis remplace b par sa valeur pour déterminer la valeur de a.

Choisis un point dont les coordonnées sont faciles à utiliser, comme $(1, 6)$. Substitue 1 à x, 6 à y et 3 à b:

$y = ab^x$

$6 = a \times 3^1$

$6 = a \times 3$

$a = 2$

L'équation qui décrit ce graphique est donc $y = 2 \times 3^x$.

Exemple 3

Définir une fonction exponentielle à partir de ses caractéristiques

Soit un échantillon d'une matière radioactive dont la demi-vie est de 3 jours. L'échantillon a une masse initiale de 200 mg.

a) Écris une fonction qui définit la quantité restante, en milligrammes, selon le temps écoulé, en jours.

b) Restreins le domaine de la fonction afin que le modèle mathématique corresponde à la situation décrite.

Solution

a) La décroissance exponentielle peut être modélisée à l'aide d'une fonction de la forme $Q(x) = Q_0\left(\dfrac{1}{2}\right)^x$, où x est le temps écoulé, en demi-vies, Q_0 est la quantité initiale, en milligrammes, et Q est la quantité restante, en milligrammes, au bout d'un temps x.

Soit 200 mg. Après chaque demi-vie, cette quantité est réduite de moitié.

Substitue 200 à Q_0 dans l'équation. Tu obtiendras $Q(x) = 200\left(\dfrac{1}{2}\right)^x$. Cette équation définit Q en fonction de x, le nombre de demi-vies. Pour exprimer Q en fonction de t, en jours, substitue $\dfrac{t}{3}$ à x.

La substance a une demi-vie de 3 jours. À tout moment, le nombre de demi-vies écoulées est donc égal au nombre de jours divisé par 3.

$$Q(t) = 200\left(\dfrac{1}{2}\right)^{\frac{t}{3}}$$

Cette équation définit la quantité restante Q, en milligrammes, en fonction du temps t, en jours.

b) Le graphique de cette fonction fait voir la limite du modèle mathématique.

La masse initiale de l'échantillon, à $t = 0$, était de 200 mg. Comme on n'est sûr de la représentativité du modèle mathématique avant ce moment, il est logique d'en restreindre le domaine :

$$Q(t) = 200\left(\dfrac{1}{2}\right)^{\frac{t}{3}} \text{ pour}$$

$\{t \in \mathbb{R} \mid t \geq 0\}$.

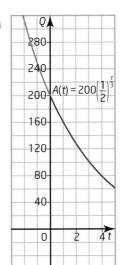

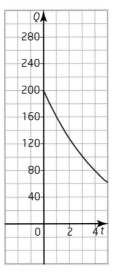

● Le graphique d'une fonction exponentielle de la forme $y = ab^x$, où a et $b \in \mathbb{R}$, est :

– croissant si	– décroissant si	– décroissant si	– croissant si
$a > 0$ et $b > 1$,	$a > 0$ et $0 < b < 1$,	$a < 0$ et $b > 1$,	$a < 0$ et $0 < b < 1$.

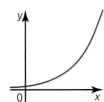 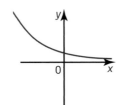 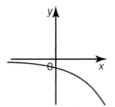 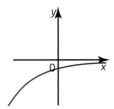

● Le graphique d'une fonction exponentielle de la forme $y = ab^x$, où $a > 0$ et $b > 0$, a :
  - le domaine $\{x \in \mathbb{R}\}$,
  - une asymptote horizontale en $y = 0$,
  - l'image $\{y \in \mathbb{R} \mid y > 0\}$,
  - l'ordonnée à l'origine a.

● Le graphique d'une fonction exponentielle de la forme $y = ab^x$, où $a < 0$ et $b > 0$, a :
  - le domaine $\{x \in \mathbb{R}\}$,
  - une asymptote horizontale en $y = 0$,
  - l'image $\{y \in \mathbb{R} \mid y < 0\}$,
  - l'ordonnée à l'origine a.

● On peut écrire une équation pour représenter une fonction exponentielle si on a suffisamment d'information sur son graphique ou ses caractéristiques.

● Il convient parfois de restreindre le domaine d'un modèle exponentiel pour tenir compte de la situation représentée.

Communication et compréhension

C1 **a)** Une fonction exponentielle est-elle toujours croissante ou toujours décroissante ? Explique ta réponse.

b) Est-il possible qu'une fonction exponentielle de la forme $y = ab^x$ ait une abscisse à l'origine ? Si oui, donne un exemple. Sinon, explique pourquoi.

C2 Soit les fonctions exponentielles $f(x) = 100\left(\dfrac{1}{2}\right)^x$ et $g(x) = -10(2)^x$.

a) Laquelle des deux a un graphique dont l'image est :

  I) $\{y \in \mathbb{R} \mid y < 0\}$?   **II)** $\{y \in \mathbb{R} \mid y > 0\}$?

Explique comment l'examen des équations fournit la réponse.

b) Laquelle des deux fonctions est :

  I) croissante ?   **II)** décroissante ?

Explique comment l'examen des équations fournit la réponse.

C3 Explique ce qu'est le comportement asymptotique. Esquisse un ou plusieurs graphiques pour appuyer ton explication.

A À ton tour

Si tu as besoin d'aide pour répondre aux questions 1 à 3, reporte-toi à l'exemple 1.

1. Associe chaque graphique à l'équation correspondante.

A $y = 2 \times 2^x$

B $y = 2 \times \left(\dfrac{1}{2}\right)^x$

C $y = \dfrac{1}{2} \times 2^x$

D $y = -2^x$

a)

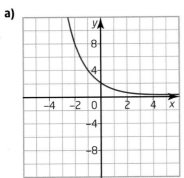

b)

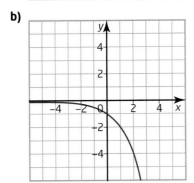

c)

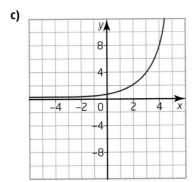

d)

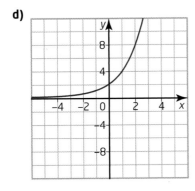

2. a) Trace le graphique d'une fonction exponentielle qui satisfait à toutes les conditions suivantes :

- le domaine est $\{x \in \mathbb{R}\}$;
- l'image est $\{y \in \mathbb{R} \mid y > 0\}$;
- l'ordonnée à l'origine est 5 ;
- la fonction est croissante.

b) Est-ce le seul graphique possible ? Explique ta réponse.

3. a) Trace le graphique d'une fonction exponentielle qui satisfait à toutes les conditions suivantes :

- le domaine est $\{x \in \mathbb{R}\}$;
- l'image est $\{y \in \mathbb{R} \mid y < 0\}$;
- l'ordonnée à l'origine est -2 ;
- la fonction est décroissante.

b) Est-ce le seul graphique possible ? Explique ta réponse.

Si tu as besoin d'aide pour répondre aux questions 4 et 5, reporte-toi à l'exemple 2.

4. Écris une équation exponentielle qui correspond à ce graphique.

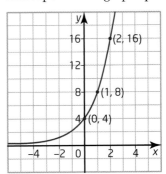

5. Écris une équation exponentielle qui correspond à ce graphique.

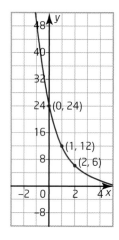

Si tu as besoin d'aide pour répondre à la question 6, reporte-toi à l'exemple 3.

6. Un échantillon de matière radioactive dont la masse initiale est de 25 mg a une demi-vie de 2 jours.

a) Quelle équation modélise la décroissance exponentielle de l'échantillon, si t est le temps en jours et Q, la quantité restante?

A $Q = 25 \times 2^{\frac{t}{2}}$ **B** $Q = 25 \times \left(\frac{1}{2}\right)^{2t}$

C $Q = 25 \times \left(\frac{1}{2}\right)^{\frac{t}{2}}$ **D** $Q = 2 \times 25^{\frac{t}{2}}$

b) Quelle est la quantité de matière restante au bout de 7 jours?

B **Liens et mise en application**

7. Représente graphiquement chaque fonction et indique:

I) le domaine,

II) l'image,

III) les coordonnées à l'origine, si elles existent,

IV) les intervalles de croissance et de décroissance,

V) l'asymptote.

a) $f(x) = \left(\frac{1}{2}\right)^x$

b) $y = 2 \times 1{,}5^x$

c) $y = -\left(\frac{1}{3}\right)^x$

8. a) Trace le graphique de chaque fonction.

I) $f(x) = 2^x$

II) $r(x) = \dfrac{2}{x}$

b) En quoi les graphiques se ressemblent-ils? En quoi diffèrent-ils?

c) Compare les asymptotes des deux graphiques. Que remarques-tu?

9. a) Trace le graphique de chaque fonction.

I) $g(x) = \left(\frac{1}{2}\right)^x$ **II)** $r(x) = \dfrac{2}{x}$

b) En quoi les graphiques se ressemblent-ils? En quoi diffèrent-ils?

c) Compare les asymptotes des deux graphiques. Que remarques-tu?

10. a) Prédis le lien entre les graphiques des fonctions suivantes.

I) $f(x) = 3^{-x}$ **II)** $g(x) = \left(\frac{1}{3}\right)^x$

b) Trace le graphique de chaque fonction et vérifie ta prédiction en a).

c) Explique ce lien à l'aide d'un raisonnement algébrique.

11. Ce graphique montre la baisse de tension T aux bornes d'un condensateur dans un circuit RC en fonction du temps. À $t = 0$ s, le circuit commence à se décharger.

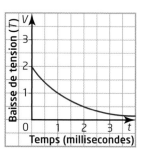

a) Quel est le domaine dans le contexte?

b) Quelle est l'image?

c) Quelle est la tension initiale aux bornes du condensateur?

d) Vers quelle valeur la tension tend-elle au fil du temps?

e) Environ combien de temps faut-il pour que la tension atteigne la moitié de sa valeur initiale?

12. Un volant d'inertie subit l'effet du frottement. Son nombre de rotations à la minute, R, au bout de t minutes est calculé à l'aide de la fonction $R(t) = 4\ 000(0,75)^{2t}$.

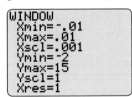

a) Explique le rôle des nombres 0,75 et 2 dans l'équation.

b) Trace le graphique de la fonction.

c) Quel élément de l'équation indique que le volant d'inertie ralentit?

d) Détermine le nombre de rotations à la minute au bout:

I) de 1 minute, **II)** de 3 minutes.

C **Approfondissement**

13. Technologie Reporte-toi à la question 11. L'équation qui modélise cette situation est $T = T_0 b^{\frac{t}{RC}}$, où T est la tension en volts, T_0 est la tension initiale, t est le temps en secondes, R est la résistance en ohms (Ω) et C est la capacité en farads (F).

Soit un circuit où $R = 2\ 000\ \Omega$ et $C = 1\ \mu$F. Remarque que $1\ \mu$F = 0,000 001 F.

a) Détermine la valeur de la base, b.

b) Explique ta méthode.

c) Trace le graphique de la fonction à l'aide de la technologie. Utilise les paramètres indiqués ici:

```
WINDOW
 Xmin=-.01
 Xmax=.01
 Xscl=.001
 Ymin=-2
 Ymax=15
 Yscl=1
 Xres=1
```

d) Quels sont le domaine et l'image de la fonction?

e) Comment le domaine et l'image sont-ils restreints selon le graphique de la question 11, et pourquoi le sont-ils?

14. Soit une pyramide à base carrée d'une hauteur fixe de 25 m.

a) À l'aide d'exposants rationnels au besoin, écris une équation qui exprime la longueur de côté de la base de la pyramide en fonction de son volume.

b) Comment faut-il restreindre le domaine de la fonction pour que le modèle mathématique représente la situation?

c) Quel effet le fait de doubler le volume de la pyramide aura-t-il sur la longueur de côté de sa base? Explique ta réponse.

15. Une tablette peut porter des barils cylindriques d'une hauteur de 1 m.

a) À l'aide d'exposants rationnels au besoin, écris une équation simplifiée qui exprime l'aire totale d'un baril on fonction du volume des barils qui tiennent sur la tablette.

b) Calcule l'aire totale et le diamètre d'un baril dont le volume est de 0,8 m³.

c) Quelles restrictions faut-il appliquer au domaine de la fonction qui représente cette situation?

d) Trace le graphique de la fonction pour ce domaine restreint.

16. Concours de maths Détermine toutes les solutions de $3x - 2^x - 1 = 0$.

17. Concours de maths Soit la fonction $y = 12\left(\dfrac{1}{2}\right)^x - 3$. L'ordonnée à l'origine est b et l'abscisse à l'origine est a. Quelle est la somme de a et b?

A 11 **B** 6 **C** 7 **D** 18

18. Concours de maths Soit un nombre entre 20 et 30. Lorsqu'on soustrait ce nombre de son cube, on obtient 13 800. Qu'obtient-on lorsqu'on additionne ce même nombre à son cube?

A 13 848 **B** 13 852

C 13 846 **D** 13 844

Les transformations de fonctions exponentielles

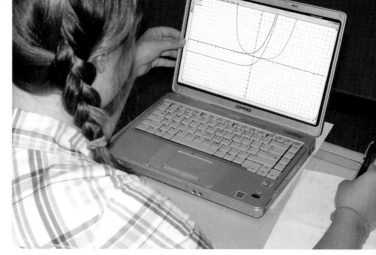

Maintenant que tu connais la forme de base d'une fonction exponentielle, tu peux appliquer ta compréhension des transformations au traçage d'une variété de courbes associées.

Tu connais sûrement les types de transformations suivants :

- $f(x) \rightarrow f(x) + d$
- $f(x) \rightarrow f(x - c)$
- $f(x) \rightarrow af(x)$
- $f(x) \rightarrow f(kx)$

Quels sont ces types de transformations ? Les mêmes transformations s'appliquent-elles aux fonctions exponentielles ?

Matériel

- logiciel *Cybergéomètre*

ou

- calculatrice à affichage graphique

Explore

Comment peut-on transformer une fonction exponentielle ?

1. a) Qu'arrivera-t-il si tu transformes la fonction $y = 2^x$ en la fonction $y = 2^x + 3$?

b) Vérifie ta prédiction à l'aide d'une calculatrice à affichage graphique ou d'un logiciel de représentation graphique. Décris tes observations.

c) Refais les parties a) et b) pour la transformation suivante :

I) $y = 2^x \rightarrow y = 2^x - 4$,

II) deux autres transformations du même type.

d) Résume tes observations.

2. a) Soit la transformation $y = 2^x \rightarrow y = 2^{x + 3}$. Comment se comparera-t-elle à la transformation de l'étape 1 a) ?

b) Vérifie ta prédiction. Refais l'exercice pour deux autres transformations du même type.

c) Décris l'effet de ce type de transformation.

3. a) Qu'arrivera-t-il au graphique de $y = 2^x$ si tu le transformes pour obtenir le graphique de $y = 2(2^x)$?

b) Vérifie ta prédiction. Refais l'exercice pour deux autres transformations du même type. Utilise au moins une valeur négative. Décris tes observations.

4. a) D'après toi, la transformation $y = 2^x \rightarrow y = 2^{2x}$ produira-t-elle les mêmes effets que celle de l'étape 3 a)? Explique ton raisonnement.

b) Vérifie ta prédiction.

c) Effectue deux autres transformations du même type. Utilise au moins une valeur négative. Résume tes observations.

5. Choisis une autre base et refais l'analyse effectuée aux étapes 1 à 4. Obtiens-tu des résultats semblables avec d'autres bases?

6. Réflexion Résume brièvement:

- la translation horizontale ou verticale d'une fonction exponentielle,
- l'agrandissement horizontal ou vertical d'une fonction exponentielle,
- la réflexion (symétrie) horizontale ou verticale d'une fonction exponentielle.

Explique tes réponses à l'aide de schémas.

7. a) Réflexion Peux-tu exprimer la fonction $y = 2^{2x}$ sous une autre forme? Utilise un raisonnement algébrique pour expliquer ta réponse.

b) À l'aide d'un outil technologique, vérifie que les deux fonctions sont équivalentes.

Exemple 1

Effectuer des translations horizontales ou verticales

Trace le graphique des fonctions suivantes à partir du graphique de la fonction de base $y = 3^x$. Décris tout effet de la transformation sur:

- l'asymptote,
- le domaine,
- l'image.

a) $y = 3^x - 4$ **b)** $y = 3^{x-2}$ **c)** $y = 3^{x+1} + 3$

Solution

a) $y = 3^x - 4$

Cette translation déplacera le graphique de $y = 3^x$ vers le bas de 4 unités. À partir du graphique de $y = 3^x$, effectue la translation.

Remarque que l'asymptote s'est déplacée vers le bas de 4 unités.

Le graphique s'étend vers la gauche et la droite à l'infini; le domaine reste donc $\{x \in \mathbb{R}\}$.

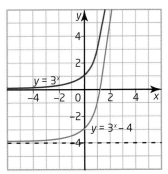

Le graphique montre que la transformée n'a de valeurs qu'au-dessus de la droite d'équation $y = -4$; son image est donc $\{y \in \mathbb{R} \mid y > -4\}$.

b) $y = 3^{x-2}$

Cette translation déplacera le graphique de $y = 3^x$ vers la droite de 2 unités. À partir du graphique de $y = 3^x$, effectue la translation.

L'asymptote n'a pas changé. C'est toujours la droite d'équation $y = 0$.

La translation horizontale n'a pas modifié le domaine, qui reste $\{x \in \mathbb{R}\}$.

L'image demeure également inchangée : $\{y \in \mathbb{R} \mid y > 0\}$.

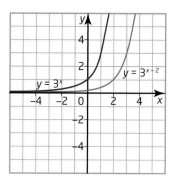

c) $y = 3^{x+1} + 3$

Cette double translation déplacera le graphique de $y = 3^x$ à la fois verticalement et horizontalement. Déplace le graphique de $y = 3^x$ de 1 unité vers la gauche et de 3 unités vers le haut.

L'asymptote horizontale s'est déplacée de 3 unités vers le haut. C'est maintenant la droite d'équation $y = 3$.

Le domaine reste $\{x \in \mathbb{R}\}$.

L'image est $\{y \in \mathbb{R} \mid y > 3\}$.

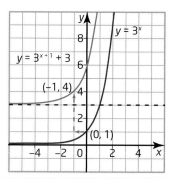

Vérifie tes résultats à l'aide d'une calculatrice à affichage graphique.

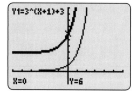
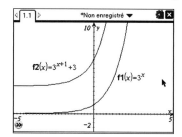

Exemple 2

Effectuer d'autres transformations

Trace le graphique de chaque fonction en appliquant des transformations au graphique de la fonction de base $y = 4^x$.

a) $y = 4^{2x}$

b) $y = -2(4^x)$

c) $y = 4^{-\frac{1}{2}x}$

Solution

a) $y = 4^{2x}$

Soit le graphique de $y = 4^x$. Rétrécis-le (ou comprime-le) horizontalement dans un rapport de $\frac{1}{2}$.

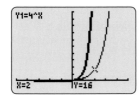 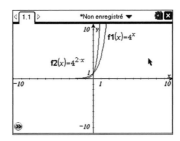

b) $y = -2(4^x)$

Il y a ici un agrandissement et une symétrie ou une réflexion :

$$y = -2(4^x)$$

Réflexion par rapport à l'axe des x Agrandissement vertical de rapport 2

Pars du graphique de $y = 4^x$.   Rabats le graphique de $y = 2(4^x)$
Étire-le verticalement.   par rapport à l'axe des x.

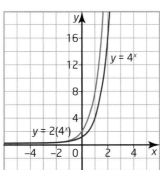 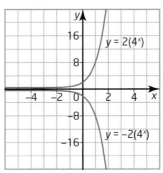

c) $y = 4^{-\frac{1}{2}x}$

Il y a ici aussi un agrandissement et une réflexion :

$$y = 4^{-\frac{1}{2}x}$$

Réflexion par rapport à l'axe des y Agrandissement horizontal de rapport 2

Pars du graphique de $y = 4^x$.   Rabats le graphique par
Étire-le horizontalement.   rapport à l'axe des y.

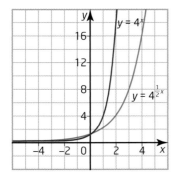 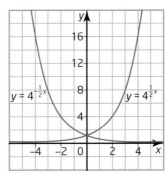

Exemple 3

Tracer le graphique de $y = ab^{k(x - c)} + d$

Trace le graphique de la fonction $y = -2^{2(x - 3)} + 5$.

Solution

Détermine les transformations à appliquer au graphique de $y = 2^x$ pour obtenir le graphique de la fonction.

$$y = -2^{2(x - 3)} + 5$$

Maths et monde

Tu as exploré diverses transformations de fonctions au chapitre 2.

Réflexion ou symétrie par rapport à l'axe des x

Compression horizontale de rapport $\frac{1}{2}$

Translation vers la droite de 3 unités et vers le haut de 5 unités

Comprime horizontalement le graphique de $y = 2^x$ pour produire le graphique de $y = 2^{2x}$.

Rabats la courbe par rapport à l'axe des x pour produire le graphique de $y = -2^{2x}$.

Enfin, effectue les translations horizontale et verticale.

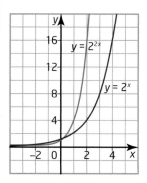
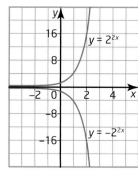
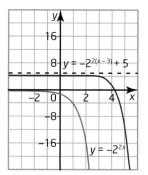

Exemple 4

Analyser un circuit

Dans un circuit donné, l'intensité du courant, I, en ampères (A) au bout de t secondes correspond à la formule $I(t) = 0,9(1 - 10^{-0,044t})$.

a) Trace le graphique de cette fonction à l'aide d'un outil technologique. Quel est le domaine approprié pour cette fonction?

b) Quelle est l'intensité du courant dans le circuit au bout:
   I) de 2 s?   **II)** de 5 s?

c) Décris le comportement de l'intensité dans le domaine choisi.

Solution

Méthode 1 : Utiliser une calculatrice à affichage graphique

a) Détermine les paramétres d'affichage appropriés par essais systématiques. Remarque que le domaine choisi ne doit pas admettre de valeurs négatives pour l'intensité. Le domaine est $\{t \in \mathbb{R} \mid t \geq 0\}$.

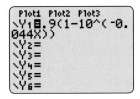 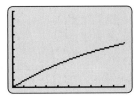 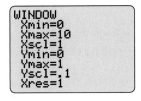

b) **I)** Pour déterminer l'intensité du courant au bout de 2 s :

- Appuie sur (2nd) [CALC] et sélectionne **1:value**.
- Saisis 2 et appuie sur (ENTER).

 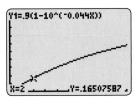

À $t = 2$ s, l'intensité est d'environ 0,17 A.

II) Détermine l'intensité au bout de 5 s à l'aide de la même méthode.

III) À $t = 5$ s, l'intersité est d'environ 0,36 A.

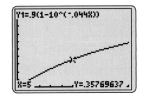

c) La fonction est croissante sur $\{t \in \mathbb{R} \mid t \geq 0\}$ et le taux de croissance va en diminuant.

Méthode 2 : Utiliser le *Cybergéomètre*

a) Ouvre une nouvelle esquisse. Dans le menu **Graphique**, sélectionne **Tracer une nouvelle fonction**. Saisis l'équation de la fonction comme dans la figure et clique sur **OK**.

Dans le menu **Graphique**, clique sur **Format de la grille** et sélectionne **Rectangulaire**. Clique sur l'origine et les axes et fais-les glisser pour voir le graphique. Remarque que le domaine choisi ne doit pas admettre de valeurs négatives pour l'intensité. Le domaine est $\{t \in \mathbb{R} \mid t \geq 0\}$.

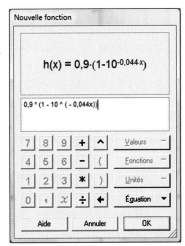

b) I) Pour connaître l'intensité au bout de 2 s, détermine la valeur de I lorsque $t = 2$:

- Sélectionne le graphique. Dans le menu **Construction**, choisis **Point sur le graphique**.
- Dans le menu **Mesures**, clique sur **Coordonnées**.
- Clique sur le point et amène-le le plus près possible de $t = 2$. Lis la valeur de I correspondante.

À $t = 2$ s, l'intensité est d'environ 0,17 A.

II) Détermine l'intensité au bout de 5 s par le même processus.

À $t = 5$ s, l'intensité est d'environ 0,36 A.

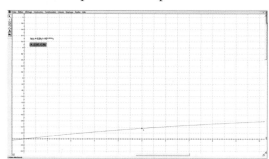

c) La fonction est croissante sur $\{t \in \mathbb{R} \mid t \geqslant 0\}$ et le taux de croissance va en diminuant.

Concepts clés

- Les fonctions exponentielles peuvent subir des transformations, tout comme les autres fonctions.
- On peut produire le graphique de $y = ab^{k(x - c)} + d$ en appliquant les transformations qui suivent au graphique de la fonction de base $y = b^x$:

Translations horizontales et verticales

- Si $c > 0$, il faut une translation de $|c|$ unités vers la droite.
  Si $c < 0$, il faut une translation vers la gauche.
- Si $d > 0$, il faut une translation de $|d|$ unités vers le haut.
  Si $d < 0$, il faut une translation vers le bas.

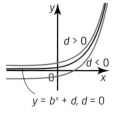

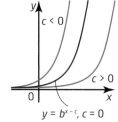

Agrandissements, rétrécissements et réflexions verticaux

- Si $|a| > 1$, il faut un agrandissement vertical (élongation verticale) de rapport $|a|$.
- Si $0 < |a| < 1$, il faut un rétrécissement vertical (compression verticale) de rapport $|a|$.
- Si $|a| < 0$, il faut une réflexion (symétrie) par rapport à l'axe des x, ainsi qu'une élongation ou une compression.

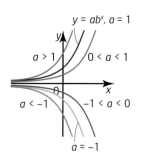

Agrandissements, rétrécissements et réflexions horizontaux

– Si $|k| > 1$, il faut un rétrécissement horizontal (compression verticale) de rapport $\dfrac{1}{|k|}$.

– Si $0 < |k| < 1$, il faut un agrandissement horizontal (élongation verticale) de rapport $\dfrac{1}{|k|}$.

– Si $k < 0$, il faut une réflexion (symétrie) par rapport à l'axe des y, ainsi qu'une élongation ou une compression.

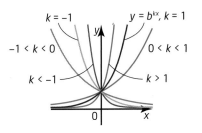

- On peut facilement réécrire certaines fonctions exponentielles avec d'autres bases. Par exemple, $y = 2^{4x}$ est équivalente à $y = 16^x$.

Communication et compréhension

C1 Associe chaque transformation à l'équation qui lui correspond, en utilisant $y = 10^x$ comme fonction de base. Explique tes réponses. Certaines transformations n'ont pas d'équation.

Transformation

a) Agrandissement horizontal de rapport 3

b) Translation vers le haut de 3 unités

c) Translation vers la gauche de 3 unités

d) Rétrécissement vertical de rapport $\dfrac{1}{3}$

e) Agrandissement vertical de rapport 3

f) Translation vers la droite de 3 unités

g) Réflexion par rapport à l'axe des x

A $y = 10^x + 3$

B $y = 10^{x + 3}$

C $y = -10^x$

D $y = 10^x - 3$

E $y = 10^{3x}$

F $y = 10^{-x}$

G $y = \left(\dfrac{1}{3}\right)10^x$

C2 Donne une équation correspondante pour chaque transformation non associée à une équation la question C1.

C3 a) Comment tracerais-tu le graphique de la fonction $y = 5^{2x}$ à l'aide d'une transformation ?

b) Comment tracerais-tu le graphique de la fonction $y = 5^{2x}$ en appliquant la loi des exposants ?

C4 Décris l'effet des constantes a, k, c et d lorsqu'on transforme le graphique de la fonction $y = b^x$ en celui de $y = ab^{k(x - c)} + d$.

C5 Reporte-toi à l'exemple 4.

a) Comment peux-tu déterminer si l'intensité augmente indéfiniment ou non ?

b) Détermine si l'intensité croît indéfiniment à l'aide de la méthode décrite en a).

A À ton tour

Si tu as besoin d'aide pour répondre aux questions 1 à 3, reporte-toi à l'exemple 1.

1. Décris la transformation que subit la fonction de base $y = 4^x$ pour produire les fonctions suivantes.

a) $y = 4^x + 2$ **b)** $y = 4^{x-3}$

c) $y = 4^{x+4}$ **d)** $y = 4^{x-1} - 5$

2. Trace le graphique de chaque fonction de la question 1 à partir du graphique de la fonction de base $y = 4^x$.

3. Écris l'équation de la fonction qui résulte de chaque transformation de la fonction de base $y = 5^x$.

a) Translation vers le bas de 3 unités

b) Translation vers la droite de 2 unités

c) Translation vers la gauche de $\frac{1}{2}$ unité

d) Translation vers le haut de 1 unité et vers la gauche de 2,5 unités

Si tu as besoin d'aide pour répondre aux questions 4 à 6, reporte-toi à l'exemple 2.

4. Décris la transformation que subit la fonction de base $y = 8^x$ pour produire les fonctions suivantes.

a) $y = \left(\frac{1}{2}\right)8^x$ **b)** $y = 8^{4x}$

c) $y = -8^x$ **d)** $y = 8^{-2x}$

5. À partir du graphique de la fonction de base $y = 8^x$, trace le graphique des fonctions de la question 4. Assure-toi de bien choisir l'échelle des axes.

6. Écris l'équation de la fonction qui résulte de chaque transformation de la fonction de base $y = 7^x$.

a) Réflexion par rapport à l'axe des x

b) Élongation verticale de rapport 3

c) Élongation horizontale de rapport 2,4

d) Réflexion par rapport à l'axe des y et compression verticale de rapport 7

Si tu as besoin d'aide pour répondre aux questions 7 et 8, reporte-toi à l'exemple 3.

7. Applique des transformations à la fonction de base $y = 2^x$ pour obtenir le graphique de la fonction $y = \left(-\frac{1}{2}\right)2^{x-4}$.

8. Applique des transformations à la fonction de base $y = 3^x$ pour obtenir le graphique de la fonction $y = 3^{-0,5x-1} - 5$.

B Liens et mise en application

Si tu as besoin d'aide pour répondre à la question 9, reporte-toi à l'exemple 4.

9. La température T, en °C, d'une barre de métal qui refroidit, au bout de t minutes, est donnée par l'équation : $T(t) = 20 + 100(0,3)^{0,2t}$.

a) Représente graphiquement cette fonction.

b) Quelle est l'asymptote de cette fonction ? Que représente-t-elle ?

c) Combien de temps faudra-t-il pour que la température se situe à moins de 0,1 °C de la valeur de l'asymptote ?

10. a) Trace le graphique de la fonction $f(x) = \left(\frac{1}{2}\right)^{\frac{1}{2}(x+3)} - 1$.

b) Pour cette fonction, indique :

I) le domaine, **II)** l'image,

III) l'équation de l'asymptote.

11. a) Trace le graphique de la fonction $y = 9^x$.

b) Réécris la fonction $y = 9^x$ en base 3. Décris comment tracer son graphique à partir de celui de $y = 3^x$.

c) Réécris la fonction $y = 9^x$ en base 81. Décris comment tracer son graphique à partir de celui de $y = 81^x$.

d) Explique pourquoi ces trois fonctions sont équivalentes.

12. a) Réécris la fonction $y = 8^x$ sous deux formes qui ont chacune une base différente.

b) Explique pourquoi les trois fonctions sont équivalentes.

13. a) Écris l'équation d'une fonction exponentielle transformée dont l'asymptote est $y = 4$, et l'ordonnée à l'origine, 6.

b) Ta fonction en a) est-elle la seule possible? Explique ta réponse à l'aide de transformations.

14. a) Écris l'équation d'une fonction exponentielle transformée dont la base est 2 et dont le graphique passe par $(0, 2)$.

b) Écris deux autres équations qui répondent à ces critères.

c) Par un raisonnement algébrique ou graphique, explique pourquoi chacune de ces équations est une solution.

15. L'ordre dans lequel les transformations sont appliquées importe-t-il?

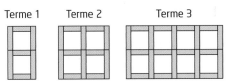

a) Crée une fonction exponentielle en appliquant à la fonction de base de la forme $y = b^x$ au moins:
- une translation,
- un agrandissement ou un rétrécissement,
- une réflexion.

b) Prédis si l'ordre des transformations modifiera le graphique final.

c) Trace le graphique de la fonction en appliquant les transformations selon l'ordre de ton choix.

d) Refais l'étape c) en appliquant les transformations selon d'autres ordres.

e) Refais les étapes a) à d) pour une autre fonction de ton choix.

f) Compare tes résultats avec tes prédictions. Décris tes découvertes.

16. Examine cette suite croissante.

Terme 1   Terme 2   Terme 3

a) Construis ou dessine le prochain terme.

b) Le nombre de carrés blancs croît-il exponentiellement? Explique ton raisonnement.

c) Écris une équation qui définit le nombre de carrés, c, en fonction du rang du terme, n.

d) Combien de carrés comprend:
I) le 5e terme?
II) le 10e terme?

17. Reporte-toi à la question 16. Suppose que tu construis ce modèle avec des cure-dents. Considère le nombre de cure-dents nécessaires à chaque étape.

a) Crée une table de valeurs pour comparer le rang d'un terme, n, et son nombre de cure-dents, c.

b) Analyse la régularité des différences finies.

c) Représente graphiquement ces données.

d) La fonction qui associe c à n est-elle exponentielle? Explique pourquoi.

e) Écris une équation qui définit c en fonction de n.

f) Décris comment cette fonction est liée à celle de la question 16 c), à l'aide de transformations.

18. Technologie Un agrandissement vertical de rapport a a-t-il le même effet sur une fonction exponentielle qu'un rétrécissement horizontal de rapport $\frac{1}{a}$?

a) Formule une hypothèse par écrit.

b) À l'aide d'un outil graphique, explore plusieurs cas en utilisant diverses valeurs de a et diverses bases.

c) Explique tes conclusions dans un bref compte rendu.

19. Technologie Dans le cas d'une fonction exponentielle, une translation horizontale de c unités produit-elle le même effet qu'un agrandissement vertical?

a) Formule une hypothèse par écrit.

b) À l'aide d'un outil graphique, explore plusieurs cas en utilisant diverses valeurs de c et diverses bases.

c) Explique tes conclusions dans un bref rapport.

✓ **Question d'évaluation**

20. a) Décris la transformation que doit subir le graphique de $y = 3^x$ pour produire le graphique de $y = -\left(\dfrac{1}{3}\right)^{12 - 3x} + 2$.

b) Trace le graphique de la fonction $y = -\left(\dfrac{1}{3}\right)^{12 - 3x} + 2$.

c) Pour cette fonction, indique:

  I) le domaine,

  II) l'image,

  III) l'équation de l'asymptote,

  IV) les coordonnées à l'origine, si elles existent.

C Approfondissement

21. Reporte-toi à la question 16. On peut voir ce modèle comme un agencement de carrés blancs et de rectangles jaunes de tailles différentes.

a) Combien de pièces de chaque taille constituent le premier terme de la suite?

b) La croissance du nombre de chaque type de pièces est-elle de nature exponentielle? Explique pourquoi.

c) Écris une équation qui définit le nombre total de pièces en fonction du rang du terme.

d) Décris la façon dont la fonction définie en c) est reliée à celles déterminées aux questions 16 et 17, à l'aide de transformations si possible.

22. Technologie La courbe que forme une corde ou un câble qui n'est soumis qu'à la gravité est appelée «caténaire». La courbe d'un fil téléphonique entre deux poteaux est définie par $y = 0{,}2\left(2^{\frac{x}{4}} + 2^{-\frac{x}{4}}\right)$, où toutes les mesures sont en mètres.

a) Représente cette fonction à l'aide d'une calculatrice à affichage graphique.

b) À quelle autre fonction ressemble-t-elle?

c) Choisis sept points. À l'aide d'un outil de régression approprié, détermine l'équation qui représente cette courbe à partir de la réponse donnée en b).

d) Trace les deux fonctions dans le même plan cartésien.

e) Compare les deux graphiques.

f) Effectue un zoom une ou deux fois, et procède de nouveau à la comparaison.

23. Concours de maths Si $f(x) = 3^x$ et $f(x + 2) + f(x + 3) + f(x + 4) = kf(x)$, quelle est la valeur de k?

24. Concours de maths Si $4^y = 7$, quelle est la valeur de $4^{3y} + 2$?

A 23 **B** 345 **C** $\sqrt[3]{7} + 2$ **D** 2 189

25. Concours de maths Quelle est l'image de la fonction $y = 12\left(\dfrac{1}{2}\right)^x - 3$?

26. Concours de maths Dans ce schéma, $m\overline{AD} = 6$ cm et B et C divisent $\overline{AD}$ en trois parties égales. Nomme le rapport de l'aire comprise entre les deux courbes vertes à l'aire du cercle bleu.

A $1:3$ **B** $4:9$ **C** $2:9$ **D** $1:2$

Des outils et des stratégies d'application des modèles exponentiels

La population canadienne s'enrichit-elle ? Quiconque souhaite acheter une maison sait bien que le prix des maisons et les coûts de construction augmentent habituellement. En est-il de même des revenus ? Comment les revenus des Ontariennes et Ontariens se comparent-ils avec ceux des gens ailleurs au Canada ?

Exemple 1

Construire un modèle de croissance exponentielle

Le tableau ci-contre indique le revenu hebdomadaire moyen de la population canadienne, arrondi au dollar près, sur une période de 5 ans.

Année	Revenu ($)
2002	679
2003	688
2004	702
2005	725
2006	747

a) Écris l'équation d'une fonction exponentielle qui modélise ces données.

b) Détermine le revenu hebdomadaire moyen au Canada en 2010.

c) Prédis le moment où le revenu hebdomadaire moyen atteindra possiblement 1 000 $.

Solution

Méthode 1 : Utiliser une calculatrice à affichage graphique

a) Crée un nuage de points à partir des données. Pour simplifier, numérote les années de 0 à 4.

- Appuie sur (STAT) et sélectionne **1:Edit**.
- Saisis les données dans les listes **L1** et **L2**.
- Appuie sur (Y=). Efface toute fonction affichée. Ensuite, active uniquement **Plot1**.
- Appuie sur (2nd) [STATPLOT] et sélectionne **Plot1**. Utilise les réglages montrés sur la saisie d'écran.

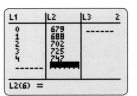

Conseil techno

Pour débuter, assure-toi que les listes sont vides. Consulte la page 509 de l'annexe Technologie pour savoir comment faire.

Appuie sur (ZOOM) et sélectionne **9:ZoomStat**.
Un nuage de points apparaît.

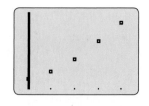

La tendance semble être exponentielle. Utilise
la régression exponentielle pour déterminer la
courbe la mieux ajustée.

- Appuie sur (2nd) [QUIT] pour revenir à l'écran d'accueil.
- Appuie sur (STAT). Amène le curseur sur
  CALC et sélectionne **0:ExpReg**.

- Appuie sur (2nd) [L1] (,) (2nd) [L2] (,),
  puis sur (VARS). Sélectionne **Y-VARS**,
  puis **1:Function**.
- Sélectionne **1:Y1** et appuie sur (ENTER).

  Une équation exponentielle apparaît.

Arrondis les valeurs de a et de b et reporte-les dans l'équation $y = ab^x$
pour obtenir l'équation approximative de la courbe la mieux ajustée.

$y = 674 \times 1{,}025^x$

Remplace x et y par des variables qui ont un sens dans le problème
donné. Soit n, le nombre d'années depuis 2002, et R, le revenu
hebdomadaire moyen de la population canadienne pour l'année n.
L'équation est donc $R(n) = 674 \times 1{,}025^n$.

Appuie sur (GRAPH) pour voir la courbe la mieux ajustée se dessiner
dans le nuage de points. Utilise les paramètres d'affichage donnés ici.

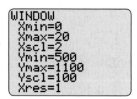
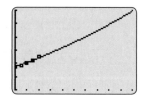

b) Pour connaître le revenu hebdomadaire
moyen de la population canadienne en 2010,
détermine la valeur de R lorsque $n = 8$.

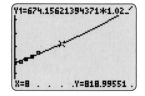

- Appuie sur (2nd) [CALC].
- Sélectionne **1:value** et saisis 8.

Selon la tendance, le revenu hebdomadaire moyen de la population
canadienne était donc d'environ 819 $ en 2010.

c) Pour déterminer le moment où le revenu
moyen de la population canadienne atteindra
1 000 $, il faut repérer l'intersection du
graphique et de la droite d'équation $y = 1\ 000$.

- Appuie sur $\boxed{\text{2nd}}$ [CALC].
- Sélectionne **5:intersect**. Appuie sur $\boxed{\text{ENTER}}$ trois fois.

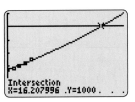

Le revenu hebdomadaire moyen devrait atteindre 1 000 $ environ 16,2 ans après 2002, soit en 2018.

Méthode 2 : Utiliser *Fathom*™

a) Saisis les données dans un tableau de cas.

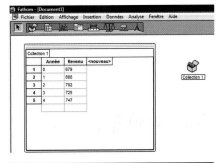

Crée un nuage de points (diagramme de dispersion) du revenu en fonction de l'année en cliquant sur les attributs et en les faisant glisser respectivement vers l'axe vertical et l'axe horizontal.

Trace la courbe la mieux ajustée de la forme $y = ab^x$:

- Crée deux glissières et nomme-les a et b.

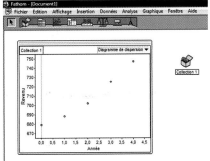

Pour ajuster l'échelle, amène le pointeur dessus et modifie-la par cliquer-glisser. Tiens compte du domaine et de l'image des points donnés.

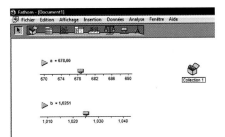

- a est la valeur initiale, ou ordonnée à l'origine. Sa valeur semble se situer entre 670 et 690.

- b est le multiplicateur (la base de la puissance) qui donne les valeurs successives du revenu. Compare les rapports entre les données consécutives.

    $688 \div 679 = 1,01...$

    $702 \div 688 = 1,02...$

    $725 \div 702 = 1,03...$

    $747 \div 725 = 1,03...$

    La valeur de b pour la courbe la mieux ajustée se situe vraisemblablement entre 1,01 et 1,04.

- Sélectionne le graphique. Dans le menu **Graphique**, sélectionne **Tracer une courbe**.
- Saisis $a \times b^{\text{Année}}$ et clique sur **OK**.

Une courbe exponentielle apparaît. Règle les glissières de façon à afficher la courbe la mieux ajustée.

Soit *n*, le nombre d'années depuis 2002, et *R*, le revenu hebdomadaire moyen pour l'année *n*. L'équation de la courbe est alors $R(n) = 677 \times 1{,}023^n$.

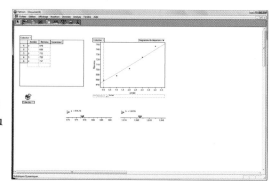

b) Détermine le revenu hebdomadaire moyen en 2010 à l'aide de l'équation. Puisqu'il s'est écoulé 8 ans depuis l'année initiale, $n = 8$, donc :

$$R(n) = 677 \times 1{,}023^n$$
$$R(8) = 677 \times 1{,}023^8$$
$$\approx 812$$

Selon ce modèle, le revenu hebdomadaire moyen de la population canadienne était d'environ 812 $ en 2010.

c) Pour prédire l'année où le revenu hebdomadaire moyen de la population canadienne atteindra possiblement 1 000 $ par semaine, il faut extrapoler à partir de la courbe la mieux ajustée :

- Clique sur l'un des coins du graphique pour l'agrandir.
- Place le curseur sur l'échelle verticale et ajuste-la pour voir le nombre 1 000.
- Place le curseur sur l'échelle horizontale et modifie-la de façon à lire l'année correspondante. Dans le menu **Graphique**, sélectionne **Droite ajustable**. Crée une droite horizontale qui croise l'axe vertical à 1 000.

Trace une deuxième droite et place-la de façon à lire l'année correspondante.

Selon la courbe la mieux ajustée, on peut s'attendre à ce que le revenu hebdomadaire moyen de la population canadienne atteigne 1 000 $ environ 17,5 années après 2002, donc autour de 2019.

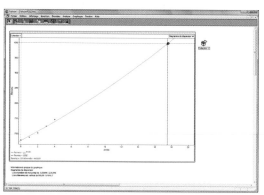

Le choix de la méthode et des outils dans une situation donnée peut dépendre d'un certain nombre de facteurs, dont :
- la précision nécessaire,
- les préférences de l'utilisatrice ou de l'utilisateur,
- la disponibilité.

Comme le montre l'exemple 1, les méthodes et les outils choisis peuvent entraîner de légères variations dans le modèle exponentiel généré et donc, de légères variations dans les prédictions. De tels modèles ont souvent une précision limitée.

Exemple 2

Choisir un modèle de dépréciation

Soit la valeur d'un ordinateur n années après l'achat.

Nombre d'années, n	Valeur ($)
1	1 200
2	960
3	768
4	614
5	492
6	393

a) Reproduis la table de valeurs à l'aide d'une calculatrice à affichage graphique. Détermine les premières différences, décris la tendance et explique-la.

b) Construis un nuage de points et crée les modèles suivants pour représenter cette relation :
- un modèle du premier degré,
- un modèle du second degré,
- un modèle exponentiel.

Évalue l'utilité de chaque modèle.

c) Détermine le prix d'achat le plus vraisemblable de l'ordinateur.

Solution

a) Saisis les données dans **L1** et **L2** à l'aide de l'éditeur de listes. Pour calculer les premières différences :
- Place le curseur au haut de la colonne **L3**.
- Appuie sur (2nd) [LIST]. Amène le curseur sur **OPS**.
- Sélectionne **7:ΔListe(** et appuie sur (2nd) [L2].
- Appuie sur ( )) puis sur (ENTER).

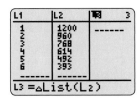 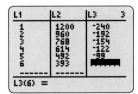

Les premières différences diminuent à un taux décroissant ; l'ordinateur perd donc de la valeur rapidement au début, puis plus lentement à mesure qu'il vieillit.

Conseil techno

- Pour effectuer une régression, appuie sur (STAT), amène le curseur sur **CALC**, sélectionne le type de régression désiré, puis indique les listes à utiliser.

- Pour enregistrer la fonction, appuie sur (VARS), sélectionne **Y-VARS** puis l'endroit où tu veux sauvegarder la fonction.

- Rappelle-toi qu'il faut séparer les listes de données et les variables des fonctions à l'aide de virgules.

Maths et monde

Après avoir effectué une régression, tu verras peut-être s'afficher des valeurs de r et de r^2. Ces valeurs montrent à quel point la droite ou la courbe de régression s'ajuste aux données. Plus r est proche de 1 ou de -1, et plus r^2 est proche de 1, mieux la courbe est ajustée. Pour voir ces paramètres, appuie sur (2nd) 0, puis fais défiler le menu vers le bas et sélectionne **Diagnostics On**. Tu en apprendras davantage sur ces paramètres si tu suis le cours Mathématiques de la gestion des données, en 12e année.

b) Modèle du premier degré

Fais une régression linéaire et enregistre l'équation sous **Y1**.

 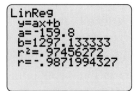

La droite la mieux ajustée correspond approximativement à l'équation $v(n) = -160n + 1\,297$, où v est la valeur de l'ordinateur, en dollars, n années après l'achat.

Pour voir le nuage de points et la droite la mieux ajustée, assure-toi que **Plot1** et **Y1** sont activés. Dans le menu **ZOOM**, sélectionne **9:ZoomStat**.

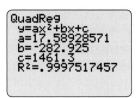

Même si la droite la mieux ajustée passe près de la plupart des points, elle ne reflète pas la courbure de la tendance, soit le taux de dépréciation décroissant. Il ne s'agit peut-être pas du modèle qui représente le mieux la situation.

Modèle du second degré

Fais une régression du second degré et enregistre l'équation sous **Y2**.

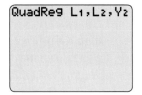 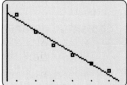

La courbe du second degré la mieux ajustée correspond approximativement à l'équation $v(n) = 17{,}6n^2 - 283n + 1\,461$, où v est la valeur de l'ordinateur, en dollars, n années après l'achat.

Pour voir le nuage de points et la courbe du second degré la mieux ajustée, désactive **Y1** et assure-toi que **Plot1** et **Y2** sont activés. Dans le menu **ZOOM**, sélectionne **9:ZoomStat**.

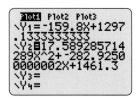 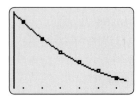

La courbe obtenue modélise la tendance des données pour le domaine indiqué. Cependant, cette fonction du second degré n'indique pas une dépréciation continue, comme le démontre l'extrapolation. Appuie sur (ZOOM), sélectionne **3:Zoom Out**, et appuie sur (ENTER).

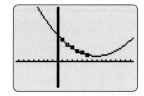

Selon le graphique, la fonction atteint un minimum puis recommence à augmenter, ce qui n'a pas de sens dans le contexte. Donc, le modèle du second degré ne peut servir à extrapoler au-delà de l'ensemble des données fournies.

Modèle exponentiel

Fais une régression exponentielle et enregistre l'équation sous **Y3**.

 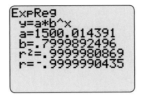

La courbe exponentielle la mieux ajustée correspond approximativement à l'équation $v(n) = 1\ 500 \times 0{,}8^n$, où v est la valeur de l'ordinateur, en dollars, n années après l'achat.

Pour voir le nuage de points et la courbe exponentielle la mieux ajustée, désactive **Y1** et **Y2** et assure-toi que **Plot1** et **Y3** sont activés. Dans le menu **ZOOM**, sélectionne **9:ZoomStat**.

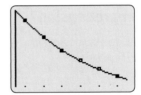

La courbe exponentielle modélise la tendance des données pour le domaine indiqué, et au-delà, comme le démontre l'extrapolation. Appuie sur (ZOOM), sélectionne **3:Zoom Out**, et appuie sur (ENTER).

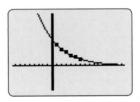

Le modèle exponentiel reflète bien la dépréciation continue de l'ordinateur. C'est le meilleur modèle pour ce scénario.

c) Détermine le prix d'achat de l'ordinateur en évaluant la fonction lorsque $n = 0$ selon le modèle exponentiel.

| **Méthode 1 : Utiliser le graphique** | **Méthode 2 : Utiliser l'équation** |

Méthode 1 : Utiliser le graphique

Appuie sur (2nd) [CALC] et sélectionne **1:value**. Saisis 0 et appuie sur (ENTER). La valeur de la fonction apparaît.

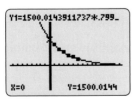

Méthode 2 : Utiliser l'équation

$v(n) = 1\ 500 \times 0{,}8^n$

$v(0) = 1\ 500 \times 0{,}8^0$

$\quad\quad = 1\ 500 \times 1$

$\quad\quad = 1\ 500$

Tant le graphique que l'équation montrent que le prix d'achat de l'ordinateur était de 1 500 $.

● Il est possible de créer des modèles algébriques et graphiques au moyen de divers outils, notamment :

   – une calculatrice à affichage graphique,

   – un logiciel de statistiques dynamiques comme *Fathom*™,

   – un tableur.

● Divers types de régression (premier degré, second degré ou exponentielle) peuvent servir à modéliser une relation. La régression la plus appropriée décrit la tendance selon les données fournies et au-delà.

● Les fonctions exponentielles servent à modéliser des situations qui comportent une croissance, une décroissance ou une dépréciation continues.

Communication et compréhension

C1 Quel type de courbe de régression choisirais-tu pour représenter chaque ensemble de données ? Explique ton choix.

a)

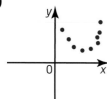

b)

c)

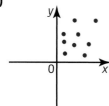

d)

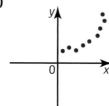

C2 **a)** On a résolu le problème de l'exemple 1 à l'aide de deux outils technologiques différents. Dresse une liste des avantages et des inconvénients que chacun présente.

b) Explique les légères variations dans le modèle exponentiel le mieux ajusté aux données réelles.

C3 **a)** Comment peux-tu déterminer si une fonction exponentielle peut modéliser un ensemble de données en analysant :

   I) les données numériques ?

   II) le nuage de points ?

b) Décris deux situations où tu pourrais t'attendre à trouver une relation exponentielle.

A À ton tour

Si tu as besoin d'aide pour répondre aux questions 1 à 4, reporte-toi à l'exemple 1.

1. Associe chaque nuage de points exponentiel à l'équation qui correspond à sa courbe la mieux ajustée. Certaines équations n'ont pas de graphique correspondant.

a)

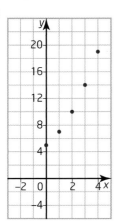

A $y = 20 \times 0{,}85^x$

B $y = 5 \times 1{,}8^x$

C $y = 2 \times 1{,}8^x$

D $y = 5 \times 1{,}4^x$

E $y = 20 \times 1{,}4^x$

F $y = 2 \times 1{,}4^x$

b)

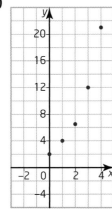

c)

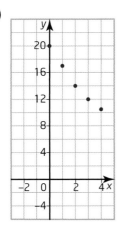

2. Choisis l'une des équations restantes à la question 1. Trace un nuage de points qui pourrait y correspondre.

3. Annette a placé une certaine somme. Le nuage de points qui suit montre la valeur de son placement au bout de quelques années.

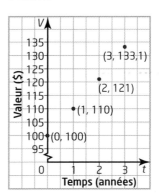

a) Les données semblent-elles suivre une tendance exponentielle? Explique ton raisonnement.

b) Estime les valeurs de a et b pour créer un modèle exponentiel des données, de la forme $V(n) = a \times b^n$. Explique ta méthode d'estimation.

c) À l'aide de l'outil de ton choix, détermine un modèle exponentiel de ces données.

d) À partir du modèle exponentiel déterminé en c), prédis la valeur du placement d'Annette au bout de 10 ans.

e) Environ combien de temps faudra-t-il pour que le placement d'Annette double?

Maths et monde

Les données relatives aux gains rapportés par un placement peuvent paraître linéaires, mais elles présentent souvent une relation exponentielle. Tu en apprendras davantage sur les calculs de placements et d'emprunts au chapitre 7, *Les applications financières.*

Si tu as besoin d'aide pour répondre aux questions 4 et 5, reporte-toi à l'exemple 2.

4. À 9 h, Gina apprend qu'elle a été promue vice-présidente aux ventes. À 9 h 30, elle le dit à deux collègues. À 10 h, ces personnes transmettent la nouvelle à deux autres collègues, et ainsi de suite.

   a) Crée une table de valeurs qui représente le nombre de personnes qui apprennent la nouvelle en fonction du temps, par intervalles d'une demi-heure.

   b) Trace un nuage de points. Décris la tendance.

   c) Quel type de fonction représente cette situation? Explique ta réponse.

   d) Détermine une équation qui modélise cette situation. Explique ta démarche.

B Liens et mise en application

5. Reporte-toi à la question 4.

   a) Penses-tu que la tendance se maintiendra indéfiniment? Explique ta réponse.

   b) Représente graphiquement cette relation pour les 24 premières heures. Suppose que 250 personnes travaillent dans l'entreprise. Explique chaque partie du graphique.

6. Sur le site Web de Statistique Canada, consulte les données relatives à la valeur à la ferme des pommes de terre, de 1908 à 2004.

   a) Crée une table de valeurs dont tu intituleras une colonne « Année », une autre « Période » et une dernière « Valeur des pommes de terre ». Saisis les données pour chaque période de 4 ans, de 1908 (période 0) à 2004 (période 24).

   b) Crée un nuage de points qui relie la valeur des pommes de terre à la période.

   c) Détermine l'équation de la fonction exponentielle qui représente le mieux les données.

   d) Trace la courbe la mieux ajustée.

7. Reporte-toi à la question 6. Formule deux questions à partir du modèle exponentiel créé et réponds-y.

8. La table de valeurs représente la population de koalas d'une réserve naturelle en fonction du temps.

   a) Crée un nuage de points. La tendance suggère-t-elle une relation exponentielle? Explique ta réponse.

Année	Population
0	800
1	830
2	870
3	900
4	940
5	970

   b) Trace la courbe la mieux ajustée et détermine une équation exponentielle qui représente les données.

   c) Prédis la taille de la population de koalas après 12 ans.

   d) Combien de temps faudra-t-il pour qu'elle atteigne 2 000 individus? Explique ton raisonnement et présente les hypothèses que tu dois formuler.

9. L'indice des prix à la consommation (IPC) mesure le coût de la vie. On le calcule à partir des dépenses typiques d'une famille moyenne. Lorsque l'IPC tend à augmenter, on parle d'inflation. Cette table de valeurs donne l'IPC au Canada sur une période de 7 ans.

Année	IPC ($)
2002	100
2003	102,8
2004	104,7
2005	107
2006	109,1
2007	111,8
2008	115,6

a) Détermine une fonction exponentielle qui représente ces données.

b) Compare ce modèle à celui de l'exemple 1. Lequel croît le plus rapidement : le revenu moyen ou l'IPC ? Explique ton raisonnement.

10. Le site Web E-STAT contient diverses données. À partir de sa table des matières, explore des sujets qui t'intéressent.

a) Repère un ensemble de données qui représente une relation exponentielle. Décris les variables comparées.

b) Crée un nuage de points à partir de ces données.

c) Détermine la courbe la mieux ajustée et l'équation qui y correspond.

d) Formule deux questions à partir du modèle exponentiel que tu as créé et réponds-y.

11. Les données sur le revenu de l'exemple 1 sont tirées du site E-STAT. Dans l'exemple, on a utilisé les données pour toute la population canadienne. Examine les autres données du site. Comment le revenu des Ontariennes et Ontariens se compare-t-il avec celui :

a) de l'ensemble de la population canadienne ?

b) de la population des autres provinces ?

Résume brièvement tes découvertes.

12. Combien de temps faut-il pour qu'une tasse de café refroidisse ? Tu as besoin :
- d'une tasse de café ou autre liquide chaud,
- d'un bâtonnet,
- d'un thermomètre ou d'une sonde thermique, et d'une calculatrice à affichage graphique.

a) Mesure la température initiale du liquide. Note cette valeur pour le temps $t = 0$.

b) Mesure la température toutes les minutes pendant plusieurs minutes, après avoir remué le liquide. Note la température et le temps dans un tableau.

c) Crée un nuage de points de la température en fonction du temps. Décris la forme de la courbe.

d) Détermine l'équation de la courbe la mieux ajustée.

e) Détermine, approximativement, le temps que met le liquide pour atteindre la température idéale, à savoir 71 °C.

f) Combien de temps faudra-t-il pour que le liquide devienne tiède (30 °C) ?

13. Reporte-toi à la question 12.

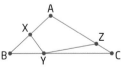

a) Décris les effets de l'ajout de crème et de sucre sur la courbe de refroidissement du café. Trace des graphiques qui appuient ton explication.

b) Comment la prise de petites gorgées de liquide à intervalles réguliers modifierait-elle la courbe ? Trace des graphiques à l'appui.

C Approfondissement

14. Les populations humaines croissent-elles de façon exponentielle ? Consulte des données pour le Canada, pour un autre pays, ou pour le monde. Trouve un ou plusieurs exemples de croissance exponentielle d'une population et crée des modèles qui les représentent. Résume brièvement tes résultats.

15. Concours de maths
Sur ce schéma, X est le point milieu du segment AB, Y divise le segment BC dans un rapport 1 : 2 et Z divise le segment AC dans un rapport 1 : 3. Démontre que l'aire du △XBY égale l'aire du △ZCY.

3.1 La croissance exponentielle, pages 150 à 157

1. Une colonie de bactéries compte au départ 300 individus et double chaque jour. Quelle équation représente sa croissance?

A $P = 2 \times 300^n$ **B** $P = 300 \times \left(\frac{1}{2}\right)^n$

C $P = 200 \times 3^n$ **D** $P = 300 \times 2^n$

2. a) À l'aide d'objets ou d'esquisses, illustre une suite croissante dont chaque terme est le triple du précédent. Dessine les trois premiers termes.

b) Crée une table de valeurs qui relie le nombre d'objets au rang du terme pour les cinq premiers termes.

c) Détermine les premières et les deuxièmes différences. Qu'ont en commun leurs régularités?

d) Écris une équation qui représente la croissance.

e) Combien d'objets aura le 10e terme?

3. a) Quelle est la valeur d'un nombre autre que zéro élevé à l'exposant nul?

b) Démontre ta réponse par un raisonnement algébrique.

3.2 La décroissance exponentielle : comprendre les exposants négatifs, pages 160 à 169

4. Une substance radioactive d'une masse initiale de 250 mg a une demi-vie de 1 an.

a) Écris une équation qui exprime la masse restante en fonction du temps.

b) Quelle sera la masse de la substance au bout de 10 ans?

c) Dans combien de temps l'échantillon aura-t-il 20 % de sa masse initiale? Explique ta démarche.

5. Reporte-toi à la question 4.

a) Comment peux-tu réécrire l'équation en a) sous une autre forme?

b) Explique pourquoi les deux équations sont équivalentes.

6. Évalue ces expressions. Exprime tes réponses sous la forme la plus simple.

a) 10^{-1} **b)** 4^{-2} **c)** $3^{-2} + 9^{-1}$

d) $5^{-3} + 5^0$ **e)** $\left(\frac{1}{5}\right)^{-1}$ **f)** $\left(\frac{3}{4}\right)^{-3}$

7. Simplifie chaque expression. Exprime tes réponses à l'aide d'exposants positifs.

a) $(x^{-2})(x^{-1})(x^0)$ **b)** $(3km^2)(2k^{-2}m^{-2})$

c) $w^{-3} \div w^{-2}$ **d)** $\dfrac{u^{-2}v^3}{u^{-3}v^{-2}}$

e) $(z^{-3})^{-2}$ **f)** $(2ab^{-1})^{-2}$

3.3 Les exposants rationnels, pages 170 à 177

8. Évalue chaque expression.

a) $\sqrt[3]{64}$ **b)** $\sqrt[4]{625}$ **c)** $\sqrt[5]{-3\,125}$

d) $\left(\dfrac{1}{64}\right)^{\frac{1}{6}}$ **e)** $27^{\frac{2}{3}}$ **f)** $(-1\,000)^{\frac{4}{3}}$

g) -4^{-3} **h)** $\left(\dfrac{3}{4}\right)^{-2}$ **i)** $\left(-\dfrac{27}{125}\right)^{-\frac{2}{3}}$

9. La longueur x, en centimètres, sur laquelle un ressort de constante k est comprimé ou étiré, est reliée à son énergie potentielle U, en joules (J), d'où $x = (2Uk^{-1})^{\frac{1}{2}}$.

a) Utilise la règle de la puissance d'une puissance pour réécrire cette équation.

b) Réécris l'équation à l'aide d'un radical.

c) Un ressort de constante 10 a emmagasiné une énergie potentielle de 320 J. Sur quelle longueur est-il étiré?

3.4 Les caractéristiques des fonctions exponentielles, pages 178 à 187

10. a) Représente graphiquement $y = 27\left(\frac{1}{3}\right)^x$.

b) Indique :

I) le domaine, **II)** l'image,

III) toute coordonnée à l'origine,

IV) les intervalles de croissance et de décroissance,

V) l'équation de l'asymptote.

11. Détermine l'équation de ce graphique.

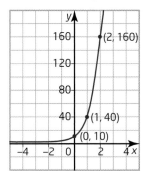

3.5 Les transformations de fonctions exponentielles, pages 188 à 198

12. a) Trace le graphique de $y = 2^{x-3} + 4$.

   b) Indique :

      I) le domaine,

      II) l'image,

      III) l'équation de l'asymptote.

13. Décris la ou les transformations que subit la fonction de base $y = 5^x$ pour produire les fonctions suivantes.

   a) $y = 2(5^x)$ **b)** $y = 5^{2x}$

   c) $y = -5^{-x}$ **d)** $y = 5^{-5x-10}$

3.6 Des outils et des stratégies d'application des modèles exponentiels, pages 199 à 209

14. Voici la hauteur h, en centimètres, à laquelle une balle rebondit après n bonds.

Nombre de bonds, n	Hauteur, h (cm)
0	100
1	76
2	57
3	43
4	32
5	24

   a) Calcule les premières et les deuxièmes différences et décris leur tendance.

   b) Crée un nuage de points. Décris la forme du graphique.

   c) Effectue une analyse de régression. Écris l'équation de la courbe la mieux ajustée. Explique ton choix quant au type de courbe de régression.

   d) La balle cessera-t-elle de rebondir ? Présente ta réponse :

      I) en lien avec le modèle mathématique,

      II) en fonction de la situation concrète.

   e) Pourquoi les réponses données en d) pourraient-elles différer ?

Problème du chapitre   LA CONCLUSION

Dans ce chapitre, tu as exploré certaines des forces qui s'exercent sur les corps célestes. Pour observer ces forces en action, les scientifiques utilisent entre autres des télescopes. En comparaison des premiers télescopes, les télescopes modernes sont dotés d'une puissance impressionnante.

   a) Effectue une recherche sur l'histoire du télescope. Réponds aux questions suivantes :
- Quand a-t-il été inventé ? Qui l'a inventé ?
- Comment mesure-t-on le grossissement d'un télescope ?
- Quel était le grossissement des premiers télescopes ?
- Donne le grossissement de quelques télescopes modernes.

   b) Comment le grossissement des télescopes les plus puissants a-t-il évolué au fil du temps ? Peut-on représenter l'augmentation du grossissement par une fonction exponentielle ? Explique ta réponse à l'aide de mots, de graphiques et d'équations.

Pour les questions 1 à 4, choisis la meilleure réponse.

1. Cinq personnes décident de faire part d'une rumeur à deux personnes chacune le lendemain. Chaque jour qui suit, chaque personne qui vient d'apprendre la rumeur la transmet à deux personnes qui ne la connaissent pas. Quelle équation décrit la relation entre le nombre de jours écoulés j et le nombre de personnes P qui apprennent la rumeur ce jour-là?

A $P = 2 \times 5^j$ **B** $P = 5 \times 2^j$

C $P = 5 \times \left(\dfrac{1}{2}\right)^j$ **D** $P = 2 \times \left(\dfrac{1}{5}\right)^j$

2. Détermine la valeur de $4^{-\frac{1}{2}}$.

A -2 **B** $-\dfrac{1}{2}$ **C** $\dfrac{1}{2}$ **D** $\dfrac{1}{16}$

3. Quelle équation obtient-on si $y = 5^x$ subit une translation de 3 unités vers le bas et de 4 unités vers la gauche?

A $y = 5^{x+4} - 3$ **B** $y = 5^{x-4} - 3$

C $y = 5^{x+3} - 4$ **D** $y = 5^{x-3} - 4$

4. Lequel de ces énoncés est vrai au sujet des fonctions exponentielles?

A Le rapport entre deux premières différences consécutives est constant.

B Les premières différences sont constantes.

C Les premières différences sont égales à zéro.

D Les deuxièmes différences sont constantes.

5. Évalue chaque expression. Exprime tes réponses sous forme de nombres entiers ou de fractions irréductibles.

a) $49^{\frac{1}{2}}$ **b)** 5^{-3} **c)** $(-4)^0$

d) $16^{\frac{1}{4}}$ **e)** $(-8)^{\frac{5}{3}}$ **f)** $\left(\dfrac{3}{4}\right)^{-4}$

g) $\left(\dfrac{27}{64}\right)^{-\frac{1}{3}}$ **h)** $\left(-\dfrac{8}{125}\right)^{-\frac{4}{3}}$

6. Simplifie chaque expression. Exprime tes réponses à l'aide d'exposants positifs.

a) $(x^{-2})(x^3)(x^{-4})$ **b)** $\dfrac{p^{-3}}{p^2}$

c) $(2k^4)^{-1}$ **d)** $(a^{\frac{1}{2}})(a^{\frac{2}{3}})$

e) $(y^{\frac{2}{3}})^{-6}$ **f)** $(u^{\frac{1}{2}}v^{-3})^{-2}$

7. Construis ou dessine une suite qui représente une croissance exponentielle et dont chaque terme est le double du précédent.

a) Dessine les trois premiers termes.

b) Crée une table de valeurs du nombre d'objets en fonction du rang du terme.

c) Représente graphiquement la relation.

d) Détermine les premières différences et les deuxièmes différences.

e) Écris l'équation qui définit ton modèle.

f) Donne au moins trois raisons qui confirment la nature exponentielle de la croissance.

8. Associe chaque graphique à une équation.

a)
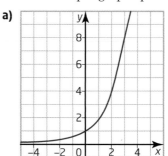

b)
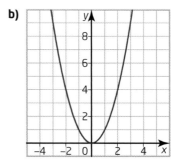

c)
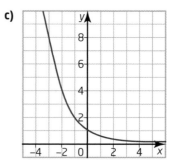

d)

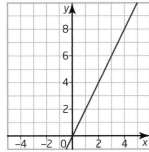

A $y = x^2$ **B** $y = 2x$

C $y = 2^x$ **D** $y = \left(\dfrac{1}{2}\right)^x$

9. a) Trace le graphique de la fonction $y = 2^{x-5} + 3$.

b) Indique :

   I) le domaine,

   II) l'image,

   III) l'équation de l'asymptote.

10. Décris la ou les transformations que subit la fonction de base $y = 8^x$ pour produire les fonctions suivantes.

a) $y = \dfrac{1}{3}(8^x)$ **b)** $y = 8^{4x}$

c) $y = -8^{-x}$ **d)** $y = 8^{-3x-6}$

11. Un échantillon d'une substance radioactive a une masse initiale de 80 mg et une demi-vie de 2,5 jours.

a) Écris une équation qui exprime la masse restante en fonction du temps.

b) Trace le graphique de la fonction. Décris la forme de la courbe.

c) Restreins le domaine de sorte que le modèle représente adéquatement la situation réelle.

d) Calcule la masse de la substance au bout :

   I) de 10 jours,   **II)** de 15 jours.

e) Combien de temps faudra-t-il à l'échantillon pour être réduit à 5 % de sa masse initiale ?

12. a) Trace le graphique de la fonction $y = \left(-\dfrac{1}{2}\right)2^{x+3} - 1$ en appliquant des transformations au graphique de la fonction de base $y = 2^x$.

b) Pour la fonction transformée, indique :

   I) le domaine,

   II) l'image,

   III) l'équation de l'asymptote.

13. La hauteur h d'une pyramide à base carrée en fonction de son volume V et de la longueur de côté c de sa base s'exprime par l'équation $h = 3Vc^{-2}$. Soit une pyramide à base carrée dont le volume est de 6 250 m³ et dont la base a 25 m de côté. Calcule sa hauteur.

14. Le tableau suivant montre l'évolution de la population de Pierreville sur 5 ans.

Année	Population
0	2 000
1	2 150
2	2 300
3	2 500
4	2 700
5	2 950

a) Crée le nuage de points qui représente cette relation. Les données te semblent-elles de nature exponentielle ? Explique ton raisonnement.

b) Détermine l'équation de la courbe la mieux ajustée.

c) Restreins le domaine de la fonction de sorte qu'elle représente adéquatement la réalité.

d) Prédis la population de Pierreville 7 ans après la première valeur de la table. Indique tes hypothèses.

e) Combien de temps faudra-t-il pour que la population double ? Indique tes hypothèses.

Chapitre 1 Les fonctions

1. Indique le domaine et l'image de chaque relation. Ces relations sont-elles toutes des fonctions ? Explique ta réponse.

a)

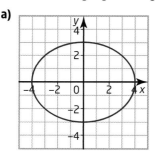

b) $\{(-2, 1), (-1, 4), (0, 9), (1, 16), (2, 25)\}$

c) $y = 0{,}5x^2 - 4$

2. Pour chaque fonction, écris une règle de correspondance et détermine $f(-1)$.

a) $f(x) = \sqrt{1 - 3x}$ **b)** $f(x) = \dfrac{2x + 1}{x^2 - 4}$

3. Le capital C, en dollars, à placer à un taux d'intérêt i pour avoir 1 500 $ après 1 an est exprimé par la relation $C(i) = \dfrac{1\,500}{1 + i}$. Remarque que i doit être sous la forme décimale.

a) Détermine le domaine et l'image.

b) Représente graphiquement la relation.

c) Quel capital faut-il placer si le taux d'intérêt est de 3 % ?

d) Quel doit être le taux d'intérêt si le capital est de 1 000 $?

4. a) Dessine un diagramme sagittal à partir des données suivantes.

$\{(2, 4), (5, 0), (6, 4), (3, 3), (4, -2)\}$

b) La relation est-elle une fonction ? Explique pourquoi.

5. Un fermier veut clôturer un champ rectangulaire et le subdiviser en trois lots égaux à l'aide d'une clôture de 4 000 m. Détermine les dimensions de chaque lot qui donnent la plus grande aire totale possible.

6. Un magasin vend des t-shirts avec des logos. L'an dernier, il a vendu 600 t-shirts à 15 $ chacun. Le gérant pense augmenter le prix. Une étude montre que, pour chaque augmentation de 1 $, il vendra 30 t-shirts de moins par année.

a) Quel prix maximise les recettes annuelles ?

b) Quel est le maximum des recettes ?

7. Résous chaque équation du second degré. Donne des réponses exactes.

a) $2x^2 - 4x - 3 = 0$

b) $3x^2 - 12x + 4 = 0$

8. Détermine le nombre de racines de chaque équation à l'aide du discriminant.

a) $4x^2 + 3x - 2 = 0$

b) $-3x^2 + 10x - 7 = 0$

c) $5x^2 - 8x + 1 = 0$

9. La longueur d'un rectangle mesure 2 m de plus que trois fois sa largeur. L'aire du rectangle est de 20 m². Détermine ses dimensions au centième de mètre près.

10. Détermine l'équation de la forme générale de chaque fonction du second degré.

a) abscisses à l'origine -3 et 4, passant par le point $(1, -4)$

b) abscisses à l'origine $2 \pm \sqrt{3}$, ordonnée à l'origine 2

11. Une fontaine a un jet d'eau de forme parabolique. Le jet couvre une distance de 6 m d'un côté à l'autre de la fontaine. À une distance horizontale de 1 m de son point de départ, il a 5 m de hauteur.

a) Trace le graphique de la fonction du second degré qui représente le jet de sorte que son sommet se situe sur l'axe des y et que la distance horizontale d'un côté à l'autre se situe sur l'axe des x.

b) Détermine l'équation de la fonction.

c) Détermine la hauteur maximale du jet.

12. Détermine le ou les points d'intersection des fonctions de chaque paire.

a) $f(x) = 2x^2 - 3x + 4$ et $g(x) = 2x + 5$

b) $f(x) = -x^2 + 8x + 3$ et $g(x) = -0,5x + 1$

13. Pour quelle valeur de k la droite d'équation $y = -5x + k$ sera-t-elle tangente à la courbe de $f(x) = -4x^2 + 3x + 1$?

Chapitre 2 Les transformées et la réciproque de fonctions

14. Détermine si les fonctions de chaque paire sont équivalentes.

a) $f(x) = (2x + 1)(x - 3) - (x + 2)(x - 4)$,
$g(x) = 3(x - 1)^2 - (2x + 1)(x - 2)$

b) $f(x) = (x + 3)(x - 2) + 2(x - 5)(x + 1)$,
$g(x) = -(x - 2)(x + 3) + 2x(1 - x)$

15. Soit le graphique d'une fonction $f(x)$. Trace le graphique de la fonction $g(x)$ en situant les points images A′, B′, C′, D′ et E′.

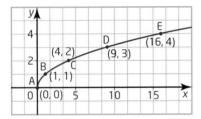

a) $g(x) = f(x) + 4$

b) $g(x) = f(x - 2)$

c) $g(x) = f(x - 6) + 3$

d) $g(x) = f(x + 5) - 1$

16. Reproduis le graphique de $f(x)$ et trace chaque transformée $g(x)$. Puis, indique le domaine et l'image de chaque fonction.

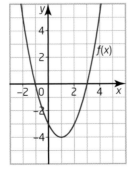

a) $g(x) = f(-x)$

b) $g(x) = -f(x)$

c) $g(x) = -f(-x)$

17. Pour chaque fonction $g(x)$:

I) détermine la fonction de base parmi $f(x) = x$, $f(x) = x^2$, $f(x) = \sqrt{x}$, et $f(x) = \dfrac{1}{x}$,

II) décris la transformation sous la forme $y = f(x - c) + d$ et à l'aide de mots,

III) transforme le graphique de $f(x)$ pour obtenir le graphique de $g(x)$,

IV) indique le domaine et l'image de la fonction de base et de la fonction transformée.

a) $g(x) = (x + 2)^2 - 1$

b) $g(x) = \sqrt{x + 3} - 4$

c) $g(x) = \dfrac{1}{x - 4} + 6$

d) $g(x) = (x - 7)^2 + 3$

18. David et son ami Simon participent à une course de vélo de 20 km. David roule 1,5 km/h plus vite que Simon. Le temps, en heures, qu'il faut pour terminer la course est donné par $t = \dfrac{d}{v}$, où d est la distance, en kilomètres, et v est la vitesse, en kilomètres à l'heure.

a) Soit v, la vitesse de Simon. Détermine la fonction qui représente le temps de David. Quels en sont le domaine et l'image?

b) Détermine une fonction qui représente le temps de Simon. Quels en sont le domaine et l'image?

c) Représente graphiquement ces deux fonctions dans le même plan cartésien.

d) Utilise ce graphique pour déterminer le temps de Simon s'il faut à David 45 min pour terminer la course.

19. Détermine l'équation de chaque fonction:

I) après une réflexion par rapport à l'axe des x, donnant $g(x)$,

II) après une réflexion par rapport à l'axe des y, donnant $h(x)$.

a) $f(x) = 2x^2 - 7x + 3$

b) $f(x) = \sqrt{x} - 3$

c) $f(x) = \dfrac{1}{x + 2}$

20. Soit la fonction $f(x) = x^2$. Détermine la valeur de a ou de k, transforme le graphique de $f(x)$ pour obtenir le graphique de $g(x)$, puis indique le domaine et l'image de $g(x)$.

a) $g(x) = 2f(x)$ **b)** $g(x) = f(3x)$

c) $g(x) = f\left(\dfrac{x}{4}\right)$ **d)** $g(x) = \dfrac{1}{3}f(x)$

21. Pour chaque fonction $g(x)$, décris la transformation appliquée à une fonction de base $f(x) = x$, $f(x) = x^2$, $f(x) = \sqrt{x}$ ou $f(x) = \dfrac{1}{x}$. Puis, transforme le graphique de $f(x)$ pour tracer celui de $g(x)$.

a) $g(x) = 7x$ **b)** $g(x) = \dfrac{1}{5x}$

c) $g(x) = (3x)^2$ **d)** $g(x) = \sqrt{6x}$

22. Décris, dans le bon ordre, les transformations à appliquer à la fonction de base $f(x)$ pour produire la fonction transformée. Puis, écris son équation et transforme le graphique de $f(x)$ pour tracer celui de $g(x)$.

a) $f(x) = \sqrt{x}$, $g(x) = 4f(x + 3)$

b) $f(x) = x$, $g(x) = -f(5x) - 2$

c) $f(x) = x^2$, $g(x) = -3f(2x + 9) - 4$

23. Pour chaque fonction $f(x)$:

I) détermine $f^{-1}(x)$,

II) trace le graphique de $f(x)$ et de sa réciproque,

III) détermine si $f^{-1}(x)$ est une fonction.

a) $f(x) = 11x - 3$

b) $f(x) = 3x^2 + 4$

c) $f(x) = (x + 8)^2 + 19$

d) $f(x) = 2x^2 - 3x + 14$

24. Issa travaille dans un magasin de meubles. Elle gagne 450 $ par semaine, et une commission de 6 % sur ses ventes.

a) Écris une fonction qui décrit le revenu hebdomadaire total d'Issa selon ses ventes.

b) Détermine la fonction réciproque.

c) Que représente cette réciproque?

d) Une semaine, Issa a gagné 1 020 $. Calcule le montant de ses ventes.

Chapitre 3 Les fonctions exponentielles

25. Associe chaque graphique à l'une des équations suivantes.

$$y = x^2 \qquad y = 3x \qquad y = 3^x \qquad y = \left(\dfrac{1}{3}\right)^x$$

a)

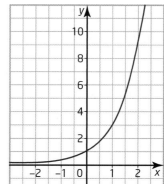

b)

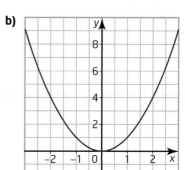

c)

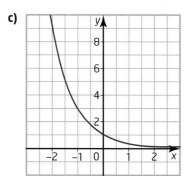

d)

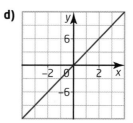

26. La population initiale d'une colonie de bactéries, qui compte 150 individus, triple chaque jour. Quelle équation représente cette croissance exponentielle?

A $P = 3 \times 150^n$ **B** $P = 150 \times \left(\dfrac{1}{3}\right)^n$

C $P = 150 \times 3^n$ **D** $P = 150 \times 2^n$

27. Une substance radioactive a une demi-vie de 3 ans. Soit un échantillon initial de 200 mg.

a) Écris l'équation qui définit la masse restante en fonction du temps.

b) Combien en restera-t-il au bout d'une décennie?

c) Dans combien de temps l'échantillon aura-t-il 10 % de sa masse initiale? Explique ta démarche.

d) Montre comment tu peux réécrire l'équation en a) sous une autre forme.

e) Explique pourquoi les deux équations sont équivalentes.

28. Évalue ces expressions. Exprime tes réponses sous la forme la plus simple.

a) 9^{-1} **b)** 5^{-2} **c)** $4^{-2} + 16^{-1}$

d) $3^{-3} + 3^0$ **e)** $\left(-\dfrac{1}{5}\right)^{-2}$ **f)** $\left(\dfrac{2}{3}\right)^{-5}$

29. Simplifie ces expressions. Exprime tes réponses à l'aide d'exposants positifs.

a) $(x^{-3})(x^{-2})(x^0)$ **b)** $(2nm^2)^{-3}(4n^{-2}m^{-2})$

c) $a^{-4} \div a^{-5}$ **d)** $\dfrac{m^{-3}n^{-4}}{m^{-2}b^{-1}}$

e) $(s^{-4})^{-5}$ **f)** $(3ab^{-3})^{-2}$

30. Évalue chaque expression. Exprime toute fraction sous forme irréductible.

a) $\sqrt[4]{81}$ **b)** $\sqrt[3]{-1\,000}$ **c)** $\sqrt[9]{-512}$

d) $343^{\frac{1}{3}}$ **e)** $\left(\dfrac{125}{216}\right)^{\frac{1}{3}}$ **f)** $81^{\frac{3}{4}}$

g) $128^{\frac{4}{7}}$ **h)** -5^{-4} **i)** $\left(\dfrac{2}{3}\right)^{-5}$

31. a) Trace le graphique de $y = 64\left(\dfrac{1}{4}\right)^x$.

b) Indique:

  I) le domaine, **II)** l'image,

  III) toute coordonnée à l'origine,

IV) les intervalles de croissance et de décroissance,

  V) l'équation de l'asymptote.

c) Montre comment tu peux réécrire l'équation en a) sous une autre forme. Explique pourquoi les deux équations sont équivalentes.

32. Soit la population de Mont-André sur 6 ans.

Année	Population
0	1 500
1	1 575
2	1 654
3	1 736
4	1 823
5	1 914
6	2 010

a) Crée un nuage de points. La relation semble-t-elle exponentielle? Explique ton raisonnement.

b) Détermine l'équation de la courbe la mieux ajustée.

c) Restreins le domaine de la fonction pour qu'elle représente bien la situation.

d) Prédis la taille de la population 9 ans après la première valeur du tableau. Indique tes hypothèses.

e) Combien de temps faudra-t-il pour que la population double? Indique tes hypothèses.

33. Un échantillon d'une substance radioactive a une masse initiale de 100 mg et une demi-vie de 1,5 jour.

a) Écris l'équation qui définit la masse restante en fonction du temps.

b) Trace le graphique de la fonction. Décris la forme de la courbe.

c) Restreins le domaine pour que le modèle représente la situation.

d) Quelle masse restera-t-il au bout:

  I) de 8 jours? **II)** de 2 semaines?

e) Quand l'échantillon aura-t-il 3 % de sa masse initiale?

Les isotopes radioactifs

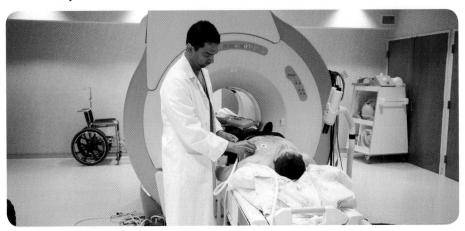

En médecine nucléaire, les isotopes radioactifs servent à l'examen du corps des patientes et des patients. L'observation des isotopes comme l'iode 131 (demi-vie de 8,065 jours), injectés dans le corps humain en très petites quantités, permet aux médecins de poser un diagnostic. La demi-vie des isotopes est courte ; l'étiquette indique par conséquent la radioactivité de l'élément (la quantité restante) à un moment donné.

a) L'hôpital reçoit une bouteille d'iode 131 le 5 septembre. L'étiquette indique que sa radioactivité sera de 380 mégabecquerels (MBq) à minuit le 10 septembre.

> I) Écris une équation qui définit la radioactivité en fonction du moment de la livraison de la bouteille.

> II) Quelle est la radioactivité de l'échantillon :
> - à minuit le jour de la livraison ?
> - à 6 heures le 25 septembre ?

> III) Trace le graphique de la relation.

b) La période effective est le temps nécessaire pour que la radioactivité d'un isotope présent dans le corps diminue de moitié, par l'effet combiné de la désintégration et de l'élimination naturelle. Chez les patientes et les patients atteints de la maladie de Graves, la période effective de l'iode 131 est égale à 62,5 % de sa demi-vie. Chez ceux qui souffrent de goitre nodulaire toxique, la période effective est égale à 75 % de la demi-vie. Compare ces résultats au taux de désintégration normal de l'iode 131 numériquement, graphiquement et algébriquement.

c) Effectue une recherche sur l'un de ces trois sujets et rédige un bref compte rendu.
- D'autres isotopes radioactifs servant au diagnostic ou au traitement
- Les maladies que les isotopes radioactifs peuvent traiter
- La production et le transport des isotopes radioactifs
- La formation que doit acquérir le personnel médical pour utiliser les isotopes radioactifs

La trigonométrie

Souvent, divers obstacles, notamment des montagnes, des arbres, des immeubles et des fils électriques, se dressent près des aéroports. Les pilotes doivent avoir des renseignements précis pour les éviter. C'est particulièrement important lorsque les conditions météo et le manque de lumière les forcent à voler uniquement à l'aide de leurs instruments. En matière de contrôle de la circulation aérienne, les autorités font face à un problème : il est souvent difficile, voire impossible, de mesurer directement la hauteur de ces obstacles et leur distance relative. Dans ce chapitre, tu apprendras comment la trigonométrie peut aider à surmonter un tel défi.

Après l'étude de ce chapitre, tu pourras :

- déterminer les valeurs exactes des sinus, cosinus et tangentes des angles remarquables de 0°, 30°, 45°, 60° et 90° et de leurs multiples jusqu'à 360° ;

- déterminer le sinus, le cosinus et la tangente d'un angle supérieur à 90° à l'aide de techniques appropriées ;

- déterminer deux angles qui correspondent à une valeur donnée d'un rapport trigonométrique ;

- démontrer des identités trigonométriques simples en utilisant l'identité de Pythagore $\sin^2 x + \cos^2 x = 1$, l'identité quotient $\tan x = \frac{\sin x}{\cos x}$ et les identités des rapports trigonométriques inverses : $\csc x = \frac{1}{\sin x}$, $\sec x = \frac{1}{\cos x}$ et $\cot x = \frac{1}{\tan x}$;

- résoudre des problèmes en deux et en trois dimensions portant sur des triangles rectangles ou obliques à l'aide des rapports sinus, cosinus et tangente, de la loi des sinus et de la loi du cosinus, y compris le cas ambigu.

Connaissances préalables

Consulte l'annexe Connaissances préalables, aux pages 478 à 495, pour des exemples et des exercices supplémentaires.

Les triangles

1. Mesure les côtés et les angles de chaque triangle. Classe ces triangles aussi précisément que possible à l'aide des termes *équilatéral*, *isocèle*, *scalène* et *rectangle*.

a)

b)

c)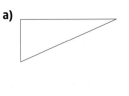

d)

La somme des angles d'un triangle

2. Esquisse chaque triangle sur papier ou à l'aide d'un logiciel de représentation graphique. Ensuite, mesure-le pour déterminer les valeurs demandées.

a) Dans le △ABC, m∠A = 50° et m∠B = 70°. Détermine la mesure de ∠C.

b) Le △DEF est isocèle ; m$\overline{DE}$ = m$\overline{DF}$ et m∠D = 40°. Détermine la mesure des deux autres angles.

c) Le △GHI est équilatéral. Détermine la mesure de chaque angle.

d) Le △JKL est isocèle et m∠K = 90°. Détermine la mesure des autres angles.

Le théorème de Pythagore

3. Détermine la mesure demandée de chaque triangle. Arrondis ta réponse au dixième près, si nécessaire.

a)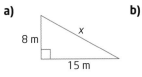

b)

Les triangles semblables

4. Détermine la mesure demandée de chaque figure à partir des triangles semblables.

a)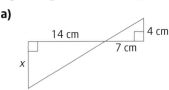

b)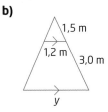

Les rapports trigonométriques de base

5. Dans chaque triangle, détermine les rapports trigonométriques de base de ∠A et de ∠C.

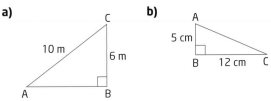

6. À l'aide d'une calculatrice, détermine approximativement les rapports trigonométriques de base de chaque angle. Arrondis tes réponses au dix-millième près, si nécessaire. Assure-toi que ta calculatrice affiche les angles en degrés, et non en radians.

a) 30° **b)** 45° **c)** 60°

La détermination de la mesure d'un angle à partir d'un rapport trigonométrique

7. Détermine la mesure de chaque angle, au degré près.

a) ∠A, si sin A = 0,529 9

b) ∠B, si cos B = $\frac{3}{4}$ **c)** ∠C, si tan C = $\frac{\sqrt{3}}{3}$

> **Conseil techno**
>
> Pour accéder aux fonctions sin⁻¹, cos⁻¹ et tan⁻¹ de ta calculatrice, il te faut peut-être appuyer sur une autre touche, comme (2nd), (SHIFT) ou (INV).

L'utilisation de rapports trigonométriques

8. Dans le △ABC, m∠A = 50°, m∠B = 90° et $a = 8$ cm.

a) Fais un schéma annoté. À l'aide de quel rapport trigonométrique déterminerais-tu la valeur de c ? Explique ton choix.

b) Détermine c au centimètre près.

c) Détermine m∠C.

9. Une échelle de 6 m est posée contre un mur et atteint une fenêtre à 5,8 m de hauteur. Pour être sécuritaire, l'échelle doit former un angle de 70° à 80° avec le sol.

a) À l'aide d'un rapporteur et d'une règle, fais un schéma à l'échelle.

b) Prédis si l'échelle est sécuritaire. Explique ta réponse.

c) Vérifie ta prédiction à l'aide d'un rapport trigonométrique de ton choix.

La loi des sinus et la loi du cosinus

10. Détermine la longueur du côté inconnu b, au dixième près.

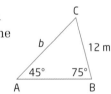

11. Détermine la longueur du côté inconnu d, au dixième de centimètre près.

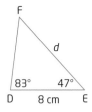

12. Dans le △PQR, $q = 18$ m, $r = 14$ m et m∠P = 48°.

a) Choisis la relation trigonométrique appropriée pour déterminer la mesure de p. Explique ton choix.

b) Détermine la mesure de p au mètre près.

c) Détermine m∠Q au degré près.

Maths et monde

Les relations trigonométriques permettent de poser une équation pour déterminer la valeur d'une inconnue. Elles comprennent entre autres les rapports trigonométriques de base, la loi des sinus et la loi du cosinus.

13. Soit le △ABC, où $a = 15$ cm, m∠A = 35° et m∠C = 55°. Tu souhaites déterminer la mesure de c. Choisis la relation trigonométrique la plus appropriée. Explique ton choix.

Problème du chapitre

Chantal participe à des courses d'orientation, qui consistent à suivre un parcours jalonné de postes de contrôle. Au point de départ, chaque participante et participant reçoit une carte, une boussole pour s'orienter et un podomètre pour mesurer les distances parcourues.

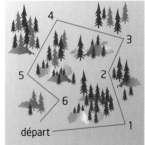

Pour un projet de mathématiques, Chantal a créé le parcours d'une course d'orientation. Les participantes et participants devront suivre les indications et mesurer la distance entre les postes de contrôle à l'aide de la trigonométrie. Pour les trois premières étapes, ils n'ont droit qu'à un papier et à un crayon. Au troisième poste de contrôle, on leur remet une calculatrice. Tu participeras à la course de Chantal en te fondant sur les notions de trigonométrie que tu auras apprises dans ce chapitre.

Les angles remarquables

Les nuages, le brouillard, la neige et autres empêchent souvent les pilotes de voir les avions à proximité. Un logiciel de contrôle de la circulation aérienne suit la trajectoire des avions pour assurer une distance suffisante entre les appareils. Ce logiciel se fonde sur des calculs trigonométriques. Sur l'écran radar représenté, il y a un avion (GZW) à 10 km à l'est de la tour de contrôle et un autre (TGL) à 8 km au sud-ouest de la même tour. Le logiciel peut déterminer la distance entre les deux appareils à l'aide de la loi du cosinus, mais il lui faut le cosinus d'un angle obtus. Les rapports trigonométriques existent-ils pour les angles supérieurs à 90°? Comment les calcule-t-on?

Dans cette section, tu apprendras comment calculer les rapports trigonométriques de base pour tout angle de 0° à 360°.

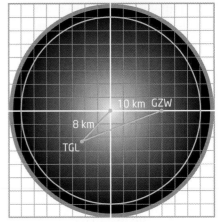

Matériel

- logiciel *Cybergéomètre*

ou

- papier quadrillé

cercle unitaire

- un cercle, centré sur l'origine, dont le rayon mesure 1 unité

Conseil techno

Tu peux faire glisser le point unitaire du *Cybergéomètre* sur l'axe des *x* pour former un cercle de la bonne taille. Pour mesurer des distances par le menu **Mesures**, assure-toi de sélectionner **Distance entre les coordonnées** afin d'obtenir la bonne échelle.

Explore A

Comment peut-on déterminer la valeur exacte d'un rapport trigonométrique?

Certains triangles comportent des angles et des côtés dont les mesures sont connues. À partir de ces triangles, tu peux déterminer la valeur exacte de rapports trigonométriques d'angles remarquables.

1. Dessine un plan cartésien. Trace un cercle centré sur l'origine. Le rayon du cercle représente 1 unité. Ce cercle se nomme **cercle unitaire**.

Si tu utilises du papier quadrillé, construis un cercle unitaire suffisamment grand pour plus de précision.

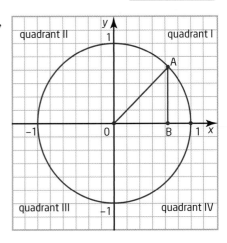

2. a) Trace un angle de 45° dans le quadrant I en plaçant le **côté initial** sur l'axe des x. Prolonge le **côté terminal** de l'angle de façon qu'il coupe le cercle au point A et que $\overline{OA}$ soit un rayon du cercle. On appelle cette représentation **angle trigonométrique**.

b) Trace une ligne verticale du point A jusqu'à l'axe des x et nomme l'intersection B.

c) Trace une ligne de l'origine au point B pour former le △OAB.

3. Réflexion Classe le △OAB le plus précisément possible.

4. Applique le théorème de Pythagore pour déterminer la longueur des côtés du △OAB. Présente tes réponses sous la forme de radicaux (et non de nombres décimaux).

5. a) Détermine les expressions exactes de sin 45°, cos 45° et tan 45° à partir de la longueur des côtés.

b) Évalue ces expressions au dix-millième près à l'aide d'une calculatrice.

6. Évalue sin 45°, cos 45° et tan 45° à l'aide d'une calculatrice.

7. a) Réflexion Comment les rapports trigonométriques déterminés à partir du triangle se comparent-ils à ceux déterminés à l'aide de la calculatrice?

b) Quelle est la relation entre cos 45° et la mesure du côté OB du △OAB?

c) Quelle est la relation entre sin 45° et la mesure du côté AB du △OAB?

d) Détermine les coordonnées du point A. En quoi les relations décrites en b) et c) sont-elles reliées aux coordonnées du point A?

côté initial
- le côté d'un angle trigonométrique qui se trouve sur la partie positive de l'axe des x

côté terminal
- le côté qui rencontre le côté initial à l'origine et qui résulte d'une rotation dans le sens antihoraire (angle positif), ou dans le sens horaire (angle négatif)

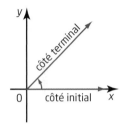

angle trigonométrique
- un angle de rotation dont le sommet est situé à l'origine d'un plan cartésien et dont le côté initial est sur la partie positive de l'axe des x

Explore B

Comment peut-on déterminer les rapports trigonométriques pour tout angle supérieur à 90°?

1. Le segment de droite OA tracé dans la rubrique *Explore A* forme un angle de 45° avec l'axe des x. Applique au point A une réflexion par rapport à l'axe des y pour obtenir le point C. Relie le point C à l'origine. Quelle est la mesure de l'angle formé par le segment OC et la partie négative de l'axe des x? Cet angle se nomme **angle de référence**. Il importe de le connaître, car les six rapports trigonométriques de tout angle supérieur à 90° ont la même valeur que ceux de son angle de référence – seul le signe change parfois.

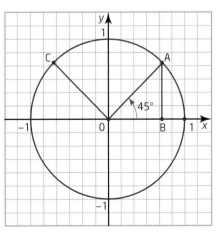

Conseil techno

Tu peux faire pivoter le côté terminal de façon à former un angle précis à l'aide du menu **Transformation** du *Cybergéomètre*. Si tu as besoin d'aide avec le *Cybergéomètre*, consulte l'annexe Technologie, aux pages 496 à 516.

angle de référence
- l'angle aigu formé par le côté terminal d'un angle trigonométrique et l'axe des x

2. Quelles sont les coordonnées du point C?

3. Revois les relations déterminées en d) à l'étape 7 de la rubrique *Explore A*. Détermine cos 135° et sin 135° à partir des coordonnées du point C.

4. **Réflexion** Comment peux-tu utiliser les coordonnées du point C pour représenter tan 135°?

5. a) Détermine tan 135°.

   b) Calcule la pente du côté terminal OC. Quel lien y a-t-il entre cette pente et tan 135°?

6. Compare les rapports trigonométriques déterminés aux questions 3 et 5 avec les valeurs de sin 135°, cos 135° et tan 135° fournies par une calculatrice.

Explore C

Comment peut-on déterminer les rapports trigonométriques de tout angle à l'aide d'un cercle unitaire?

1. Trace un point D de façon que le segment de droite OD forme un angle de 230° (mesuré dans le sens antihoraire) avec la partie positive de l'axe des *x*.

2. Pour déterminer les coordonnées du point D, trace une droite verticale qui coupe l'axe des *x* au point E. L'angle EOD est l'angle de référence de cet angle trigonométrique.

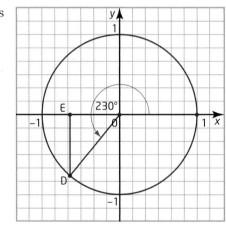

3. Mesure $\overline{OE}$ et $\overline{ED}$. Détermine les coordonnées du point D à partir de ces mesures. Note ces coordonnées.

4. Détermine sin 230°, cos 230° et tan 230°.

5. **Réflexion** Explique pourquoi le sinus et le cosinus de 230° sont négatifs, tandis que la tangente est positive.

Exemple 1

Déterminer les rapports trigonométriques de base d'un angle de 30° et d'un angle de 60°

Le triangle équilatéral est aussi un triangle dont on connaît la longueur des côtés et la mesure des angles.

a) Construis un triangle équilatéral dont les côtés mesurent 2 unités et dont la base est horizontale. À partir du sommet du haut, trace un segment vertical pour former deux triangles rectangles congruents.

b) Quelle est la mesure des angles de ces triangles ?

c) Détermine la longueur de la base et la hauteur de l'un de ces triangles. Laisse tes réponses sous forme de radicaux, le cas échéant.

d) Détermine la valeur exacte des rapports trigonométriques d'un angle de 30° et d'un angle de 60° à partir de la longueur des côtés et de la mesure des angles.

Solution

a)

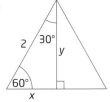

b) La hauteur y divise l'angle du haut en deux angles de 30°. Les angles de chacun des triangles mesurent 30°, 60° et 90°.

c) Soit x, la base de l'un des triangles. La longueur de x est égale à la moitié de celle d'un côté, donc à 1 unité.

Soit y, la hauteur du triangle. Puisqu'il s'agit d'un triangle rectangle, le théorème de Pythagore s'applique.

$$x^2 + y^2 = 2^2$$
$$1^2 + y^2 = 4$$
$$y^2 = 3$$
$$y = \sqrt{3} \quad \text{Puisqu'une longueur est toujours positive, rejette la valeur négative de } y.$$

d) Puisque le côté adjacent à l'angle de 60° mesure 1 unité, le côté opposé mesure $\sqrt{3}$ unité et l'hypoténuse mesure 2 unités, d'où

$$\sin 60° = \frac{\sqrt{3}}{2}, \cos 60° = \frac{1}{2} \text{ et}$$

$$\tan 60° = \frac{\sqrt{3}}{1}$$
$$= \sqrt{3}$$

De même,
$$\sin 30° = \frac{1}{2}, \cos 30° = \frac{\sqrt{3}}{2} \text{ et } \tan 30° = \frac{1}{\sqrt{3}} \text{ ou } \frac{\sqrt{3}}{3}$$

> **Conseil techno**
>
> Un logiciel de calcul formel (LCF) peut donner soit la valeur exacte, soit la valeur approximative des rapports trigonométriques d'angles remarquables. Tu en apprendras davantage sur l'utilisation d'un LCF dans la section Technologie qui suit la section 4.2.

Exemple 2

Déterminer les rapports trigonométriques des angles de 0°, 90°, 180° et 270°

Détermine la valeur exacte des rapports trigonométriques des angles de 0°, 90°, 180° et 270° à l'aide d'un cercle unitaire.

Solution

Choisis un point sur le côté terminal de chaque angle dans le cercle unitaire.

Pour un angle de 0°, le point est situé sur l'axe des x en (1, 0).

$$\sin \theta = y \qquad \cos \theta = x \qquad \tan \theta = \frac{y}{x}$$

$$\sin 0° = 0 \quad \cos 0° = 1 \quad \tan 0° = \frac{0}{1}$$

$$= 0$$

Pour un angle de 90°, le point est situé sur l'axe des y en (0, 1).

$$\sin \theta = y \qquad \cos \theta = x \qquad \tan \theta = \frac{y}{x}$$

$$\sin 90° = 1 \quad \cos 90° = 0 \qquad \tan 90° = \frac{1}{0} \qquad \text{La division par 0 n'est pas définie.}$$

$$\tan 90° \text{ n'est pas définie.}$$

Pour un angle de 180°, le point est situé sur l'axe des x en (−1, 0).

$$\sin \theta = y \qquad \cos \theta = x \qquad \tan \theta = \frac{y}{x}$$

$$\sin 180° = 0 \quad \cos 180° = -1 \quad \tan 180° = \frac{0}{-1}$$

$$\tan 180° = 0$$

Pour un angle de 270°, le point est situé sur l'axe des y en (0, −1).

$$\sin \theta = y \qquad \cos \theta = x \qquad \tan \theta = \frac{y}{x}$$

$$\sin 270° = -1 \quad \cos 270° = 0 \qquad \tan 270° = \frac{-1}{0}$$

$$\tan 270° \text{ n'est pas définie.}$$

Maths et monde

θ est la minuscule de la lettre grecque thêta. On représente souvent des quantités variables en sciences et en mathématiques par des lettres grecques. Parmi les autres lettres souvent utilisées, on compte α, β, et ϕ (alpha, bêta et phi).

Maths et monde

Pour représenter 10° à l'ouest du nord (ou 10° ON), effectue une rotation de 10° vers l'ouest à partir du nord.

Exemple 3

Appliquer des rapports trigonométriques

Un contrôleur aérien observe qu'un appareil de Valeur air se trouve à 20 km à l'est de la tour de contrôle alors qu'un autre, de la société Première classe, se trouve à 25 km de la tour, à 10° à l'ouest du nord.

a) Quel est l'angle entre les deux appareils vus de la tour?

b) Construis un cercle unitaire pour déterminer le cosinus de l'angle déterminé en a).

Solution

a) Entre l'est et le nord, il y a un angle de 90°. On y ajoute un angle de 10°, ce qui donne un angle de 100° entre les avions.

b) Trace un cercle unitaire, et le point A qui correspond à un angle de 100°, à l'aide d'un logiciel de géométrie ou de papier quadrillé. Trace un segment vertical qui coupe l'axe des x au point B pour fermer le triangle. Mesure les côtés du triangle pour déterminer les coordonnées du point A.

Rappel : Si tu utilises du papier quadrillé, utilise un rapport d'échelle approprié.

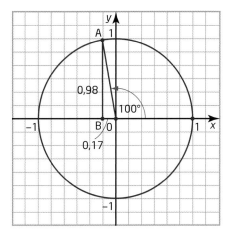

> **Conseil techno**
>
> Le papier quadrillé permet une précision au dixième près, approximativement. Les logiciels de géométrie sont généralement plus précis. Avec le *Cybergéomètre*, tu peux définir les **Préférences** dans le menu **Édition** pour avoir une précision au cent-millième.

Les coordonnées du point A sont approximativement $(-0,17, 0,98)$. Donc, $\cos 100° \approx -0,17$.

Concepts clés

- On peut déterminer les rapports trigonométriques d'angles supérieurs à 90° à l'aide d'un cercle unitaire.

- Tout point d'un cercle unitaire peut être relié à l'origine pour former le côté terminal d'un angle. On mesure l'angle θ dans le sens antihoraire, à partir du côté initial (le long de l'axe des x) jusqu'au côté terminal.

- Les coordonnées du point P(x, y) sur un cercle unitaire sont liées à l'angle θ de façon que $x = \cos \theta$ et $y = \sin \theta$.

- $\tan \theta = \dfrac{y}{x}$

- On peut déterminer la valeur exacte des rapports trigonométriques pour des angles remarquables à l'aide de triangles remarquables.

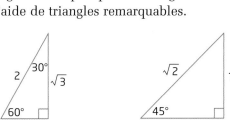

- Les valeurs exactes des rapports trigonométriques d'un angle de 45° sont

$$\sin 45° = \frac{1}{\sqrt{2}}, \text{ ou } \frac{\sqrt{2}}{2}, \cos 45° = \frac{1}{\sqrt{2}}, \text{ ou } \frac{\sqrt{2}}{2}, \text{ et } \tan 45° = 1.$$

Communication et compréhension

C1 Qu'arrive-t-il au signe de cos θ pendant que le côté terminal d'un angle effectue un tour complet dans le sens antihoraire (de 0° à 360°) à partir de l'axe des x ? Explique pourquoi à l'aide des coordonnées. Fais la même chose pour sin θ, puis pour tan θ.

C2 Pour certains angles, il existe des rapports trigonométriques non définis. Donne deux exemples. Explique pourquoi ces rapports ne sont pas définis.

C3 Quels rapports trigonométriques sont positifs pour les angles dont le côté terminal est dans le quadrant IV ? Lesquels sont négatifs ? Explique pourquoi.

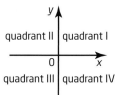

Ⓐ À ton tour

Si tu as besoin d'aide pour répondre aux questions 1 à 4, reporte-toi à la rubrique Explore A et aux exemples 1 et 2.

1. Compare les valeurs exactes des rapports trigonométriques des angles de 30° et de 60° aux rapports trigonométriques déterminés à l'aide d'une calculatrice.

2. Compare les valeurs exactes des rapports trigonométriques de l'exemple 2 aux rapports trigonométriques déterminés à l'aide d'une calculatrice.

3. a) Représente un angle de 30° à l'aide d'un cercle unitaire. Construis un triangle. À partir de celui-ci, détermine la valeur exacte des rapports trigonométriques de base d'un angle de 30°.

   b) Représente un angle de 60° à l'aide d'un cercle unitaire. Construis un triangle. À partir de celui-ci, détermine la valeur exacte des rapports trigonométriques de base d'un angle de 60°.

4. Dans un tableau, note les valeurs exactes des rapports trigonométriques des angles de 0°, 30°, 45°, 60° et 90°. Ajoute une colonne pour les rapports déterminés à l'aide d'une calculatrice, au dix-millième près.

Si tu as besoin d'aide pour répondre aux questions 5 et 6, reporte-toi à la rubrique Explore B.

5. a) À partir d'un angle de référence de 45°, on détermine les rapports trigonométriques d'un angle de 135° à l'aide d'un cercle unitaire. Quel angle de référence faudrait-il utiliser pour déterminer les rapports trigonométriques d'un angle de 120° ?

   b) Construis un cercle unitaire pour déterminer la valeur exacte des trois rapports trigonométriques de base d'un angle de 120°.

6. Construis un cercle unitaire pour déterminer la valeur exacte des rapports trigonométriques de base d'un angle de 315°.

Si tu as besoin d'aide pour répondre aux questions 7 et 8, reporte-toi à la rubrique Explore C et à l'exemple 3.

7. Détermine la valeur approximative des rapports trigonométriques de base d'un angle de 40° à l'aide d'un cercle unitaire. Mesure autant de côtés que nécessaire. Compare tes réponses à celles déterminées à l'aide d'une calculatrice, au dix-millième près.

8. Détermine la valeur approximative des rapports trigonométriques de base d'un angle de 310° à l'aide d'un cercle unitaire. Mesure autant de côtés que nécessaire. Compare tes réponses à celles déterminées à l'aide d'une calculatrice.

9. Dans un tableau, note les valeurs exactes des rapports trigonométriques de base des angles de 0°, 90°, 180°, 270° et 360°.

10. Pour chaque quadrant, nomme les rapports trigonométriques positifs de tout angle dont le côté terminal se trouve dans ce quadrant.

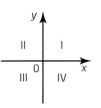

B Liens et mise en application

11. Un pin d'une hauteur de 10 m, endommagé par une tempête, forme un angle de 60° avec le sol.

   a) Représente la situation par un schéma.

   b) Détermine l'expression qui représente exactement la longueur de l'ombre de l'arbre lorsque le Soleil est à la verticale.

12. Un voilier se trouve à 12 km au nord d'un phare. Un bateau à moteur se trouve à 12 km à l'est du même phare.

   a) À l'aide de la trigonométrie, exprime exactement la distance entre les deux bateaux.

   b) Vérifie ta réponse à l'aide d'une autre méthode.

13. Les grandes structures sont parfois stabilisées à l'aide de cordes ou de câbles fixés au sol, appelés «haubans». Suppose que deux haubans attachés au sommet d'un mât le stabilisent. Un premier hauban de 25 m forme un angle de 60° avec le sol. L'autre hauban forme avec le sol un angle dont le sinus est égal au cosinus de l'angle formé par le premier hauban.

   a) Représente la situation par un schéma.

   b) Détermine la longueur du deuxième hauban au dixième de mètre près, sans calculer aucune mesure d'angle.

   c) Pourquoi n'est-il pas nécessaire ici de déterminer la mesure de l'angle que forme le deuxième hauban?

   d) Détermine la mesure de l'angle entre le deuxième hauban et le sol.

14. Technologie Réponds à cette question à l'aide d'une calculatrice.

   a) Reproduis le tableau et remplis-le.

θ	sin θ	Quadrant	Signe
30°			
150°			
210°			
330°			

   b) Remarque le lien entre le signe de sin θ et le quadrant. Est-ce ce à quoi tu t'attendais?

   c) Maintenant, travaille à rebours. Détermine l'angle qui correspond à:

   I) sin θ = 0,5.   **II)** sin θ = −0,5.

   La calculatrice ne te donnera qu'une réponse pour chaque rapport, même si deux angles entre 0° et 360° correspondent à chacune de ces valeurs. Remarque aussi que la calculatrice donne −30° plutôt que 330° pour le second angle. Pour les angles entre 180° et 360°, la calculatrice suit le sens horaire à partir de la partie positive de l'axe des x. Les angles mesurés dans cette direction sont négatifs par définition.

   d) Crée un tableau semblable pour cos θ, avec les angles de 60°, 120°, 240° et 300°. Ensuite, détermine les angles à partir des valeurs positives et négatives du cosinus. Note les réponses données par la calculatrice.

   e) Fais l'essai avec tan θ à l'aide d'angles de ton choix. Remarque la façon dont la calculatrice présente les angles quand tu travailles à rebours.

15. a) Formule un problème concret qui se résoudra à l'aide des rapports trigonométriques d'angles remarquables, sans calculatrice. Résous le problème pour t'assurer qu'il a une solution.

b) Échange ton problème contre celui d'une ou d'un camarade et résous le problème reçu.

c) Évalue la solution de ta ou ton camarade à ton problème. Vérifie l'usage adéquat des symboles mathématiques.

16. Problème du chapitre Tu t'apprêtes à entreprendre la course d'orientation trigonométrique de Chantal. Trace un plan cartésien sur du papier quadrillé pour y représenter ton parcours. Inscris « départ » à l'origine. Toutes les coordonnées du parcours seront positives. À partir du poste de contrôle n° 3, tu pourras te servir d'une calculatrice. Calcule la direction du poste de contrôle n° 1 et la distance qui t'en sépare à partir des instructions qui suivent. Dessine ce trajet sur ta carte et inscris-y l'angle et la distance.

Choisis une échelle appropriée et inscris-la sur la feuille.

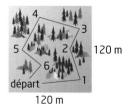

Poste de contrôle n° 1
Direction : au nord de l'est

Utilise l'angle situé dans le quadrant I dont le sinus est $\frac{1}{2}$.

Distance : la valeur de l'expression
$-40(\cos 150° \times \tan 135° \times \sin 300°)$

17. Stéphane a tracé un triangle rectangle EFG au bord d'une rivière de façon que $m\overline{FG} = 20$ m et $m\angle DEF = 60°$. $\overline{EG}$ divise $\angle DEF$ en deux parties égales. Sans calculatrice, détermine la largeur DG de la rivière.

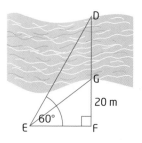

✔️ **Question d'évaluation**

18. Dans le $\triangle PQR$, $m\angle Q = 90°$, $m\angle P = 60°$ et $m\angle R = 30°$. $\overline{PR}$ mesure 1 unité. Prolonge le côté QR jusqu'au point T de façon que $m\overline{PR} = m\overline{RT}$. Relie P à T.

a) Fais un schéma qui représente la situation.

b) Calcule la mesure exacte de $\angle T$. Explique ta réponse.

c) Quelles longueurs dois-tu connaître pour trouver tan T ? Pourquoi ?

d) Détermine la valeur exacte des longueurs inconnues en c), sans calculatrice. Explique ton raisonnement.

e) Détermine la valeur exacte de tan T.

C Approfondissement

19. Soit un angle trigonométrique de 30° dans un cercle unitaire. Relie A à B et à C comme ci-dessous. Montre que les longueurs des côtés du $\triangle ABC$ satisfont le théorème de Pythagore et que $m\angle CAB = 90°$.

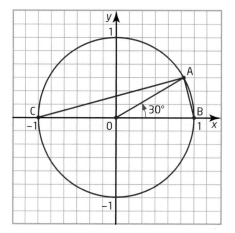

20. Reporte-toi à la question 19. Soit ∠AOB, un angle quelconque dans le quadrant I, et (x,y), les coordonnées de A. Démontre que les côtés du $\triangle$ABC satisfont le théorème de Pythagore et que m∠CAB = 90°.

21. La ville de Val-des-Flots compte construire une piscine municipale de la forme d'un hexagone régulier. Le coût du projet dépendra de l'aire de la piscine. Sans calculatrice, montre que la longueur de côté c est reliée à l'aire A de la piscine par la formule suivante :

$$c = \sqrt{\frac{2A}{3\sqrt{3}}}$$

22. Concours de maths Un triangle équilatéral a une hauteur de $3\sqrt{3}$ cm. Quel est son périmètre ?

A 12 cm **B** 18 cm

C 6 cm **D** $9\sqrt{3}$ cm

E $18 + 3\sqrt{3}$ cm

23. Concours de maths Les côtés parallèles d'un trapèze mesurent 7 cm et 15 cm. Les angles de la base inférieure mesurent 30° et 60°. Quelle est l'aire du trapèze ?

A $22\sqrt{3}$ cm² **B** $14\sqrt{3}$ cm²

C 22 cm² **D** $30\sqrt{3}$ cm²

E $8\sqrt{3}$ cm²

24. Concours de maths L'un des côtés d'un triangle isocèle inscrit dans un cercle est le diamètre du cercle. Quel est le rapport de l'aire du triangle et l'aire du cercle ?

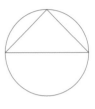

A π : 2 **B** 1 : 2π

C 1 : π **D** 2 : π

E 1 : 4

Les maths au travail

Les codes du bâtiment réglementent la construction des structures et l'utilisation des matériaux. Christophe est inspecteur en bâtiment. Il vérifie que toutes les phases d'un projet répondent bien aux normes établies. Tout d'abord, il doit s'assurer que le site choisi convient au type de bâtiment prévu, et que les plans attestent de la stabilité de la structure. Au fur et à mesure de la construction, Christophe vérifie la stabilité, le câblage et les dispositifs de sécurité. Il faut bien connaître la trigonométrie pour construire des bâtiments durables et sécuritaires. Christophe a étudié trois ans en technologie de l'architecture à La Cité collégiale.

4.2

Les angles co-terminaux et les angles associés

Les rapports trigonométriques peuvent représenter des quantités comme le courant alternatif, qui alimente notamment les moteurs électriques. Les problèmes comportant des quantités trigonométriques ont rarement une seule solution et peuvent en avoir un nombre infini. Il importe de trouver toutes les solutions possibles, puis de choisir celles qui conviennent.

Dans cette section, tu apprendras à déterminer les angles qui ont un même rapport trigonométrique et tu découvriras ce qu'ils ont en commun.

Matériel

• papier quadrillé

Explore

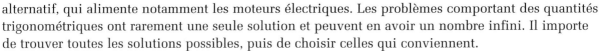

Comment peut-on déterminer des angles distincts ayant les mêmes rapports trigonométriques?

1. a) Dans le quadrant I, le sinus de l'angle de 45° est $\dfrac{1}{\sqrt{2}}$. Explique pourquoi.

   b) Construis un cercle unitaire. Forme un angle de 45° en ajoutant un côté terminal. Nomme l'angle.

2. Indique sur ton dessin l'abscisse et l'ordonnée du point d'intersection du côté terminal et du cercle unitaire.

3. Repère un autre point sur le cercle unitaire qui a la même ordonnée. Quelle est son abscisse?

4. a) Construis un deuxième angle trigonométrique dont le côté terminal passe par le point repéré à l'étape 3.

   b) Quelle est la mesure de ce deuxième angle?

5. Quels rapports trigonométriques sont les mêmes pour les deux angles? Lesquels sont différents?

6. Réflexion Pour un point donné du cercle unitaire, combien d'autres points ont la même ordonnée? Explique pourquoi.

7. a) Quel angle situé dans le quadrant I a un cosinus égal à $\dfrac{1}{2}$?

   b) Construis un cercle unitaire et trace le point où le côté terminal de cet angle coupe le cercle. Trace le côté terminal de l'angle.

8. Inscris l'abscisse et l'ordonnée du point repéré à l'étape 7.

9. Repère un autre point du cercle unitaire qui a la même abscisse. Quelle est son ordonnée ?

10. a) Construis un deuxième angle trigonométrique dont le côté terminal passe par le point déterminé à l'étape 9.

   b) Quelle est la mesure de ce deuxième angle ?

11. Quels rapports trigonométriques sont les mêmes pour les deux angles ? Lesquels sont différents ?

12. Réflexion Pour un point donné du cercle unitaire, combien d'autres points ont la même abscisse ? Explique en quoi ils sont reliés.

13. Suppose qu'on utilise un cercle de rayon *r* au lieu d'un cercle unitaire. Les coordonnées d'un point P(*x*, *y*) du cercle n'expriment plus le sinus et le cosinus de l'angle, mais elles y sont liées. Examine ce cercle. Exprime sin θ, cos θ et tan θ en fonction de *x*, *y* et *r*.

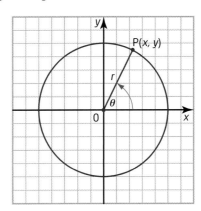

Exemple 1

Déterminer des rapports trigonométriques de base et des angles à partir de n'importe quel cercle

a) Sin A = $\frac{3}{5}$ et l'angle A est situé dans le quadrant I. Détermine la valeur exacte de cos A et de tan A.

b) Détermine les rapports trigonométriques de base d'un autre angle entre 0° et 360° qui a le même sinus.

c) Fais un schéma qui montre la position des deux angles. Qu'ont-ils en commun ?

d) Détermine la mesure des deux angles au degré près à l'aide d'une calculatrice.

> **Solution**

a) Puisque sin A = $\frac{3}{5}$, 3 et 5 sont des valeurs possibles de *y* et de *r*.

Soit *y* = 3 et *r* = 5.

$x^2 + y^2 = r^2$ Applique le théorème de Pythagore pour déterminer la valeur de *x*.

$x^2 + 3^2 = 5^2$

$x^2 = 16$

$x = \pm 4$

Puisque $\angle A$ est dans le quadrant I, $x = 4$.

$$\cos A = \frac{x}{r} \qquad \tan A = \frac{y}{x}$$

$$= \frac{4}{5} \qquad\qquad = \frac{3}{4}$$

b) Le sinus est positif dans les quadrants I et II. Le point qui définit un angle ayant le même sinus est de coordonnées $(-4, 3)$. Soit $\angle B$, le deuxième angle.

$$\sin B = \frac{y}{r} \qquad \cos B = \frac{x}{r} \qquad \tan B = \frac{y}{x}$$

$$= \frac{3}{5} \qquad\qquad = \frac{-4}{5} \qquad\qquad = \frac{3}{-4}$$

$$\qquad\qquad\qquad = -\frac{4}{5} \qquad\qquad = -\frac{3}{4}$$

c) Sur le schéma, $\text{m}\angle B = 180° - \text{m}\angle A$.

d) Assure-toi que ta calculatrice est réglée en degrés.

$$\sin A = \frac{3}{5}$$

$$\text{m}\angle A = \sin^{-1}\left(\frac{3}{5}\right)$$

$$\approx 37°$$

$$\text{m}\angle B = 180° - \text{m}\angle A$$

$$\approx 180° - 37°$$

$$\approx 143°$$

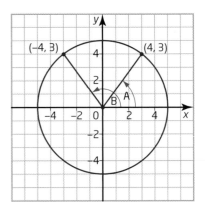

Exemple 2

Reconnaître d'autres angles associés

a) Détermine un angle entre $0°$ et $360°$ qui a le même cosinus que $\angle A$ de la question 1. Quelle est la relation entre cet angle et $\angle A$?

b) Détermine un angle entre $0°$ et $360°$ qui a la même tangente que $\angle A$ de la question 1. Quelle est la relation entre cet angle et $\angle A$?

Solution

a) Détermine un angle α pour lequel $\cos \alpha = \frac{4}{5}$. Puisque le cosinus est positif dans le quadrant IV, les coordonnées du point recherché sont $(4, -3)$. Le schéma montre que :

$$\text{m}\angle\alpha = 360° - \text{m}\angle A$$

$$\approx 360° - 37°$$

$$\approx 323°$$

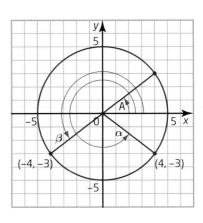

b) Détermine un angle β pour lequel $\tan \beta = \dfrac{3}{4}$. Puisque la tangente est positive dans le quadrant III, les coordonnées du point recherché sont $(-4, -3)$. Le schéma montre que :

$$m\angle\beta = 180° + m\angle A$$
$$\approx 180° + 37°$$
$$\approx 217°$$

Exemple 3

Résoudre un problème d'orientation

On a dessiné le plan de Port-Saint-Jean dans un plan cartésien où la distance entre les lignes du quadrillage représente 1 km. L'hôtel de ville est situé à l'origine du plan cartésien ; la maison de Théo est en $(-6,\ 2,5)$.

a) L'angle de rotation de la maison de Suzette a la même tangente que celui de la maison de Théo. Où est la maison de Suzette ?

b) Détermine les angles trigonométriques correspondants si les segments qui relient l'origine à chacune des maisons en constituent les côtés terminaux. Arrondis tes réponses au degré près.

Solution

a) La maison de Théo est située dans le quadrant II, la tangente de l'angle est donc négative. Si l'angle de la maison de Suzette a la même tangente, cette maison doit se trouver dans le quadrant IV, en $(6,\ -2,5)$.

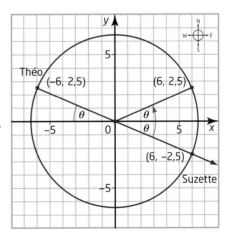

b) La maison de Théo se trouve au point symétrique de $(6,\ 2,5)$ par rapport à l'axe des y. La maison de Suzette se trouve au point symétrique de $(6,\ 2,5)$ par rapport à l'axe des x. L'angle de référence associé à ces points est θ, pour lequel :

$$\tan \theta = \dfrac{2,5}{6}$$
$$\theta \approx 23°$$

La maison de Théo se trouve à environ $180° - 23° = 157°$.
La maison de Suzette se trouve à environ $360° - 23° = 337°$.

Maths et monde

Un point symétrique est l'image d'un point obtenue par une réflexion par rapport à un axe donné.

Exemple 4

angles co-terminaux

• des angles trigonométriques dont les côtés terminaux coïncident

Déterminer des angles co-terminaux

a) Détermine trois angles positifs dont le côté terminal coïncide avec celui d'un angle de 30°.

b) Détermine trois angles négatifs dont le côté terminal coïncide avec celui d'un angle de 30°.

Solution

a) Si on effectue une rotation de 360° dans le sens antihoraire à partir de 30°, on atteint le même côté terminal. 30° + 360° = 390°, les angles de 30° et de 390° sont donc co-terminaux.

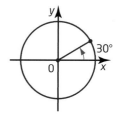 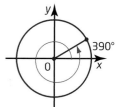

On peut déterminer ainsi deux autres angles positifs co-terminaux d'un angle de 30° :

$$30° + 2(360°) = 750°$$
$$30° + 3(360°) = 1\ 110°$$

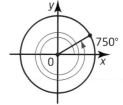 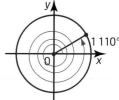

Maths et monde

On crée un angle positif quand le côté terminal effectue une rotation dans le sens antihoraire. On crée un angle négatif quand le côté terminal effectue une rotation dans le sens horaire.

b) Si on effectue une rotation dans le sens horaire à partir de la partie positive de l'axe des x, on forme un angle négatif. Pour atteindre le côté terminal d'un angle de 30°, il faut effectuer une rotation de −330°. Les angles de −330° et de 30° sont donc co-terminaux.

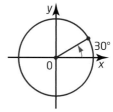 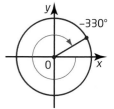

On peut déterminer ainsi deux autres angles négatifs co-terminaux d'un angle de 30° :

$$30° - 2(360°) = -690°$$
$$30° - 3(360°) = -1\ 050°$$

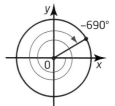 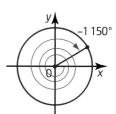

- On peut calculer ainsi les rapports trigonométriques de base de l'angle trigonométrique θ dont le côté terminal comporte le point P(x, y) :

  $\sin \theta = \dfrac{y}{r}$, $\cos \theta = \dfrac{x}{r}$ et $\tan \theta = \dfrac{y}{x}$, où $r = \sqrt{x^2 + y^2}$.

- Tout sinus donné correspond au sinus de deux angles distincts entre 0° et 360°.

- Tout cosinus donné correspond au cosinus de deux angles distincts entre 0° et 360°.

- Toute tangente donnée correspond à la tangente de deux angles distincts entre 0° et 360°.

- On peut déterminer deux angles associés à l'aide des coordonnées de l'extrémité de leur côté terminal. Pars d'un angle de référence dont le côté terminal est dans le quadrant I.

- Des angles co-terminaux ont le même côté terminal. Ils peuvent être positifs ou négatifs.

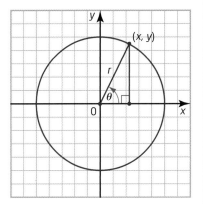

Communication et compréhension

C1 Explique pourquoi il y a exactement deux angles entre 0° et 360° qui ont un sinus donné.

C2 Soit un angle dont le côté terminal est situé dans le quadrant I. Quel type de réflexion peut-on appliquer pour former un angle de même sinus ? de même cosinus ? de même tangente ?

C3 Combien d'angles co-terminaux peut-on déterminer pour un angle de 30° ? Explique ta réponse.

C4 Comment les rapports trigonométriques d'un angle de 30° se comparent-ils aux rapports trigonométriques d'un angle de 390° ? Est-ce vrai pour tous les angles co-terminaux ? Explique pourquoi.

Ⓐ À ton tour

Remarque : À moins d'avis contraire, tous les angles mesurent entre 0° et 360°.

Si tu as besoin d'aide pour répondre aux questions 1 et 2, reporte-toi à l'exemple 1.

a) A(5, 12)

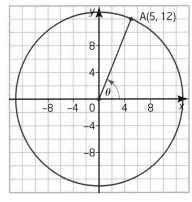

1. Soit les coordonnées d'un point situé sur le côté terminal d'un angle θ. Détermine la valeur exacte des rapports trigonométriques de base de θ.

b) B(−3, 4)

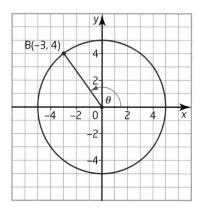

c) C(−6, −8)

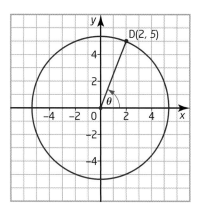

d) D(2, 5)

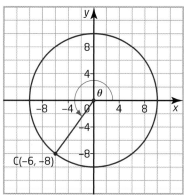

e) E(−1, −3)

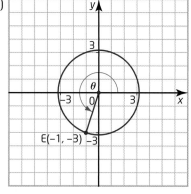

2. Les coordonnées d'un point du côté terminal d'un angle θ sont données. Détermine la valeur exacte des rapports trigonométriques de base de θ.

a) G(−8, 6) **b)** H(3, −4)

c) I(−15, −8) **d)** J(3, −5)

e) K(1, 2) **f)** L(6, −2)

Si tu as besoin d'aide pour répondre aux questions 3 et 4, reporte-toi aux exemples 1 et 2.

3. Un des rapports trigonométriques de base d'un angle est donné, de même que le quadrant dans lequel se trouve son côté terminal. Détermine ses deux autres rapports trigonométriques de base.

a) $\sin A = \dfrac{8}{17}$, quadrant I

b) $\cos B = \dfrac{3}{5}$, quadrant IV

c) $\tan C = -\dfrac{5}{12}$, quadrant II

d) $\sin D = -\dfrac{2}{3}$, quadrant III

e) $\cos E = -\dfrac{5}{6}$, quadrant II

f) $\tan F = \dfrac{12}{7}$, quadrant I

4. Détermine un angle ayant le même rapport trigonométrique que chaque angle donné. Fais un schéma où tu nommeras les deux angles.

a) $\cos 45°$ **b)** $\sin 150°$

c) $\tan 300°$ **d)** $\sin 100°$

e) $\cos 230°$ **f)** $\tan 350°$

Si tu as besoin d'aide pour répondre aux questions 5 et 6, reporte-toi à l'exemple 4.

5. a) Détermine trois angles positifs co-terminaux d'un angle de 120°.

b) Détermine trois angles négatifs coterminaux d'un angle de 330°.

6. Détermine la valeur exacte des rapports trigonométriques de base de chaque angle. Tu peux tracer un cercle unitaire si nécessaire.

a) m∠A = −45° **b)** m∠B = −120°

c) m∠C = 540° **d)** m∠D = −315°

e) m∠E = 420° **f)** m∠F = −270°

B Liens et mise en application

7. Deux angles entre 0° et 360° ont un cosinus de $-\dfrac{\sqrt{3}}{2}$. Sans calculatrice, détermine ces deux angles.

8. Deux angles entre 0° et 360° ont une tangente de −1. Sans calculatrice, détermine ces deux angles.

9. Le cosinus de deux angles entre 0° et 360° est $\dfrac{1}{\sqrt{2}}$. Sans calculatrice, détermine ces deux angles.

10. Deux angles entre 0° et 360° ont une tangente non définie. Quels sont ces angles ? Pourquoi leur tangente n'est-elle pas définie ?

11. Le point P(−4, 9) est situé sur le côté terminal de ∠A.

  a) Détermine les rapports trigonométriques de base de ∠A et de ∠B, de façon que ∠B ait le même sinus que ∠A.

  b) Détermine les mesures de ∠A et ∠B au degré près à l'aide d'une calculatrice et d'un schéma.

12. Le point R(−3, −5) est situé sur le côté terminal de ∠E.

  a) Détermine les rapports trigonométriques de base de ∠E et de ∠F, de façon que ∠F ait la même tangente que ∠E.

  b) Détermine les mesures de ∠E et ∠F au degré près à l'aide d'une calculatrice et d'un schéma.

13. Technologie Ouvre le *Cybergéomètre.*

  a) Trace un cercle centré sur l'origine de rayon 9 et un point A sur le cercle, qui se trouve dans le quadrant I.

  b) Mesure la distance entre ce point et l'origine. Nomme-la *r*. Détermine l'abscisse et l'ordonnée du point A.

c) Détermine des formules permettant de calculer le sinus, le cosinus et la tangente de ∠A, dont le côté terminal est $\overline{OA}$, en fonction de *x*, *y* et *r*.

d) Clique à droite sur le point A et sélectionne **Animer le point**. Observe les valeurs des rapports trigonométriques pendant que A se déplace. Fais une pause sur des points dont tu connais les rapports trigonométriques, et compares-y les valeurs données.

e) Essaie les commandes du **contrôleur de mouvement**. Tu peux aussi gérer l'animation à partir du menu **Affichage**.

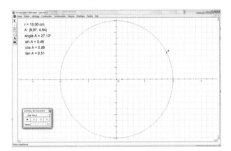

f) Tandis que le sinus augmente dans le quadrant I, qu'en est-il du cosinus ? de la tangente ? Que remarques-tu dans le quadrant II ?

14. Le côté terminal d'un angle aigu θ comporte le point A(*p*, *q*).

  a) Détermine une expression qui définit la longueur de $\overline{OA}$ en fonction de *p* et *q*.

  b) Écris des expressions qui représentent la valeur exacte des rapports trigonométriques de base de θ.

  c) Situe l'angle 90° − θ. Trace le côté terminal de cet angle. Détermine les coordonnées d'un point B sur le côté terminal en fonction de *p* et *q*.

  d) Écris des équations qui représentent la valeur exacte des rapports trigonométriques de base de 90° − θ.

  e) Compare tes expressions en b) et d).

15. Problème du chapitre Calcule la direction et la distance de la deuxième étape de ta course d'orientation. Trace soigneusement cette partie du trajet sur ta carte et inscris-y toutes les distances et tous les angles. N'utilise pas de calculatrice.

Direction : Fais face au sud. Effectue une rotation vers la gauche selon un angle dont le cosinus est 0 et le sinus est 1.

Distance : Détermine deux angles entre 0° et 360° dont le sinus est $-\dfrac{1}{\sqrt{2}}$.

Soustrais le plus petit du plus grand. Détermine le sinus de l'angle résultant. Multiplie par 40 pour obtenir la distance.

✔️ **Question d'évaluation**

16. Soit $\angle$C tel que sin C $= \dfrac{7}{25}$.

a) Dans quels quadrants peut se trouver le côté terminal de $\angle$C ?

b) Si cos C est négatif, qu'arrive-t-il à ta réponse en a) ?

c) Fais un schéma qui représente $\angle$C comme un angle trigonométrique, si la condition énoncée en b) est vraie.

d) Détermine les coordonnées d'un point P sur le côté terminal de $\angle$C.

e) Écris des expressions pour représenter la valeur exacte des deux autres rapports trigonométriques de base de $\angle$C.

C Approfondissement

17. Soit un losange dont la longueur des côtés est c. L'une de ses diagonales a la même longueur. Détermine l'expression qui représente la longueur exacte de l'autre diagonale.

18. Soit un octogone régulier dont la longueur des côtés est c. Un segment de droite joint deux de ses sommets pour former un triangle et un heptagone irrégulier. Détermine une expression qui représente la longueur exacte de ce segment.

19. Technologie Tu détermines deux angles ayant un rapport trigonométrique commun. Comment peux-tu vérifier tes réponses à l'aide d'une calculatrice à affichage graphique ? Par exemple, suppose qu'on te demande de déterminer les valeurs de θ telles que sin $\theta = 0,5$.

a) Règle les paramètres d'affichage comme dans la figure. Saisis le membre de gauche en tant que **Y1** et le membre de droite en tant que **Y2**.

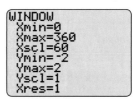

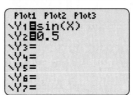

b) Appuie sur (GRAPH). Appuie sur (2nd) [CALC]. Sélectionne **5:intersect**. Utilise deux fois la commande **Intersect** pour déterminer les valeurs qui conviennent.

20. Concours de maths Une montre munie d'aiguilles a la forme d'un plan cartésien dont l'origine est au centre. L'aiguille des minutes passe par $(1, \sqrt{3})$. L'aiguille des heures se trouve entre le 4 et le 5. Quelle heure est-il ?

A 4 h 5   **B** 4 h 10   **C** 4 h 15
D 4 h 7   **E** 4 h 12

21. Concours de maths Soit A(0, 0), B(3, 3$\sqrt{3}$) et C(3$\sqrt{3}$, 2). Quelle est l'aire du $\triangle$ABC ?

A 12   **B** $\dfrac{5\sqrt{3}}{2}$ **C** 6
D 3$\sqrt{3}$ **E** 3

22. Concours de maths Si $4x = 7 - 5y$, quelle est la valeur de $12x + 15y$?

A 3   **B** 7   **C** 21
D 27   **E** 31

Déterminer la valeur exacte de rapports trigonométriques ou d'angles à l'aide d'un logiciel de calcul formel

Un logiciel de calcul formel (LCF), comme celui de la TI-Nspire™ CAS, peut afficher la valeur exacte de rapports trigonométriques d'angles remarquables (section 4.1). En plus de résoudre des équations, un LCF peut aussi déterminer tous les angles qui correspondent à un rapport trigonométrique donné, contrairement à une calculatrice ordinaire, qui ne donne qu'une seule réponse.

Cette activité est conçue pour le LCF de la calculatrice à affichage graphique TI-Nspire™ CAS, mais on peut utiliser d'autres systèmes.

Matériel

- calculatrice à affichage graphique TI-Nspire™ CAS

A: Afficher des valeurs exactes

1. Allume la calculatrice à affichage graphique TI-Nspire™ CAS.

- Appuie sur (ⓐon) et sélectionne **5: Réglages et état.**
- Choisis ensuite **2: Réglages**, puis **1: Général**.
- Sers-toi de la touche (tab) pour te déplacer vers le bas jusqu'à **Angle** et assure-toi que **Degré** est sélectionné.

Déplace-toi jusqu'à **Mode de calcul** et assure-toi que **Auto** est sélectionné.

Appuie sur (enter) deux fois.

2. Appuie sur (ⓐon) et sélectionne **1: Nouveau**. Choisis ensuite **1: Ajouter Calculs**.

3. Saisis sin(30) et appuie sur (enter). Remarque comment les résultats sont affichés. Essaie avec cos(30) et tan(30). Remarques-tu quelque chose d'inhabituel dans l'affichage? Explique pourquoi c'est l'équivalent de la valeur déterminée à l'aide d'un cercle unitaire.

1.1 ▷	*Non enregistré ▼
$\sin(30)$	$\dfrac{1}{2}$
$\cos(30)$	$\dfrac{\sqrt{3}}{2}$
$\tan(30)$	$\dfrac{\sqrt{3}}{3}$
|	
	3/99

4. Tu peux obtenir des réponses exactes à des problèmes trigonométriques à l'aide d'un LCF. Par exemple, dans le △ABC, $b = 10$ cm, $c = 10$ cm et m∠A $= 45°$. Détermine la mesure exacte de c à l'aide de la loi du cosinus.

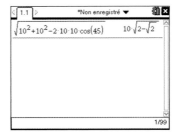

1.1 ▷	*Non enregistré ▼
$\sqrt{10^2+10^2-2\cdot 10\cdot 10\cdot \cos(45)}$	$10\cdot\sqrt{2-\sqrt{2}}$
	1/99

B: Déterminer des angles

1. Quand tu détermines un angle θ tel que $\sin \theta = 0{,}5$ à l'aide d'une calculatrice ordinaire, une seule réponse s'affiche. Il en va de même du LCF de la calculatrice à affichage graphique de la TI-Nspire™ CAS pour l'opération **$\sin^{-1}$**. Essaie-le.

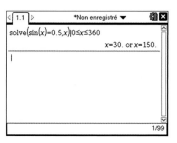

2. Maintenant, utilise la capacité de résolution d'équations du LCF.

- Appuie sur (menu).
- Choisis **3: Algèbre.**
- Choisis **1: Résolution.**
- Saisis $\sin(x) = 0{,}5, x) \,|\, 0 \le x \le 360$.
- Appuie sur (enter).

Conseil techno

Pour que le signe $\le$ s'affiche, appuie sur (ctrl) puis sur (=) puis choisis le signe $\le$.

Remarque que le LCF a déterminé les angles entre $0°$ et $360°$ qui ont un sinus de 0,5. On doit restreindre le domaine de la réponse à l'intervalle de $0°$ à $360°$. C'est le rôle de l'expression qui suit l'opérateur « tel que » (|).

3. Refais la même chose avec l'équation $\cos \theta = 0{,}5$. Avant d'utiliser le LCF, prédis les réponses. Ensuite, vérifie tes prédictions à l'aide du LCF.

Remarque que contrairement à une calculatrice ordinaire, le LCF n'utilise pas un angle négatif pour le quadrant IV.

Conseil techno

Tu peux obtenir une réponse approximative sans changer le mode de la calculatrice : appuie sur (ctrl) avant d'appuyer sur (enter).

4. On peut aussi résoudre des équations trigonométriques plus complexes à l'aide du LCF. Existe-t-il des angles entre $0°$ et $360°$ qui satisfont l'équation $\sin \theta + \cos \theta = 1$? Écris et explique ta prédiction. Ensuite, vérifie-la à l'aide du LCF.

5. Écris une équation trigonométrique qui, selon toi, a une solution. Échange ton équation contre celle d'une ou d'un camarade et résous l'équation reçue. Discutez ensemble des résultats.

Les rapports trigonométriques inverses

On utilise les rapports trigonométriques de base tant pour résoudre des triangles en arpentage et en navigation que dans le domaine de la musique et de l'électronique, notamment en ce qui a trait aux synthétiseurs. Les rapports trigonométriques **inverses** sont liés aux rapports de base et ont de nombreuses applications, y compris dans la conception d'antennes radars.

Dans cette section, tu apprendras ce que sont les rapports trigonométriques inverses, comment on les calcule et comment ils se comportent.

inverses

- se dit de deux nombres ou expressions dont le produit est 1 (p. ex., 4 et $\frac{1}{4}$, ou x et $\frac{1}{x}$, où $x \neq 0$)

Explore

Comment peut-on déterminer un rapport trigonométrique inverse à l'aide d'une calculatrice ?

1. L'inverse du sinus est la **cosécante**. Dans un triangle rectangle :

$$\operatorname{cosec} \theta = \frac{\text{hypoténuse}}{\text{côté opposé à } \theta}$$

a) Quelle est la valeur exacte de sin 30° ? Prédis la valeur exacte de cosec 30°.

b) À l'aide d'une calculatrice, détermine sin 30°. Ensuite, appuie sur la touche « inverse », habituellement $\frac{1}{X}$ ou x^{-1}. Le résultat confirme-t-il ta prédiction ?

2. L'inverse du cosinus est la **sécante**. Dans un triangle rectangle :

$$\sec \theta = \frac{\text{hypoténuse}}{\text{côté adjacent à } \theta}$$

a) Quelle est la valeur exacte de cos 60° ? Prédis la valeur exacte de sec 60°.

b) À l'aide d'une calculatrice, détermine cos 60°. Ensuite, appuie sur la touche « inverse ». Le résultat confirme-t-il ta prédiction ?

3. L'inverse de la tangente est la **cotangente**. Dans un triangle rectangle :

$$\operatorname{cotan} \theta = \frac{\text{côté adjacent à } \theta}{\text{côté opposé à } \theta}$$

a) Quelle est la valeur exacte de tan 30° ? Prédis la valeur exacte de cotan 30°.

b) À l'aide d'une calculatrice, détermine tan 30°. Ensuite, appuie sur la touche « inverse ». Le résultat confirme-t-il ta prédiction ?

cosécante

- le rapport inverse du sinus d'un angle : $\operatorname{cosec} \theta = \frac{1}{\sin \theta}$

sécante

- le rapport inverse du cosinus d'un angle : $\sec \theta = \frac{1}{\cos \theta}$

cotangente

- le rapport inverse de la tangente d'un angle : $\operatorname{cotan} \theta = \frac{1}{\tan \theta}$

4. Reproduis le tableau qui suit. Remplis-le en te fondant sur tes connaissances des angles remarquables. Inscris les valeurs exactes.

θ	sin θ	cosec θ	cos θ	sec θ	tan θ	cotan θ
0°						
30°						
45°						
60°						
90°						

5. **Réflexion** À mesure que l'angle θ augmente, comment la valeur de sin θ se compare-t-elle à la valeur de cosec θ? Comment la valeur de cos θ se compare-t-elle à la valeur de sec θ? Comment la valeur de tan θ se compare-t-elle à la valeur de cotan θ?

Exemple 1

Déterminer les rapports trigonométriques inverses à l'aide d'un triangle

Soit un triangle rectangle dont les côtés mesurent 3, 4 et 5 unités. Détermine les six rapports trigonométriques de ∠A. Ensuite, détermine les six rapports trigonométriques de ∠B.

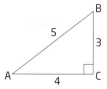

Solution

$$\sin A = \frac{\text{côté opposé}}{\text{hypoténuse}} \qquad \cos A = \frac{\text{côté adjacent}}{\text{hypoténuse}} \qquad \tan A = \frac{\text{côté opposé}}{\text{côté adjacent}}$$
$$= \frac{3}{5} \qquad\qquad\qquad = \frac{4}{5} \qquad\qquad\qquad = \frac{3}{4}$$

$$\operatorname{cosec} A = \frac{\text{hypoténuse}}{\text{côté opposé}} \qquad \sec A = \frac{\text{hypoténuse}}{\text{côté adjacent}} \qquad \operatorname{cotan} A = \frac{\text{côté adjacent}}{\text{côté opposé}}$$
$$= \frac{5}{3} \qquad\qquad\qquad = \frac{5}{4} \qquad\qquad\qquad = \frac{4}{3}$$

$$\sin B = \frac{\text{côté opposé}}{\text{hypoténuse}} \qquad \cos B = \frac{\text{côté adjacent}}{\text{hypoténuse}} \qquad \tan B = \frac{\text{côté opposé}}{\text{côté adjacent}}$$
$$= \frac{4}{5} \qquad\qquad\qquad = \frac{3}{5} \qquad\qquad\qquad = \frac{4}{3}$$

$$\operatorname{cosec} B = \frac{\text{hypoténuse}}{\text{côté opposé}} \qquad \sec B = \frac{\text{hypoténuse}}{\text{côté adjacent}} \qquad \operatorname{cotan} B = \frac{\text{côté adjacent}}{\text{côté opposé}}$$
$$= \frac{5}{4} \qquad\qquad\qquad = \frac{5}{3} \qquad\qquad\qquad = \frac{3}{4}$$

Exemple 2

Déterminer un angle à partir d'un rapport trigonométrique inverse

Ces angles sont dans le quadrant I. Détermine la mesure de chaque angle au degré près.

a) $\operatorname{cosec} A = 8$ **b)** $\sec B = \dfrac{5}{2}$ **c)** $\cot an C = \dfrac{5}{16}$

Solution

a) $\operatorname{cosec} A = 8$

$\sin A = \dfrac{1}{8}$

$m\angle A \approx 7°$

b) $\sec B = \dfrac{5}{2}$ **c)** $\cot an C = \dfrac{5}{16}$

$\cos B = \dfrac{2}{5}$ $\tan C = \dfrac{16}{5}$

$m\angle B \approx 66°$ $m\angle C \approx 73°$

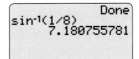

```
sin⁻¹(1/8)        Done
          7.180755781
```

Conseil techno

Détermine m∠A à l'aide de la fonction sin⁻¹. Il te faudra peut-être appuyer sur une autre touche, comme 2nd pour utiliser cette fonction.

Exemple 3

Déterminer les angles du cercle unitaire qui ont un rapport trigonométrique inverse donné

Détermine deux angles entre 0° et 360° qui ont une cosécante de −2.

Solution

$\operatorname{cosec} \theta = -2$

Pose l'inverse des deux membres de l'équation.

$\sin \theta = \dfrac{1}{-2}$

$\quad\;\, = -\dfrac{1}{2}$

Puisque $\sin 30° = \dfrac{1}{2}$, l'angle de référence est de 30°.

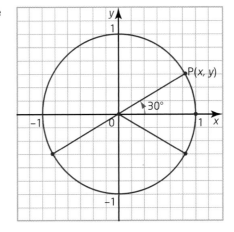

Le sinus est négatif dans les quadrants III et IV. Il faut donc chercher un angle symétrique de l'angle de 30° dans ces quadrants.

Une des valeurs possibles de θ est $180° + 30° = 210°$; l'autre est $360° - 30° = 330°$.

Les deux angles entre 0° et 360° qui ont une cosécante de −2 sont 210° et 330°.

Concepts clés

- Les rapports trigonométriques inverses sont :

$$\operatorname{cosec} \theta = \frac{\text{hypoténuse}}{\text{côté opposé à } \theta} \qquad \sec \theta = \frac{\text{hypoténuse}}{\text{côté adjacent à } \theta} \qquad \operatorname{cotan} \theta = \frac{\text{côté adjacent à } \theta}{\text{côté opposé à } \theta}$$

$$= \frac{1}{\sin \theta} \qquad\qquad\qquad = \frac{1}{\cos \theta} \qquad\qquad\qquad = \frac{1}{\tan \theta}$$

Communication et compréhension

C1 Pour les angles dans le quadrant I, quelles sont les valeurs minimale et maximale de $\sin \theta$? Quelles sont les valeurs minimale et maximale de $\cos \theta$?

C2 Exprime $\operatorname{cosec} \theta$, $\sec \theta$ et $\operatorname{cotan} \theta$ en fonction de x, y et r, sachant que le côté terminal de l'angle θ coupe un cercle de rayon r au point P(x, y).

C3 Existe-t-il des valeurs de θ, où $0° \leq \theta \leq 90°$, pour lesquelles $\sec \theta$ est non définie? Si c'est le cas, détermine-les. Sinon, explique pourquoi.

A À ton tour

Si tu as besoin d'aide pour répondre à la question 1, reporte-toi à la rubrique Explore.

1. À l'aide d'une calculatrice, détermine les six rapports trigonométriques de chaque angle, au millième près.

a) 20°   **b)** 42°   **c)** 75°

d) 88°   **e)** 153°   **f)** 289°

Si tu as besoin d'aide pour répondre aux questions 2 à 4, reporte-toi à l'exemple 1.

2. Détermine la valeur exacte des six rapports d'un angle de 315°. Indice : dessine l'angle trigonométrique, puis utilise les triangles remarquables.

3. Détermine la valeur exacte des six rapports trigonométriques d'un angle de 120°.

4. Détermine la valeur exacte des six rapports trigonométriques d'un angle de 270°.

Si tu as besoin d'aide pour répondre à la question 5, reporte-toi à l'exemple 2.

5. Détermine, au degré près, la mesure de l'angle dans le quadrant I qui a le rapport donné.

Si l'angle n'existe pas, pourquoi ?

a) $\sin A = \dfrac{2}{3}$ **b)** $\cos B = \dfrac{3}{5}$

c) $\tan C = \dfrac{12}{5}$ **d)** $\operatorname{cosec} D = \dfrac{9}{8}$

e) $\sec E = \dfrac{4}{3}$ **f)** $\operatorname{cotan} F = \dfrac{3}{4}$

g) $\operatorname{cosec} G = -\dfrac{4}{3}$ **h)** $\sec H = \dfrac{2}{5}$

Si tu as besoin d'aide pour répondre aux questions 6 et 7, reporte-toi à l'exemple 3.

6. À l'aide d'un cercle unitaire et sans calculatrice, détermine deux angles entre 0° et 360° qui ont une sécante de $-\sqrt{2}$.

7. À l'aide d'un cercle unitaire et sans calculatrice, détermine deux angles entre 0° et 360° qui ont une cotangente de -1

8. Chaque point est situé sur le côté terminal d'un angle trigonométrique. Détermine la valeur exacte des six rapports trigonométriques de l'angle.

a) P(-5, 12)   **b)** Q(-4, -3)

c) R(-8, 15)   **d)** S(24, -7)

e) T(9, 40)   **f)** U(-2, -3)

g) V(5, -3)   **h)** W(-2, 7)

B Liens et mise en application

9. Soit Q, un angle droit du $\triangle$PQR. Si $q = 17$ cm et $p = 15$ cm, quelle est la valeur exacte des six rapports trigonométriques de $\angle$P ?

Pour les questions 10 à 13, arrondis tes réponses au degré près.

10. Détermine deux angles entre 0° et 360° qui ont une cosécante de 5.

11. Détermine deux angles entre 0° et 360° qui ont une sécante de −5.

12. Détermine deux angles entre 0° et 360° qui ont une cotangente de −3.

13. Un angle a une cosécante de 1,2. La sécante de cet angle est négative. Détermine la mesure de cet angle entre 0° et 360°.

14. **Technologie** Ouvre le *Cybergéomètre*.

   a) Dessine un cercle de rayon 5. Trace un point A sur le cercle, dans le quadrant I.

   b) Mesure la distance entre le point A et l'origine. Nomme-la *r*. Détermine l'ordonnée du point A.

   c) Énonce des formules pour déterminer le sinus et la cosécante de $\angle$A, défini par le côté terminal OA.

   d) Clique sur **Animer le point**. Examine le sinus et le cosinus tandis que le point A se déplace sur le cercle.

   e) À l'aide du **contrôleur de mouvement**, modifie le sens du déplacement afin que le point A reste dans le quadrant I. Qu'arrive-t-il aux valeurs du sinus et de la cosécante lorsque $\angle$A augmente ? lorsque $\angle$A diminue ?

   f) Ajoute les formules de cos A et de sec A. Clique de nouveau sur **Animer le point** ; examine et explique ce qui se produit.

   g) Ajoute les formules de tan A et de cotan A. Clique de nouveau sur **Animer le point** ; examine et explique ce qui se produit.

15. **Problème du chapitre** À partir du poste de contrôle n° 2 de la course d'orientation, tu te diriges vers le poste de contrôle n° 3. Dessine cette partie du parcours sur ta carte. Inscris-y toutes les distances et les directions.

   Direction : Fais face à l'ouest. Effectue une rotation vers la droite selon un angle dont la cosécante est 1.

   Distance : Elle est égale à la valeur de 12(cosec 30° + sec 300° + cotan 225°), arrondie au mètre près, au besoin.

✔ Question d'évaluation

16. Soit un angle θ qui satisfait la relation cosec θ cos $\theta = -1$.

   a) À l'aide de la définition des rapports trigonométriques inverses, exprime le membre de gauche en fonction de sin θ et de cos θ.

   b) Quelle est la relation entre sin θ et cos θ pour cet angle ?

   c) Détermine deux valeurs possibles de θ, sans l'aide d'une calculatrice.

   d) Donne l'exemple d'une autre information qui permettrait de déterminer une valeur unique de θ.

   e) Si sec θ est négatif, quelle est la valeur de cosec θ et celle de θ ?

C Approfondissement

17. À l'aide d'expressions des rapports trigonométriques inverses en fonction de *x*, *y* et *r*, montre que $1 + \tan^2 \theta = \sec^2 \theta$, peu importe la valeur de θ.

Raisonnement
Modélisation   Sélection d'outils
Résolution de problèmes
Liens   Réflexion
Communication

18. Cotan B $= -\dfrac{c}{d}$ et $\angle$B est dans le quadrant II. Détermine les expressions qui représentent les cinq autres rapports trigonométriques de B en fonction de *c* et *d*. Indique toutes les restrictions imposées aux valeurs de *c* et *d*.

19. Sec A $= \dfrac{t + 1}{t - 1}$ et $\angle A$ est dans le quadrant IV. Détermine une expression pour sin A. Indique toute restriction imposée à la valeur de t.

20. La réglementation municipale sur le stationnement exige que chaque place ait une largeur de 3 m et une longueur de 7 m. On veut aménager le long d'un pâté de maisons un stationnement de 100 m, en dents de scie ou en file.

   a) Combien d'espaces de stationnement en file peut-on aménager ?

   b) Combien d'espaces de stationnement en dents de scie (selon un angle de 45°) peut-on aménager ?

   c) Quelle aire serait occupée par un stationnement en file ?

   d) Prédis l'aire qu'occuperait un stationnement en dents de scie en comparaison d'un stationnement en file. Explique ta prédiction.

   e) Calcule l'aire occupée par un stationnement en dents de scie. Compare ta réponse à la prédiction faite en d) et explique tout écart.

21. Ératosthène d'Alexandrie était un mathématicien grec (276 à 194 avant notre ère) qui a vécu dans l'Égypte actuelle. Il a effectué une des premières tentatives connues de mesure du rayon de la Terre. Ératosthène s'est basé sur la position du Soleil par rapport à la Terre. Il a remarqué qu'au solstice d'été, à midi, le Soleil se trouvait directement au-dessus de la ville (l'actuelle Assouan), et les objets ne projetaient aucune ombre. Cependant, à Alexandrie, à environ 800 km au nord, les rayons du Soleil formaient un angle de 7,2° avec la verticale et projetaient l'ombre des objets.

   a) Représente la situation par un schéma en y inscrivant toute les données. Énonce toute supposition, et explique pourquoi elle est vraisemblable.

   b) Détermine la relation entre les données à l'aide de la trigonométrie. Ensuite, calcule le rayon de la Terre à partir de cette relation.

   c) À la bibliothèque ou dans Internet, trouve la valeur admise pour le rayon de la Terre et compare-la à ta réponse en b).

   d) Puisque le Soleil est à la verticale au-dessus d'Assouan au solstice d'été, quelle doit être la latitude de cette ville ? Vérifie dans un atlas ou dans Internet.

> ### Maths et monde
>
> Dans l'hémisphère Nord, le 21 décembre est habituellement le jour le plus court de l'année et le 21 juin, le jour le plus long. On appelle ces jours *solstice d'hiver* et *solstice d'été*. À cause de l'inclinaison de l'axe de la Terre, la position apparente du Soleil change au cours de l'année. Au solstice d'hiver, le Soleil est à la verticale à midi le long du tropique du Capricorne, à 23,5° de latitude sud. Au solstice d'été, le Soleil est à la verticale à midi le long du tropique du Cancer, à 23,5° de latitude nord. Les deux jours de l'année où le jour et la nuit sont à peu près d'égale durée (habituellement le 21 mars et le 21 septembre), le Soleil est à la verticale au-dessus de l'équateur. On appelle ces jours *équinoxe de printemps* et *équinoxe d'automne*.

22. Concours de maths Dans le $\triangle$PQR, sec Q $= 2,5$, m$\overline{\text{PQ}} = 3$ et m$\overline{\text{QR}} = 5$. Sans l'aide d'une calculatrice, détermine m$\overline{\text{PR}}$.

23. Concours de maths Détermine le plus petit nombre naturel qui, divisé par 3, donne un reste de 1, divisé par 4, donne un reste de 2, et divisé par 5, donne un reste de 3.

24. Concours de maths Trois ports, Ashtra, Bretha et Cratha, forment un triangle rectangle dont l'angle droit est à Bretha. Un bateau qui navigue à 10 km/h parcourt le trajet entre Bretha et Ashtra en 2,5 h. Le trajet de Bretha à Cratha s'effectue en 6 h à la même vitesse. Quelle est la distance entre Ashtra et Cratha ?

Les problèmes en deux dimensions

Les spécialistes de l'arpentage recourent aux rapports trigonométriques de base, à la loi du cosinus et à la loi des sinus pour calculer des distances difficiles à mesurer. Par exemple, avant la construction d'un pont, on peut devoir mesurer la largeur de la rivière à l'aide d'un triangle comportant un angle obtus, en raison d'obstacles sur les rives. Il faut retenir que l'application de la loi des sinus pour deux côtés et un angle opposé connus donne parfois deux réponses, dont une seule convient. Il s'agit d'un **cas ambigu**.

Dans cette section, tu résoudras des problèmes portant sur des triangles comportant un angle obtus et générant parfois deux réponses.

cas ambigu
- un problème ayant au moins deux solutions

Matériel

- compas
- rapporteur d'angles

Facultatif

- logiciel *Cybergéomètre*
- papier quadrillé

Explore

Comment peut-on reconnaître un cas ambigu ?

Une arpenteuse mesure deux côtés et un angle du △ABC. Elle détermine que $b = 600$ m, $c = 700$ m et m∠B = 45°. Remarque que deux côtés et un angle opposés sont donnés. C'est le cas côté-côté-angle, ou CCA. Suis les instructions pour construire le △ABC.

1. Trace un segment de droite horizontal. Nomme l'extrémité gauche B.

2. Mesure un angle de 45° vers le haut à partir du segment de droite, avec son sommet au point B.

3. Avec une échelle appropriée, trace un segment de droite BA le long du côté terminal de l'angle de 45°. Nomme l'extrémité A.

4. Ouvre ton compas de la longueur du segment b. Sous le point A, trace un arc de centre A qui coupe le premier segment de droite en deux points. Nomme ces deux points C_1 et C_2, de gauche à droite. Relie A à C_1 et à C_2.

5. **Réflexion** Quelle est la relation entre ∠AC_1B et ∠AC_2B ?

6. **Réflexion** Détermine deux triangles tels que $b = 600$ m, $c = 700$ m et m∠B = 45°. Lequel est un triangle acutangle ? Lequel est un triangle obtusangle ? Dessine-les.

7. Réflexion Soit le $\triangle$ABC, dont b, c et $\angle$B sont connus.

   a) Dans quelles circonstances ne peut-on construire qu'un seul triangle ?

   b) Dans quelles circonstances aucun triangle n'est-il possible ?

Dès que l'on te donne deux côtés et un angle opposé et que tu veux appliquer la loi des sinus, il faut vérifier s'il s'agit d'un cas ambigu. Esquisse les triangles possibles et calcule une réponse pour chacun. Parfois deux triangles sont possibles, parfois un seul, et parfois aucun triangle ne correspond aux mesures données.

Exemple 1

Résoudre un problème à l'aide des rapports trigonométriques de base

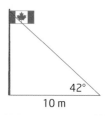

Pour connaître la longueur de la nouvelle corde du mât de son drapeau, Basiruddin mesure une distance de 10 m à partir de la base du mât. De ce point, l'angle d'élévation du sommet du mât est de 42°.

   a) Quelle est la hauteur du mât, au dixième de mètre près ?

   b) Quelle longueur de corde Basiruddin doit-il acheter ? Explique ta réponse.

Solution

   a) Il est vraisemblable de supposer que le mât est perpendiculaire au sol. Tu peux utiliser les rapports trigonométriques de base. Soit h, la hauteur du mât, en mètres.

   $$\tan 42° = \frac{\text{côté opposé}}{\text{côté adjacent}}$$

   $$\tan 42° = \frac{h}{10}$$

   $$h = 10 \tan 42°$$

   $$\approx 9,0$$

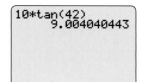

   La hauteur du mât est d'environ 9,0 m.

   b) Basiruddin devrait acheter environ 19 mètres de corde ($2 \times 9\,m + 1\,m$). La corde fixée au mât doit former une boucle de sorte qu'on puisse faire monter et descendre le drapeau. Il faut aussi prévoir un peu plus de corde pour faire les nœuds et l'enrouler autour des poulies.

Exemple 2

Résoudre un problème comportant un triangle oblique

Paule, Quentin et Roméo sont sur un terrain de soccer. Quentin se trouve à 23 m de Roméo. Pour Quentin, un angle de 72° sépare Paule et Roméo. Pour Paule, un angle de 55° sépare Quentin et Roméo.

a) Fais un schéma qui représente cette situation. Pourquoi le triangle ainsi formé est-il un **triangle oblique** ?

b) Faut-il vérifier s'il s'agit d'un cas ambigu ? Explique ta réponse.

c) Détermine la distance entre Paule et Roméo, au dixième de mètre près. S'il y a deux réponses, détermine-les toutes les deux.

triangle oblique
- un triangle qui n'a pas d'angle droit

Solution

a) m∠R = 180° − 72° − 55°

= 53°

Puisque le triangle ne comporte aucun angle droit, il s'agit d'un triangle oblique.

b) Il n'est pas nécessaire de vérifier s'il s'agit d'un cas ambigu, puisqu'on donne deux angles et un côté, et non deux côtés et un angle.

c) Applique la loi des sinus.

$$\frac{q}{\sin Q} = \frac{p}{\sin P}$$

$$\frac{q}{\sin 72°} = \frac{23}{\sin 55°}$$

$$q = \frac{23 \sin 72°}{\sin 55°}$$

$$\approx 26,7$$

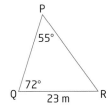

Roméo se trouve à environ 26,7 m de Paule.

Exemple 3

Appliquer la loi des sinus

Un phare situé au point P se trouve à 10 km d'un yacht situé au point Y et à 8 km d'un voilier situé au point V. Du yacht, un angle de 48° sépare le phare et le voilier.

a) Faut-il vérifier s'il s'agit d'un cas ambigu ? Explique pourquoi.

b) Fais des schémas pour représenter cette situation.

c) Détermine la distance entre le yacht et le voilier, au dixième de kilomètre près. S'il y a deux réponses, détermine-les toutes les deux. S'il n'y en a aucune, explique pourquoi.

Solution

a) Il faut vérifier s'il s'agit d'un cas ambigu puisqu'on donne deux côtés et un angle opposé.

b)

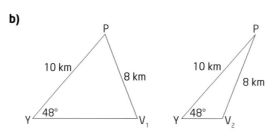

c) Applique la loi des sinus au $\triangle PYV_1$ pour déterminer $m\angle V_1$.

$$\frac{\sin V_1}{v} = \frac{\sin Y}{y}$$

$$\frac{\sin V_1}{10} = \frac{\sin 48°}{8}$$

$$\sin V_1 = \frac{10 \sin 48°}{8}$$

$$\approx 0{,}928\ 9$$

$$m\angle V_1 \approx 68°$$

$$m\angle P \approx 180° - 48° - 68°$$

$$\approx 64°$$

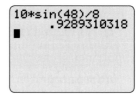

Détermine la longueur de p à l'aide de la loi des sinus.

$$\frac{p}{\sin P} = \frac{y}{\sin Y}$$

$$\frac{p}{\sin 64°} = \frac{8}{\sin 48°}$$

$$p = \frac{8 \sin 64°}{\sin 48°}$$

$$\approx 9{,}7$$

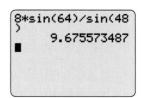

Selon le triangle acutangle PYV_1, environ 9,7 km séparent le yacht et le voilier.

Utilise maintenant le $\triangle PYV_2$.

$$m\angle V_2 = 180° - m\angle V_1$$

$$\approx 180° - 68°$$

$$\approx 112°$$

$$m\angle P \approx 180° - 48° - 112°$$
$$\approx 20°$$

$$\frac{p}{\sin P} = \frac{y}{\sin Y}$$

$$\frac{p}{\sin 20°} = \frac{8}{\sin 48°}$$

$$p = \frac{8 \sin 20°}{\sin 48°}$$

$$\approx 3{,}7$$

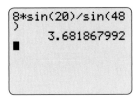

```
8*sin(20)/sin(48
)
        3.681867992
■
```

Selon le triangle obtusangle PYV_2, environ 3,7 km séparent le yacht et le voilier.

Il y a donc deux réponses possibles.

Exemple 4

Appliquer la loi du cosinus

Le radar d'une tour de contrôle montre un avion A à 15 km de la tour, à 30° à l'est du nord (ou 30° EN), et un avion B à 16 km de la tour, à 40° à l'est du nord (ou 40° EN), à leur point de rapprochement maximal. Si les deux avions se trouvent à moins de 2 km l'un de l'autre, le contrôleur doit produire un rapport.

a) Fais un schéma qui représente la tour et les deux avions. Inscris-y les distances et les angles.

b) De la tour, quel est l'angle qui sépare les deux avions?

c) Faut-il vérifier s'il s'agit d'un cas ambigu? Explique ta réponse.

d) Le contrôleur doit-il produire un rapport? Explique pourquoi.

Solution

a)

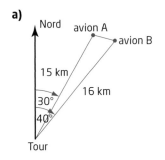

b) De la tour, un angle de 40° − 30° = 10° sépare les deux avions.

c) Deux côtés et l'angle qu'ils forment sont donnés. Puisque cet angle n'est pas opposé, il n'est pas nécessaire de vérifier s'il s'agit d'un cas ambigu.

d) Soit d, la distance entre les deux avions. Applique la loi du cosinus.

$$d^2 = 15^2 + 16^2 - 2(16)(15) \cos 10°$$

$$\approx 8{,}3$$

$$d \approx 2{,}9 \qquad \text{Puisque } d \text{ est une distance, seule la racine positive s'applique.}$$

Les avions se trouvent à environ 2,9 km l'un de l'autre à leur point de rapprochement maximal. Puisque la distance est supérieure à 2 km, le contrôleur n'a pas à produire un rapport.

Concepts clés

- Les rapports trigonométriques de base servent à résoudre des problèmes portant sur des triangles rectangles.

- La loi des sinus sert à résoudre des problèmes portant sur des triangles obliques dont on connaît deux angles et un côté. Lorsque deux côtés et un angle opposé sont donnés, il peut y avoir deux solutions, il peut y en avoir une seule ou il peut n'y en avoir aucune. Il s'agit d'un cas ambigu.

- La loi du cosinus sert à résoudre des problèmes portant sur des triangles obliques dont on connaît deux côtés et l'angle qu'ils forment, ou trois côtés mais aucun angle.

Communication et compréhension

C1 Si deux angles d'un triangle et le côté les joignant sont connus, de combien de façons peut-on dessiner ce triangle ? Explique pourquoi à l'aide d'un schéma.

C2 Est-il possible d'avoir un cas ambigu avec la loi du cosinus ? Si oui, donne un exemple. Sinon, explique pourquoi.

C3 Est-il possible qu'un côté inconnu d'un triangle puisse être déterminé soit à l'aide de la loi des sinus, soit à l'aide de la loi du cosinus ? Si oui, donne un exemple. Sinon, explique pourquoi.

Ⓐ À ton tour

Si tu as besoin d'aide pour répondre aux questions 1 et 2, reporte-toi aux exemples 1, 2 et 4.

1. Pour chaque problème qui suit, choisis la relation trigonométrique la plus appropriée – les rapports trigonométriques de base, la loi des sinus ou la loi du cosinus. Explique ton choix. Ne résous pas le problème.

a) Dans le $\triangle$ABC, m$\angle$A = 90°, m$\angle$B = 39° et a = 10 cm. Détermine b.

b) Dans le $\triangle$PQR, m$\angle$P = 35°, m$\angle$R = 65° et p = 3 m. Détermine q.

c) Dans le $\triangle$DEF, m$\angle$D = 60°, m$\angle$F = 50° et d = 12 cm. Détermine f.

d) Dans le $\triangle$XYZ, m$\angle$X = 42°, y = 25 km et z = 20 km. Détermine x.

2. Détermine la valeur demandée pour chacun des triangles de la question 1. Arrondis tes réponses au dixième près.

Si tu as besoin d'aide pour répondre aux questions 3 et 4, reporte-toi à l'exemple 1.

3. L'ombre d'un arbre de 12 m de hauteur est de 9 m. Détermine l'angle d'élévation du soleil.

4. Il y a un obstacle d'eau entre un golfeur et le vert. Le golfeur a le choix : il peut frapper la balle le long de l'obstacle

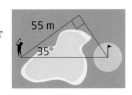

vers un point situé à gauche du vert et jouer son prochain coup à partir de là, ou encore frapper sa balle directement par-dessus l'obstacle, vers le vert. D'habitude, il réussit un coup d'approche d'au moins 60 m. Devrait-il tenter un tir direct ou contourner l'obstacle ?

Si tu as besoin d'aide pour répondre à la question 5, reporte-toi à l'exemple 2.

5. Yolanda fait voler son avion ultraléger vers l'est sur 100 km. Elle effectue un virage de 130° vers la droite, et parcourt un deuxième segment. Enfin, elle effectue un virage de 110° vers la droite et revient à son point de départ.

  a) Représente son trajet par un schéma où tu inscriras toutes les données.

  b) Détermine la longueur totale du vol, au kilomètre près.

Si tu as besoin d'aide pour répondre à la question 6, reporte-toi à l'exemple 3.

6. Pour chaque triangle, fais des schémas qui représentent les mesures. Ensuite, calcule la longueur de c. Si c'est impossible, explique pourquoi.

  a) Dans le $\triangle ABC$, $a = 13$ cm, $b = 21$ cm et $m\angle A = 29°$.

  b) Dans le $\triangle ABC$, $a = 24$ m, $b = 21$ m et $m\angle A = 75°$.

Si tu as besoin d'aide pour répondre à la question 7, reporte-toi à l'exemple 4.

7. Bill et Nadia habitent chacun à une extrémité du même ravin. Pour se rendre chez Nadia, Bill parcourt 180 m jusqu'au bout du ravin, tourne vers la droite de

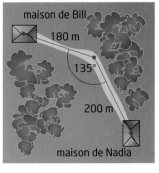

45° et marche encore 200 m. Détermine la distance exacte entre les deux maisons.

B **Liens et mise en application**

8. Deux haubans stabilisent une antenne de radio. Un des haubans (de 100 m de long) est fixé au sommet de l'antenne. Il forme un angle de 60° avec le sol. L'autre hauban est fixé au sol au même point que le premier. Son autre extrémité est fixée à l'antenne de façon que le hauban forme un angle de 45° avec le sol. Détermine la distance exacte entre les points d'attache des deux haubans sur l'antenne.

9. Un bol en terre cuite de 30 m de diamètre sert d'ornement de jardin. Une averse le remplit d'eau jusqu'à une hauteur maximum de 7 cm. On renverse doucement le bol pour le vider. Quel angle formera le rebord du bol avec l'horizontale lorsque l'eau commencera à s'écouler ?

10. Une grande roue de 20 m de rayon comporte 10 nacelles équidistantes sur sa circonférence. Suppose que les nacelles sont numérotées dans l'ordre. Quelle distance y a-t-il entre la première et la cinquième, en ligne droite ?

11. En quittant la marina, Charles dirige son bateau à 10° ON et navigue pendant 1,5 h à 18 km/h. Il vire ensuite à tribord (à droite) à 60° EN et navigue pendant 1,2 h à 20 km/h.

Raisonnement

Modélisation   Sélection d'outils

Résolution de problèmes

Liens   Réflexion

Communication

a) Après ce temps, quelle distance sépare Charles de son point de départ, au kilomètre près ?

b) Quel cap Charles doit-il suivre pour revenir directement à la marina ?

12. Giulia déroule 50 m de ficelle de son cerf-volant. Une légère brise soutient le cerf-volant de façon que la ficelle forme un angle de 60° avec le sol. Après quelques minutes, le vent gagne en force et pousse le cerf-volant jusqu'à ce que la ficelle forme un angle de 45° avec le sol. Détermine la distance horizontale exacte parcourue par le cerf-volant au-dessus du sol.

13. Technologie Il existe dans Internet des applications pour résoudre un triangle à l'aide de la loi des sinus ou du cosinus. À l'aide de telles applications, vérifie tes réponses à certaines des questions de cette section.

14. Dans le △ABC, m∠A = 40°, a = 10 cm et b = 12 cm. Détermine c au dixième de centimètre près.

a) Explique pourquoi il faut tenir compte du cas ambigu pour ce triangle.

b) Dessine les deux triangles pouvant correspondre à ces mesures.

c) Détermine la longueur du côté c des deux triangles. Combien de solutions valables y a-t-il ?

d) Si le côté a mesure 12 cm plutôt que 10 cm, combien de solutions y a-t-il ? Explique pourquoi.

e) Détermine toutes les réponses possibles en d).

15. a) Reporte-toi à ta réponse à l'étape d) de la question 14. Si le côté a mesure 7 cm au lieu de 10 cm, combien de solutions y a-t-il ? Explique pourquoi.

b) Détermine la valeur minimale de a qui génère au moins une solution. Calcule ta réponse au dix-millième près.

16. a) Formule un problème qui porte sur un triangle et qui a deux solutions. Détermine les solutions pour t'assurer de la validité de ton problème.

b) Échange ton problème contre celui d'une ou d'un camarade, et résous le sien.

c) Échange ta solution contre celle de ta ou ton camarade. Par écrit, commente brièvement la solution de ton ou ta camarade, notamment la présentation.

17. Problème du chapitre Au poste de contrôle n° 3, on te remet une calculatrice scientifique. Détermine la direction et la distance du poste de contrôle n° 3 au poste n° 4 à partir des données fournies. Dessine cette partie du trajet sur ta carte en y inscrivant tous les angles et toutes les distances.

Direction : nord de l'est

Utilise ∠A du △ABC. Dans le △ABC, m∠B = 85°, a = 41 m et c = 32 m. Arrondis au degré près, si nécessaire.

Distance : la mesure de b, dans le △ABC, au mètre près

18. Un arbre de 20 m de hauteur est situé à 30 m d'un immeuble de 10 m de hauteur. Au milieu de la matinée, l'ombre de l'arbre est orientée directement vers l'immeuble. L'angle d'élévation du Soleil augmente de 15° l'heure. Pendant combien de temps l'ombre de l'arbre touche-t-elle au moins une partie de l'immeuble ?

19. Aujourd'hui, on conçoit de nombreux immeubles à bon rendement énergétique. Une

des méthodes employées consiste à installer des auvents aux fenêtres orientées vers le sud. L'été, les auvents protègent les fenêtres des rayons solaires, et l'hiver, ils les laissent entrer. L'angle d'élévation maximal du Soleil, θ, à une latitude de L degrés au nord de l'équateur est donné par $\theta = (90° - L) + 23,5°$ pour les latitudes au nord du tropique du Cancer.

a) Explique pourquoi l'angle 23,5° figure dans l'équation.

b) Soit une fenêtre orientée vers le sud, et placée à une hauteur de 1,5 m, dans une maison située à 45° au nord de l'équateur. Représente par un schéma un auvent qui s'avance à une distance d au-dessus de la fenêtre, de façon qu'elle soit entièrement à l'ombre à midi, le jour du solstice d'été.

c) Détermine la valeur de d en b).

d) Quelle portion de la fenêtre le soleil de midi atteindra-t-il le jour du solstice d'hiver ?

20. Albert et Biéta habitent du même côté de la rue Principale, à 200 m de distance l'un de l'autre. Charlotte vit juste en face de chez Albert, et Daniel habite juste en face de chez Biéta. Depuis la maison d'Albert, la maison de Biéta et celle de Daniel forment un angle de 31°. Depuis la maison de Biéta, la maison d'Albert et celle de Charlotte forment un angle de 25°.

a) Trace un schéma représentant la position des quatre maisons. Inscris-y toutes les distances et tous les angles donnés.

b) Décris une méthode qui permet de déterminer la distance entre la maison de Charlotte et celle de Daniel.

c) Détermine cette distance à l'aide de ta méthode.

✔ **Question d'évaluation**

21. Au cours d'une expédition en canot, Enrico s'arrête sur la rive sud d'une rivière qui coule de l'est vers l'ouest. De là, il voit une tour d'observation

située à 2,5 km de lui, sur la rive nord de la rivière. Plus tard, il s'arrête de nouveau sur la rive sud, à 1,8 km de la tour d'observation. La tour, le premier point d'arrêt d'Enrico et son deuxième point d'arrêt forment un angle de 35°.

a) Explique pourquoi Enrico pourrait avoir fait son deuxième arrêt à deux endroits différents. Fais un schéma montrant chacun des endroits possibles. Inscris-y tous les angles et toutes les distances.

b) Détermine les angles que peuvent former la tour d'observation, le deuxième point d'arrêt d'Enrico et son premier point d'arrêt.

c) Sans faire de calculs, prédis lequel des angles déterminés en b) correspond à la plus grande distance entre les arrêts d'Enrico. Explique ta réponse.

d) Détermine les distances possibles entre le premier et le deuxième arrêt d'Enrico.

e) Soit 35°, l'angle formé par le premier point d'arrêt d'Enrico, la tour d'observation et son deuxième point d'arrêt. En quoi la solution change-t-elle ? Résous ce nouveau problème.

C Approfondissement

22. On peut fabriquer un clinomètre, pour mesurer l'angle d'élévation d'objets réels, à partir de matériaux simples.

a) Cherche dans Internet un plan de clinomètre simple.

b) Fabrique ton clinomètre à partir de ce plan.

c) Choisis un objet de la vie courante dont la hauteur est difficile à mesurer directement. Mesure-le à l'aide de ton clinomètre.

d) Rédige un bref compte rendu sur tes méthodes et tes calculs.

23. La grande salle de bal d'un hôtel se trouve au 3ᵉ étage, 15 m au-dessus du hall d'entrée. On y accède par un escalier en spirale qui parcourt un espace cylindrique de 72 m de diamètre en un seul tour complet. Détermine l'angle d'élévation de l'escalier.

24. En explorant une plaine désertique sur Mars, un astronaute découvre une colonne rocheuse M, en forme de mitaine, et une colonne rocheuse T, en forme de toupie. Il aimerait déterminer la distance entre les deux, mais il n'a pas assez d'oxygène pour s'y rendre. À partir du point A, situé à 600 m de la colonne B, qui est en forme de banane, il détermine que m∠MAB = 155° et m∠TAB = 32°. Il marche 600 m jusqu'à la colonne B; de là, il détermine que m∠MBA = 20° et que m∠TBA = 146°.

a) Fais un schéma qui représente ces données.

b) Explique comment déterminer la distance MT à l'aide de relations trigonométriques.

c) Détermine la distance MT.

25. À l'équinoxe de printemps (le 21 ou le 22 mars dans l'hémisphère Nord), suppose que le Soleil se lève à 6 h, se couche à 18 h et qu'il est à la verticale à midi.

a) Le mât d'un drapeau a 10 m de hauteur. À quelle heure son ombre mesurera-t-elle 5 m de longueur?

b) Explique pourquoi il y a plus d'une réponse en a).

26. Montre que l'on peut calculer l'aire du △PQR à l'aide de la formule
$$A = \frac{1}{2}pq \sin R.$$

27. Concours de maths Trois cercles de même rayon sont tangents les uns aux autres. Un triangle équilatéral les circonscrit. Si le rayon r de chaque cercle est de 2 cm, quelle est la longueur de côté du triangle, au centimètre près?

A 10 cm   **B** 11 cm   **C** 12 cm

D 9 cm   **E** 8 cm

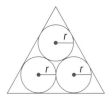

28. Concours de maths Un avion vole à 500 km/h. L'angle de dépression d'un phare situé sur une île est de 6°. Au bout de 12 min, alors que l'avion continue de s'approcher du phare, l'angle de dépression est de 15°. Combien de temps faudra-t-il à l'avion pour se trouver directement au-dessus du phare?

29. Concours de maths Un pentagone régulier est inscrit dans un cercle de 10 cm de diamètre. Quelle est l'aire, au centimètre carré près, de la partie du cercle qui se trouve à l'extérieur du pentagone?

A 59 cm²   **B** 19 cm²

C 79 cm²   **D** 20 cm²

E 18 cm²

Vérifier le cas ambigu à l'aide d'un logiciel de géométrie

On veut creuser une canalisation du point A au point B dans un affleurement rocheux. Pour déterminer la longueur du tuyau, une arpenteuse envoie son apprenti prendre des mesures. L'apprenti prend une visée de A à B, puis il effectue une rotation vers la gauche de 40°. Il avance tout droit pendant 200 m jusqu'à ce qu'il arrive au point C, passé l'affleurement rocheux. Il marche ensuite directement vers B, et mesure la distance CB, soit 150 m. Lorsqu'il présente ses résultats à l'arpenteuse, elle lui dit qu'il ne lui fournit pas assez de données.

a) Explique pourquoi l'arpenteuse a raison.

b) Rédige une note pour expliquer à l'apprenti comment il aurait dû prendre ses mesures pour éviter ce problème.

Effectue les étapes qui suivent pour représenter le problème à l'aide du *Cybergéomètre*.

• Ouvre le *Cybergéomètre*. Trace un point A. Trace un segment de droite dont A est l'extrémité gauche.

• Double-clique sur le point A de façon à le choisir comme centre. Choisis une échelle appropriée. Ici, on a utilisé une échelle de 1 cm : 25 m. Dans le menu **Transformation**, clique sur **Translation**. Assure-toi que l'option **polaire** est sélectionnée.

> **Conseil techno**
>
> Tu peux décrire une translation à partir d'une distance et d'un angle à l'aide de l'option **polaire**. Tu peux décrire une translation comme un déplacement horizontal et vertical à l'aide du bouton **rectangulaire**.

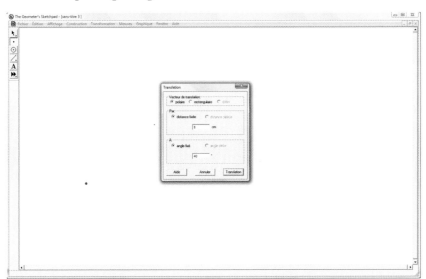

• Saisis 8 cm et 40° dans les cases **Distance** et **Angle**.

• Étant donné l'échelle, le point C sera à une distance fixe de 8 cm et à un angle fixe de 40°. Clique sur **Translation**. Clique avec le bouton de droite sur le point image, sélectionne **Propriétés** dans le menu et nomme le point C.

• Crée une image du point C à une distance de 6 cm et à un angle de 0°, à l'aide du menu **Transformation**.

• Sélectionne le point C, puis le point C'. À partir du menu **Construction**, choisis l'option **Cercle par centre + point.**

• Au besoin, prolonge le segment de droite de façon qu'il coupe le cercle en deux points. Sélectionne le cercle et le segment de droite. Dans le menu **Construction**, choisis l'option **Intersections**. Il s'agit des emplacements possibles du point B. Renomme-les B_1 et B_2. Dessine des segments de droite pour former le $\triangle AB_1C$ et le $\triangle AB_2C$. Réponds à la question b) à l'aide de ton schéma. Quels angles et quelles longueurs l'apprenti doit-il mesurer pour permettre à l'arpenteuse de calculer la longueur de la canalisation, $\overline{AB}$?

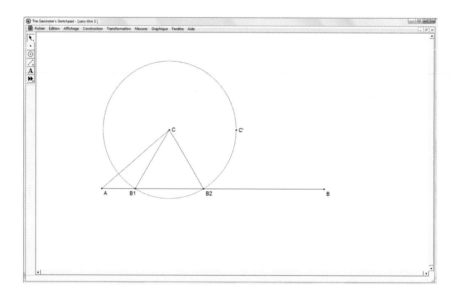

Les problèmes en trois dimensions

Près des pistes de certains aéroports se trouvent des obstacles – tours, collines ou grands immeubles – dont la hauteur est souvent impossible à mesurer directement. Pendant un vol aux instruments (lorsqu'il y a du brouillard ou de la neige), la pilote ou le pilote de l'avion qui décolle ne peut pas voir ces obstacles. Pour permettre ces décollages aux instruments, un aéroport doit publier la vitesse d'ascension minimale nécessaire pour éviter tout obstacle.

Dans cette section, tu apprendras à résoudre des problèmes en trois dimensions à l'aide des rapports trigonométriques de base, de la loi des sinus et de la loi du cosinus.

Explore

Comment peut-on résoudre un problème en trois dimensions à l'aide de la trigonométrie?

1. Une colline dont la hauteur et la distance sont inconnues est située devant l'extrémité de la piste 09 (décollage vers l'est) de l'aéroport de Cité. À partir de l'extrémité de la piste, l'angle d'élévation de la colline est de 7°. À partir d'un point situé à 200 m au sud de l'extrémité de la piste, la base de la colline et l'extrémité de la piste forment un angle de 87°. Fais un schéma représentant la situation.

2. Détermine la distance, au mètre près, entre l'extrémité de la piste et la base de la colline, à l'aide de la relation trigonométrique appropriée.

3. Détermine la hauteur de la colline, à 10 m près.

4. La vitesse d'ascension nécessaire peut être exprimée en mètres au kilomètre à partir de l'extrémité de la piste. Quelle vitesse d'ascension faut-il pour qu'un avion évite tout juste le sommet de la colline?

5. Pour des raisons de sécurité, la réglementation exige que la vitesse d'ascension de l'avion lui permette d'éviter l'obstacle avec une certaine marge, habituellement 330 m. Pour respecter cette règle, quelle vitesse d'ascension est nécessaire?

6. **Réflexion** Suggère une autre situation de laquelle découle un problème en trois dimensions que la trigonométrie peut aider à résoudre.

Maths et monde

On attribue aux pistes des aéroports un numéro à trois chiffres selon leur orientation. Ainsi, à partir du nord (000°), on effectue une rotation vers l'est à 090°, vers le sud à 180° et vers l'ouest à 270°. On numérote les pistes des terrains d'aviation à partir des deux premiers chiffres de leur orientation, ou angle de relèvement. Une piste sur laquelle on atterrit vers l'est est donc numérotée 09. Si tu atterrissais sur cette piste dans l'autre sens, quel en serait le numéro?

Exemple 1

Résoudre un problème en trois dimensions à l'aide des rapports trigonométriques de base

Une antenne radio se trouve directement au nord de la maison de Sam. Sam marche jusqu'à la maison d'Éléna, à 1 200 m de la sienne dans la direction 50° EN. Vue de la maison d'Éléna, l'antenne est située à l'ouest, avec un angle d'élévation de 12°. Détermine la hauteur de l'antenne au mètre près.

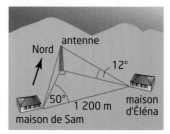

Solution

La maison de Sam est située au sud de l'antenne et celle d'Éléna, à l'est de l'antenne. Les deux maisons forment un triangle rectangle avec la base de l'antenne. Utilise les rapports trigonométriques de base.

Soit d, la distance en mètres entre la maison d'Éléna et la base de l'antenne.

$$\sin 50° = \frac{d}{1\ 200}$$
$$d = 1\ 200 \sin 50°$$
$$\approx 919$$

La maison d'Éléna est située à environ 919 m de la base de l'antenne.

Soit h, la hauteur de l'antenne. Utilise la tangente.

$$\tan 12° = \frac{h}{919}$$
$$h = 919 \tan 12°$$
$$\approx 195$$

La hauteur de l'antenne est d'environ 195 m.

Exemple 2

Résoudre un problème en trois dimensions à l'aide de la loi des sinus

Un arpenteur veut mesurer la hauteur d'une falaise située sur l'autre rive d'une rivière. Il établit une base géodésique $\overline{AB}$ d'une longueur de 150 m. Du point A, il choisit un point C à la base de la falaise et détermine que m∠CAB = 51°. Il choisit ensuite un point D au sommet de la falaise, directement au-dessus du point C, et mesure un angle d'élévation de 32°. Du point B, il détermine que m∠CBA = 62°.

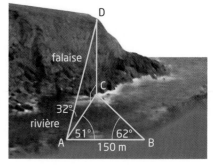

a) Ce problème comporte-t-il des triangles rectangles ? Explique ta réponse.

b) Quelle longueur déterminerais-tu en premier ? Détermine cette longueur, au mètre près, à l'aide de la relation qui convient le mieux.

c) À l'aide de quelle relation peux-tu déterminer la hauteur de la falaise ? Explique ton choix. Détermine la hauteur de la falaise au mètre près.

Solution

a) Puisque le point C est situé directement sous le point D, le $\triangle$ACD est un triangle rectangle.

b) Détermine d'abord m$\overline{AC}$ dans le $\triangle$ABC. Deux angles et un côté du $\triangle$ABC sont connus. Détermine m$\overline{AC}$ à l'aide de la loi des sinus. Ensuite, détermine la hauteur de la falaise, m$\overline{CD}$, à partir du $\triangle$ACD.
Dans le $\triangle$ABC,

$$\begin{aligned} m\angle C &= 180^\circ - 51^\circ - 62^\circ \\ &= 67^\circ \end{aligned}$$

La somme des angles intérieurs d'un triangle est de 180°.

$$\frac{b}{\sin B} = \frac{c}{\sin C}$$

Applique la loi des sinus.

$$\frac{b}{\sin 62^\circ} = \frac{150}{\sin 67^\circ}$$

Remplace les valeurs connues dans l'équation.

$$\begin{aligned} b &= \frac{150 \sin 62^\circ}{\sin 67^\circ} \\ &\approx 144 \end{aligned}$$

Résous l'équation.

150*sin(62)/sin(
67)
143.879892

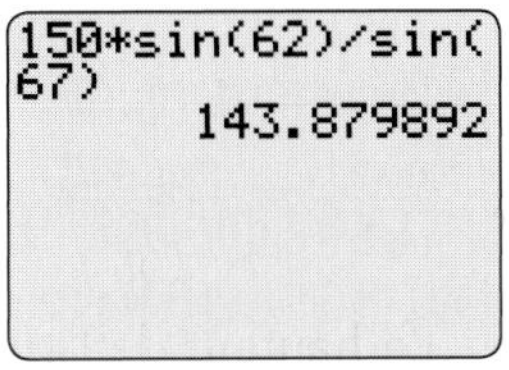

La longueur du segment AC est de 144 m, au mètre près.

Maths et monde

Par convention, on appelle *a* le côté opposé à $\angle$A, *b* le côté opposé à $\angle$B, et *c* le côté opposé à $\angle$C.

c) Puisque le $\triangle$ACD est un triangle rectangle, ce sont les rapports trigonométriques de base qui conviennent le mieux. Soit *h*, la hauteur de la falaise en mètres. Utilise la valeur de *b* déterminée à partir du $\triangle$ABC.

$$\begin{aligned} \tan 32^\circ &= \frac{h}{b} \\ &= \frac{h}{144} \\ h &= 144 \tan 32^\circ \\ &\approx 90 \end{aligned}$$

La hauteur de la falaise est d'environ 90 m.

Exemple 3

Résoudre un problème en trois dimensions à l'aide de la loi du cosinus

De sa montgolfière, Justine signale qu'elle se trouve à une altitude de 1 500 m au-dessus d'un terrain de golf situé à mi-chemin entre Émerville et Forêtville. Forêtville est à 16,0 km à l'est de Daneau, et Émerville est à 16,5 km de Daneau, à 42° au sud de l'est. Au degré près, quel est l'angle d'élévation de la montgolfière vue de Daneau ?

Solution

Détermine la distance entre Émerville et Forêtville.

Puisque deux côtés et l'angle qu'ils forment sont connus, on peut appliquer la loi du cosinus.

$$d^2 = e^2 + f^2 - 2ef \cos D$$
$$= 16,0^2 + 16,5^2 - 2(16,0)(16,5) \cos 42°$$
$$\approx 135,87$$
$$d \approx 11,66$$

La distance doit être positive, on exclut donc la réponse négative.

La distance entre Émerville et Forêtville est d'environ 11,7 km.

Le terrain de golf est à $\frac{11,7}{2}$ ou 5,85 km d'Émerville.

Détermine m∠E dans le △DEF à l'aide de la loi des sinus.

$$\frac{\sin E}{16,0} = \frac{\sin 42°}{11,7}$$
$$\sin E = \frac{16,0 \sin 42°}{11,7}$$
$$\sin E \approx 0,915\ 1$$
$$m\angle E \approx 66°$$

Détermine m$\overline{DG}$ dans le △DEG à l'aide de la loi du cosinus.

$$e^2 = g^2 + d^2 - 2(g)(d) \cos E$$
$$= 16,5^2 + 5,85^2 - 2(16,5)(5,85) \cos 66°$$
$$\approx 227,95$$
$$m\overline{DG} \approx 15,1$$

Le segment DG mesure environ 15,1 km.

L'altitude de la montgolfière au-dessus du terrain de golf est de 1 500 m ou 1,5 km. Détermine son angle d'élévation à partir de Daneau, c'est-à-dire m∠D dans le △DJG, à l'aide des rapports trigonométriques de base.

$$\tan D = \frac{1,5}{15,1}$$
$$m\angle D \approx 6°$$

L'angle d'élévation de la montgolfière, vue de Daneau, est d'environ 6°.

Souvent, le fait de dessiner des triangles en deux dimensions à chaque étape aide à résoudre un problème en trois dimensions.

- On peut résoudre les problèmes en trois dimensions qui comportent des triangles à l'aide d'une ou de plusieurs des relations suivantes : le théorème de Pythagore, les six rapports trigonométriques, la loi des sinus et la loi du cosinus.
- La relation choisie dépend de l'information donnée.

Communication et compréhension

C1 Pourquoi les problèmes en trois dimensions sont-ils plus difficiles à résoudre que les problèmes en deux dimensions, considérant qu'on les résout à l'aide des mêmes relations trigonométriques ?

C2 Pierre visite le Taj Mahal, à Agra, en Inde. Comment pourrait-il déterminer sa hauteur s'il la mesurait depuis le jardin à l'avant du monument ? Combien de mesures Pierre devrait-il prendre au minimum ? Explique ta réponse.

Maths et monde

Le Taj Mahal est un monument funéraire. Il a été construit pour abriter le tombeau d'une seule personne, l'épouse bien-aimée de l'empereur Shah Jahan. Aujourd'hui, il comporte trois cryptes.

A À ton tour

Si tu as besoin d'aide pour répondre aux questions 1 à 3, reporte-toi à l'exemple 1.

1. Les buts d'un terrain de baseball sont distants de 27,4 m et forment un losange. Le lanceur lance la balle, et le joueur au bâton l'envoie à 15 m de hauteur. Au degré près, quel est l'angle d'élévation maximale de la balle vue par le lanceur, si celui-ci se tient au centre du losange ?

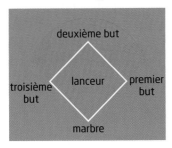

2. Une tente à base carrée, vue de profil, a la forme montrée. La paroi du côté a un angle d'inclinaison de 60° sur 2 m, puis un angle d'inclinaison de 30° sur encore 2 m, jusqu'au sommet.

a) Détermine la valeur exacte de la hauteur de la tente.

b) Détermine la valeur exacte de la longueur du côté de la tente.

c) Détermine la valeur exacte de la longueur d'une des diagonales de la base.

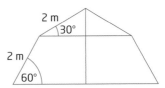

3. La grande pyramide de Khéops à Gizeh, en Égypte, a une base carrée de 230 m de côté. Une de ses faces triangulaires

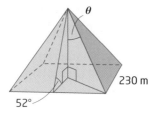

a un angle d'élévation de 52°. Détermine la mesure de l'angle θ entre la hauteur et l'une des arêtes formées par la rencontre de deux faces triangulaires.

B Liens et mise en application

Si tu as besoin d'aide pour répondre à la question 4, reporte-toi à l'exemple 2.

4. Une piste d'aviation gazonnée s'étend du nord au sud. David remarque qu'il y a des arbres à l'extrémité sud. Il ne connaît ni leur taille

ni la distance à laquelle ils se trouvent. Il aimerait déterminer leur hauteur. Du début de la piste, l'angle d'élévation du plus grand arbre est de 4°. David parcourt 100 m vers la gauche. De là, il remarque que le pied de l'arbre et le début de la piste forment un angle de 83°.

a) Fais un schéma représentant cette situation. Inscris-y toutes les mesures.

b) Que calculeras-tu en premier? À l'aide de quelle relation? Effectue le calcul.

c) Détermine la hauteur du plus grand arbre.

d) David consulte le manuel d'utilisation de l'avion et, en tenant compte de la température de l'air, il détermine que son avion peut monter de 75 m par kilomètre de distance horizontale. David peut-il tenter un décollage droit devant en toute sécurité? Explique ta réponse.

5. Une boîte de 20 cm de hauteur a la forme d'un prisme à base carrée. Sa base a 10 cm de côté. Une baguette tombée dans la boîte touche l'un des coins inférieurs et le coin supérieur opposé. Détermine l'angle que forment la baguette et le bord vertical de la boîte, au dixième de degré près.

Si tu as besoin d'aide pour répondre aux questions 6 et 7, reporte-toi à l'exemple 3.

6. L'île de Santorin, en Grèce, est un cratère volcanique partiellement submergé, ou caldeira. À partir du point A, Nicos marche 4 km en ligne droite jusqu'au point B. Vu du point A, le cône volcanique situé au point C forme un angle CAB de 53°.

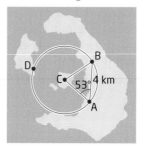

a) Détermine le rayon moyen du lagon central à partir du cercle ci-dessus.

b) Quelle distance sépare le point C du point D (sur l'île voisine), au dixième de kilomètre près?

c) Du point C, Santos regarde le sommet d'une falaise à un angle d'élévation de 3° au-dessus du point D. Quelle est la hauteur de la falaise, au mètre près?

d) Quelles hypothèses dois-tu émettre pour résoudre le problème? Explique pourquoi elles sont plausibles.

> **Maths et monde**
>
> Une explosion volcanique catastrophique a secoué l'île de Santorin vers 1600 avant notre ère. Selon certaines sources, cette éruption et les dommages causés aux îles voisines par les tsunamis sont à l'origine de la légende de l'Atlantide.

7. José et Léna se tiennent au sommet d'une falaise de 100 m de hauteur, au point D. Ils décident de faire une course jusqu'à la table de pique-nique, au point A. José court à une vitesse constante de 5 m/s jusqu'au point C, puis directement vers le point A. Léna descend la falaise jusqu'au point B à une vitesse constante de 1 m/s, puis court aussi vite que José jusqu'au point A. Qui arrive en premier?

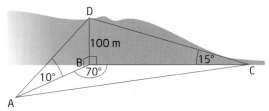

8. Une course comporte trois épreuves: de la natation, de l'escalade et une traversée en tyrolienne. Soit le point de départ A et le point d'arrivée D, à 200 m de A, à 65° à l'ouest du nord. Pour la première étape, il faut nager 600 m jusqu'à une île (point B) située directement à l'ouest du point A. Pour la deuxième étape, il faut escalader une falaise verticale jusqu'au point C. Vu du point A, le point C a un angle d'élévation de 10°. Pour la troisième étape, il faut effectuer une traversée en tyrolienne du point C au point D. On peut nager à 1,5 m/s, grimper à 0,75 m/s et traverser en tyrolienne à 15 m/s.

Raisonnement
Modélisation   Sélection d'outils
Résolution de problèmes
Liens   Réflexion
Communication

a) Fais un schéma représentant le problème. Inscris-y toutes les mesures données.

b) Combien de temps faut-il pour terminer la course?

9. Une molécule de méthane, CH_4, comporte quatre atomes d'hydrogène, aux quatre sommets d'un tétraèdre, et un atome de carbone au centre. Construis un modèle de cette molécule à l'aide de pailles et de guimauves, de cure-dents et de bonbons ou d'autres objets.

a) Explique comment tu peux t'assurer que l'« atome de carbone » se trouve exactement au milieu du tétraèdre.

b) Mesure l'angle formé par deux atomes d'hydrogène, l'atome de carbone étant le sommet.

c) Dans Internet, trouve une image de la molécule de méthane. Quel est l'angle exact?

d) Propose des façons d'améliorer ton modèle en vue d'obtenir une réponse plus précise.

Maths et monde

Les chimistes construisent souvent des modèles de molécules en trois dimensions pour mieux visualiser les liaisons chimiques entre les atomes. À partir de ces modèles, on peut mesurer les angles entre les atomes et formuler des hypothèses. La trigonométrie sert à élaborer des modèles mathématiques de ces structures. Malgré la complexité des calculs, on peut ainsi obtenir des estimations valables des angles dans une molécule.

10. Ranjeet gare sa voiture au coin de la promenade du Parc et de la rue Principale. Il marche 80 m vers l'est jusqu'à la Première Avenue, tourne vers la gauche de 30°, suit la Première Avenue sur 100 m jusqu'à l'immeuble Métro, où il prend l'ascenseur pour se rendre à son bureau, qui se trouve au 15ᵉ étage. Chaque étage a 4 m de hauteur. De la fenêtre de son bureau, Ranjeet voit sa voiture.

a) Fais un schéma représentant la situation. Inscris-y toutes les mesures données.

b) Quelle distance sépare Ranjeet de sa voiture, en ligne droite?

11. Problème du chapitre À partir de l'information donnée, détermine la direction à suivre et la distance jusqu'au poste de contrôle n° 5. Dessine cette partie du parcours sur ta carte. Inscris-y tous les angles et toutes les distances.

Direction : à l'ouest du sud

Détermine deux angles entre 0° et 360° dont la cosécante est $-\dfrac{2}{\sqrt{3}}$. Additionne leurs mesures en degrés et divise le résultat par 12. Utilise cet angle.

Distance : la hauteur de l'arbre dans le problème suivant :

André se tient à une certaine distance du pied d'un arbre. De là, l'angle d'élévation de la cime de l'arbre est de 30°. André se déplace ensuite de 40 m perpendiculairement à la droite qui relie sa position initiale au pied de l'arbre. De ce deuxième point, il observe que sa position initiale et la base de l'arbre forment un angle de 65°. Détermine la hauteur de l'arbre, arrondie au mètre près si nécessaire.

12. Une plongeuse autonome saute d'un bateau et descend jusqu'à un récif de corail, à 20 m de profondeur. Elle longe le récif vers l'ouest. Elle estime qu'elle a ainsi parcouru 30 m. Elle tourne vers la droite de 30° pour continuer à longer le récif et nage encore 25 m, à la même profondeur. À quelle distance est-elle du bateau ?

13. a) Formule un problème en trois dimensions. La solution doit inclure au moins une application de la loi des sinus ou de la loi du cosinus et exiger le calcul d'au moins trois inconnues. Résous ton problème pour t'assurer qu'il a une solution.

b) Échange ton problème contre celui d'une ou d'un camarade. Résous le sien.

c) Échange ta solution contre celle de ta ou ton camarade et discute avec elle ou lui de la validité des méthodes utilisées.

C Approfondissement

14. Un tétraèdre régulier a des arêtes de longueur a. Montre que l'on peut déterminer son aire totale, A_t, à l'aide de la formule $A_t = \sqrt{3}\,a^2$.

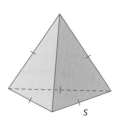

15. Le cône en papier d'un cornet glacé a un rayon R et un angle vertical de 60°. Lorsqu'on met une boule de rayon r dans le cône, le haut de la boule est au même niveau que le rebord du cône. Détermine une expression qui représente la distance entre le bas de la boule et le sommet du cône, en fonction de R et de r.

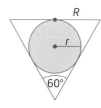

16. Les arêtes d'un tétraèdre régulier ont une longueur a. Détermine l'expression qui définit la hauteur h en fonction de a.

17. Une pyramide a une base en forme de losange dont la longueur des côtés est c. La hauteur de la pyramide est égale à la longueur de côté de sa base. La longueur d'une des diagonales du losange est aussi égale à la longueur de côté de sa base. Détermine l'angle d'élévation du sommet de la pyramide à partir de l'extrémité de l'autre diagonale.

18. Anouar vit dans le centre du Canada. Son ami Bill vit aux États-Unis. Son amie Chantal vit en France. Chacun d'eux détermine les coordonnées exactes de sa maison à l'aide d'un récepteur GPS (système de positionnement global). Anouar trace un point pour situer chacun de ces endroits sur un globe terrestre, puis il trace trois lignes droites pour les relier, formant ainsi un triangle.

a) La somme des trois angles intérieurs du triangle d'Anouar ne donne pas 180°. Explique pourquoi.

b) La somme est-elle supérieure ou inférieure à 180°? Explique ta réponse.

19. Le système de positionnement global (GPS) détermine une position à la surface de la planète à partir du signal de satellites en orbite autour de la Terre. La plupart des récepteurs peuvent suivre jusqu'à 12 des 24 satellites du système. Combien de satellites faut-il pour déterminer une position à l'aide de la trigonométrie?

a) Lorsqu'un récepteur GPS détecte le signal d'un satellite, il détermine sa position sur une sphère ayant pour centre le satellite. À la réception du signal d'un deuxième satellite, il détermine sa position à l'intersection de deux sphères. Quelle forme prend l'intersection de deux sphères? Explique ta réponse.

b) Lorsque le récepteur GPS reçoit le signal d'un troisième satellite, il situe l'intersection d'une troisième sphère et de l'intersection déterminée en a). Quelle forme a cette intersection?

c) Pourquoi faut-il un quatrième satellite pour obtenir une position précise?

20. Concours de maths Un navire est en détresse. Un bateau de la garde côtière et un paquebot se trouvent aussi en mer. Un hélicoptère se trouve à 2 000 m au-dessus du bateau de la garde côtière. De l'hélicoptère, l'angle de dépression du navire en détresse est de 13°. L'angle d'élévation de l'hélicoptère, à partir du paquebot, est de 23°. Du bateau de la garde côtière, l'angle formé par les deux autres navires est de 55°. Si le bateau de la garde côtière se déplace à 25 km/h et le paquebot à 20 km/h, lequel des deux atteindra le plus rapidement le navire en détresse?

21. Concours de maths Le produit 990*y* est un cube parfait. Quel est le plus petit nombre naturel que *y* peut représenter?

A 980 100   **B** 36 300

C 12 100   **D** 110

E 31 575

22. Concours de maths Combien de tracés y a-t-il de A à B si on ne peut se déplacer que vers la droite ou le bas?

A 460   **B** 30

C 462   **D** 450

E 475

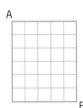

Les identités trigonométriques

Les équations qui découlent de problèmes de la vie courante comportent parfois des termes trigonométriques. Si un service au volleyball atteint une vitesse de 10 m/s à un angle θ par rapport à l'horizontale, la distance horizontale parcourue par le ballon correspond à $x = 20 \tan \theta \cos^2 \theta$. Or, il s'agit d'une équation complexe.

Certaines relations entre les rapports trigonométriques se vérifient pour tout angle. Ce sont des **identités**. On peut simplifier l'équation précédente à l'aide de deux identités et obtenir l'équation plus simple $x = 10 \sin 2\theta$.

identité

- une équation qui se vérifie pour toutes les valeurs qu'on peut attribuer à la variable

Par exemple, suppose que tu veux connaître l'angle du service à partir duquel le ballon sera projeté sur la plus grande distance. Le sinus a une valeur maximale de 1, à un angle de 90°. Si $2\theta = 90°$, alors $\theta = 45°$. L'angle du service qui projettera le ballon sur la plus grande distance sera donc de 45°.

Dans cette section, tu découvriras les identités trigonométriques de base et tu les utiliseras pour démontrer d'autres identités.

Explore

Comment peut-on démontrer une identité à partir des relations du cercle ?

Précédemment dans le chapitre, tu as établi, à partir d'un cercle, une relation entre les rapports trigonométriques d'un angle θ, le point P(x, y) de son côté terminal et le rayon r du cercle.

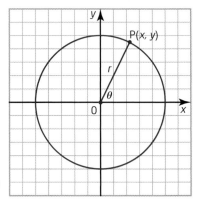

1. Écris les rapports trigonométriques de base de l'angle θ en fonction de x, y et r.

2. **a)** Dans l'expression $\dfrac{\sin \theta}{\cos \theta}$, substitue certaines des expressions déterminées à l'étape 1 et simplifie.

   b) **Réflexion** Quel rapport trigonométrique est équivalent à cette expression simplifiée ?

   c) Ce rapport et l'expression de départ en a) sont égaux. Écris l'équation correspondante.

3. **Réflexion** Vérifie l'identité de l'étape 2 pour d'autres angles à l'aide de ta calculatrice. Choisis au moins un angle dans chaque quadrant.

4. a) Dans l'expression $\sin^2 \theta + \cos^2 \theta$, substitue certaines des expressions déterminées à l'étape 1 et simplifie.

b) L'expression de départ et l'expression simplifiée forment une autre identité. Écris cette équation.

5. Réflexion Vérifie l'identité de l'étape 4 pour d'autres angles à l'aide de ta calculatrice. Choisis au moins un angle dans chaque quadrant. Si tu détermines que l'identité se vérifie pour un nombre fini d'angles, est-ce une démonstration? Explique ta réponse.

6. L'identité de l'étape 4 se nomme *identité de Pythagore*. Pourquoi?

Voici les identités de base que tu vas utiliser:

Identité de Pythagore $\qquad \sin^2 \theta + \cos^2 \theta = 1$

Identité quotient $\qquad \dfrac{\sin \theta}{\cos \theta} = \tan \theta$

Identités des rapports inverses $\qquad \operatorname{cosec} \theta = \dfrac{1}{\sin \theta} \,;\, \sec \theta = \dfrac{1}{\cos \theta} \,;\, \cot an \theta = \dfrac{1}{\tan \theta}$

Si une équation semble toujours se vérifier, on peut en conclure qu'il s'agit d'une identité. Pour démontrer une identité, écris les deux membres comme dans l'exemple 1. Travaille avec le membre de gauche (M. G.) ou le membre de droite (M. D.), ou les deux, jusqu'à ce que tu obtiennes la même expression des deux côtés.

Exemple 1

Démontrer une identité à partir d'un de ses membres et des identités de base

Démontre que $\tan^2 \theta + 1 = \sec^2 \theta$.

Solution

M. G. $= \tan^2 \theta + 1$ $\qquad\qquad\qquad\qquad$ M. D. $= \sec^2 \theta$

$\qquad = \dfrac{\sin^2 \theta}{\cos^2 \theta} + 1$ $\qquad$ Utilise l'identité quotient.

$\qquad = \dfrac{\sin^2 \theta}{\cos^2 \theta} + \dfrac{\cos^2 \theta}{\cos^2 \theta}$ $\qquad$ Détermine un dénominateur commun.

$\qquad = \dfrac{\sin^2 \theta + \cos^2 \theta}{\cos^2 \theta}$

$\qquad = \dfrac{1}{\cos^2 \theta}$ $\qquad$ Utilise l'identité de Pythagore.

$\qquad = \sec^2 \theta$ $\qquad$ Utilise une identité des rapports inverses.

M. G. = M. D.

Par conséquent, $\tan^2 \theta + 1 = \sec^2 \theta$.

Une des stratégies possibles consiste à utiliser les identités pour qu'un des membres ne comporte que des sinus et des cosinus, puis à simplifier.

Maths et monde

Tan A $= \dfrac{\sin A}{\cos A}$; si on élève les deux membres au carré, on obtient $(\tan A)^2 = \left(\dfrac{\sin A}{\cos A} \right)^2$, ou $\tan^2 A = \dfrac{\sin^2 A}{\cos^2 A}$.

Exemple 2

Démontrer une identité à partir de ses deux membres et d'identités connues

Démontre que $1 - \cos^2 \theta = \sin \theta \cos \theta \tan \theta$.

Solution

Il est plus pratique de travailler des deux côtés pour cet exemple.

$\text{M. G.} = 1 - \cos^2 \theta$

$= \sin^2 \theta$ Utilise l'identité de Pythagore.

$\text{M. D.} = \sin \theta \cos \theta \tan \theta$

$= \sin \theta \cos \theta \dfrac{\sin \theta}{\cos \theta}$ Utilise l'identité quotient.

$= \sin^2 \theta$

Par conséquent, $1 - \cos^2 \theta = \sin \theta \cos \theta \tan \theta$.

Maths et monde

L'identité de Pythagore peut s'écrire sous différentes formes.
$\sin^2 \theta + \cos^2 \theta = 1$
$\sin^2 \theta = 1 - \cos^2 \theta$
$\cos^2 \theta = 1 - \sin^2 \theta$

Exemple 3

Utiliser des expressions rationnelles comportant des rapports trigonométriques

Démontre que $\dfrac{\sin \theta}{1 + \cos \theta} = \dfrac{1 - \cos \theta}{\sin \theta}$.

Solution

Examine les deux membres de l'équation. Puisqu'il n'y a pas de terme au carré, tu ne peux pas utiliser directement l'identité de Pythagore. Cependant, tu peux créer des termes au carré en te fondant sur tes connaissances des différences de carrés. Multiplie le numérateur et le dénominateur du membre de gauche par $\dfrac{1 - \cos \theta}{1 - \cos \theta}$.

$\text{M. G.} = \dfrac{\sin \theta}{1 + \cos \theta}$

$\qquad = \dfrac{\sin \theta}{1 + \cos \theta} \times \dfrac{1 - \cos \theta}{1 - \cos \theta}$

$\qquad = \dfrac{\sin \theta(1 - \cos \theta)}{(1 + \cos \theta)(1 - \cos \theta)}$

$\qquad = \dfrac{\sin \theta(1 - \cos \theta)}{1 - \cos^2 \theta}$

$\qquad = \dfrac{\sin \theta(1 - \cos \theta)}{\sin^2 \theta}$ Utilise l'identité de Pythagore.

$\qquad = \dfrac{1 - \cos \theta}{\sin \theta}$ Simplifie l'expression.

$\text{M. D.} = \dfrac{1 - \cos \theta}{\sin \theta}$

$\text{M. G} = \text{M. D.}$

Par conséquent, $\dfrac{\sin \theta}{1 + \cos \theta} = \dfrac{1 - \cos \theta}{\sin \theta}$.

Maths et monde

On doit à Ptolémée, astronome et mathématicien grec ayant vécu vers l'an 130 avant notre ère, les premiers travaux portant sur les identités trigonométriques. Contrairement aux travaux modernes basés sur les relations dans les triangles rectangles, la trigonométrie de Ptolémée se fondait sur des cercles, des arcs et des cordes.

Concepts clés

- Une identité trigonométrique est une relation entre des rapports trigonométriques qui se vérifie pour tout angle pour lequel les deux membres de l'équation sont définis.

- Voici les identités de base :

  Identité de Pythagore $\sin^2 \theta + \cos^2 \theta = 1$

  Identité quotient $\dfrac{\sin \theta}{\cos \theta} = \tan \theta$

  Identités des rapports inverses $\operatorname{cosec} \theta = \dfrac{1}{\sin \theta}$ $\sec \theta = \dfrac{1}{\cos \theta}$ $\operatorname{cotan} \theta = \dfrac{1}{\tan \theta}$

- On peut démontrer des identités plus complexes à l'aide des identités de base.

- On peut simplifier les solutions qui comportent des expressions trigonométriques à l'aide d'identités.

Communication et compréhension

C1 Anna affirme avoir découvert l'identité trigonométrique $3\theta = 2 \sin \theta$. Pour le démontrer, elle dit que le membre de gauche est égal au membre de droite lorsque $\theta = 30°$. Cette solution vérifie-t-elle l'équation ? Prouve-t-elle que $3\theta = 2 \sin \theta$? Explique ta réponse.

C2 Soit l'identité supposée d'Anna. Quelle est la différence entre une équation et une identité ?

C3 Tu peux démontrer qu'une équation n'est pas une identité en déterminant au moins un contre-exemple. Un contre-exemple est une valeur de la variable pour laquelle l'équation ne se vérifie pas. Détermine un contre-exemple pour l'équation de la question C1.

A À ton tour

Si tu as besoin d'aide pour répondre à la question 1, reporte-toi à la rubrique Explore.

1. Démontre l'identité de Pythagore à partir des définitions trigonométriques en fonction du côté opposé, du côté adjacent et de l'hypoténuse dans un triangle rectangle.

2. Représente graphiquement la relation $y = \sin^2 x + \cos^2 x$ à l'aide d'une calculatrice à affichage graphique ou de papier quadrillé. Décris le graphique.

Si tu as besoin d'aide pour répondre aux questions 3 et 4, reporte-toi à l'exemple 1.

3. Démontre chaque identité.

   a) $\sin \theta = \cos \theta \tan \theta$

   b) $\operatorname{cosec} \theta = \sec \theta \operatorname{cotan} \theta$

   c) $\cos \theta = \sin \theta \operatorname{cotan} \theta$

   d) $\sec \theta = \operatorname{cosec} \theta \tan \theta$

4. Démontre chaque identité.

   a) $1 + \operatorname{cosec} A = \operatorname{cosec} A(1 + \sin A)$

   b) $\operatorname{cotan} B \sin B \sec B = 1$

   c) $\cos C(\sec C - 1) = 1 - \cos C$

   d) $1 + \sin D = \sin D(1 + \operatorname{cosec} D)$

Si tu as besoin d'aide pour répondre aux questions 5 et 6, reporte-toi à l'exemple 2.

5. Démontre que
   $1 - \sin^2 \theta = \sin \theta \cos \theta \operatorname{cotan} \theta$.

6. Démontre que $\operatorname{cosec}^2 \theta = \operatorname{cotan}^2 \theta + 1$.

B Liens et mise en application

Si tu as besoin d'aide pour répondre aux questions 7 et 8, reporte-toi à l'exemple 3.

7. Démontre que $\dfrac{\cos \theta}{1 + \sin \theta} = \dfrac{1 - \sin \theta}{\cos \theta}$.

8. Démontre que
$$\frac{\cos \theta}{1 - \sin \theta} + \frac{\cos \theta}{1 + \sin \theta} = \frac{2}{\cos \theta}.$$

9. Démontre que $\operatorname{cosec}^2 \theta \cos^2 \theta = \operatorname{cosec}^2 \theta - 1$.

10. Technologie On peut décomposer l'identité démontrée à la question 8 en deux relations, une pour le membre de gauche et l'autre pour le membre de droite. Utilise une calculatrice à affichage graphique.

a) Saisis le membre de gauche en tant que **Y1** et le membre de droite en tant que **Y2**. En mode degrés, règle les paramètres d'affichage comme ici. Choisis le trait épais pour **Y2**.

```
WINDOW
Xmin=-360
Xmax=360
Xscl=60
Ymin=-5
Ymax=5
Yscl=1
Xres=1
```

```
Plot1 Plot2 Plot3
\Y1◱cos(X)/(1-si
n(X))+cos(X)/(1+
sin(X))
\Y2◱2/cos(X)
\Y3=
\Y4=
\Y5=
```

La représentation graphique de **Y1** s'affichera d'abord, puis celle de **Y2**, dont le trait sera plus épais pour la discerner de celle de **Y1**.

b) Compare les représentations graphiques. Explique tes résultats.

Conseil techno

Pour comparer deux graphiques, on peut aussi les faire disparaître ou apparaître à tour de rôle. Dans l'éditeur **Y=**, place le curseur sur le signe d'égalité et appuie sur (ENTER). Lorsque le signe d'égalité est surligné, le graphique s'affiche. Dans le cas contraire, le graphique ne s'affiche pas.

11. Examine la représentation graphique de la question 10. S'agit-il d'une démonstration de l'identité? Explique ta réponse.

12. Démontre que
$\tan \theta + \cotan \theta = \dfrac{\sec \theta}{\sin \theta}$.
Représente graphiquement cette identité à l'aide d'une calculatrice à affichage graphique.

13. Démontre que
$\cotan^2 \theta \, (1 + \tan^2 \theta) = \operatorname{cosec}^2 \theta$. Représente graphiquement cette identité à l'aide d'une calculatrice à affichage graphique.

14. Problème du chapitre Détermine la direction et la distance pour le dernier segment de la course d'orientation, à partir de l'information donnée. Trace cette partie du parcours sur ta carte. Inscris-y tous les angles et toutes les distances.

Direction : à l'est du sud

Détermine les deux angles entre 0° et 360° tels que $\dfrac{\operatorname{cosec} \theta}{\sec \theta} = \cotan \theta \tan \theta$.
Additionne leurs mesures en degrés et divise le résultat par 9. Utilise la réponse comme angle. Indice : simplifie d'abord chaque membre de l'équation à l'aide des identités.

Distance : la valeur de
$20(\sec^2 \theta \sin^2 \theta + \sec^2 \theta \cos^2 \theta - \tan^2 \theta \sin^2 \theta - \tan^2 \theta \cos^2 \theta)$, arrondie au mètre près si nécessaire

15. Trace un angle droit. Trace un quart de cercle qui a pour centre le sommet de l'angle droit et qui coupe

les deux côtés de l'angle. Trace un point A sur le quart de cercle, ailleurs que sur les côtés de l'angle. Dessine une tangente au quart de cercle au point A de façon qu'elle coupe un côté de l'angle au point B et l'autre côté au point C. Nomme θ l'angle AOC. Montre que la mesure de $\overline{BA}$ divisée par le rayon du quart de cercle donne la cotangente de θ.

16. Un élève a démontré l'identité
$\cos \theta = \sin \theta \cotan \theta$. Commente sa démonstration et réécris-la correctement.

$$\cos \theta = \sin \theta \cotan \theta$$
$$\cos \theta = \sin \theta \frac{1}{\tan \theta}$$
$$\tan \theta \cos \theta = \sin \theta$$
$$\frac{\sin \theta}{\cos \theta} \cos \theta = \sin \theta$$
$$\sin \theta = \sin \theta$$
$$\text{M. G.} = \text{M .D.}$$

✔ **Question d'évaluation**

17. Soit l'équation
$\tan^2 \theta - \sin^2 \theta = \sin^2 \theta \tan^2 \theta$.

a) **Technologie** Représente graphiquement chacun des membres de l'équation à l'aide d'une calculatrice à affichage graphique. Semble-t-il s'agir d'une identité? Explique ta réponse.

b) À l'aide de quelle identité de base simplifierais-tu le membre de gauche?

c) Simplifie le membre de gauche. Explique les étapes suivies et nomme toute autre identité utilisée.

d) Est-il nécessaire de simplifier le membre de droite? Explique ta réponse. Si oui, simplifie-le.

e) Si les deux côtés ne sont pas égaux, refais les étapes d'une autre façon.

C **Approfondissement**

18. Certaines équations trigonométriques comportent des multiples d'angles. En voici une: $\sin 2\theta = 2 \sin \theta \cos \theta$.

a) Représente chaque membre à l'aide d'une calculatrice à affichage graphique. Semble-t-il s'agir d'une identité?

b) Démontre que l'équation se vérifie pour $\theta = 30°$, $45°$ et $90°$.

c) Évalue chaque membre pour un angle dans chacun des autres quadrants.

d) Suppose que l'identité est vraie; à partir de celle-ci, montre que $20 \tan \theta \cos^2 \theta = 10 \sin 2\theta$.

19. Certaines identités comportent des angles complémentaires. L'angle complémentaire de θ est $90° - \theta$. Soit l'équation $\cos \theta = \sin(90° - \theta)$.

a) Représente graphiquement chaque membre de l'équation. Semble-t-il s'agir d'une identité?

b) Démontre que l'équation se vérifie pour $\theta = 30°$, $45°$ et $90°$.

c) Fais voir l'origine de cette identité à l'aide d'un cercle unitaire.

d) Propose une identité pour $\cos(90° - \theta)$ et une pour $\tan(90° - \theta)$. Vérifie-les à l'aide d'une calculatrice à affichage graphique.

20. Certaines identités comportent des angles supplémentaires. L'angle supplémentaire de θ est $180° - \theta$. Soit l'équation $\sin \theta = \sin(180° - \theta)$.

a) Représente graphiquement chaque membre de l'équation. Semble-t-il s'agir d'une identité?

b) Démontre que l'équation se vérifie pour $\theta = 30°$, $45°$ et $90°$.

c) Fais voir l'origine de cette identité à l'aide d'un cercle unitaire.

d) Propose une identité pour $\cos(180° - \theta)$. Vérifie-la graphiquement. Au besoin, modifie-la et revérifie-la.

21. **Concours de maths** Si $\sin^2 \theta + \sin^2 2\theta + \sin^2 3\theta = 1$, que vaut $\cos^2 3\theta + \cos^2 2\theta + \cos^2 \theta$?

A 1   **B** 1,5   **C** 2   **D** 2,5   **E** 3

22. **Concours de maths** Que peut valoir $\sin \theta$ si $\sin \theta \cotan \theta = \frac{\sqrt{3}}{2}$?

A $\frac{\sqrt{3}}{2}$ **B** 30   **C** $-0,5$

D $-\frac{\sqrt{3}}{2}$ **E** $\frac{\sqrt{3}}{3}$

23. **Concours de maths** Si $\cos \theta = 3 \sin \theta$, que peut valoir $\cos^2 \theta$?

A 0,25   **B** 0,707 1   **C** 0,5   **D** 0,9   **E** 1

Révision du chapitre 4

4.1 Les angles remarquables, pages 222 à 231

1. Détermine la valeur exacte des rapports trigonométriques de base d'un angle de 210° à l'aide d'un cercle unitaire. Vérifie tes résultats à l'aide d'une calculatrice.

2. On amarre un navire au quai avec une corde de 10 m. À marée basse, la corde tendue au maximum forme un angle de 45° avec l'horizontale. À marée haute, la corde tendue forme un angle de 30° avec l'horizontale. De quelle distance horizontale le navire s'est-il éloigné du quai de la marée basse à la marée haute ? Détermine une expression exacte. Ensuite, à l'aide d'une calculatrice, détermine une réponse approximative au dixième de mètre près.

4.2 Les angles co-terminaux et les angles associés, pages 232 à 240

3. À partir des coordonnées d'un point du côté terminal d'un angle θ, détermine la valeur exacte des rapports trigonométriques de base de θ.

   a) $A(-5, 12)$ **b)** $B(3, -4)$ **c)** $C(6, -8)$

   d) $D(-2, -3)$ **e)** $E(1, -5)$ **f)** $F(-7, 4)$

4. Un des rapports trigonométriques de base d'un angle est donné, ainsi que le quadrant où se trouve son côté terminal. Détermine ses deux autres rapports trigonométriques de base.

   a) $\sin A = \dfrac{4}{5}$, quadrant I

   b) $\cos B = \dfrac{8}{17}$, quadrant IV

   c) $\tan C = -\dfrac{12}{5}$, quadrant II

   d) $\sin D = -\dfrac{4}{7}$, quadrant III

5. Arrondis tes réponses au degré près.

   a) Résous l'équation $\sin \theta = -0{,}25$ pour $0° \leq \theta \leq 360°$.

   b) Résous l'équation $\cos \theta = \dfrac{4}{5}$ pour $0° \leq \theta \leq 360°$.

   c) Résous l'équation $\tan \theta = \dfrac{5}{8}$ pour $0° \leq \theta \leq 360°$.

4.3 Les rapports trigonométriques inverses, pages 243 à 248

6. Chaque point est situé sur le côté terminal d'un angle. Détermine les six rapports trigonométriques de cet angle, au dix-millième près.

   a) $A(-5, -12)$ **b)** $B(-4, 3)$

   c) $C(8, 15)$ **d)** $D(7, -24)$

7. Détermine deux angles entre 0° et 360° qui ont une sécante de -4. Arrondis tes réponses au degré près.

8. Un angle entre 0° et 360° a une cosécante de -1.

   a) Cette information suffit-elle pour déterminer une seule solution ? Si oui, explique pourquoi. Sinon, quelle autre information faut-il ?

   b) Détermine l'angle ou les angles.

4.4 Les problèmes en deux dimensions, pages 249 à 258

9. En vélo de montagne, Marco roule 10 km vers le nord à partir de sa maison. Il tourne ensuite de 120° pour longer une voie ferrée désaffectée sur 20 km.

   a) Fais un schéma représentant cette situation. Inscris-y tous les angles et toutes les distances.

   b) Quelle relation trigonométrique convient le mieux pour déterminer la distance qui sépare Marco de sa maison ? Explique ton choix.

   c) Détermine la distance exacte qui sépare Marco de sa maison. Ensuite, détermine approximativement cette distance à l'aide d'une calculatrice.

10. Dans le $\triangle ABC$, m$\angle A = 32°$, $a = 15$ m et $b = 18$ m.

a) À l'aide de matériel de dessin ou d'un logiciel de géométrie, montre pourquoi le cas ambigu s'applique à cette situation.

b) Dessine deux triangles qui peuvent correspondre à ces mesures.

c) Détermine la longueur du côté c des deux triangles, au mètre près.

4.5 Les problèmes en trois dimensions,
pages 261 à 269

11. Une pyramide asymétrique a une base en forme de cerf-volant dont les plus longs côtés mesurent 150 m et les plus courts, 120 m. L'angle que forment les côtés plus longs mesure 70°. L'angle d'élévation du sommet de la pyramide, vu du point de rencontre d'un côté court et d'un côté long, mesure 75°. Détermine la hauteur de la pyramide au dixième de kilomètre près.

12. Carole navigue au large d'une côte qui s'étend du nord au sud. Son GPS lui indique qu'elle se trouve à 8 km de Hauteville et à 10 km de Baieville, deux villes de la côte. Vues du bateau, les deux villes forment un angle de 80°. Un hélicoptère est en vol stationnaire à une altitude de 1 000 m, à mi-chemin entre Hauteville et Baieville.

a) Détermine la distance entre Hauteville et Baieville, au dixième de kilomètre près.

b) Détermine l'angle d'élévation de l'hélicoptère, vu du bateau, au dixième de degré près.

4.6 Les identités trigonométriques,
pages 270 à 275

13. Démontre que $\dfrac{\cot \theta}{\csc \theta} = \cos \theta$.

14. Démontre que
$\sin^4 \theta - \cos^4 \theta = \sin^2 \theta - \cos^2 \theta$.

15. Démontre que
$\cot \theta = \cos \theta \sin \theta + \cos^3 \theta \csc \theta$.

Problème du chapitre — LA CONCLUSION

Au fil du chapitre, tu as terminé six étapes d'une course d'orientation à l'aide de la trigonométrie. Il faut maintenant revenir au point de départ pour compléter le parcours.

a) Examine ta carte. Conçois un problème trigonométrique qui représente le trajet du poste de contrôle n° 6 au point de départ. Fonde-toi sur les problèmes qu'il t'a fallu résoudre pour les six premières étapes.

b) Échange ton problème contre celui d'une ou d'un camarade. Résous le sien. Vos solutions mènent-elles toutes deux au point de départ?

c) Technologie Choisis une échelle appropriée et dessine une carte pour la course d'orientation à l'aide du *Cybergéomètre*. Sélectionne dans le menu **Transformation** les outils qui te permettront de tracer chacun des six segments. Détermine la direction et la distance entre le poste de contrôle n° 6 et le point de départ. Comment se comparent-elles à la direction et à la distance mesurées sur ta carte?

Pour les questions 1 à 5, choisis la meilleure réponse.

1. Un angle dans le quadrant I a un sinus de $\frac{1}{\sqrt{2}}$. Quelle est sa tangente?

A $\frac{1}{\sqrt{2}}$ **B** 1 **C** $\frac{1}{\sqrt{3}}$ **D** $\sqrt{3}$

2. Un pin d'une hauteur de 25 m pousse dans un sol mou. Après une tempête, l'arbre forme un angle de 60° avec le sol. Une pomme de pin tombe du sommet de l'arbre jusqu'au sol. Détermine une expression qui représente la distance exacte parcourue par la pomme de pin pendant sa chute.

A $25\sqrt{3}$ m **B** $\frac{25}{2}$ m

C $\frac{\sqrt{3}}{2}$ m **D** $\frac{25\sqrt{3}}{2}$ m

3. Un angle θ situé dans le quadrant III a un sinus de $-0,613\ 3$. Dans quel quadrant se trouve un angle ayant le même sinus?

A le quadrant I **B** le quadrant II

C le quadrant III **D** le quadrant IV

4. Un angle situé dans le quadrant II a une tangente de $-\frac{3}{4}$. Quel angle approximatif a la même tangente?

A 37° **B** 53° **C** 127° **D** 323°

5. Dans le △PQR, m∠P = 25°, m∠R = 65° et q = 12 cm. Quelle est la relation trigonométrique la plus appropriée pour déterminer la longueur de p?

A la loi des sinus

B la loi du cosinus

C les rapports trigonométriques de base

D les rapports trigonométriques inverses

6. a) Le côté terminal de ∠A est situé dans le quadrant II et sa cotangente est égale à $-\frac{5}{7}$. Fais un schéma qui montre ∠A et un triangle de référence annoté.

b) Donne la valeur exacte des cinq autres rapports trigonométriques de ∠A.

7. Au cours d'une fête foraine, on peut monter à bord d'une montgolfière. Celle-ci est reliée au sol par un long câble. Tendu au maximum, ce câble mesure 300 m, et le vent souffle sur le ballon de façon que le câble forme un angle de 60° avec le sol. On raccourcit le câble à une longueur de 200 m, mais le vent augmente et réduit l'angle à 45°.

a) Représente les deux positions de la montgolfière, en inscrivant les distances et les angles.

b) Détermine la longueur exacte du déplacement horizontal de la montgolfière entre les deux positions.

c) À l'aide d'une calculatrice, détermine si la montgolfière s'est déplacée horizontalement en s'éloignant ou en s'approchant de son point d'attache.

8. Tania quitte la maison à vélo et roule 12 km vers le nord. Elle tourne vers l'est et roule 5 km. Puis, elle emprunte un sentier orienté à 45° au sud de l'est et roule encore 5 km.

a) Fais un schéma du trajet de Tania.

b) Quelle est la relation trigonométrique la plus appropriée pour déterminer la distance qui sépare Tania de sa maison ? Explique ta réponse.

c) À quelle distance Tania se trouve-t-elle de chez elle ?

d) Quelle direction doit-elle prendre pour revenir directement à la maison ?

9. Antonio gare sa voiture dans un stationnement, enfourche son vélo de montagne, puis roule 1,4 km sur un sentier plat orienté à 20° à l'est du nord. Il effectue un virage de 140° vers la droite puis monte une colline dont l'angle d'inclinaison est de 15°. Lorsqu'il atteint le sommet de la colline, son odomètre indique qu'il a parcouru 1,2 km de plus. Il remarque qu'un sentier descend directement au stationnement. Antonio suit ce sentier pour revenir à sa voiture. Détermine la distance totale parcourue par Antonio, au dixième de kilomètre près.

10. En visite chez des parents dans les Açores, Juan voyage en bateau de leur maison, à São Jorge, jusqu'à Faial, un trajet de 45 km. De Faial, il détermine que l'angle d'élévation du volcan Pico est de 5,8° et que l'angle entre la base du volcan et São Jorge est de 80°. De retour à São Jorge, il détermine que l'angle entre Faial et la base du volcan Pico est de 29°. Détermine la hauteur du volcan, au mètre près, à l'aide des renseignements donnés.

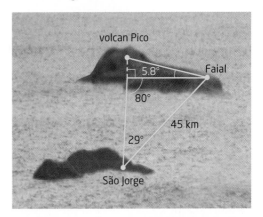

11. Démontre que $\cos \theta = \cos (360° - \theta)$ est une identité, à l'aide d'un cercle unitaire.

12. Démontre que $\dfrac{\operatorname{cosec} \theta}{\sec \theta} = \operatorname{cotan} \theta$.

13. Démontre que
$$\dfrac{\sin \theta}{1 - \cos \theta} = \operatorname{cosec} \theta(1 + \cos \theta).$$

Des pyramides et des angles d'élévation

À l'aide de huit pailles, construis une pyramide à base carrée dont les faces sont des triangles équilatéraux.

sommet

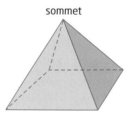

a) Détermine la hauteur de la pyramide.

b) Imagine que tu te tiens au milieu de l'un des côtés de la base. Calcule l'angle d'élévation du sommet de la pyramide.

c) Maintenant, imagine que tu marches jusqu'à l'un des sommets de la base. Prédis si l'angle d'élévation du sommet de la pyramide va changer. Explique ta prédiction.

d) Vérifie mathématiquement la prédiction faite en c).

e) Élabore un modèle algébrique pour calculer l'angle d'élévation du sommet de la pyramide à partir de n'importe quel point des côtés de la base.

Les fonctions trigonométriques

On peut étendre le concept de fonction à la trigonométrie grâce aux rapports trigonométriques. Les fonctions trigonométriques et leurs transformations peuvent servir à représenter de nombreux phénomènes réels, comme les marées ou la durée du jour à divers moments de l'année. Dans ce chapitre, tu exploreras les fonctions trigonométriques de base et leurs transformations. Tu apprendras à déterminer les paramètres de transformations pour représenter des situations concrètes. À partir de ces modèles, tu formuleras des questions, tu y répondras et tu feras des prédictions.

Après l'étude de ce chapitre, tu pourras :

- identifier, à partir de différentes représentations, les propriétés d'un phénomène périodique tiré d'une variété d'applications pouvant être modélisées par des fonctions sinusoïdales;

- tracer, à l'aide d'outils technologiques, les esquisses des courbes représentatives de $f(x) = \sin x$ et de $f(x) = \cos x$, où $0° \leq x \leq 720°$ et décrire leurs propriétés périodiques en faisant référence aux points remarquables, c'est-à-dire points d'inflexion, maximums et minimums, abscisses à l'origine;

- déterminer, à l'aide d'outils technologiques, le rôle des paramètres a, c, d et k dans la représentation graphique de la fonction $y = af(k(x - c)) + d$, où $f(x) = \sin x$ et $f(x) = \cos x$; et décrire ce rôle à l'aide de transformations appliquées à la fonction $y = f(x)$, c'est-à-dire translation horizontale, translation verticale, symétrie par rapport à l'axe des x, par rapport à l'axe des y, agrandissement, rétrécissement horizontal ou vertical;

- déterminer le domaine, l'image, l'amplitude, le déphasage et la période des fonctions sinusoïdales définies par $f(x) = a \sin (k(x - c)) + d$ et par $f(x) = a \cos (k(x - c)) + d$;

- tracer les esquisses des courbes de fonctions sinusoïdales pour une période complète en identifiant les points remarquables, c'est-à-dire points d'inflexion, maximums et minimums, abscisses à l'origine; et indiquer le domaine et l'image de chaque transformée;

- déterminer l'équation d'une fonction sinusoïdale à partir des caractéristiques données;

- prédire avec justesse les effets sur un modèle mathématique d'une application d'une fonction sinusoïdale quand on fait varier les conditions de cette application;

- formuler et résoudre des problèmes tirés de diverses applications pouvant être modélisées par une fonction sinusoïdale.

Connaissances préalables

Consulte l'annexe Connaissances préalables, aux pages 478 à 495, pour des exemples et des exercices supplémentaires.

La loi du cosinus

1. On a tracé un point tous les 30 degrés sur la circonférence d'un cercle de 5 cm de rayon.

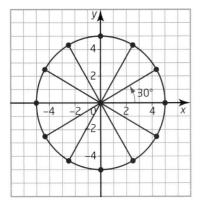

a) Détermine la distance entre deux points adjacents. Arrondis ta réponse au dixième près.

b) Détermine la distance entre deux points séparés par 60 degrés.

c) Quelle est la distance entre deux points séparés par 180 degrés ?

Les angles remarquables

2. Détermine la valeur exacte du sinus et du cosinus de chaque angle à l'aide d'un cercle unitaire.

a) $30°$ et $60°$

b) $120°$, $150°$, $210°$, $240°$, $300°$ et $330°$

c) $45°$, $135°$, $225°$ et $315°$

d) $0°$, $90°$, $180°$ et $270°$

Le domaine et l'image d'une fonction

3. Soit la fonction $f(x) = x^2$. Indique son domaine et son image en notation des ensembles.

4. Écris l'équation d'une fonction dont le domaine est $\{x \in \mathbb{R} \mid -5 \leq x \leq 5\}$ et dont l'image est $\{y \in \mathbb{R} \mid 0 \leq y \leq 5\}$.

La translation de fonctions

5. a) Représente graphiquement chaque fonction dans un même plan cartésien.

   I) $y = x^2$

   II) $y = x^2 + 3$

   III) $y = x^2 - 2$

b) Décris les transformations appliquées à la première fonction pour obtenir chacune des deux autres fonctions.

6. a) Représente graphiquement chaque fonction dans un même plan cartésien.

   I) $y = x^2$

   II) $y = (x - 3)^2$

   III) $y = (x + 2)^2$

b) Décris les transformations appliquées à la première fonction pour obtenir chacune des deux autres fonctions.

7. a) La parabole définie par $y = x^2$ subit une translation de 5 unités vers la gauche et une translation de 3 unités vers le bas. Écris l'équation de la transformée.

b) La parabole définie par $y = x^2$ subit une translation de 4 unités vers la droite et une translation de 7 unités vers le haut. Écris l'équation de la transformée.

8. La parabole définie par $y = x^2$ subit une translation horizontale et une translation verticale qui amène son sommet au point $(2, 2)$. Décris les translations appliquées et vérifie ta réponse.

L'agrandissement et le rétrécissement de fonctions

9. a) Représente graphiquement chaque fonction dans un même plan cartésien.

   I) $y = x^2$ **II)** $y = 2x^2$

   III) $y = \dfrac{1}{2}x^2$

b) Décris les transformations appliquées à la première fonction pour obtenir chacune des deux autres fonctions.

10. a) Représente graphiquement chaque fonction dans un même plan cartésien.

    I) $y = (x - 3)^2$

    II) $y = 2(x - 3)^2$

    III) $y = \frac{1}{2}(x - 3)^2$

b) Décris les transformations appliquées à la première fonction pour obtenir chacune des deux autres fonctions.

11. On agrandit verticalement la parabole définie par $y = x^2$ de sorte que la transformée passe par le point $(2, 16)$. Quelle est l'équation de la transformée? Vérifie ta réponse.

12. On agrandit horizontalement la parabole définie par $y = (x - 4)^2$ de sorte que la transformée passe par le point $(2, 36)$. Quelle est l'équation de la transformée? Vérifie ta réponse.

La réflexion de fonctions

13. a) Représente graphiquement chaque fonction dans un même plan cartésien.

    I) $y = (x + 2)^2$ **II)** $y = -(x + 2)^2$

b) Décris la réflexion appliquée à la première fonction pour obtenir la deuxième.

14. a) Détermine l'équation de chaque fonction représentée.

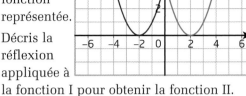

b) Décris la réflexion appliquée à la fonction I pour obtenir la fonction II.

Les transformations combinées

15. a) Le graphique de la fonction $y = x^2$ subit une translation de 4 unités vers la gauche, un agrandissement vertical de rapport 2, puis une translation de 1 unité vers le haut. Écris l'équation de la transformée.

b) Représente graphiquement la fonction initiale et la transformée dans un même plan cartésien.

16. Décris les transformations appliquées au graphique de $y = x^2$ pour produire celui de $y = -3(x - 4)^2 + 8$.

La résolution d'équations rationnelles

17. Résous l'équation $\frac{360}{k} = 30$.

18. Résous l'équation $\frac{360}{k} = \frac{1}{30}$.

Problème du chapitre

Tous les sons qu'on entend sont des ondes de pression qui se propagent dans l'air et font vibrer les tympans. On peut représenter les ondes sonores par des fonctions trigonométriques. Ces modèles ont des applications dans plusieurs domaines, dont la reconnaissance de la voix et la conception de salles de concert ou de casques d'écoute antibruit.

Dans ce chapitre, tu apprendras comment on peut modéliser les sons par des fonctions trigonométriques et comment les transformations appliquées à ces fonctions reflètent des variations de l'intensité, de la hauteur et de la qualité des sons. Tu apprendras aussi comment les fonctions trigonométriques aider à synthétiser de la musique, des chansons de ton groupe préféré à la trame sonore de films.

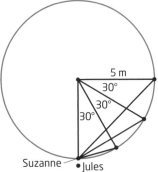

La modélisation d'un comportement périodique

Qu'est-ce que les sons produits par ton groupe préféré, un moteur de voiture qui tourne au ralenti, les phases de la Lune et les battements de ton cœur ont en commun ? Ce sont des phénomènes répétitifs et réguliers. Au repos, ton cœur suit le même cycle à chaque battement. Les pièces mobiles d'un moteur répètent sans cesse les mêmes mouvements. Pendant son cycle, la Lune passe d'un mince croissant à une magnifique pleine lune, puis disparaît peu à peu pour réapparaître au début du cycle suivant. À l'aide de leurs instruments, les membres de ton groupe préféré créent dans l'air des ondes de pression répétitives que tes oreilles interprètent comme de la musique. On peut représenter ces phénomènes périodiques par des fonctions trigonométriques.

Matériel

- papier quadrillé
- rapporteur
- règle
- compas

ou

- calculatrice à affichage graphique

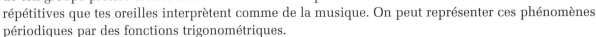

Explore

Comment peut-on modéliser mathématiquement un phénomène périodique ?

Les carrousels, avec leurs chevaux colorés, sont toujours populaires. On en trouve dans de nombreuses villes de l'Ontario et dans beaucoup de parcs d'attractions.

Suppose qu'un carrousel a 10 m de diamètre. Debout près du carrousel, Jules regarde sa sœur Suzanne, assise sur un cheval près du bord extérieur. Comment la distance qui sépare Jules de Suzanne varie-t-elle pendant que le carrousel effectue un tour complet ? Prédis la forme du graphique qui représente cette distance en fonction de l'angle pendant un tour.

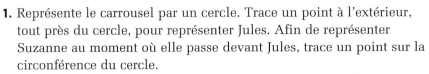

1. Représente le carrousel par un cercle. Trace un point à l'extérieur, tout près du cercle, pour représenter Jules. Afin de représenter Suzanne au moment où elle passe devant Jules, trace un point sur la circonférence du cercle.

2. Suppose que le carrousel tourne dans le sens antihoraire et qu'on ne tient pas compte de la distance entre Jules et le carrousel. Représente la position de Suzanne à des intervalles de 30°, pour un tour complet, en traçant des points sur la circonférence. Pour chaque position, détermine la distance entre Jules et Suzanne à l'aide des relations trigonométriques appropriées (le schéma montre les trois premières distances à calculer). Note tes résultats dans un tableau. Écris l'angle dans une colonne et la distance, en mètres, dans l'autre.

3. **Réflexion** Prédis les valeurs correspondant à la position de Suzanne pendant que le carrousel poursuivra sa rotation de 360° à 720°. Explique tes prédictions.

4. Représente graphiquement la distance en fonction de l'angle trigonométrique (angle de rotation) à partir des valeurs notées dans ton tableau. Reporte la distance sur l'axe vertical et l'angle trigonométrique, de 0° à 720°, sur l'axe horizontal.

5. **Réflexion** Compare la forme de ton graphique à ta prédiction. Quelles sont leurs ressemblances ? Quelles sont leurs différences ?

6. **a)** Examine le graphique de deux tours complets du carrousel. Prédis la mesure de l'angle trigonométrique total si le carrousel fait cinq tours complets.

   b) Si le carrousel fait 12 tours complets, quel sera l'angle trigonométrique total des rotations de Suzanne ?

7. **a)** À partir du graphique, estime la mesure de deux angles du premier tour pour lesquels la distance entre Jules et Suzanne est de 8 m. Situe ces angles sur ton schéma du carrousel.

   b) Prédis la mesure des angles pour lesquels la distance entre Jules et Suzanne sera de 8 m pendant le troisième tour.

8. Combien de **cycles** le graphique représente-t-il ?

9. On mesure la **période** d'un phénomène répété à l'aide d'une unité adaptée au contexte. Quelle est la période du phénomène représenté ici ?

10. **Réflexion** En quoi une **fonction périodique** diffère-t-elle d'une fonction affine et d'une fonction du second degré ?

11. Pendant le premier tour du carrousel, quelle est la distance minimale entre Jules et Suzanne ? Quelle est la distance maximale ?

12. Quelle est l'**amplitude** de cette fonction ?

13. **Réflexion** Suppose que Suzanne monte un cheval situé à 2 m du centre du carrousel. En quoi cela changera-t-il le graphique de l'étape 4 ? Esquisse le graphique correspondant à ta prédiction pour deux tours complets du carrousel.

cycle
- la partie répétitive de la courbe d'une fonction périodique ou d'un phénomène périodique

période
- la longueur horizontale d'un cycle complet d'une fonction périodique

fonction périodique
- une fonction dont les ordonnées se répètent à intervalles réguliers

amplitude
- la moitié de la distance entre les valeurs maximale et minimale d'une fonction périodique

Exemple 1

Classifier des fonctions

a) Détermine si chaque graphique représente une fonction périodique. Si c'est le cas, indique la période de cette fonction.

I)

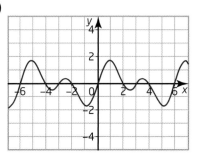

II)

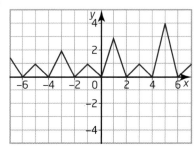

b) Détermine si ce graphique représente une fonction périodique. Si c'est le cas, indique l'amplitude de cette fonction.

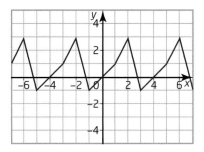

Solution

a) I) Une fonction périodique présente des ordonnées qui se répètent à intervalles réguliers. La période de la fonction correspond à la longueur d'un de ces intervalles. Dans cet exemple, les ordonnées dans une partie du graphique se répètent dans la partie suivante. Il s'agit donc d'une fonction périodique.

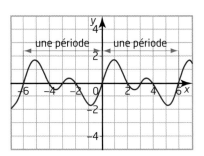

Pour déterminer la période, il faut choisir un point de départ et noter son abscisse. Dans cet exemple, choisis le point en $(-6, 0)$. Déplace-toi vers la droite et estime l'abscisse du point où commence le cycle suivant. Ce point semble l'origine. Soustrais les deux abscisses. La période est de $0 - (-6)$, ou 6 unités.

II) Dans cet exemple, les ordonnées dans une partie du graphique ne se répètent pas dans la partie suivante. Il ne s'agit donc pas d'une fonction périodique.

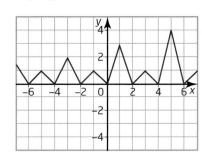

b) La fonction représentée est périodique, car les ordonnées se répètent à intervalles réguliers. Une fonction périodique a généralement une valeur maximale et une valeur minimale à chaque cycle. Son amplitude est égale à la moitié de la différence entre ces valeurs. Sur le graphique, le maximum est 3 et le minimum est -1.

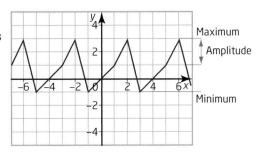

L'amplitude est donc de $\dfrac{3 - (-1)}{2}$, ou 2 unités.

Exemple 2

Prédire des valeurs à partir d'une fonction périodique

Soit la fonction périodique représentée.

a) Quelle est la période de cette fonction ?

b) Détermine $f(2)$ et $f(5)$.

c) Prédis $f(8)$, $f(-10)$ et $f(14)$.

d) Quelle est l'amplitude de cette fonction ?

e) Détermine quatre valeurs de x pour lesquelles $f(x) = 2$.

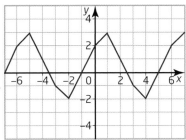

Solution

a) Choisis un point de départ bien situé, par exemple $(-7, 0)$. Déplace-toi vers la droite jusqu'à ce que les valeurs se répètent, c'est-à-dire jusqu'au point $(-1, 0)$. La période est égale à la longueur horizontale de ce cycle. Pour la calculer, soustrais les abscisses. La période est donc de $-1 - (-7)$, ou 6 unités.

b) Lis les valeurs sur le graphique $f(2) = 1$ et $f(5) = 0$.

c)
$$f(8) = f(2 + 6) \qquad f(-10) = f(-10 + 6 + 6) \qquad f(14) = f(14 - 6 - 6)$$
$$= f(2) \qquad\qquad\quad = f(2) \qquad\qquad\qquad = f(2)$$
$$= 1 \qquad\qquad\qquad = 1 \qquad\qquad\qquad\quad = 1$$

On a déterminé en a) que la fonction a une période de 6. La valeur de la fonction est donc la même pour x et pour toute valeur égale à x plus ou moins un multiple de 6.

d) La valeur maximale de la fonction est 3. Sa valeur minimale est -2. Son amplitude est de $\dfrac{3 - (-2)}{2}$, ou 2,5 unités.

e) Selon le graphique, la valeur de $f(0)$ est 2. Détermine d'autres valeurs de x en additionnant ou en soustrayant la période à $x = 0$. Voici deux réponses possibles : $x = 6$, $x = 12$ et $x = 18$, ou $x = -6$, $x = -12$ et $x = -18$.

Exemple 3

Étudier la consommation de gaz naturel en Ontario

Le graphique représente la consommation résidentielle mensuelle de gaz naturel en Ontario, de janvier 2001 à janvier 2006. Ces données proviennent de Statistique Canada.

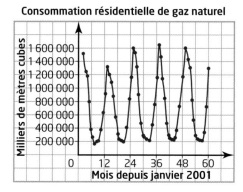

Consommation résidentielle de gaz naturel

a) Explique pourquoi le graphique a cette forme.

b) Les données semblent-elles périodiques ? Explique ta réponse.

c) Suppose qu'on représente la consommation de gaz naturel en Ontario par une fonction périodique. Détermine approximativement les valeurs maximale et minimale de la fonction ainsi que son amplitude.

d) Estime la période de cette fonction. Est-ce vraisemblable ? Explique pourquoi.

e) Estime le domaine et l'image de la fonction.

f) Explique comment on peut estimer la consommation de gaz naturel en février 2014 à l'aide de ce graphique.

Solution

a) La consommation de gaz naturel en Ontario varie selon la saison. On peut s'attendre à ce qu'elle soit élevée pendant l'hiver et basse pendant l'été.

b) Les données sont approximativement périodiques. Les valeurs ne sont pas exactement les mêmes d'un cycle à l'autre.

c) On peut estimer le maximum à 1 600 000 milliers de mètres cubes (1 600 000 000 m³). Le minimum est d'environ 200 000 milliers de mètres cubes (200 000 000 m³).

$$\text{Amplitude} = \frac{1\ 600\ 000 - 200\ 000}{2}$$
$$= \frac{1\ 400\ 000}{2}$$
$$= 700\ 000$$

L'amplitude est d'environ 700 000 milliers de mètres cubes (700 000 000 m³).

d) Selon le graphique, la période est d'environ 12 mois. C'est vraisemblable puisqu'on s'attend à ce que la consommation de gaz naturel varie selon un cycle annuel.

e) Soit t, le temps en mois, et g, la consommation de gaz naturel en milliers de mètres cubes. Le domaine est $\{t \in \mathbb{R} \mid 1 \leq t \leq 60\}$. Remarque que la limite inférieure du domaine n'est pas 0. Les données commencent avec janvier, le premier mois. L'image est environ $\{g \in \mathbb{R} \mid 200\,000 \leq g \leq 1\,600\,000\}$.

f) Pour obtenir une estimation vraisemblable de la consommation de gaz en février, détermine la consommation pour chaque mois de février représenté sur le graphique. Calcule la moyenne de ces valeurs. Il s'agit d'une estimation vraisemblable de la consommation en février 2014.

Concepts clés

- Un phénomène qui se répète à intervalles réguliers est périodique.

- On peut représenter un phénomène périodique par une fonction périodique.

- Chaque répétition d'un phénomène périodique se nomme *cycle*.

- La longueur horizontale d'un cycle complet sur un graphique s'appelle *période*. On la mesure en unités de temps ou autres.

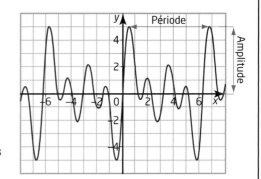

- Une fonction est périodique s'il existe un nombre positif p, tel que $f(x + p) = f(x)$ pour toutes les valeurs de x du domaine de $f(x)$. La plus petite valeur possible de p est la période de la fonction.

- $f(x + np) = f(x)$, où p est la période et n est un nombre entier quelconque.

- L'amplitude d'une fonction périodique correspond à la moitié de la différence entre ses valeurs maximale et minimale à l'intérieur d'un cycle.

Communication et compréhension

C1 La population d'une ville minière a augmenté et diminué plusieurs fois au cours des dernières décennies. Peut-on s'attendre à ce que sa variation en fonction du temps soit périodique? Explique ta réponse.

C2 **a)** Soit une fonction telle que $f(x + q) = -f(x)$. Esquisse le graphique d'une fonction simple qui correspond à ce type de relation.

b) La fonction indiquée en a) est-elle périodique? Explique ta réponse.

C3 Soit la forme décimale de la fraction $\frac{1}{7}$. Si tu représentes graphiquement chaque chiffre de la partie décimale en fonction de sa position après la virgule (en reportant les chiffres sur l'axe vertical et leur position sur l'axe horizontal), obtiens-tu une relation périodique? Inclus un graphique dans ta réponse.

A À ton tour

Si tu as besoin d'aide pour répondre aux questions 1 à 5, reporte-toi à l'exemple 1.

1. Détermine si chaque fonction est périodique. Explique tes réponses.

a)

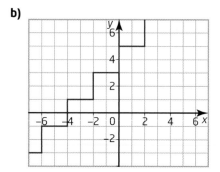

b)

c)

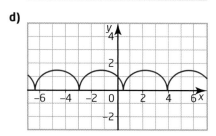

d)

2. Détermine l'amplitude et la période de chaque fonction périodique de la question 1.

3. Esquisse quatre cycles d'une fonction périodique d'amplitude 5 et de période 3.

4. Esquisse quatre cycles d'une fonction périodique d'amplitude 4 et de période 6.

5. Tes graphiques des questions 3 et 4 sont-ils les mêmes que ceux de tes camarades? Explique pourquoi.

Si tu as besoin d'aide pour répondre aux questions 6 à 8, reporte-toi à l'exemple 2.

6. Une fonction périodique $f(x)$ a une période de 8. $f(1)$, $f(5)$ et $f(7)$ valent respectivement -3, 2 et 8. Prédis la valeur de chaque expression. Si c'est impossible, explique pourquoi.

a) $f(9)$ b) $f(29)$ c) $f(63)$ d) $f(40)$

7. a) Esquisse le graphique d'une fonction $f(x)$ de période 5 avec la valeur maximale 7 et la valeur minimale -1.

b) Attribue une valeur a à x, et détermine $f(a)$.

c) Détermine deux autres valeurs, b et c, telles que $f(a) = f(b) = f(c)$.

B Liens et mise en application

8. Amélie trace le graphique d'une fonction périodique de telle façon que $f(p) = f(q)$. Peut-on en conclure que la période de la fonction correspond à la différence entre p et q? Explique ta réponse à l'aide d'un graphique.

9. Sur un lac, un feu de navigation clignote. Il est allumé pendant 1 s puis éteint pendant 1 s. Au troisième clignotement, le feu reste éteint 2 s de plus, puis le cycle recommence.

a) Représente le feu allumé par « 1 » et le feu éteint par « 0 ». Représente graphiquement le clignotement du feu; situe le temps sur l'axe horizontal. Inclus trois cycles.

b) Explique pourquoi ce phénomène est périodique.

c) Quelle est la période?

d) Quelle est l'amplitude?

10. Le convoyeur de personnes d'un aéroport fait la navette entre le terminal principal et un terminal secondaire situé à 300 m. À vitesse constante, il effectue l'aller simple en 1 min, et il fait une pause de 30 s à chaque terminal avant de repartir.

a) Représente graphiquement la distance entre le convoyeur et le terminal principal en fonction du temps. Inclus quatre cycles complets.

b) Quelle est la période de ce mouvement?

c) Quelle est son amplitude?

11. Selon toi, les éléments énumérés ont-ils un comportement périodique? Explique chacune de tes réponses.

a) Le coût de 1 kg de tomates au supermarché local à divers moments de l'année

b) Le taux d'intérêt offert par une banque sur les placements pendant 5 ans

c) Le pourcentage illuminé de la surface de la Lune sur plusieurs mois

d) Le volume d'air dans tes poumons pendant plusieurs minutes de respiration normale

12. Technologie Les taches solaires sont de violentes tempêtes qui se produisent à la surface du Soleil. Elles peuvent produire des ondes électromagnétiques qui perturbent les signaux de la radio, de la télévision et d'autres systèmes de communication. Le nombre de taches solaires à un moment donné varie-t-il de façon aléatoire ou périodique? Trouve, dans Internet, un graphique ou un tableau montrant l'activité solaire au cours de plusieurs décennies. Examine les données. Peut-on dire que le nombre de taches solaires en fonction du temps est périodique? Explique ta réponse.

13. Une fonction périodique peut-elle être toujours croissante ou toujours décroissante? Explique ta réponse à l'aide d'un schéma.

14. En visite sur la côte est du Canada, Béné remarque que le niveau de l'eau sous un quai varie pendant la journée en fonction de la marée. Sur l'un des piliers du quai, des marques montrent une marée haute de 3,3 m (à 6 h 30), une marée basse de 0,7 m (à 12 h 40), puis une autre marée haute (à 18 h 50).

a) Estime la période de la variation du niveau de l'eau.

b) Estime son amplitude.

c) Prédis le moment de la prochaine marée basse.

15. La ville de Quito, en Équateur, est située à environ 6 400 km du centre de la Terre. À mesure que la Terre tourne, Quito tourne autour de l'axe de rotation de la planète. Suppose que minuit, heure locale, est l'heure de départ et que la position de Quito à minuit est sa position initiale. Soit d, la distance en ligne droite de la position initiale de Quito à sa position au temps t.

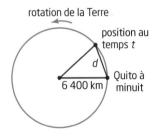

a) Explique pourquoi le graphique de d en fonction de t représente un phénomène périodique.

b) Quelle est la période du déplacement?

c) Quelle est son amplitude?

d) Tu veux créer une table de valeurs de d en fonction de t. Détermine la relation trigonométrique à utiliser. Explique pourquoi il s'agit de la relation la plus appropriée pour ce problème. Décris comment tu créerais une table de valeurs à l'aide de cette relation.

16. La température mensuelle moyenne pendant un an varie habituellement de façon périodique.

a) Estime la valeur maximale, la valeur minimale et l'amplitude de ce phénomène à l'endroit où tu vis.

b) Quelle est la période de ce phénomène ? Explique ta réponse.

17. Décris un phénomène de la vie courante (autre que ceux étudiés dans cette section) qui te semble périodique. Échange ta réponse contre celle d'une ou d'un camarade. Effectue une recherche pour déterminer si le phénomène nommé par ta ou ton camarade est périodique. S'il l'est, détermine sa période et son amplitude. Sinon, explique pourquoi il n'est pas périodique.

18. Problème du chapitre Renaud branche son synthétiseur à un oscilloscope et joue la note si. Cette note a une fréquence proche de 500 cycles par seconde, ou 500 Hz (hertz). Voici sa représentation graphique. Le temps, en secondes, se trouve sur l'axe horizontal.

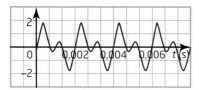

a) Explique comment tu sais que le phénomène est périodique.

b) Quelle est sa période ?

c) Détermine une relation entre la période et la fréquence de la note.

Maths et monde

Le thérémine est l'un des plus vieux instruments entièrement électroniques. Léon Theremine, un ingénieur russe, l'a inventé en 1919. On joue du thérémine en approchant et en éloignant ses mains des deux antennes de l'instrument. Une antenne détermine la hauteur du son et l'autre, son volume. On entend souvent les sons étranges, coulants et gazouillants du thérémine dans des films d'horreur ou de science-fiction.

19. Technologie À l'aide d'un logiciel de géométrie dynamique, représente le carrousel de la rubrique *Explore* (page 284). Anime le point qui représente Suzanne et remarque la variation de l'angle et de la distance pendant un tour complet.

20. La durée du jour, en heures et en minutes, le premier de chaque mois de 2006 à Windsor, en Ontario, figure dans le tableau suivant.

Date	Durée du jour (h et min)
1er janv.	9 h et 9 min
1er févr.	10 h
1er mars	11 h et 14 min
1er avril	12 h et 43 min
1er mai	14 h et 4 min
1er juin	15 h et 4 min
1er juill.	15 h et 14 min
1er août	14 h et 28 min
1er sept.	13 h et 10 min
1er oct.	11 h et 45 min
1er nov.	10 h et 21 min
1er déc.	9 h et 19 min

a) Explique pourquoi ces données représentent un phénomène périodique sur plusieurs années.

b) Prédis la longueur du jour en heures le 1er mai 2015.

c) Prédis la longueur du jour en heures le 15 septembre 2013.

✔ Question d'évaluation

21. Pendant sa visite annuelle chez le médecin, Armand fait prendre sa pression artérielle. Il remarque que sa pression, mesurée en millimètres de mercure (mmHg), atteint un maximum (pression systolique) de 120 et un minimum (pression diastolique) de 80. Le médecin compte 18 battements de cœur en 15 s. La pression artérielle est-elle périodique ? Explique ta réponse.

C Approfondissement

22. Le faisceau lumineux d'un phare effectue une rotation de 360° aux 12 s. Le phare se trouve à 100 m de la côte d'une île, où une falaise s'étend du nord au sud. Pendant qu'il tourne dans le sens horaire à partir du nord (0°), le faisceau lumineux balaie une partie de la falaise.

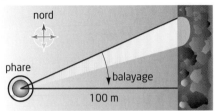

a) Combien de temps faut-il au faisceau lumineux pour atteindre un angle de 30°? Quelle distance le faisceau parcourt-il à ce moment-là pour atteindre la falaise? Note le temps et la distance dans un tableau.

b) Refais les étapes en a) pour des angles de 60°, 90°, 120° et 150°.

c) Qu'arrive-t-il à la distance lorsque l'angle de rotation s'approche de 180°?

d) Lorsque l'angle de rotation est de 180°, combien de temps s'écoule avant que le faisceau éclaire de nouveau la falaise?

e) Esquisse le graphique de la distance en fonction du temps pendant une rotation du faisceau lumineux, à partir des données de ton tableau.

f) Explique pourquoi ton graphique montre une fonction périodique. Quelle est sa période?

g) Quelle est son amplitude? Explique ta réponse.

23. Dans certains cas, l'amplitude d'une fonction diminue avec le temps. C'est le cas, par exemple, de la fonction qui représente le son produit par une corde de guitare. À mesure que le temps passe, le son s'affaiblit puis s'éteint. Voici la représentation d'une fonction de ce type.

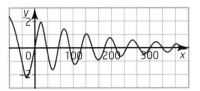

a) Crée une table de valeurs pour cette fonction. Note le maximum de chaque cycle dans la colonne des y.

b) Représente y en fonction de x par un nuage de points.

c) Quel type de modèle les données semblent-elles suivre?

d) Crée ce modèle à l'aide des connaissances acquises pendant l'étude d'un chapitre précédent.

e) Ajoute le modèle obtenu à ton nuage de points. La courbe est-elle bien ajustée aux données?

24. Concours de maths Si on écrit la fraction $\frac{5}{7}$ sous sa forme décimale, quelle en est la centième décimale?

A 1   **B** 4   **C** 2   **D** 8

25. Concours de maths Un nombre présente cette régularité: 978 675… 0. Combien de chiffres comporte-t-il?

A 14   **B** 16   **C** 18   **D** 20

26. Concours de maths On crée une suite en appliquant ces règles.

- Pour déterminer le terme qui suit un nombre impair, on ajoute 1 à ce nombre et on divise le résultat par 2.
- Pour déterminer le terme qui suit un nombre pair, on divise ce nombre par 2.

Si le premier terme de la suite est 211, quelle est la valeur du 53e terme?

A 27   **B** 3   **C** 1   **D** 100

27. Concours de maths Sur 50 élèves, 30 disent aimer l'algèbre, 21 disent aimer la trigonométrie et 8 disent aimer les deux. Combien d'élèves n'aiment ni l'algèbre, ni la trigonométrie?

A 7   **B** 0   **C** 12   **D** 1

Les fonctions sinus et cosinus

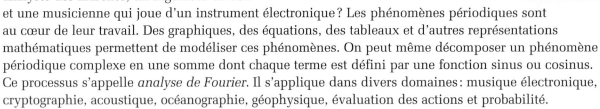

Qu'ont en commun un océanographe, une analyste des marchés, un ingénieur du son et une musicienne qui joue d'un instrument électronique? Les phénomènes périodiques sont au cœur de leur travail. Des graphiques, des équations, des tableaux et d'autres représentations mathématiques permettent de modéliser ces phénomènes. On peut même décomposer un phénomène périodique complexe en une somme dont chaque terme est défini par une fonction sinus ou cosinus. Ce processus s'appelle *analyse de Fourier*. Il s'applique dans divers domaines : musique électronique, cryptographie, acoustique, océanographie, géophysique, évaluation des actions et probabilité.

Dans cette section, tu utiliseras tes connaissances relatives au sinus et au cosinus pour explorer les fonctions sinus et cosinus. Tu étudieras les caractéristiques de ces fonctions et de leur représentation graphique.

Matériel

- calculatrice
- papier quadrillé

Explore A

Comment peut-on créer une fonction à l'aide du sinus, d'une table de valeurs et de papier quadrillé?

Dans ce chapitre, tu exploreras des applications plus vastes des rapports trigonométriques, dont certaines où la variable indépendante ne représente pas un angle. Dans ces applications, on nomme la variable x plutôt que θ et on définit le sinus et le cosinus en fonction de x : $f(x) = \sin x$ et $g(x) = \cos x$.

1. Détermine les valeurs exactes de $\sin x$ à l'aide d'un cercle unitaire. Détermine les valeurs approximatives de $\sin x$ à l'aide d'une calculatrice. Commence à 0° et procède par intervalles de 30° jusqu'à 360°. Reproduis la table de valeurs et complète-la.

	sin x	
x	**Valeur exacte**	**Valeur au dixième près**
0°	0	0,0
30°	$\frac{1}{2}$	0,5
⋮	⋮	⋮
⋮	⋮	⋮
360°		

2. a) Reporte les couples $(x, \sin x)$ dans un graphique, pour $x = 0°$ à $x = 360°$. Utilise les valeurs de $\sin x$ sous forme décimale. Place le graphique près du cercle unitaire.

b) Trace une courbe lisse qui passe par les points tracés.

3. Réflexion Selon toi, pourquoi appelle-t-on souvent ce graphique une **sinusoïde**?

sinusoïde
- une trajectoire obtenue en déroulant un cercle le long d'un axe.

4. Prolonge la table de valeurs de plusieurs rangées pour les angles supérieurs à 360°. Que remarques-tu?

5. a) Prédis la forme de ton graphique après 360°. Explique ta prédiction.

b) Vérifie ta prédiction.

6. Reproduis ce tableau des caractéristiques de $y = \sin x$ de 0° à 360° et complète-le à partir des données de ta table de valeurs et de ton graphique. Ne remplis pas la troisième colonne pour l'instant; tu le feras pendant l'activité de la rubrique *Explore C*.

Caractéristiques	$y = \sin x$	
maximum		
minimum		
amplitude		
période		
domaine		
image		
ordonnée à l'origine		
abscisses à l'origine		
intervalles de croissance		
intervalles de décroissance		

7. Réflexion Explique pourquoi le graphique de $y = \sin x$ est périodique.

8. Comment peux-tu vérifier que $y = \sin x$ est une fonction? Effectue la vérification. Écris la fonction en notation fonctionnelle.

De nombreux phénomènes périodiques se traduisent par une **fonction sinusoïdale**. Certains peuvent être représentés par une simple fonction sinus ou cosinus. Le courant alternatif qui alimente les lampes et les autres appareils électriques chez toi est un de ces phénomènes. On peut modéliser d'autres phénomènes périodiques en combinant deux ou plusieurs fonctions sinus ou cosinus, ou en appliquant des transformations à ces fonctions. Tu en verras quelques exemples plus loin dans le chapitre.

fonction sinusoïdale
- une fonction dont la courbe représentative a la forme d'une sinusoïde

Matériel

- calculatrice à affichage graphique TI-83 Plus ou TI-84 Plus

Comment peut-on créer une fonction à l'aide du sinus et de la technologie?

Méthode 1 : Utiliser une calculatrice à affichage graphique

1. Appuie sur (2nd) [TBLSET] pour accéder à l'écran **TABLE SETUP**. Cet écran te permet d'indiquer la valeur de départ et le pas de progression d'une table de valeurs. Attribue à **TblStart** la valeur 0 et à **ΔTbl** la valeur 30, comme sur l'illustration. Assure-toi que **Indpnt** et **Depend** sont réglés à **AUTO**.

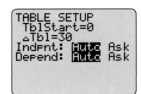

2. Appuie sur (MODE) et vérifie que ta calculatrice est en mode degrés. Assure-toi que tous les tracés ont été effacés. Affiche l'éditeur **Y=** et saisis l'expression sin (X) pour **Y1**.

3. Règle les paramètres d'affichage pour voir les valeurs de x de 0 à 360, par intervalles de 30, et les valeurs de y de -2 à 2, par intervalles de 0,5. Appuie sur (GRAPH).

4. **Réflexion** Compare le graphique affiché par la calculatrice au graphique que tu as dessiné lors de l'activité de la rubrique *Explore A*. Utilise l'échelle de chaque axe pour comparer plusieurs points. Appuie sur (2nd) [CALC] et choisis **1:value** pour évaluer y pour une valeur choisie de x.

5. Appuie sur (2nd) [TABLE] pour afficher la table de valeurs. Fais défiler la table et compare-la à celle que tu as créée lors de l'activité de la rubrique *Explore A*.

6. Fais défiler la table jusqu'au premier maximum après 360. Comment ce maximum se compare-t-il à ta prédiction à l'étape 5 a) de la rubrique *Explore A*? Prédis l'endroit où se trouvera le prochain maximum. Fais défiler la table pour vérifier ta réponse.

7. Fais défiler la table vers le haut et dépasse le 0. Prédis l'endroit où se trouvera le prochain maximum dans cette direction. Fais défiler la table pour vérifier ta réponse.

8. **Réflexion** Suppose que tu peux voir le graphique de $f(x) = \sin x$ pour $x = -720$ à $x = 720$. Combien de cycles t'attendrais-tu à voir? Où seraient les maximums? Où seraient les minimums?

9. Règle les paramètres d'affichage pour voir le graphique de $f(x) = \sin x$ pour $x = -720$ à $x = 720$. Vérifie tes prédictions de l'étape 8.

Méthode 2 : Utiliser la calculatrice TI-Nspire™ CAS

Matériel

- calculatrice à affichage graphique TI-Nspire™ CAS

1. a) Appuie sur ⌂on et choisis **5: Réglages et état.** Sélectionne **2: Réglages**, puis **1: Général.** Sers-toi de la touche ⟨tab⟩ pour te déplacer vers le bas. Assure-toi que l'unité de mesure des angles est réglée à **Degré** et que le mode de calcul est réglé à **Auto.** Appuie sur ⟨enter⟩.

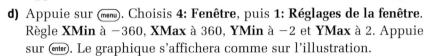

b) Sélectionne **1: Nouveau.** Dans le menu qui s'affiche, choisis **2: Ajouter l'application Graphiques.**

c) Saisis sin(x) pour la fonction **f1**(x). Appuie sur ⟨enter⟩.

d) Appuie sur ⟨menu⟩. Choisis **4: Fenêtre**, puis **1: Réglages de la fenêtre.** Règle **XMin** à -360, **XMax** à 360, **YMin** à -2 et **YMax** à 2. Appuie sur ⟨enter⟩. Le graphique s'affichera comme sur l'illustration.

2. Réflexion Compare le graphique affiché par la calculatrice au graphique que tu as dessiné lors de l'activité de la rubrique *Explore A.*

a) Appuie sur ⟨menu⟩. Choisis **7: Points et droites**, puis **2: Point sur.** Amène le pointeur sur le graphique et appuie sur ⟨enter⟩ deux fois.

b) Appuie sur ⟨ctrl⟩ ⟨📷⟩ pour saisir le point. Déplace le point sur le graphique à l'aide des flèches du pavé tactile. Compare les valeurs affichées à celle de la table de valeurs que tu as créée lors de l'activité de la rubrique *Explore A.*

3. a) Appuie sur ⟨ctrl⟩ ⟨doc▾⟩. Sélectionne **4: Ajouter Tableur & listes.**

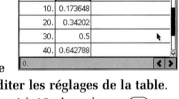

b) Appuie sur ⟨menu⟩. Sélectionne **5: Table des valeurs de la fonction**, puis **1: Basculer vers la table de valeurs.** Une table apparaît. Appuie sur ⟨enter⟩ pour afficher les valeurs.

c) Appuie sur ⟨menu⟩. Sélectionne **5: Table des valeurs de la fonction**, puis **5: Éditer les réglages de la table.** Règle **Début de la table** à 0 et **Incrément** à 10. Appuie sur ⟨enter⟩. La table de valeurs s'affichera comme sur l'illustration.

4. Fais défiler la table et compare-la à celle que tu as créée lors de l'activité de la rubrique *Explore A.*

5. Fais défiler la table jusqu'au premier maximum après 360. Comment ce maximum se compare-t-il à ta prédiction à l'étape 5 a) de la rubrique *Explore A* ? Prédis l'endroit où se trouvera le prochain maximum. Fais défiler la table pour vérifier ta réponse.

6. Fais défiler la table vers le haut et dépasse le 0. Prédis l'endroit où se trouvera le prochain maximum dans cette direction. Fais défiler la table pour vérifier ta réponse.

7. a) Appuie sur ⓒ et sur la flèche vers la gauche du pavé tactile pour revenir au graphique.

b) Suppose que tu peux voir le graphique de $f(x) = \sin x$ pour $x = -720$ à $x = 720$. Combien de cycles t'attendrais-tu à voir? Où seraient les maximums? Où seraient les minimums?

8. Réflexion Règle les paramètres d'affichage pour voir le graphique de $f(x) = \sin x$ pour $x = -720$ à $x = 720$. Vérifie tes prédictions de l'étape 7.

Explore C

Comment peut-on créer une fonction à l'aide du cosinus?

La courbe représentative d'une fonction cosinus ressemble à celle d'une fonction sinus, mais présente aussi des différences. Refais les étapes des rubriques *Explore A* et *Explore B* pour examiner la courbe d'une fonction cosinus. Remplis ensuite la troisième colonne du tableau à l'étape 6 de la rubrique *Explore A* pour résumer les caractéristiques de la fonction cosinus.

Concepts clés

- On peut construire des fonctions sinus et cosinus à l'aide du sinus et du cosinus, et du cercle unitaire.
- La courbe représentative des fonctions sinus et cosinus ressemble à une onde ayant une période de 360°.

Caractéristiques	$y = \sin x$	$y = \cos x$
courbe représentative		
valeur maximale	1	1
valeur minimale	−1	−1
amplitude	1	1
domaine	$\{x \in \mathbb{R}\}$	$\{x \in \mathbb{R}\}$
image	$\{y \in \mathbb{R} \mid -1 \leq y \leq 1\}$	$\{y \in \mathbb{R} \mid -1 \leq y \leq 1\}$
abscisses à l'origine	0°, 180° et 360° sur un cycle complet	90° et 270° sur un cycle complet
ordonnée à l'origine	0	1
intervalles de décroissance (sur un cycle)	$\{x \in \mathbb{R} \mid 0° \leq x \leq 90°, 270° \leq x \leq 360°\}$	$\{x \in \mathbb{R} \mid 180° \leq x \leq 360°\}$
intervalles de croissance (sur un cycle)	$\{x \in \mathbb{R} \mid 90° \leq x \leq 270°\}$	$\{x \in \mathbb{R} \mid 0° \leq x \leq 180°\}$

Communication et compréhension

C1 Sans tracer de graphique, prédis les valeurs de x pour lesquelles la courbe représentative de $y = \sin x$ et celle de $y = \cos x$ se croiseront dans l'intervalle de 0° à 360°. Explique ta réponse. Ensuite, vérifie ta réponse à l'aide de graphiques et de tables de valeurs.

C2 Examine les abscisses à l'origine des fonctions sinus et cosinus. Pour chaque graphique, écris une expression qui comporte un nombre entier n et qui indique l'abscisse à l'origine pour différentes valeurs de n.

C3 Soit un point qui parcourt la circonférence du cercle unitaire dans le sens antihoraire.

a) Quelle fonction représente le déplacement horizontal du point par rapport à l'origine ?

b) Quelle fonction représente le déplacement vertical du point par rapport à l'origine ?

c) Explique tes choix en a) et en b).

B Liens et mise en application

1. Tu es dans une des nacelles d'une grande roue de 8 m de rayon qui tourne dans le sens antihoraire. Situe l'origine au centre de la roue. Trace les graphiques en a) et en b) à partir du moment où le rayon qui relie le centre de la roue à ta nacelle coïncide avec la partie positive de l'axe des x.

a) Représente graphiquement ton déplacement horizontal en fonction de l'angle pour un tour complet de la roue. Quelle fonction représente ce déplacement horizontal ? Explique ton choix.

b) Représente graphiquement ton déplacement vertical en fonction de l'angle pour un tour complet de la roue. Quelle fonction représente ce déplacement vertical ? Explique ton choix.

2. Problème du chapitre Les sons peuvent être modélisés par des fonctions sinusoïdales. Un instrument simple, comme la flûte, produit un son qui peut être très bien modélisé par la fonction $y = \sin x$. Les sons plus complexes nécessitent un modèle plus complexe. Ainsi, on peut représenter fidèlement le son d'un instrument à cordes par une fonction plus complexe, comme $y = \sin x + \sin 2x$.

a) Représente graphiquement $y = \sin x$ et $y = \sin x + \sin 2x$ à l'aide d'un outil technologique ou sur du papier quadrillé.

b) Quelles sont les différences entre les deux graphiques ? Quelles sont les ressemblances ?

Maths et monde

En termes musicaux, tu as ajouté la deuxième harmonique, $\sin 2x$, à la fréquence fondamentale, $\sin x$. Une ingénieure ou un ingénieur en électronique peut imiter le son de divers instruments de musique à l'aide d'un appareil électronique en ajoutant des harmoniques, ou des partiels. C'est la synthèse musicale, un procédé qui est à la base du fonctionnement des synthétiseurs.

c) Ajoute la troisième harmonique, $\sin 3x$, à ton modèle et représente-le graphiquement. Compare ce graphique à la sinusoïde simple et à la sinusoïde à laquelle on a ajouté la deuxième harmonique.

3. La petite aiguille d'une horloge mesure 12 cm. Situe l'origine au centre de l'horloge.

a) Trace le graphique de la position verticale du bout de la petite aiguille en fonction de son angle de rotation pendant 72 heures. La petite aiguille amorce son mouvement vis-à-vis du 9.

b) Trace le graphique de la position horizontale du bout de la petite aiguille en fonction de son angle de rotation pendant 72 heures. La petite aiguille amorce son mouvement vis-à-vis du 3.

c) Combien de cycles le graphique tracé en a) comporte-t-il ?

d) Combien de cycles y aurait-il sur le graphique tracé en a) si tu utilisais la grande aiguille ? Explique ta prédiction.

C Approfondissement

4. Quelle est l'apparence du graphique de $y = \tan x$? Examine-la à l'aide d'une calculatrice. Arrondis les valeurs de $\tan x$ au millième près.

a) Crée une table de valeurs pour x et $\tan x$. Procède par intervalles de 10° jusqu'à 70°, puis de 5° jusqu'à 85°. Enfin, procède par intervalles de 1° jusqu'à 89°.

b) Que devient la valeur de $\tan x$ lorsque x s'approche de 90° ? Examine le cercle unitaire et explique pourquoi. Quelle est la valeur de $\tan 90°$?

c) Prolonge ta table de valeurs jusqu'à 360°. Ajuste les intervalles au besoin.

d) Représente graphiquement $y = \tan x$ à partir de ta table de valeurs. Pour obtenir une échelle pratique, utilise les valeurs de y de -10 à 10. Prévois de l'espace sur l'axe des x pour des valeurs de $-720°$ à 720°.

e) Trace les asymptotes en pointillés sur le graphique, soit des droites verticales en $x = 90°$ et en $x = 270°$. La courbe représentative de la fonction tangente s'approche de chaque asymptote sans jamais la toucher.

f) Prédis l'apparence de la courbe si tu la prolonges de $x = 360°$ à $x = 720°$. Où seront les asymptotes ? Vérifie quelques points à l'aide d'une calculatrice. Ensuite, trace la courbe pour $x = 360°$ à $x = 720°$.

g) Prédis l'apparence de la courbe si tu la prolonges à gauche de $x = 0$. Où seront les asymptotes ? Vérifie quelques points à l'aide d'une calculatrice. Ensuite, trace la courbe pour $x = -720°$ à $x = 0°$.

h) Le graphique de $y = \tan x$ est-il périodique ? Explique ta réponse. Si la fonction est périodique, détermine sa période.

5. a) Montre que $y = \tan x$ est une fonction.

b) Est-il possible de déterminer l'amplitude de la fonction ? Explique ta réponse.

c) Sur quels intervalles des valeurs de x de 0° à 360° la fonction est-elle croissante ? Sur quels intervalles est-elle décroissante ?

d) **Technologie** Représente graphiquement la fonction tangente pour $x = -360°$ à $x = 360°$ à l'aide d'une calculatrice à affichage graphique. Compare ce graphique à celui que tu as tracé à la question 4.

e) Tu peux ajouter des asymptotes aux valeurs appropriées de x. Reviens à l'écran d'accueil. Appuie sur (2nd) [DRAW]. Sélectionne **4:Vertical** et saisis 90. Reviens au graphique. Tu verras une droite verticale en $x = 90°$. Ajoute les autres asymptotes.

f) Indique le domaine et l'image de la fonction tangente en notation des ensembles.

6. a) Représente graphiquement $f(x) = \sin x$ pour $x = 0°$ à $x = 360°$.

b) Relis la définition de la cosécante. À partir du graphique tracé en a), détermine la forme du graphique de $y = \operatorname{cosec} x$.

c) Vérifie ta réponse en b) à l'aide d'une calculatrice scientifique et de papier quadrillé, ou d'une calculatrice à affichage graphique. Ajoute les asymptotes.

d) Montre que $y = \operatorname{cosec} x$ est une fonction.

e) Quel est le domaine de la fonction ? Quelle est son image ?

7. Analyse le graphique de $y = \sec x$ à l'aide d'une méthode semblable à celle de la question 6.

8. Analyse le graphique de $y = \operatorname{cotan} x$ à l'aide d'une méthode semblable à celle de la question 6.

9. Soit la fonction $y = \sin x + \cos x$.

a) Prédis l'ordonnée à l'origine de la fonction.

b) Prédis les abscisses à l'origine de 0° à 360°. Explique ta réponse.

c) Vérifie tes réponses en a) et b) à l'aide d'un graphique ou d'une calculatrice à affichage graphique.

10. Concours de maths Pour $0° \le \theta \le 360°$, sur quels intervalles $\sin \theta \le \cos \theta$?

11. Concours de maths Soit $-90° \le \theta \le 90°$. Indique la ou les valeurs de θ telles que $\tan \theta = \operatorname{cotan} \theta$.

12. Concours de maths On additionne deux des cinq nombres d'une liste. Voici les sommes de toutes les paires de nombres possibles : 4, 8, 10, 12, 14, 18, 20, 22, 26 et 30. Quelle est la somme des cinq nombres ?

A 164   **B** 82

C 41   **D** Impossible à déterminer

Les maths au travail

Maria a obtenu un diplôme en inhalothérapie après trois années d'études collégiales. Elle a ensuite acquis trois années d'expérience. Elle est aujourd'hui perfusionniste. Pendant les chirurgies à cœur ouvert, elle s'occupe du cœur-poumon artificiel. Cet appareil remplace le cœur et les poumons de la patiente ou du patient pendant l'opération. Il prend le sang, l'alimente en oxygène et le remet en circulation dans le corps, ce qui permet d'arrêter le cœur pour effectuer la chirurgie. Maria est responsable du maintien en vie de la patiente ou du patient : elle surveille ses signes vitaux et effectue les réglages nécessaires au bon fonctionnement du cœur-poumon artificiel. Elle administre aussi les médicaments et s'occupe des perfusions ainsi que des transfusions.

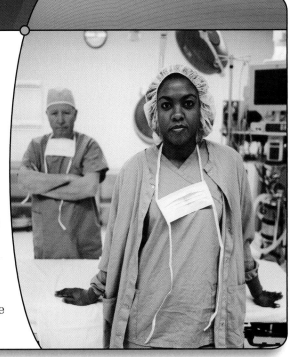

Technologie

Le cercle unitaire et la fonction sinus

Matériel

- calculatrice à affichage graphique

Trace un cercle unitaire et un point en (1, 0). Rappelle-toi que l'on peut exprimer les coordonnées d'un point du cercle unitaire sous la forme $(\cos \theta, \sin \theta)$, où θ est un angle trigonométrique. Suppose que le point se déplace sur le cercle dans le sens antihoraire. L'angle θ augmente alors de 0° à 360°, tandis que l'ordonnée du point suit la fonction sinus. Représente ensemble le cercle unitaire et la courbe de la fonction sinus à l'aide d'une calculatrice à affichage graphique.

1. Appuie sur (MODE). À la quatrième ligne, choisis le mode **PAR**. À la sixième ligne, choisis le mode **SIMUL**.

Conseil techno

En mode paramétrique, la calculatrice affiche T lorsque tu appuies sur (X, T, θ, n).

2. En mode paramétrique, tu peux saisir une équation différente pour x et pour y en fonction d'une troisième variable. La calculatrice nomme cette variable T. Le mode **SIMUL** permet de tracer les deux graphiques simultanément, plutôt que l'un après l'autre. Appuie sur (Y=). Remarque que la liste n'a pas son apparence habituelle. Saisis l'expression cos(T) pour **X1T** et sin(T) pour **Y1T**.

3. Réflexion Compare ces expressions aux coordonnées d'un point du cercle unitaire.

4. Trace le cercle unitaire et la courbe représentative de la fonction sinus dans un même plan cartésien. Le cercle unitaire a un rayon de 1 et il faut un intervalle de 0° à 360° pour représenter un cycle complet de la fonction sinus. Ces échelles ne sont pas

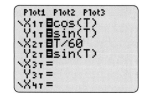

compatibles. Pour compenser, divise l'échelle de la fonction sinus par 60. Tu pourras ainsi voir le cercle et la courbe dans la même fenêtre. Saisis T/60 pour **X2T** et sin(T) pour **Y2T**.

5. Appuie sur (WINDOW). Les paramètres d'affichage différeront aussi un peu. Définis un intervalle de 0 à 360 pour T, avec un pas de progression de 1, un intervalle de -2 à 8 pour X, avec un pas de progression de 1, et un intervalle de -3 à 3 pour Y, avec un pas de progression de 1.

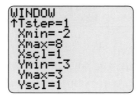

6. Appuie sur (GRAPH). Observe le traçage simultané du cercle unitaire et de la sinusoïde. **Remarque :** N'oublie pas que les deux sont visibles parce que leurs échelles diffèrent. Pour le cercle unitaire, chaque graduation de l'axe des x représente 1 unité, alors que pour la sinusoïde, elle représente 60°.

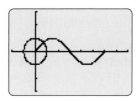

7. **Réflexion** Les instructions données décrivent un mode d'utilisation de la calculatrice à affichage graphique que tu ne connais sans doute pas. Revois chaque étape pour bien la comprendre. Explique le rôle de T dans les fonctions dont tu traces le graphique.

8. Modifie les étapes 1 à 6 pour tracer simultanément le cercle unitaire et la courbe représentative de la fonction cosinus. Quelles modifications dois-tu faire ? Explique pourquoi.

Approfondissement

9. Suppose que tu veux tracer le cercle unitaire et la courbe représentative des fonctions tangente, cosécante, sécante et cotangente à tour de rôle.

   a) Explique lesquelles des étapes 1 à 6 doivent être modifiées, et lesquelles ne doivent pas l'être.

   b) Effectue les changements décrits en a). Ensuite, trace les quatre graphiques.

> **Conseil techno**
>
> Si tu veux revoir le cercle et la courbe apparaître, il ne suffit pas d'appuyer sur (QUIT) puis sur (GRAPH). La calculatrice a en mémoire le dernier graphique demandé et, s'il n'y a pas eu de changements, elle l'affiche tout simplement. Il y a plusieurs manières de contourner le problème. L'une d'elles consiste à choisir **PlotsOn** dans le menu **STATPLOT**, puis **PlotsOff**. Quand tu appuies sur (GRAPH), la calculatrice tracera de nouveau le cercle unitaire et la sinusoïde.

Les transformations des fonctions sinus et cosinus

On peut représenter de nombreux phénomènes concrets par une fonction sinusoïdale. Cependant, la fonction sinus de base doit habituellement subir une ou plusieurs transformations pour correspondre aux paramètres de la situation. Soit, par exemple, la position du Soleil au-dessus de l'horizon au nord du cercle arctique en été. Comme le Soleil ne se couche pas durant cette période, on n'attribue jamais de valeur négative à sa position par rapport à l'horizon. Il faut donc modifier la fonction sinus de base pour que son image ne comporte aucune valeur négative.

Dans cette section, tu apprendras à transformer les fonctions sinus et cosinus afin de pouvoir les utiliser comme modèles dans des applications concrètes plus loin dans le chapitre.

Matériel

- calculatrice à affichage graphique

Facultatif

- logiciel de représentation graphique

Conseil techno

Tu peux aussi comparer deux graphiques en passant de l'un à l'autre. Dans l'éditeur **Y=**, place le curseur sur le signe d'égalité et clique sur (ENTER). Lorsque le signe d'égalité est en surbrillance, le graphique s'affiche. Lorsqu'il ne l'est pas, le graphique ne s'affiche pas.

Explore

Comment peut-on étudier les transformations des fonctions sinus et cosinus à l'aide de la technologie?

A: Représenter graphiquement $y = a \sin x$

1. a) À l'aide d'une calculatrice à affichage graphique ou d'un logiciel approprié, représente graphiquement $y = \sin x$ et $y = 2 \sin x$ dans un même plan cartésien, pour $x = 0°$ à $x = 360°$.

   b) En quoi les deux courbes sont-elles semblables? différentes?

2. a) Représente graphiquement $y = 3 \sin x$ dans le même plan cartésien.

   b) Que se produit-il lorsqu'on multiplie la fonction sinus par une constante différente de zéro?

3. a) Masque la courbe de $y = 2 \sin x$ et celle de $y = 3 \sin x$. Prédis la forme de la courbe représentative de $y = \frac{1}{2} \sin x$. Explique ta prédiction.

   b) Trace la courbe représentative de $y = \frac{1}{2} \sin x$ et compare-la à celle de $y = \sin x$. Ta prédiction était-elle juste?

4. a) Masque la courbe de $y = \frac{1}{2} \sin x$. Prédis la forme de la courbe représentative de $y = -\sin x$. Explique ta prédiction.

   b) Trace la courbe représentative de $y = -\sin x$ et compare-la à celle de $y = \sin x$. Ta prédiction était-elle juste?

   c) Prédis la forme de la courbe représentative de $y = -2 \sin x$. Vérifie ta prédiction en traçant cette courbe.

5. Réflexion Soit la transformation de la fonction sinus qui découle de la multiplication de cette fonction par un facteur a : $y = a \sin x$. Décris cette transformation lorsque :

a) $a > 1$, b) $0 < a < 1$,

c) $a < -1$, d) $-1 < a < 0$.

Note que ce facteur a doit être non nul.

B : Représenter graphiquement $y = \sin kx$

1. a) Représente graphiquement $y = \sin x$ et $y = \sin 2x$ dans un même plan cartésien, pour $x = 0°$ à $x = 360°$.

b) En quoi les deux courbes sont-elles semblables ? différentes ?

c) Quel lien y a-t-il entre leurs périodes ?

2. a) Masque la courbe de $y = \sin 2x$. Prédis la période de la courbe représentative de $y = \sin 3x$.

b) Trace la courbe de $y = \sin 3x$ pour vérifier ta prédiction.

3. a) Masque la courbe de $y = \sin 3x$. Prédis la période de la courbe représentative de $y = \sin \frac{1}{2}x$.

b) Trace la courbe $y = \sin \frac{1}{2}x$ pour vérifier ta prédiction. Tu devras peut-être modifier les paramètres de la fenêtre pour voir un cycle complet de $y = \sin \frac{1}{2}x$.

4. Réflexion Soit la transformation de la fonction sinus qui découle de la multiplication de la variable x par un facteur k : $y = \sin kx$.

Note que ce facteur k doit être non nul.

a) Quel est le lien entre la période de $y = \sin kx$ et celle de $y = \sin x$?

b) Décris la transformation lorsque $k > 1$ et lorsque $0 < k < 1$.

c) Décris la transformation lorsque $k < -1$ et lorsque $-1 < k < 0$. Trace des graphiques pour vérifier tes hypothèses.

C : Représenter graphiquement $y = \sin (x - c)$

1. a) Représente graphiquement $y = \sin x$ et $y = \sin (x - 30°)$ dans un même plan cartésien, pour $x = 0°$ à $x = 360°$.

b) En quoi les deux courbes sont-elles semblables ? différentes ?

2. a) Prédis l'apparence de la courbe représentative de $y = \sin (x - 60°)$. Explique ta prédiction.

b) Trace la courbe de $y = \sin (x - 60°)$ pour vérifier ta prédiction.

3. a) Prédis l'apparence de la courbe représentative de $y = \sin (x + 30°)$. Explique ta prédiction.

b) Trace la courbe de $y = \sin (x + 30°)$ pour vérifier ta prédiction.

4. Réflexion Soit la transformation de la fonction sinus qui découle de la soustraction d'un paramètre c de la variable x : $y = \sin (x - c)$. Décris cette transformation lorsque :

a) $c > 0$, b) $c < 0$.

D: Représenter graphiquement $y = \sin x + d$

1. a) Représente graphiquement $y = \sin x$ et $y = \sin x + 1$ dans un même plan cartésien, pour $x = 0°$ à $x = 360°$.

   b) En quoi les deux courbes sont-elles semblables? différentes?

2. a) Prédis l'apparence de la courbe représentative de $y = \sin x - 1$. Explique ta prédiction.

   b) Trace la courbe de $y = \sin x - 1$ pour vérifier ta prédiction.

3. a) Prédis l'apparence de la courbe représentative de $y = \sin x + 3$. Explique ta prédiction.

   b) Trace la courbe de $y = \sin x + 3$ pour vérifier ta prédiction. Tu devras peut-être modifier les paramètres de la fenêtre pour que le graphique s'affiche correctement.

4. Réflexion Soit la transformation de la fonction sinus qui découle de l'addition d'un paramètre d à la fonction : $y = \sin x + d$. Décris cette transformation dans les conditions suivantes.

   a) $d > 0$, **b)** $d < 0$.

5. Réflexion Revois tes réflexions des parties A, B, C et D. Reproduis ce tableau et complète-le pour résumer les effets de chacun des paramètres étudiés sur la forme du graphique. La première ligne du tableau est déjà remplie.

Paramètre	Valeur	Effet
a	$a > 1$	L'amplitude est supérieure à 1.
	$0 < a < 1$	
	$-1 < a < 0$	
	$a < -1$	
k	$k > 1$	
	$0 < k < 1$	
	$-1 < k < 0$	
	$k < -1$	
c	$c > 0$	
	$c < 0$	
d	$d > 0$	
	$d < 0$	

Exemple 1

Les fonctions de la forme $y = a \sin kx$

Soit la fonction $y = 3 \sin 4x$.

   a) Quelle est son amplitude?

   b) Quelle est sa période?

   c) Combien de cycles comporte-t-elle de $x = 0°$ à $x = 360°$?

   d) Représente graphiquement cette fonction pour $x = 0°$ à $x = 360°$.

Solution

Compare $y = 3 \sin 4x$ à $y = a \sin kx$.

a) $a = 3$; les ordonnées de la fonction sinus sont multipliées par 3. L'amplitude est de 3 unités.

b) $k = 4$; pour déterminer la période, divise 360° par k : $\dfrac{360°}{4} = 90°$.
La période est de 90°.

c) Comme la période est de 90° et que $k = 4$, la fonction comporte quatre cycles de 0° à 360°.

d)

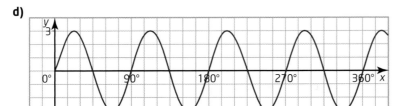

Exemple 2

Les fonctions de la forme $y = a \sin (x - c) + d$

Soit la fonction $y = \sin (x - 45°) + 2$.

a) Quelle est son amplitude ?

b) Quelle est sa période ?

c) Décris le déphasage, ou la translation horizontale.

d) Décris le déplacement vertical, ou la translation verticale.

e) Représente graphiquement la fonction pour $x = 0°$ à $x = 720°$.

> **Maths et monde**
>
> Dans le cas d'une fonction sinusoïdale, on utilise souvent les termes *déphasage* et *déplacement vertical* pour décrire les translations horizontale et verticale.

Solution

Compare $y = \sin (x - 45°) + 2$ à $y = a \sin (x - c) + d$.

a) $a = 1$; l'amplitude de la fonction est de 1.

b) $k = 1$; la période de la fonction est de 360°.

c) $c = 45°$; le déphasage est de 45° vers la droite.

d) $d = 2$; le déplacement vertical est de 2 unités vers le haut.

e)

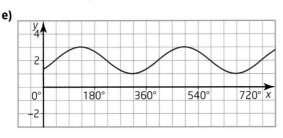

Exemple 3

Les fonctions de la forme $y = a \sin (k(x - c)) + d$

Soit la fonction $y = -2 \sin (3(x + 30°)) - 1$.

a) Quelle est son amplitude?

b) Quelle est sa période?

c) Décris le déphasage.

d) Décris le déplacement vertical.

e) Représente graphiquement la fonction pour $x = 0°$ à $x = 360°$.

Solution

Compare $y = -2 \sin (3(x + 30°)) - 1$ à $y = a \sin (k(x - c)) + d$.

L'amplitude d'une fonction sinusoïdale est toujours positive.

a) $a = -2$; l'amplitude de la fonction est de 2.

b) $k = 3$; la période de la fonction est de $\dfrac{360°}{3} = 120°$.

La valeur de *c* est négative. Cela indique un déphasage vers la gauche.

c) $c = -30°$; le déphasage est de 30° vers la gauche.

d) $d = -1$; le déplacement vertical est de 1 unité vers le bas.

e)

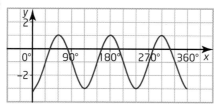

Concepts clés

- On peut transformer la fonction sinus par l'ajout des paramètres a, k, c et d:
  $y = a \sin (k(x - c)) + d$.
  - a ($a \neq 0$) détermine l'amplitude de la fonction, qui correspond à $|a|$.
  - k ($k \neq 0$) détermine la période p de la fonction selon la relation $p = \dfrac{360°}{|k|}$.
  - c détermine la translation horizontale, ou le déphasage, de la fonction. Si c est positif, il y a un déphasage vers la droite. Si c est négatif, il y a un déphasage vers la gauche.
  - d détermine la translation ou le déplacement vertical de la fonction. Si d est positif, il y a un déplacement vertical vers le haut. Si d est négatif, il y a un déplacement vertical vers le bas.

- La fonction cosinus peut-être transformée de la même façon: $y = a \cos (k(x - c)) + d$. Plus loin, des exercices portent sur la fonction cosinus.

Communication et compréhension

C1 Soit le graphique de $y = 5 \sin 2x + d$. Quelles valeurs de d font en sorte que toutes les ordonnées du graphique sont positives ? Explique ta démarche.

C2 Compare ces graphiques. Explique comment on peut appliquer une réflexion à la courbe a) par rapport à l'axe des y pour obtenir la courbe b).

a)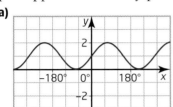

b)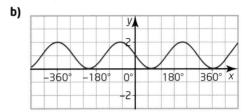

C3 Soit la courbe représentative de $y = \sin x$ et celle de $y = \cos x$. Détermine deux façons de définir la courbe de la fonction cosinus comme une translation horizontale de celle de la fonction sinus.

A À ton tour

Si tu as besoin d'aide pour répondre aux questions 1 à 3, reporte-toi à l'exemple 1.

1. Trace un cycle du graphique de chaque fonction. Choisis une échelle appropriée pour chaque axe. Indique l'agrandissement (ou le rétrécissement) vertical et l'amplitude de la fonction.

    a) $y = 4 \sin x$ **b)** $y = \dfrac{3}{2} \sin x$

    c) $y = -5 \sin x$ **d)** $y = -\dfrac{5}{4} \sin x$

2. Trace un cycle du graphique de chaque fonction. Choisis une échelle appropriée pour chaque axe. Indique l'agrandissement (ou le rétrécissement) vertical et l'amplitude de la fonction.

    a) $y = 3 \cos x$ **b)** $y = \dfrac{1}{2} \cos x$

    c) $y = -2 \cos x$ **d)** $y = -\dfrac{2}{3} \cos x$

3. Indique l'agrandissement (ou le rétrécissement) horizontal et la période de chaque fonction.

    a) $y = 2 \sin 5x$ **b)** $y = -3 \sin \dfrac{2}{3}x$

    c) $y = 8 \sin \dfrac{1}{6}x$ **d)** $y = \dfrac{1}{2} \sin \dfrac{1}{2}x$

    e) $y = 4 \cos x$ **f)** $y = -2 \cos 8x$

    g) $y = \dfrac{1}{2} \cos 12x$ **h)** $y = -\dfrac{5}{4} \cos \dfrac{3}{4}x$

Si tu as besoin d'aide pour répondre aux questions 4 à 8, reporte-toi aux exemples 2 et 3.

4. Représente chaque graphique par une équation de la forme $y = a \sin kx$ et une autre de la forme $y = a \cos (k(x - c))$.

a)

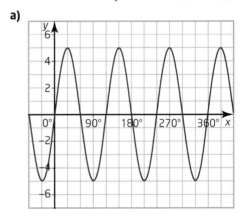

b)

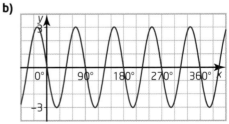

5. Représente chaque graphique par une équation de la forme $y = a \cos kx$ et une autre de la forme $y = a \sin (k(x - c))$.

a)

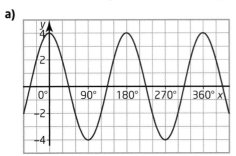

b)

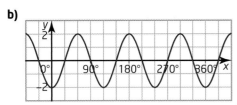

6. Indique le déphasage et le déplacement vertical de chaque fonction par rapport à $y = \sin x$.

a) $y = \sin (x - 50°) + 3$

b) $y = 2 \sin (x + 45°) - 1$

c) $y = -5 \sin (x - 25°) + 4$

d) $y = 3 \sin (2(x + 60°)) - 2$

7. Indique le déphasage et le déplacement vertical de chaque fonction par rapport à $y = \cos x$.

a) $y = \cos (x + 30°)$

b) $y = 4 \cos (x - 32°) + 6$

c) $y = -9 \cos (x + 120°) - 5$

d) $y = 12 \cos (5(x - 150°)) + 7$

8. a) Indique le déphasage et le déplacement vertical de chaque fonction.

    I) $y = \sin (x + 100°) + 1$

    II) $y = 2 \sin x + 3$

    III) $y = \sin (x + 45°) - 2$

    IV) $y = 3 \sin (x - 120°) + 2$

b) Trace deux cycles du graphique de chaque fonction. Choisis une échelle appropriée pour chaque axe.

9. a) Indique le déphasage et le déplacement vertical de chaque fonction.

    I) $y = \cos (x - 70°)$

    II) $y = 3 \cos x - 1$

    III) $y = \cos (x + 35°) + 2$

    IV) $y = 4 \cos (x - 120°) - 3$

b) Trace deux cycles du graphique de chaque fonction. Choisis une échelle appropriée pour chaque axe.

B Liens et mise en application

10. On peut représenter la position verticale y, en centimètres, d'un point de la jante de la roue d'un vélo stationnaire au temps t par l'équation $y = 40 \sin 720t + 50$.

a) Quelle est la position verticale la plus basse de ce point ?

b) Quelle est la position verticale la plus haute de ce point ?

c) Quelle est la période de rotation de la roue, en secondes ?

d) Suppose que la période de rotation de la roue triple. Que devient l'équation ? Explique ta réponse.

11. a) Indique l'amplitude, la période, le déphasage et le déplacement vertical de chaque fonction.

    I) $y = 5 \sin (4(x + 60°)) - 2$

    II) $y = 2 \cos (2(x + 150°)) - 5$

    III) $y = \frac{1}{2} \sin \left(\frac{1}{2}(x - 60°) \right) + 1$

    IV) $y = 0,8 \cos (3,6(x - 40°)) - 0,4$

b) Technologie Représente graphiquement chaque fonction à l'aide de la technologie. Compare chaque courbe aux caractéristiques que tu avais déterminées.

12. La théorie des biorythmes tente d'expliquer pourquoi une personne a de «bons» et de «mauvais» jours. Selon cette théorie, trois fonctions périodiques débutent à la naissance et se poursuivent jusqu'à la mort. Le cycle physique a une période de 23 jours, le cycle émotionnel, une période de 28 jours, et le cycle intellectuel, une période de 33 jours. Au cours de la vie d'une personne, ces cycles se déphasent les uns par rapport aux autres, mais il arrive que leurs valeurs maximales respectives coïncident. Tout jour où une courbe croise l'axe du temps est un jour critique.

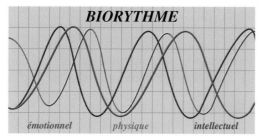

BIORYTHME

émotionnel   physique   intellectuel

a) Représente chaque biorythme – physique, émotionnel et intellectuel – par une fonction sinus d'amplitude 1 commençant à la naissance.

b) À l'aide de la technologie ou sur du papier quadrillé, représente les trois fonctions dans un même plan cartésien pour les 150 premiers jours de la vie.

c) Repère les bons jours (où au moins deux biorythmes atteignent un maximum ou s'en rapprochent).

d) Repère les mauvais jours (où au moins deux biorythmes atteignent un minimum ou s'en rapprochent).

13. Problème du chapitre L'oreille humaine interprète l'amplitude d'une onde sonore comme l'intensité du son. Une onde sonore représentée par $y = 2 \sin kt$ est donc plus forte qu'une onde sonore représentée par $y = \sin kt$. Comme l'oreille humaine n'utilise pas une échelle linéaire, la première onde n'est pas réellement deux fois plus forte que la deuxième. L'onde sonore qu'émet un instrument se propage

de façon sphérique. Son amplitude décroît proportionnellement au carré de la distance. Soit une onde sonore représentée par $y = 64 \sin kt$ à une distance de 1 m de sa source. À une distance de 2 m,

$$a = \frac{64}{2^2}$$
$$= 16$$

L'équation devient $y = 16 \sin kt$.

a) Écris l'équation de l'onde à une distance de 4 m de sa source.

b) Écris l'équation de l'onde à une distance de 8 m de sa source.

c) À quelle distance de la source l'équation devient-elle $y = \frac{1}{4} \sin kt$?

14. Une transformée de la fonction de base $y = \sin x$ a une amplitude de 4 et des abscisses à l'origine qui coïncident avec ses valeurs minimales. Sa période est de 360° et son déphasage, de 0°.

Raisonnement
Modélisation   Sélection d'outils
Résolution de problèmes
Liens   Réflexion
Communication

a) Représente cette transformée par une équation.

b) Quel est le déphasage requis pour que la transformée en a) ait une ordonnée à l'origine de 2? Vérifie ta réponse en traçant un graphique.

c) Peut-on obtenir l'ordonnée à l'origine en b) en changeant la période au lieu du déphasage? Explique ta réponse.

15. a) Écris l'équation d'une fonction sinus qui a subi au moins trois transformations. Rédige quelques indices sur ces transformations. Assure-toi qu'on peut déterminer les transformations à partir de ces indices.

b) Échange tes indices contre ceux d'une ou d'un camarade. Détermine les transformations appliquées à partir des indices reçus. S'il y a plus d'une réponse possible, explique pourquoi.

c) Montre ton équation à ta ou ton camarade et parle-lui de tes observations.

16. a) Écris l'équation d'une fonction cosinus qui a subi au moins trois transformations. Utilise d'autres transformations que celles de la question 15. Rédige quelques indices sur ces transformations.

b) Échange tes indices contre ceux d'une ou d'un camarade. Détermine les transformations appliquées à partir des indices reçus. S'il y a plus d'une réponse possible, explique pourquoi.

c) Montre ton équation à ta ou ton camarade et parle-lui de tes observations.

17. a) Détermine les caractéristiques suivantes de la fonction $y = 6 \cos (5(x + 45°)) - 3$. Explique ta réponse.

   I) l'amplitude

   II) la période

   III) le déphasage

   IV) le déplacement vertical

b) Trace le graphique de la fonction en a) sur du papier quadrillé sans utiliser de table de valeurs. Explique ton raisonnement.

C Approfondissement

18. Soit une fonction sinus dont la période est deux fois moindre que celle de $y = \sin x$. Les autres paramètres des deux fonctions sont identiques.

a) Prédis le nombre de points d'intersection de leurs courbes représentatives pour $x = 0°$ à $x = 360°$. Explique ta prédiction.

b) Détermine le nombre de points d'intersection des deux courbes pour $x = 0°$ à $x = 360°$. Ta prédiction était-elle juste? Sinon, explique pourquoi.

c) Détermine les coordonnées du premier point d'intersection à droite de l'origine.

d) Suppose que l'on prolonge le graphique jusqu'à $x = 720°$. Combien de points d'intersection y aura-t-il dans la nouvelle portion du graphique? Explique ton raisonnement.

e) Prolonge le graphique et vérifie ta réponse en d). Ta prédiction était-elle juste? Sinon, explique pourquoi.

f) Suppose que la deuxième fonction a une période égale au tiers de celle de la première. En quoi ta réponse en a) change-t-elle?

19. Soit la fonction $y = \tan x$ et sa transformée $y = a \tan (k(x - c)) + d$. Étudie les effets de a, k, c et d sur la courbe représentative de $y = \tan x$ à l'aide d'une calculatrice à affichage graphique. Rédige un bref compte rendu de tes découvertes.

20. Concours de maths La somme de huit nombres entiers positifs consécutifs est 404. Quelle est la somme du plus petit et du plus grand de ces nombres?

   A 50,5

   B $2\sqrt{101}$

   C 101

   D 25,25

21. Concours de maths Deux cercles sont tangents l'un à l'autre. Un segment de droite dont une extrémité se situe au centre D du plus grand cercle est tangent au plus petit cercle au point A. Un autre segment de droite, dont une extrémité se situe au centre B du plus petit cercle, est tangent au grand cercle au point C. Démontre que $\overline{AD}$ est plus long que $\overline{BC}$.

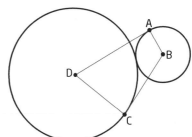

L'équation de fonctions sinusoïdales

Pour représenter une situation concrète à l'aide d'une fonction sinus ou cosinus, il faut analyser la situation et déterminer l'amplitude, la période, le déplacement vertical et le déphasage correspondants. Par exemple, on peut modéliser les marées à l'aide d'une fonction sinus dont la période est de 12 heures.

Dans cette section, tu apprendras à déterminer l'équation d'une fonction à partir de son graphique ou d'une liste de ses caractéristiques.

Exemple 1

Déterminer les caractéristiques d'une fonction sinusoïdale à partir d'une équation

Une ingénieure utilise la fonction $y = 3 \cos (2(x - 5)) + 4$ pour représenter la position verticale y, en mètres, d'une tige d'un appareil x secondes après sa mise en marche.

a) Indique l'amplitude, la période, le déphasage et le déplacement vertical de la fonction.

b) Quelle est la position verticale de la tige à son plus bas et à son plus haut?

c) Technologie À l'aide d'un outil technologique, trace le graphique de la fonction. Vérifie tes réponses en b) à l'aide de ce graphique.

d) Indique le domaine et l'image de la fonction de base et de la transformée.

Solution

a) En comparant l'équation $y = 3 \cos (2(x - 5)) + 4$ à l'équation générale $y = a \cos (k(x - c)) + d$, on obtient $a = 3$, $k = 2$, $c = 5$ et $d = 4$. Puisque $a = 3$, l'amplitude est de 3 m.

Détermine la période.

$$\frac{360}{k} = \frac{360}{2}$$
$$= 180$$

La période est de 180 s.

Puisque $c = 5$, le déphasage est de 5 s vers la droite.

Puisque $d = 4$, le déplacement vertical est de 4 m vers le haut.

b) Le minimum de la fonction cosinus de base est -1. Puisque la transformée est d'amplitude 3, le minimum descend à -3. Le déplacement vertical de 4 m vers le haut l'amène ensuite à 1. La position verticale la plus basse de la tige est donc de 1 m.

Le maximum de la fonction cosinus de base est 1. Puisque la transformée est d'amplitude 3, le maximum monte à 3.
Le déplacement vertical de 4 m vers le haut l'amène ensuite à 7.
La plus haute position verticale de la tige est donc de 7 m.

c) Méthode 1: Utiliser une calculatrice à affichage graphique

Le graphique est présenté plus bas. Appuie sur $\boxed{\text{2nd}}$ [CALC]. Utilise **4:maximum** pour déterminer la valeur maximale et **3:minimum** pour déterminer la valeur minimale.

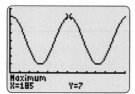 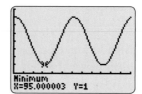

Méthode 2: Utiliser la calculatrice TI-Nspire™ CAS

Reporte-toi aux instructions de la section 5.2. Représente graphiquement la fonction. Trace un point sur la courbe, puis déplace-le vers le maximum. Lorsque tu l'atteindras, le mot « maximum » s'affichera, ainsi que les coordonnées du point.

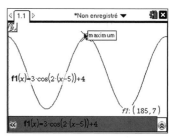

De même, tu peux amener le point jusqu'au minimum de la courbe. Lorsque tu l'atteindras, le mot « minimum » s'affichera, ainsi que les coordonnées du point.

d) Le domaine de la fonction $y = \cos x$ est $\{x \in \mathbb{R}\}$.
Son image est $\{y \in \mathbb{R} \mid -1 \leq y \leq 1\}$.
Le domaine de la fonction $y = 3 \cos (2(x - 5)) + 4$ est $\{x \in \mathbb{R}\}$.
Son image est $\{y \in \mathbb{R} \mid 1 \leq y \leq 7\}$.

Exemple 2

Tracer un graphique

a) Décris les transformations qu'il faut appliquer à la courbe de $f(x) = \sin x$ pour obtenir celle de $g(x) = 4 \sin 3x + 1$. Applique ces transformations pour tracer le graphique de $g(x)$.

b) Indique le domaine et l'image de $f(x)$ et de $g(x)$.

c) Modifie l'équation de $g(x)$ pour inclure un déphasage de 30° vers la droite. Nomme cette nouvelle fonction $h(x)$. Applique le déphasage à la courbe de $g(x)$ afin d'obtenir le graphique de $h(x)$.

Solution

a) Soit le graphique de $f(x) = \sin x$ (courbe I).

Ajoute une amplitude de 4, ce qui donne la courbe II.

Effectue une translation verticale de 1 unité vers le haut, ce qui donne la courbe III. Tu peux ajouter une droite horizontale de référence en $y = 1$ pour t'aider.

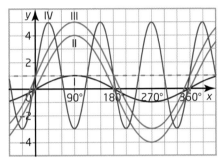

Applique un rétrécissement de rapport $\dfrac{1}{3}$, ce qui donne la courbe IV.

b) Le domaine de la fonction $f(x) = \sin x$ est $\{x \in \mathbb{R}\}$. Son image est $\{y \in \mathbb{R} \mid -1 \leq y \leq 1\}$. Le domaine de la fonction $g(x) = 4 \sin 3x + 1$ est $\{x \in \mathbb{R}\}$. Son image est $\{y \in \mathbb{R} \mid -3 \leq y \leq 5\}$.

c) L'équation avec un déphasage de 30° vers la droite est $h(x) = 4 \sin (3(x - 30°)) + 1$. La figure montre la courbe représentative de $g(x)$ et celle de $h(x)$.

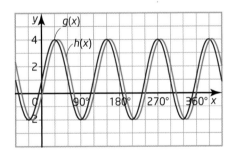

Pour tracer le graphique d'une fonction sinus ou cosinus transformée:

1. trace la courbe représentative de la fonction de base;
2. applique l'agrandissement ou le rétrécissement vertical qui correspond à l'amplitude;
3. effectue la translation verticale. Utilise une droite horizontale de référence pour t'aider;
4. applique l'agrandissement ou le rétrécissement horizontal qui correspond à la période;
5. ajoute le déphasage.

Rappelle-toi qu'un agrandissement s'appelle aussi *élongation* et qu'un rétrécissement s'appelle aussi *compression*.

Exemple 3

Représenter une fonction sinusoïdale à partir de ses caractéristiques

a) Une fonction sinusoïdale a une amplitude de 3 unités, une période de 180° et un maximum en (0, 5). Représente cette fonction par deux équations différentes.

b) À l'aide d'une calculatrice à affichage graphique ou sur du papier quadrillé, vérifie que tes deux modèles représentent la même courbe.

Solution

a) Méthode 1 : Utiliser une fonction cosinus

L'amplitude est de 3, donc $a = 3$.

La période est de 180°.

$$\frac{360°}{k} = 180°$$

$$k = 2$$

La fonction atteint un maximum en (0, 5). Lorsque $x = 0$, $\cos x = 1$, la valeur maximale. L'amplitude a déjà amené le maximum à 3. Il faut donc un déplacement vertical supplémentaire de 2 pour porter le maximum à 5. Par conséquent, $d = 2$.

La fonction peut être représentée par l'équation $f(x) = 3 \cos 2x + 2$.

Méthode 2 : Utiliser une fonction sinus

Utilise les mêmes valeurs de a, k et d qu'avec la méthode 1. Ajoute ensuite le déphasage approprié pour amener le maximum en (0, 5).

Le maximum de la fonction sinus se situe normalement en $x = 90°$. Cependant, la période est ici de 180°, donc le maximum se situera à $\frac{90°}{2} = 45°$. Pour l'amener sur l'axe des y, il faut un déphasage de 45° vers la gauche.

La fonction sinus est ainsi $g(x) = 3 \sin (2(x + 45°)) + 2$.

b) Saisis la fonction cosinus en tant que **Y1** et la fonction sinus en tant que **Y2**. Épaissis le trait de **Y2**. Lorsque tu appuies sur (GRAPH), la calculatrice génère d'abord la courbe de la fonction cosinus, puis celle de la fonction sinus. Tu peux interrompre le processus en appuyant sur (ENTER). Appuie de nouveau sur (ENTER) pour reprendre le traçage du graphique.

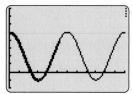

Exemple 4

Déterminer une fonction sinusoïdale à partir de son graphique

Détermine l'équation de la fonction sinusoïdale représentée. Vérifie ton équation à l'aide d'une calculatrice à affichage graphique.

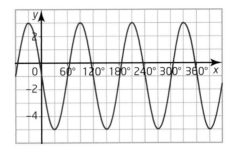

Solution

D'après le graphique, la valeur maximale de y est 3 et sa valeur minimale est -5.

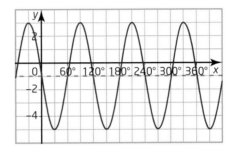

$$a = \frac{3 - (-5)}{2}$$
$$= 4$$

L'amplitude est de 4.

Compte 4 unités vers le bas à partir du maximum (ou 4 unités vers le haut à partir du minimum) et trace une droite horizontale de référence. L'équation de cette droite est $y = -1$. Le déplacement vertical est de 1 unité vers le bas. Par conséquent, $d = -1$.

Tu peux choisir une fonction sinus ou une fonction cosinus pour ce modèle. Ici, utilise une fonction sinus. Détermine le point de départ du premier cycle à droite de l'axe des y, le long de la droite de référence. Ce point se situe en $x = 60°$. Le déphasage est de 60° vers la droite. Par conséquent, $c = 60°$.

En longeant la droite de référence, détermine la fin du premier cycle. Elle se situe en $x = 180°$. La période est donc de $180° - 60° = 120°$.

$$\frac{360°}{k} = 120°$$
$$k = 3$$

Reporte $a = 4$, $k = 3$, $c = 60°$ et $d = -1$ dans l'équation générale
$y = a \sin (k(x - c)) + d$.

$$y = 4 \sin (3(x - 60°)) - 1$$

Vérifie cette équation à l'aide d'une calculatrice à affichage graphique. La courbe affichée par la calculatrice correspond au graphique de départ.

Il est possible de déterminer le paramètre d à l'aide de la formule

$$d = \frac{y_{min} + y_{max}}{2}.$$

Ainsi,

$$d = \frac{-5 + 3}{2}$$
$$= -\frac{2}{2}$$
$$= -1$$

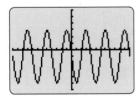

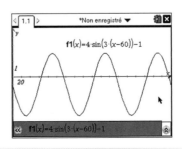

Concepts clés

- On peut déterminer l'amplitude, la période, le déphasage et le déplacement (la translation) vertical de fonctions sinusoïdales à partir d'équations de la forme $f(x) = a \sin (k(x - c)) + d$ ou $f(x) = a \cos (k(x - c)) + d$.

- Le domaine d'une fonction sinusoïdale est $\{x \in \mathbb{R}\}$. Son image s'étend de sa valeur minimale à sa valeur maximale. On peut déterminer ces valeurs à partir de n'importe quel cycle.

- On peut appliquer des transformations aux fonctions sinus et cosinus de base pour qu'elles présentent une amplitude, une période, un déphasage ou un déplacement vertical donné.

- On peut déterminer l'équation d'une fonction sinusoïdale à partir de ses caractéristiques.

- On peut déterminer l'équation d'une fonction sinusoïdale à partir de son graphique.

Communication et compréhension

C1 Soit la fonction sinus définie par $y = 5 \sin (3x - 60°) + 2$. Explique pourquoi son déphasage n'est pas de 60°. Indique le déphasage.

C2 Soit une fonction cosinus définie par $y = \cos (2(x + 60°))$.

a) Pars de la fonction cosinus de base. Esquisse l'effet du rétrécissement horizontal sur cette fonction, puis l'effet du déphasage.

b) Pars de la fonction cosinus de base. Esquisse l'effet du déphasage sur cette fonction, puis l'effet du rétrécissement horizontal.

c) Compare les graphiques obtenus en a) et en b), et en particulier l'emplacement du premier maximum à gauche de l'axe des y. Explique toute différence.

d) Lequel des deux procédés est le bon : a) ou b) ? Explique ta réponse. À l'aide d'une calculatrice à affichage graphique, vérifie ta prédiction.

C3 Dans l'exemple 3, la fonction définie peut être une fonction sinus ou une fonction cosinus. Est-ce toujours le cas ? Explique ta réponse.

Ⓐ À ton tour

Si tu as besoin d'aide pour répondre aux questions 1 et 2, reporte-toi à l'exemple 1.

1. Détermine l'amplitude, la période, le déphasage et le déplacement vertical de chaque fonction par rapport à $y = \sin x$.

   a) $y = 5 \sin (4(x - 25°)) + 3$

   b) $y = -2 \sin (18(x + 40°)) - 5$

   c) $y = 3 \sin (120(x - 30°)) + 2$

   d) $y = \frac{3}{4} \sin \left(\frac{2}{3}(x - 60°) \right) + \frac{1}{2}$

2. Détermine l'amplitude, la période, le déphasage et le déplacement vertical de chaque fonction par rapport à $y = \cos x$.

   a) $y = -3 \cos (5(x - 45°)) + 4$

   b) $y = 2 \cos (24(x + 80°)) - 1$

   c) $y = 3 \cos (72(x - 10°)) + 3$

   d) $y = \frac{5}{2} \cos \left(\frac{3}{4}(x - 40°) \right) + \frac{1}{2}$

Si tu as besoin d'aide pour répondre aux questions 3 et 4, reporte-toi à l'exemple 2.

3. a) Décris les transformations qu'il faut appliquer au graphique de $f(x) = \sin x$ pour obtenir celui de $g(x) = 3 \sin 2x - 1$. Effectue une transformation à la fois pour tracer le graphique de $g(x)$.

b) Indique le domaine et l'image de $f(x)$ et de $g(x)$.

c) Modifie l'équation de $g(x)$ pour ajouter un déphasage de 60° vers la gauche. Nomme cette nouvelle fonction $h(x)$. Applique le déphasage au graphique de $g(x)$ pour produire le graphique de $h(x)$.

4. a) Applique une transformation à la fois au graphique de $f(x) = \cos x$ pour tracer le graphique de $g(x) = 4 \cos 3x - 2$.

b) Indique le domaine et l'image de $f(x)$ et de $g(x)$.

c) Modifie l'équation de $g(x)$ pour ajouter un déphasage de 60° vers la droite. Nomme cette nouvelle fonction $h(x)$. Applique le déphasage au graphique de $g(x)$ pour produire le graphique de $h(x)$.

Si tu as besoin d'aide pour répondre aux questions 5 et 6, reporte-toi à l'exemple 3.

5. Une fonction sinusoïdale a une amplitude de 5 unités, une période de 120° et un maximum en (0, 3).

a) Représente-la par l'équation d'une fonction sinus.

b) Représente-la par l'équation d'une fonction cosinus.

6. Une fonction sinusoïdale a une amplitude de $\frac{1}{2}$ unité, une période de 720° et un maximum en $\left(0, \frac{3}{2}\right)$.

a) Représente-la par l'équation d'une fonction sinus.

b) Représente-la par l'équation d'une fonction cosinus.

Si tu as besoin d'aide pour répondre à la question 7, reporte-toi à l'exemple 4.

7. a) Écris l'équation d'une fonction cosinus qui correspond au graphique de l'exemple 4.

b) Vérifie ton équation à l'aide d'une calculatrice à affichage graphique.

Ⓑ Liens et mise en application

8. Soit la fonction $f(x) = 10 \sin (x - 45°) + 10$.

a) Détermine son amplitude, sa période, son déphasage et son déplacement vertical par rapport à $y = \sin x$.

b) Quelles sont ses valeurs maximale et minimale ?

c) Détermine les trois premières abscisses à l'origine de sa courbe, à droite de l'origine.

d) Détermine son ordonnée à l'origine.

9. Soit la fonction $g(x) = 5 \cos (2(x - 30°))$.

a) Détermine son amplitude, sa période, son déphasage et son déplacement vertical par rapport à $y = \cos x$.

b) Quelles sont ses valeurs maximale et minimale ?

c) Détermine les trois premières abscisses à l'origine de sa courbe, à droite de l'origine.

d) Détermine son ordonnée à l'origine.

10. Technologie À l'aide d'une calculatrice à affichage graphique ou d'un logiciel de représentation graphique, vérifie tes réponses aux questions 8 et 9.

11. a) Transforme le graphique de $f(x) = \sin x$ pour obtenir celui de $g(x) = 5 \sin (6(x - 120°)) - 4$. Montre chaque étape.

b) Indique le domaine et l'image de $f(x)$ et de $g(x)$.

c) Technologie Vérifie ton graphique final à l'aide d'une calculatrice à affichage graphique.

12. a) Transforme le graphique de $f(x) = \cos x$ pour obtenir celui de $g(x) = 6 \cos (5(x + 60°)) + 2$. Montre chaque étape.

   b) Indique le domaine et l'image de $f(x)$ et de $g(x)$.

   c) **Technologie** Vérifie ton graphique final à l'aide d'une calculatrice à affichage graphique.

13. a) Écris l'équation d'une fonction cosinus qui a le même graphique que $f(x) = 2 \sin (3(x - 30°))$.

   b) **Technologie** Vérifie ton équation à l'aide d'une calculatrice à affichage graphique.

14. a) Écris l'équation d'une fonction sinus qui correspond au graphique suivant. Vérifie ton équation à l'aide d'une calculatrice à affichage graphique.

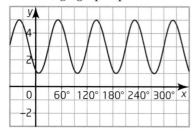

   b) **Technologie** Écris l'équation d'une fonction cosinus qui correspond au même graphique. Vérifie ton équation à l'aide d'une calculatrice à affichage graphique.

15. **Problème du chapitre** Deux trompettistes jouent la même note. Le son perçu est-il celui d'une seule trompette qui joue deux fois plus fort, ou celui de deux trompettes qui jouent ensemble ? Tu l'as sans doute remarqué, dans un tel cas, on distingue toujours le son de chaque instrument. Il en est de même lorsque deux personnes chantent. C'est qu'en fait, un déphasage sépare toujours les deux notes. Pour comprendre ce qui se passe, représentons le son d'un instrument par l'équation $y = \sin x$.

   a) Si le deuxième instrument pouvait jouer en parfaite synchronie avec le premier, on représenterait les deux sons par :
   $$y = \sin x + \sin x$$
   $$= 2 \sin x$$
   Trace la courbe représentative de $y = 2 \sin x$ et celle de $y = \sin x$ dans un même plan cartésien. Quel est le lien entre les deux courbes ?

   b) En réalité, les deux instruments sont déphasés l'un par rapport à l'autre. Choisissons arbitrairement un déphasage de 90°. Le son des deux instruments jouant ensemble correspond alors à $y = \sin x + \sin (x - 90°)$. Trace la courbe représentative de cette fonction. Comment se compare-t-elle avec celle de $y = 2 \sin x$?

   c) Les circuits électroniques d'un synthétiseur peuvent simuler plusieurs instruments qui jouent en synchronie les uns avec les autres ; mais cela présente peu d'intérêt, puisque le son produit correspond alors à celui d'un seul instrument jouant plus fort. Pour donner l'effet d'instruments distincts, on crée volontairement des déphasages. Choisis quatre déphasages et écris l'équation d'une fonction qui représente quatre instruments jouant ensemble. Trace le graphique de cette fonction et décris-le.

Maths et monde

Robert Moog a inventé le synthétiseur en 1964. Il existait déjà des instruments électroniques, mais le synthétiseur de Moog a été le premier à permettre de produire des sons électroniques à partir d'un clavier. Les musiciennes et musiciens pouvaient ainsi utiliser cette technologie sans avoir à apprendre un nouvel instrument.

16. Au bout d'un quai, on enregistre une marée haute de 14 m à 9 h et une marée basse de 6 m à 15 h. On peut

représenter la relation entre la profondeur de l'eau et le temps par une fonction sinusoïdale.

a) Représente la profondeur de l'eau par une fonction cosinus. Suppose qu'on mesure le temps en heures, à partir du moment de la marée haute.

b) Représente la profondeur de l'eau par une fonction sinus. Suppose qu'on mesure le temps en heures, à partir du moment de la marée haute.

c) Représente la profondeur de l'eau par une fonction sinus. Suppose qu'on mesure le temps en heures, à partir du moment de la marée basse.

d) Représente la profondeur de l'eau par une fonction cosinus. Suppose qu'on mesure le temps en heures, à partir du moment de la marée basse.

e) Compare tes modèles. Lequel est le plus simple si on mesure le temps à partir de la marée haute ? à partir de la marée basse ? Pourquoi y a-t-il une différence ?

✔ Question d'évaluation

17. a) Décris les transformations qu'il faut appliquer au graphique de $f(x) = \sin x$ pour obtenir le graphique de $g(x) = 2\sin(4(x - 40°)) - 3$.

b) Trace le graphique de $g(x)$ en effectuant les transformations décrites en a).

c) Indique le domaine et l'image de $g(x)$. Explique ta réponse.

ⓒ Approfondissement

18. On te donne les coordonnées d'un point : (p, q). Peux-tu toujours déterminer une valeur de a telle que le graphique de $y = a\sin x$ passe par ce point ? Si oui,

explique pourquoi à l'aide d'un schéma. Sinon, explique pourquoi et indique les autres éléments requis.

19. Soit la fonction $y = \sqrt{\sin x}$.

a) Trace le graphique de la fonction $y = \sin x$ sur deux cycles.

b) À l'aide de ton graphique en a), prédis la forme du graphique de $y = \sqrt{\sin x}$, puis trace-le.

c) À l'aide de la technologie ou de papier quadrillé et d'une table de valeurs, vérifie ta prédiction. Explique toute différence.

d) Selon toi, en quoi le graphique de $y = \sqrt{\sin x + 1}$ sera-t-il différent de celui de $y = \sqrt{\sin x}$?

e) Trace le graphique de $y = \sqrt{\sin x + 1}$ et compare-le à ta prédiction. Explique toute différence.

20. Détermine le nombre minimal de transformations que l'on peut appliquer à la fonction de base $y = \sin x$ pour que les valeurs maximales de la transformée coïncident avec les abscisses à l'origine du graphique de la fonction indiquée. Si c'est impossible, explique pourquoi à l'aide d'un schéma.

a) $y = \cos x$

b) $y = \tan x$

21. Concours de maths Soit la fonction $y = 3\sin(2(x - 30°))$. Détermine la plus petite valeur positive de x qui donne à y une valeur maximale.

22. Concours de maths Indique la période de $y = |4\cos(3x - 30°)|$.

A 360°   **B** 90°   **C** 60°   **D** 120°

23. Concours de maths Lorsqu'on divise un nombre par 21, il reste 17. Quel sera le reste si on divise le même nombre par 7 ?

A 1   **B** 3   **C** 5   **D** 6

5.5

La collecte et la modélisation de données

Le mouvement d'un pendule est l'une des applications concrètes des fonctions sinusoïdales. Un pendule de Foucault permet de mesurer la rotation de la Terre. Son axe d'oscillation tourne en même temps que la Terre tourne sur elle-même.

Dans cette section, tu apprendras à recueillir des données qui peuvent être représentées par une fonction sinusoïdale, puis à établir un modèle adéquat par des transformations.

Matériel

- calculatrice à affichage graphique
- capteur de mouvement
- pendule

Explore

Comment peut-on recueillir des données sur le mouvement d'un pendule et les représenter par une fonction sinusoïdale ?

1. Fabrique un pendule. En guise de masse, utilise un objet aussi gros (ou plus gros) qu'un ballon de basketball. Attache-le à une corde assez longue pour que la période du pendule soit d'au moins 1 s.

2. **a)** Relie le capteur de mouvement CBR™ à la calculatrice à affichage graphique à l'aide du câble fourni.

   b) Appuie sur (APPS) et sélectionne **2:CBL/CBR** (le numéro de cette option peut être différent sur ta calculatrice).

   c) Lorsque l'écran **CBL/CBR** s'affiche, appuie sur (ENTER). Sélectionne **3:Ranger** et appuie sur (ENTER) (le numéro de cette option peut être différent sur ta calculatrice).

   d) Sélectionne **1:SETUP/SAMPLE** dans le menu principal. Amène le curseur à **START NOW**. Appuie sur (ENTER).

3. Fais osciller le pendule. Pointe le capteur de mouvement vers la masse du pendule de façon que la masse s'approche et s'éloigne du capteur en oscillant. Appuie sur (ENTER) et recueille des données pendant 15 s. À la fin de cette période, la calculatrice affiche un graphique de la distance en fonction du temps.

4. **Réflexion** Examine le graphique. Ressemble-t-il à une sinusoïde ? Présente-t-il des pics ou d'autres changements soudains, signes d'un mauvais alignement entre le pendule et le capteur de mouvement pendant la collecte des données ? Si c'est le cas, place le pendule ou le capteur différemment. Appuie sur (ENTER) et choisis **REPEAT SAMPLE**. Refais l'expérience jusqu'à ce que tu obtiennes un graphique régulier.

5. a) Appuie sur (ENTER) et sélectionne **SHOW PLOT**. Vérifie que le graphique représente une fonction continue qui semble sinusoïdale.

b) Appuie sur (ENTER) et sélectionne **QUIT**. Les données de temps seront enregistrées dans la liste **L1** et les données de distance, dans la liste **L2**.

6. a) Appuie sur (GRAPH), puis sur (TRACE). Détermine le maximum et le minimum de la courbe à l'aide des touches fléchées. Détermine son amplitude a.

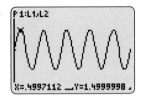

b) Additionne l'amplitude au minimum pour déterminer le déplacement vertical d. À l'aide de l'éditeur **Y=**, ajoute une droite horizontale de référence à partir de cette valeur. Tu peux aussi sélectionner **3:Horizontal** dans le menu **DRAW**.

c) Reviens au graphique. À l'aide de la droite de référence, trouve le point de départ du premier cycle complet à droite de l'axe des y. Lis la valeur du déphasage c.

d) Suis la courbe jusqu'à la fin du premier cycle. En utilisant le premier et le dernier point du cycle, détermine la période puis la valeur de k.

7. a) À partir des valeurs de a, c, d et k, représente le mouvement du pendule par une équation.

b) Saisis cette équation dans l'éditeur **Y=**. Trace la courbe et vérifie si elle correspond au graphique généré par l'application Ranger. S'il y a des écarts importants, vérifie tes calculs.

8. Réflexion Fais osciller le pendule et estime son amplitude et sa période d'oscillation. Reporte-toi à l'amplitude et à la période obtenues en a) et en d) à l'étape 6. Compare les deux ensembles de valeurs.

9. a) Prédis l'effet de chaque action sur le graphique. Examine-les séparément.

   I) Raccourcir le pendule.

   II) Augmenter l'amplitude des oscillations.

b) Vérifie tes prédictions en a) à l'aide du pendule et du capteur de mouvement.

Maths et monde

Si tu as besoin d'aide pour représenter un graphique par une équation, reporte-toi à l'exemple 4 de la section 5.4.

Exemple 1

Utiliser des données de Statistique Canada

À partir de données fournies par Statistique Canada, détermine s'il existe une période de temps au cours de laquelle la population canadienne de 20 à 24 ans peut être représentée par une fonction sinusoïdale.

Solution

Le tableau qui suit indique le nombre de personnes de 20 à 24 ans au Canada selon l'année, de 1976 à 2005.

Population du Canada, de 20 à 24 ans et des deux sexes, données annuelles					
Année	Population	Année	Population	Année	Population
1976	2 253 367	1986	2 446 250	1996	2 002 036
1977	2 300 910	1987	2 363 227	1997	2 008 307
1978	2 339 362	1988	2 257 415	1998	2 014 301
1979	2 375 197	1989	2 185 706	1999	2 039 468
1980	2 424 484	1990	2 124 363	2000	2 069 868
1981	2 477 137	1991	2 088 165	2001	2 110 324
1982	2 494 358	1992	2 070 089	2002	2 150 370
1983	2 507 401	1993	2 047 334	2003	2 190 876
1984	2 514 313	1994	2 025 846	2004	2 224 652
1985	2 498 510	1995	2 009 474	2005	2 243 341

Source : Statistique Canada

Représente graphiquement ces données.

La population canadienne de 20 à 24 ans, de 1976 à 2005

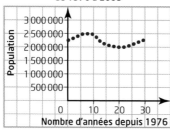

De 1976 à 2005, le nombre de personnes de 20 à 24 ans au Canada semble correspondre à une fonction sinusoïdale.

Exemple 2

Faire des prédictions

On peut représenter par une fonction sinusoïdale la hauteur au-dessus du sol, selon le temps, d'une personne à bord d'une grande roue.

a) Décris l'effet sur la fonction si on élève de 1 m la plate-forme d'accès à la grande roue.

b) Décris l'effet sur la fonction si on double la vitesse de rotation de la roue.

Solution

a) Comme la plate-forme n'est pas au point le plus bas de la grande roue, il y a un déphasage. La personne n'atteint le point le plus bas que lorsque la roue a parcouru ce déphasage. Si on élève la plate-forme de 1 m, le déphasage augmente. Il faut donc plus de temps à la personne pour atteindre le point le plus bas. Le graphique de la fonction se déplace vers la droite.

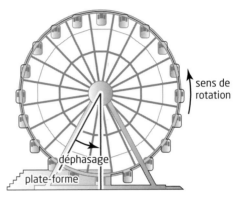

sens de rotation

déphasage

plate-forme

b) Si on double la vitesse de rotation de la grande roue, la période sera deux fois moins longue. Le graphique de la fonction subira un rétrécissement horizontal de rapport $\frac{1}{2}$.

Exemple 3

Déterminer des valeurs à partir d'une fonction sinusoïdale

Soit une personne à bord d'une grande roue. On peut représenter sa hauteur h, en mètres, au-dessus du sol au bout de t secondes par la fonction sinusoïdale $h(t) = 10 \sin (3(t - 30)) + 12$.

a) Représente graphiquement cette fonction à l'aide de la technologie.

b) Détermine :

   I) la hauteur maximale et la hauteur minimale de la personne au-dessus du sol,

   II) la hauteur de la personne au-dessus du sol au bout de 30 s,

   III) le temps qu'il faut à la grande roue pour faire un tour complet.

Solution

a)

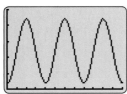
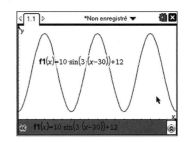

b) Les valeurs peuvent être déterminées par calcul ou à l'aide de la technologie.

Méthode 1 : Utiliser l'équation

I) L'amplitude est de 10 m et le déplacement vertical, de 12 m. La hauteur maximale de la personne au-dessus du sol est donc de 10 m + 12 m, soit 22 m. Sa hauteur minimale est de −10 m + 12 m, soit 2 m.

II) Pour déterminer la hauteur de la personne au-dessus du sol au bout de 30 s, remplace t par 30 dans l'équation.

$$h(t) = 10 \sin (3(t - 30)) + 12$$
$$= 10 \sin (3(30 - 30)) + 12$$
$$= 10 \sin 0 + 12$$
$$= 0 + 12$$
$$= 12$$

Au bout de 30 s, la personne se trouve à 12 m au-dessus du sol.

III) La valeur de k est 3.

$$\frac{360}{k} = \frac{360}{3}$$
$$k = 120$$

La période est de 120 s. La grande roue fait un tour complet en 120 s.

Méthode 2 : Utiliser le graphique

I) Appuie sur ⟨2nd⟩ [CALC]. Utilise la commande **Maximum** du menu **CALCULATE**. La hauteur maximale de la personne au-dessus du sol est de 22 m.

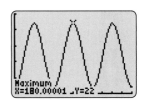

Conseil techno

Si tu utilises une calculatrice TI-Nspire™ CAS, reporte-toi aux instructions de la page 33 pour déterminer le maximum, le minimum et la période.

De la même façon, détermine le minimum à l'aide de la commande **Minimum** du menu **CALCULATE**.

La hauteur minimale est de 2 m.

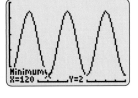

II) Détermine la hauteur de la personne au bout de 30 s à l'aide de la commande **Value** du menu **CALCULATE**.

Au bout de 30 s, la hauteur est de 12 m.

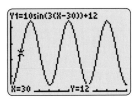

III) Pour déterminer la période, soustrais les abscisses d'un maximum et d'un minimum adjacents et multiplie la différence par 2. La période est de 2(180 s − 120 s), ou 120 s.

Maths et monde

Un maximum et un minimum adjacents sont distants d'un demi-cycle. Pour obtenir la valeur d'une période complète, il faut multiplier cette distance par 2.

Concepts clés

- On peut recueillir des données à partir de modèles concrets à l'aide d'instruments comme un capteur de mouvement.

- On peut obtenir des données de sources statistiques comme Statistique Canada.

- On peut parfois modéliser des données à l'aide d'une fonction sinusoïdale.

- On utilise un graphique ou une table de valeurs pour établir un modèle et déterminer l'amplitude, le déphasage, la période et le déplacement vertical.

- On peut faire des prédictions sur le comportement d'un modèle modifié en examinant l'effet de la modification d'un paramètre sur le graphique défini par l'équation initiale.

- On peut déterminer des valeurs à partir du graphique ou de l'équation.

Communication et compréhension

C1 Examine le modèle établi lors de l'activé de la rubrique *Explore*. En quoi ton analyse serait-elle différente si tu représentais le mouvement par une fonction cosinus au lieu d'une fonction sinus ?

C2 Examine le graphique de la population canadienne de 20 à 24 ans. Quel type de modèle convient à la période de 1976 à 1980 ? Quel type de modèle convient à la période de 1981 à 1988 ? Explique tes réponses.

C3 Suppose que l'on déplace la grande roue de l'exemple 3 de 1 m vers le haut et que l'on ramène le déphasage à 20°. En quoi le graphique sera-t-il différent ? Explique ta réponse.

A À ton tour

Si tu as besoin d'aide pour répondre aux questions 1 et 2, reporte-toi à la rubrique Explore.

1. Un capteur recueille des données sur le mouvement d'un pendule. Ces données sont reportées dans un 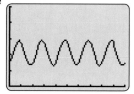 graphique, où le temps, de 0 s à 10 s, figure sur l'axe horizontal et la distance, de 0 m à 5 m, figure sur l'axe vertical.

   a) À partir du graphique, estime les valeurs maximale et minimale. Détermine ensuite l'amplitude *a* à l'aide de ces valeurs.

   b) Reproduis le graphique et trace une droite horizontale de référence. Estime le déplacement vertical *d*.

   c) À l'aide de la droite horizontale de référence, estime le déphasage *c*.

   d) À l'aide de la droite horizontale de référence, estime la période. À l'aide de la période, détermine la valeur de *k*.

   e) Écris l'équation d'une fonction sinusoïdale pour modéliser le mouvement du pendule.

   f) **Technologie** À l'aide de la technologie, trace le graphique de ton modèle. Compare-le au graphique donné. S'il y a des différences importantes, vérifie ton modèle et modifie-le.

2. On recueille des données sur le mouvement d'un pendule à l'aide d'un capteur. On exporte la table de valeurs dans un ordinateur, et on utilise un logiciel pour générer le graphique présenté ici. Le temps, en secondes, figure sur l'axe horizontal et la distance, en mètres, sur l'axe vertical.

Raisonnement
Modélisation   Sélection d'outils
Résolution de problèmes
Liens   Réflexion
Communication

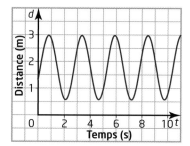

a) À partir du graphique, estime les valeurs maximale et minimale. Détermine ensuite l'amplitude *a* à l'aide de ces valeurs.

b) Reproduis le graphique et trace une droite horizontale de référence. Estime le déplacement vertical *d*.

c) À l'aide de la droite horizontale de référence, estime le déphasage *c*.

d) À l'aide de la droite horizontale de référence, estime la période. À l'aide de la période, détermine la valeur de *k*.

e) Écris l'équation d'une fonction sinusoïdale pour modéliser le mouvement du pendule.

f) **Technologie** À l'aide de la technologie, trace le graphique de ton modèle. Compare-le au graphique donné. S'il y a des différences importantes, vérifie ton modèle et modifie-le.

Si tu as besoin d'aide pour répondre aux questions 3 et 4, reporte-toi à l'exemple 3.

3. On peut représenter la hauteur *h* de la marée, en mètres, à un endroit donné, un jour donné, *t* heures après minuit, par la fonction sinusoïdale $h(t) = 5 \sin (30(t - 5)) + 7$.

   a) Détermine la profondeur maximale et minimale de l'eau.

   b) Quand a lieu la marée haute ? Quand a lieu la marée basse ?

   c) Quelle est la profondeur de l'eau à 9 h ?

   d) Indique toutes les heures auxquelles la profondeur de l'eau est de 3 m, sur une période de 24 heures.

4. On peut modéliser la population P d'une ville côtière qui compte plusieurs résidentes et résidents saisonniers par la fonction $P(t) = 5\,000 \sin\,(30(t-7)) + 8\,000$, où t est le nombre de mois depuis le 1er janvier.

  a) Détermine le maximum et le minimum de la population au cours d'une année complète.

  b) Quand la population atteint-elle un maximum ? Quand atteint-elle un minimum ?

  c) Quelle est la population le 30 septembre ?

  d) Quand la population est-elle d'environ 10 000 personnes ?

Si tu as besoin d'aide pour répondre à la question 5, reporte-toi à l'exemple 1.

5. a) Le propriétaire d'un bar laitier a noté ses ventes quotidiennes moyennes pour chaque mois de l'année dernière, à partir de janvier (voir le tableau qui suit). Modélise la relation entre ses ventes quotidiennes moyennes et le mois, à l'aide d'une fonction sinusoïdale.

  b) Pour quel domaine et quelle image ton modèle est-il valable ?

Mois	Ventes quotidiennes moyennes ($)	Mois	Ventes quotidiennes moyennes ($)
1	45	7	355
2	115	8	285
3	195	9	205
4	290	10	105
5	360	11	42
6	380	12	18

Si tu as besoin d'aide pour répondre aux questions 6 et 7, reporte-toi à l'exemple 2.

6. Le point le plus bas d'une grande roue de 20 m de diamètre se trouve à 4 m au-dessus du sol. Une personne monte dans une nacelle avant qu'elle atteigne le point le plus bas, à partir d'une plate-forme située sur la circonférence à 30° du point le plus bas.

  a) Modélise la hauteur de la personne au-dessus du sol selon l'angle de rotation de la roue, à l'aide d'une fonction sinus transformée.

  b) Modélise la hauteur de la personne au-dessus du sol selon l'angle de rotation de la roue, à l'aide d'une fonction cosinus transformée.

  c) Suppose que la plate-forme est plutôt à 60° de la position la plus basse de la nacelle. Comment les équations en a) et en b) changent-elles ? Écris les nouvelles équations.

7. Suppose que le centre de la grande roue de la question 6 est déplacé de 2 m vers le haut, mais que la plate-forme reste au même endroit, à 30° de la position la plus basse de la nacelle. Comment les équations en a) et en b) de la question 6 changent-elles ? Écris les nouvelles équations.

8. On peut représenter le mouvement d'un piston dans un moteur d'automobile par la fonction $y = 50 \sin 10\,800t + 20$, où y est la distance en millimètres à partir du vilebrequin, et t est le temps en secondes.

  a) Quelle est la période de ce mouvement ?

  b) Détermine le maximum, le minimum et l'amplitude.

  c) Quand le maximum et le minimum sont-ils atteints ?

  d) Quelle est la position verticale du piston lorsque $t = \dfrac{1}{120}$ s ?

B Liens et mise en application

9. La période T d'un pendule, en seconds, est liée à sa longueur L, en mètres, selon la relation

$$T = 2\pi\sqrt{\frac{L}{g}},$$

où g est l'accélération due à la force gravitationnelle, soit environ 9,8 m/s² près de la surface de la Terre.

a) Si on double la longueur du pendule, par quel facteur la période est-elle multipliée ?

b) Si on veut que la période diminue de moitié, comment doit-on modifier la longueur du pendule ?

c) Suppose que tu as fabriqué un pendule dont la période est la moitié de celle du pendule de la rubrique *Explore.* Modifie l'équation qui représente le mouvement du pendule pour tenir compte de la nouvelle période.

d) Suppose que tu utilises le pendule de la rubrique *Explore* sur la Lune, où l'accélération due à la force gravitationnelle est environ $\frac{1}{6}$ de ce qu'elle est sur la Terre. Prédis l'effet sur la période du pendule.

e) Modifie l'équation qui modélise le mouvement du pendule de façon qu'elle corresponde à la situation sur la Lune.

10. On peut fabriquer un pendule double en suspendant un deuxième pendule à la masse du premier. Fabrique un pendule double à l'aide de n'importe quel matériel, et mets-le en mouvement.

a) Observe la masse du premier pendule. Décris son mouvement. Serait-il possible de le modéliser par une fonction sinusoïdale ?

b) Modifie la longueur relative de chaque pendule. Peux-tu déterminer un rapport qui donne un mouvement sinusoïdal ?

c) Modifie la longueur relative de chaque pendule. Peux-tu déterminer un rapport qui donne un mouvement sinusoïdal ?

11. Peut-on bien représenter la respiration profonde par une fonction sinusoïdale ?

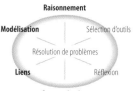

a) Exerce-toi à respirer profondément et lentement, en remplissant complètement tes poumons, puis en expirant la totalité de l'air. Conserve un rythme lent, de façon que chaque inspiration et chaque expiration dure au moins 5 s.

b) Remplis d'eau une bouteille de 2 litres. Place-la à l'envers dans un évier à demi rempli d'eau. Expire dans un tube (une paille flexible, par exemple) de façon à emprisonner l'air dans la bouteille. Estime le volume d'air expiré à partir du volume d'eau déplacé. Si tu as une grande capacité pulmonaire, tu pourrais avoir besoin de plus d'une bouteille. Chaque seconde, marque le niveau de l'eau à l'aide d'un crayon-feutre.

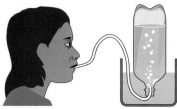

c) Remplis une table de valeurs pour le volume d'air expiré en fonction du temps. Trace un graphique à partir de cette table.

d) À partir de la table de valeurs et du graphique, modélise les données par une fonction sinusoïdale.

e) Représente graphiquement la fonction sinusoïdale dans le même plan cartésien. À quel point ta respiration présente-elle réellement un comportement sinusoïdal ?

Maths et monde

En réalité, tu ne peux pas exhaler tout l'air contenu dans tes poumons. Selon leur taille, tes poumons contiennent toujours 1 ou 2 litres d'air, même quand tu penses qu'ils sont vides.

12. Le terme générique *smog* désigne les polluants présents dans l'air. En général, on émet une alerte au smog lorsque l'indice de qualité de l'air dépasse 50. Cet indice peut varier au cours d'une journée. Ainsi, il augmente lorsqu'il y a beaucoup de voitures sur la route. Soit un modèle de la forme $I = 30 \sin(15(t - 4)) + 25$, où I est l'indice de qualité de l'air et t, le temps écoulé, en heures, depuis minuit.

a) Quelle est la période de la fonction? Explique pourquoi cela a du sens.

b) Détermine le maximum, le minimum et l'amplitude de la fonction.

c) À quel moment la fonction atteint-elle son maximum? son minimum?

d) Pendant quel intervalle de temps émettrait-on une alerte au smog, selon ce modèle?

13. a) Trouve ton pouls. Détermine le nombre de battements de ton cœur en 1 min, à l'aide d'une montre. Calcule la période d'un battement à partir de cette mesure.

b) Représente tes battements cardiaques selon le temps par une fonction sinus d'amplitude 1.

c) À la bibliothèque ou dans Internet, trouve un tracé produit par un appareil de surveillance cardiaque. Une fonction sinusoïdale représente-t-elle bien le pouls chez l'être humain?

14. Problème du chapitre Ta voix est aussi unique que tes empreintes digitales et peut servir à t'identifier. Même si tu as une empreinte vocale complexe, on peut programmer un ordinateur de façon à l'analyser et à la décomposer en une somme de fonctions sinusoïdales dont la période, l'amplitude et le déphasage varient. On nomme ce processus *analyse de Fourier*.

a) Examine le fonctionnement d'une analyse de Fourier à partir du modèle $y = \sin x$. Choisis trois paires d'amplitude et de période différentes.

Applique chaque paire à la fonction sinus de base, puis additionne les quatre fonctions pour obtenir une empreinte vocale. Par exemple:

$$y = \sin x + 0{,}5 \sin 2x + 0{,}75 \sin 3x + 0{,}25 \sin 5x$$

Représente graphiquement le modèle. Ajoute un autre terme, puis trace le nouveau graphique. Quels changements remarques-tu?

b) Emprunte un microphone et un oscilloscope au laboratoire de physique de ton école. Chante une seule note et examine ton empreinte vocale. Compare-la à celle de tes camarades.

15. Suis les instructions de ton enseignante ou de ton enseignant pour obtenir des données relatives au nombre de personnes de l'étranger qui font un voyage au Canada au cours d'une année.

a) Choisis une année récente. Représente le nombre de voyageuses et de voyageurs internationaux au Canada pour l'année choisie par une fonction sinusoïdale.

b) Examine les données d'autres années. Ton modèle peut-il s'appliquer à n'importe quelle année? Explique ta réponse.

c) Pour chaque année documentée, représente graphiquement le nombre maximal selon l'année. Explique pourquoi la tendance à long terme des maximums semble être périodique.

d) Représente la variation du nombre maximal d'année en année par une fonction sinusoïdale. Quelle semble être la période de cette variation à long terme ?

16. Suis les instructions de ton enseignante ou de ton enseignant pour avoir accès à divers ensembles de données.

a) Choisis un ensemble de données qui t'intéresse et sauvegarde-le.

b) Formule une question à laquelle tu pourras répondre en représentant les données par une fonction sinusoïdale.

c) Réponds à la question pour la valider.

d) Échange ta question contre celle d'une ou d'un camarade. Réponds à sa question.

e) Échange ta solution contre celle de ta ou ton camarade, et vérifie sa solution.

✔ **Question d'évaluation**

17. On pense que le saut à l'élastique est apparu à Queenstown, en Nouvelle-Zélande, dans les années 1980. Le tableau qui suit présente les données d'un saut. On a mesuré le temps à partir du moment où la corde est entièrement tendue. Le tableau indique la hauteur du sauteur  au-dessus du sol pendant 15 s. Modélise ce saut à l'aide d'une fonction sinusoïdale.

Temps, t (s)	Hauteur, y (m)	Temps, t (s)	Hauteur, y (m)
0	110	8	35
1	103	9	60
2	85	10	85
3	60	11	103
4	35	12	110
5	17	13	103
6	10	14	85
7	17	15	60

ⒸApprofondissement

18. Soit un arbre de 10 m de hauteur. Le Soleil se lève à 6 h, se trouve à la verticale de l'arbre à midi et se couche à 18 h. On peut représenter la longueur o de l'ombre de l'arbre, en mètres, de 6 h à midi, par la relation $o = 10 \cos 15t$, où t est le temps écoulé, en heures, depuis 6 h.

a) Modifie le modèle pour qu'il s'applique de midi à 18 h.

b) Dans un même plan cartésien, représente graphiquement le modèle initial et le modèle modifié en a).

19. Concours de maths Soit un cube de 6 cm d'arête et un de 18 cm d'arête. Combien de petits cubes peut-on mettre dans le grand ?

A 3 **B** 27 **C** 9 **D** 81

20. Concours de maths On met 50 l d'eau dans un contenant en verre. On remplace 10 l d'eau par 10 l de jus de raisin. On remue bien le tout. On remplace ensuite 20 l de ce mélange par 20 l de jus de raisin. Combien de litres de jus de raisin y a-t-il maintenant dans le contenant ?

A 20 **B** 24 **C** 25 **D** 26

21. Concours de maths Si on représente le nombre 3 000 par $2^x 3^y 5^z$, quelle est la valeur de $x + y + z$?

A 3 **B** 4 **C** 6 **D** 7

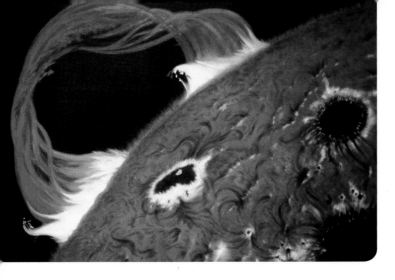

5.6

La modélisation de phénomènes périodiques ne comportant pas d'angles

Tu as déjà travaillé avec des applications des fonctions sinusoïdales qui ne comportent pas d'angles, comme la hauteur de la marée selon l'heure. Dans cette section, tu verras d'autres situations concrètes pouvant être modélisées par des fonctions sinusoïdales dont la variable indépendante n'est pas nécessairement un angle. L'activité solaire en est un exemple. Les taches solaires, qui sont en réalité d'énormes tempêtes, semblent présenter un comportement périodique qui peut être modélisé par une fonction sinusoïdale. Ce modèle permet de prévoir les perturbations des communications radio que causent les taches solaires.

Explore

Comment peut-on modéliser la marée par des fonctions sinusoïdales ?

1. On peut modéliser la relation entre la hauteur des marées au-dessus ou en-dessous du niveau de la mer à un endroit donné, en mètres, et le temps écoulé depuis minuit, en heures, par la fonction $h(t) = 5 \sin (30(t + 3))$. Représente graphiquement ce modèle pour une période de 24 h.

2. À l'aide de ton graphique, détermine l'heure de la première marée haute. Quelle est la hauteur de cette marée au-dessus du niveau de la mer ?

3. À quelle heure la première marée basse se produit-elle ? Quelle est sa hauteur ? Explique pourquoi la réponse est négative.

4. À quelle heure se produisent la marée haute et la marée basse suivantes ?

5. Quelle est la période de la fonction ?

6. **Réflexion** À partir de tes réponses, explique pourquoi le déphasage est de 3.

Matériel

- calculatrice à affichage graphique

Facultatif

- logiciel ou autre outil de représentation graphique

Maths et monde

Les marées sont causées surtout par l'attraction gravitationnelle que la Lune exerce sur les océans terrestres. Selon les lois de la physique, une marée haute se produit lorsque l'eau fait face à la Lune, et une autre, lorsqu'elle se trouve sur le côté opposé de la Terre, loin de la Lune. C'est pourquoi il y a deux marées hautes par jour.

Exemple 1

Le courant alternatif (CA)

Presque partout dans le monde, on utilise l'électricité sous la forme d'un courant alternatif (CA). Contrairement au courant fourni par une pile, qui circule toujours dans le même sens, le courant alternatif change de sens de façon cyclique. Le nombre de cycles par seconde varie d'un pays à l'autre. Au Canada, aux États-Unis et dans certains autres pays, la fréquence normalisée est de 60 Hz (hertz), c'est-à-dire de 60 cycles complets par seconde. La tension maximale est d'environ 170 V. On peut représenter la tension en fonction du temps par une fonction sinus $T = a \sin (k(t - c)) + d$.

a) Quelle est la période d'un courant alternatif de 60 Hz?

b) Détermine la valeur de k.

c) Quelle est l'amplitude de la fonction?

d) Représente la tension par une fonction sinus qui a subi les transformations appropriées.

e) **Technologie** Trace le graphique de la fonction sur deux cycles à l'aide de la technologie. Explique ce que l'échelle de chaque axe représente.

Solution

a) Puisqu'il y a 60 cycles complets par seconde, la période est de $\frac{1}{60}$ s.

b) $\frac{360}{k} = \frac{1}{60}$

$k = 21\ 600$

La valeur de k est 21 600.

c) L'amplitude est de 170 V.

d) La fonction qui représente la tension est $T = 170 \sin 21\ 600t$.

e) Pour tracer son graphique sur deux cycles, limite l'affichage aux valeurs de x de 0 s à $\frac{1}{30}$ s et règle l'échelle de l'axe des x pour que chaque graduation représente $\frac{1}{120}$ s.

De même, limite l'affichage aux valeurs de y de -200 V à 200 V et règle l'échelle de l'axe des y pour que chaque graduation représente 50 V.

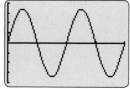

Exemple 2

Modéliser l'angle du Soleil au-dessus de l'horizon à Inuvik au solstice d'été

Le tableau suivant indique l'angle du Soleil au-dessus de l'horizon à chaque heure au solstice d'été, à Inuvik, dans les Territoires du Nord-Ouest.

Heure (où minuit = 0)	0	1	2	3	4	5	6	7	8	9	10	11
Angle au-dessus de l'horizon (°)	2,4	1,8	2,4	4,2	7,2	11	16	22	27	33	38	42
Heure (où minuit = 0)	12	13	14	15	16	17	18	19	20	21	22	23
Angle au-dessus de l'horizon (°)	45	46	45	42	38	33	27	22	17	12	7,5	4,3

a) À partir du tableau, représente l'angle du Soleil au-dessus de l'horizon par une fonction sinusoïdale.

b) Représente graphiquement les données du tableau et ta fonction dans un même plan cartésien pour vérifier l'ajustement.

c) La courbe est-elle ajustée aux points ? Explique tout écart.

Solution

a) Selon le tableau, l'angle maximal est de 46° et l'angle minimal, de 1,8°. L'amplitude est de $\dfrac{46 - 1,8}{2}$. La valeur de a est donc 22,1.

Le déplacement vertical est de $1,8 + 22,1 = 23,9$. La valeur de d est donc 23,9.

La sinusoïde commence à 23,9. Cela correspond à environ 7,5 h après minuit.

Donc, $c \approx 7,5$.

La période est de 24 h.

$$\frac{360}{k} = 24$$
$$k = 15$$

On peut représenter l'angle du Soleil au-dessus de l'horizon par la fonction $h(t) = 22,1 \sin (15(t - 7,5)) + 23,9$.

b) Voici le graphique de la fonction, superposé aux points définis dans le tableau.

c) Au départ, la courbe est bien ajustée, mais elle s'éloigne des points lorsque le jour avance. Le mouvement de la Terre autour du Soleil peut expliquer cet écart par rapport à un modèle purement sinusoïdal. La période réelle n'est pas exactement de 24 h.

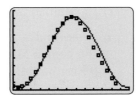

Exemple 3

Les populations de prédateurs et de proies

Lorsque deux espèces animales
ont une relation prédateurs-
proies, on peut représenter
chaque population au fil
du temps par une fonction
sinusoïdale. S'il y a beaucoup de
proies, le nombre de prédateurs
augmente, car la nourriture

abonde. Or, plus les prédateurs sont nombreux, plus la population de
proies diminue. Ainsi, au bout d'un certain temps, la nourriture manque
et les prédateurs commencent eux aussi à disparaître. Cette diminution
du nombre de prédateurs favorise la survie des proies, dont la population
se remet à augmenter.

Suppose que l'on peut représenter le nombre de proies, N, dans un
secteur donné par la fonction $N(t) = 250 \sin 90t + 500$, où t est le
nombre d'années depuis 1990, l'année de base.

a) Quelle était la population de proies en 1990 ?

b) Quand la population a-t-elle atteint un maximum ?

c) Quel était ce maximum ?

d) Quand la population a-t-elle atteint un minimum ?

e) Quel était ce minimum ?

f) Combien d'années se sont écoulées entre les maximums ?

Solution

a) Substitue 0 à t. Comme $\sin 0 = 0$, la population en 1990 était de 500.

b) **Technologie** Trace le graphique de la fonction
sur au moins deux cycles à l'aide d'une
calculatrice à affichage graphique. Ajuste les
paramètres d'affichage. Détermine ensuite le
premier maximum à l'aide de la commande
Maximum du menu **CALCULATE**. Il s'est
produit au bout d'un an, en 1991.

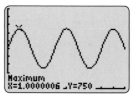

c) La population de proies en 1991 était de 750.

d) Détermine le premier minimum à l'aide de la
commande **Minimum** du menu **CALCULATE**.
Il s'est produit au bout de trois ans, en 1993.

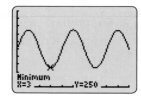

e) La population de proies en 1993 était de 250.

f) Le maximum suivant était en 1995. Quatre
années se sont écoulées entre les maximums.

Concepts clés

- Les fonctions sinusoïdales peuvent servir à modéliser des phénomènes périodiques dont la variable indépendante n'est pas un angle.

- On peut modifier l'amplitude, le déphasage, la période et le déplacement vertical de la fonction sinus ou cosinus de base selon les caractéristiques du phénomène à modéliser.

- On peut tracer et analyser rapidement le graphique défini par l'équation, à l'aide de la technologie.

- On peut utiliser le graphique obtenu pour résoudre des problèmes se rapportant au phénomène modélisé.

Communication et compréhension

C1 Soit une situation modélisée par une fonction sinusoïdale dont la courbe représentative n'a aucune abscisse à l'origine. Que peux-tu conclure au sujet de la relation entre a et d?

C2 Soit une situation modélisée par la fonction sinusoïdale $y = a \sin (k(x - c)) + d$. Si la courbe de la fonction passe par l'origine, peux-tu en conclure que le déphasage, c, est de 0? Explique ta réponse à l'aide d'un schéma.

C3 La période d'une fonction sinusoïdale est supérieure à 360° mais inférieure à 720°. Quelles restrictions cette condition impose-t-elle aux valeurs de k? Explique ta réponse.

Ⓐ À ton tour

Si tu as besoin d'aide pour répondre aux questions 1 et 2, reporte-toi à la rubrique Explore.

1. Dans la rubrique *Explore*, la fonction sinusoïdale $h(t) = 5 \sin (30(t + 3))$ représente la hauteur des marées à un endroit donné, un jour donné. Un autre jour, la hauteur maximale est de 8 m, la hauteur minimale est de –8 m, et une marée haute se produit à 5 h 30.

   a) Modifie la fonction de façon qu'elle corresponde à ces données.

   b) Prédis l'heure de la prochaine marée haute et celle de la prochaine marée basse.

2. Suppose qu'on choisit une fonction cosinus pour modéliser les marées de la rubrique *Explore*.

   a) Modifie la fonction en utilisant le cosinus, mais de façon à ce que toutes les prédictions restent les mêmes.

   b) Vérifie que la fonction cosinus prédit correctement les marées hautes et basses de la journée.

Si tu as besoin d'aide pour répondre à la question 3, reporte-toi à l'exemple 1.

3. Quelquefois, la demande en électricité est tellement forte que les fournisseurs comme Ontario Power Generation ne peuvent plus maintenir la tension maximale souhaitable dans le réseau. Il se produit alors un creux de tension : les ampoules incandescentes émettent moins de lumière et certains appareils cessent de fonctionner. Comment le graphique de la tension en fonction du temps change-t-il pendant un creux de tension ? Esquisse ce graphique et explique les changements.

Si tu as besoin d'aide pour répondre à la question 4, reporte-toi à l'exemple 3.

4. Le graphique représente la population de proies d'une relation prédateurs-proies. Le temps correspond ici au nombre d'années depuis 1985.

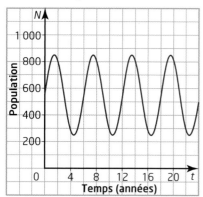

a) Détermine les valeurs maximale et minimale de la population, à 50 individus près. Détermine l'amplitude à partir de ces valeurs.

b) Détermine le déplacement vertical *d*.

c) Détermine le déphasage *c*.

d) Détermine la période. À l'aide de la période, détermine la valeur de *k*.

e) Représente la population selon le temps par une fonction sinusoïdale.

f) Trace le graphique de la fonction. Compare-le au graphique présenté.

B   Liens et mise en application

5. Dans un bassin d'amerrissage pour hydravions, la profondeur *p*, en mètres, de l'eau un jour donné peut être représentée par la fonction $p = 12 \sin(30(t - 5)) + 14$, où *t* est le nombre d'heures après minuit.

a) Détermine les profondeurs minimale et maximale de l'eau dans le bassin.

b) Quelle est la période de la fonction ?

c) Représente graphiquement le niveau de l'eau pour une période de 24 h.

d) Il est dangereux de poser un hydravion sur moins de 3 m d'eau. Ce jour-là, pendant quelles périodes est-il dangereux d'amerrir dans le bassin ?

e) Quels autres facteurs faut-il considérer pour déterminer si l'amerrissage pose un danger ?

6. À un autre moment de l'année, dans le bassin de la question 5, la profondeur maximale de l'eau est de 22 m et sa profondeur minimale est de 6 m. La première marée haute se produit à 5 h.

a) Modifie la fonction de la question 5 pour qu'elle corresponde à ces données.

b) Représente graphiquement le niveau de l'eau pour une période de 24 h.

c) Ce jour-là, pendant quelles périodes est-il dangereux d'amerrir dans le bassin ?

7. En Europe et dans de nombreux autres pays, le réseau électrique fournit un courant alternatif dont la fréquence est de 50 Hz et la tension maximale, de 240 V. On peut représenter la relation entre la tension et le temps par une fonction sinusoïdale.

a) Quelle est la période d'un courant alternatif de 50 Hz ?

b) Détermine la valeur de *k*.

c) Quelle est l'amplitude de la fonction qui représente la tension ?

d) Représente la tension par une fonction sinusoïdale qui a subi les transformations appropriées.

e) **Technologie** Trace le graphique de la fonction sur deux cycles à l'aide de la technologie. Explique ce que l'échelle de chaque axe représente.

8. Une mini-génératrice à courant alternatif peut alimenter une ampoule de 6 V quand on tourne sa manivelle 3 fois à la seconde.

   a) Quelle est la période du courant alternatif produit?

   b) Détermine la valeur de k.

   c) Quelle est l'amplitude de la fonction qui représente la tension?

   d) Représente la tension par une fonction sinusoïdale qui a subi les transformations appropriées.

   e) **Technologie** Trace le graphique de la fonction sur deux cycles. Explique ce que l'échelle de chaque axe représente.

9. Voici le nombre annuel moyen de taches solaires de 1970 à 2006.

Année (depuis 1970)	Taches solaires (moyenne)	Année (depuis 1970)	Taches solaires (moyenne)
0	107,4	19	162,2
1	66,5	20	145,1
2	67,3	21	144,3
3	36,7	22	93,5
4	32,3	23	54,5
5	14,4	24	31,0
6	11,6	25	18,2
7	26,0	26	8,4
8	86,9	27	20,3
9	145,8	28	61,6
10	149,1	29	96,1
11	146,5	30	123,3
12	114,8	31	123,3
13	64,7	32	109,4
14	43,5	33	65,9
15	16,2	34	43,3
16	11,0	35	30,2
17	29,0	36	15,4
18	100,9		

   a) Représente le nombre de taches solaires par une fonction sinusoïdale.

   b) Trace les points définis dans la tableau et la courbe de ta fonction dans un même plan cartésien.

   c) La courbe est-elle ajustée aux données? Explique tout écart.

10. Reporte-toi à ta fonction à la question 9.

   a) Prédis les trois premiers maximums de l'activité solaire après 2006.

   b) Prédis les trois premiers minimums de l'activité solaire après 2006.

   c) Quelle est la variation des valeurs maximales dans le tableau? Quelle est celle des valeurs minimales?

Maths et monde

On a observé les taches solaires dès l'an 165 avant notre ère. Les êtres humains leur donnaient un sens mystique, comme à plusieurs autres phénomènes célestes.

11. Dans l'exemple 3, on peut représenter la population de proies par la fonction $N(t) = 250 \sin 90t + 500$. Selon des études, la population des prédateurs a la même période que celle des proies, avec un déphasage de $\frac{1}{4}$ de cycle vers la droite. Suppose qu'elle compte un minimum de 50 prédateurs et un maximum de 100.

   a) Modélise la population de prédateurs par une fonction sinusoïdale.

   b) Représente graphiquement la population de proies et celle des prédateurs dans un même plan cartésien pour une période de 12 ans à partir de l'année de base.

   c) Explique le déphasage vers la droite.

12. **Technologie** Trouve dans Internet un jeu de simulation prédateurs-proies.

   a) Avec deux ou trois camarades, utilise ce jeu pour recueillir des données et créer une table de valeurs.

   b) Représente graphiquement ces données.

   c) À partir du graphique et de la table de valeurs, modélise chaque population par une fonction.

   d) Représente chaque fonction dans le même plan cartésien que les données. Modélisent-elles bien les données?

13. Le graphique qui suit représente la consommation résidentielle mensuelle de gaz naturel en Ontario de janvier 2001 à décembre 2005.

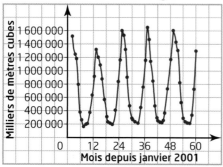

Consommation résidentielle de gaz naturel

a) À partir de ce graphique, modélise la consommation de gaz naturel par une fonction sinusoïdale.

b) Trace le graphique de cette fonction sur 5 ans, à partir de janvier 2001.

c) Prédis la consommation résidentielle de gaz naturel en décembre 2012 d'après ton modèle.

14. Voici la durée du jour en heures le 15 de chaque mois, à partir de janvier, pour tous les points de la Terre situés à 50° nord de latitude.

Mois	Durée du jour (h et min)
1	8 h et 30 min
2	10 h et 7 min
3	11 h et 48 min
4	13 h et 44 min
5	15 h et 4 min
6	16 h et 21 min
7	15 h et 38 min
8	14 h et 33 min
9	12 h et 42 min
10	10 h et 47 min
11	9 h et 6 min
12	8 h et 5 min

a) Représente graphiquement les données.

b) À partir de ce graphique et du tableau, représente la durée du jour par une fonction.

c) Trace la courbe de ta fonction dans le même plan cartésien que les données. La courbe est-elle bien ajustée aux données ?

d) Prédis la durée du jour le 31 janvier d'après ton modèle.

15. Technologie Il est possible de calculer la durée du jour n'importe où dans le monde.

a) À l'aide d'un atlas ou d'Internet, détermine la latitude et la longitude de l'endroit où tu habites.

b) Suis les instructions de ton enseignante ou de ton enseignant pour obtenir des données sur la durée du jour à l'endroit où tu habites. Dans un tableau, note la durée du jour le 15 de chaque mois.

c) Représente graphiquement ces données.

d) À partir de ce graphique et de ton tableau, représente la durée du jour dans ta ville par une fonction.

e) Trace la courbe de cette fonction dans le même plan cartésien que les données. La courbe est-elle ajustée aux données ?

f) Prédis la durée du jour à une date donnée d'après ton modèle. Vérifie ta prédiction ce jour-là.

16. L'hélice d'un petit avion a une longueur totale de 2 m. Pendant que l'avion est au sol, l'hélice effectue 1 200 tours à la minute et ses extrémités se trouvent toujours à au moins 40 cm du sol.

a) Représente la hauteur d'une extrémité de l'hélice au-dessus du sol selon le temps à l'aide d'une fonction sinusoïdale.

b) Trace le graphique de cette fonction pour quatre cycles.

c) Détermine tous les moments du premier cycle où l'extrémité de l'hélice est à 1 m du sol.

17. **Problème du chapitre** La synthèse des sons permet de créer des effets spéciaux. Par exemple, on peut utiliser une onde d'une fréquence donnée pour modifier l'amplitude d'une onde de fréquence plus élevée par multiplication. Le résultat est un effet de vibration appelé *trémolo* que l'apparition des guitares électriques a rendu populaire dans les années 1950. Pour comprendre le trémolo, utilise sin x pour modifier l'amplitude de sin $10x$ par multiplication : $y = (\sin x)(\sin 10x)$.

a) **Technologie** Règle l'affichage d'une calculatrice pour représenter les valeurs de -360 à 360, par intervalles de 30, sur l'axe des x et les valeurs de -2 à 2, par intervalles de 1, sur l'axe des y. Saisis la fonction et trace son graphique.

b) Examine l'amplitude de la fonction déterminée par l'autre. Les pointes de son sont-elles identiques ? Cherche les réflexions. À quoi sont-elles dues ?

c) Le trémolo est l'un des nombreux effets que l'on peut créer en modulant les sons à partir de fonctions sinusoïdales de base. Explore d'autres effets, comme le vibrato, le oua-oua, la modulation de hauteur, la réverbération et l'effet de retard. Lorsque tu écoutes ta musique préférée, prête attention à ces effets.

18. Reporte-toi à la question 12 de la page 311, qui traite de la théorie des biorythmes.

a) Calcule le nombre de jours écoulés depuis ta naissance. Tiens compte des années bissextiles.

b) Le cycle physique a une période de 23 jours. Divise ta réponse en a) par 23, et détermine le reste. Tu sauras ainsi depuis combien de jours ton cycle physique actuel est commencé.

c) À l'aide de la même méthode, détermine depuis combien de jours ton cycle émotionnel actuel est commencé. Ce cycle a une période de 28 jours. Fais la même chose pour le cycle intellectuel, qui a une période de 33 jours.

d) Sur une longue feuille de papier quadrillé, représente graphiquement ces trois biorythmes. Utilise une amplitude appropriée et une couleur distincte pour chacun.

e) Représente chaque biorythme par une fonction sinusoïdale.

f) **Technologie** Entre ces fonctions dans une calculatrice à affichage graphique. Ajuste les paramètres d'affichage, et détermine tes prochains « bons » jours et « mauvais » jours.

19. L'éolienne de Exhibition Place, à Toronto, a 94 m de hauteur. Ses trois pales mesurent chacune 24 m de longueur. Elles effectuent 27 tours à la minute.

a) Représente la hauteur de l'extrémité d'une pale selon le temps, à l'aide d'une fonction sinusoïdale.

b) Trace le graphique de la fonction pour quatre cycles.

c) Détermine tous les moments du premier cycle où l'extrémité de la pale est à 100 m du sol.

C Approfondissement

20. Les lunettes antireflets ont un revêtement très mince sur l'extérieur de leurs verres. La lumière est réfléchie presque simultanément par le devant et l'arrière de ce revêtement. Les deux réflexions se combinent, mais celle qui provient du devant du revêtement subit un déphasage, contrairement à l'autre. On peut représenter la lumière réfléchie par le revêtement par la fonction sinusoïdale $P(x) = \sin x + \sin (x - 180°)$, où x est la phase de l'onde lumineuse lorsqu'elle touche le revêtement et $P(x)$ est la proportion reflétée de l'onde.

a) Trace le graphique de la fonction sur deux cycles.

b) Examine attentivement le graphique de la fonction, et explique sa forme. Pourquoi un revêtement mince ne réfléchit-il pas la lumière?

c) On peut également exprimer le deuxième terme de la fonction sous la forme d'un cosinus. Détermine une fonction cosinus qui a le même effet que la fonction sinus donnée.

Maths et monde

La réflexion produite par une pellicule beaucoup plus mince que la longueur d'onde de la lumière qui la traverse rend la surface parfaitement transparente. Ainsi, aucune partie de la lumière n'est réfléchie. C'est pourquoi on voit plus clairement à travers des lentilles antireflets.

On peut observer cet effet avec une pellicule de savon. Plonge un anneau dans une solution savonneuse. Tiens l'anneau à la verticale et oriente la pellicule de savon pour qu'elle reflète la lumière. Tu verras des bandes de couleurs se former pendant que le savon s'écoule. Après, ce qui ressemble à un trou apparaîtra en haut. C'est en fait la pellicule qui devient parfaitement transparente. Tu peux vérifier qu'il reste du savon à cet endroit en perçant la pellicule avec une aiguille ou un crayon pointu.

21. Polaris est l'étoile Polaire, c'est-à-dire l'étoile la plus proche de la verticale si on l'observe du pôle Nord. Cependant, l'axe de la Terre ne pointe pas toujours dans la même direction. Il décrit lentement un cercle, à la manière d'une toupie. On appelle ce phénomène *précession*. En raison de la précession, Véga, l'étoile brillante qu'on voit au centre de la photo, deviendra un jour l'étoile Polaire.

a) À la bibliothèque ou dans Internet, trouve la période de précession de l'axe de la Terre. Penses-tu que Véga deviendra l'étoile Polaire de ton vivant?

b) Modélise la précession de la Terre par une fonction sinusoïdale.

c) **Technologie** Détermine les paramètres d'affichage requis pour cette fonction sur une calculatrice à affichage graphique. Trace ensuite le graphique de la fonction.

22. Concours de maths La notation $n!$ signifie qu'il faut multiplier tous les nombres naturels de n à 1. Ainsi, $5! = 5 \times 4 \times 3 \times 2 \times 1$. Si on évalue $50!$, combien de zéros y a-t-il à la fin de la valeur obtenue?

A 10   **B** 5   **C** 50   **D** 12

23. Concours de maths Si $y = \sqrt{x}$, quelle est la valeur de $x^{25} + 121 - y^{50}$?

Créer un nuage de points et une fonction à l'aide de la calculatrice TI-Nspire™ CAS

Reporte-toi à l'exemple 2 de la page 335.

Heure (où minuit = 0)	0	1	2	3	4	5	6	7	8	9	10	11
Angle au-dessus de l'horizon	2,4	1,8	2,4	4,2	7,2	11	16	22	27	33	38	42
Heures (où minuit = 0)	12	13	14	15	16	17	18	19	20	21	22	23
Angle au-dessus de l'horizon	45	46	45	42	38	33	27	22	17	12	7,5	4,3

Matériel

• calculatrice à affichage graphique TI-Nspire™ CAS

1. Ouvre un nouveau classeur. Dans le menu qui s'affiche, sélectionne **4: Ajouter Tableur & listes.**

2. Saisis les heures dans la colonne A.

3. Saisis les angles dans la colonne B.

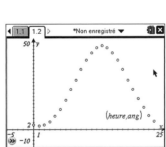

4. Appuie sur ⌃ (ctrl) (doc▾). Dans le menu, sélectionne **2: Ajouter l'application Graphiques**. Appuie sur (menu) et sélectionne **3: Type de graphique**, puis **4: Nuage de points**.

5. Appuie sur (var) et choisis **heure** pour *x*. Appuie sur (var) et choisis **ang** pour *y*.

6. Appuie sur (menu). Sélectionne **4: Fenêtre**, puis **1: Réglages de la fenêtre**. Définis une étendue de −5 à 25 pour l'axe des *x* et de −10 à 50 pour l'axe des y. Appuie sur (enter). Un nuage de points apparaît, comme dans la figure.

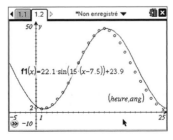

7. Change le type de graphique pour **Fonction**.

8. Reporte-toi à la fonction déterminée à l'exemple 2 : $h(t) = 22{,}1 \sin(15(t - 7{,}5)) + 23{,}9$. Saisis-la pour **f1**(*x*). Appuie sur (enter).

9. La courbe s'affiche, superposée au nuage de points. Au départ, la courbe est bien ajustée, mais elle s'éloigne des points lorsque le jour avance. Le mouvement de la Terre autour du Soleil peut expliquer cet écart par rapport à un modèle purement sinusoïdal. La période réelle n'est pas exactement de 24 h.

5.1 La modélisation d'un comportement périodique, pages 284 à 293

1. Soit le graphique suivant.

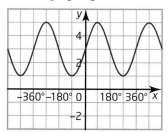

a) Explique pourquoi la fonction représentée est périodique.

b) Combien de cycles sont montrés?

c) Quelles sont les valeurs maximale et minimale?

d) Quelle est l'amplitude?

e) Quelle est la période?

2. Dans un aéroport, une navette transporte les gens d'un stationnement à un terminal situé à 1,5 km de distance. La navette circule continuellement et effectue un cycle complet en 10 min, ce qui inclut un arrêt de 1 min au stationnement et un arrêt de 1 min au terminal.

a) Représente graphiquement la position de la navette par rapport au stationnement en fonction du temps. Montre deux cycles.

b) Quelle est l'amplitude de ce phénomène?

c) Suppose que la navette accélère. Comment le graphique change-t-il?

5.2 Les fonctions sinus et cosinus, pages 294 à 301

3. Sans l'aide de la technologie, esquisse la courbe représentative de la fonction sinus pour les valeurs de x de $-540°$ à $540°$. Inscris une échelle appropriée sur chaque axe.

4. Sans l'aide de la technologie, esquisse la courbe représentative de la fonction cosinus pour les valeurs de x de $-540°$ à $540°$. Inscris une échelle appropriée sur chaque axe.

5.3 Les transformations des fonctions sinus et cosinus, pages 304 à 312

5. Soit la fonction $y = \cos(x + 60°) + 3$.

a) Quelle est son amplitude?

b) Quelle est sa période?

c) Décris son déphasage.

d) Décris son déplacement vertical.

e) Trace son graphique pour les valeurs de x de $0°$ à $360°$.

f) Comment l'équation changera-t-elle si le déphasage et le déplacement vertical s'appliquent dans l'autre sens? Explique ta réponse.

5.4 L'équation de fonctions sinusoïdales, pages 313 à 321

6. Un bras robotique bouche des bouteilles sur une chaîne de montage. On peut représenter sa position verticale y, en centimètres, au bout de t secondes par la fonction $y = 30\sin(360(t - 0,25)) + 45$.

a) Détermine l'amplitude, la période, le déphasage et le déplacement vertical de la fonction.

b) Quelle est la position verticale la plus basse du bras?

c) Indique le domaine et l'image de la fonction sinus de base et de la fonction transformée, en notation des ensembles.

d) La chaîne de montage reçoit de nouvelles bouteilles qui nécessitent une position verticale de 20 cm au plus bas. Comment l'équation qui représente le mouvement du bras robotique change-t-elle?

5.5 La collecte et la modélisation des données, pages 322 à 332

7. Le tableau indique l'heure du lever du Soleil (à l'heure normale de l'Est) le 21e jour de chaque mois, à partir de janvier, à Fort Erie en Ontario.

Mois (21e jour)	Heure (HNE)
1	7 h 40
2	7 h 4
3	6 h 17
4	5 h 25
5	4 h 47
6	4 h 37
7	4 h 55
8	5 h 28
9	6 h 1
10	6 h 36
11	7 h 15
12	7 h 43

a) Réécris les heures sous forme décimale, au centième près. Trace un nuage de points ; situe les mois sur l'axe horizontal et les heures sur l'axe vertical.

b) Représente l'heure du lever du Soleil par une fonction sinus. Indique son amplitude, sa période, son déphasage et son déplacement vertical.

c) Représente cette fonction dans le même plan cartésien que les données. La courbe est-elle bien ajustée ?

8. Prédis l'heure du lever du Soleil le 7 janvier et le 7 juillet à partir de ton modèle de la question 7.

5.6 La modélisation de phénomènes périodiques ne comportant pas d'angles, pages 333 à 341

9. Le volume de sang dans le ventricule gauche d'un cœur humain de taille moyenne varie d'un minimum d'environ 50 ml à un maximum d'environ 130 ml. Le cœur de Karl est de taille moyenne, et son rythme cardiaque au repos est de 60 battements par minute. Suppose que la période est égale à un battement cardiaque.

a) Modélise, par une fonction sinus, la relation entre le volume de sang dans le ventricule gauche du cœur de Karl et le temps.

b) Esquisse un graphique du volume en fonction du temps sur quatre cycles.

c) Quelle quantité de sang est pompée du ventricule gauche chaque minute ?

d) Comment la fonction change-t-elle si on utilise le cosinus ?

e) Lorsque Karl court, son rythme cardiaque augmente à 120 battements par minute. Modifie le modèle en a) pour refléter le rythme cardiaque de Karl lorsqu'il court.

f) Explique pourquoi l'amplitude ne change pas en e).

Problème du chapitre LA CONCLUSION

Tu as appris comment certaines applications liées à la synthèse musicale, aux empreintes vocales et aux effets sonores spéciaux peuvent être modélisées par des fonctions sinusoïdales.

a) Quel est le lien entre l'amplitude de la fonction modèle et le son entendu ? Donne des exemples.

b) Quel est le lien entre la période de la fonction modèle et le son entendu ? Donne des exemples.

c) Quel est le rôle du déphasage dans les sons produits par des instruments traditionnels, les chants d'une chorale et la musique électronique ?

Pour les questions 1 à 8, choisis la meilleure réponse.

Pour les questions 1 à 3, reporte-toi à ce graphique d'une fonction périodique.

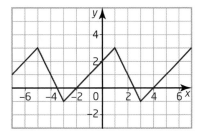

1. Quelle est la période de la fonction ?

   A 1   **B** 2   **C** 3   **D** 6

2. Quelle est son amplitude ?

   A 1   **B** 2   **C** 3   **D** −1

3. Quelle est la valeur de $f(12)$?

   A −1   **B** 0   **C** 2   **D** 3

Pour les questions 4 à 7, reporte-toi à la fonction $y = \dfrac{3}{8} \cos (5(x - 30°)) + \dfrac{3}{4}$.

4. Quelle est la période de la fonction ?

   A 72°   **B** 180°   **C** 360°   **D** 1 800°

5. Quelle est sa valeur minimale ?

   A $-\dfrac{3}{8}$ **B** 0   **C** $\dfrac{3}{8}$ **D** $\dfrac{3}{4}$

6. Quel est son déphasage par rapport à $y = \cos x$?

   A 30° vers la gauche   **B** 30° vers la droite

   C 60° vers la gauche   **D** 60° vers la droite

7. Quel est son déplacement vertical par rapport à $y = \cos x$?

   A $\dfrac{3}{8}$ vers le haut   **B** $\dfrac{3}{8}$ vers le bas

   C $\dfrac{3}{4}$ vers le haut   **D** $\dfrac{3}{4}$ vers le bas

8. Soit la fonction $y = 2 \cos (3x + 120°)$. Quel est son déphasage ?

   A 40° vers la gauche   **B** 40° vers la droite

   C 120° vers la gauche   **D** 120° vers la droite

9. Soit la fonction $y = 3 \sin (4(x + 60°)) - 2$.

   a) Quelle est son amplitude ?

   b) Quelle est sa période ?

   c) Décris son déphasage.

   d) Décris son déplacement vertical.

   e) Trace son graphique une étape à la fois. Inscris la transformation appliquée à chaque étape.

   f) Indique le domaine et l'image de la fonction transformée en notation des ensembles.

10. Une fonction sinusoïdale a une amplitude de 4 unités, une période de 90° et un maximum en $(0, 2)$.

   a) Représente cette fonction par l'équation d'une fonction cosinus.

   b) Représente cette fonction par l'équation d'une fonction sinus.

11. Une fonction sinusoïdale a une amplitude de $\dfrac{1}{4}$ d'unité, une période de 720° et un maximum en $\left(0, \dfrac{3}{4}\right)$.

   a) Représente cette fonction par l'équation d'une fonction sinus.

   b) Trace le graphique de cette fonction sur deux cycles.

12. Soit la fonction $f(x) = 2 \cos (3(x - 120°))$.

   a) Détermine son amplitude, sa période, son déphasage et son déplacement vertical par rapport à $y = \cos x$.

   b) Quelles sont ses valeurs maximale et minimale ?

   c) Détermine les trois premières abscisses à l'origine de sa courbe, à droite de l'origine.

   d) Détermine son ordonnée à l'origine.

13. a) Détermine l'équation de la fonction sinus représentée.

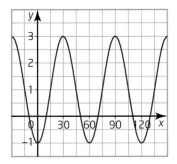

b) Suppose que les maximums de la courbe sont deux fois plus près les uns des autres. Comment cela change-t-il l'équation en a)? Explique ta réponse.

14. Dans une ville touristique, on observe souvent des variations saisonnières du taux d'emploi. Le tableau suivant indique le taux d'emploi le premier jour de chaque mois, à partir de janvier, pendant 1 an.

Mois	Taux d'emploi
1	62
2	67
3	75
4	80
5	87
6	92
7	96
8	93
9	89
10	79
11	72
12	65

a) Modélise ces données par une fonction sinus ou une fonction cosinus. Indique l'amplitude, la période, le déphasage et le déplacement vertical de la fonction choisie.

b) Représente graphiquement cette fonction et les données dans un même plan cartésien. La courbe est-elle bien ajustée aux données?

c) Prédis le taux d'emploi le 15 juin selon ton modèle.

d) Les économistes prévoient une faible récession l'année suivante, ce qui réduira le taux d'emploi de 10 % chaque mois. Décris l'effet de cette prévision sur le graphique de la fonction.

15. La grande roue d'un parc d'attractions a un diamètre de 18 m, et son point le plus bas est à 2 m au-dessus du sol. Suppose qu'une personne monte dans une nacelle au point le plus bas, et reste à bord pendant deux tours complets.

a) Modélise la relation entre la hauteur de la personne au-dessus du sol et l'angle de rotation, à l'aide d'une fonction sinus transformée.

b) Suppose qu'une personne monte dans une nacelle avant qu'elle atteigne le point le plus bas, à partir d'une plate-forme située sur la circonférence à 45° du point le plus bas. Adapte le modèle en a) à cette situation.

c) Trace le graphique des fonctions en a) et en b) dans un même plan cartésien. En quoi les courbes se ressemblent-elles? En quoi diffèrent-elles? Explique les différences.

Chapitre 4 La trigonométrie

Si nécessaire, arrondis les angles au degré près et les rapports trigonométriques au dix-millième près.

1. a) À l'aide du cercle unitaire, détermine la valeur exacte des rapports trigonométriques de base d'un angle de 315°.

b) Vérifie tes résultats à l'aide d'une calculatrice.

2. Fais la même chose qu'à la question 1, mais pour un angle de 255°.

3. Le point $(3, -1)$ est situé sur le côté terminal d'un angle trigonométrique θ. Détermine les rapports trigonométriques exacts de l'angle θ.

4. Le côté terminal de l'angle Q est situé dans le quadrant II et $\sin Q = \dfrac{15}{17}$.

Détermine la valeur de $\cos Q$ et de $\tan Q$.

5. Résous l'équation $\tan \theta = -\dfrac{3}{8}$ pour $0° \leq \theta \leq 360°$.

6. Détermine deux angles compris entre 0° et 360° qui ont une cosécante de -8.

7. Marie décolle aux commandes de son petit avion. Elle vole vers l'ouest à 200 km/h pendant une heure, puis elle effectue un virage à droite de 45° et vole encore à la même vitesse pendant une demi-heure.

a) Représente ce problème par un schéma.

b) À la fin de son vol, à quelle distance Marie se trouve-t-elle de son point de départ?

8. Soit le $\triangle$ABC, où $a = 2{,}4$ cm, $c = 3{,}2$ cm et m$\angle$A $= 28°$.

a) Construis deux triangles qui correspondent aux mesures données.

b) Détermine la longueur du côté b et la mesure des deux autres angles.

9. Les détecteurs de neutrinos (des particules subatomiques) sont situés profondément sous terre pour minimiser

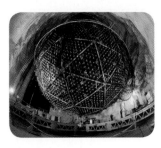

l'interférence de sources externes de radiations. Pour visiter une installation, il faut prendre un ascenseur à la surface, descendre 2,1 km en ligne droite, puis marcher 1,9 km vers l'est jusqu'au laboratoire. Ensuite, pour atteindre le détecteur, il faut tourner de 30° vers la gauche et marcher encore 300 m. Quelle est la distance, en ligne droite, entre l'ascenseur et le détecteur, au dixième de kilomètre près?

10. Dans le $\triangle$PQR, m$\angle$P $= 29°$, $p = 16$ m et $q = 25$ m. Détermine toutes les valeurs possibles de r, au dixième de mètre près.

11. Démontre que $\sec \theta = \csc \theta \tan \theta$.

12. Démontre que $\csc \theta = \sin \theta + \cos^2 \theta \csc \theta$.

Chapitre 5 Les fonctions trigonométriques

13. Soit le graphique suivant.

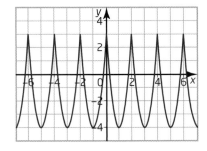

a) Explique pourquoi la fonction représentée est périodique.

b) Combien de cycles complets sont montrés?

c) Quelles sont les valeurs maximale et minimale?

d) Quelle est l'amplitude?

e) Quelle est la période?

14. a) À l'aide d'un graphique, détermine les valeurs de x pour lesquelles $\sin x = \cos x$, où $-180° \leqslant x \leqslant 180°$.

b) Vérifie tes réponses à l'aide d'une calculatrice.

15. Soit la fonction $y = 3 \sin(2(x - 45°)) - 1$.

a) Quelle est son amplitude ?

b) Quelle est sa période ?

c) Décris son déphasage.

d) Décris son déplacement vertical.

e) Trace son graphique pour les valeurs de x de 0° à 360°.

f) Comment l'équation changerait-elle si la période était de 90° ?

16 . Une fonction sinusoïdale a une amplitude de $\frac{1}{2}$ unité, une période de 1 080° et un maximum en $\left(0, \frac{3}{4}\right)$.

a) Représente cette fonction par l'équation d'une fonction sinus.

b) Trace le graphique de la fonction sur deux cycles.

17. Soit la fonction $f(x) = \frac{1}{4} \cos(2(x - 90°))$.

a) Détermine son amplitude, sa période, son déphasage et son déplacement vertical par rapport à $y = \cos x$.

b) Quelles sont ses valeurs maximale et minimale ?

c) Détermine les trois premières abscisses à l'origine de sa courbe, à droite de l'origine.

d) Détermine l'ordonnée à l'origine.

18. Dans certains pays, on utilise des roues à aubes pour amener l'eau à un niveau plus élevé. En Égypte, une roue à aubes transporte l'eau d'une hauteur de $-1,3$ m à une hauteur de 1,7 m. Elle effectue un tour complet en 15 s.

a) Modélise la relation entre la hauteur de l'eau et le temps, à l'aide d'une fonction sinusoïdale.

b) Indique l'amplitude, la période, le déphasage et le déplacement vertical de la fonction.

c) Quelle hauteur l'eau atteint-elle au bout de 20 s ?

19. Des pilotes de l'équipe de démonstration aérienne des Snowbirds effectuent une boucle verticale. Des données sur l'altitude et le temps écoulé figurent dans le tableau suivant.

Temps (s)	Altitude (m)
0	3 000
1	4 000
2	4 732
3	5 000
4	4 732
5	4 000
6	3 000
7	2 000
8	1 268
9	1 000
10	1 268
11	2 000
12	3 000

a) Modélise la relation entre l'altitude et le temps, à l'aide d'une fonction sinus.

b) Trace le graphique de la fonction pour quatre cycles.

c) Comment la fonction change-t-elle si tu utilises le cosinus ?

Représenter un objet en rotation

Travaille avec une ou un camarade. Un membre de l'équipe suit les instructions en a) et en b), et l'autre prend les mesures.

Matériel

- ficelle
- gros trombone
- mètre à ruban
- papier quadrillé

a) Attache un gros trombone au bout d'une ficelle. Tiens la ficelle par l'autre bout, et laisse pendre ton bras et la ficelle vers le sol. Mesure la distance entre ton épaule et :
- le sol,
- le bout du trombone,
- le mur devant toi.

b) Fais tourner ton bras verticalement à vitesse constante, assez rapidement pour que la ficelle reste tendue. Mesure la période de cette rotation.

c) Détermine l'équation d'une fonction sinus qui représente la hauteur du trombone selon l'angle de rotation, à partir de la position de repos.

d) Détermine une équation qui représente la hauteur du trombone en fonction du temps, à partir de la position de repos.

e) Détermine une équation qui représente la distance du trombone au mur en fonction de l'angle de rotation, à partir de la position de repos.

f) Détermine une équation qui représente la distance du trombone au mur en fonction du temps, à partir de la position de repos.

g) Représente graphiquement chaque relation.

h) Décris comment chaque relation changerait si tu modifiais le sens de rotation. Explique ta réponse.

i) Comment l'équation en c) changerait-elle si elle représentait la distance parcourue, au lieu de la hauteur, en fonction de l'angle de rotation? Explique ta réponse.

Les fonctions discrètes

Dans ce chapitre, tu exploreras une grande variété de régularités numériques appelées suites. Tu découvriras les nombreuses applications des suites dans les domaines de la médecine, de la biologie, des finances et de la construction. Une fractale, comme celle montrée à droite, est une régularité formée à l'aide d'un processus récursif qui génère un ensemble de points. Tu exploreras ce type particulier de régularité dans le Problème du chapitre.

Après l'étude de ce chapitre, tu pourras :

- décrire et représenter des techniques récursives à partir des premiers termes d'une suite ;
- comparer la représentation récursive d'une suite à la représentation fonctionnelle de la même suite ;
- explorer les différentes régularités du triangle arithmétique de Pascal et d'une suite du genre suite de Fibonacci ;
- établir le lien, par exploration, entre le triangle arithmétique de Pascal et le coefficient de n'importe quel terme du développement d'un binôme ;
- décrire une suite à l'aide d'une fonction discrète ;
- écrire les termes d'une suite à partir du terme général ou d'une formule récursive ;
- déterminer la formule du terme général d'une suite donnée ;
- déterminer si une suite est arithmétique, géométrique ou autre ;
- déterminer la somme des termes d'une série arithmétique ou géométrique en utilisant des formules ou des techniques appropriées.

Connaissances préalables

Consulte l'annexe Connaissances préalables, aux pages 478 à 495, pour des exemples et des exercices supplémentaires.

Les régularités

1. Détermine les trois prochains termes de chaque suite.

a)

b)

c) A, BB, CCC, DDDD, …

d) P, PQ, PQR, PQRS, …

e) 3, 6, 9, 12, …

f) −5, 10, −15, 20, …

g) 7, 3, −1, −5, …

h) $\frac{1}{2}$, $\frac{1}{3}$, $\frac{1}{4}$, $\frac{1}{5}$, …

i) x, $2x$, $3x$, $4x$, …

L'évaluation de fonctions

2. Soit $f(x) = 3x - 1$. Détermine :

a) $f(1)$ **b)** $f(-3)$

c) $f\left(\frac{1}{2}\right)$ **d)** $f\left(\frac{3}{m+2}\right)$

3. Soit $f(x) = 2^x$. Détermine :

a) $f(1)$ **b)** $f(-2)$

c) $f\left(\frac{1}{3}\right)$ **d)** $f\left(\frac{t-1}{3}\right)$

4. Soit $f(x) = x^2 - 3x + 1$. Détermine :

a) $f(3)$ **b)** $f(-1)$

c) $f(t - 2)$ **d)** $f(2t)$

Le graphique d'une fonction

5. Le domaine de chaque fonction est l'ensemble des nombres réels. Trace le graphique de chaque fonction.

a) $y = 2x + 3$

b) $f(x) = -\frac{1}{2}x - 1$

c) $y = x^2$

d) $f(x) = x^2 + 1$

e) $f(x) = (x - 3)^2$

f) $y = 2^x$

g) $f(x) = 2^x + 1$

h) $f(x) = 3^{x-1}$

La résolution d'équations

6. Résous chaque équation et vérifie tes solutions.

a) $3 - 2y = 5y + 6$

b) $3t + 8 = t + 8$

c) $6a + 4(3 - a) = 15$

d) $\frac{x}{4} - 5 = 6$

e) $\frac{x}{6} - \frac{2x}{3} = -3$

L'évaluation d'expressions

7. Évalue chaque expression.

a) 8 % de 60 **b)** 15 % de 700

c) 12 % de 4 **d)** 125 % de 16

e) 85 % de 0,06 **f)** 70 % de 1 400

8. Évalue chaque expression.

a) $\frac{3}{5} - \left(-\frac{1}{5}\right)$ **b)** $\frac{1}{2} \times \left(-\frac{3}{7}\right)$

c) $-\frac{4}{5} \div \left(-\frac{1}{6}\right)$ **d)** $\frac{13}{6} \times (-9)$

e) $-\frac{4}{3} - \left(-\frac{3}{2}\right)$ **f)** $-\frac{11}{3} \div \left(-\frac{5}{3}\right)$

Les différences finies

9. À partir des différences finies, détermine si chaque relation est une fonction affine, une fonction du second degré, ou ni l'une ni l'autre.

a)

x	y
1	3
2	9
3	17
4	27
5	39

b)

x	y
1	5
2	7
3	9
4	11
5	13

c)

x	y
1	2
2	4
3	8
4	16
5	32

10. À partir de la fonction affine $y = 3x - 1$, explique le lien entre les premières différences et la pente d'une droite.

11. À partir de la fonction du second degré $y = 2x^2 - 5x - 3$, explique le lien entre les deuxièmes différences et la valeur de a dans une équation de la forme $y = ax^2 + bx + c$.

La résolution de systèmes d'équations du premier degré

12. Résous chaque système d'équations.

a) $2x + y = 7$
$x + y = 4$

b) $3x + 3y = 41$
$4x + 5y = 71$

c) $4x - 3y = 96$
$2x + 5y = -8$

d) $\frac{1}{2}x - \frac{2}{5}y = \frac{9}{10}$
$\frac{1}{3}x - \frac{1}{4}y = \frac{2}{3}$

Problème du chapitre

Les fractales (de magnifiques figures observables en mathématiques, en art et dans la nature) doivent leurs formes fascinantes à diverses régularités et relations. Leur complexité augmente à mesure qu'elles s'étendent. Les premières études mathématiques portant sur les fractales remontent au XVIIe siècle. Aujourd'hui, leurs nombreuses applications touchent plusieurs domaines, y compris la musique, la science de l'environnement, la médecine et la conception de jeux vidéo. En effet, il peut s'avérer utile pour un ingénieur biomédical de connaître l'aire totale des bronches dans un poumon humain et pour une scientifique de l'environnement de connaître la longueur totale du littoral exposé à un déversement de pétrole.

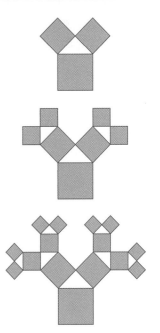

6.1

Les suites en tant que fonctions discrètes

Dans le langage courant, le mot *suite* évoque l'ordre dans lequel les événements se produisent. Par exemple, il importe qu'une entreprise de construction effectue les travaux suivant une suite logique pour bâtir des maisons solides et sécuritaires.

En mathématiques, une **suite** est un ensemble de nombres ordonnés, généralement séparés par des virgules. Certaines suites obéissent à une régularité définie et peuvent être représentées à l'aide de règles ou de fonctions mathématiques. De nombreux phénomènes naturels, comme les motifs en spirale observés sur les coquillages, les tournesols et les galaxies, peuvent être représentés par des suites.

suite

- un ensemble de nombres ordonnés selon une régularité ou une règle définie, qui peut s'interrompre ou se prolonger à l'infini :
  3, 7, 11, 15
  2, 6, 18, 54, ...
- une fonction dont le domaine correspond à l'ensemble (ou à un sous-ensemble) des nombres naturels strictement positifs et dont l'image correspond aux termes de la suite

Matériel

- papier à points quadrillé
- règle

Explore

Comment peut-on relier chaque terme d'une suite à son rang?

Le motif du carrelage installé dans un nouvel hôtel est fait de carrés imbriqués. Explore la suite formée par le nombre de régions circonscrites créées.

Méthode 1 : Utiliser du papier et un crayon

1. Construis un carré de 16 unités sur 16 unités.

2. Trace le point milieu de chaque côté. Relie les points milieux consécutifs pour former un nouveau carré. Continue à tracer les points milieux pour construire un carré plus petit jusqu'à ce que les carrés soient trop petits pour poursuivre.

3. Reproduis le tableau qui suit et complète-le en fonction de la régularité que tu as créée.

Nombre de carrés, n	Nombre de régions, t
1	1
2	5
3	9

4. Reporte-toi au tableau de l'étape 3.

   a) **Réflexion** Décris la régularité dans la colonne «Nombre de régions».

   b) Exprime les valeurs de cette colonne sous la forme d'une suite de **termes**. Fonde-toi sur la régularité pour écrire les trois prochains termes de cette suite.

terme (d'une suite)

• chacun des éléments d'une suite

5. Représente graphiquement la suite à l'aide de couples de la forme (nombre de carrés, nombre de régions). Devrais-tu ou non relier les points à l'aide d'une courbe lisse ou d'une droite? Explique ton raisonnement.

6. **Réflexion** Représente le nombre de régions, t_n, en fonction du nombre de carrés, n, à l'aide d'une formule (équation).

Méthode 2: Utiliser le *Cybergéomètre*

Matériel

• ordinateur muni du logiciel *Cybergéomètre*

1. Démarre le *Cybergéomètre*. Dans le menu **Graphique**, sélectionne **Format de la grille**, puis **Rectangulaire**. Fais un clic droit sur chaque axe et sélectionne **Masquer l'axe** dans le menu déroulant.

2. Dans le menu **Graphique**, sélectionne **Accrocher les points**. Trace un carré de 16 unités sur 16 unités.

3. Sélectionne les côtés du carré. Dans le menu **Construction**, sélectionne **Point milieu**. Relie les points milieux par des segments de droite de façon à former un carré. Continue à tracer puis à relier les points milieux de façon à construire d'autres carrés imbriqués jusqu'à ce que les carrés soient trop petits pour poursuivre.

4. Reproduis le tableau et complète-le en fonction de la régularité que tu as créée.

Nombre de carrés, *n*	Nombre de régions, *t*
1	1
2	5
3	9

5. Reporte-toi au tableau de l'étape 4.

   a) **Réflexion** Décris la régularité dans la colonne «Nombre de régions».

   b) Exprime les valeurs de cette colonne sous la forme d'une suite de termes. Fonde-toi sur la régularité pour écrire les trois prochains termes de cette suite.

6. Représente graphiquement la suite à l'aide de couples de la forme (nombre de carrés, nombre de régions). Devrais-tu ou non relier les points à l'aide d'une courbe lisse ou d'une droite? Explique ton raisonnement.

7. **Réflexion** Représente le nombre de régions, t_n, en fonction du nombre de carrés, n, à l'aide d'une formule (équation).

Exemple 1

Écrire les termes d'une suite à partir du terme général

Soit la **formule du terme général**, t_n, d'une suite, où $n \in \mathbb{N}^*$. Écris les trois premiers termes de chaque suite.

a) $t_n = 3n^2 - 1$ **b)** $t_n = \dfrac{n-1}{n}$

formule du terme général

- une équation qui représente le terme général d'une suite, t_n, selon son rang, n, où $n \in \mathbb{N}^*$

Conseil techno

Pour savoir comment résoudre ce problème à l'aide de la calculatrice à affichage graphique TI-Nspire™ CAS, reporte-toi à la section Technologie de la page 364.

Solution

a) Méthode 1 : Utiliser du papier et un crayon

Pour déterminer les trois premiers termes, substitue 1, 2 et 3 à n.

$t_n = 3n^2 - 1$

$t_1 = 3(1)^2 - 1$ $t_2 = 3(2)^2 - 1$ $t_3 = 3(3)^2 - 1$

     $= 2$ $= 11$ $= 26$

Les trois premiers termes de la suite sont 2, 11 et 26.

Méthode 2 : Utiliser une calculatrice à affichage graphique

On peut générer les termes d'une suite à l'aide d'une calculatrice à affichage graphique.

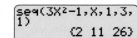

- Appuie sur $\boxed{\text{2nd}}$ [LIST] et amène le curseur sur **OPS**.
- Sélectionne **5:seq(** et saisis $3x^2 - 1$, x, 1, 3, 1).
- Appuie sur $\boxed{\text{ENTER}}$.

Les trois premiers termes de la suite sont 2, 11 et 26.

b) Substitue 1, 2 et 3 à n.

$t_n = \dfrac{n-1}{n}$

$t_1 = \dfrac{1-1}{1}$ $t_2 = \dfrac{2-1}{2}$ $t_3 = \dfrac{3-1}{3}$

    $= 0$ $= \dfrac{1}{2}$ $= \dfrac{2}{3}$

Les trois premiers termes de la suite sont 0, $\dfrac{1}{2}$ et $\dfrac{2}{3}$.

Conseil techno

Afin de générer les termes d'une suite à l'aide de la fonction **sequence** d'une calculatrice à affichage graphique, il faut définir cinq éléments. Par exemple, pour générer les trois premiers termes de la suite décrite par $t_n = 3n^2 - 1$, il faut définir :

- l'expression qui représente le xe terme de la suite, $3x^2 - 1$;
- la variable, x ;
- le rang du premier terme, 1 ;
- le rang du dernier terme, 3 ;
- l'incrément du rang des termes, 1.

Exemple 2

Déterminer la formule du terme général en notation fonctionnelle

Pour chaque suite, crée une table de valeurs qui indique la valeur d'un terme en fonction de son rang, et calcule les différences finies. Ensuite, représente graphiquement la suite à l'aide des couples (rang du terme, valeur du terme) et écris la formule du terme général en notation fonctionnelle.

a) 7, 12, 17, 22, …   **b)** 1, 10, 25, 46, …

Solution

a) On peut se fonder sur les régularités qu'une table de différences finies comporte pour déterminer la formule des termes d'une suite.

Rang du terme, n	Terme, t_n	Premières différences
1	7	
		5
2	12	
		5
3	17	
		5
4	22	

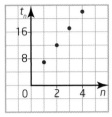

Ce graphique représente une fonction, puisqu'on ne peut associer à t_n qu'une et une seule valeur de n. Il s'agit d'une fonction affine, car les premières différences sont constantes. Le taux de variation, ou la pente, est la première différence, 5.

$f(n) = 5n + b$

Par analyse, $b = 2$. Ainsi, la formule $f(n) = 5n + 2$, où $n \in \mathbb{N}^*$, permet de déterminer les termes de la suite.

b) Détermine les premières et les deuxièmes différences.

Rang du terme, n	Terme, t_n	Premières différences	Deuxièmes différences
1	1		
		9	
2	10		6
		15	
3	25		6
		21	
4	46		

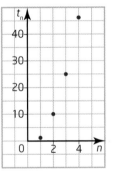

Puisque les deuxièmes différences sont constantes, il s'agit d'une fonction du second degré. La moitié de la valeur de la deuxième différence correspond à la valeur de a dans une fonction du second degré de la forme $f(n) = an^2 + bn + c$.

$f(n) = 3n^2 + bn + c$

Pour déterminer les valeurs de b et de c, substitue les coordonnées de deux points et résous un système d'équations du premier degré.

Pour $(1, 1)$, $1 = 3(1)^2 + b + c$, ou $-2 = b + c$.

Pour $(2, 10)$, $10 = 3(2)^2 + 2b + c$, ou $-2 = 2b + c$.

$$-2 = b + c \qquad ①$$
$$\underline{-2 = 2b + c} \qquad ②$$
$$0 = -b \qquad ① - ②$$
$$b = 0$$

Remplace b par 0 dans l'équation ① et isole c.

$$-2 = b + c$$
$$-2 = 0 + c$$
$$c = -2$$

La formule $f(n) = 3n^2 - 2$, où $n \in \mathbb{N}^*$, représente la suite.

Exemple 3

Déterminer le type de fonctions

a) On peut représenter la charge d'une batterie, qui diminue d'environ 2 % par jour, par la fonction $C(j) = 100(0,98)^j$, où j est le temps écoulé en jours, et C, le niveau de charge, en pourcentage. Quelle charge reste-t-il au bout de 10 jours ? S'agit-il d'une **fonction continue** ou d'une **fonction discrète** ? Explique ta réponse.

b) La population d'une culture bactérienne, qui compte au départ 200 bactéries, double chaque heure. On peut représenter sa croissance par la fonction $N(t) = 200(2)^t$, où t est le temps, en heures, et N, le nombre de bactéries. Combien de bactéries y aura-t-il après 10 h ? S'agit-il d'une fonction continue ou discrète ? Explique ta réponse.

fonction continue

- une fonction qui associe des nombres réels à des nombres réels et dont la représentation graphique est une courbe sans discontinuité (trou ou saut), c'est-à-dire une courbe continue

fonction discrète

- une fonction représentée par des points distincts non reliés entre eux

Solution

a) Pour déterminer le niveau de charge au bout de 10 jours, remplace j par 10 dans $C(j) = 100(0,98)^j$.

$$C(10) = 100(0,98)^{10}$$
$$\approx 81,7$$

Au bout de 10 jours, le niveau de charge de la batterie est d'environ 81,7 %.

La table de valeurs et le graphique qui suivent représentent la variation de la charge de la batterie en fonction du temps.

Temps (jours), j	Niveau de charge (%), C
0	100,0
1	98,0
2	96,0
3	94,1
4	92,2

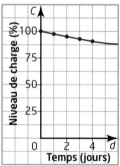

Il s'agit d'une fonction continue, car le niveau de charge diminue continuellement en fonction du temps. Il ne diminue pas de 2 % à la fin de chaque jour, mais plutôt graduellement au fil du temps.

b) Pour déterminer le nombre de bactéries au bout de 10 h, remplace t par 10 dans $N(t) = 200(2)^t$.

$$N(10) = 200(2)^{10}$$
$$= 204\ 800$$

Au bout de 10 h, il y aura 204 800 bactéries.

La table de valeurs et le graphique de la page suivante représentent la variation du nombre de bactéries en fonction du temps.

Temps (h), t	Nombre de bactéries, N
0	200
1	400
2	800
3	1 600
4	3 200

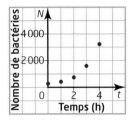

Puisqu'il est impossible d'obtenir une fraction de bactérie, il s'agit d'une fonction discrète. Au bout de chaque heure, le nombre de bactéries est le double du nombre de l'heure précédente.

Exemple 4

Déterminer la valeur d'une voiture

Une voiture neuve vaut 78 000 $. Elle se déprécie de 15 % la première année et de 4 % chaque année suivante.

a) Détermine la valeur de la voiture à la fin de la première, de la deuxième et de la troisième année. Exprime ces valeurs sous la forme d'une suite.

b) Représente la valeur de la voiture à la fin de l'année n par une formule.

c) Quelle sera la valeur de la voiture à la fin de la 20e année? S'agit-il d'une valeur réaliste? Explique ton raisonnement.

Maths et monde

Quand un objet subit une *dépréciation*, sa valeur diminue au fil du temps. Les véhicules, le matériel électronique, les ordinateurs et les vêtements subissent une dépréciation.

Solution

a) La voiture vaut 78 000 $ à l'achat. À la fin de la première année, elle a subi une dépréciation de 15 %. Sa valeur est donc de 78 000 $ $\times$ 0,85, soit 66 300 $.

À la fin de la deuxième année, sa valeur a encore diminué de 4 %. Elle équivaut donc à 96 % de la valeur au début de l'année.

0,96 $\times$ 66 300 $ = 63 648 $

À la fin de la troisième année, la valeur de la voiture a encore diminué de 4 %.

$$0,96 \times (0,96 \times 66\ 300\ \$) = 0,96 \times 63\ 648\ \$$$
$$= 61\ 102,08\ \$$$

La suite qui représente la valeur de la voiture à la fin de chaque année est : 66 300, 63 648, 61 102,08, …
ou 66 300, 0,96(66 300), $0,96^2$(66 300), …

b) La valeur de la voiture à la fin de l'année n correspond à
$t_n = 66\ 300(0,96)^{n-1}$.

c) Remplace n par 20 pour obtenir la valeur à la fin de la 20e année.

$$t_n = 66\ 300(0,96)^{n-1}$$
$$t_{20} = 66\ 300(0,96)^{20-1}$$
$$= 66\ 300(0,96)^{19}$$
$$\approx 30\ 525,79$$

À la fin de la 20e année, la valeur de la voiture sera de 30 525,79 $. Elle peut être supérieure si la propriétaire en a pris soin, ou moindre si la voiture a été impliquée dans une collision, si son kilométrage est élevé ou si elle est très rouillée. De nombreux facteurs peuvent influer sur la valeur d'une voiture d'occasion.

Concepts clés

- On peut représenter une suite de nombres par une fonction discrète. La représentation graphique d'une telle fonction est un ensemble de points distincts et non une courbe.

- Le domaine d'une fonction qui représente une suite correspond à l'ensemble, ou à un sous-ensemble, des nombres naturels strictement positifs, $\mathbb{N}^*$.

- On peut déterminer les termes d'une suite à partir de la formule du terme général, t_n ou $f(n)$, en substituant le rang des termes à n. Voici deux exemples de formules du terme général : $t_n = 3n + 2$ et $f(n) = 5n + 3$.

- On peut parfois déterminer la régularité entre les termes d'une suite pour établir la formule du terme général.

Communication et compréhension

C1 Représente graphiquement la suite numérique définie par les couples $(1, 1)$, $(2, -1)$, $(3, -3)$, $(4, -5)$, ... Dans le même plan cartésien, trace le graphique de la fonction $f(x) = -2x + 3$, où $x \in \mathbb{R}$. Décris les ressemblances et les différences. Représente la suite à l'aide d'une fonction et indique son domaine.

C2 Soit le domaine d'une fonction continue et celui d'une fonction discrète. Quelles ressemblances et quelles différences y a-t-il entre les domaines ?

C3 Décris deux situations dans lesquelles il serait important de connaître la valeur d'un terme particulier d'une suite.

Ⓐ À ton tour

Si tu as besoin d'aide pour répondre aux questions 1 et 2, reporte-toi à l'exemple 1.

1. Écris les trois premiers termes de chaque suite selon la formule du terme général.

a) $t_n = 3n - 1$ **b)** $t_n = 2 - 5n$

c) $t_n = 3^{n-1}$ **d)** $f(n) = 2^{-n}$

e) $t_n = \dfrac{n+1}{n} - 1$ **f)** $f(n) = 3(2)^{n+2}$

2. Écris le 12e terme de chaque suite à partir du terme général.

a) $f(n) = 1 - 3n$ **b)** $t_n = 2n + 5$

c) $f(n) = n^2 - 2$ **d)** $t_n = \dfrac{n+1}{n}$

e) $t_n = n^2 + 2n$ **f)** $f(n) = (-2)^{n-1}$

Si tu as besoin d'aide pour répondre aux questions 3 à 5, reporte-toi à l'exemple 2.

3. Décris la régularité de chaque suite, puis écris-en les trois prochains termes.

a) 4, 16, 64, 256, …

b) 7, 6, 5, 4, …

c) −3, −6, −9, −12, …

d) 100, 10, 1, 0,1, …

e) 5, −10, 15, −20, …

f) $\dfrac{1}{3}$, $\dfrac{1}{9}$, $\dfrac{1}{27}$, $\dfrac{1}{81}$, …

g) x, $3x$, $5x$, $7x$, …

h) 4, 8, 12, 16, …

i) a, ar, ar^2, ar^3, …

j) 0,2, −0,4, 0,6, −0,8, …

4. Pour chaque suite, crée une table de valeurs qui associe la valeur d'un terme à son rang, puis calcule les différences finies. Ensuite, représente chacune par une formule en notation fonctionnelle et indique le domaine.

a) 2, 4, 6, 8, …

b) 2, 1, 0, −1, …

c) 3, 6, 9, 12, …

d) 0, 3, 8, 15, …

e) 3, 6, 11, 18, …

f) −10, −9, 0, 17, …

5. Ces graphiques représentent les termes d'une suite. Représente chaque suite en notation fonctionnelle et indique le domaine.

a)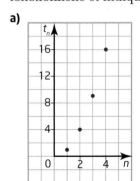

b)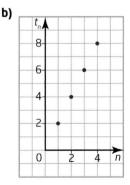

c)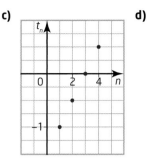

d)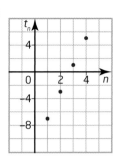

Si tu as besoin d'aide pour répondre à la question 6, reporte-toi à l'exemple 3.

6. Détermine si chaque graphique représente une fonction discrète ou continue, et explique ton choix.

a)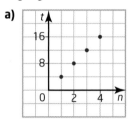

b)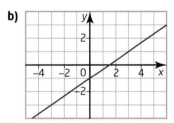

c)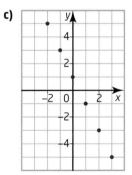

B **Liens et mise en application**

7. Décris la régularité de chaque suite et écris-en les trois prochains termes.

a) 1, 1, 1, 2, 1, 3, 1, 4, 1, …

b) 1, 5, 2, 10, 3, 15, …

c) 3, $3\sqrt{5}$, 15, $15\sqrt{5}$, 75, …

d) $\dfrac{1}{2}$, $\dfrac{1}{4}$, $\dfrac{1}{8}$, $\dfrac{1}{16}$, …

8. Soit la suite 7, 14, 21, 28, … Détermine si chaque nombre fait partie de cette suite. Explique ton raisonnement.

a) 98 **b)** 110 **c)** 378 **d)** 575

9. Technologie En 1995, la population mondiale s'élevait à 5,7 milliards. Depuis, son taux de croissance est d'environ 1,2 % par année.

Raisonnement
Modélisation Sélection d'outils
Résolution de problèmes
Liens Réflexion
Communication

a) Trace le graphique de $y = 5{,}7(1{,}012)^x$ à l'aide d'une calculatrice à affichage graphique avec les paramètres donnés.

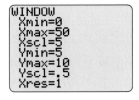

```
WINDOW
Xmin=0
Xmax=50
Xscl=5
Ymin=5
Ymax=10
Yscl=.5
Xres=1
```

b) Décris la forme du graphique. En quoi une hausse du taux de croissance la modifierait-elle? Vérifie-le à l'aide d'une calculatrice à affichage graphique.

c) Suppose que la tendance se maintient. Détermine la population pour chaque année de 2007 à 2015. Exprime ces nombres sous la forme d'une suite.

10. Technologie Une voiture de 35 000 $ se déprécie à un taux annuel moyen de 20 %.

a) Saisis les renseignements qui suivent dans une feuille de calcul.

	A	B
1	Année	Valeur
2	0	35 000
3	=A2+1	=0,8*B2

b) Calcule la valeur de la voiture pour les 15 prochaines années à l'aide de la fonction **Remplissage (en bas)**.

c) Représente graphiquement ces données par un nuage de points.

d) Représente la valeur de la voiture à la fin de l'année n par une formule en notation fonctionnelle.

e) S'agit-il d'une fonction continue ou discrète? Explique ton raisonnement.

11. Si on monte deux résistances, A et B, en parallèle, on peut déterminer la résistance totale, R, en ohms (Ω), par la formule $\frac{1}{R} = \frac{1}{R_A} + \frac{1}{R_B}$.

Suppose que chaque résistance a une résistance de 1 Ω. Détermine la résistance totale de 2, 3, 4, 5 et 6 résistances montées en parallèle. Exprime ces nombres sous la forme d'une suite.

12. Problème du chapitre Le flocon de neige de Koch a été une des premières fractales décrites. Il s'amorce par un triangle équilatéral. À chaque étape, le tiers central de chaque côté est remplacé par deux segments de droite de même longueur que le segment de droite qu'ils remplacent.

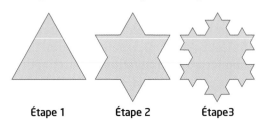

Étape 1 Étape 2 Étape3

a) Travaille avec une ou un camarade. Reproduis ces figures sur du papier à points isométrique. Fonde-toi sur la régularité pour tracer la prochaine figure.

b) Reproduis ce tableau et remplis-le.

Étape	Longueur du segment de droite	Nombre de segments de droite	Périmètre du flocon de neige
1	1	3	3
2	$\frac{1}{3}$	12	4
3	$\frac{1}{9}$		
4			
5			
6			

c) Détermine la formule du terme général des 2e, 3e et 4e colonnes du tableau.

d) Calcule les valeurs de l'étape 24 à l'aide de cette formule.

13. Détermine la formule du terme général de chaque suite. Calcule la valeur du 15ᵉ terme à l'aide de cette formule.

a) $-4, 8, -16, 32, \ldots$ **b)** $1, \dfrac{2}{3}, \dfrac{3}{5}, \dfrac{4}{7}, \ldots$

c) $1, \sqrt{2}, \sqrt{3}, 2, \ldots$ **d)** $1, 2, 4, 8, \ldots$

e) $1, \dfrac{1}{2}, \dfrac{1}{3}, \dfrac{1}{4}, \ldots$ **f)** $1, -1, 1, -1, \ldots$

14. Crée deux suites dont les premiers termes sont 1, 2, 3. Détermine la formule du terme général de chaque suite en notation fonctionnelle. Représente graphiquement chaque suite.

15. Une nouvelle petite entreprise prévoit doubler ses ventes chaque jour pendant ses deux premières semaines d'activité. Les ventes de la première journée s'élèvent à 50 $.

a) Exprime les ventes prévues des 6 premiers jours sous la forme d'une suite.

b) Écris une formule qui permet de déterminer les ventes de n'importe lequel des 14 premiers jours.

c) Calcule les ventes effectuées le 14ᵉ jour à l'aide de cette formule. S'agit-il d'une valeur vraisemblable ? Pourquoi ?

16. Les inscriptions sont en baisse dans une école secondaire. Cette année, le nombre d'inscriptions était de 2 100. On en prévoit 110 de moins chaque année. Écris une formule du nombre d'inscriptions pour une année quelconque. Au bout de combien d'années le nombre d'inscriptions sera-t-il inférieur à 800 ?

C Approfondissement

17. a) À l'aide d'une calculatrice, détermine la valeur approximative de chacun des trois premiers termes de la suite

$$\sqrt{3}, \sqrt{\sqrt{3}}, \sqrt{\sqrt{\sqrt{3}}}, \sqrt{\sqrt{\sqrt{\sqrt{3}}}}, \ldots$$

b) Décris la régularité de la suite.

c) Fonde-toi sur la régularité pour prédire la valeur du 50ᵉ terme de cette suite.

18. Écris une formule du nombre total de carrés dans un carré de n sur n.

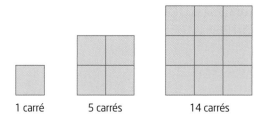

1 carré   5 carrés   14 carrés

19. Concours de maths Les multiples de 5 sont inscrits dans les colonnes d'une carte de bingo, comme ci-dessous.

B	I	N	G	O
5	10	15	20	
	40	35	30	25
45	50	55	60	
	80	75	70	65
85	90	95	100	

Si cette régularité se prolonge, dans quelle colonne le nombre 5 555 apparaîtra-t-il ?

A B   **B** N   **C** G   **D** O

20. Concours de maths Les joyaux de la couronne ont disparu. Scotland Yard détient quatre suspects : Albert, Bob, Cécilie et Daniel. Albert affirme : « Cécilie est la voleuse. » Bob affirme : « Je ne suis pas le voleur. » Cécilie affirme : « Daniel est le voleur. » Daniel affirme : « Cécilie ment. » Si un seul de ces énoncés est vrai, qui est la ou le coupable ?

A Albert   **B** Bob   **C** Cécilie   **D** Daniel

21. Concours de maths Un sac contient deux balles. La valeur d'une des balles est 4. La valeur de l'autre balle est 9. On tire une balle et sa valeur est additionnée à un total cumulatif. Combien de sommes différentes est-il impossible d'obtenir ?

A 6   **B** 12   **C** 11

D Impossible à déterminer

Technologie

Déterminer les termes d'une suite à l'aide de la calculatrice TI-Nspire™ CAS

Matériel

- calculatrice à affichage graphique TI-Nspire™ CAS

Maths et monde

L'exemple 1 de la page 356 illustre les étapes à suivre pour déterminer les trois premiers termes à partir de la formule du terme général.

Conseil techno

Pour taper un trait de soulignement (_), utilise le jeu de symboles.

- Appuie sur (ctrl) (⌨).
- À l'aide des flèches du pavé tactile, amène le curseur sur le symbole _.
- Appuie sur (enter).

Détermine les trois premiers termes de chaque suite à partir de la formule du terme général, t_n, où $n \in \mathbb{N}^*$.

$$A: t_n = 3n^2 - 1 \qquad\qquad B: t_n = \frac{n-1}{n}$$

Solution

Ouvre un nouveau classeur. Dans le menu qui s'affiche, choisis l'option **4: Ajouter Tableur & listes**.

Entre les titres des colonnes A, B et C.

- Au haut de la colonne A, tape n et appuie sur (enter).
- Au haut de la colonne B, tape a_t_n et appuie sur (enter).
- Au haut de la colonne C, tape b_t_n et appuie sur (enter).

Saisis les valeurs 1, 2 et 3 pour n, en commençant dans la cellule A1.

Saisis la formule qui définit chaque suite.

- Dans la cellule de formule de la colonne B, tape $= 3a^2 - 1$ et appuie sur (enter).
- Dans la cellule de formule de la colonne C, tape $= (a - 1) \div a$ et appuie sur (enter).

Les trois premiers termes de chaque suite s'afficheront.

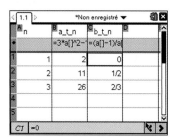

Les techniques récursives

À la section 6.1, tu as représenté la valeur de n'importe quel terme d'une suite par une formule en notation fonctionnelle. Il peut cependant être plus facile de déterminer un terme d'une suite à partir des termes qui le précèdent.

Les programmeuses et programmeurs créent des instructions codées pour les ordinateurs. Souvent, ces instructions demandent à l'ordinateur de déterminer une valeur à partir de la valeur précédente. Il s'agit d'une technique récursive.

Explore

Comment peut-on représenter la relation entre les termes consécutifs d'une suite?

Matériel

- papier quadrillé

Facultatif

- ordinateur muni du logiciel *Cybergéomètre*

Les trois premières figures d'une suite sont montrées. Représente la régularité de cette suite.

1. **a)** Pour construire la figure 1, trace un carré de 1 unité de côté.

Figure 1   Figure 2   Figure 3

   b) Pour tracer la figure 2, pars de la figure 1. Trace un carré de 1 unité de côté qui sera adjacent au premier carré. Tu obtiens un rectangle.

   c) Pour créer la figure 3, trace un rectangle plus grand. À partir de la figure 2, trace un carré de 2 unités de côté directement au-dessus des deux carrés plus petits.

2. La figure 4 comportera un carré de 3 unités de côté. Où devrais-tu tracer ce carré de façon à prolonger la régularité? Construis la figure 4.

3. Reproduis ce tableau et remplis-le pour représenter la régularité de cette suite de figures.

Figure	Longueur de côté du carré (unités)
1	1
2	1
3	2
4	
5	
6	

4. a) Exprime la longueur de côté des carrés sous la forme d'une suite.

b) Réflexion Détermine la relation entre les termes consécutifs de la suite et écris la formule du terme général, t_n, en fonction du $(n-1)^e$ terme, t_{n-1}, et du $(n-2)^e$ terme, t_{n-2}.

La suite formée par les longueurs de côté des carrés de la rubrique *Explore* est une suite célèbre, la **suite de Fibonacci**.

Une suite est récursive si on détermine un nouveau terme à partir du ou des termes qui le précèdent. Par exemple, la suite de Fibonacci, 1, 1, 2, 3, 5, 8, 13, ..., est une suite récursive, car chaque terme, à partir du troisième terme, est la somme des deux termes précédents. La **formule récursive** qui définit cette suite peut s'écrire $t_1 = 1$, $t_2 = 1$, $t_n = t_{n-1} + t_{n-2}$, où t_1 est le premier terme, t_2 est le deuxième terme, t_n est le n^e terme, et ainsi de suite.

suite de Fibonacci

- la suite numérique 1, 1, 2, 3, 5, 8, ...
- chaque terme consécutif aux deux premiers est la somme des deux termes précédents

formule récursive

- une formule qui permet de déterminer chaque terme d'une suite à partir du ou des termes précédents

Exemple 1

Écrire les termes d'une suite à partir d'une formule récursive

Écris les quatre premiers termes de chaque suite.

a) $t_1 = 3$, $t_n = t_{n-1} - 2$

b) $f(1) = -\dfrac{1}{2}$, $f(n) = f(n-1) + \dfrac{3}{2}$

Solution

a) Le premier terme est 3. Détermine les trois prochains termes de la suite à l'aide de l'équation $t_n = t_{n-1} - 2$.

$$
\begin{array}{lll}
t_2 = t_1 - 2 & t_3 = t_2 - 2 & t_4 = t_3 - 2 \\
\quad = 3 - 2 & \quad = 1 - 2 & \quad = -1 - 2 \\
\quad = 1 & \quad = -1 & \quad = -3
\end{array}
$$

Les quatre premiers termes de la suite sont 3, 1, -1, -3.

b) Le premier terme est $-\dfrac{1}{2}$. Détermine les trois prochains termes de la suite à l'aide de l'équation $f(n) = f(n-1) + \dfrac{3}{2}$.

$$
\begin{array}{lll}
f(2) = f(1) + \dfrac{3}{2} & f(3) = f(2) + \dfrac{3}{2} & f(4) = f(3) + \dfrac{3}{2} \\[2mm]
\quad = -\dfrac{1}{2} + \dfrac{3}{2} & \quad = 1 + \dfrac{3}{2} & \quad = \dfrac{5}{2} + \dfrac{3}{2} \\[2mm]
\quad = 1 & \quad = \dfrac{5}{2} & \quad = 4
\end{array}
$$

Les quatre premiers termes de la suite sont $-\dfrac{1}{2}$, 1, $\dfrac{5}{2}$, 4.

Exemple 2

Écrire une formule récursive

Représente chaque suite par une formule récursive.

a) $-3, 6, -12, 24, \ldots$

b)

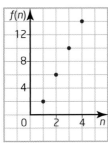

c) $3, 5, 8, 12, \ldots$

Solution

a) Cherche une régularité dans les termes.

$t_1 = -3$
$t_2 = t_1 \times (-2)$
$t_3 = t_2 \times (-2)$
$t_4 = t_3 \times (-2)$

La formule récursive est $t_1 = -3$, $t_n = -2t_{n-1}$.

b) Cherche une régularité dans les ordonnées.

$f(1) = 2$
$f(2) = 6$
$f(3) = 10$
$f(4) = 14$

Chaque terme égale 4 de plus que le terme précédent. La formule récursive est $f(1) = 2$, $f(n) = f(n-1) + 4$.

c) Cherche une régularité dans les termes.

$t_1 = 3$
$t_2 = t_1 + 2$
$t_3 = t_2 + 3$
$t_4 = t_3 + 4$

La formule récursive est $t_1 = 3$, $t_n = t_{n-1} + n$.

Exemple 3

Représenter la quantité d'un médicament

Une coureuse se blesse au genou durant une course. Son médecin lui prescrit de la physiothérapie, ainsi que 500 mg d'un médicament anti-inflammatoire qu'elle devra prendre aux 4 h pendant 3 jours.

Le médicament anti-inflammatoire a une demi-vie d'environ 4 h. Ainsi, au bout de 4 h, il en reste environ la moitié dans le corps.

a) Crée une table de valeurs qui représente la quantité du médicament présente dans le corps à la fin de chaque période de 4 h.

b) Exprime la quantité du médicament présente dans le corps à la fin de chaque période de 4 h sous la forme d'une suite. Représente cette suite par une formule récursive.

c) Représente graphiquement cette suite.

d) Décris l'effet du temps sur la quantité du médicament dans le corps de la coureuse.

Solution

a) Tu peux réaliser cette étape à l'aide de papier et d'un crayon ou d'un tableur. Arrondis les valeurs au dixième de milligramme près, au besoin.

Période de 4 h	Quantité de médicament (mg)
0	500
1	$\frac{1}{2}(500) + 500 = 750$
2	$\frac{1}{2}(750) + 500 = 875$
3	937,5
4	968,8
5	984,4
6	992,2
7	996,1
8	998,0
9	999,0
10	999,5
11	999,8
12	999,9

Conseil techno

Pour calculer la quantité du médicament présente dans le corps à l'aide d'un tableur, saisis la formule = 0,5*B2+500, et utilise la fonction de remplissage vers le bas.

b) La suite qui représente la quantité du médicament dans le corps à la fin de chaque période de 4 h est 500, 750, 875, 937,5, 968,8, …, 999,9. La formule récursive est $t_1 = 500$, $t_n = 500 + 0,5t_{n-1}$.

c)

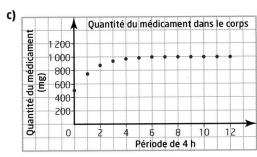

d) Selon le graphique, la quantité du médicament présente dans le corps augmente jusqu'à ce qu'elle semble atteindre un niveau constant d'environ 1 000 mg.

Concepts clés

- Une technique récursive fait appel à une action effectuée sur un objet ou un nombre initial, puis sur le résultat. On répète ce processus plusieurs fois.

- On dit d'une suite qu'elle est récursive si on peut en calculer chaque terme à partir du ou des termes qui le précèdent.

- Une formule récursive représente la relation entre les termes d'une suite.

- On peut représenter une suite par une régularité, une formule du terme général ou une formule récursive. On peut aussi écrire les formules en notation fonctionnelle.

  Soit 1, 3, 5, 7, …

  Régularité : à partir de 1, ajouter 2 chaque fois

  Formule du terme général : $t_n = 2n - 1$ ou $f(n) = 2n - 1$

  Formule récursive : $t_1 = 1$, $t_n = t_{n-1} + 2$ ou $f(1) = 1$, $f(n) = f(n-1) + 2$

- Dans la formule du terme général et la formule récursive d'une suite, n est un nombre naturel non nul, car il représente le rang du terme. On détermine les termes d'une suite à l'aide d'une formule récursive à partir du premier nombre naturel suivant ceux de la formule.

Communication et compréhension

C1 Que doit-on savoir au sujet d'une suite pour la représenter par une formule récursive ?

C2 **a)** La formule récursive $t_1 = 5$, $t_n = 2t_{n-1} + 1$ a deux parties. Décris ces deux parties.

b) Pourquoi une formule récursive a-t-elle au moins deux parties ?

c) Quelle caractéristique d'une suite est nécessaire pour que la formule ait plus de deux parties ?

C3 Soit la formule récursive $t_1 = 4$, $t_n = -2t_{n-1} + 5$. Décris la façon de déterminer les termes consécutifs de la suite à l'aide de cette formule.

C4 Le terme général d'une suite est défini par $t_n = 6(2^{n-1}) - 1$. La formule récursive de cette même suite est $t_1 = 5$, $t_n = 2t_{n-1} + 1$. Dans quels cas serait-il plus pratique d'utiliser une forme de la formule plutôt que l'autre ? Explique ta réponse.

Si tu as besoin d'aide pour répondre aux questions 1 et 2, reporte-toi à l'exemple 1.

1. Écris les quatre premiers termes de chaque suite, où $n \in \mathbb{N}^*$.

   a) $t_1 = 4, t_n = t_{n-1} + 3$

   b) $t_1 = 7, t_n = 2t_{n-1} - 1$

   c) $t_1 = -3, t_n = 0{,}2t_{n-1} - 1{,}2$

   d) $t_1 = 50, t_n = \dfrac{t_{n-1}}{2}$

   e) $t_1 = 8, t_n = 2n - 3t_{n-1}$

   f) $t_1 = 100, t_n = \dfrac{5t_{n-1}}{0{,}1}$

2. Écris les quatre premiers termes de chaque suite, où $n \in \mathbb{N}^*$.

   a) $f(1) = 9, f(n) = f(n-1) - 2$

   b) $f(1) = -1, f(n) = -3f(n-1)$

   c) $f(1) = 3, f(n) = \dfrac{f(n-1)}{n}$

   d) $f(1) = 18, f(n) = f(n-1) + 2$

   e) $f(1) = 0{,}5, f(n) = -f(n-1)$

   f) $f(1) = 25, f(n) = -0{,}5f(n-1)$

Si tu as besoin d'aide pour répondre aux questions 3 et 4, reporte-toi à l'exemple 2.

3. Représente chaque suite par une formule récursive. Réécris chaque formule en notation fonctionnelle et décris les différences.

   a) $4, 1, -2, -5, \dots$

   b) $4, 8, 16, 32, \dots$

   c) $-5, 15, -45, 135, \dots$

4. Pour chaque graphique, écris les termes de la suite, puis représente cette suite par une formule récursive en notation fonctionnelle.

   a)
   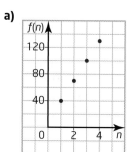

   b)
   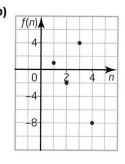

5. Voici un exemple de suite constante : 206, 206, 206, … Représente cette suite par une formule récursive. Crée une autre suite constante et donne sa formule récursive.

Si tu as besoin d'aide pour répondre aux questions 6 et 7, reporte-toi à l'exemple 3.

6. Une salle compte 50 sièges dans la première rangée, 54 dans la deuxième, 62 dans la troisième, 74 dans la quatrième, et ainsi de suite.

   a) Représente le nombre de sièges par rangée à l'aide d'une suite.

   b) Décris la régularité.

   c) Représente le nombre de sièges par une formule récursive.

7. Sacha et Marghala paient leur première maison 250 000 $. L'agent immobilier affirme que la valeur de leur maison augmentera de 3 % par année.

   a) Reproduis ce tableau. Complète-le en y représentant la valeur de la maison pour les 10 prochaines années.

Année	Valeur de la maison ($)
0	250 000
1	250 000 + 0,03 × 250 000 = 257 500

   b) Exprime la valeur de la maison durant ces 10 années sous la forme d'une suite.

   c) Représente la valeur de la maison par une formule récursive. Prédis sa valeur dans 15 années à partir de cette formule.

8. Écris les quatre premiers termes de chaque suite.

   a) $t_1 = 1, t_n = (t_{n-1})^2 + 3n$

   b) $f(1) = 8, f(n) = \dfrac{f(n-1)}{2}$

   c) $t_1 = 3, t_n = 2t_{n-1}$

   d) $t_1 = -5, t_n = 4 - 2t_{n-1}$

   e) $t_1 = \dfrac{1}{2}, t_n = 4t_{n-1} + 2$

   f) $f(1) = a + 3b, f(n) = f(n-1) + 4b$

9. Détermine les quatre premiers termes de chaque suite par la formule récursive donnée. Ensuite, décris à l'aide de mots la règle des termes de la suite.

a) $f(1) = 2$, $f(2) = 2$,
$f(n) = f(n - 1) + 2f(n - 2)$

b) $f(1) = 1$, $f(2) = 2$, $f(n) = f(n - 1)f(n - 2)$

c) $t_1 = 5$, $t_2 = 7$, $t_n = t_{n-2} - t_{n-1}$

d) $t_1 = -2$, $t_2 = 3$, $t_n = 3t_{n-2} + t_{n-1}$

e) $t_1 = 1$, $t_2 = -4$, $t_n = t_{n-2} \times t_{n-1}$

f) $t_1 = 3$, $t_2 = 1$, $t_3 = 7$,
$t_n = t_{n-3} + t_{n-2} - t_{n-1}$

10. Les figures qui suivent montrent les diagonales de polygones réguliers à n côtés. Représente la suite des nombres de diagonales par une formule récursive.

11. On construit une pyramide à base carrée de 7 m de hauteur à l'aide de cubes de 1 m d'arête.

Représente la suite du nombre de cubes de chaque niveau, à partir du sommet, par une formule récursive.

12. Le premier terme d'une suite est –8. Chaque terme subséquent égale 4 de plus que le double du terme précédent.

a) Écris les quatre premiers termes de cette suite.

b) Représente la suite par une formule récursive, puis trace son graphique.

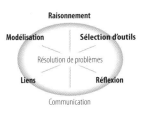

13. À partir du terme général, écris les quatre premiers termes de chaque suite, puis représente-la par une formule récursive.

a) $t_n = (2n - 1)^2$

b) $t_n = \dfrac{n^2 + 1}{n}$

c) $f(n) = 3^{-n}$

d) $t_n = 3n + 1$

e) $f(n) = (n - 2)(n + 2)$

f) $f(n) = 2(4)^{n - 1}$

14. À partir de la formule récursive, écris les quatre premiers termes de chaque suite, puis donne la formule du terme général.

a) $t_1 = 3$, $t_n = 2t_{n-1} + 1$

b) $t_1 = 1$, $t_n = \dfrac{1}{2}t_{n-1}$

c) $t_1 = 10$, $t_n = t_{n-1} - 10$

d) $t_1 = -2$, $t_n = t_{n-1} - \dfrac{1}{n(n-1)}$

15. Problème du chapitre Waclaw Sierpinski a décrit le triangle de Sierpinski en 1915. Cette fractale désormais célèbre a aussi été observée dans l'art italien du XIIIe siècle.

a) Trace un grand triangle équilatéral sur du papier à points isométrique ou à l'aide du *Cybergéomètre*. Suppose que l'aire de ce triangle est de 1 unité carrée.

b) Situe et relie les points milieux des côtés pour former un nouveau triangle. Colorie tous les triangles, sauf celui du centre. Calcule l'aire des régions colorées.

c) Trace d'autres triangles en reliant les points milieux des côtés des triangles colorés de plus en plus petits. Laisse toujours le triangle du centre non coloré et calcule l'aire des régions colorées.

d) Exprime l'aire des régions colorées à chaque étape sous la forme d'une suite. Écris une formule pour cette suite. De quel type de formule s'agit-il?

Étape 1   Étape 2   Étape 3

16. Représente chaque suite par une formule récursive.

a) 2, 6, 12, 20, 30, …   **b)** 3, 7, 16, 32, …

c) 2, 5, 26, 677, …   **d)** −1, 0, 3, 12, …

✔ **Question d'évaluation**

17. Le jeu de dames canadien utilise un damier de 12 cases sur 12 cases. Qu'arriverait-il si tu plaçais une pièce de 1 cent sur la première case, deux pièces sur la deuxième case, quatre pièces sur la troisième case, huit pièces sur la quatrième case et ainsi de suite ?

a) Exprime le nombre de pièces de 1 cent placées sur chacune des 12 premières cases sous la forme d'une suite.

b) Représente le nombre de pièces de 1 cent par une formule récursive. Détermine le nombre de pièces de 1 cent sur la vingtième case à l'aide de cette formule.

c) Représente le nombre de pièces de 1 cent par la formule du terme général en notation fonctionnelle. Vérifie ta réponse en b) à l'aide de cette formule.

d) S'agit-il d'une fonction discrète ou continue ? Explique ta réponse.

C Approfondissement

18. Écris les cinq premiers termes de chaque suite, en commençant par $f(1)$.

a) $f(2) = -3, f(n) = -2f(n - 1)$

b) $f(3) = 9, f(n) = f(n - 1) + n^2$

19. Crée trois suites dont les premiers termes sont 2, 3, 4. Représente ces suites par des formules récursives. Écris les deux prochains termes de chaque suite, puis mets tes camarades au défi de déterminer la formule récursive que tu as utilisée.

20. a) Crée une suite à partir des termes de la suite de Fibonacci. Conserve les deux premiers termes. Divise le troisième terme de la suite de Fibonacci par le deuxième terme pour obtenir le prochain terme de la nouvelle suite. Divise le quatrième terme de la suite de Fibonacci par le terme précédent pour obtenir le terme suivant de la nouvelle suite. Continue de cette façon. Décris la régularité de cette nouvelle suite.

b) La suite en a) converge vers une valeur proche de 1,618. Il s'agit du nombre φ (phi), qu'on appelle aussi le nombre d'or. Effectue une recherche sur le nombre d'or et prépare une affiche pour la classe.

21. La spirale d'or est formée à partir des rectangles que tu as tracés à la rubrique *Explore*.

a) Dans chaque carré, trace un arc dont le rayon est égal à la longueur de côté du carré.

b) Détermine l'aire sous la spirale pour chaque carré. Exprime les aires sous la forme d'une suite numérique. Calcule l'aire totale sous la spirale.

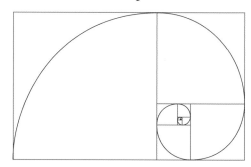

22. Concours de maths Les nombres de Lucas sont semblables aux nombres de Fibonacci, mais les deux premiers termes sont $t_1 = 2$ et $t_2 = 1$. La suite est 2, 1, 3, 4, 7, 11, … Soit L_n, le n^e nombre de Lucas, et F_n, le n^e nombre de Fibonacci. Pour $n > 2$, démontre que $L_n - F_n = F_{n-2}$.

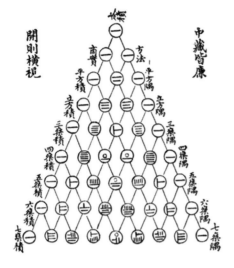

Le triangle de Pascal et le développement d'un binôme

Selon une croyance répandue, les Chinois et les Perses ont découvert une disposition de nombres peu commune à un certain moment au cours du XIe siècle. Toutefois, c'est en l'honneur du mathématicien Blaise Pascal (1623-1662) qu'on a nommé le triangle qui représente cet arrangement. En plus de ses nombreuses contributions au domaine des mathématiques, Pascal aurait découvert plusieurs des propriétés et des applications particulières de ce triangle.

On peut construire la disposition triangulaire de nombres appelée **triangle de Pascal** à l'aide d'une technique récursive. Dans le triangle de Pascal, chaque terme est égal à la somme des deux termes qui se trouvent directement au-dessus de lui. Les premier et dernier termes de chaque rangée sont toujours 1, car le seul terme qui est directement au-dessus d'eux est toujours 1.

```
                        1
                    1       1
                1       2       1
            1       3       3       1
        1       4       6       4       1
    1       5      10      10       5       1
1       6      15      20      15       6       1
```

triangle de Pascal

- un ensemble de nombres disposés pour former un triangle avec le nombre 1 au sommet, puis les nombres 1 et 1 dans la deuxième rangée
- chaque nombre des rangées suivantes correspond à la somme des deux nombres qui se trouvent au-dessus de lui

Matériel

Facultatif
- logiciel de calcul formel (LCF)

Explore

Comment peut-on développer un binôme en se fondant sur des régularités ?

1. Développe chaque binôme à l'aide de la distributivité et de la simplification ou d'un logiciel de calcul formel (LCF).

   a) $(a + b)^1$ **b)** $(a + b)^2$

   c) $(a + b)^3$ **d)** $(a + b)^4$

2. **Réflexion** Examine la régularité du coefficient des termes du développement de chaque binôme. Décris le lien entre cette régularité et le triangle de Pascal.

3. **Réflexion** Examine les variables des termes de chaque développement. Décris le lien entre le degré de chaque terme et la puissance du binôme.

4. Prédis les termes du développement de $(a + b)^5$.

Conseil techno

Tu peux utiliser le LCF d'une calculatrice TI-Nspire

Explorer les régularités dans le triangle de Pascal

a) Écris les sept premières rangées du triangle de Pascal et nomme-les.

b) Une régularité du triangle permet de connaître les puissances de 2. Détermine cette régularité.

Solution

a)

rangée 0							1						
rangée 1						1		1					
rangée 2					1		2		1				
rangée 3				1		3		3		1			
rangée 4			1		4		6		4		1		
rangée 5		1		5		10		10		5		1	
rangée 6	1		6		15		20		15		6		1

b) La suite formée par l'addition des termes de chaque rangée correspond aux puissances de 2.
Somme de la rangée 0 : $1 = 2^0$
Somme de la rangée 1 : $2 = 2^1$
Somme de la rangée 2 : $4 = 2^2$
Somme de la rangée 3 : $8 = 2^3$
...

Déterminer la position d'un terme dans le triangle de Pascal

On peut représenter un terme du triangle de Pascal par $t_{n, r}$, où n est la rangée, et r, la diagonale.

$n = 0$						1	$r = 0$		$t_{0, 0}$
$n = 1$					1	1	$r = 1$		$t_{1, 0}\ t_{1, 1}$
$n = 2$				1	2	1	$r = 2$		$t_{2, 0}\ t_{2, 1}\ t_{2, 2}$
$n = 3$			1	3	3	1	$r = 3$		$t_{3, 0}\ t_{3, 1}\ t_{3, 2}\ t_{3, 3}$
$n = 4$		1	4	6	4	1	$r = 4$		$t_{4, 0}\ t_{4, 1}\ t_{4, 2}\ t_{4, 3}\ t_{4, 4}$
$n = 5$	1	5	10	10	5	1	$r = 5$		$t_{5, 0}\ t_{5, 1}\ t_{5, 2}\ t_{5, 3}\ t_{5, 4}\ t_{5, 5}$
$n = 6$	1	6	15	20	15	6	1	$r = 6$	$t_{6, 0}\ t_{6, 1}\ t_{6, 2}\ t_{6, 3}\ t_{6, 4}\ t_{6, 5}\ t_{6, 6}$

Chaque terme est égal à la somme des deux termes qui se trouvent directement au-dessus de lui, ce qu'on peut représenter par
$t_{n, r} = t_{n - 1, r - 1} + t_{n - 1, r}$.

Exprime $t_{5, 3} + t_{5, 4}$ comme un terme unique du triangle de Pascal sous la forme $t_{n, r}$.

Solution

Tout terme du triangle de Pascal est égal à la somme des termes qui se trouvent directement au-dessus de lui.

$t_{5,3} + t_{5,4} = t_{6,4}$

$$t_{0,0}$$

$$t_{1,0} \quad t_{1,1}$$

$$t_{2,0} \quad t_{2,1} \quad t_{2,2}$$

$$t_{3,0} \quad t_{3,1} \quad t_{3,2} \quad t_{3,3}$$

$$t_{4,0} \quad t_{4,1} \quad t_{4,2} \quad t_{4,3} \quad t_{4,4}$$

$$t_{5,0} \quad t_{5,1} \quad t_{5,2} \quad \boxed{t_{5,3}} \quad \boxed{t_{5,4}} \quad t_{5,5}$$

$$t_{6,0} \quad t_{6,1} \quad t_{6,2} \quad t_{6,3} \quad t_{6,4} \quad t_{6,5} \quad t_{6,6}$$

Exemple 3

Établir des liens entre d'autres régularités et le triangle de Pascal

Les figures de droite représentent des nombres triangulaires.

a) Exprime les nombres de points de chaque figure sous la forme d'une suite.

b) Repère ces nombres dans le triangle de Pascal. Décris leur position.

c) Représente la suite des nombres triangulaires par une formule du terme général et une formule récursive.

Solution

a) La suite des nombres triangulaires est 1, 3, 6, 10, ….

b) Ces nombres se trouvent dans la diagonale 2 du triangle de Pascal.

c) Calcule les différences finies.

Rang du terme, n	Terme, $f(n)$	Premières différences	Deuxièmes différences
1	1		
		2	
2	3		1
		3	
3	6		1
		4	
4	10		

Puisque les deuxièmes différences sont constantes, il s'agit d'une fonction du second degré. La moitié de la valeur de la deuxième différence correspond à la valeur de a dans une fonction du second degré de la forme $f(n) = an^2 + bn + c$.

$$f(n) = \frac{1}{2}n^2 + bn + c$$

Pour déterminer les valeurs de b et de c, substitue les coordonnées de deux points, disons $(1, 1)$ et $(2, 3)$, puis résous le système d'équations linéaires.

$$\frac{1}{2} = b + c$$

$$1 = 2b + c$$

On obtient $b = \frac{1}{2}$ et $c = 0$.

La formule du terme général est $f(n) = \frac{1}{2}n^2 + \frac{1}{2}n$.

La formule récursive est $f(1) = 1$, $f(n) = f(n - 1) + n$.

Maths et monde

Si tu suis le cours Mathématiques de la gestion des données, 12e année, tu découvriras le lien entre le triangle de Pascal, les développements de $(a + b)^n$ et la probabilité.

On peut développer des binômes à l'aide de régularités. Les cœfficients des termes du développement de $(a + b)^n$ se trouvent dans la rangée n du triangle de Pascal.

Valeur de n	$(a + b)^n$
0	$(a + b)^0 = 1$
1	$(a + b)^1 = a + b$
2	$(a + b)^2 = a^2 + 2ab + b^2$
3	$(a + b)^3 = a^3 + 3a^2b + 3ab^2 + b^3$
4	$(a + b)^4 = a^4 + 4a^3b + 6a^2b^2 + 4ab^3 + b^4$

Les puissances de a et de b comportent aussi une régularité. Dans chaque développement, la puissance de a diminue, la puissance de b augmente et le degré de chaque terme est toujours égal à la puissance du binôme.

Exemple 4

Développer une puissance d'un binôme

Développe chaque puissance d'un binôme à partir du triangle de Pascal.

a) $(a + b)^7$ **b)** $(m - n)^5$ **c)** $(2x + 1)^6$ **d)** $\left(\frac{y}{2} - y^2\right)^4$

Solution

a) Puisque l'exposant est 7, les coefficients se trouvent dans la rangée 7 du triangle de Pascal. Les puissances de a diminueront et les puissances de b augmenteront.

$$(a + b)^7 = 1a^7b^0 + 7a^6b^1 + 21a^5b^2 + 35a^4b^3 + 35a^3b^4$$
$$+ 21a^2b^5 + 7a^1b^6 + 1a^0b^7$$
$$= a^7 + 7a^6b + 21a^5b^2 + 35a^4b^3 + 35a^3b^4 + 21a^2b^5 + 7ab^6 + b^7$$

Tu peux utiliser le LCF d'une calculatrice à affichage graphique TI-Nspire™ CAS pour vérifier ta réponse.

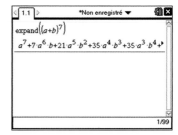

b) Les cœfficients se trouvent dans la rangée 5 du triangle de Pascal.

Soit $a = m$ et $b = -n$. Applique la régularité des puissances.

$$(m - n)^5 = 1(m)^5(-n)^0 + 5(m)^4(-n)^1 + 10(m)^3(-n)^2 + 10(m)^2(-n)^3$$
$$+ 5(m)^1(-n)^4 + 1(m)^0(-n)^5$$
$$= m^5 - 5m^4n + 10m^3n^2 - 10m^2n^3 + 5mn^4 - n^5$$

c) Les cœfficients se trouvent dans la rangée 6 du triangle de Pascal.

Soit $a = 2x$ et $b = 1$. Applique la régularité des puissances.

$$(2x + 1)^6 = 1(2x)^6(1)^0 + 6(2x)^5(1)^1 + 15(2x)^4(1)^2 + 20(2x)^3(1)^3$$
$$+ 15(2x)^2(1)^4 + 6(2x)^1(1)^5 + 1(2x)^0(1)^6$$
$$= 64x^6 + 192x^5 + 240x^4 + 160x^3 + 60x^2 + 12x + 1$$

d) Les cœfficients se trouvent dans la rangée 4 du triangle de Pascal.

Soit $a = \dfrac{y}{2}$ et $b = -y^2$. Applique la régularité des puissances.

$$\left(\frac{y}{2} - y^2\right)^4 = 1\left(\frac{y}{2}\right)^4(-y^2)^0 + 4\left(\frac{y}{2}\right)^3(-y^2)^1 + 6\left(\frac{y}{2}\right)^2(-y^2)^2 + 4\left(\frac{y}{2}\right)^1(-y^2)^3$$
$$+ 1\left(\frac{y}{2}\right)^0(-y^2)^4$$
$$= \frac{y^4}{16} - \frac{y^5}{2} + \frac{3y^6}{2} - 2y^7 + y^8$$

Concepts clés

- Le triangle de Pascal est un ensemble de nombres disposés pour former un triangle dans lequel chaque nombre correspond à la somme des deux nombres qui se trouvent au-dessus de lui.

  $t_{n, r} = t_{n-1, r-1} + t_{n-1, r}$, où n est la rangée, et r, la diagonale, et où $n, r \in \mathbb{N}$ et $r \le n$

- Le triangle de Pascal comporte différentes régularités. Par exemple, la suite des puissances de 2 correspond à la somme des termes des rangées et les termes de la diagonale 2 sont des nombres triangulaires.

- Les cœfficients des termes du développement de $(a + b)^n$ correspondent aux termes de la rangée n du triangle de Pascal.

Communication et compréhension

C1 Examine le triangle de Pascal. Quelle est la valeur de $t_{6, 3}$? La valeur de $t_{3, 6}$ est-elle la même?

C2 Décris la façon de déterminer un terme du triangle de Pascal à partir de sa position (rangée et diagonale).

C3 Explore les différentes régularités du triangle de Pascal. Représente ces régularités par des suites et décris comment déterminer les termes de ces suites.

C4 Décris la façon de développer $(a + b)^8$ à l'aide du triangle de Pascal.

A À ton tour

Si tu as besoin d'aide pour répondre aux questions 1 et 2, reporte-toi à l'exemple 1.

1. La régularité en forme de bâton de hockey est une des nombreuses régularités que comporte le triangle de Pascal. À partir de n'importe quel 1, sélectionne un nombre quelconque de termes le long d'une diagonale, en t'arrêtant à l'intérieur du triangle. Détermine la somme de ces nombres. Tourne vers l'extrémité inférieure, comme dans l'exemple. Quel est le lien entre le nombre à l'extérieur de la diagonale et la somme ? Sur une reproduction du triangle de Pascal, représente cinq régularités en forme de bâton de hockey.

2. Détermine la somme des termes de chaque rangée donnée du triangle de Pascal.

   a) rangée 8   b) rangée 12

   c) rangée 20   d) rangée n

Si tu as besoin d'aide pour répondre aux questions 3 et 4, reporte-toi à l'exemple 2.

3. Écris chaque expression en seul terme du triangle de Pascal sous la forme $t_{n,r}$.

   a) $t_{4,3} + t_{4,4}$ b) $t_{8,5} + t_{8,6}$

   c) $t_{25,17} + t_{25,18}$ d) $t_{a,b} + t_{a,b+1}$

4. Écris chaque terme comme une somme de deux termes de la forme $t_{n,r}$.

   a) $t_{4,2}$ b) $t_{12,9}$ c) $t_{28,14}$ d) $t_{17,x}$

Si tu as besoin d'aide pour répondre aux questions 5 à 7, reporte-toi à l'exemple 3.

5. Développe chaque puissance d'un binôme à l'aide du triangle de Pascal.

   a) $(x + 2)^5$ b) $(y - 3)^4$ c) $(4 + t)^6$

   d) $(1 - m)^5$ e) $(2x - 3y)^4$ f) $(a^2 + 4)^5$

6. Combien de termes y a-t-il dans chaque développement ?

   a) $(3a + 5)^0$ b) $(x + 2)^{25}$

   c) $(t - 6)^{15}$ d) $(5b + 6a)^n$

7. Détermine la valeur de k dans chaque terme de $(x + y)^{12}$ à l'aide des régularités dans les termes du développement.

   a) ky^{12} b) $792x^ky^5$

   c) $495x^8y^k$ d) kx^4y^8

B Liens et mise en application

8. Quelle rangée du triangle de Pascal a chacune de ces sommes ?

   a) 256   b) 2 048

   c) 16 384   d) 65 536

9. Écris chaque terme comme une différence de deux termes de la forme $t_{n,r}$.

   a) $t_{4,2}$ b) $t_{6,3}$ c) $t_{12,9}$ d) $t_{28,14}$

10. Explore différentes régularités dans le triangle de Pascal. Quels sont les nombres manquants dans chaque figure ?

   a)
   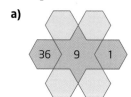

   b)
   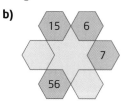

   c)
   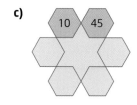

   d)
   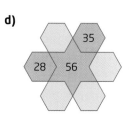

11. **Problème du chapitre**
   Le triangle de Pascal comporte des caractéristiques fractales.

   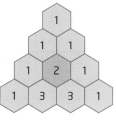

   Sur une reproduction du triangle de Pascal, colorie tous les nombres pairs d'une couleur et tous les nombres impairs d'une autre couleur. Décris la régularité ainsi représentée.

12. Repère la suite de Fibonacci dans le triangle de Pascal. Décris la position de ces nombres.

Indice : Représente le triangle de Pascal sous la forme d'un triangle rectangle et examine les diagonales.

C Approfondissement

13. Détermine la somme des carrés des termes des rangées du triangle de Pascal. Exprime ces nombres sous la forme d'une suite, puis repère cette suite dans le triangle. Représente cette suite par une formule.

14. Dans le développement de $(1 + x)^n$, les trois premiers termes sont 1, -18 et 144. Détermine les valeurs de x et de n.

15. Décris le processus qui génère les termes de l'arrangement triangulaire qui suit. Représente-le sous une forme récursive. Écris les nombres des trois prochaines rangées de cet arrangement.

$$\frac{1}{1}$$
$$\frac{1}{2} \qquad \frac{1}{2}$$
$$\frac{1}{3} \qquad \frac{1}{6} \qquad \frac{1}{3}$$
$$\frac{1}{4} \qquad \frac{1}{12} \qquad \frac{1}{12} \qquad \frac{1}{4}$$
$$\frac{1}{5} \qquad \frac{1}{20} \qquad \frac{1}{30} \qquad \frac{1}{20} \qquad \frac{1}{5}$$

16. Dans le triangle de Pascal, repère une rangée où le terme qui suit 1 est un nombre premier. Établis une relation entre ce nombre et les autres termes de la rangée. Décris cette relation. Repère une autre rangée où le terme qui suit 1 est un nombre premier. Vois-tu la même relation ? Demande à une ou un camarade d'indiquer sa rangée et vérifie si vous avez tiré la même conclusion.

17. Détermine le nombre de trajets que la dame peut suivre pour atteindre le bas du damier si elle se déplace seulement en diagonale vers le bas.

18. Concours de maths Il y a 50 casiers, numérotés de 1 à 50, dans un corridor d'école. Une élève s'assure qu'ils sont tous fermés. Un deuxième élève ouvre chaque casier dont le numéro est pair. Une troisième élève modifie l'état des casiers (elle ferme tout casier ouvert et ouvre tout casier fermé) dont le numéro est un multiple de 3. Un quatrième élève modifie l'état des casiers dont le numéro est un multiple de 4. Cette régularité se poursuit jusqu'à ce que 50 élèves aient participé. Quelle est la somme des numéros des casiers fermés après le passage de la dernière élève ?

A 100   **B** 765   **C** 140   **D** 50

19. Concours de maths Quelle est la valeur de la constante dans le développement de $\left(2x^3 - \dfrac{3}{x^2}\right)^5$?

A 0   **B** $-1\ 080$ **C** $1\ 080$ **D** -243

20. Concours de maths Chaque jour, à minuit, un navire quitte New York à destination de Londres au moment même où un navire quitte Londres à destination de New York. Ce voyage dure exactement 5 jours. Combien de navires à destination de New York un navire à destination de Londres croisera-t-il pendant son voyage ?

A 11   **B** 9   **C** 10   **D** 5

Les suites arithmétiques

On croit que 100 000 personnes ont participé, pendant près de 20 ans, à la construction de la grande pyramide de Gizeh, érigée en l'honneur du pharaon égyptien Khéops. Il a fallu plus de 2,3 millions de pierres d'une masse moyenne d'environ 2 300 kg. Le nombre de pierres qui constituent chaque niveau de la grande pyramide de Gizeh est un exemple d'une suite.

De nombreuses suites présentent des régularités très particulières. L'une d'elles consiste à additionner une constante à chaque terme pour obtenir le terme suivant. On crée ainsi une **suite arithmétique**.

suite arithmétique

• une suite dans laquelle la différence entre deux termes consécutifs est constante

Explore

Comment peut-on reconnaître une suite arithmétique ?

On doit construire un mur de 1 km qui séparera un parc urbain d'une rue passante. Ce mur sera fait de blocs de béton de 20 cm de hauteur et 40 cm de longueur. Chaque rangée contiendra 100 blocs de moins que la rangée précédente et le mur mesurera 3,6 m de haut en son centre.

Méthode 1 : Utiliser du papier et un crayon

Matériel

• papier quadrillé

1. a) Reproduis ce tableau et remplis-le.

Rangée	Nombre de blocs dans la rangée	Longueur de la rangée (cm)
1	2 500	100 000
2	2 400	96 000
3		
4		
5		

b) Combien de rangées ton tableau doit-il compter pour te permettre de déterminer le nombre de blocs dans la rangée supérieure du mur ? Comment as-tu déterminé cette valeur ?

2. a) Exprime le nombre de blocs dans les rangées sous la forme d'une suite.

b) Représente graphiquement cette suite.

c) Représente le nombre de blocs dans la rangée n par une formule.

d) Quelle est la valeur de n pour la rangée supérieure du mur ? À l'aide de ta formule, détermine le nombre de blocs dans la rangée supérieure du mur.

3. a) Exprime la longueur des rangées sous la forme d'une suite.

   b) Représente graphiquement cette suite.

   c) Représente la longueur de la rangée n par une formule.

   d) Détermine la longueur de la rangée supérieure du mur à l'aide de cette formule.

4. **Réflexion** Les suites des étapes 2 et 3 sont des suites arithmétiques.

   a) Compare leurs représentations graphiques. Une suite arithmétique est-elle une fonction discrète ou continue ? Explique ta réponse.

   b) Compare les formules qui représentent les suites.

Méthode 2 : Utiliser un tableur

1. a) Saisis les données comme ci-dessous. Utilise l'option **Remplissage** (**en bas**) pour remplir les trois autres rangées.

	A	B	C
1	*Rangée*	*Nombre de blocs dans la rangée*	*Longueur de la rangée (cm)*
2	1	2 500	100 000
3	= A2+1	= B2-100	= C2-4 000

   Prends note que si tu utilises l'application **Tableur & listes** de la calculatrice à affichage graphique TI-Nspire™ CAS, tu dois modifier les formules pour qu'elles renvoient aux cellules A1, B1 et C1.

   Pour remplir les rangées du bas, appuie sur (menu), sélectionne **3: Données,** puis **3: Saisie rapide.** Remplis le nombre désiré de cellules à l'aide des flèches de défilement.

   b) Combien de rangées ton tableau doit-il compter pour te permettre de déterminer le nombre de blocs dans la rangée supérieure du mur ? Comment as-tu déterminé cette valeur ?

2. a) Exprime le nombre de blocs dans les rangées sous la forme d'une suite.

   b) Représente ces données par un nuage de points.

   c) Représente le nombre de blocs dans la rangée n par une formule.

   d) Quelle est la valeur de n pour la rangée supérieure du mur ? À l'aide de ta formule, détermine le nombre de blocs dans la rangée supérieure du mur.

3. a) Exprime la longueur des rangées sous la forme d'une suite.

   b) Représente ces données par un nuage de points.

   c) Représente la longueur de la rangée n par une formule.

   d) Détermine la longueur de la rangée supérieure du mur à l'aide de cette formule.

4. **Réflexion** Les suites des étapes 2 et 3 sont des suites arithmétiques.

   a) Compare leurs représentations graphiques. Une suite arithmétique est-elle une fonction discrète ou continue ? Explique ta réponse.

   b) Compare les formules qui représentent les suites.

Matériel

- ordinateur muni d'un tableur

ou

- calculatrice à affichage graphique TI-Nspire™ CAS

On peut écrire une suite arithmétique sous la forme $a, a + d, a + 2d, a + 3d, \ldots$, où a est le premier terme et d est la **raison arithmétique**. Ainsi, la formule du terme général d'une suite arithmétique est $t_n = a + (n - 1)d$, où $n \in \mathbb{N}^*$.

Exemple 1

Les suites arithmétiques

Détermine le premier terme, a, et la raison arithmétique, d, de chaque suite arithmétique.

a) $-4, 0, 4, 8, \ldots$

b) $\dfrac{1}{3}, \dfrac{5}{6}, \dfrac{4}{3}, \dfrac{11}{6}, \ldots$

c) $t_n = 2n + 3$

Solution

a) Puisque a est le premier terme de la suite, $a = -4$.

On obtient la valeur de d, c'est-à-dire la raison arithmétique, en soustrayant deux termes consécutifs.

$d = t_2 - t_1$
$\quad = 0 - (-4)$ Choisis deux termes consécutifs.
$\quad = 4$

b) Le premier terme est $a = \dfrac{1}{3}$. Calcule la raison arithmétique, d.

$d = t_2 - t_1$

$\quad = \dfrac{5}{6} - \dfrac{1}{3}$

$\quad = \dfrac{5}{6} - \dfrac{2}{6}$

$\quad = \dfrac{3}{6}$

$\quad = \dfrac{1}{2}$

c) Écris les premiers termes à partir de la formule $t_n = 2n + 3$.

$t_1 = 2(1) + 3 \qquad\qquad t_2 = 2(2) + 3 \qquad\qquad t_3 = 2(3) + 3$
$\quad = 5 \qquad\qquad\qquad\quad = 7 \qquad\qquad\qquad\quad = 9$

Le premier terme est 5, donc $a = 5$.
La valeur de d est 2.

Exemple 2

Déterminer la formule du terme général

Soit la suite $-13, -19, -25, \dots$

a) S'agit-il d'une suite arithmétique ? Explique comment tu le sais.

b) Détermine la formule du terme général.

c) Écris la valeur du 15e terme.

d) Représente la suite par une formule récursive.

Solution

a) Il s'agit d'une suite arithmétique. En examinant les termes, on peut voir que le premier terme est -13 et que chaque terme est égal à 6 de moins que le précédent.

b) Pour cette suite, $a = -13$ et $d = -6$.

$$t_n = a + (n - 1)d$$
$$= -13 + (n - 1)(-6)$$
$$= -13 - 6n + 6$$
$$= -6n - 7$$

Le terme général est donc défini par $t_n = -6n - 7$ ou, en notation fonctionnelle, par $f(n) = -6n - 7$.

c) $t_{15} = -6(15) - 7$
$$= -97$$

d) Puisqu'on peut écrire une suite arithmétique sous la forme
$a, a + d, a + 2d, a + 3d, \dots$

$$t_1 = a$$
$$t_2 = a + d \text{ ou } t_2 = t_1 + d$$
$$t_3 = t_2 + d$$
$$\vdots$$
$$t_n = t_{n-1} + d$$

Pour la suite $-13, -19, -25, \dots$, la formule récursive est
$t_1 = -13, t_n = t_{n-1} - 6$.

Exemple 3

La durée de possession

Anna paie 5 000 $ pour une guitare ancienne. La valeur de la guitare augmente de 160 $ chaque année. Si Anna vend la guitare un peu plus de 7 000 $, pendant combien de temps l'a-t-elle conservée?

Solution

Puisque la valeur de la guitare augmente d'une valeur constante chaque année, sa valeur à la fin de chaque année génère une suite arithmétique. Le premier terme de la suite est 5 160, la valeur à la fin de la première année.

Remplace a par 5 160, d par 160 et t_n par 7 000 dans la formule du terme général d'une suite arithmétique, puis résous l'équation.

$$t_n = a + (n - 1)d$$
$$7\ 000 = 5\ 160 + (n - 1)(160)$$
$$7\ 000 = 5\ 160 + 160n - 160$$
$$2\ 000 = 160n$$
$$n = 12,5$$

Anna a conservé la guitare pendant 12,5 années.

Exemple 4

Déterminer les valeurs de a et de d à partir de deux termes

Dans une suite arithmétique, $t_{11} = 72$ et $t_{21} = 142$. Quels sont le premier terme et la raison arithmétique?

Solution

Forme un système d'équations en reportant les valeurs données dans la formule du terme général, $t_n = a + (n - 1)d$. Ensuite, détermine les valeurs de a et de d en résolvant ce système.

Pour t_{11}, $72 = a + 10d$.
Pour t_{21}, $142 = a + 20d$.

$$72 = a + 10d \qquad ①$$
$$\underline{142 = a + 20d} \qquad ②$$
$$-70 = -10d \qquad ① - ②$$
$$d = 7$$

Remplace d par 7 dans l'équation ① et résous-la.

$$72 = a + 10d$$
$$72 = a + 10(7)$$
$$72 = a + 70$$
$$a = 2$$

Le premier terme est 2 et la raison arithmétique est 7.

Concepts clés

- Une suite arithmétique est une suite dans laquelle la différence entre deux termes consécutifs est constante.

- On appelle *raison arithmétique* la différence entre deux termes consécutifs d'une suite arithmétique.

- La formule du terme général d'une suite arithmétique est $t_n = a + (n - 1)d$, où a est le premier terme, d, la raison arithmétique, et n, le rang du terme.

Communication et compréhension

C1 Compare ces deux suites.

A : 1, 3, 5, 7, 9, ...   B : 2, 1, 3, 2, 4, ...

S'agit-il de suites arithmétiques ? Explique ton raisonnement.

C2 Comment peut-on déterminer n'importe quel terme d'une suite arithmétique à partir du premier terme et de la raison arithmétique de cette suite ? Explique ta réponse à l'aide d'un exemple.

Ⓐ À ton tour

Si tu as besoin d'aide pour répondre aux questions 1 à 5, reporte-toi aux exemples 1 et 2.

1. Pour chaque suite arithmétique, détermine les valeurs de a et de d. Ensuite, écris les quatre prochains termes.

a) 12, 15, 18, ...   **b)** 6, 4, 2, ...

c) 0,2, 0,35, 0,5, ...   **d)** $-30, -24, -18, ...$

e) $5, -1, -7, ...$ **f)** $\frac{1}{2}, 1, \frac{3}{2}, ...$

2. Indique si chaque suite est arithmétique. Explique tes réponses.

a) 3, 5, 7, 9, ...   **b)** 2, 5, 9, 14, ...

c) $4, -6, 8, -10, ...$ **d)** $13, 7, 1, -5, ...$

e) $-12, -5, 2, 9, ...$ **f)** 0, 1,5, 3, 4,5, ...

3. À partir des valeurs de a et de d, écris les trois premiers termes de chaque suite arithmétique et la formule de son terme général.

a) $a = 5, d = 2$ **b)** $a = -2, d = -4$

c) $a = 9, d = -3,5$ **d)** $a = 0, d = -\frac{1}{2}$

e) $a = 100, d = 10$ **f)** $a = \frac{3}{4}, d = \frac{1}{2}$

g) $a = 10, d = t$ **h)** $a = x, d = 2x$

4. À partir de la formule du terme général d'une suite arithmétique, détermine t_{12}.

a) $t_n = 3n + 4$ **b)** $f(n) = 1 - 4n$

c) $t_n = \frac{1}{2}n + \frac{3}{2}$ **d)** $f(n) = 20 - 1,5n$

5. À partir de la formule du terme général d'une suite arithmétique, écris les trois premiers termes. Ensuite, représente graphiquement la fonction discrète qui définit chaque suite.

a) $t_n = 2n - 3$ **b)** $f(n) = -n - 1$

c) $f(n) = 2(2 - n)$ **d)** $t_n = -2n - 5$

e) $f(n) = \frac{2n + 1}{4}$ **f)** $t_n = 0,2n + 0,1$

Si tu as besoin d'aide pour répondre aux questions 6 et 7, reporte-toi à l'exemple 3.

6. Quel terme de la suite $9, 4, -1, ...$ a une valeur de -146 ?

7. Détermine le nombre de termes dans chaque suite arithmétique.

a) 5, 10, 15, ..., 200

b) $38, 36, 34, ..., -20$

c) $-5, -8, -11, ..., -269$

d) $-7, -4, -1, ..., 95$

B Liens et mise en application

8. Vérifie que la suite représentée par la formule récursive $t_1 = 8$, $t_n = t_{n-1} - 2$, est arithmétique.

9. Pour chaque suite, détermine les valeurs de a et de d, puis écris les trois prochains termes.

a) $\dfrac{5}{2}$, 2, $\dfrac{3}{2}$, ...

b) -6, $-\dfrac{7}{2}$, -1, ...

c) $2a$, $2a - b$, $2a - 2b$, ...

Si tu as besoin d'aide pour répondre à la question 10, reporte-toi à l'exemple 4.

10. Détermine a et d, puis écris la formule du terme général de chaque suite arithmétique, à partir des termes donnés.

a) $t_8 = 33$ et $t_{14} = 57$

b) $t_{10} = 50$ et $t_{27} = 152$

c) $t_5 = -20$ et $t_{18} = -59$

d) $t_7 = 3 + 5x$ et $t_{11} = 3 + 23x$

11. Représente chaque suite de la question 10 par une formule récursive.

12. Pour chaque représentation graphique d'une suite arithmétique, détermine la formule du terme général.

a)

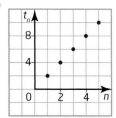

b)

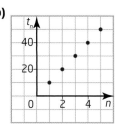

c)

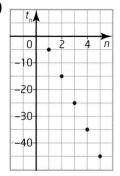

d)

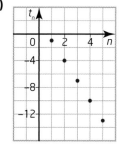

13. À un jeu de loterie, la personne qui détient le premier billet tiré gagne 10 000 $. Chaque personne suivante gagne 500 $ de moins que la personne précédente.

a) Combien d'argent la 10ᵉ personne gagne-t-elle ?

b) Combien de gagnantes et de gagnants y a-t-il en tout ? Explique ta réponse.

14. Le salaire initial d'une ingénieure est de 87 000 $. L'entreprise lui promet une augmentation de 4 350 $ chaque année si son rendement est satisfaisant. Quel sera le salaire de l'ingénieure au bout de 10 ans ?

15. Deux semaines après son ouverture, un centre de conditionnement physique compte 870 membres. À la fin de la septième semaine, il en compte 1 110. Si la progression est arithmétique, quel était le nombre de membres à la fin de la première semaine ?

16. Le nombre m est la moyenne arithmétique de a et de b si a, m et b forment une suite arithmétique. Soit deux moyennes arithmétiques, m et n. Alors a, m, n et b forment une suite arithmétique. Détermine deux moyennes arithmétiques entre 9 et -45.

17. Combien de multiples de 8 y a-t-il entre -58 et 606 ?

18. Parmi les suites représentées par les formules récursives qui suivent, lesquelles sont arithmétiques ? Émets une observation générale sur la façon de reconnaître une suite arithmétique à partir d'une formule récursive.

a) $t_n = t_{n-1} + 3$

b) $t_n = 4t_{n-1} + t_{n-2}$

c) $t_n = (t_{n-1})^2$

d) $t_n = -2t_{n-1} - 5$

C Approfondissement

19. Reporte-toi à la question 16. La régularité se prolonge pour n'importe quel nombre de moyennes arithmétiques. Détermine les trois moyennes arithmétiques entre $x + 2y$ et $4x + 4y$.

20. Détermine la valeur de x telle que x, $\frac{1}{2}x + 7$ et $3x - 1$ sont les trois premiers termes d'une suite arithmétique.

21. La somme des deux premiers termes d'une suite arithmétique est 15 et la somme des deux termes suivants est 43. Écris les quatre premiers termes de la suite.

22. a) Résous le système d'équations $x + 2y = 3$ et $5x + 3y = 1$.

b) Résous le système d'équations $9x + 5y = 1$ et $2x - y = -4$.

c) Énonce une conjecture, et prouve-la, au sujet de la solution d'un système d'équations $ax + by = c$ et $dx + ey = f$, où a, b, c et d, e, f sont des suites arithmétiques distinctes.

23. Concours de maths Sarah compte à rebours à partir de 412 par intervalles de 6 (412, 406, 400, ...) à voix haute. Un des nombres qu'elle dira est :

A 32.　　**B** 12.　　**C** 58.　　**D** 104.

24. Concours de maths Démontre que pour tout triangle qui a un angle intérieur de 60°, les trois angles forment une suite arithmétique.

25. Concours de maths Sans utiliser de calculatrice, détermine le prochain terme de la suite $\frac{1}{36}$, $\frac{1}{18}$, $\frac{1}{12}$, $\frac{1}{9}$, ...

A $\frac{1}{6}$　　**B** $\frac{5}{36}$　　**C** $\frac{1}{4}$　　**D** $\frac{1}{7}$

26. Concours de maths Le cinquième terme d'une suite est 7 et le septième terme est 5. Chaque terme de la suite est égal à la somme des deux termes précédents. Quel est le neuvième terme de cette suite ?

A 3　　**B** 1　　**C** 8　　**D** −5

27. Concours de maths Pour obtenir le résidu d'un nombre, on additionne tous ses chiffres. Si la somme obtenue compte plus d'un chiffre, on additionne encore les chiffres jusqu'à ce que la somme ait un seul chiffre. Par exemple, le résidu de 23 454 est 9, puisque $2 + 3 + 4 + 5 + 4 = 18$ et $1 + 8 = 9$. Chaque terme d'une suite est le résidu du carré du terme précédent. Si le premier terme de cette suite est 5, quel en sera le 101e terme ?

A 7　　**B** 13　　**C** 25　　**D** 4

Les maths au travail

Stéphane a obtenu son baccalauréat après avoir étudié l'informatique et la biologie pendant 4 ans. Il travaille dans le domaine de la bio-informatique, où les connaissances découlent de l'analyse informatique de données biologiques. L'étude scientifique des organismes repose sur de grandes quantités de données au sujet de leurs cellules, de leurs protéines, de leurs gènes et d'autres caractéristiques. Stéphane traite des données biologiques à l'aide de techniques d'analyse et d'algorithmes informatiques. Grâce à ses habiletés en informatique et en mathématiques, il aide d'autres chercheuses et chercheurs à analyser les renseignements stockés dans la base de données. Leur but est de dépister, de prévenir et de guérir les maladies.

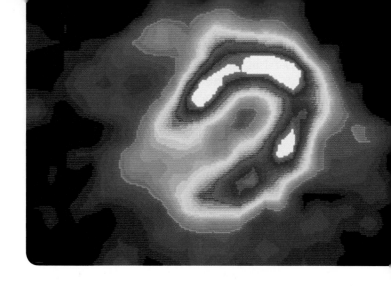

6.5

Les suites géométriques

Les substances radioactives permettent aux médecins de poser des diagnostics. Par exemple, on peut injecter du thallium 201 dans le sang d'une personne et observer son déplacement dans le système sanguin et le cœur à l'aide d'une caméra spéciale. Puisque les substances radioactives sont dangereuses, les médecins doivent savoir combien de temps elles demeurent dans le corps. Des **suites géométriques** peuvent représenter la durée pendant laquelle les substances radioactives demeurent dans le corps.

Elles peuvent aussi servir à déterminer les niveaux de radioactivité dans le sol ou dans l'atmosphère.

suite géométrique

• une suite dans laquelle le rapport entre deux termes consécutifs est constant

Matériel

• papier quadrillé

Maths et monde

Le becquerel (Bq) sert à mesurer l'activité radioactive. Il est égal à une désintégration par seconde. Les multiples couramment utilisés du becquerel sont le kBq (kilobecquerel, 10^3 Bq), le MBq (mégabecquerel, 10^6 Bq) et le GBq (gigabecquerel, 10^9 Bq). Cette unité a été nommée en l'honneur d'Henri Becquerel, qui a partagé un prix Nobel avec Pierre et Marie Curie, pour des travaux ayant mené à la découverte de la radioactivité.

Explore

Comment peut-on déterminer les termes d'une suite géométrique?

On injecte 50 MBq de thallium 201 à une personne avant de capter une image de son cœur. Le thallium 201 a une demi-vie de 73 h.

1. Reproduis le tableau qui suit et remplis-le pour déterminer la quantité de thallium 201 présente dans le corps au bout d'environ 2 semaines (ou cinq périodes de 73 h).

Temps (périodes de 73 h)	Quantité (MBq)	Premières différences
0	50	
1		
2		
3		
4		
5		

2. Exprime la quantité de thallium à la fin de chaque période de 73 h sous la forme d'une suite dont 50 est le premier terme.

3. **Réflexion** S'agit-il d'une suite arithmétique? Explique ta réponse.

4. Décris la régularité des premières différences.

5. Représente graphiquement la suite et décris la régularité des points.

6. Divise chaque terme qui suit le premier par le terme précédent. Que remarques-tu?

7. Exprime chaque terme de la suite en fonction de la quantité initiale de thallium 201 et de la valeur calculée à l'étape 6. À partir de ces expressions, écris la formule du terme général de la suite.

8. Réflexion Après combien de temps la quantité de thallium 201 dans le corps sera-t-elle inférieure à 0,01 MBq?

On détermine les termes d'une suite géométrique en multipliant le premier terme, a, et chaque terme suivant par une **raison géométrique**, r. On peut exprimer une suite géométrique sous la forme a, ar^2, ar^3, ar^4, ... Ainsi, la formule du terme général d'une suite géométrique est $t_n = ar^{n-1}$, où $r \neq 0$ et $n \in \mathbb{N}^*$.

raison géométrique

• le rapport entre deux termes consécutifs d'une suite géométrique

Exemple 1

Déterminer le type de suite

Détermine si chaque suite est arithmétique, géométrique, ou ni l'un ni l'autre. Explique chaque réponse.

a) 2, 5, 10, 17, ...

b) 0,2, 0,02, 0,002, 0,000 2, ...

c) $a + 2$, $a + 4$, $a + 6$, $a + 8$, ...

Solution

a) $\frac{5}{2} = 2,5$, $\frac{10}{5} = 2$, $\frac{17}{10} = 1,7$ Divise chaque terme par le terme précédent pour vérifier s'il y a une raison géométrique.

Il n'y a pas de raison géométrique.

$5 - 2 = 3$, $10 - 5 = 5$, $17 - 10 = 7$ Soustrais des termes consécutifs pour vérifier s'il y a une raison arithmétique.

Il n'y a pas de raison arithmétique.

Cette suite n'est ni arithmétique ni géométrique.

b) $\frac{0,02}{0,2} = 0,1$, $\frac{0,002}{0,02} = 0,1$, $\frac{0,000 \, 2}{0,002} = 0,1$

Puisqu'il y a une raison géométrique, il s'agit d'une suite géométrique.

c) $(a + 4) - (a + 2) = 2$, $(a + 6) - (a + 4) = 2$, $(a + 8) - (a + 6) = 2$

Puisqu'il y a une raison arithmétique, il s'agit d'une suite arithmétique.

Exemple 2

Écrire les termes d'une suite géométrique

Écris les trois premiers termes de chaque suite géométrique.

a) $f(n) = 5(3)^{n-1}$

b) $t_n = 16\left(\dfrac{1}{4}\right)^{n-1}$

c) $a = 125$ et $r = -2$

Solution

a) $f(n) = 5(3)^{n-1}$

$$f(1) = 5(3)^{1-1} \qquad\qquad f(2) = 5(3)^{2-1} \qquad\qquad f(3) = 5(3)^{3-1}$$
$$ = 5(3)^0 \qquad\qquad\quad = 5(3)^1 \qquad\qquad\quad = 5(3)^2$$
$$ = 5 \qquad\qquad\qquad\;\; = 15 \qquad\qquad\qquad = 45$$

Les trois premiers termes sont 5, 15 et 45.

b) $t_n = 16\left(\dfrac{1}{4}\right)^{n-1}$

$$t_1 = 16\left(\dfrac{1}{4}\right)^{1-1} \qquad\qquad t_2 = 16\left(\dfrac{1}{4}\right)^{2-1} \qquad\qquad t_3 = 16\left(\dfrac{1}{4}\right)^{3-1}$$
$$ = 16\left(\dfrac{1}{4}\right)^0 \qquad\qquad\;\; = 16\left(\dfrac{1}{4}\right)^1 \qquad\qquad\;\; = 16\left(\dfrac{1}{4}\right)^2$$
$$ = 16 \qquad\qquad\qquad\;\;\; = 4 \qquad\qquad\qquad\;\;\; = 1$$

Les trois premiers termes sont 16, 4 et 1.

c) Puisque $a = 125$ et $r = -2$, la formule du terme général est $t_n = 125(-2)^{n-1}$.

$$t_1 = 125(-2)^{1-1} \qquad\qquad t_2 = 125(-2)^{2-1} \qquad\qquad t_3 = 125(-2)^{3-1}$$
$$ = 125(-2)^0 \qquad\qquad\;\; = 125(-2)^1 \qquad\qquad\;\; = 125(-2)^2$$
$$ = 125 \qquad\qquad\qquad\;\; = -250 \qquad\qquad\qquad = 500$$

Les trois premiers termes sont 125, -250 et 500.

Maths et monde

Quand la raison géométrique d'une suite est négative, on obtient une suite alternée, c'est-à-dire une suite dans laquelle les signes des termes alternent.

Exemple 3

Déterminer le nombre de termes

Détermine le nombre de termes de la suite géométrique 4, 12, 36, ..., 2 916.

Solution

Dans cette suite, $a = 4$, $r = 3$ et $t_n = 2\,916$. Reporte ces valeurs dans la formule du terme général d'une suite géométrique et résous l'équation.

$$t_n = ar^{n-1}$$
$$2\ 916 = 4(3)^{n-1}$$
$$\frac{2\ 916}{4} = 3^{n-1}$$
$$729 = 3^{n-1}$$
$$3^6 = 3^{n-1} \qquad \text{Écris 729 sous la forme d'une puissance de 3.}$$

Puisque les bases sont les mêmes, les exposants doivent être égaux.

$$n - 1 = 6$$
$$n = 7$$

Il y a sept termes dans cette suite.

Exemple 4

Les accidents de la route

En 1976, le port de la ceinture de sécurité est devenu obligatoire au Canada. Depuis ce temps, le nombre de décès liés aux collisions de véhicules à moteur a diminué. De 1984 à 2003, le nombre de décès a diminué d'environ 8 % par période de 5 ans. En 1984, il était d'environ 4 100.

a) Écris une formule pour prédire le nombre de décès pour toute période de 5 ans depuis 1984.

b) Exprime le nombre de décès sous la forme d'une suite pour cinq périodes de 5 ans.

Maths et monde

Selon Transport Canada, 93 % des Canadiennes et Canadiens portaient leur ceinture de sécurité en 2007. Les 7 % qui ne la portaient pas ont compté pour presque 40 % des décès liés aux collisions de véhicules à moteur.

Solution

a) On peut représenter le nombre de décès par une suite géométrique où $a = 4\ 100$ et $r = 0,92$. La formule est donc $t_n = 4\ 100(0,92)^{n-1}$, où n est le nombre de périodes de 5 ans depuis 1984.

b) $t_1 = 4\ 100$, $t_2 = 4\ 100(0,92)$, $t_3 = 4\ 100(0,92)^2$, $t_4 = 4\ 100(0,92)^3$, $t_5 = 4\ 100(0,92)^4$

Les nombres de décès pour cinq périodes de 5 ans sont 4 100, 3 772, 3 470, 3 193 et 2 937.

Concepts clés

- Une suite géométrique est une suite dans laquelle le rapport entre deux termes consécutifs est constant.

- On appelle *raison géométrique* le rapport entre deux termes consécutifs d'une suite géométrique.

- La formule du terme général d'une suite géométrique est $t_n = a(r)^{n-1}$, où a est le premier terme, r est la raison géométrique et n est le rang du terme.

Communication et compréhension

C1 Comment peux-tu déterminer si une suite est arithmétique, géométrique, ou ni l'un ni l'autre ? Donne un exemple de chaque type de suite.

C2 Décris la façon de déterminer la formule du terme général, t_n, de la suite géométrique 5, −10, 20, −40, …

C3 Examine les graphiques qui suivent. Indique si la suite représentée est arithmétique ou géométrique. Explique ton raisonnement.

a)

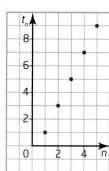

b)

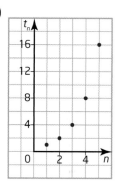

Ⓐ À ton tour

Si tu as besoin d'aide pour répondre à la question 1, reporte-toi à l'exemple 1.

1. Détermine si chaque suite est arithmétique, géométrique, ou ni l'un ni l'autre. Explique chaque réponse.

  a) 5, 3, 1, −1, …

  b) 5, −10, 20, −40, …

  c) 4, 0,4, 0,04, 0,004, …

  d) $\dfrac{1}{2}, \dfrac{1}{6}, \dfrac{1}{18}, \dfrac{1}{54}, \ldots$

  e) $1, \sqrt{2}, \sqrt{3}, 2, \sqrt{5}, \ldots$

  f) 1, 5, 2, 5, …

Si tu as besoin d'aide pour répondre aux questions 2 à 4, reporte-toi à l'exemple 2.

2. Indique la raison géométrique de chaque suite et écris les trois prochains termes.

  a) 1, 2, 4, 8, …

  b) −3, 9, −27, 81, …

  c) $\dfrac{2}{3}, -\dfrac{2}{3}, \dfrac{2}{3}, -\dfrac{2}{3}, \ldots$

  d) 600, −300, 150, −75, …

e) −15, −15, −15, −15, …

f) 0,3, 3, 30, 300, …

g) 72, 36, 18, 9, …

h) $x, x^3, x^5, x^7, \ldots$

3. Détermine la formule du terme général de chaque suite, puis écris le terme t_9.

  a) 54, 18, 6, …

  b) 4, 20, 100, …

  c) $\dfrac{1}{6}, \dfrac{1}{5}, \dfrac{6}{25}, \ldots$

  d) 0,002 5, 0,025, 0,25, …

4. Écris les quatre premiers termes de chaque suite géométrique.

  a) $t_n = 5(2)^{n-1}$

  b) $a = 500$ et $r = -5$

  c) $f(n) = \dfrac{1}{4}(-3)^{n-1}$

  d) $f(n) = 2\left(\sqrt{2}\right)^{n-1}$

  e) $a = -1$ et $r = \dfrac{1}{5}$

  f) $t_n = -100(-0,2)^{n-1}$

Si tu as besoin d'aide pour répondre à la question 5, reporte-toi à l'exemple 3.

5. Détermine le nombre de termes de chaque suite géométrique.

a) 6, 18, 54, …, 4 374

b) 0,1, 100, 100 000, …, 10^{14}

c) 5, −10, 20, …, −10 240

d) 3, $3\sqrt{3}$, 9, …, 177 147

e) 31 250, 6 250, 1 250, …, 0,4

f) 16, −8, 4, …, $\dfrac{1}{4}$

Ⓑ Liens et mise en application

6. Détermine si chaque suite est arithmétique, géométrique, ou ni l'un ni l'autre. Si elle est arithmétique, détermine les valeurs de a et de d. Si elle est géométrique, détermine les valeurs de a et de r.

a) $x, 3x, 5x, \ldots$ **b)** $1, \dfrac{x}{2}, \dfrac{x^2}{4}, \ldots$

c) $\dfrac{m^2}{n}, \dfrac{m^3}{2n}, \dfrac{m^4}{3n}, \ldots$ **d)** $\dfrac{5x}{10}, \dfrac{5x}{10^3}, \dfrac{5x}{10^5}, \ldots$

7. Quel terme de la suite géométrique 1, 3, 9, … a une valeur de 19 683?

8. Quel terme de la suite géométrique $\dfrac{3}{64}, -\dfrac{3}{16}, \dfrac{3}{4}, \ldots$ a une valeur de 192?

9. Les bactéries *Listeria monocytogenes* causent parfois une intoxication alimentaire. À une température de 10 °C, leur nombre double au bout d'environ 7 h. Si un échantillon d'aliment contient 100 de ces bactéries, combien de temps faudra-t-il pour que ce nombre dépasse 1 000 000?

10. En 1986, l'explosion de vapeur causée par un réacteur nucléaire à Tchernobyl a libéré de la radioactivité dans l'air. Il y a eu un très grand nombre de décès et de maladies, et le sol, l'eau et l'air sont encore aujourd'hui contaminés. Une des substances radioactives libérées, le césium 137, est très nocive pour l'être humain, car elle s'accumule dans le sol, l'eau et le corps. Les scientifiques croient qu'une concentration de césium 137 de plus de 1 Ci/km² (curie par kilomètre carré) est dangereuse.

a) Détermine la quantité de césium par kilomètre carré si environ $1,5 \times 10^6$ Ci de cette substance ont été libérés dans l'environnement et répandus sur une aire d'environ 135 000 km².

b) Le césium 137 a une demi-vie de 30 ans. Représente la quantité restante au bout de n années par une formule. Après combien de temps la concentration atteindra-t-elle un niveau sécuritaire?

c) Effectue une recherche sur cette tragédie pour en apprendre davantage sur ses effets à long terme sur l'environnement et la population de la région contaminée.

> **Maths et monde**
>
> Le curie (Ci) est une unité de mesure de la radioactivité nommée en l'honneur de Pierre et Marie Curie. Il a été remplacé par le becquerel (Bq).
> 1 Ci = $3,7 \times 10^{10}$ Bq

11. Une personne commence une chaîne de courriels en envoyant six courriels. Chaque destinataire envoie six courriels, et ainsi de suite. Combien de courriels seront envoyés à la sixième étape de la chaîne?

12. **Problème du chapitre** On divise un carré d'une aire de 1 unité carrée en neuf carrés, puis on colorie tous les carrés, sauf celui du centre. On répète ce processus avec les carrés colorés pour produire une fractale appelée *tapis de Sierpinski*.

Étape 1   Étape 2

a) Trace les cinq premières étapes de la fractale sur du papier quadrillé.

b) Représente l'aire des régions colorées à chaque étape par une formule.

c) À l'aide de cette formule, détermine l'aire des régions colorées à l'étape 20.

d) Effectue une recherche sur cette fractale. Quand l'a-t-on explorée la première fois?

13. Dans un pays, les élections ont lieu tous les 4 ans. La participation électorale augmente de 2,6 % chaque fois qu'on tient des élections. En 1850, quand le pays a été formé, 1 million de personnes ont voté.

a) Représente le nombre d'électrices et d'électeurs qui participent à une élection donnée à l'aide d'une équation. Trace le graphique de cette fonction.

b) S'agit-il d'une fonction continue ou discrète? Explique ta réponse.

c) Combien de personnes ont voté à l'élection de 2010?

14. La moyenne géométrique d'un ensemble de n nombres est la racine n^e du produit des nombres. Par exemple, soit 6 et 24, deux termes non consécutifs d'une suite géométrique. Leur produit est 144 et leur moyenne géométrique, $\sqrt{144}$, ou 12. Les nombres 6, 12 et 24 forment une suite géométrique.

a) Détermine la moyenne géométrique de 5 et de 125.

b) Insère trois moyennes géométriques entre 4 et 324.

✔ **Question d'évaluation**

15. Aika veut tester les connaissances de son père. Elle lui propose donc deux façons de lui remettre son argent de poche durant un an. Selon la proposition 1, il lui remettrait 25 $ chaque semaine. Selon la proposition 2, il lui remettrait 0,25 $ la première semaine, puis doublerait ce montant chaque semaine suivante.

a) Quelle proposition représente une suite arithmétique? Détermine la formule du terme général de la suite.

b) Quelle proposition représente une suite géométrique? Détermine la formule du terme général de la suite.

c) Quelle option son père devrait-il choisir? Explique ta réponse.

C **Approfondissement**

16. Détermine la ou les valeurs de y si $4y + 1$, $y + 4$ et $10 - y$ sont des termes consécutifs d'une suite géométrique.

17. Détermine x et y dans chaque suite géométrique.

a) 3, x, 12, y, ...   **b)** -2, x, y, 102 4, ...

18. Reporte-toi à la question 14. Détermine trois moyennes géométriques entre $x^5 + x^4$ et $x + 1$.

19. La population d'une ville passe de 12 000 à 91 125 personnes en 10 ans. Détermine le taux de croissance annuel, si cette croissance est géométrique.

20. Les trois premiers termes de la suite -8, x, y, 72 forment une suite arithmétique, tandis que les deuxième, troisième et quatrième termes forment une suite géométrique. Détermine x et y.

21. Concours de maths Trois nombres forment une suite arithmétique dont la raison arithmétique est 7. Diminue le premier terme de la suite de 3, augmente le deuxième terme de 7 et double le troisième terme. Les nouveaux termes forment une suite géométrique. Quel est le premier terme de la suite initiale?

A 7   **B** 16   **C** 20   **D** 68

22. Concours de maths Chaque terme d'une suite géométrique est égal à la somme des deux termes précédents. Si le premier terme est 2, quel pourrait être le deuxième terme?

A $-4 + \sqrt{3}$ **B** $1 - \sqrt{5}$
C $4 - \sqrt{3}$ **D** $-1 + \sqrt{5}$

23. Concours de maths En photographie, la rapidité d'un film est la mesure de sa sensibilité à la lumière. L'échelle de sensibilité ISO (Organisation internationale de normalisation) forme une suite géométrique. Si le premier terme de la suite est 25 et le quatrième terme est 50, quel est le cinquième terme?

Les séries arithmétiques

Dar Robinson était un cascadeur célèbre. En 1979, Dar a reçu 100 000 $ pour sauter de la tour CN à Toronto. Durant la première seconde du saut, Dar a parcouru 4,9 m ; durant la seconde suivante, il a parcouru 14,7 m, et durant la troisième seconde, il a parcouru 24,5 m. Cette régularité s'est prolongée pendant 12 s. On peut déterminer la hauteur totale du saut en additionnant tous les termes de cette suite.

Explore

Comment peut-on additionner rapidement une longue suite de nombres ?

1. Reproduis ce tableau et complète-le pour déterminer la somme des 10 premiers nombres naturels pairs.

Nombre de termes	Somme développée	Somme	Moyenne de tous les termes	Moyenne du premier et du dernier terme
1	2	2	2	2
2	2 + 4	6	3	3
3	2 + 4 + 6	12	4	4
4	2 + 4 + 6 + 8	20	5	5

> **Maths et monde**
>
> Souviens-toi que la moyenne est égale à la somme des valeurs d'un ensemble divisée par le nombre de valeurs dans cet ensemble.

2. Réflexion En quoi la somme des termes, le nombre de termes dans la somme et la moyenne des termes sont-ils reliés ? En quoi la moyenne du premier et du dernier terme et celles de tous les termes sont-elles reliées ?

3. a) Représente par une formule la somme d'une **série** dont le premier et le dernier terme sont connus.

b) Détermine la somme des 100 premiers nombres naturels pairs à l'aide de cette formule.

> **série**
> • l'expression de la somme des termes d'une suite

4. Vérifie que ta formule s'applique à la série suivante :
$1 + 3 + 5 + 7 + 9 + 11$.

5. Suppose que la somme des six premiers nombres pairs est écrite dans l'ordre, puis en ordre inverse.

$2 + 4 + 6 + 8 + 10 + 12$

$\underline{12 + 10 + 8 + 6 + 4 + 2}$

Additionne ces deux séries de nombres et divise le résultat par 2.

6. Réflexion Compare le résultat obtenu à l'étape 5 avec ta formule.

La méthode présentée à l'étape 5 de la rubrique *Explore* permet d'établir une formule pour calculer la somme, S_n, des n premiers termes d'une **série arithmétique**.

On peut écrire les termes de n'importe quelle suite arithmétique sous la forme a, $(a + d)$, $(a + 2d)$, ..., $(t_n - d)$, t_n, où n est le nombre de termes, a est le premier terme, d est la raison arithmétique et t_n est le dernier terme.

La série arithmétique correspondante est :

$$S_n = a + (a + d) + (a + 2d) + ... + (t_n - d) + t_n$$
$$+\ S_n = t_n + (t_n - d) + (t_n - 2d) + ... + (a + d) + a \quad \text{Écris la série dans l'ordre inverse.}$$
$$\overline{2S_n = (a + t_n) + (a + t_n) + (a + t_n) + ... + (a + t_n) + (a + t_n)} \quad \text{Additionne.}$$
$$2S_n = n(a + t_n)$$
$$S_n = \frac{n}{2}(a + t_n) \qquad ① \qquad \text{Divise chaque membre par 2.}$$

En substituant $a + (n - 1)d$ à t_n dans la formule ①, on peut représenter la somme d'une série arithmétique à l'aide d'une formule différente, la formule ② :

$$S_n = \frac{n}{2}[a + a + (n - 1)d]$$
$$S_n = \frac{n}{2}[2a + (n - 1)d] \qquad ②$$

La formule ② permet de déterminer la somme, S_n, des n premiers termes d'une série arithmétique dont le dernier terme, t_n, n'est pas connu.

Exemple 1

Déterminer la somme d'une série arithmétique

Détermine la somme des 10 premiers termes de chaque série arithmétique.

a) $a = 2$, $d = 4$ et $t_{10} = 38$

b) $a = -4$ et $d = -3$

Solution

a) Méthode 1 : Utiliser du papier et un crayon

Utilise la formule ① :

$$S_n = \frac{n}{2}(a + t_n)$$
$$S_{10} = \frac{10}{2}(2 + 38)$$
$$= 5(40)$$
$$= 200$$

Utilise la formule ② :

$$S_n = \frac{n}{2}[2a + (n - 1)d]$$
$$S_{10} = \frac{10}{2}[2(2) + (10 - 1)4]$$
$$= 5(40)$$
$$= 200$$

La somme des 10 premiers termes de la série arithmétique est 200.

Méthode 2 : Utiliser une calculatrice à affichage graphique

Enregistre d'abord les 10 premiers termes dans la liste **L1**.

- Appuie sur ⟮ 2nd ⟯ [LIST] et amène le curseur sur **OPS**.
- Sélectionne **5:seq(** et saisis $2 + (x - 1) \times 4$, x, 1, 10, 1).
- Appuie sur ⟮STO▶⟯ ⟮ 2nd ⟯ [L1] ⟮ENTER⟯.

Ensuite, détermine la somme.

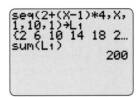

- Appuie sur ⟮ 2nd ⟯ [LIST] et amène le curseur sur **MATH**.
- Sélectionne **5:sum(** et saisis **L1**).
- Appuie sur ⟮ENTER⟯.

La somme des 10 premiers termes de la série arithmétique est 200.

b) Méthode 1 : Utiliser du papier et un crayon

Utilise la formule ② :

$$S_n = \frac{n}{2}[2a + (n - 1)d]$$

$$S_{10} = \frac{10}{2}[2(-4) + (10 - 1)(-3)]$$

$$= 5(-35)$$

$$= -175$$

La somme des 10 premiers termes de la série arithmétique est -175.

Méthode 2 : Utiliser une calculatrice à affichage graphique

Choisis la fonction **sequence** et saisis $-4 + (x - 1) \times -3$, x, 1, 10, 1). Enregistre la liste dans **L1**. Ensuite, utilise la fonction **sum**.

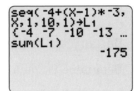

La somme des 10 premiers termes de la série arithmétique est -175.

Exemple 2

Déterminer la somme d'une série arithmétique à partir des premiers termes

Détermine la somme indiquée pour chaque série arithmétique.

a) S_{15} pour $-12 - 8 - 4 - \dots$

b) S_{20} pour $-11m - 2m + 7m + \dots$

Solution

a) Pour la série arithmétique $-12 - 8 - 4 - ...$, $a = -12$, $d = 4$ et $n = 15$.

Utilise la formule ② :

$$S_n = \frac{n}{2}[2a + (n - 1)d]$$

$$S_{15} = \frac{15}{2}[2(-12) + (15 - 1)(4)]$$

$$= \frac{15}{2}(32)$$

$$= 240$$

b) Pour la série arithmétique $-11m - 2m + 7m + ...$, $a = -11m$, $d = 9m$ et $n = 20$.

Utilise la formule ② :

$$S_n = \frac{n}{2}[2a + (n - 1)d]$$

$$S_{20} = \frac{20}{2}[2(-11m) + (20 - 1)(9m)]$$

$$= 10(149m)$$

$$= 1\ 490m$$

Exemple 3

Déterminer la somme d'une série arithmétique dont on connaît les trois premiers termes et le dernier terme

Détermine la somme de cette série arithmétique :

$3 + 8 + 13 + ... + 58$

Solution

Pour utiliser l'une ou l'autre des formules, tu dois d'abord déterminer le nombre de termes.

Pour cette série, $a = 3$, $d = 5$ et $t_n = 58$.

$$t_n = a + (n - 1)d$$
$$58 = 3 + (n - 1)(5)$$
$$58 = 5n - 2$$
$$60 = 5n$$
$$n = 12$$

Utilise la formule ① :

$$S_n = \frac{n}{2}(a + t_n)$$

$$S_{12} = \frac{12}{2}(3 + 58)$$

$$= 6(61)$$

$$= 366$$

Utilise la formule ② :

$$S_n = \frac{n}{2}[2a + (n - 1)d]$$

$$S_{12} = \frac{12}{2}[2(3) + (12 - 1)5]$$

$$= 6(61)$$

$$= 366$$

La somme de la série arithmétique est 366.

Exemple 4

Comparer des salaires

Un élève obtient un emploi d'une durée de 20 h. Il a le choix de recevoir 4,75 $ pour la première heure, 5 $ pour la deuxième, 5,25 $ pour la suivante et ainsi de suite, ou de recevoir 7 $/h pour chacune des heures travaillées. Quelle offre est la plus avantageuse?

Solution

La première offre est une série arithmétique où $a = 4,75$, $d = 0,25$ et $n = 20$. Pour déterminer le montant total gagné, calcule la somme de la série.

$$S_n = \frac{n}{2}[2a + (n - 1)d]$$

$$S_{20} = \frac{20}{2}[2(4,75) + (20 - 1)(0,25)]$$

$$= 10(14,25)$$

$$= 142,5$$

Selon la première offre, l'élève gagnera 142,50 $. Selon la deuxième offre, l'élève gagnera 7 $ × 20, ou 140 $. Donc, la première offre est plus avantageuse.

Concepts clés

- Une série arithmétique est l'expression de la somme des termes d'une suite arithmétique. Par exemple, 4, 9, 14, 19, ... est une suite arithmétique, tandis que 4 + 9 + 14 + 19 + ... est une série arithmétique.

- Lorsqu'on connaît le premier terme, le dernier terme et le nombre de termes, on peut déterminer la somme d'une série arithmétique à l'aide de la formule $S_n = \frac{n}{2}(a + t_n)$ ou de la formule $S_n = \frac{n}{2}[2a + (n - 1)d]$.

- Lorsqu'on connaît les premiers termes, on peut déterminer la somme des n premiers termes d'une série arithmétique à l'aide de la formule $S_n = \frac{n}{2}[2a + (n - 1)d]$.

Communication et compréhension

C1 Décris le lien entre une série arithmétique et une suite arithmétique. Explique ta réponse à l'aide d'un exemple.

C2 Dans quelle situation vaut-il mieux utiliser la formule $S_n = \frac{n}{2}(a + t_n)$ et dans quelle situation la formule $S_n = \frac{n}{2}[2a + (n - 1)d]$ convient-elle mieux?

C3 Décris une situation concrète qu'une série arithmétique pourrait représenter.

C4 Quels sens donne-t-on au mot *série* dans le français courant?

A À ton tour

Si tu as besoin d'aide pour répondre à la question 1, reporte-toi à l'exemple 1.

1. Détermine la somme de chaque série arithmétique.

   a) $a = 4$, $t_n = 9$ et $n = 6$

   b) $a = 10$, $d = -2$ et $n = 12$

   c) $a = 7$, $t_n = -22$ et $n = 12$

   d) $a = -4$, $t_n = 17$ et $n = 20$

   e) $a = \frac{1}{3}$, $d = -\frac{1}{2}$ et $n = 7$

   f) $a = 3x$, $t_n = 21x$ et $n = 15$

Si tu as besoin d'aide pour répondre aux questions 2 et 3, reporte-toi à l'exemple 2.

2. Pour chaque série arithmétique, détermine les valeurs de a et de d. Ensuite, détermine la somme des 20 premiers termes.

   a) $5 + 9 + 13 + \ldots$

   b) $20 + 25 + 30 + \ldots$

   c) $45 + 39 + 33 + \ldots$

   d) $2 + 2,2 + 2,4 + \ldots$

   e) $\frac{1}{2} + \frac{3}{4} + 1 + \ldots$

   f) $-5 - 6 - 7 - \ldots$

3. Détermine la somme de chaque série arithmétique dont le premier et le dernier terme sont donnés.

   a) $a = \frac{1}{2}$ et $t_8 = 4$

   b) $a = 19$ et $t_{12} = 151$

   c) $a = -5$ et $t_{45} = 17$

   d) $a = 11$ et $t_{20} = 101$

Si tu as besoin d'aide pour répondre aux questions 4 et 5, reporte-toi à l'exemple 3.

4. Détermine la somme de chaque série.

   a) $6 + 13 + 20 + \ldots + 69$

   b) $4 + 15 + 26 + \ldots + 213$

   c) $5 - 8 - 21 - \ldots - 190$

   d) $100 + 90 + 80 + \ldots - 100$

5. Détermine la somme de chaque série.

   a) $-1 + 2 + 5 + \ldots + 164$

   b) $2 - 5 - 12 - \ldots - 222$

   c) $21,5 + 14,2 + 6,9 + \ldots - 715,8$

   d) $\frac{5}{3} + \frac{11}{3} + \frac{17}{3} + \ldots + \frac{53}{3}$

B Liens et mise en application

6. Le 15e terme d'une suite arithmétique est 43 et la somme des 15 premiers termes de la série correspondante est 120. Détermine les trois premiers termes.

7. Dans une suite arithmétique de 50 termes, le 17e terme est 53 et le 28e est 86. Détermine la somme des 50 premiers termes de la série correspondante.

8. Détermine la somme de chaque série.

   a) $2\sqrt{7} + 5\sqrt{7} + 8\sqrt{7} + \ldots + 83\sqrt{7}$

   b) $x - 2x - 5x - \ldots - 56x$

   c) $(5a - 3b) + (4a - 2b) + (3a - b) + \ldots + (-5a + 7b)$

   d) $\frac{2}{x} + \frac{4}{x} + \frac{6}{x} + \ldots + \frac{18}{x}$

9. Lesquelles de ces séries sont arithmétiques? Explique tes réponses.

   a) $-2 - 8 - 11 - 17 - \ldots$

   b) $2x^2 + 3x^2 + 4x^2 + \ldots$

   c) $a + (a + 2b) + (a + 4b) + \ldots$

   d) $\frac{17}{20} + \frac{11}{20} + \frac{27}{20} + \ldots$

10. Dans une épicerie, des boîtes de jus empilées forment un triangle. La rangée du haut compte 5 boîtes et celle du bas, 12. Chaque rangée à partir du bas compte une boîte de moins que la précédente. Combien de boîtes y a-t-il en tout?

11. Une voiture miniature roule sur une piste inclinée et accélère à mesure qu'elle descend. Elle parcourt 4 cm durant la première seconde, 8 cm durant la deuxième, 12 cm durant la troisième et ainsi de suite. Détermine la distance totale que la voiture parcourt en 30 s.

12. Dans une phrase boule de neige, chaque mot compte une lettre de plus que le mot précédent. En voici un exemple : « Nous irons souper bientôt. »

　a) Détermine le nombre total de lettres dans la phrase.

　b) Écris ta propre phrase boule de neige et détermine le nombre de lettres qu'elle contient.

13. Écris une experssion de la somme des termes d'une série arithmétique dont les termes sont représentés par $t_n = 3n - 2$.

14. a) Détermine la valeur de x telle que $2x$, $3x + 1$ et $x^2 + 2$ sont les trois premiers termes d'une suite arithmétique.

Raisonnement
Modélisation
Sélection d'outils
Résolution de problèmes
Liens
Réflexion
Communication

　b) Détermine la somme des 10 premiers termes de la suite.

✔ **Question d'évaluation**

15. L'entreprise Les friandises glacées constate que ses bénéfices augmentent de 200 $ par semaine durant la saison estivale, qui dure 16 semaines. Elle réalise un bénéfice de 1 200 $ pendant la première semaine.

　a) Explique pourquoi le bénéfice total de la saison est représenté par une série arithmétique.

　b) Détermine le bénéfice total pour la saison.

C **Approfondissement**

16. $S(n)$ est une fonction qui représente la somme d'une série arithmétique. Détermine la série pour laquelle $S(13) = 507$ et $S(25) = 2\ 025$. Représente graphiquement cette fonction.

17. Combien de termes de la série $5 + 9 + 13 + ... + t_n$ sont inférieurs à 500 ? Quel est le nombre maximal de termes qui permet d'obtenir une somme inférieure à 500 ?

18. La somme des 9 premiers termes d'une série arithmétique est 162 et celle de ses 12 premiers termes est 288. Détermine la série.

19. Concours de maths Deux suites arithmétiques, 3, 9, 15, 21, ... et 4, 11, 18, 25, ..., ont des termes en commun, dont 81. Quelle est la somme des 20 premiers termes que ces suites ont en commun ?

　A 8 760　　　　**B** 8 750

　C 8 740　　　　**D** 8 770

20. Concours de maths Quelle est la somme de la série $1 + 2 + 4 + 5 + 7 + 8 + 10 + 11 + ... + 2\ 999$?

　A 2 999 500　　　**B** 2 999 000

　C 3 000 000　　　**D** 4 500 000

21. Concours de maths Quelle est la valeur de $(1^2 + 3^2 + ... + 171^2)$ $- (2^2 + 4^2 + 6^2 + ... + 170^2)$?

22. Concours de maths Résous l'équation $6^{x-3} - 6^{x-4} = 1\ 080$.

23. Concours de maths Le premier terme d'une suite géométrique est 1 et le dernier est $2n$. Démontre que s'il y a $2n$ termes, le produit des termes de la suite est $(2n)^n$.

24. Concours de maths Sans calculatrice, détermine la somme des 20 premiers termes de la suite $\frac{1}{2}, \frac{1}{6}, \frac{1}{12}, \frac{1}{20}, ...$

Les séries géométriques

Les premiers Internationaux de tennis du Canada, un tournoi de tennis extérieur, ont eu lieu en 1881. Les épreuves masculines et féminines alternent entre Toronto et Montréal selon les années. La première ronde du simple masculin comporte 32 matchs. La deuxième ronde en comporte 16. La troisième en comporte 8, et ainsi de suite. Ces nombres forment une suite géométrique. Pour déterminer le nombre total de matchs joués dans cette épreuve, il faut additionner ces termes. Quand on additionne les termes d'une suite géométrique, on obtient une **série géométrique**.

série géométrique
- l'expression de la somme des termes d'une suite géométrique

Matériel

- ordinateur muni d'un tableur

Explore

Comment peut-on établir une formule pour déterminer la somme des termes d'une suite géométrique ?

On place une pièce de cinq cents sur l'une des 32 cases d'un plateau de jeu. Sur chaque case suivante, on double le nombre de pièces de cinq cents. Combien d'argent y aura-t-il sur la dernière case ? Combien d'argent y aura-t-il sur le plateau rempli ?

Méthode 1 : Utiliser un tableur

1. Entre les renseignements qui suivent dans une feuille de calcul. Utilise la fonction **Remplissage (en bas)** pour remplir les 30 rangées suivantes de la feuille de calcul.

	A	B	C
1	Nombre de cases	Nombre de pièces	Nombre total de pièces
2	1	1	1
3	= A2+1	= B2*2	= B3+C2

2. Combien de pièces y a-t-il sur la dernière case ? Combien de pièces y a-t-il sur le plateau rempli ?

3. Représente le nombre total de pièces sur le plateau par une formule. À l'aide de cette formule, détermine le nombre total de pièces.

4. **Réflexion** La fonction qui représente le nombre total de pièces sur le plateau est-elle continue ou discrète ? Comment le sais-tu ?

5. Exprime le nombre total de pièces sous la forme d'une série. S'agit-il d'une série arithmétique ? Explique ton raisonnement.

Méthode 2 : Utiliser du papier et un crayon

Matériel

- papier quadrillé
- jetons

1. Trace un quadrillage de 8 cases sur 4 cases. Les cases doivent être assez grandes pour y empiler des jetons.

2. Suppose que chaque jeton représente une pièce de cinq cents. Place un jeton sur la première case, deux jetons sur la deuxième case, quatre jetons sur la troisième, et ainsi de suite. Note tes résultats dans un tableau semblable à celui-ci.

Nombre de cases	Nombre de pièces sur la case	Nombre total de pièces
1	1	1
2	2	3

3. Représente le nombre total de pièces sur le plateau par une formule. À l'aide de cette formule, détermine le nombre total de pièces.

4. Réflexion La fonction qui représente le nombre total de pièces sur le plateau est-elle continue ou discrète? Comment le sais-tu?

5. Exprime le nombre total de pièces sous la forme d'une série. S'agit-il d'une série arithmétique? Explique ton raisonnement.

L'addition des termes d'une suite géométrique résulte en une expression appelée *série géométrique*. La somme, S_n, des n premiers termes d'une série géométrique est $S_n = a + ar + ar^2 + ... + ar^{n-1}$. Cette équation permet d'établir une formule pour déterminer S_n.

$$S_n = a + ar + ar^2 + ... + ar^{n-1} \quad \text{①}$$ Écris la série.

$$rS_n = ar + ar^2 + ... + ar^{n-1} + ar^n \quad \text{②}$$ Multiplie chaque membre par r et soustrais ① de ②.

$$rS_n - S_n = -a + ar^n \quad \text{② − ①}$$

$$rS_n - S_n = ar^n - a$$ Permute les termes de droite.

$$S_n(r - 1) = a(r^n - 1)$$ Factorise chaque membre de l'équation.

$$S_n = \frac{a(r^n - 1)}{r - 1}, \text{ où } r \neq 1$$ Divise chaque membre par $r - 1$.

Exemple 1

Reconnaître une série géométrique

Détermine si chaque série est géométrique. Explique tes réponses.

a) $2 + 6 + 18 + 54 + ...$

b) $2 + 8 - 12 + 16 - ...$

> **Solution**

a) La série $2 + 6 + 18 + 54 + \ldots$ est géométrique si chaque paire de termes consécutifs a le même rapport.

$$\frac{6}{2} = 3, \quad \frac{18}{6} = 3, \quad \frac{54}{18} = 3$$

Puisque le rapport de deux termes consécutifs est toujours 3, cette série est géométrique.

b) Vérifie si $2 + 8 - 12 + 16 - \ldots$ a une raison géométrique.

$$\frac{8}{2} = 4, \quad \frac{-12}{8} = -1{,}5, \quad \frac{-16}{-12} = 1{,}\overline{3}$$

Puisque le rapport de deux termes consécutifs n'est pas constant, cette série n'est pas géométrique.

Exemple 2

Déterminer la somme d'une série géométrique

Détermine la somme des 10 premiers termes de chaque série géométrique.

a) $f(1) = 20$ et $r = -3$ **b)** $a = 5$ et $r = 4$

> **Solution**

a) Méthode 1 : Utiliser du papier et un crayon

Remplace a par 20, r par -3 et n par 10 dans la formule.

$$S_n = \frac{a(r^n - 1)}{r - 1}$$

$$S_{10} = \frac{20[(-3)^{10} - 1]}{-3 - 1}$$

$$= \frac{20(59\,048)}{-4}$$

$$= -295\,240$$

La somme des 10 premiers termes de la série géométrique est $-295\,240$.

Méthode 2 : Utiliser une calculatrice à affichage graphique

Enregistre les 10 premiers termes dans la Liste **L1**.

- Appuie sur (2nd) [LIST] et amène le curseur sur **OPS.**
- Sélectionne **5:seq(** et saisis $20 \times (-3)^{x-1}$, x, 1, 10, 1).
- Appuie sur (STO▶) (2nd) [L1] (ENTER).

Ensuite, détermine la somme.

- Appuie sur (2nd) [LIST] et amène le curseur sur **MATH.**
- Sélectionne **5:sum(** et entre **L1**).
- Appuie sur (ENTER).

```
seq(20*(-3)^(X-1
),X,1,10,1)→L₁
{20 -60 180 -54…
sum(L₁)
          -295240
```

La somme des 10 premiers termes de la série géométrique est $-295\,240$.

b) Méthode 1 : Utiliser du papier et un crayon

Remplace a par 5, r par 4 et n par 10 dans la formule.

$$S_n = \frac{a(r^n - 1)}{r - 1}$$

$$S_{10} = \frac{5(4^{10} - 1)}{4 - 1}$$

$$= \frac{5(1\ 048\ 575)}{3}$$

$$= 1\ 747\ 625$$

La somme des 10 premiers termes de la série géométrique est 1 747 625.

Méthode 2 : Utiliser une calculatrice à affichage graphique

Choisis la fonction **sequence** et saisis $(5 \times 4^{x-1}, x, 1, 10, 1)$. Enregistre la liste dans **L1**. Ensuite, utilise la fonction **sum**.

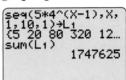

La somme des 10 premiers termes de la série géométrique est 1 747 625.

Exemple 3

Déterminer la somme d'une série géométrique dont on connaît les trois premiers termes et le dernier terme

Détermine la somme de chaque série géométrique.

a) $32 + 16 + 8 + ... + \dfrac{1}{8}$

b) $1 - 3 + 9 - ... - 243$

Solution

a) Pour cette série, $a = 32$, $r = \dfrac{1}{2}$ et $t_n = \dfrac{1}{8}$. Détermine la valeur de n à l'aide de la formule du terme général d'une suite géométrique.

$$t_n = ar^{n-1}$$

$$\frac{1}{8} = 32\left(\frac{1}{2}\right)^{n-1}$$

$$\frac{1}{256} = \left(\frac{1}{2}\right)^{n-1}$$

$$\left(\frac{1}{2}\right)^8 = \left(\frac{1}{2}\right)^{n-1} \qquad \text{Écris } \frac{1}{256} \text{ sous la forme d'une puissance de } \frac{1}{2}.$$

$$8 = n - 1 \qquad \text{Puisque les bases sont les mêmes, les exposants doivent}$$

$$n = 9 \qquad \text{être égaux.}$$

Utilise ensuite la formule de S_n.

$$S_n = \frac{a(r^n - 1)}{r - 1}$$

$$S_9 = \frac{32\left[\left(\frac{1}{2}\right)^9 - 1\right]}{\frac{1}{2} - 1}$$

$$= \frac{32\left(-\frac{511}{512}\right)}{-\frac{1}{2}}$$

$$= \frac{511}{8}$$

b) Remplace a par 1, r par -3 et t_n par -243 dans la formule du terme général d'une suite géométrique et détermine la valeur de n.

$$t_n = ar^{n-1}$$
$$-243 = 1(-3)^{n-1}$$
$$(-3)^5 = (-3)^{n-1} \qquad \text{Écris } -243 \text{ sous la forme d'une puissance de } -3.$$
$$5 = n - 1 \qquad \text{Puisque les bases sont les mêmes, les exposants doivent}$$
$$n = 6 \qquad \text{être égaux.}$$

Utilise la formule de S_n.

$$S_n = \frac{a(r^n - 1)}{r - 1}$$

$$S_6 = \frac{1[(-3)^6 - 1]}{-3 - 1}$$

$$= \frac{728}{-4}$$

$$= -182$$

Exemple 4

Le tournoi de tennis

Il y a 128 participants à un tournoi de tennis masculin. Tout joueur est éliminé du tournoi après une défaite. Les gagnants jouent un autre match. Combien de matchs seront joués durant ce tournoi ?

Solution

On peut représenter cette situation par une série géométrique. Puisqu'il y a deux joueurs par match, le premier terme, a, est $128 \div 2$, ou 64. À chaque ronde, la moitié des joueurs perdent et sont éliminés. La raison géométrique, r, est donc $\frac{1}{2}$. Puisqu'il y aura seulement un match dans la dernière ronde du tournoi, le dernier terme, t_n, est 1.

Premièrement, détermine le nombre total de matchs joués par le gagnant du tournoi. Il s'agit de la valeur de n.

$$t_n = ar^{n-1}$$

$$1 = 64\left(\frac{1}{2}\right)^{n-1}$$

$$\frac{1}{64} = \left(\frac{1}{2}\right)^{n-1}$$

$$\left(\frac{1}{2}\right)^6 = \left(\frac{1}{2}\right)^{n-1} \qquad \text{Écris } \frac{1}{64} \text{ sous la forme d'une puissance de } \frac{1}{2}.$$

$$6 = n - 1 \qquad \text{Puisque les bases sont les mêmes, les exposants doivent être égaux.}$$

$$n = 7$$

Maths et monde

Les séries géométriques ont d'importantes et multiples applications dans le domaine financier. Par exemple, on peut déterminer la somme d'argent accumulée en 50 ans si on place 1 000 $ par année. Tu exploreras ce type d'application au chapitre 7.

Détermine ensuite le nombre total de matchs joués durant le tournoi.

$$S_n = \frac{a(r^n - 1)}{r - 1}$$

$$S_7 = \frac{64\left[\left(\frac{1}{2}\right)^7 - 1\right]}{\frac{1}{2} - 1}$$

$$= \frac{64\left(-\frac{127}{128}\right)}{-\frac{1}{2}}$$

$$= 127$$

En tout, 127 matchs seront joués durant ce tournoi.

Concepts clés

- Une série géométrique est l'expression de la somme des termes d'une suite géométrique. Par exemple, $-3 + 6 - 12 + 24 - \ldots$ est une série géométrique.

- La formule de la somme des n premiers termes d'une série géométrique de premier terme a et de raison r est $S_n = \dfrac{a(r^n - 1)}{r - 1}$, où $r \neq 1$.

Communication et compréhension

C1 Décris les ressemblances et les différences entre une série arithmétique et une série géométrique.

C2 André a manqué la leçon sur la manière de déterminer la somme d'une série géométrique à partir du premier terme, du dernier terme et de la raison géométrique. Décris-lui le procédé.

C3 Explique pourquoi $r \neq 1$ dans la formule $S_n = \dfrac{a(r^n - 1)}{r - 1}$.

Si tu as besoin d'aide pour répondre à la question 1, reporte-toi à l'exemple 1.

1. Détermine si chaque série est géométrique. Explique tes réponses.

  a) $4 + 20 + 100 + 500 + ...$

  b) $-150 + 15 - 1,5 + 0,15 - ...$

  c) $3 - 9 + 18 - 54 + ...$

  d) $256 - 64 + 16 - 4 + ...$

Si tu as besoin d'aide pour répondre aux questions 2 et 3, reporte-toi à l'exemple 2.

2. Pour chaque série géométrique, détermine les valeurs de a et de r. Ensuite, détermine la somme indiquée.

  a) S_8 pour $2 + 6 + 18 + ...$

  b) S_{10} pour $24 - 12 + 6 - ...$

  c) S_{15} pour $0,3 + 0,003 + 0,000\ 03 + ...$

  d) S_{12} pour $1 - \dfrac{1}{3} + \dfrac{1}{9} - ...$

  e) S_9 pour $2,1 - 4,2 + 8,4 - ...$

  f) S_{40} pour $8 - 8 + 8 - ...$

3. Détermine S_n pour chaque série géométrique.

  a) $a = 6$, $r = 2$ et $n = 9$

  b) $f(1) = 2$, $r = -2$ et $n = 12$

  c) $f(1) = 729$, $r = -3$ et $n = 15$

  d) $f(1) = 2\ 700$, $r = 10$ et $n = 8$

  e) $a = \dfrac{1}{2}$, $r = 4$ et $n = 8$

  f) $a = 243$, $r = \dfrac{1}{3}$ et $n = 10$

Si tu as besoin d'aide pour répondre aux questions 4 et 5, reporte-toi à l'exemple 3.

4. Détermine la somme de chaque série géométrique.

  a) $27 + 9 + 3 + ... + \dfrac{1}{243}$

  b) $7 + 3,5 + 1,75 + ... + 0,109\ 375$

  c) $1\ 200 + 120 + 12 + ... + 0,001\ 2$

  d) $\dfrac{1}{3} + \dfrac{2}{9} + \dfrac{4}{27} + \dfrac{8}{81} + ... + \dfrac{128}{6\ 561}$

5. Détermine la somme de chaque série.

  a) $5 - 15 + 45 - ... + 3\ 645$

  b) $6 - 12 + 24 - 48 + ... - 768$

  c) $96\ 000 - 48\ 000 + 24\ 000 - ... + 375$

  d) $1 - \dfrac{2}{3} + \dfrac{4}{9} - ... + \dfrac{64}{729}$

B Liens et mise en application

6. Détermine la somme indiquée.

  a) S_{10} pour $\sqrt{3} - 3 + 3\sqrt{3} + ...$

  b) S_{12} pour $\sqrt{2}x + 2x + 2\sqrt{2}x + ...$

  c) S_{15} pour $3 + 3x + 3x^2 + ...$

7. Détermine la somme de chaque série.

  a) $10 + 5 + \dfrac{5}{2} + ... + \dfrac{5}{64}$

  b) $2\sqrt{5} + 10 + 10\sqrt{5} + ... + 31\ 250$

  c) $1 + x + x^2 + x^3 + ... + x^k$

8. La série $4 + 12 + 36 + 108 + ... + t_n$ a pour somme $4\ 372$. Combien de termes y a-t-il dans cette série?

9. Le troisième terme d'une série géométrique est 24 et le quatrième terme est 36. Détermine la somme des 10 premiers termes.

10. Dans une série géométrique, $t_1 = 3$ et $S_3 = 21$. Détermine la raison géométrique et représente la somme des k premiers termes par une expression.

11. Dans un jeu de loterie, le premier billet tiré rapporte 25 $. Le billet suivant rapporte le double, et ainsi de suite.

  a) Représente la somme totale remise en prix, à l'aide d'une fonction.

  b) Représente graphiquement cette fonction pour déterminer le nombre de prix à remettre si la somme totale est de 2 millions de dollars.

12. Une balle élastique atteint $\frac{2}{3}$ de sa hauteur précédente quand elle rebondit sur une surface dure. Suppose que la balle tombe d'une hauteur de 20 m.

a) Quelle hauteur la balle atteindra-t-elle à son sixième rebond ?

b) Quelle distance totale la balle aura-t-elle parcourue après 10 rebonds ?

13. Problème du chapitre La courbe de Peano est une fractale de remplissage. La première étape consiste à tracer un segment de droite de 1 unité. La deuxième étape consiste à remplacer le segment de droite initial par neuf segments mesurant chacun $\frac{1}{3}$ unité. On continue ensuite à remplacer chaque segment de droite par neuf segments mesurant chacun $\frac{1}{3}$ de la longueur des segments de l'étape précédente.

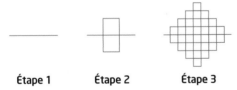

| Étape 1 | Étape 2 | Étape 3 |

a) Construis autant d'étapes de la courbe de Peano que tu peux. Dans un tableau semblable à celui qui suit, note la longueur d'un segment de droite et la longueur totale des segments à chaque étape.

Étape	Longueur d'un segment de droite	Longueur totale
1	1	1
2	$\frac{1}{3}$	3
3	$\frac{1}{9}$	9
4		
5		
6		

b) Représente la longueur des segments de droite à chaque étape par une formule. À l'aide de cette formule, détermine la longueur d'un segment de droite à l'étape 6.

c) Représente la longueur totale des segments de droite par une formule. À l'aide de cette formule, détermine la longueur totale après l'étape 6.

d) Cherche d'autres régularités dans cette fractale et décris-les par des formules, des règles ou des mots.

✔ Question d'évaluation

14. À mesure qu'une montgolfière s'élève, l'air à l'intérieur refroidit. Si l'air n'est pas réchauffé, la vitesse d'ascension de la montgolfière diminue.

a) Une montgolfière s'élève de 40 m durant la première minute. Au cours de chaque minute suivante, elle s'élève de 75 % de la hauteur parcourue au cours de la minute précédente. De quelle hauteur la montgolfière s'élève-t-elle durant chacune des 3 minutes suivantes ? Exprime ces hauteurs sous la forme d'une suite.

b) Représente la hauteur de la montgolfière au bout de n minutes par une fonction. S'agit-il d'une fonction continue ou discrète ? Explique ton raisonnement et indique le domaine de la fonction.

c) Détermine la hauteur de la montgolfière au bout de 10 min.

C Approfondissement

15. Trois nombres, a, b et c, forment une série géométrique telle que $a + b + c = 35$ et $abc = 1\ 000$. Détermine les valeurs de a, de b et de c.

16. Pour une série géométrique, $\frac{S_4}{S_8} = \frac{1}{17}$. Détermine les trois premiers termes de la série si le premier terme est 3.

17. La somme des cinq premiers termes d'une série géométrique est 186 et la somme des six premiers termes est 378. Le quatrième terme est 48. Détermine a, r, t_{10} et S_{10}.

18. Détermine n si $3 + 3^2 + 3^3 + ... + 3^n = 9\ 840$.

19. Détermine la somme des cinq premiers termes d'une suite géométrique dont les trois premiers termes sont $2b - 2$, $2b + 2$ et $5b + 1$.

6.1 Les suites en tant que fonctions discrètes, pages 354 à 364

1. À partir du terme général, détermine les quatre premiers termes de chaque suite.

   a) $t_n = 4 + 2n^2$, $n \in \mathbb{N}^*$

   b) $f(n) = \dfrac{2n - 1}{n}$, $n \in \mathbb{N}^*$

2. Pour chaque suite, crée une table de valeurs qui associe la valeur d'un terme à son rang, puis calcule les différences finies. Ensuite, représente graphiquement la suite à partir des couples (rang du terme, valeur du terme) et donne la formule du terme général en notation fonctionnelle.

   a) $-8, -11, -14, -17, \ldots$

   b) $3, 2, -3, -12, \ldots$

6.2 Les techniques récursives, pages 365 à 372

3. Écris les quatre premiers termes de chaque suite, où $n \in \mathbb{N}^*$.

   a) $f(1) = 5$, $f(n) = f(n - 1) - 4$

   b) $t_1 = 3$, $t_n = 2t_{n-1} - n$

4. Représente chaque suite par une formule récursive.

   a) $-2, 7, 16, 25, \ldots$

   b) $1, -3, 9, -27, \ldots$

6.3 Le triangle de Pascal et le développement d'un binôme, pages 373 à 379

5. Développe chaque puissance d'un binôme à l'aide du triangle de Pascal.

   a) $(x + 4)^5$ b) $(y - 6)^4$

   c) $(m + 2n)^4$ d) $(3p - q)^6$

6. Le triangle de Pascal comporte la suite des nombres triangulaires $1, 3, 6, 10, 15, \ldots$ Un nombre tétraédrique est la somme de nombres triangulaires consécutifs, d'où : $1, 4, 10, 20, \ldots$

   a) Écris les deux prochains termes de la suite des nombres tétraédriques.

   b) Repère ces nombres dans le triangle de Pascal. Décris leur position.

6.4 Les suites arithmétiques, pages 380 à 387

7. Pour chaque suite arithmétique, détermine les valeurs de a et de d et la formule du terme général. Ensuite, écris les quatre prochains termes.

   a) $3, 1, -1, -3, \ldots$

   b) $\dfrac{2}{3}, \dfrac{11}{12}, \dfrac{7}{6}, \dfrac{17}{12}, \ldots$

8. Écris les trois premiers termes de chaque suite arithmétique à partir du terme général. Représente graphiquement la fonction discrète qui définit chaque suite.

   a) $f(n) = 4n - 3$

   b) $f(n) = 5 - 4n$

9. Un théâtre compte 40 rangées de sièges. Chaque rangée compte cinq sièges de plus que la rangée précédente. Si la première rangée compte 50 sièges, combien de sièges y a-t-il dans :

   a) la 20e rangée ?

   b) la dernière rangée ?

6.5 Les suites géométriques, pages 388 à 394

10. Détermine si chaque suite est arithmétique, géométrique, ou ni l'un ni l'autre. Explique tes réponses.

    a) $-1, 9, 19, 29, \ldots$

    b) $3, 12, 19, 44, \ldots$

    c) $-2, 6, -18, 54, \ldots$

11. Écris les trois premiers termes de chaque suite géométrique.

    a) $f(n) = 2(-1)^n$ b) $t_n = -3(2)^{n+1}$

12. Angèle a couru un demi-marathon, soit 21,1 km. Elle a couru 1 700 m durant les 10 premières minutes de la course. À chaque intervalle de 10 min subséquent, sa distance parcourue a diminué de 4 %. Quelle distance a-t-elle parcourue durant le dixième intervalle de 10 min ?

6.6 Les séries arithmétiques,
pages 395 à 401

13. Pour chaque série arithmétique, détermine les valeurs de a et de d. Ensuite, détermine la somme des 20 premiers termes.

a) $50 + 45 + 40 + \dots$

b) $-27 - 21 - 15 - \dots$

14. Pour son 12e anniversaire, les grands-parents d'Éloi ont déposé 25 $ dans un compte d'épargne. Chaque mois suivant jusqu'à son 20e anniversaire, inclusivement, ils déposent 10 $ de plus que le mois précédent. Combien d'argent le compte d'Éloi contiendra-t-il à son 20e anniversaire, en excluant l'intérêt ?

15. Détermine la somme de chaque série arithmétique.

a) $-6 - 13 - 20 - \dots - 139$

b) $-23 - 17 - 11 - \dots + 43$

6.7 Les séries géométriques,
pages 402 à 409

16. Pour chaque série géométrique, détermine les valeurs de a et de r. Ensuite, détermine la somme des 10 premiers termes.

a) $2 + 14 + 98 + \dots$

b) $8 - 16 + 32 - 64 + \dots$

17. Détermine la somme de chaque série géométrique.

a) $245 + 24,5 + 2,45 + \dots + 0,000\ 245$

b) $6\ 561 + 2\ 187 + 729 + \dots + \dfrac{1}{6\ 561}$

18. Voici les quatre premières figures d'une suite. Chacune est composée de petits carrés dont l'aire est de 0,5 cm². Détermine l'aire totale des 10 premières figures.

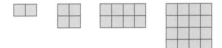

Problème du chapitre — LA CONCLUSION

Dans ce chapitre, tu as exploré diverses fractales et des suites liées à des fractales. Voici une suite qui possède des propriétés fractales.

1, 1, 2, 1, 3, 2, 4, 1, 5, 3, 6, 2, 7, 4, 8, 1, 9, 5, 10, 3, 11, 6, 12, 2, 13, 7, 14, 4, 15, 8, …

a) Transcris la suite et écris ses 20 prochains termes.

    Indice : Cherche des régularités dans le rang de chaque nombre naturel de la suite.

b) Supprime la première occurrence de chaque nombre. Écris la nouvelle suite. Représente cette suite par une formule et décris-la.

c) Refais la même chose et décris la régularité que tu remarques.

d) En quoi cette activité ressemble-t-elle à la construction d'une fractale ?

Test préparatoire du chapitre 6

Pour les questions 1 à 5, choisis la meilleure réponse.

1. Détermine la formule récursive qui représente la suite montrée à droite.

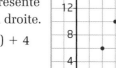

   A $f(n) = f(n - 1) + 4$

   B $f(n) = 4n - 2$

   C $f(n) = 2 + (n - 1)(4)$

   D $f(1) = 2,$
   $f(n) = f(n - 1) + 4$

2. Quelles expressions représentent les termes manquants de ce développement d'un binôme ?

   $(x + y)^7 = x^7 + 7x^6y + \boxed{} + 35x^4y^3 + 35x^3y^4$
   $\qquad\qquad + 21x^2y^5 + \boxed{} + y^7$

   A $21y^5x^2, 7yx^6$

   B $21x^5y^2, 7xy^6$

   C $-21x^5y^2, -7xy^6$

   D x^5y^2, xy^6

3. Quelle est la formule du terme général d'une suite arithmétique où $a = 8$ et $d = 2$?

   A $t_n = 2 + (n + 1)(8)$

   B $t_n = 8 + (n - 1)(2)$

   C $t_n = 8 + (n + 1)(2)$

   D $t_n = 2 + (n - 1)(8)$

4. Quels sont les trois premiers termes de la suite géométrique où $a = 3$ et $r = 2$?

   A 3, 5, 7

   B 2, 6, 18

   C 3, 6, 12

   D 2, 5, 8

5. Quelle série n'est ni arithmétique ni géométrique ?

   A $9 + 15 + 21 + 27 + \dots$

   B $1 + 8 + 27 + 64 + \dots$

   C $64 - 32 + 16 - 8 + \dots$

   D $-3 - 2,7 - 2,4 - 2,1 - \dots$

6. Détermine les cinq premiers termes de chaque suite. Représente graphiquement chaque suite, puis détermine si elle est arithmétique, géométrique ou ni l'un ni l'autre.

   a) $t_n = 9 - 5n$

   b) $f(n) = 2n^2 + 3n - 4$

   c) $f(n) = \dfrac{1}{8}(4)^{n-1}$

   d) $t_n = 0,2n + 0,8$

   e) $t_n = \dfrac{n + 4}{2}$

   f) $f(n) = -3(2)^n$

7. Représente chaque suite par une formule du terme général et une formule récursive.

   a) 64, 32, 16, 8, …

   b) $-20, -17, -14, -11, \dots$

   c) 80, 76, 72, 68, …

   d) $-4\,000, 1\,000, -250, 62,5, \dots$

   e) $-3, -6, -12, -24, \dots$

   f) $-12\sqrt{2}, -10\sqrt{2}, -8\sqrt{2}, -6\sqrt{2}, \dots$

8. Indique la valeur de t_{11} dans chaque suite.

   a) 6, 10, 14, 18, …

   b) $-3, -6, -12, -24, \dots$

   c) $5, -10, 20, -40, \dots$

   d) $-5, -10, -15, -20, \dots$

9. À partir de la formule du terme général, détermine la valeur de t_{15} dans chaque suite.

   a) $f(n) = 2(-3)^{n+1}$

   b) $t_n = 25n + 50$

   c) $t_n = 10(0,1)^{2n}$

   d) $f(n) = \dfrac{-3n}{4}$

10. Détermine le nombre de termes de chaque suite.

   a) 5, 8, 11, …, 62

   b) $-4, 12, -36, \dots, -19\,131\,876$

11. On creuse un lac artificiel. Un jour, on extrait 1,6 t de matière du lit du lac. Au cours de chacun des 10 jours suivants, on extrait 5 % de matière de plus que le jour précédent.

    a) Exprime les trois premières quantités extraites sous la forme d'une suite.

    b) Représente la quantité extraite chaque jour par une formule récursive. À l'aide de cette formule, détermine la quantité extraite le cinquième jour.

12. Détermine la somme indiquée pour chaque série.

    a) S_{10} pour $200 + 100 + 50 + \ldots$

    b) S_{18} pour $12 + 5 - 2 + \ldots$

13. Détermine la somme de chaque série arithmétique.

    a) $120 + 110 + 100 + \ldots - 250$

    b) $8 + 24 + 40 + \ldots + 280$

14. Détermine la somme de chaque série géométrique.

    a) $\dfrac{2}{81} + \dfrac{4}{27} + \dfrac{8}{9} + \ldots + 6\,912$

    b) $5 + 10 + 20 + \ldots + 2\,560$

15. Développe chaque expression à l'aide du triangle de Pascal.

    a) $(b - 3)^5$ **b)** $(2x - 5y)^6$

16. La somme des trois premiers termes d'une série est 32. Détermine la valeur du quatrième terme de la série si la somme des quatre premiers termes est :

    a) 40,   **b)** 25.

17. Détermine la somme des 15 premiers termes d'une série arithmétique dont le terme du milieu est 92.

18. Quelle série a la valeur la plus élevée : A ou B ? Explique ton raisonnement.
$A = 50^2 - 49^2 + 48^2 - 47^2 + \ldots + 2^2 - 1^2$
$B = 50 + 49 + 48 + 47 + \ldots + 2 + 1$

19. Soit le triangle de lettres qui suit. À partir de la lettre dans la rangée du haut, déplace-toi vers le bas en diagonale jusqu'à la lettre qui se trouve directement à droite ou à gauche. Détermine le nombre de trajets qui permettent d'épeler le nom PASCAL.

```
            P
          A   A
        S   S   S
      C   C   C   C
    A   A   A   A   A
  L   L   L   L   L   L
```

20. Une nouvelle teinture à bois perd 6,5 % de sa couleur chaque année dans une ville dont le climat est chaud et ensoleillé. Quel pourcentage de couleur une clôture teinte aura-t-elle encore au bout de 6 ans ?

21. Le 4e terme d'une série arithmétique est 62 et le 14e terme est 122. Détermine la somme des 30 premiers termes.

22. Un voilier vaut 140 000 $ à l'achat. Il se déprécie de 18 % la première année et de 10 % chaque année suivante. Quelle sera la valeur du voilier 8 ans après l'achat ?

23. Un carré magique est un arrangement de nombres dans lequel toutes les rangées, toutes les colonnes et toutes les diagonales ont la même somme. Dans le carré magique qui suit, remplace chaque nombre par le terme correspondant de la suite de Fibonacci.

2	7	6
9	5	1
4	3	8

Démontre que la somme des produits des rangées est égale à la somme des produits des colonnes.

Activité

Les mathématiques et les arts visuels

Pour un travail en arts visuels, Léane veut produire une image qui comporte un point de fuite. Les photocopieurs et les logiciels de traitement d'image permettent d'agrandir ou de réduire une image selon un pourcentage donné. Les dimensions de l'image originale que Léane utilise sont de 320 mm sur 240 mm. Elle agrandit l'original de 50 %, puis elle réduit l'image obtenue de 50 %. Elle refait la même chose plusieurs fois.

a) Représente graphiquement la longueur en fonction de l'étape. Montre au moins cinq étapes du processus.

b) Représente le résultat final après chaque étape par une formule récursive.

c) Représente le résultat final après chaque étape par une formule du terme général.

d) Quelle sera la longueur de l'image après 10 étapes de ce processus ? Donne une réponse exacte.

e) La longueur de l'image atteindra-t-elle 0 mm à un moment ou l'autre ? Explique ta réponse.

f) S'agit-il d'une relation du premier degré, du second degré, exponentielle ou inverse ? Explique ta réponse.

g) Pour le même projet, Carl ajoute un nombre déterminé de millimètres puis en enlève un autre nombre déterminé à chaque étape. Choisis un nombre de millimètres à ajouter et un nombre à enlever, puis refais les étapes a) à f) pour le procédé de Carl. Compare tes résultats avec ceux de Léane.

Les applications financières

Pendant tes études, les mathématiques financières prendront de plus en plus d'importance. Si tu choisis de fréquenter le collège ou l'université, il te sera utile de comprendre les notions associées aux emprunts et aux versements d'intérêts, de même que les termes qui s'y rapportent. Puis, lorsque tu auras un emploi, tu décideras peut-être d'économiser une partie de tes revenus pour faire l'achat d'une voiture ou d'une maison, ou pour assurer ta retraite.

Plusieurs des concepts abordés dans les chapitres précédents t'aideront à explorer des concepts financiers comme l'intérêt simple ou composé, la valeur actuelle et les annuités.

Après l'étude de ce chapitre, tu pourras:

- décrire les liens entre l'intérêt simple, les suites arithmétiques et la croissance linéaire;

- décrire les liens entre l'intérêt composé, les suites géométriques et la croissance exponentielle;

- déterminer, à l'aide d'une calculatrice, la valeur finale ou la valeur actuelle à l'aide de la formule $M = C(1 + i)^n$ ou $C = M/(1 + i)^n$;

- explorer à l'aide d'outils technologiques et décrire les stratégies utilisées pour déterminer le taux d'intérêt i ou le nombre de périodes n en utilisant la formule $M = C(1 + i)^n$ ou $C = M/(1 + i)^n$ et résoudre des problèmes reliés;

- définir une annuité et décrire les liens entre une annuité, une série géométrique et la croissance exponentielle;

- résoudre, avec et sans outils technologiques, des problèmes d'annuités et déterminer la valeur finale et la valeur actuelle;

- explorer, à l'aide d'outils technologiques, les effets sur les résultats d'une annuité lorsqu'on fait varier ses conditions selon une situation où le taux d'intérêt et le montant sont les mêmes.

Connaissances préalables

Consulte l'annexe Connaissances préalables, aux pages 478 à 495, pour des exemples et des exercices supplémentaires.

La croissance linéaire et la croissance exponentielle

1. a) Représente graphiquement $y = 40x + 400$. De quel type de relation s'agit-il ?

b) Indique la pente et l'ordonnée à l'origine.

c) Crée une table de valeurs pour $x = 0, 1, 2, 3$ et 4.

d) Calcule les premières différences et décris leur régularité.

2. a) Représente graphiquement $y = 100(1,05)^x$. De quel type de relation s'agit-il ?

b) Indique l'ordonnée à l'origine.

c) Crée une table de valeurs pour $x = 0, 1, 2, 3$ et 4.

d) Calcule les premières et les deuxièmes différences, et décris toute régularité.

e) Divise chaque valeur de y par la valeur précédente, et décris la régularité des raisons géométriques obtenues.

3. Indique si chaque table de valeurs représente une fonction exponentielle. Explique ta réponse à l'aide des différences finies, d'un graphique ou des raisons géométriques.

a)

x	y
−2	0
1	4,5
0	9,0
1	13,5
2	18,0

b)

x	y
0	100
1	90
2	81
3	72,9
4	65,61

La variation directe et la variation partielle

4. Détermine si chaque relation présente une variation directe, une variation partielle, ou ni l'une ni l'autre. Explique tes réponses.

a) $y = 2x$ **b)** $y = 3x + 1$

c) $C = 5n + 25$ **d)** $d = 4t$

5. Un trajet en taxi coûte 3 $, et 1 $ de plus par kilomètre.

a) Écris une équation qui relie le coût total C, en dollars, à de la distance d, en kilomètres.

b) Indique la partie constante et la partie variable de cette équation.

c) Représente graphiquement la relation.

d) Détermine la pente et l'ordonnée à l'origine du graphique.

e) Explique le lien entre tes réponses en b) et en d).

Les suites et les séries arithmétiques

6. a) Explique pourquoi la suite 7, 10, 13, 16, 19, ... est arithmétique.

b) Détermine le premier terme, a, et la raison, d, de la suite.

c) Détermine la formule du terme général, t_n.

7. Soit une suite arithmétique dont la formule du terme général est $t_n = 5n - 7$.

a) Écris les quatre premiers termes de la suite.

b) Détermine le premier terme, a, et la raison, d, de la suite.

8. Détermine la somme des 100 premiers termes de la série $3 + 8 + 13 + 18 + ...$

Les suites et les séries géométriques

9. a) Explique pourquoi la suite 3, 6, 12, 24, 48, ... est géométrique.

b) Détermine le premier terme, a, et la raison, r, de la suite.

c) Détermine la formule du terme général, t_n.

10. Soit une suite géométrique dont la formule du terme général est $t_n = -2(3)^{n-1}$.

a) Écris les quatre premiers termes de la suite.

b) Détermine le premier terme, a, et la raison, r, de la suite.

11. Détermine la somme des 15 premiers termes de la série
$$1 + 1,05 + 1,102\,5 + 1,157\,625 + \ldots$$

12. La somme des 10 premiers termes d'une série géométrique est 699 050. La raison de la suite correspondante est 4. Détermine son premier terme.

La résolution d'équations

13. Détermine la valeur de chaque variable.
   a) $600 = 40 + 7n$
   b) $840 = I + 5(12)$
   c) $250 = P[1 + 0,08(4)]$
   d) $496,50 = 300(1 + i)^8$

14. Détermine la valeur de x. Arrondis tes réponses au dix millième près, si nécessaire.
   a) $200 = x(1 + 0,045)^6$
   b) $500 = \dfrac{40}{x + 1}$
   c) $300 = \dfrac{320}{(1 + x)^2}$
   d) $240 = 200x^6$

Le temps

15. Convertis :
   a) 3 ans en mois,
   b) 15 semaines en années,
   c) 130 jours en années,
   d) 9 mois en semaines,
   e) 100 jours en mois,
   f) 25 semaines en mois.

16. Combien y a-t-il :
   a) de semaines dans 2 ans ?
   b) d'années dans 4 ans ?
   c) de mois dans 3,5 ans ?
   d) de trimestres dans 3 ans ?
   e) de semestres dans 2 ans ?
   f) de semestres dans 3,5 ans ?

Problème du chapitre

Chloé commence ses études secondaires et vient d'hériter de 10 000 $.
Elle décide de placer cette somme jusqu'à ce qu'elle entre à l'université. Un conseiller financier lui recommande de se créer un portefeuille diversifié. Autrement dit, Chloé devrait faire un ensemble équilibré de placements variés.

Tout au long du chapitre, tu résoudras des problèmes relatifs aux placements de Chloé.

L'intérêt simple

Que l'on parle d'un placement ou d'un emprunt, il y a toujours un *intérêt* à verser par la partie qui emprunte la somme en cause. Si tu contractes une dette, c'est toi qui empruntes et tu *paies* l'intérêt. Si tu déposes de l'argent dans une institution financière, c'est *la banque* qui emprunte cette somme et tu *reçois* l'intérêt.

intérêt simple

- un intérêt calculé uniquement sur le capital initial à l'aide de la formule $I = Cdt$, où I représente l'intérêt en dollars, C, le capital en dollars, d, le taux d'intérêt annuel, exprimé comme un nombre décimal, et t, le temps en années

capital

- la somme initialement placée ou empruntée

taux d'intérêt annuel

- le pourcentage d'intérêt appliqué à une somme chaque année
- dans les calculs, on l'exprime sous forme décimale

montant

- la valeur d'un placement ou d'un prêt à la fin d'une période donnée
- il est égal à la somme du capital et de l'intérêt

Matériel

- calculatrice à affichage graphique

ou

- logiciel de représentation graphique ou tableur

ou

- papier quadrillé

La forme la plus élémentaire d'intérêt est l'**intérêt simple**. On calcule l'intérêt simple, noté I, en multipliant le **capital**, C, par le **taux d'intérêt annuel**, d, sous forme décimale, et par la période, t, en années, pendant laquelle la somme est prêtée.

$$I = Cdt$$

À l'échéance, le **montant**, M, que l'emprunteuse ou l'emprunteur rembourse à la prêteuse ou au prêteur est la somme du capital et de l'intérêt.

$$M = C + I$$

De nos jours, il est rare qu'un compte bancaire ou un prêt soient assortis d'un intérêt simple. Toutefois, il importe de comprendre ce type d'intérêt avant d'aborder des notions plus avancées.

Explore

Comment peut-on représenter mathématiquement un intérêt simple ?

Alexia reçoit 1 000 $ pour avoir terminé sa 8ᵉ année. Elle décide de placer cette somme à un taux d'intérêt simple de 5 % par année.

1. a) Reproduis ce tableau du montant en fonction du temps et remplis-le.

Temps, n (années)	Montant, M ($)	Premières différences
1	1 050	1 100 – 1 050 = 50
2	1 100	
3	1 150	
4		
5		

b) S'agit-il d'une relation du premier degré ? Comment le sais-tu ?

2. a) Représente graphiquement le montant en fonction du temps. Décris la tendance.

b) Le résultat appuie-t-il ta réponse de l'étape 1 b) ? Comment ?

3. a) Détermine la pente et l'ordonnée à l'origine du graphique.

   a) Représente le montant, M, en fonction du temps, n, par une équation.

   b) S'agit-il d'un exemple de variation directe ou de variation partielle ? Explique ta réponse.

4. a) Examine les valeurs de la colonne « Montant » du tableau. Explique pourquoi elles forment une suite arithmétique.

   b) Détermine le premier terme, a, et la raison, d, de cette suite.

   c) À l'aide de la formule $t_n = a + (n - 1)d$, représente le terme général de la suite par une équation simplifiée.

   d) Compare l'équation en c) à celle de l'étape 3 c). En quoi se ressemblent-elles ? En quoi diffèrent-elles ?

5. Réflexion Résume les différentes représentations mathématiques de l'intérêt simple.

Exemple 1

Calculer l'intérêt simple

a) Combien d'intérêt reçoit-on si on place 1 200 $ pendant 3 ans à un taux d'intérêt simple de 5 % par année ?

b) Combien d'intérêt paie-t-on si on emprunte 400 $ pendant 7 mois à un taux d'intérêt annuel simple de 8 % ?

c) Combien d'intérêt reçoit-on si on place 900 $ pendant 90 jours à un taux d'intérêt simple de 4,25 % par année ?

Solution

Utilise la formule $I = Cdt$. Exprime le taux d'intérêt sous forme décimale et le temps en années.

a) $I = Cdt$
$$= 1\ 200(0{,}05)(3)$$
$$= 180$$

L'intérêt reçu est de 180 $.

b) $I = Cdt$
$$= 400(0{,}08)\left(\frac{7}{12}\right)$$
$$\approx 18{,}67$$

Sept mois représentent $\frac{7}{12}$ de l'année.
Les sommes sont arrondies au centième.

L'intérêt payé est de 18,67 $.

c) $I = Cdt$
$$= 900(0{,}042\ 5)\left(\frac{90}{365}\right)$$
$$\approx 9{,}43$$

Une année compte ordinairement 365 jours.

L'intérêt reçu est de 9,43 $.

Maths et monde

Si tu empruntes de l'argent d'un ami, cet ami te prête de l'argent. Pour toi, la somme en cause est un emprunt. Pour ton ami, il s'agit plutôt d'un prêt.

Exemple 2

Élaborer un modèle linéaire pour représenter l'intérêt simple

Robert dépose 500 $ dans un certificat de placement garanti (CPG) qui génère un intérêt annuel simple de 6 %.

a) Élabore un modèle linéaire du montant en fonction du temps. Indique sa partie constante et sa partie variable. Représente graphiquement cette fonction.

b) Calcule le temps requis, au mois près, pour que le montant placé double.

c) Quel taux d'intérêt annuel fera doubler le montant en 8 ans?

Maths et monde

Le modèle linéaire qui représente le montant dans un compte à intérêt simple peut aussi être une équation de la forme explicite ($y = mx + b$), par exemple $M = 30t + 500$.

Solution

a) Le montant varie partiellement avec le temps.

$M = C + I$

La partie constante est le capital de 500 $. La partie variable est l'intérêt, que l'on peut déterminer en remplaçant les valeurs connues dans l'équation $I = Cdt$.

$I = Cdt$
$= 500(0,06)t$
$= 30t$

Le montant correspond donc à $M = 500 + 30t$.

Le graphique est une droite dont la pente est 30 et l'ordonnée à l'origine, 500.

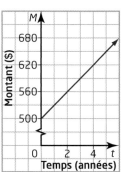

b) Méthode 1: Effectuer une analyse graphique

Pour connaître le temps requis pour que le montant de 500 $ double, détermine le point où le graphique de $M = 500 + 30t$ coupe la droite définie par $M = 1\,000$.

À l'aide d'une calculatrice à affichage graphique, représente graphiquement les fonctions en tant que **Y1** et **Y2**. Utilise ton sens du nombre et des essais systématiques pour régler au mieux les paramètres d'affichage.

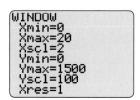

Détermine les coordonnées du point d'intersection à l'aide de la commande **Intersect**.

- Appuie sur ⎡2nd⎤ [CALC] pour afficher le menu **CALCULATE** et sélectionne **5:intersect**.

- Appuie sur ⎡ENTER⎤ trois fois, soit lorsqu'on te demande d'indiquer le premier graphique, le second et le point d'intersection estimé.

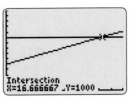

La solution de ce système d'équations du premier degré montre qu'il faudra $16\frac{2}{3}$ ans pour que le montant double.

Pour exprimer cette période en années et en mois, il faut convertir la partie fractionnaire en mois:

$$\frac{2}{3} \times 12 = 8$$

Il faudra 16 ans et 8 mois pour que le montant double.

Méthode 2: Utiliser un raisonnement algébrique

Pour connaître le temps requis pour que la somme de 500 $ double, remplace M par 1 000 et détermine la valeur de t.

$$1\,000 = 500 + 30t$$
$$500 = 30t$$
$$t = 16\frac{2}{3}$$

Il faudra $16\frac{2}{3}$ ans, ou 16 ans et 8 mois, pour que le montant double.

c) Méthode 1: Effectuer une analyse graphique

Pour déterminer le taux d'intérêt qui fera doubler le montant de 500 $ en 8 ans, reporte $C = 500$ et $t = 8$ dans l'équation du montant afin d'exprimer M en fonction de d.

$$M = C + I$$
$$= C + Cdt$$
$$= 500 + 500d(8)$$
$$= 500 + 4\,000d$$

Détermine le point où le graphique de cette fonction coupe la droite définie par $M = 1\,000$, à l'aide de la commande **Intersect** de ta calculatrice à affichage graphique.

 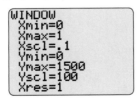 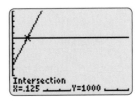

La solution de ce système d'équations du premier degré montre qu'un taux d'intérêt annuel de 0,125 ou de 12,5 % fera doubler le montant en 8 ans.

Maths et monde

Remarque qu'en b), la variable indépendante, X, de la calculatrice à affichage graphique représente le temps, t. En c), elle représente le taux d'intérêt, d. Il importe de comprendre les variables utilisées dans chaque situation.

Méthode 2 : Utiliser un raisonnement algébrique

Pour connaître le taux d'intérêt qui fera doubler le montant de 500 $ en 8 ans, remplace M par 1 000, C par 500 et t par 8 dans l'équation $M = C + Cdt$, puis détermine la valeur de d.

$$M = C + Cdt$$
$$1\ 000 = 500 + 500d(8)$$
$$500 = 4\ 000d$$
$$d = 0{,}125$$

Un taux d'intérêt annuel de 12,5 % fera doubler le montant en 8 ans.

Exemple 3

Analyser une situation comportant un intérêt simple

Le graphique représente le montant d'un placement à un intérêt simple.

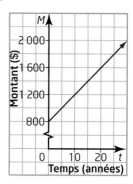

a) Quel est le capital ?

b) Quel est le taux d'intérêt annuel ?

c) Écris une équation qui représente le montant du placement en fonction du temps.

Solution

a) Le capital est la somme initialement placée, c'est-à-dire le montant lorsque $t = 0$. Selon le graphique, l'ordonnée à l'origine est 800. Le capital est donc de 800 $.

b) Détermine le taux d'intérêt à partir de la pente de la droite.

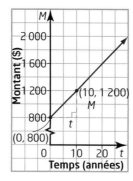

$$m = \frac{\Delta M}{\Delta t}$$

Utilise la formule de la pente.

$$= \frac{1\ 200 - 800}{10 - 0}$$

$$= \frac{400}{10}$$

$$= 40$$

La pente est de 40, ce qui signifie qu'un intérêt de 40 $ est généré chaque année. Exprime cette valeur en tant que pourcentage du capital.

$$i = \frac{40}{800}$$

$$= 0,05$$

Le taux d'intérêt annuel est donc de 5 %.

c) Le graphique montre une variation partielle. Son équation est donc de la forme $M = mt + b$.

L'équation qui représente le montant du placement en fonction du temps est $M = 40t + 800$.

Concepts clés

- On peut calculer l'intérêt simple en dollars, I, en multipliant le capital en dollars, C, par le taux d'intérêt annuel sous forme décimale, d, et par le temps en années, t.

  $I = Cdt$

- Le montant, M, dans un compte à intérêt simple est la somme du capital, C, et de l'intérêt, I.

  $M = C + I$

- On peut représenter le montant dans un compte à intérêt simple à l'aide :
  - d'une table de valeurs,
  - d'une équation qui montre une variation partielle,
  - d'une droite,
  - d'une suite arithmétique.

Communication et compréhension

C1 Explique comment tu peux exprimer chaque période de temps en année.

a) 4 mois

b) 75 jours

c) 15 semaines

C2 Cette table de valeurs représente le montant dans un compte à intérêt simple.

a) Examine les valeurs de la colonne « Montant ». Forment-elles une suite arithmétique ? Explique pourquoi.

b) Quel est le taux d'intérêt annuel simple ? Comment le sais-tu ?

Temps (années)	Montant ($)
0	100
1	108
2	116
3	124
4	132

C3 Un compte où l'on a déposé 600 $ rapporte 5 % d'intérêt simple par année.

a) Décris le graphique qui représente le montant en fonction du temps.

b) Détermine la pente et l'ordonnée à l'origine du graphique. Que représentent-elles ?

A À ton tour

Si tu as besoin d'aide pour répondre à la question 1, reporte-toi à l'exemple 1.

1. Détermine l'intérêt simple que chaque placement rapporte.

   a) 450 $ placés pendant 4 ans à un taux d'intérêt annuel de 6,5 %

   b) 750 $ placés pendant 5 mois à 7 % d'intérêt simple par année

   c) 500 $ placés pendant 35 semaines à un taux annuel de 4,75 %

   d) 1 100 $ placés pendant 60 jours à un taux de 7,8 % par année

Si tu as besoin d'aide pour répondre aux questions 2 à 4, reporte-toi à l'exemple 2.

2. Conrad dépose 200 $ dans un compte à un taux d'intérêt simple de 6 % par année.

   a) Détermine le montant de son placement au bout de 1, 2, 3, 4 et 5 ans.

   b) Détermine le premier terme, a, et la raison, d, de cette suite arithmétique.

   c) Représente le terme général de la suite par une équation. Quelle est la signification du terme général ?

3. Le tableau indique l'évolution du montant d'un CPG à intérêt simple sur une période de plusieurs années.

Temps (années)	Montant ($)
1	689
2	728
3	767
4	806
5	845

   a) Calcule les premières différences. Que représentent ces valeurs ?

   b) Quel est le capital ? Comment le sais-tu ?

   c) Quel est le taux d'intérêt annuel ?

4. Reporte-toi au tableau de la question 3.

   a) Élabore un modèle linéaire qui représente le montant du CPG en fonction du temps.

   b) Explique pourquoi ton modèle en a) montre une variation partielle. Indique la partie constante et la partie variable.

   c) Calcule le temps requis, au mois près, pour que le montant initial double.

Si tu as besoin d'aide pour répondre aux questions 5 et 6, reporte-toi à l'exemple 3.

5. Le graphique représente le montant d'un placement à intérêt simple.

   a) Quel est le capital ?

   b) Quel est le taux d'intérêt annuel simple ?

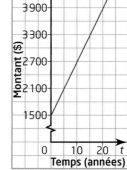

   c) Écris une équation qui représente le montant en fonction du temps.

   d) À l'aide de ton équation en c), détermine le temps requis, au mois près, pour que le montant initial double.

B Liens et mise en application

6. Reporte-toi à la question 5.

   a) Écris une équation qui représente l'intérêt en fonction du temps.

   b) À partir de ton équation en a), détermine le temps requis pour que le montant initial double. Compare le résultat avec ta réponse à la question 5 d).

7. Sven économise pour acheter des skis. Il place 250 $ à un taux d'intérêt annuel simple de 4,5 %.

a) Écris une équation qui représente le montant de ce placement en fonction du temps.

b) Représente graphiquement cette fonction.

c) Calcule le temps requis, au mois près, pour que le montant placé atteigne 300 $.

d) À quel taux d'intérêt le montant placé atteindrait-il 300 $ en 2 ans de moins qu'en c) ?

8. Pour s'inscrire à un cours de conduite, Renée emprunte 500 $ à un taux d'intérêt annuel simple de 8,25 %. Elle prévoit rembourser cet emprunt dans 18 mois.

a) Quel montant Renée devra-t-elle verser ?

b) Combien paiera-t-elle d'intérêt ?

c) En combien de temps Renée devrait-elle rembourser l'emprunt pour ne pas payer plus de 50 $ d'intérêt ?

9. José emprunte 1 400 $ à intérêt simple pour acheter un vélo de course. Deux ans plus tard, il verse 1 700 $ pour rembourser sa dette. Quel était le taux d'intérêt annuel du prêt ?

10. Problème du chapitre Le conseiller financier de Chloé lui recommande de placer au moins 20 % de son argent dans des obligations à taux de rendement ou d'intérêt fixe. Chloé achète donc une obligation de 2 000 $ qui lui rapportera un intérêt annuel simple de 3,5 % pendant 4 ans. Elle ne peut pas retirer son argent avant 4 ans sans avoir une pénalité.

a) Détermine l'intérêt accumulé à l'échéance de l'obligation.

b) Détermine le montant du placement au bout de 4 ans.

11. Béné a emprunté 940 $ à un taux d'intérêt annuel simple de 11,5 %. Elle verse 1 100 $ pour rembourser cet emprunt. Pendant combien de temps Béné a-t-elle eu cette dette ?

12. Daniel veut emprunter 5 500 $ pour acheter une voiture d'occasion. Il peut emprunter cette somme :

- à la banque, à un taux d'intérêt annuel simple de 12,4 % ; ou

- au concessionnaire, à un taux d'intérêt annuel simple de 11 % (il devra alors payer aussi des frais de 200 $ au moment du remboursement).

a) Pour chaque option, représente par une équation le montant M en fonction du temps t, en années.

b) Dans un même plan cartésien, représente graphiquement le montant à rembourser en fonction du temps pour chaque option.

c) Laquelle des deux options est la meilleure ? Explique pourquoi.

C Approfondissement

13. a) Par un raisonnement algébrique, détermine une équation qui définit le taux d'intérêt annuel, d, en fonction du capital, C, du montant, M, et du temps, t, pour un placement à intérêt simple.

b) À l'aide de ton équation en a), détermine le taux d'intérêt annuel simple d'un compte dont le solde est passé de 860 $ à 1 000 $ en 3 ans.

c) Vérifie ta réponse en b) par une autre méthode de ton choix.

14. a) Par un raisonnement algébrique, détermine une équation qui définit le temps en années, t, en fonction du capital, C, du montant, M, et du taux d'intérêt annuel, d, pour un placement à intérêt simple.

b) Énonce un problème et résous-le à l'aide de ton équation en a).

7.2

L'intérêt composé

Gaston est un jeune guitariste talentueux. Il gagne sa vie en jouant dans des cafés, sur des campus et lors de mariages ou d'autres événements. Avant d'acheter une nouvelle guitare, Gaston souhaite comparer diverses options d'emprunt.

Dans la section 7.1, tu as appris que le montant d'un placement ou d'un emprunt à intérêt simple augmente de façon linéaire en fonction du temps. Cependant, la plupart des placements et des emprunts sont assortis d'un **intérêt composé**. L'intérêt s'ajoute alors au capital à la fin de chaque **période de capitalisation** (ou période de calcul de l'intérêt composé), et le nouveau montant obtenu sert au calcul de l'intérêt à la fin de la période suivante.

intérêt composé

- un intérêt calculé à intervalles réguliers
- il s'ajoute au capital pour le calcul de l'intérêt de la période suivante

période de capitalisation

- la période à la fin de laquelle on calcule l'intérêt composé

Matériel

- calculatrice à affichage graphique

ou

- logiciel de représentation graphique

Explore

Comment peut-on calculer un intérêt composé ?

Rappelle-toi la rubrique *Explore* de la section 7.1. Alexia a reçu 1 000 $. À un taux d'intérêt simple de 5 % par année, cette somme lui rapportera 250 $ en 5 ans.

Suppose qu'Alexia dépose son argent dans un compte au même taux annuel de 5 %, mais avec un intérêt composé annuellement. En quoi cela changera-t-il le total de l'intérêt reçu ?

1. Reproduis le tableau. Calcule l'intérêt à l'aide de la formule $I = Cdt$ et complète le tableau. Laisse de l'espace pour ajouter deux colonnes à droite.

Année	Solde au début de l'année ($)	Intérêt reçu pendant l'année ($)	Solde à la fin de l'année ($)
1	1 000	1 000(0,05)(1) = 50	1 000 + 50 = 1 050
2	1 050	1 050(0,05)(1) = 52,50	1 050 + 52,50 = 1 102,50
3			
4			
5			

2. a) Examine les valeurs de la colonne « Intérêt reçu ». Que remarques-tu ?

b) Réflexion Quel est l'avantage de l'intérêt composé par rapport à l'intérêt simple ?

3. a) Ajoute une colonne à droite du tableau de l'étape 1. Intitule-la « Premières différences ». Calcule les premières différences en soustrayant chaque solde à la fin de l'année du solde suivant. Note les résultats dans le tableau.

b) Que représentent les premières différences ?

c) Le solde à la fin de l'année est-il associé au temps par une relation du premier degré ? Explique ta réponse.

4. a) Ajoute une colonne à droite du tableau de l'étape 3. Intitule-la « Raison géométrique ». Calcule les raisons géométriques en divisant chaque solde à la fin de l'année par le solde précédent. Par exemple, calcule 1 102,50 ÷ 1 050. Note les résultats dans le tableau.

b) Examine les raisons géométriques. Que remarques-tu ?

c) Quel type de fonction est représenté ici ? Explique comment tu le sais.

5. a) À l'aide de la technologie, représente graphiquement le solde à la fin de l'année en fonction de l'année, à partir des données de l'étape 1.

b) La forme du graphique appuie-t-elle ta réponse à l'étape 4 c) ? Explique pourquoi.

c) Représente graphiquement le montant du placement à intérêt simple, défini par l'équation $M = 1\ 000 + 50t$, dans le même plan cartésien que ton graphique en a). En quoi les deux graphiques se ressemblent-ils ? En quoi diffèrent-ils ?

d) Quel est le comportement des graphiques au bout d'une longue période ? Pourquoi ?

6. Réflexion

a) L'intérêt reçu est-il le même chaque année avec le placement à intérêt simple ? à intérêt composé ? Explique pourquoi.

b) Suppose qu'Alexia décide d'acheter une voiture à la fin de ses études universitaires. Combien le compte à intérêt composé lui aura-t-il rapporté de plus que le compte à intérêt simple au bout de 8 ans ?

Le montant d'un placement ou d'un emprunt à intérêt composé peut être déterminé de façon récursive, comme suit.

Soit i, le taux d'intérêt annuel par période de capitalisation. Pour connaître le montant au bout d'une seule période de capitalisation, on additionne le capital à l'intérêt reçu pour cette période.

$M = C + I$
$\quad = C + Cit$
$\quad = C + Ci(1)$ Au bout d'une seule période de capitalisation, $t = 1$.
$\quad = C + Ci$
$\quad = C(1 + i)$ Mets C en évidence.

Maths et monde

Tu as étudié les relations récursives au chapitre 6.

Maths et monde

La capitalisation est le fait d'ajouter l'intérêt au capital.

Le montant à la fin de la première période de capitalisation est donc égal au produit du capital au début de cette période et du facteur $(1 + i)$. Ce montant devient le capital de la période suivante. On peut continuer ce processus, comme le montre le tableau.

Période de capitalisation	Capital pour la période	Calcul du montant	Montant à la fin de la période
1	C	$M = C(1 + i)$	$C(1 + i)$
2	$C(1 + i)$	$M = C(1 + i)(1 + i) = C(1 + i)^2$	$C(1 + i)^2$
3	$C(1 + i)^2$	$M = C(1 + i)^2(1 + i) = C(1 + i)^3$	$C(1 + i)^3$
4	$C(1 + i)^3$	$M = C(1 + i)^3(1 + i) = C(1 + i)^4$	$C(1 + i)^4$
...	...	...	...

Examine les termes de la dernière colonne.

$C(1 + i)$, $C(1 + i)^2$, $C(1 + i)^3$, $C(1 + i)^4$, ...

Il s'agit d'une suite géométrique dont le premier terme, a, est $C(1 + i)$ et dont la raison, r, est $1 + i$. Substitue ces valeurs dans la formule du terme général d'une suite géométrique.

$$t_n = ar^{n-1}$$
$$= [C(1 + i)](1 + i)^{n-1}$$
$$= C(1 + i)^{1 + (n-1)} \qquad \text{Applique la loi du produit de puissances.}$$
$$= C(1 + i)^n$$

Le terme général, t_n, correspond au montant, M, à la fin de la $n$ième période de capitalisation. On peut donc remplacer t_n par M.

$$M = C(1 + i)^n$$

C'est la formule de l'intérêt composé.

On peut déterminer le montant, M, d'un placement ou d'un emprunt à intérêt composé, à l'aide de la formule $M = C(1 + i)^n$.

C représente le capital.

i représente le taux d'intérêt par période de capitalisation, exprimé sous forme décimale.

n représente le nombre de périodes de capitalisation.

Exemple 1

Calculer l'intérêt composé

Pour acheter une nouvelle guitare, Gaston emprunte 650 $, qu'il prévoit rembourser dans 5 ans. La banque exige un intérêt de 12 % par année, composé annuellement.

a) Détermine le montant que Gaston devra rembourser.

b) Combien d'intérêt Gaston devra-t-il payer ?

c) Compare cette somme avec celle qu'il devrait payer si la banque lui imposait un intérêt simple.

> **Solution**

a) Dresse la liste des données connues, puis applique la formule de l'intérêt composé.

$C = 650$

$i = 0,12$

$n = 5$

$M = C(1 + i)^n$

$\quad = 650(1 + 0,12)^5$

$\quad = 650(1,12)^5$ **650** $\boxed{\times}$ **1.12** $\boxed{y^x}$ **5** $\boxed{=}$

$\quad \approx 1\ 145,52$

Gaston devra rembourser 1 145,52 $ au bout de 5 ans.

b) Pour calculer l'intérêt à payer, il faut soustraire le capital du montant.

$I = M - C$

$\quad = 1\ 145,52 - 650$

$\quad = 495,52$

Gaston paiera 495,52 $ d'intérêt.

c) Si la banque exige un intérêt simple de 12 %, on peut calculer l'intérêt à l'aide de la formule de l'intérêt simple.

$I = Cdt$

$\quad = 650(0,12)(5)$

$\quad = 390$

Si l'intérêt était simple, Gaston ne paierait que 390 $ d'intérêt plutôt que 495,52 $.

Maths et monde

De nos jours, il est rare qu'une institution financière accorde un prêt à intérêt simple pour une longue période.

Exemple 2

Faire varier la période de capitalisation

Les institutions financières utilisent souvent un intervalle autre que l'année comme période de capitalisation. Par exemple, si l'intérêt est composé semestriellement, la période est de 6 mois, et s'il est composé trimestriellement, la période est de 3 mois. Reporte-toi à l'exemple 1. Combien d'intérêt Gaston devra-t-il payer si l'intérêt était composé :

a) semestriellement ?

b) mensuellement ?

a) Lorsque l'intérêt est calculé semestriellement (deux fois l'an), le nombre de périodes de capitalisation double et le taux d'intérêt par période est divisé par deux.

$C = 650$

$i = \dfrac{0,12}{2}$ Divise par le nombre de périodes de capitalisation dans une année, 2.

   $= 0,06$

$n = 5 \times 2$ Multiplie par le nombre de périodes de capitalisation dans une année, 2.

   $= 10$

Reporte les valeurs connues dans la formule de l'intérêt composé.

$M = C(1 + i)^n$

   $= 650(1 + 0,06)^{10}$

   $= 650(1,06)^{10}$

   $\approx 1\,164,05$

Calcule l'intérêt à payer.

$I = M - C$

   $= 1\,164,05 - 650$

   $= 514,05$

Gaston paiera 514,05 $ d'intérêt si l'intérêt est composé semestriellement.

b) Lorsque l'intérêt est composé mensuellement, on peut calculer ainsi le nombre de périodes de capitalisation et le taux d'intérêt par période.

$C = 650$

$i = \dfrac{0,12}{12}$ Divise par le nombre de périodes de capitalisation dans une année, 12.

   $= 0,01$

$n = 5 \times 12$ Multiplie par le nombre de périodes de capitalisation dans une année, 12.

   $= 60$

$M = C(1 + i)^n$

   $= 650(1 + 0,01)^{60}$

   $= 650(1,01)^{60}$

   $\approx 1\,180,85$

Calcule l'intérêt à payer.

$I = M - C$

   $= 1\,180,85 - 650$

   $= 530,85$

Gaston paiera 530,85 $ d'intérêt si l'intérêt est composé mensuellement.

Le tableau qui suit résume l'effet de périodes de capitalisation différentes.

Période de capitalisation	Montant, M ($)	Intérêt, I ($)
annuelle	1 145,52	495,52
semestrielle	1 164,05	514,05
mensuelle	1 180,85	530,85

Remarque que plus la période de capitalisation est courte, plus l'intérêt à payer augmente.

Exemple 3

Déterminer le taux d'intérêt

Nathalie démarre une petite entreprise. Elle emprunte 8 000 $ qu'elle prévoit rembourser dans 4 ans. L'agent de prêts lui dit que le montant à rembourser à l'échéance sera de 11 501,24 $. Quel est le taux d'intérêt, composé annuellement, qui s'applique à ce prêt?

Solution

Dresse la liste des données connues, puis applique la formule de l'intérêt composé.

$C = 8\ 000$
$M = 11\ 501,24$
$n = 4$

$$M = C(1 + i)^n$$
$$11\ 501,24 = 8\ 000(1 + i)^4$$
$$\frac{11\ 501,24}{8\ 000} = (1 + i)^4$$
$$1,437\ 655 = (1 + i)^4$$

Méthode 1 : Effectuer une analyse graphique

Pour déterminer la valeur de i dans $(1 + i)^4 = 1,437\ 655$, représente graphiquement chaque membre de l'équation comme une fonction distincte à l'aide d'une calculatrice à affichage graphique. Utilise ensuite la commande **Intersect**.

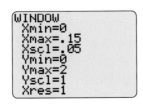
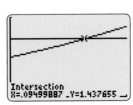

Conseil techno

Pour utiliser la
commande **Point(s)
d'intersection** d'une
calculatrice à affichage
graphique
TI-Nspire™ CAS :

• Appuie sur (menu).
Sélectionne
7 : Points et droites.
• Sélectionne
**3 : Point(s)
d'intersection.** Place
le curseur sur le
premier graphique
et appuie sur (enter).
Place le curseur sur le
second graphique
et appuie sur (enter).

Les coordonnées du
point d'intersection
s'affichent.

Tu peux aussi utiliser la commande
Point(s) d'intersection d'une calculatrice
à affichage graphique TI-Nspire™ CAS.

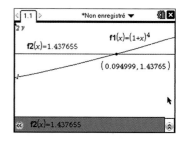

La solution est environ (0,095, 1,437 655), ce qui signifie que le taux
d'intérêt est de 9,5 % composé annuellement.

Méthode 2 : Utiliser un raisonnement algébrique

Pour résoudre l'équation $1{,}437\ 655 = (1 + i)^4$, effectue les opérations
inverses afin d'isoler la variable.

$$\sqrt[4]{1{,}437\ 655} = \sqrt[4]{(1 + i)^4}$$ Extrais la racine quatrième des deux membres.

$$\sqrt[4]{1{,}437\ 655} = 1 + i$$ Applique les propriétés des puissances et des radicaux.

$$\sqrt[4]{1{,}437\ 655} - 1 = i$$ **1.437655** (2nd) $[\sqrt[x]{y}]$ **4** (–) **1** (=)

$$0{,}095 \approx i$$

Le taux d'intérêt est d'environ 9,5 % composé annuellement.

Concepts clés

• Lorsque l'intérêt d'un placement ou d'un emprunt est composé, l'intérêt accumulé au
cours d'une période de capitalisation s'ajoute au capital et la somme des deux devient
le capital de la période suivante.

• Si l'intérêt est composé, le montant augmente exponentiellement en fonction du temps.
Les montants à la fin de chaque période de capitalisation forment une suite géométrique.

• La formule de l'intérêt composé, $M = C(1 + i)^n$, permet de calculer le montant, M, si on
connaît le capital, C, le taux d'intérêt par période de capitalisation, i, et le nombre de
périodes, n.

• Le tableau qui suit présente des méthodes courantes de capitalisation.

Fréquence de capitalisation	Nombre de fois où l'intérêt s'ajoute en un an
annuelle	1 (tous les ans)
semestrielle	2 (tous les 6 mois)
trimestrielle	4 (tous les 3 mois)
mensuelle	12 (tous les mois)
à la quinzaine	26 (toutes les deux semaines)
quotidienne	365 (tous les jours)

Communication et compréhension

C1 Quel est l'avantage de l'intérêt composé par rapport à l'intérêt simple pour la personne qui place de l'argent ? Explique ta réponse à l'aide d'un exemple.

C2 Le tableau ci-contre indique le solde (montant) d'un compte à intérêt composé annuellement en fonction du temps.

Temps (années)	Solde ($)
0	400,00
1	416,00
2	432,64
3	449,95
4	467,94

a) Examine les valeurs de la colonne « Solde ». Forment-elles une suite arithmétique ou géométrique ? Explique pourquoi.

b) Quel est le taux d'intérêt annuel ? Comment le sais-tu ?

C3 Un compte a un solde initial de 800 $. Il rapporte 6 % d'intérêt par année, composé annuellement.

a) Décris la forme du graphique qui représente le montant selon le temps.

b) Quelle est son ordonnée à l'origine ? Que représente-t-elle ?

c) Décris ce qui arrive à la pente du graphique.

Ⓐ À ton tour

Si tu as besoin d'aide pour répondre aux questions 1 et 2, reporte-toi à l'exemple 1.

1. Diane place 500 $ pendant 6 ans à un taux d'intérêt annuel de 4 % composé annuellement.

a) Détermine le montant de ce placement au bout de 6 ans.

b) Combien Diane recevra-t-elle d'intérêt ?

2. William emprunte 850 $ pour 4 ans à un taux d'intérêt annuel de 9,5 % composé annuellement.

a) Détermine le montant qu'il devra rembourser dans 4 ans.

b) Combien d'intérêt William devra-t-il payer ?

Si tu as besoin d'aide pour répondre aux questions 3 à 7, reporte-toi à l'exemple 2.

3. Détermine le taux d'intérêt par période de capitalisation, sous forme décimale, pour un intérêt annuel de :

a) 9 % composé mensuellement,

b) 8 % composé trimestriellement,

c) 6 % composé semestriellement,

d) 13 % composé à la quinzaine.

4. Détermine le nombre de périodes de capitalisation si l'intérêt est composé :

a) trimestriellement pendant 3 ans.

b) semestriellement pendant 4 ans.

c) mensuellement pendant $\frac{3}{4}$ d'une année.

d) quotidiennement pendant 2 semaines.

e) annuellement pendant 6 ans.

5. Dans chaque cas, détermine le nombre total, n, de périodes de capitalisation et le taux d'intérêt par période, i, sous forme décimale.

a) 8,75 % d'intérêt annuel, composé annuellement pendant 6 ans

b) un intérêt de 6 % par an, composé trimestriellement pendant 3 ans

c) 2,4 % d'intérêt par année, composé mensuellement pendant 2 ans

d) un intérêt de 4,5 % par an, composé semestriellement pendant 7,5 ans

6. Najib place 1 400 $ dans un CPG qui rapporte un intérêt annuel de 5,75 % composé trimestriellement pendant 3 ans.

a) Détermine la valeur de ce placement au bout de 3 ans.

b) Quel est le total de l'intérêt accumulé ?

c) Compare cette somme à ce que rapporterait un CPG à intérêt simple au même taux.

7. Suzanne a un compte chèques qui rapporte 1,25 % d'intérêt par année, composé quotidiennement. Combien d'intérêt accumulera-t-elle si elle laisse 2 000 $ dans son compte pendant 30 jours ?

B **Liens et mise en application**

8. Karine emprunte 600 $ pour 5 ans à 12 % d'intérêt annuel.

a) Compare l'intérêt à payer dans chaque cas. Classe ces options de la moins coûteuse à la plus coûteuse pour Karine.

   I) intérêt simple

   II) intérêt composé annuellement

   III) intérêt composé trimestriellement

   IV) intérêt composé mensuellement

b) Explique l'effet de la période de capitalisation sur cet emprunt.

Si tu as besoin d'aide pour répondre aux questions 9 et 10, reporte-toi à l'exemple 3.

9. Ramon emprunte 10 000 $ pour démarrer son entreprise. Il prévoit rembourser cet emprunt dans 4 ans. Il devra alors payer 15 180,70 $. Quel est le taux d'intérêt, si l'intérêt à payer est composé annuellement ?

10. Patricia emprunte 350 $ pendant 4 ans. L'intérêt à payer est composé trimestriellement. Au bout de 4 ans, Patricia rembourse 480,47 $. Quel est le taux d'intérêt annuel de cet emprunt ?

11. Tu veux placer 1 500 $ pour 5 ans. Deux options s'offrent à toi :

- Banque provinciale : 5 % par année, composé semestriellement
- Crédit du Nord : 4,8 % par année, composé mensuellement

Quel placement choisiras-tu ? Pourquoi ?

12. **Problème du chapitre** Chloé dépose 2 000 $ dans un compte chèques à 1,8 % d'intérêt par année, composé mensuellement pendant 4 ans. Elle peut retirer son argent n'importe quand, sans autre pénalité que l'intérêt perdu.

a) Détermine le solde du compte au bout de 4 ans si Chloé n'effectue aucune transaction.

b) Quel est le total de l'intérêt accumulé ?

c) Compare cette somme à l'intérêt généré par le placement de Chloé à la question 10 de la section 7.1. Pourquoi Chloé peut-elle avoir ouvert ce compte chèques ?

13. Selon la règle de 72, lorsque l'intérêt est composé annuellement, le nombre d'années nécessaires pour qu'un placement double est à peu près égal à 72 divisé par le taux d'intérêt annuel.

a) À l'aide de la règle de 72, détermine le temps requis pour qu'un placement double au taux indiqué, composé annuellement.

   I) 8 %   **II)** 9 %   **III)** 12 %

b) Vérifie tes réponses en a) à l'aide de la formule de l'intérêt composé. La règle de 72 est-elle exacte ? Explique ta réponse.

14. Pavel a placé 720 $ à un taux annuel de 7,25 % composé trimestriellement. Ce placement vaut 895 $ à l'échéance. Pendant combien de temps Pavel a-t-il placé son argent?

✓ **Question d'évaluation**

15. Soit deux options de placement:

A: 800 $ à 10 % par année, à intérêt simple;

B: 800 $ à 7 % d'intérêt annuel, composé annuellement.

a) Représente, par une équation, le montant de chaque placement en fonction du temps.

b) Représente graphiquement les deux équations dans un même plan cartésien.

c) Quelle est la meilleure option? Explique pourquoi.

d) Quel effet une période de capitalisation différente pour l'option B aurait-elle sur ta réponse? Fournis une explication détaillée.

C **Approfondissement**

16. Reporte-toi à la question 13. La règle de 72 est-elle valable pour d'autres périodes de capitalisation? Explore cette question et explique ta réponse par un raisonnement mathématique.

17. Il existe des calculatrices d'intérêt composé dans Internet. Suis les instructions de ton enseignante ou de ton enseignant pour accéder à l'une d'entre elles. Réponds aux questions suivantes à l'aide de cette calculatrice en ligne ou d'une autre.

a) Pourquoi la calculatrice en ligne est-elle utile?

b) Explique la signification de chaque champ.

c) Effectue un calcul simple à l'aide de cet outil en ligne.

d) Vérifie ta réponse à l'aide de la formule de l'intérêt composé.

e) Discute des avantages et des inconvénients de l'outil en ligne.

18. **Concours de maths** Le taux d'intérêt nominal est le taux annoncé. Le taux d'intérêt effectif est le taux réel correspondant à intérêt simple. Certaines cartes de crédit portent un intérêt de 19 % par année, composé quotidiennement. Quel est leur taux effectif, au centième près?

A 20,92 %   **B** 28,00 %

C 69,35 %   **D** 19,00 %

19. **Concours de maths** Simon a placé 1 200 $ il y a 5 ans. Une partie de son argent est dans un placement à haut risque qui rapporte 18 % par année, composé semestriellement, et le reste, dans un fonds qui rapporte 7 % par année, composé annuellement. Au bout de 5 ans, Simon a accumulé 869 $ d'intérêt. Dans quel intervalle se situe l'intérêt, I, généré par le placement à 18 %, composé semestriellement?

A $I < 530$ **B** $530 < I < 540$

C $540 < I < 550$ **D** $I > 550$

20. **Concours de maths** La constante π a plusieurs applications mathématiques. Une autre constante mathématique, e, sert entre autres au calcul de l'intérêt composé continu. Ce type d'intérêt résulte d'une période de capitalisation infiniment courte. La formule de l'intérêt composé continu est $M = Ce^{dt}$, où M représente le montant, C représente le capital, $e \approx 2{,}718\ 281\ 828\ 459$, d représente le taux d'intérêt annuel sous forme décimale et t représente le nombre d'années. Détermine la valeur, au bout de 5 ans, d'un placement de 1 000 $ à 10 % d'intérêt composé:

a) annuellement,   **b)** mensuellement,

c) quotidiennement,   **d)** continu.

7.3

La valeur actuelle

Penses-tu acheter une voiture un jour ?
Une voiture procure liberté et indépendance,
mais elle entraîne aussi des dépenses.
En plus du prix d'achat, il y a le coût de
l'essence, de l'assurance et des réparations.
Il faut donc choisir le bon moment pour acheter une voiture,
et même s'interroger sur la nécessité d'en avoir une.

Suppose que tu veux placer de l'argent aujourd'hui pour acheter une voiture plus tard. Si tu connais la somme finale requise, tu peux déterminer le capital à placer selon le taux d'intérêt, la période de capitalisation et la durée.

Explore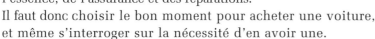

Comment peut-on déterminer le capital à placer aujourd'hui pour obtenir la somme finale requise ?

Les parents d'Éric souhaitent placer de l'argent pour lui acheter une voiture dans 5 ans. Ils estiment qu'une bonne voiture d'occasion coûtera alors 10 000 $.

1. Une banque offre 6 % d'intérêt, composé annuellement. Quelles sont les valeurs connues dans la formule de l'intérêt composé $M = C(1 + i)^n$?

2. a) Reporte les valeurs connues dans la formule et simplifie l'équation si possible.

   b) Indique la variable inconnue. Décris une stratégie qui permet de déterminer la valeur de cette variable.

   c) Détermine la valeur de la variable inconnue.

3. **Réflexion** Combien d'argent les parents d'Éric devraient-ils placer dans les conditions décrites, et pourquoi ?

Lorsqu'on ne connaît pas le capital, C, à placer pour obtenir une somme finale déterminée, on peut isoler C dans la formule de l'intérêt composé.

$$M = C(1 + i)^n$$
$$\frac{M}{(1 + i)^n} = C \qquad \text{Divise les deux membres de l'équation par } (1 + i)^n.$$
$$C = \frac{M}{(1 + i)^n}$$

Dans cette variante de la formule, le capital se nomme **valeur actuelle** et le montant, **valeur finale**. On peut réécrire la formule en faisant référence à ces termes.

La valeur actuelle, VA, d'un placement ou d'un emprunt à intérêt composé est liée à sa valeur finale, VF, par la formule $VA = \frac{VF}{(1 + i)^n}$,

où i représente le taux d'intérêt par période de capitalisation, sous forme décimale, et n, le nombre de périodes de capitalisation.

valeur actuelle

- le capital qu'il faut placer ou emprunter aujourd'hui à des conditions données (taux d'intérêt, période de capitalisation, durée, versements) pour avoir un montant final déterminé

valeur finale

- le montant total accumulé ou versé à la suite du placement ou de l'emprunt d'un capital, compte tenu du taux d'intérêt, de la période de capitalisation et de la durée

Maths et monde

On peut aussi écrire la formule de la valeur actuelle à l'aide d'un exposant négatif, soit $C = M(1 + i)^{-n}$ ou $VA = VF(1 + i)^{-n}$.

Exemple 1

Calculer la valeur actuelle

Sahar souhaite placer de l'argent aujourd'hui pour avoir 1 000 $ dans 6 ans. Si on lui propose 5,75 % d'intérêt par année, composé trimestriellement, quelle somme Sahar doit-elle placer ?

Solution

Méthode 1 : Utiliser une calculatrice scientifique

Dresse la liste des données connues.

$VF = 1\ 000$

$i = \frac{0{,}057\ 5}{4}$ — Divise par le nombre de périodes de capitalisation dans une année, 4.

$= 0{,}014\ 375$

$n = 6 \times 4$ — Multiplie par le nombre de périodes de capitalisation dans une année, 4.

$= 24$

Reporte les valeurs connues dans la formule de la valeur actuelle.

$$VA = \frac{VF}{(1 + i)^n}$$

$$= \frac{1\ 000}{(1 + 0{,}014\ 375)^{24}}$$

$$= \frac{1\ 000}{(1{,}014\ 375)^{24}}$$

1000 [÷] **1.014375** [y^x] **24** [=]

$$\approx 709{,}96$$

Sahar doit placer 709,96 $ aujourd'hui pour avoir 1 000 $ dans 6 ans.

Méthode 2 : Utiliser l'application TVM Solveur

Pour accéder au TVM Solveur d'une calculatrice à affichage graphique, appuie sur (APPS), sélectionne **1:Finance**, puis **1:TVM Solver...** Saisis les valeurs indiquées sur la figure.

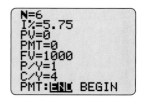

- N représente la durée du placement (ou de l'emprunt) en années.

- I % représente le taux d'intérêt annuel, en pourcentage.

- PV représente la valeur actuelle. — N'inscris rien, puisque c'est l'inconnue.

- PMT représente la valeur de chaque versement. — PMT = 0 parce qu'il n'y a pas d'autre versement après le versement initial.

- FV représente la valeur finale.

- P/Y représente le nombre de versements par année. — P/Y = 1 parce que la somme est placée une seule fois.

- C/Y représente le nombre de périodes de capitalisation par année. — C/Y = 4 parce qu'il y a quatre trimestres par année.

Pour déterminer la valeur actuelle (l'inconnue), place le curseur sur le champ **PV** et appuie sur (ALPHA) (ENTER). La valeur actuelle sera calculée.

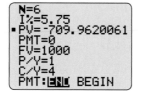

La calculatrice affiche une valeur actuelle négative. Cela signifie que la somme initiale a été payée, et non reçue.

Sahar doit placer 709,96 $ aujourd'hui pour avoir 1 000 $ dans 6 ans.

Conseil techno

Dans le TVM Solveur, il faut entrer le nombre d'années, N, et le taux d'intérêt annuel, I, sous forme de pourcentages. Le TVM Solveur convertit automatiquement ces données à l'aide du nombre de périodes de capitalisation par année, C/Y.

Maths et monde

Pour effectuer ce type de calcul, il n'est pas nécessaire d'attribuer une valeur à PMT et à P/Y. Nous utiliserons toutefois ces deux variables dans les sections 7.4 et 7.5, en lien avec les annuités.

Exemple 2

Déterminer le nombre de périodes de capitalisation

Tamara a reçu 250 $ pour son 14e anniversaire. Elle place cette somme à un taux de 6 % par année. Le jour de ses 18 ans, la valeur de son placement est de 317,62 $. À quelle fréquence l'intérêt était-il composé ?

Solution

Méthode 1 : Effectuer une analyse graphique

Soit x, le nombre de périodes de capitalisation par année. Dresse la liste des données connues.

$$VA = 250$$
$$VF = 317,62$$
$$i = \frac{0,06}{x}$$
$$n = 4x$$

Reporte les valeurs connues dans la formule de la valeur actuelle.

$$VA = \frac{VF}{(1 + i)^n}$$

$$250 = \frac{317{,}62}{\left(1 + \dfrac{0{,}06}{X}\right)^{4x}}$$

Il est difficile de résoudre cette équation par les méthodes algébriques habituelles. Détermine plutôt la valeur de x graphiquement. Représente graphiquement chaque membre de l'équation comme une fonction distincte, à l'aide d'une calculatrice à affichage graphique, puis utilise la commande **Intersect**.

 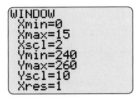 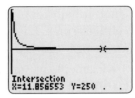

Les coordonnées approximatives du point d'intersection sont (12, 250), ce qui signifie que pour 12 périodes de capitalisation par année, la valeur actuelle du placement est de 250 $. L'intérêt était donc composé mensuellement.

Méthode 2 : Utiliser l'application TVM Solveur et procéder par essais systématiques

Ouvre le TVM Solveur et saisis les valeurs comme le montre la figure. Puisque le nombre de périodes de capitalisation par année est inconnu, essaie différentes valeurs de C/Y et détermine celle qui donne la valeur actuelle (PV) la plus proche de 250 $.

Commence avec une période de capitalisation par année, et procède de façon systématique. Attribue à C/Y la valeur 1, amène le curseur sur le champ **PV** et appuie sur (ALPHA) (ENTER).

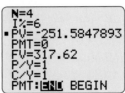

La valeur actuelle obtenue, 251,58 $, est supérieure à 250 $, l'intérêt a donc été composé plus rapidement. Essaie avec une capitalisation quotidienne.

Il y a alors 365 périodes de capitalisation par année.

Le résultat est très près de 250 $. Essaie avec une capitalisation mensuelle.

Il y a alors 12 périodes de capitalisation par année.

Une capitalisation mensuelle donne une valeur actuelle de 250 $, au centième près. L'intérêt du placement était donc composé mensuellement.

Méthode 3 : Utiliser un tableur

Crée un tableau à l'aide d'un tableur.
Note les formes de capitalisation les
plus fréquentes (annuelle, semestrielle,
trimestrielle, mensuelle et quotidienne)
dans la colonne A. Pour calculer la
valeur actuelle dans chaque cas, saisis
la formule =317,62/(1+0,06/A2)^(4*A2)
dans la cellule B2. Détermine les autres
valeurs actuelles à l'aide de la fonction
Remplissage (En bas).

	A	B
1	Nombre de périodes de capitalisation par année	Valeur actuelle ($)
2	1	251,5847893
3	2	250,732161
4	4	250,2944187
5	12	249,9981973
6	365	249,8536693
7		
8		

Une capitalisation mensuelle donne une valeur actuelle de 250 $, au
centième près. L'intérêt était donc composé mensuellement.

Exemple 3

Choisir un prêt

Lamar veut emprunter de l'argent pour acheter une motocyclette et des
accessoires. Il estime que dans 5 ans, il pourra rembourser un montant
de 12 000 $. Laquelle des deux options d'emprunt devrait-il choisir ?
Pourquoi ?

Banque régale : intérêt de 8,9 % composé semestriellement

Coop des banlieues : intérêt de 8,4 % composé mensuellement

Solution

À première vue, la Coop des banlieues semble offrir un meilleur taux
d'intérêt, mais cet intérêt est composé plus fréquemment que celui de la
Banque régale. Calcule et compare la valeur actuelle (VA) des prêts pour
déterminer la meilleure option.

Banque régale

$VF = 12\ 000$

$i = \dfrac{0,089}{2}$

$\quad = 0,044\ 5$

$n = 5 \times 2$

$\quad = 10$

Reporte ces valeurs dans
la formule de VA.

$VA = \dfrac{12\ 000}{(1 + 0,044\ 5)^{10}}$

$\quad \approx 7\ 764,20$

Coop des banlieues

$VF = 12\ 000$

$i = \dfrac{0,084}{12}$

$\quad = 0,007$

$n = 5 \times 12$

$\quad = 60$

Reporte ces valeurs dans
la formule de VA.

$VA = \dfrac{12\ 000}{(1 + 0,007)^{60}}$

$\quad \approx 7\ 896,11$

Le prêt de la Coop des banlieues a une plus grande valeur actuelle
que celui de la Banque régale. Il représente donc la meilleure option
d'emprunt pour Lamar.

Concepts clés

- La valeur actuelle, c'est le capital qu'il faut placer ou emprunter aujourd'hui à des conditions données (taux d'intérêt, période de capitalisation et durée) pour avoir un montant final déterminé.

- On peut calculer la valeur actuelle, VA, à l'aide de la formule $VA = \dfrac{VF}{(1 + i)^n}$ si on connaît la valeur finale, VF, le nombre de périodes de capitalisation, n, et le taux d'intérêt par période, i, sous forme décimale.

Communication et compréhension

C1 Explique la relation entre les éléments suivants. Donne des exemples.

    a) Le capital et le montant

    b) Le capital et la valeur actuelle

    c) La valeur actuelle, la valeur finale et l'intérêt

C2 Un placement rapporte un intérêt annuel de 9 % composé semestriellement pendant 4 ans. À échéance, il vaut 284,42 $. Quelle équation représente sa valeur actuelle, et pourquoi ? Explique ce qui est erroné dans les autres équations.

    A $VA = 284{,}42(1 + 0{,}045)^8$
        B $VA = \dfrac{284{,}42}{(1 + 0{,}09)^4}$

    C $VA = \dfrac{284{,}42}{(1 + 0{,}18)^2}$
        D $VA = \dfrac{284{,}42}{(1 + 0{,}045)^8}$

A À ton tour

Si tu as besoin d'aide pour répondre aux questions 1 à 4, reporte-toi à l'exemple 1.

1. Détermine la valeur actuelle de chaque montant final.

    a) À 5 % d'intérêt par année, composé annuellement, la valeur finale sera de 700 $ dans 5 ans.

    b) À 4,8 % d'intérêt annuel, composé trimestriellement, la valeur finale sera de 1 021,86 $ dans 3 ans.

2. Dans 4 ans, la valeur d'un placement sera de 504,99 $. À un taux annuel de 6 % composé annuellement, quelle est sa valeur actuelle ?

3. On place une somme pour 6 ans à un taux annuel de 7,5 % composé trimestriellement. La valeur finale sera de 807,21 $.

    a) Quelle est la somme placée ?

    b) Quel sera le total de l'intérêt au bout de 6 ans ?

4. Éloïse reçoit en cadeau de ses grands-parents une somme d'argent qu'elle place à un taux d'intérêt annuel de 8 % composé semestriellement. La valeur finale de son placement sera de 3 421,40 $ dans 4 ans.

    a) Combien d'argent Éloïse a-t-elle reçu en cadeau ?

    b) Quel sera le total de l'intérêt accumulé ?

B Liens et mise en application

Si tu as besoin d'aide pour répondre aux questions 5 et 6, reporte-toi à l'exemple 2.

5. Une obligation vaudra 500 $ à son échéance, dans 5 ans. Si on la paie 450 $ aujourd'hui et qu'elle rapporte 2,13 % d'intérêt par année, quelle est la fréquence de capitalisation de l'intérêt?

6. Serge place 700 $ à un taux de 5,75 % composé trimestriellement. À l'échéance, son placement vaudra 950 $. Pendant combien de temps l'argent de Serge sera-t-il placé?

Si tu as besoin d'aide pour répondre aux questions 7 et 8, reporte-toi à l'exemple 3.

7. Thalie veut avoir 10 000 $ pour le versement initial à l'achat d'une maison dans 4 ans. Elle examine deux options:

placement A: intérêt annuel de 6,6 % composé semestriellement,

placement B: intérêt annuel de 6,2 % composé mensuellement.

a) Compare la valeur actuelle des deux placements.

b) Quelle est la meilleure option pour Thalie? Explique ton raisonnement.

8. Jacques doit emprunter de l'argent afin d'acheter des vêtements pour son nouvel emploi.

Il estime pouvoir rembourser 1 600 $ dans 6 mois. Il étudie ces deux offres:

banque A: intérêt annuel de 8,5 % composé mensuellement,

banque B: intérêt simple de 9 %.

De quelle banque Jacques devrait-il emprunter? Pourquoi?

9. Il y a 5 ans, une somme a été placée à un taux annuel de 7 % composé annuellement. Ce placement vaut aujourd'hui 441,28 $.

a) Quelle somme a été placée au départ?

b) Quel est le total de l'intérêt accumulé?

10. Il y a 4 ans et demi, on a déposé une somme dans un compte qui rapporte un intérêt annuel de 3,2 % composé semestriellement. Aujourd'hui, le solde du compte est de 821,36 $. Quelle était la somme initiale déposée?

11. Lydia emprunte 500 $ pour acheter un téléviseur. Elle accepte de rembourser 610 $ dans un an et demi. Quel est le taux d'intérêt annuel, composé mensuellement, de l'emprunt de Lydia?

12. a) La valeur finale d'un placement sera de 2 500 $ dans 5 ans. Explore et compare l'effet d'une variation de la période de capitalisation sur la valeur actuelle si l'intérêt est composé:

   I) annuellement.

   II) semestriellement.

   III) trimestriellement.

   IV) mensuellement.

b) Que peut-on déduire de tes résultats pour la personne qui place de l'argent?

13. Un pain coûtait 3,50 $ en 2009.

a) Quel était le prix d'un pain semblable en 1990, si on suppose que le taux d'inflation annuel moyen est de 3 %, composé annuellement?

b) Combien coûtait un pain semblable en 1900?

Maths et monde

L'indice des prix à la consommation (IPC) fournit une mesure globale du coût de la vie au Canada. L'IPC mesure le prix moyen des biens et des services habituellement consommés par un ménage, dont la nourriture, le logement, le transport, les meubles, les vêtements et les loisirs.

14. La valeur finale d'un prêt consenti par une institution financière sera de 50 000 $ dans 10 ans. L'institution est disposée à céder ce prêt aujourd'hui à un taux de 6 % par année, composé semestriellement. Quelle est la valeur actuelle de la dette ?

> **Maths et monde**
>
> Une institution financière considère l'argent qui lui est dû comme un placement. Lorsqu'une institution financière cède un placement, elle le vend à un autre créancier à une valeur réduite, égale à sa valeur actuelle.

15. Problème du chapitre Chloé a encore 6 000 $ à placer. Elle suit les conseils de son agent et dépose cette somme dans un fonds commun de placement. Elle espère que la valeur totale de ses placements sera de 12 000 $ dans 4 ans.

a) Reporte-toi à la question 10 de la section 7.1 et à la question 12 de la section 7.2. Quelle est la valeur finale des autres placements de Chloé ?

b) Soustrais ces sommes de 12 000 $. Que représente la réponse ?

c) Détermine le taux d'intérêt minimal que doit rapporter le fonds commun de placement pour que Chloé atteigne son objectif, si l'intérêt est composé annuellement.

16. Explore la valeur actuelle en fonction du temps. Soit un compte qui rapporte 6 % par année, composé annuellement, et dont la valeur finale est de 800 $.

a) Écris une équation qui représente la valeur actuelle du compte en fonction du temps.

b) Technologie Représente graphiquement la fonction. Décris la forme du graphique.

c) Interprète l'échelle horizontale du graphique.

d) Décris ce qu'indique le graphique pour $t > 0$.

e) Le graphique a-t-il un sens pour $t < 0$? Si oui, explique-le. Sinon, explique pourquoi.

✔ **Question d'évaluation**

17. Tania souhaite avoir 1 200 $ dans 2 ans et demi pour aller au Mexique.

a) Quelle somme doit-elle placer aujourd'hui si on lui offre un intérêt annuel de 6,4 % composé semestriellement ?

b) Tania n'a que 970 $ aujourd'hui. Quel taux d'intérêt lui permettrait d'accumuler suffisamment d'argent pour payer son voyage ?

c) Suppose que Tania n'arrive pas à trouver un taux supérieur à 6,4 %. Quelles autres solutions s'offrent à elle ?

C Approfondissement

18. Reporte-toi à la question 16. Discute des effets d'une réflexion du graphique par rapport à l'axe vertical, d'un point de vue géométrique et d'un point de vue temporel.

19. À l'aide d'un raisonnement algébrique, détermine une formule qui représente la valeur actuelle, VA, d'un compte à intérêt simple en fonction de sa valeur finale, VF, du taux d'intérêt annuel simple, d, et du temps en années, t.

20. Concours de maths On peut rembourser une dette en trois versements égaux : 1 000 $ maintenant, 1 000 $ dans 3 ans et 1 000 $ dans 6 ans. Si l'intérêt annuel est de 10 % composé semestriellement, quel versement unique pourrait-on faire dans 4 ans pour rembourser cet emprunt ?

21. Concours de maths Un cercle passe par les points A(5, 7) et B(−3, 11). Lequel des points suivants ne peut pas être le centre du cercle ?

A (1, 9)   **B** (0, 7)

C (11, 29)   **D** (−2, 11)

7.4

Les annuités

Aimerais-tu devenir millionnaire sans travailler toute ta vie ? C'est possible si tu gagnes à la loterie ou à un jeu télévisé. Cependant, pour la plupart des gens, c'est très peu probable. Mais qu'arriverait-il si tu économisais dès l'enfance ? Est-il possible d'accumuler un million de dollars au cours d'une vie ?

Il est rare qu'on place son argent d'un seul coup et qu'on attende ensuite que l'intérêt s'accumule pendant plusieurs années. La plupart des gens avisés épargnent plutôt en faisant des **versements périodiques**, souvent déduits directement de leur salaire. De tels versements forment une **annuité**. Dans ce chapitre, tu étudieras seulement les **annuités simples de fin de période**.

versements périodiques

- des versements égaux effectués à intervalles réguliers

annuité

- une série d'un nombre donné de versements ou de retraits périodiques

annuité de fin de période

- une annuité dont les versements sont effectués à la fin de chaque période

annuité simple

- une annuité dont la période de capitalisation est l'intervalle entre les versements

Explore

Comment peut-on déterminer le montant d'une annuité ?

Pendant ses 4 années d'études secondaires, Colin recevra 500 $ par an s'il maintient une certaine moyenne. Il prévoit déposer cet argent à la fin de chaque année scolaire dans un compte à 4 % d'intérêt annuel, composé annuellement.

1. a) Si Colin maintient la moyenne demandée, combien de versements de 500 $ recevra-t-il ?

b) Chaque versement de 500 $ lui rapportera-t-il la même somme en intérêt ? Explique ta réponse.

2. a) Détermine une méthode pour calculer le montant total que Colin aura à la fin de ses études.

b) Applique ta méthode. Combien y aura-t-il dans le compte de Colin à la fin de ses études ?

3. Réflexion Songe à ta méthode de résolution du problème. Serait-elle efficace si le nombre de versements était très grand ? Pourquoi ?

On peut représenter une situation comme celle de la rubrique *Explore* à l'aide d'une **ligne du temps**.

La ligne de temps montre qu'un versement R, en dollars, est déposé dans un compte à la fin de chaque période de capitalisation pendant n périodes. Comme ces versements sont effectués à des moments différents, le total de l'intérêt généré par chacun différera. Par exemple, le dernier versement ne rapportera aucun intérêt, puisqu'il sera déposé à la toute fin. Pour déterminer le montant des autres versements, applique la formule de l'intérêt composé $M = C(1 + i)^n$ à chacun d'eux.

ligne du temps

• un diagramme qui montre l'évolution d'une annuité

Période de capitalisation

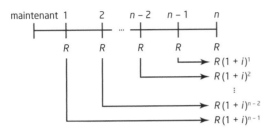

On peut déterminer le montant de l'annuité, M, en additionnant les montants de tous les versements.

$$M = R + R(1 + i) + R(1 + i)^2 + ... + R(1 + i)^{n-2} + R(1 + i)^{n-1}$$

Puisqu'il s'agit d'une série géométrique dont le premier terme est $a = R$ et dont la raison est $r = 1 + i$, utilise la formule de la somme d'une série géométrique.

$$S_n = \frac{a(r^n - 1)}{r - 1}$$
$$= \frac{R[(1 + i)^n - 1]}{(1 + i) - 1}$$
$$= \frac{R[(1 + i)^n - 1]}{i}$$

Maths et monde

Tu as étudié les séries géométriques dans le chapitre 6.

On peut calculer le montant total, M, au moment du dernier versement à l'aide de la formule $M = \dfrac{R[(1 + i)^n - 1]}{i}$, où R représente la somme versée périodiquement, en dollars, i représente le taux d'intérêt par période de capitalisation, sous forme décimale, et n représente le nombre de périodes de capitalisation.

On peut aussi écrire l'équation en fonction de la valeur finale :

$$VF = \frac{R(1 + i)^n - 1}{i}.$$

Maths et monde

Dans ce cours, tu étudieras uniquement les annuités simples de fin de période. Si tu choisis d'étudier les finances au collège ou à l'université, tu y verras des annuités plus complexes avec, par exemple, une période de capitalisation différente de l'intervalle entre les versements.

Exemple 1

Déterminer la valeur finale d'une annuité

À la fin de chaque mois, pendant 3 ans, Hoshi dépose 100 $ dans un compte qui rapporte 6 % d'intérêt par année, composé mensuellement.

a) Représente cette annuité par une ligne du temps.

b) Détermine le solde du compte au bout de 3 ans.

c) Quel est le total de l'intérêt accumulé ?

Solution

a) Détermine l'intérêt par période de capitalisation et le nombre de périodes avant de tracer la ligne du temps.

$$i = \frac{0,06}{12}$$
$$= 0,005$$
$$n = 3 \times 12$$
$$= 36$$
$$R = 100$$

Temps (mois)

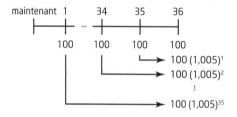

b) **Méthode 1 : Utiliser une calculatrice scientifique**

Reporte les valeurs connues dans la formule de la valeur finale d'une annuité et effectue le calcul.

$$VF = \frac{R[(1 + i)^n - 1]}{i}$$
$$= \frac{100[(1 + 0,005)^{36} - 1]}{0,005}$$
$$= \frac{100(1,005^{36} - 1)}{0,005}$$

100 $\boxed{\times}$ $\boxed{(}$ 1.005 $\boxed{y^x}$ 36 $\boxed{-}$
1 $\boxed{)}$ $\boxed{\div}$ 0.005 $\boxed{=}$

$$\approx 3\ 933,61$$

Le solde du compte de Hoshi au bout de 3 ans sera de 3 933,61 $.

Méthode 2 : Utiliser l'application TVM Solveur

Ouvre le TVM Solveur d'une calculatrice à affichage graphique et saisis les valeurs comme dans l'illustration.

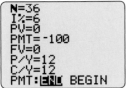

Dans le cas d'une annuité, saisis le nombre de versements en tant que N.

Le signe négatif indique que les versements sont payés, et non reçus.

Il y a 12 versements et 12 périodes de capitalisation par année.

Place le curseur sur le champ **FV** et appuie sur (ALPHA) (ENTER).

La valeur finale de la somme des versements effectués par Hoshi est de 3 933,61 $. C'est le solde de son compte au bout de 3 ans.

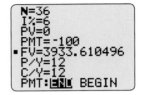

c) Pour déterminer l'intérêt accumulé, calcule la différence entre la somme réellement déposée par Hoshi, en dollars, et la valeur finale de l'annuité. Hoshi a fait 36 versements de 100 $, pour un total de 3 600 $.

Intérêt = 3 933,61 − 3 600
= 333,61

L'annuité a rapporté 333,61 $ d'intérêt.

Exemple 2

Déterminer les versements périodiques d'une annuité

Dans 2 ans, Sadia aura besoin de 4 000 $ pour payer ses frais de scolarité universitaires. Elle prévoit faire des dépôts périodiques dans un compte qui rapporte 6,5 % d'intérêt par année, composé à la quinzaine.

a) Représente cette annuité par une ligne du temps.

b) Combien Sadia doit-elle déposer à la quinzaine ?

Solution

a) *À la quinzaine* signifie « aux deux semaines ». Comme il y a 52 semaines dans une année, le nombre de périodes de capitalisation est égal à 52 ÷ 2, ou 26.

$$i = \frac{0,065}{26}$$
$$= 0,002\ 5$$

$$n = 2 \times 26$$
$$= 52$$

Le versement périodique, R, est inconnu, mais la valeur finale de l'annuité, VF, est de 4 000 $. Voici une ligne du temps qui représente l'annuité.

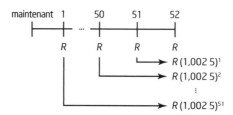

b) Détermine le montant de chaque versement périodique, R, à l'aide de la formule de la valeur finale d'une annuité.

Méthode 1 : Substituer les valeurs connues, puis isoler R

$$VF = \frac{R[(1 + i)^n - 1]}{i}$$

$$4\,000 = \frac{R[(1 + 0{,}002\,5)^{52} - 1]}{0{,}002\,5} \quad \text{Substitue les valeurs connues.}$$

$$10 = R(1{,}002\,5^{52} - 1) \quad \text{Multiplie les deux membres par 0,002 5.}$$

$$R = \frac{10}{1{,}002\,5^{52} - 1} \quad \text{Divise les deux membres par } 1{,}002\,5^{52} - 1.$$

$$R \approx 72{,}13$$

Pour avoir 4 000 $ dans 2 ans, Sadia devrait déposer 72,13 $ aux deux semaines.

Méthode 2 : Isoler R, puis substituer les valeurs connues

$$VF = \frac{R[(1 + i)^n - 1]}{i}$$

$$VFi = R[(1 + i)^n - 1] \quad \text{Multiplie les deux membres par } i.$$

$$R = \frac{VFi}{(1 + i)^n - 1} \quad \text{Divise les deux membres par } (1 + i)^n - 1.$$

$$R = \frac{4\,000(0{,}002\,5)}{(1 + 0{,}002\,5)^{52} - 1} \quad \text{Substitue les valeurs connues.}$$

$$R \approx 72{,}13$$

Pour avoir 4 000 $ dans 2 ans, Sadia devrait déposer 72,13 $ aux deux semaines.

Exemple 3

Déterminer le taux d'intérêt

Olivier prévoit placer 2 000 $ chaque trimestre pendant 5 ans. Selon sa conseillère financière, il aura ainsi 45 682,40 $ au bout de 5 ans. Quel est le taux d'intérêt annuel, composé trimestriellement, de cette annuité ?

Solution

Dresse la liste des données connues pour cette annuité simple.

$VF = 45\ 682{,}40$

$R = 2\ 000$

$N = 5 \times 4$ Les versements sont faits 4 fois par année pendant 5 ans.

$= 20$

Reporte les valeurs connues dans la formule de la valeur finale d'une annuité, puis détermine la valeur de i.

$$45\ 682{,}40 = \frac{2\ 000[(1 + i)^{20} - 1]}{i}$$

Il est difficile de résoudre cette équation par les méthodes algébriques habituelles. On pourrait effectuer des essais systématiques, mais cela prendrait du temps.

Méthode 1 : Effectuer une analyse graphique

Représente graphiquement chaque membre de l'équation

$45\ 682{,}40 = \dfrac{2\ 000[(1 + i)^{20} - 1]}{i}$ comme une fonction distincte à l'aide

d'une calculatrice à affichage graphique, puis utilise la commande **Intersect**.

 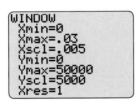 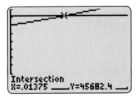

Le point d'intersection est (0,013 75, 45 682,4), ce qui signifie que la valeur de l'annuité sera de 45 682,40 $ au bout de 5 ans si le taux d'intérêt par période de capitalisation est de 0,013 75, ou 1,375 %. Pour déterminer le taux d'intérêt annuel, multiplie ce résultat par le nombre de périodes de capitalisation par année.

$1{,}375\ \% \times 4 = 5{,}5\ \%$

L'annuité d'Olivier génère un intérêt annuel de 5,5 % composé trimestriellement.

Méthode 2 : Utiliser l'application TVM Solveur

Ouvre le TVM Solveur d'une calculatrice à affichage graphique et saisis les valeurs comme dans l'illustration.

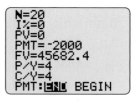

Place le curseur sur le champ **I%** et appuie sur (ALPHA) (ENTER).

Rappelle-toi que I% représente le taux d'intérêt annuel, en pourcentage. L'annuité d'Olivier génère un intérêt annuel de 5,5 % composé trimestriellement.

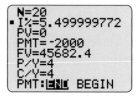

Méthode 3 : Utiliser la calculatrice TI-Nspire™ CAS

Utilise la commande **solve** de la calculatrice à affichage graphique TI-Nspire™ CAS pour déterminer le taux d'intérêt.

- Dans l'écran d'accueil, sélectionne l'option **1 : Nouveau**, puis l'option **1 : Ajouter Calculs**.
- Appuie sur (menu). Sélectionne l'option **3 : Algèbre**, puis l'option **1 : Résolution**.
- Saisis l'équation, puis appuie sur (,) (I) (enter).

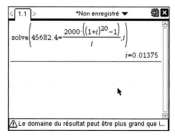

Le taux d'intérêt par période de capitalisation est de 0,013 75, ou 1,375 %. Pour déterminer le taux d'intérêt annuel, multiplie ce résultat par le nombre de périodes de capitalisation par année.

1,375 % $\times$ 4 = 5,5 %

L'annuité d'Olivier génère donc un intérêt annuel de 5,5 % composé trimestriellement.

Exemple 4

Modifier les conditions d'un placement

Félicia prévoit placer 2 600 $ par année à un taux annuel de 6 % composé annuellement, pendant les 15 prochaines années. Compare les effets sur la valeur finale de cette annuité si les versements et la capitalisation sont :

- annuels,
- semestriels,
- mensuels,
- hebdomadaires.

Solution

Méthode 1 : Utiliser une calculatrice à affichage graphique

Dans un tableau, inscris les valeurs des variables nécessaires pour utiliser la formule de la valeur finale d'une annuité, soit $VF = \dfrac{R[(1 + i)^n - 1]}{i}$.

Remarque que le versement périodique, R, doit être divisé par le nombre de versements par année dans chaque situation.

Fréquence de capitalisation	R	i	n
annuelle	2 600	0,06	15
semestrielle	650	0,015	60
mensuelle	216,67	0,005	180
hebdomadaire	50	0,001 154	780

À l'aide d'une calculatrice à affichage graphique, détermine la valeur finale dans la première situation (capitalisation annuelle).

```
2600*(1.06^15-1)
/0.06
          60517.5217
```

Félicia aura 60 517,52 $ au bout de 15 ans si l'intérêt est composé annuellement.

Refais le calcul pour les autres situations.

- Appuie sur (2nd) (ENTER) pour afficher le calcul précédent.
- Utilise les touches fléchées et les touches **DEL** et **INS** pour modifier l'équation selon la situation.
- Appuie sur (ENTER) pour effectuer le nouveau calcul.

Conseil techno

Appuie sur (CLEAR) pour effectuer chaque calcul dans une fenêtre vide.

```
650*(1.015^60-1)
/0.015
         62539.52361
```

```
216.67*(1.005^18
0-1)/0.005
         63011.69043
```

```
50*(1.001154^780
-1)/0.001154
         63198.52682
```

Le tableau qui suit présente un résumé des résultats.

Fréquence de capitalisation	Valeur finale ($)
annuelle	60 517,52
semestrielle	62 539,52
mensuelle	63 011,69
hebdomadaire	63 198,53

La valeur finale de l'annuité augmente à mesure que la capitalisation est plus fréquente. La différence entre la capitalisation hebdomadaire et la capitalisation annuelle est de 63 198,53 $ − 60 157,52 $, soit 2 681,01 $.

Méthode 2 : Utiliser un tableur

Crée un tableau à l'aide d'un tableur.

- Inscris les en-têtes *Fréquence* (nombre de périodes de capitalisation par année), n (nombre de périodes de capitalisation ou de versements), i (taux d'intérêt par période de capitalisation), R (versement périodique) et *VF* (valeur finale).

- Inscris ces valeurs 1, 4, 12 et 52 dans la colonne « Fréquence » pour représenter le nombre de périodes par année.

- Inscris les formules, à partir de la cellule B2, vers la droite.

B2 = A2*15 $n = 15 \times$ nombre de versements par année

C2 = 0,06/A2 $i = 0{,}06 \div$ nombre de versements par année

D2 = 2600/A2 $R = 2\,600\,\$ \div$ nombre de versements par année

E2 = (D2*((1+C2)^B2-1))/C2   Calcule la valeur finale à l'aide de la formule $VF = \dfrac{R[(1 + i)^n - 1]}{i}$.

- Effectue les autres calculs à l'aide de la fonction **Remplissage (En bas)**.

Le tableau qui suit présente un résumé des résultats.

Fréquence de capitalisation	Valeur finale ($)
annuelle	60 517,52
semestrielle	62 539,52
mensuelle	63 010,72
hebdomadaire	63 194,18

	A	B	C	D	E
1	Fréquence	n	i	R	M
2	1	15	0,06	2 600	60 517,52
3	4	60	0,015	650	62 539,52
4	12	180	0,005	216,6667	63 010,72
5	52	780	0,001154	50	63 194,18
6					
7					
8					
9					
10					

La valeur finale de l'annuité augmente à mesure que la capitalisation est plus fréquente. La différence entre la capitalisation hebdomadaire et la capitalisation annuelle est de 63 194,18 $ − 60 157,52 $, soit 2 676,66 $.

Concepts clés

- Une annuité est une série de versements égaux effectués à intervalles réguliers.

- Une annuité simple de fin de période est une annuité dont les versements sont effectués à la fin de chaque période de capitalisation.

- On détermine la valeur finale (ou le montant) d'une annuité, *VF*, à l'aide de la formule $VF = \dfrac{R[(1 + i)^n - 1]}{i}$, où R représente la somme versée périodiquement, i représente le taux d'intérêt par période de capitalisation, sous forme décimale, et n représente le nombre de périodes de capitalisation.

Communication et compréhension

C1 La ligne du temps ci-contre représente une annuité à un taux d'intérêt annuel de 8 %.

    a) À quelle fréquence l'intérêt est-il composé ? Comment le sais-tu ?

    b) Quelle est la durée de l'annuité ? Comment le sais-tu ?

    c) Pourquoi peut-on représenter cette annuité par une série géométrique ?

    d) Détermine le premier terme, a, et la raison, r, de la série géométrique.

Périodes de capitalisation

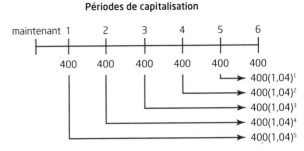

C2 L'illustration montre la solution fournie par le TVM Solveur d'une calculatrice à affichage graphique.

    a) Quelle est la durée de l'annuité ? Comment le sais-tu ?

    b) Pourquoi la valeur des versements est-elle négative ?

    c) Pourquoi la valeur finale est-elle positive ?

```
N=5
I%=4.8
PV=0
PMT=-200
•FV=1100.719654
P/Y=1
C/Y=1
PMT:END BEGIN
```

Ⓐ À ton tour

Si tu as besoin d'aide pour répondre aux questions 1 à 3, reporte-toi à l'exemple 1.

1. Détermine la valeur finale de l'annuité représentée par la ligne du temps.

Périodes de capitalisation

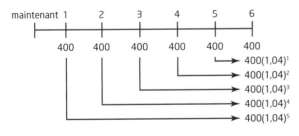

2. Pour aider Sasha à payer ses études, sa grand-mère dépose 250 $ dans un compte à la fin de chaque année pendant 6 ans. Le compte rapporte 4,5 % d'intérêt par année, composé annuellement.

    a) Représente cette annuité par une ligne du temps.

    b) Détermine sa valeur finale.

    c) Quel est le total de l'intérêt accumulé ?

3. À la fin de chaque semaine, pendant 2 ans, Carlo dépose 35 $ dans un compte dont le taux est de 5,2 % par année, composé hebdomadairement.

    a) Représente cette annuité par une ligne du temps.

    b) Détermine la valeur finale.

    c) Quel est le total de l'intérêt accumulé ?

Si tu as besoin d'aide pour répondre aux questions 4 et 5, reporte-toi à l'exemple 2.

4. Quelle somme faut-il placer à la fin de chaque année, pendant 4 ans, pour obtenir un montant de 10 000 $, si le taux d'intérêt annuel est de 6,25 % composé annuellement ?

5. Lucie veut avoir 18 000 $ pour acheter une voiture dans 3 ans. Combien d'argent doit-elle placer chaque mois à 7,2 % d'intérêt annuel, composé mensuellement ?

B Liens et mise en application

Si tu as besoin d'aide pour répondre aux questions 6 et 7, reporte-toi à l'exemple 4.

6. Donna dépose 75 $ toutes les 2 semaines dans un compte à intérêt composé à la quinzaine. Si elle le fait pendant 7 ans, elle aura alors 16 939,83 $.

a) Quel sera le total de l'intérêt accumulé?

b) Détermine le taux d'intérêt annuel, composé à la quinzaine.

7. Reporte-toi à la question 6. De combien faut-il augmenter le taux d'intérêt pour que la valeur atteigne 18 000 $ au bout de 7 ans?

Si tu as besoin d'aide pour répondre aux questions 8 à 10, reporte-toi à l'exemple 4. Utilise les données suivantes : Maurice prévoit déposer 160 $ chaque mois, pendant 15 ans, dans un compte qui rapporte 4,8 % d'intérêt annuel, composé mensuellement.

8. a) Détermine le solde du compte dans 15 ans.

b) Quel sera le total de l'intérêt accumulé?

9. La conseillère financière de Maurice lui suggère d'accroître la valeur de son annuité en déposant plutôt 40 $ par semaine, au même taux d'intérêt, mais avec une capitalisation hebdomadaire. Es-tu d'accord avec elle? Explique ta réponse par un raisonnement mathématique.

10. Une autre banque propose à Maurice de déposer 160 $ chaque mois à un taux d'intérêt annuel de 5 % composé

mensuellement. Quelle option Maurice devrait-il choisir? Explique ta réponse par un raisonnement mathématique.

- Conserver les modalités actuelles.

- Suivre la suggestion de sa conseillère et augmenter la fréquence de ses dépôts.

- Changer de banque.

11. Lee aimerait prendre sa retraite à 60 ans. Il étudie deux options :
A : déposer 500 $ chaque mois à partir de l'âge de 20 ans,
B : déposer 1 000 $ chaque mois à partir de l'âge de 40 ans.
Dans les deux cas, l'intérêt annuel sera de 6 % composé mensuellement. Quelle option permet d'accumuler le plus d'intérêt? Combien rapporte-t-elle de plus?

12. Luong veut devenir millionnaire avant de prendre sa retraite. Il prévoit mettre une somme de côté chaque semaine pendant 40 ans.

a) Si l'intérêt annuel est de 7 % composé hebdomadairement, quelle somme Luong doit-il placer chaque semaine?

b) Par quelles autres stratégies Luong pourrait-il atteindre son but? Explique toute supposition faite.

C Approfondissement

13. Technologie Utilise une calculatrice à affichage graphique ou un logiciel de représentation graphique.

a) Représente graphiquement la fonction
$VF = \dfrac{100(1{,}05^n - 1)}{0{,}05}$. Décris la forme du graphique.

b) Interprète cette fonction en supposant qu'elle représente la valeur finale d'une annuité.

c) Détermine la somme versée périodiquement et le taux d'intérêt si la capitalisation est annuelle.

d) Pose deux problèmes liés à cette fonction et résous-les.

14. À la question 13, la fonction
$VF = \dfrac{100(1{,}05^n - 1)}{0{,}05}$ représente la valeur finale d'une annuité.

a) Écris l'équation d'une fonction qui représente le capital total placé au bout de n périodes de capitalisation.

b) Représente graphiquement les deux fonctions (valeur finale et capital) dans un même plan cartésien. Décris la forme du graphique de la fonction qui représente le capital.

c) Décris comment les deux graphiques représentent l'intérêt accumulé au fil du temps. Écris l'équation d'une fonction qui représente l'intérêt accumulé au bout de n périodes de capitalisation.

15. Concours de maths Bénédicte place 300 $ chaque mois pendant 5 ans. Au début, le taux d'intérêt est de 6 % par année, composé mensuellement. Au bout de 3 ans, il monte à 9 % par année, composé mensuellement. Détermine le montant de ce placement au bout de 5 ans.

   A 19 657,37 $ **B** 21 975,21 $

   C 21 453,45 $ **D** 3 975,21 $

16. Concours de maths Dans le $\triangle ABC$, $a = 10$ mm, $b = 26$ mm et $c = 24$ mm. D est le point milieu de $\overline{AC}$ et on prolonge $\overline{BC}$ jusqu'au point E de façon que $m\overline{DE} = 24$ mm. Détermine la mesure de $\angle CED$ sans l'aide d'une calculatrice.

   A 30°   **B** 60°   **C** 45°   **D** 67°

17. Concours de maths Soit $a^2 + (a + b)^2 = 100$, où a et b sont des nombres entiers. Détermine tous les couples (a, b) qui satisfont l'équation.

18. Concours de maths Soit $x^2 - y^2 = 2\ 311$, où x et y sont des nombres entiers. Si $2\ 311 = (2)(3)(5)(7)(11) + 1$ et $x > y > 0$, lequel de ces énoncés est vrai?

   A Seul x est divisible par 11.

   B Seul y est divisible par 11.

   C x et y sont divisibles par 11.

   D Ni x, ni y ne sont divisibles par 11.

Les maths au travail

Félicité a un baccalauréat en sciences commerciales, option finance, de l'Université d'Ottawa. Elle est agente en placements dans une grande entreprise, où elle achète et vend des actions et des obligations pour réaliser un bénéfice. Le marché des valeurs mobilières est très volatile (ou variable). Félicité doit donc toujours avoir les plus récentes données en provenance du monde entier. Dans son domaine, la réussite repose sur l'utilisation d'ordinateurs qui peuvent effectuer des calculs très rapides. En effet, si Félicité tarde trop à faire une transaction, son entreprise pourrait perdre beaucoup d'argent.

La valeur actuelle d'une annuité

Omer et Anna mettent de l'ordre dans leurs finances, car ils vont bientôt prendre leur retraite. Ils ont travaillé dur et ont placé leur argent, de sorte qu'ils ont maintenant une somme importante. Un conseiller financier les aide à évaluer s'ils pourront vivre confortablement en effectuant des **retraits périodiques** à partir de cette somme. Pour cela, il calcule la **valeur actuelle d'une annuité**, en fonction des dépenses prévues par Omer et Anna.

retraits périodiques

- des retraits égaux effectués à intervalles réguliers

valeur actuelle d'une annuité

- le capital qu'il faut placer aujourd'hui pour permettre des retraits périodiques pendant une durée déterminée

Explore

Comment peut-on déterminer la valeur actuelle d'une annuité ?

Omer et Anna estiment qu'il leur faudra 1 000 $ chaque mois pendant les 20 prochaines années pour couvrir leurs dépenses, et ils se demandent s'ils auront assez d'argent. Leurs économies rapporteront 9 % d'intérêt annuel, composé mensuellement.

1. a) Combien de retraits Omer et Anna prévoient-ils effectuer ? Comment le sais-tu ?

   b) Multiplie le nombre total de retraits par 1 000 $. Omer et Anna doivent-ils avoir cette somme au moment où ils prennent leur retraite ? Explique pourquoi.

2. Suppose qu'Omer et Anna prennent leur retraite à la fin de décembre. Ils effectueront un premier retrait à la fin de janvier.

   a) Détermine la valeur actuelle de ce premier retrait, à l'aide de la formule $VA = \dfrac{VF}{(1 + i)^n}$.

   b) Détermine la valeur actuelle du deuxième retrait, qu'Omer et Anna effectueront à la fin de février.

   c) La valeur actuelle des deux retraits est-elle la même ? Explique pourquoi.

d) Selon toi, le troisième retrait a-t-il une valeur actuelle plus élevée ou moins élevée que celle de chacun des deux premiers retraits ? Explique ta prédiction. Vérifie-la à l'aide de calculs.

3. La régularité des valeurs actuelles mise en évidence à l'étape 2 se prolongera-t-elle ? Explique ton raisonnement.

4. Réflexion Élabore une méthode qui permettrait de déterminer la somme des valeurs actuelles de tous les retraits qu'Omer et Anna prévoient effectuer après leur retraite.

Les problèmes de la section 7.4 traitaient de versements périodiques effectués dans le but d'accumuler une somme importante.

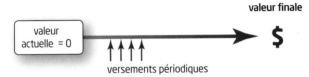

Les problèmes de la section 7.5 traitent de retraits périodiques effectués à partir d'une somme initiale importante.

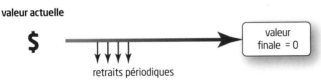

Pour connaître la valeur actuelle de l'annuité nécessaire au financement d'un projet de retraite comme celui de la rubrique *Explore*, il faut déterminer la valeur actuelle de chaque retrait à l'aide de la formule

$$VA = \frac{VF}{(1 + i)^n}.$$

On peut déterminer la valeur actuelle de l'annuité en additionnant la valeur actuelle de chaque retrait périodique prévu.

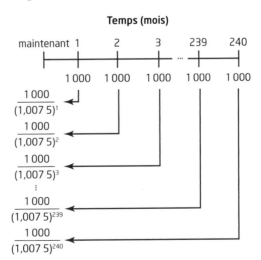

$$VA = \frac{1\,000}{1,007\,5^1} + \frac{1\,000}{1,007\,5^2} + \frac{1\,000}{1,007\,5^3} + \cdots + \frac{1\,000}{1,007\,5^{239}} + \frac{1\,000}{1,007\,5^{240}}$$

Puisqu'il s'agit d'une série géométrique dont le premier terme est

$a = \dfrac{1\,000}{1,007\,5^1}$ et dont la raison est $r = \dfrac{1}{1,007\,5}$, on peut appliquer la

formule de la somme des n premiers termes d'une série géométrique,

$S_n = \dfrac{a(r^n - 1)}{r - 1}$.

On peut généraliser ce processus pour obtenir une formule simplifiée de la valeur actuelle d'une annuité. Tu le verras à la question 15.

On peut déterminer la valeur actuelle d'une annuité, VA, à l'aide de la

formule $VA = \dfrac{R[1 - (1 + i)^{-n}]}{i}$, où R représente la somme retirée

périodiquement, i représente le taux d'intérêt par période de capitalisation, sous forme décimale, et n représente le nombre de périodes de capitalisation.

Exemple 1

Déterminer la valeur actuelle d'une annuité

Julien dépose ses revenus de l'été dans un compte duquel il souhaite effectuer des retraits périodiques pendant l'année universitaire. Il prévoit retirer 900 $ chaque mois pendant 8 mois. Le taux d'intérêt est de 6 % composé mensuellement.

a) Représente cette annuité par une ligne du temps.

b) Quelle somme Julien doit-il placer au début de l'année universitaire pour financer cette annuité ?

Solution

a) Représente les données connues sur une ligne du temps.

$R = 900$

$n = 8$

$i = \dfrac{0,06}{12}$

$\quad = 0,005$

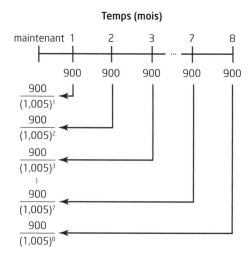

b) Méthode 1 : Utiliser une calculatrice scientifique

Reporte les valeurs connues dans la formule de la valeur actuelle d'une annuité et effectue le calcul.

$$VA = \frac{R[1 - (1 + i)^{-n}]}{i}$$

$$= \frac{900[1 - (1 + 0,005)^{-8}]}{0,005}$$

$$= \frac{900(1 - 1,005^{-8})}{0,005}$$

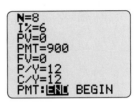

$$\approx 7\ 040,66$$

Les touches peuvent différer d'une calculatrice à l'autre.

Julien doit placer 7 046,66 $ au début de l'année universitaire pour financer cette annuité.

Méthode 2 : Utiliser l'application TVM Solveur

Ouvre le TVM Solveur d'une calculatrice à affichage graphique et saisis les valeurs comme dans l'illustration.

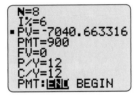

Place le curseur sur le champ **PV** et appuie sur (ALPHA) (ENTER).

La valeur actuelle de l'annuité est de 7 040,66 $. C'est la somme que Julien doit placer au début de l'année universitaire.

Exemple 2

Déterminer les retraits périodiques d'une annuité

Au moment de prendre sa retraite, Fiona a 300 000 $. Elle prévoit effectuer des retraits trimestriels pendant 30 ans. Si son compte rapporte 5,2 % d'intérêt annuel, composé trimestriellement, combien Fiona pourra-t-elle retirer chaque trimestre ?

Solution

Détermine le nombre de périodes de capitalisation et le taux d'intérêt par période de capitalisation.

$$n = 30 \times 4 \qquad\qquad i = \frac{0,052}{4} \qquad\qquad VA = 300\ 000$$

$$= 120 \qquad\qquad\qquad = 0,013$$

Détermine le montant de chaque retrait périodique, R, à l'aide de la formule de la valeur actuelle d'une annuité.

Méthode 1 : Substituer les valeurs connues, puis isoler R

$$VA = \frac{R[1 - (1 + i)^{-n}]}{i}$$

$$300\ 000 = \frac{R[1 - (1 + 0,013)^{-120}]}{0,013}$$ Substitue les valeurs connues.

$$3\ 900 = R(1 - 1,013^{-120})$$ Multiplie les deux membres par 0,013.

$$R = \frac{3\ 900}{(1 - 1,013^{-120})}$$ Divise les deux membres par $1 - 1,013^{-120}$.

$$R \approx 4\ 950,87$$

Fiona pourra retirer 4 950,87 $ chaque trimestre pendant 30 ans.

Méthode 2 : Isoler R, puis substituer les valeurs connues

$$VA = \frac{R[1 - (1 + i)^{-n}]}{i}$$

$$i(VA) = R[1 - (1 + i)^{-n}]$$ Multiplie les deux membres par i.

$$R = \frac{i(VA)}{1 - (1 + i)^{-n}}$$ Divise les deux membres par $1 - (1 + i)^{-n}$.

$$R = \frac{0,013(300\ 000)}{1 - (1 + 0,013)^{-120}}$$ Substitue les valeurs connues.

$$R \approx 4\ 950,87$$

Fiona pourra retirer 4 950,87 $ chaque trimestre pendant 30 ans.

Méthode 3 : Utiliser l'application TVM Solveur

Ouvre le TVM Solveur d'une calculatrice à affichage graphique et saisis les valeurs comme dans l'illustration. Remarque que la valeur actuelle est négative, ce qui signifie que ce montant est déposé dans le compte.

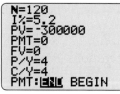

Place le curseur sur le champ **PMT** et appuie sur (ALPHA) (ENTER).

Chaque retrait périodique sera de 4 950,87 $. Cette valeur est positive, ce qui signifie que Fiona recevra ces sommes.

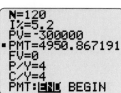

Conseil techno

Lorsqu'on étudie une annuité à l'aide du TVM Solveur, il faut indiquer le nombre de versements ou de retraits, N. En effet, l'application ne présume pas que ce nombre correspond au nombre de périodes de capitalisation.

Concepts clés

- La valeur actuelle d'une annuité est le montant total nécessaire pour effectuer un nombre donné de retraits périodiques.

- On peut déterminer la valeur actuelle d'une annuité, VA, à l'aide de la formule $VA = \frac{R[1 - (1 + i)^{-n}]}{i}$, où R représente la somme retirée périodiquement, i représente le taux d'intérêt par période de capitalisation, sous forme décimale, et n représente le nombre de périodes de capitalisation.

Communication et compréhension

C1 La ligne du temps ci-contre représente une annuité sous la forme de retraits semestriels pendant 10 ans. L'intérêt est composé semestriellement.

a) Quel est le taux d'intérêt annuel ? Comment le sais-tu ?

b) Combien de retraits seront effectués au total ? Comment le sais-tu ?

c) Pourquoi peut-on représenter cette annuité par une série géométrique.

d) Indique le premier terme, a, et la raison, r, de la série géométrique.

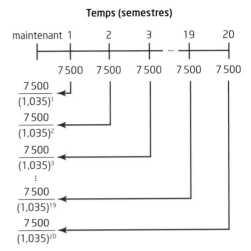

C2 L'illustration montre la solution fournie par le TVM Solveur d'une calculatrice à affichage graphique.

Décris en détail l'annuité dont il s'agit.

```
N=60
I%=6.5
PV=-20000
■PMT=391.3229644
FV=0
P/Y=12
C/Y=12
PMT:END BEGIN
```

Ⓐ À ton tour

Si tu as besoin d'aide pour répondre aux questions 1 à 3, reporte-toi à l'exemple 1.

1. Détermine la valeur actuelle de l'annuité représentée.

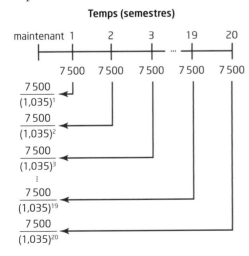

2. Brandon prévoit retirer 1 000 $ à la fin de chaque année, pendant 4 ans, d'un compte qui rapporte 8 % d'intérêt composé annuellement.

a) Représente cette annuité par une ligne du temps.

b) Détermine sa valeur actuelle.

3. Laurence prévoit retirer 650 $ tous les trois mois, pendant 5 ans, d'un compte dont le taux d'intérêt est de 6,4 % composé trimestriellement.

a) Représente cette annuité par une ligne du temps.

b) Détermine sa valeur actuelle.

c) Quel sera le total de l'intérêt généré ?

Si tu as besoin d'aide pour répondre aux questions 4 et 5, reporte-toi à l'exemple 2.

4. Une annuité, dont la valeur initiale est de 8 000 $, rapporte 5,75 % d'intérêt, composé annuellement. Quel montant peut-on retirer du compte à la fin de chacune des 6 années de cette annuité?

5. Après ses études secondaires, Claire travaille pendant quelques années et économise 40 000 $ afin d'aller à l'université. Elle place ses économies à un taux d'intérêt de 6 % composé trimestriellement. Quels retraits trimestriels Claire pourra-t-elle effectuer pendant ses 4 années d'université?

B Liens et mise en application

6. Quelle somme, placée aujourd'hui, permettra d'effectuer des retraits de 15 000 $ à la fin de chaque année pendant 20 ans, si ce placement rapporte 7,5 % d'intérêt par année, composé annuellement?

7. Julie vient de gagner 200 000 $ à la loterie! Elle estime que pour bien vivre, elle devra retirer 5 000 $ par mois pendant les 50 prochaines années. Son compte d'épargne lui rapporte 4,25 % d'intérêt annuel, composé mensuellement.

  a) Julie peut-elle prendre sa retraite et vivre de ses gains de loterie?

  b) Quel est le montant minimal que Julie doit gagner pour prendre sa retraite tout de suite? Énonce toute supposition nécessaire.

8. On effectue des retraits annuels de 800 $ pendant 9 ans d'un placement dont le solde initial est de 5 000 $. À la fin de cette période, le solde est de zéro. Quel était le taux d'intérêt annuel, composé annuellement?

9. Sarah place 15 000 $ pour retirer 500 $ par mois pendant 3,5 ans. À la fin de cette période, le solde est de zéro. Quel était le taux d'intérêt annuel, composé mensuellement, de cette annuité?

10. Jordan a 6 000 $ à placer pour effectuer des retraits périodiques pendant les 3 prochaines années. Il examine deux options:

A: Il effectuera des retraits trimestriels et l'intérêt annuel sera de 8 %, composé trimestriellement.

B: Il effectuera des retraits mensuels et l'intérêt annuel sera de 7,75 %, composé mensuellement.

  a) Détermine la somme retirée périodiquement dans chaque cas.

  b) Détermine le total de l'intérêt généré dans chaque cas.

  c) Quels sont les avantages et les inconvénients de chaque option du point de vue de Jordan?

11. Ronald et Benjamin doivent emprunter une petite somme pour agrandir leur entreprise de toilettage d'animaux. Ils estiment pouvoir rembourser 250 $ par mois pendant 3 ans. Si l'intérêt à payer est de 6 %, composé mensuellement, quelle somme Ronald et Benjamin peuvent-ils emprunter?

12. Problème du chapitre Chloé a atteint son objectif d'avoir 12 000 $ au bout de 4 ans. Elle dépose ce montant dans un nouveau compte de placement à un taux d'intérêt annuel de 5 %, composé trimestriellement. Elle veut effectuer des retraits périodiques de ce compte tous les 3 mois, pendant les 2 prochaines années. Combien retirera-t-elle à chaque trimestre?

13. Josie prévoit placer 10 000 $ à la fin de chaque année pendant les 25 années qui précèdent sa retraite. Elle prévoit effectuer ensuite des retraits périodiques pendant 25 ans. Suppose que le taux d'intérêt annuel est de 7 %, composé annuellement, et qu'il reste constant pendant les 50 prochaines années.

a) Prédis le montant que Josie pourra retirer chaque année lorsqu'elle aura pris sa retraite.

- moins de 10 000 $
- 10 000 $
- plus de 10 000 $

Explique ta réponse.

b) Estime le montant qu'elle pourra retirer. Explique ton raisonnement.

c) Détermine la valeur de l'annuité de Josie le jour de sa retraite.

d) À partir de ce montant, détermine la somme que Josie pourra retirer à la fin de chaque année pendant les 25 ans qui suivront sa retraite.

e) Compare ta réponse en d) à ton estimation en b). Ton estimation était-elle juste ?

✔ **Question d'évaluation**

14. Les grands-parents d'Abraham veulent placer de l'argent pour l'aider à vivre en appartement lorsqu'il ira au collège. Abraham pourra retirer 3 000 $ à la fin de chaque année pendant 4 ans. Il effectuera le premier retrait dans un an, lorsqu'il commencera ses études. Si l'intérêt généré est de 7 %, composé annuellement, combien les grands-parents d'Abraham devraient-ils placer ? Résous le problème à l'aide de deux méthodes.

C **Approfondissement**

15. Soit une annuité simple définie par un versement périodique R et un taux d'intérêt i, sous forme décimale, par période

de capitalisation. À partir de la formule de la somme d'une série géométrique, $S_n = \dfrac{a(r^n - 1)}{r - 1}$, établis la formule de la valeur actuelle d'une annuité, $VA = \dfrac{R[1 - (1 + i)^{-n}]}{i}$.

16. La loi exige que les taux d'intérêt hypothécaires soient indiqués sous la forme d'un taux annuel avec capitalisation semestrielle. Cependant, comme on effectue habituellement un versement hypothécaire chaque mois, ce taux doit être converti en un taux mensuel. Un prêt hypothèque de 200 000 $ a une période d'amortissement de 25 ans et un taux d'intérêt de 5 % composé semestriellement.

a) À l'aide de la formule de l'intérêt composé, détermine le taux d'intérêt équivalent composé mensuellement.

b) Détermine la somme à verser chaque mois pour rembourser cette dette en 25 ans.

Maths et monde

Un prêt hypothécaire comporte une garantie de remboursement qui peut être une maison ou un autre bien immobilier. Le temps nécessaire au remboursement d'un prêt hypothécaire s'appelle *période d'amortissement*.

17. Un prêt hypothécaire de 150 000 $, amorti sur 25 ans, a un taux d'intérêt de 6,7 % composé semestriellement.

a) Quelle est la somme à verser chaque mois ?

b) Suppose que tu choisis d'effectuer des versements hebdomadaires au lieu de versements mensuels. Quelle est la somme à verser chaque semaine ?

c) Calcule l'intérêt total payé si les versements sont hebdomadaires.

Révision du chapitre 7

7.1 L'intérêt simple, pages 418 à 425

1. Louise emprunte 720 $ à un intérêt simple de 9,5 %. Elle prévoit rembourser cette somme dans un an et demi.

   a) Quel sera le total de l'intérêt à payer ?

   b) Quel sera le montant total à rembourser ?

2. Youri dépose 850 $ dans un compte à taux d'intérêt annuel simple de 6,25 %. Dans combien de temps aura-t-il 1 000 $?

3. Nicole a emprunté 750 $ pendant 4 ans. Elle a remboursé 945 $.

   a) À l'aide des renseignements donnés, représente graphiquement le montant dû en fonction du temps.

   b) Pourquoi s'agit-il d'une relation du premier degré ?

   c) Détermine l'ordonnée à l'origine du graphique et explique ce qu'elle indique.

   d) Détermine la pente du graphique et explique ce qu'elle indique.

7.2 L'intérêt composé, pages 426 à 435

4. Sylvain place 835 $ à un taux annuel de 8,25 % composé annuellement.

   a) Détermine la valeur de ce placement au bout de 5 ans.

   b) Quel est le total de l'intérêt accumulé ?

5. Un compte a un solde initial de 1 000 $ et un taux d'intérêt de 3 % par année, composé semestriellement.

   a) Décris la forme du graphique qui représente le montant en fonction du temps.

   b) Quelle est l'ordonnée à l'origine ? Que représente-t-elle ?

   c) Décris ce qui arrive à la pente du graphique.

6. Élise place 500 $ à un taux d'intérêt annuel de 6,5 % composé trimestriellement.

   a) Calcule le temps requis, au mois près, pour que le montant double.

   b) Ta réponse en a) sera-t-elle différente si le capital change ? Explique pourquoi.

7.3 La valeur actuelle, pages 436 à 443

7. Quelle somme faut-il placer aujourd'hui pour avoir 1 000 $ dans 3 ans si l'intérêt annuel est de 7 % composé annuellement ?

8. Daniel aura besoin de 45 000 $ dans 6 ans pour acheter une nouvelle voiture. Un placement lui rapporte 4,8 % d'intérêt par année, composé mensuellement.

   a) Détermine la valeur actuelle du placement qui permettra à Daniel d'acheter la voiture.

   b) Quel sera le total de l'intérêt accumulé ?

9. La valeur actuelle d'un placement qui vaudra 3 823 $ dans 4 ans est de 3 000 $. Si l'intérêt est composé semestriellement, quel est le taux d'intérêt annuel ?

10. À un taux d'intérêt annuel de 6,25 %, la valeur finale d'une obligation de 200 $ sera de 272,71 $ dans 5 ans. Détermine la période de capitalisation.

7.4 Les annuités, pages 444 à 455

11. À la fin de chaque année, pendant 4 ans, Jacqueline dépose 2 400 $ dans un compte dont le taux d'intérêt annuel est de 4,3 % composé annuellement.

   a) Représente cette annuité par une ligne du temps.

   b) Pourquoi peut-on représenter cette annuité par une série géométrique ?

   c) Détermine la valeur finale.

   d) Quel est le total de l'intérêt accumulé ?

12. Marco place 400 $ à la fin de chaque mois pendant 8 ans. L'intérêt s'accumule à un taux de 5,5 % composé mensuellement.

   a) Détermine la valeur finale.

   b) Quel est le total de l'intérêt accumulé ?

13. Latisha décide de placer la même somme toutes les deux semaines à un taux d'intérêt annuel de 7,8 % composé à la quinzaine. Elle espère avoir accumulé 30 000 $ au bout de 3 ans. Détermine la somme qu'elle doit placer toutes les deux semaines.

7.5 La valeur actuelle d'une annuité,
pages 456 à 463

14. Examine la ligne du temps d'une annuité.

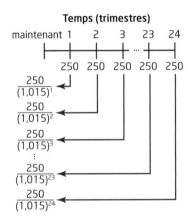

a) Quelle est la durée de cette annuité ? Comment le sais-tu ?

b) Détermine le taux d'intérêt annuel et le nombre de périodes de capitalisation par année.

c) Détermine la valeur actuelle de l'annuité.

d) Détermine le total de l'intérêt généré.

15. Suki souhaite retirer 800 $ chaque mois pendant les 20 prochaines années. Combien doit-elle placer aujourd'hui pour permettre ces retraits si on lui offre un taux d'intérêt annuel de 6,25 % composé mensuellement ?

16. Mario a économisé 250 000 $ pour sa retraite. Cette somme lui rapporte un intérêt annuel de 7,2 % composé mensuellement. Mario prévoit effectuer des retraits mensuels pendant les 25 prochaines années. Quelle est la somme maximale qu'il pourra retirer chaque mois ?

Problème du chapitre — LA CONCLUSION

Tu as examiné les placements de Chloé à la question 10 de la section 7.1, à la question 12 de la section 7.2 et à la question 15 de la section 7.3.

a) Quel était le taux d'intérêt de chaque placement ?

b) Quel est le total de l'intérêt généré par ces placements si Chloé vient d'atteindre son objectif ?

c) Le taux de rendement réel est le taux d'intérêt annuel simple d'un ensemble de placements. Divise le total de l'intérêt par le capital et par le nombre d'années pour déterminer le taux de rendement réel des placements de Chloé.

d) Combien d'argent de plus Chloé aurait-elle reçu si elle avait consacré la totalité de son capital au placement le plus rentable ?

e) Selon toi, pourquoi le conseiller de Chloé ne lui a-t-il pas recommandé cette stratégie ?

Pour les questions 1 à 5, choisis la meilleure réponse.

1. Karl emprunte 500 $ pour 4 ans à un taux d'intérêt annuel simple de 12 %. Quel montant devra-t-il rembourser ?

   A 60 $

   B 240 $

   C 560 $

   D 740 $

2. Jasmine place 400 $ à un taux d'intérêt annuel de 8 % composé annuellement. Combien d'intérêt recevra-t-elle en 5 ans ?

   A 160 $

   B 187,73 $

   C 560 $

   D 587,73 $

3. Détermine le nombre de périodes de capitalisation et le taux d'intérêt par période d'un placement de 3 ans à un taux de 6,5 % par année, composé semestriellement.

   A $n = 3$ et $i = 0,065$

   B $n = 6$ et $i = 0,032\ 5$

   C $n = 1,5$ et $i = 0,13$

   D $n = 12$ et $i = 0,016\ 25$

4. Si le taux d'intérêt annuel est de 3,9 % et que l'intérêt par période de capitalisation est de 0,975 %, quelle est la fréquence de capitalisation ?

   A Hebdomadaire

   B Mensuelle

   C Trimestrielle

   D Semestrielle

5. On place une somme à un taux de 9 % par année, composé trimestriellement. Au bout de 6 ans, le montant sera de 597,02 $. Quelle est la valeur actuelle du placement ?

   A 350,00 $ **B** 355,98 $

   C 404,24 $ **D** 421,36 $

6. Au bout de 1 an, la valeur du placement de Nadia est de 256,80 $. Au bout de 2 ans, elle est de 290,40 $.

   a) Combien Nadia reçoit-elle en intérêt simple chaque année ?

   b) Quel est le capital ?

   c) Quel est le taux d'intérêt annuel simple ?

7. Le 1er juillet, Anna place 500 $ à un taux d'intérêt annuel simple de 8 %. Elle encaisse ce placement le 3 décembre. Quelle somme retire-t-elle alors ?

8. Voici la ligne du temps d'une annuité.

   a) Quelle est la durée de l'annuité ? Comment le sais-tu ?

   b) Détermine le taux d'intérêt annuel et le nombre de périodes de capitalisation par année.

   c) Détermine la valeur finale.

   d) Détermine le total de l'intérêt accumulé.

9. Léon veut placer 3 000 $ pour 6 ans. Quelle option devrait-il choisir, et pourquoi ?

   Option A : 5,2 % d'intérêt annuel, composé trimestriellement

   Option B : 5 % d'intérêt annuel, composé mensuellement

10. Colette emprunte 2 800 $ pour acheter un scooter. Elle prévoit rembourser cet emprunt dans 3 ans. Le montant dû sera alors de 3 420,51 $. Quel est le taux d'intérêt, composé annuellement, de cet emprunt?

11. Tu places 1 000 $ pour 3 ans, à 6 % d'intérêt par année, composé trimestriellement. Quel taux d'intérêt composé mensuellement donnera les mêmes résultats?

12. Un placement à un taux d'intérêt annuel de 7,25 % composé semestriellement aura une valeur finale de 1 429 $ dans 8 ans.
   a) Quelle est sa valeur actuelle?
   b) Combien le placement rapporte-t-il de plus que si l'intérêt était simple?

13. Pour avoir 5 000 $ dans 8 ans, combien dois-tu placer aujourd'hui à un taux de 6 % par année, composé semestriellement?

14. Joël dépose 300 $ dans un compte qui rapporte un intérêt annuel de 6,7 % composé quotidiennement. À sa fermeture, le compte contient 348,56 $. Pendant combien de temps l'argent a-t-il été placé?

15. Esther dépose 200 $ chaque semaine pendant 20 ans dans un compte dont l'intérêt annuel est de 2,6 % composé hebdomadairement.
   a) Représente cette annuité par une ligne du temps.
   b) Détermine la valeur finale.
   c) Quel est le total de l'intérêt accumulé?

16. Au bout de 20 ans, Esther décide de prendre sa retraite et de vivre de ses économies pendant les 20 prochaines années. Son compte rapporte le même intérêt qu'à la question 15. Utilise le montant déterminé à la question 15 b).
   a) Représente la seconde annuité d'Esther par une ligne du temps.
   b) Détermine la somme maximale qu'Esther pourra retirer chaque semaine.
   c) Détermine le total de l'intérêt généré en 40 ans par les deux annuités.

17. Nora a besoin de 5 200 $ pour payer ses frais de scolarité lorsqu'elle ira à l'université, dans 2 ans. Elle prévoit déposer périodiquement la même somme dans un compte dont le taux est de 6,5 % par année, composé à la quinzaine.
   a) Représente cette annuité par une ligne du temps.
   b) Quelle somme doit-elle déposer toutes les deux semaines?

18. Shira a placé 18 000 $ afin de pouvoir retirer 650 $ chaque mois pendant 4 ans et demi. Si la valeur de son placement est nulle à la fin de cette période et que la capitalisation est mensuelle, quel est le taux d'intérêt annuel?

19. Au lieu de placer 3 000 $ dans 5 ans et 4 000 $ dans 10 ans, Steve préfère placer une même somme chaque mois pour accumuler le même montant en 10 ans. Quelle somme doit-il placer chaque mois si le taux d'intérêt annuel est de 4 %, composé mensuellement?

Révision des chapitres 6 et 7

Chapitre 6 Les fonctions discrètes

1. Écris les trois premiers termes de chaque suite. Décris la régularité à l'aide de mots.

a) $t_n = 3n - 2$

b) $f(n) = 4^n + 1$

c) $t_n = 5n^2 - 16$

d) $f(n) = \dfrac{n^3}{2} + 2$

e) $t_1 = 1,\ t_n = 2t_{n-1} + 5$

f) $t_1 = -2,\ t_n = (t_{n-1})^2 - 8$

2. Représente graphiquement les huit premiers termes de chaque suite de la question 1.

3. Une voiture neuve vaut 45 000 $. Elle se déprécie de 15 % la première année, puis de 5 % chaque année suivante.

a) Détermine la valeur de la voiture à la fin de la première, de la deuxième et de la troisième année. Exprime ces valeurs sous la forme d'une suite.

b) Représente la valeur de la voiture à la fin de l'année n par une formule.

c) Quelle est la valeur de la voiture à la fin de la 20e année? Est-ce réaliste? Explique ton raisonnement.

4. Écris les termes de la suite représentée par le graphique et définis-la par une formule récursive à l'aide de la notation fonctionnelle.

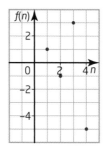

5. Représente chaque suite par une formule du terme général et une formule récursive.

a) 5, 7, 9, 11, …

b) 2, 4, 16, 256, …

6. Examine les rangées du triangle de Pascal dont le numéro est un nombre premier. Décris la caractéristique qui est commune à ces rangées, mais pas à celles dont le numéro est un nombre composé.

7. Développe et simplifie chaque binôme.

a) $(2x + 5)^7$

b) $(a^2 - 3b)^5$

c) $\left(\dfrac{2}{x} + x^2 \right)^6$

d) $\left(5 - \dfrac{3}{\sqrt{n}} \right)^4$

8. Détermine si chaque suite est arithmétique, géométrique ou ni l'un ni l'autre. Représente chaque suite arithmétique ou géométrique par une équation, et détermine la valeur du 12e terme.

a) 6, 11, 17, 29, …

b) $-3, 1, 5, 9, …$

c) 3, 12, 48, 192, …

d) 2 657 205, $-885\ 735$, 295 245, $-98\ 415$, …

9. Le quatrième terme d'une suite arithmétique est 6, et le septième est 27. Détermine le premier et le deuxième terme de cette suite.

10. Combien de termes forment la suite géométrique 7, 21, 63, …, 3 720 087 ?

11. Un nouveau club de golf compte 480 membres à vie 3 semaines après son ouverture et 1 005 membres à vie 6 semaines après son ouverture. Suppose que le nombre de membres augmente selon une suite arithmétique.

a) Détermine le terme général de la suite correspondante.

b) Combien de membres y a-t-il à la fin de la cinquième semaine?

c) Quand y aura-t-il plus de 2 000 membres?

12. Détermine la somme des 10 premiers termes de chaque série.

a) $2 + 9 + 16 + 23 + …$

b) $5 - 25 + 125 - 625 + …$

c) $256 + 128 + 64 + 32 + …$

d) $-\dfrac{1}{3} - \dfrac{5}{6} - \dfrac{4}{3} - \dfrac{11}{6} - …$

13. On laisse tomber une balle d'une hauteur de 160 cm. À chaque rebond, la balle atteint 80 % de sa hauteur précédente.

a) Quelle hauteur la balle atteint-elle à son 8e rebond?

b) Quelle est la distance totale parcourue par la balle avant le 15e rebond?

Chapitre 7 Les applications financières

14. Définis les termes suivants:

a) capital

b) montant

c) intérêt simple

d) intérêt composé

e) annuité

f) valeur actuelle

g) période de capitalisation

15. Détermine l'intérêt généré par chaque placement.

a) Une somme de 1 000 $ placé pendant 8 mois à 5 % d'intérêt annuel simple

b) Une somme de 800 $ déposée pendant 40 semaines dans un compte dont l'intérêt annuel simple est de 2,5 %

c) Une somme de 10 000 $ placée en bon du Trésor de 90 jours à un taux d'intérêt simple de 4,8 % par année

16. Alex dépose 500 $ dans un compte, à 3 % d'intérêt simple.

a) Écris une équation qui représente le montant en fonction du temps.

b) Représente graphiquement cette relation sur 1 an.

c) Combien de temps faut-il pour accumuler 10 $ d'intérêt?

17. Sarah place 750 $ dans un dépôt à terme de 5 ans, à un taux de 4,5 % par année, composé semestriellement. Combien d'intérêt accumulera-t-elle?

18. Abdoul décide de placer de l'argent pour avoir 10 000 $ dans 5 ans. Il examine deux options:
Le compte A rapporte 3,5 % par année, composé semestriellement.
Le compte B rapporte 3,2 % par année, composé mensuellement.

a) Compare la valeur actuelle des deux options.

b) Quel compte représente le meilleur choix pour Abdoul? Explique ton raisonnement.

19. Maya veut économiser pour ses études universitaires. Elle déposera 50 $ à la fin de chaque mois, pendant les 3 prochaines années. Elle s'attend à un taux d'intérêt annuel de 1,5 % composé mensuellement. Combien aura-t-elle économisé dans 3 ans?

20. Wayne a 16 ans. Quel montant doit-il placer tous les 6 mois, à un taux annuel de 4 % composé semestriellement, pour devenir millionnaire avant d'avoir 50 ans?

21. Ève veut accumuler 20 000 $ en déposant 300 $ à la fin de chaque mois pendant 5 ans. Quel doit être le taux d'intérêt annuel si la capitalisation est mensuelle?

22. Un contrat de location prévoit un versement initial de 1 000 $, puis un versement de 500 $ à la fin de chaque mois pendant 3 ans. Si le taux d'intérêt est de 4,5 % par année, composé mensuellement, quelle est la valeur actuelle de ce contrat?

23. Après avoir économisé 100 000 $ pour sa retraite, Gabrielle voudrait retirer la même somme tous les 3 mois pendant 15 ans. Si le taux d'intérêt annuel est de 5 % composé trimestriellement, quelle somme retirera-t-elle chaque fois?

Activité

Les emprunts et les annuités de début de période

a) I) Ali rembourse un emprunt en effectuant un versement de 50 $ à la fin de chaque mois pendant 2 ans. Si l'intérêt à payer est de 6 % composé mensuellement, quelle est la valeur actuelle de cet emprunt ?

II) Jean rembourse un emprunt en effectuant un versement initial de 50 $, puis un versement de 50 $ à la fin de chaque mois pendant 2 ans. Si l'intérêt à payer est de 6 % composé mensuellement, quelle est la valeur actuelle de cet emprunt ?

III) Maria rembourse un emprunt en effectuant un versement de 50 $ au début de chaque mois pendant 2 ans. Si l'intérêt à payer est de 6 % composé mensuellement, quelle est la valeur actuelle de cet emprunt ?

IV) Explique les éléments de chaque situation qui font que les résultats sont différents.

b) Comme son nom l'indique, une *annuité de début de période* se distingue d'une annuité de fin de période par le fait que chaque versement est effectué au début de la période, plutôt qu'à la fin.

I) Dans laquelle des situations en a) est-il question d'une annuité de début de période ? Explique pourquoi.

II) À partir des résultats de tes calculs, élabore une formule qui représente la valeur actuelle d'une annuité de début de période.

III) À l'aide de cette formule, détermine la valeur actuelle d'un emprunt à 7 % d'intérêt, composé trimestriellement, que l'on rembourse par des versements de 200 $ effectués au début de chaque trimestre pendant 2 ans.

IV) À l'aide de la même formule, détermine la somme à verser au début de chaque mois, pendant 3 ans, pour rembourser 15 000 $ empruntés à un taux de 3 % composé mensuellement.

Révision globale

Chapitre 1 Les fonctions

1. Détermine le domaine et l'image de chaque relation, puis représente-la graphiquement.

   a) $y = \dfrac{3}{x - 9}$ **b)** $y = \sqrt{2 - x} - 4$

2. Lequel de ces énoncés N'EST PAS vrai ?

   A Toutes les fonctions sont aussi des relations.

   B Le test de la droite verticale indique si une relation est une fonction.

   C Toutes les relations sont aussi des fonctions.

   D Certaines relations sont aussi des fonctions.

3. On peut déterminer à peu près le temps que la valeur d'un placement met à doubler à l'aide de la fonction $n(d) = \dfrac{72}{d}$, où n représente le nombre d'années, et d représente le taux d'intérêt annuel, en pourcentage.

   a) En combien de temps la valeur d'un placement double-t-elle à chaque taux ?

   I) 3 %   **II)** 6 %   **III)** 9 %

   b) Représente graphiquement ces données.

   c) Détermine le domaine et l'image dans le contexte.

4. Détermine le sommet de chaque fonction du second degré en complétant le carré. Vérifie tes réponses à l'aide de la factorisation partielle. Indique si chaque sommet est un minimum ou un maximum.

   a) $f(x) = 3x^2 + 9x + 1$

   b) $f(x) = -\dfrac{1}{2}x^2 + 3x - \dfrac{5}{2}$

5. Une entreprise fabrique au total x articles par semaine. On peut représenter ses coûts de production par $C(x) = 50 + 3x$ et ses recettes par $R(x) = 6x - \dfrac{x^2}{100}$. Combien d'articles l'entreprise doit-elle fabriquer par semaine pour maximiser ses bénéfices ?

   Indice : bénéfices = recettes − coûts

6. Simplifie chaque expression.

   a) $2\sqrt{243} - 5\sqrt{48} + \sqrt{108} - \sqrt{192}$

   b) $\dfrac{2}{3}\sqrt{125} - \dfrac{1}{3}\sqrt{27} + 2\sqrt{48} - 3\sqrt{80}$

7. Développe chaque expression, puis simplifie-la si possible.

   a) $\left(\sqrt{5} + 2\sqrt{3}\right)\left(3\sqrt{5} + 4\sqrt{3}\right)$

   b) $\left(4 - \sqrt{6}\right)\left(1 + \sqrt{6}\right)$

8. Représente l'aire du cercle par une expression simplifiée.

9. Résous $3x^2 + 9x - 30 = 0$ à l'aide :

   a) de la complétion du carré,

   b) d'une calculatrice à affichage graphique,

   c) de la factorisation,

   d) de la formule quadratique.

10. Un rectangle a une aire de 15 m², et sa longueur a 5 m de plus que sa largeur. Quelles sont ses dimensions, au dixième de mètre près ?

11. Détermine l'équation de la fonction du second degré dont les zéros et un point du graphique sont donnés. Exprime chaque fonction sous la forme générale. Trace son graphique pour vérifier ton résultat.

    a) $2 \pm \sqrt{3}$, point $(4, -6)$

    b) 4 et −1, point $(1, -4)$

12. L'arche d'un viaduc a une forme parabolique. Elle s'étend sur une distance de 16 m d'un côté à l'autre de la route. Sa hauteur est de 6 m à 1 m de ses extrémités.

    a) Représente graphiquement la fonction correspondante si le sommet de la parabole est sur l'axe des y et que la route coïncide avec l'axe des x.

    b) Détermine l'équation de la fonction qui modélise l'arche.

    c) Détermine la hauteur maximale de l'arche.

13. Pendant des feux d'artifice, le plus gros feu suit une trajectoire définie par la fonction $f(x) = -0,015x^2 + 2,24x + 1,75$, où x est la distance horizontale en mètres à partir de la plateforme de lancement. Une colline se trouve à une certaine distance en mètres de la plateforme. On peut représenter son versant par l'équation $h(x) = 0,7x - 83$. Le feu d'artifice atteindra-t-il la colline? Explique ta réponse.

Chapitre 2 Les transformées et la réciproque de fonctions

14. Détermine si les fonctions de chaque paire sont équivalentes:

   I) en y remplaçant x par trois valeurs distinctes,

   II) en simplifiant leur membre de droite,

   III) en les représentant graphiquement à l'aide de la technologie.

   a) $f(x) = -2(x + 3)^2 + (5x + 1)$,
      $g(x) = -2x^2 - 7x - 17$

   b) $f(x) = \dfrac{x^2 - 2x - 15}{x^2 - 9x + 20}$,

      $g(x) = \dfrac{x + 3}{x - 4}$

15. Simplifie chaque expression et indique toute restriction imposée à la variable.

   a) $\dfrac{-x + 1}{8x} \div \dfrac{2x - 2}{14x^2}$

   b) $\dfrac{x^2 + 5x - 36}{x^2 - 2x} \div \dfrac{x^2 + 11x + 18}{8x^2 - 4x^3}$

   c) $\dfrac{x^2 - 25}{x - 4} \times \dfrac{x^2 - 6x + 8}{3x + 15}$

16. Pour chaque fonction $g(x)$, indique la fonction de base $f(x)$ correspondante. Décris les transformations à appliquer à la fonction de base, en notation fonctionnelle et à l'aide de mots. Transforme ensuite le graphique de $f(x)$ pour produire celui de $g(x)$ et indique le domaine et l'image de chaque fonction.

   a) $g(x) = \dfrac{1}{x + 5} - 1$

   b) $g(x) = \sqrt{x + 7} - 9$

17. Dans chaque cas, décris la réflexion (ou symétrie) qui transforme $f(x)$ en $g(x)$.

a)

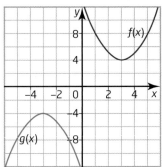

b)

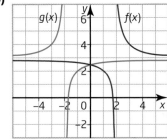

18. Soit les fonctions de base $f(x) = x^2$, $f(x) = \sqrt{x}$ et $f(x) = \dfrac{1}{x}$. À partir de chacune, écris une équation qui représente $g(x)$ et une qui représente $h(x)$, puis décris les transformations. Applique ensuite ces transformations au graphique de $f(x)$ pour obtenir ceux de $g(x)$ et de $h(x)$, puis indique le domaine et l'image des fonctions.

   a) $g(x) = 4f(-x)$ et $h(x) = \dfrac{1}{4}f(x)$

   b) $g(x) = f(4x)$ et $h(x) = -f\left(\dfrac{1}{4}x\right)$

19. On laisse tomber un ballon d'une hauteur de 32 m. Son accélération gravitationnelle est de $-9,8$ m/s^2. La hauteur du ballon est donnée par $h(t) = -4,9t^2 + 32$.

   a) Indique le domaine et l'image de la fonction.

   b) Écris une équation qui représente la hauteur du ballon sur une planète où l'accélération gravitationnelle est de $-11,2$ m/s^2.

   c) Compare le domaine et l'image de la fonction en b) avec ceux de la fonction donnée.

20. Décris les transformations qu'il faut appliquer à la fonction de base $f(x)$ pour produire la transformée $g(x)$. Ensuite, écris l'équation de $g(x)$ et esquisse son graphique.

a) $f(x) = x$, $g(x) = -2f(3(x-4)) - 1$

b) $f(x) = \frac{1}{x}$, $g(x) = \frac{1}{3}f\left(\frac{1}{4}(x-2)\right) + 3$

21. Pour chaque fonction $f(x)$:

I) détermine $f^{-1}(x)$,

II) trace le graphique de $f(x)$ et celui de sa réciproque,

III) détermine si la réciproque de $f(x)$ est une fonction.

a) $f(x) = 4x - 5$

b) $f(x) = 3x^2 - 12x + 3$

22. On peut représenter la relation entre l'aire d'un cercle et son rayon par la fonction $A(r) = \pi r^2$, où A est l'aire du cercle et r est son rayon. Voici le graphique de cette fonction et celui de sa réciproque.

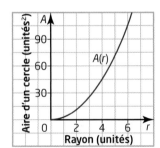

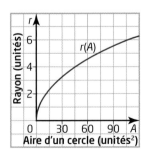

a) Indique le domaine et l'image de $A(r)$.

b) Détermine l'équation de la réciproque. Indique son domaine et son image.

Chapitre 3 Les fonctions exponentielles

23. Une boîte de Petri contient au départ 20 bactéries. Au bout d'une journée, ce nombre a triplé.

a) Détermine la population de bactéries à la fin de chaque journée de la première semaine.

b) Écris une équation qui représente cette croissance.

c) Représente graphiquement la relation. Est-ce une fonction ? Pourquoi ?

d) Si la tendance se maintient, quelle sera la population au bout :

I) de 2 semaines ?

II) de 3 semaines ?

e) Décris la régularité des différences finies pour cette relation.

24. Le tritium est une substance présente dans les déchets radioactifs. Sa demi-vie est d'environ 12 ans. Soit un échantillon de tritium de 50 mg. Dans combien de temps n'aura-t-il plus que 10 % de sa masse initiale ?

25. Applique d'abord les lois des exposants, lorsque c'est possible, puis évalue chaque expression.

a) $(-8)^{-2} + 2^{-6}$

b) $(3^{-3})^{-2} \div 3^{-5}$

c) $\left(\frac{2^3}{3^2}\right)^{-2}$

d) $\frac{(6^6)(6^{-3})}{6^2}$

26. Simplifie chaque expression.

a) $(4n^{-2})(-3n^5)$

b) $\frac{12c^{-3}}{15c^{-5}}$

c) $(3a^2b^{-2})^{-3}$

d) $\left(\frac{-2p^3}{3q^4}\right)^{-5}$

27. Évalue chaque expression.

a) $16^{-\frac{3}{4}}$

b) $\left(\frac{4}{9}\right)^{-\frac{1}{2}}$

c) $\left(-\frac{8}{125}\right)^{-\frac{2}{3}}$

28. Simplifie chaque expression. Exprime tes réponses à l'aide d'exposants positifs.

a) $\frac{a^{-2}b^3}{a^{\frac{1}{4}}b^{\frac{2}{3}}}$

b) $(u^{-\frac{2}{3}}v^{\frac{1}{4}})^{\frac{3}{5}}$

c) $w^{\frac{7}{8}} \div w^{-\frac{3}{4}}$

29. Représente graphiquement chaque fonction exponentielle. Indique :

- le domaine,
- l'image,
- les coordonnées à l'origine, si elles existent,
- les intervalles de croissance et de décroissance,
- l'asymptote.

a) $y = 5\left(\dfrac{1}{3}\right)^x$ **b)** $y = -4^{-x}$

30. Un échantillon radioactif a une demi-vie d'un mois et une masse initiale de 300 mg.

a) Écris l'équation d'une fonction qui représente la quantité restante, en mg, selon le temps écoulé, en mois.

b) Restreins le domaine de la fonction afin que le modèle mathématique corresponde à la situation décrite.

31. Trace le graphique de chaque fonction à partir du graphique de $y = 8^x$. Décris les effets, s'il y en a, sur :

- l'asymptote,
- le domaine,
- l'image.

a) $y = 8^{x-4}$ **b)** $y = 8^{x+2} + 1$

32. Écris l'équation de la fonction qui résulte de chaque transformation de la fonction de base $y = 11^x$.

a) Réflexion par rapport à l'axe des x et agrandissement vertical de rapport 4

b) Réflexion par rapport à l'axe des y et agrandissement horizontal de rapport $\dfrac{4}{3}$

33. À minuit, une personne hospitalisée est infectée par un virus inconnu. À 1 h, on a déjà détecté le même virus chez trois autres malades. Une heure plus tard, neuf autres malades sont infectés. À 3 h, il y a 27 cas de plus. Le virus se répand à ce rythme dans tout l'hôpital.

a) Crée une table de valeurs qui indique le nombre de nouveaux cas en fonction du temps, par intervalles d'une heure.

b) Crée un nuage de points. Décris la tendance.

c) Quel type de fonction représente la propagation du virus ? Explique ta réponse.

d) Détermine une équation qui représente la relation. Explique la méthode que tu as utilisée.

Chapitre 4 La trigonométrie

34. a) Pour déterminer les rapports trigonométriques d'un angle de 240° à l'aide d'un cercle unitaire, on utilise un angle de référence de 60°. Quel angle de référence doit-on utiliser pour déterminer les rapports trigonométriques d'un angle de 210° ?

b) À l'aide d'un cercle unitaire, détermine la valeur exacte des trois rapports trigonométriques de base d'un angle de 210° et d'un angle de 240°.

35. Un bateau de pêche se trouve à 15 km au sud d'un phare. Un yacht se trouve à 15 km à l'ouest du même phare.

a) À l'aide de la trigonométrie, détermine la distance exacte entre les deux navires.

b) Vérifie ta réponse à l'aide d'une autre méthode.

36. Sans utiliser de calculatrice, détermine deux angles compris entre 0° et 360° qui ont un sinus de $\dfrac{\sqrt{3}}{2}$.

37. Le point $(-2, 7)$ se trouve sur le côté terminal de $\angle A$.

a) Détermine les rapports trigonométriques de base de $\angle A$ et de $\angle B$, de façon que $\angle B$ ait le même sinus que $\angle A$.

b) À l'aide d'une calculatrice et d'un schéma, détermine la mesure de $\angle A$ et celle de $\angle B$, au degré près.

38. Soit le triangle rectangle PQR, où m$\overline{PQ}$ = 5 cm, m$\overline{QR}$ = 12 cm et m$\angle$Q = 90°.

a) Détermine la longueur du côté PR.

b) Détermine les six rapports trigonométriques de $\angle$P.

c) Détermine les six rapports trigonométriques de $\angle$R.

39. Pour chaque rapport, détermine deux angles possibles de 0° à 360°, au degré près.

a) cosec A = $\dfrac{7}{3}$

b) sec B = −6

c) cotan C = −$\dfrac{9}{4}$

40. Un chêne, un marronnier et un érable forment les sommets d'une aire de jeu triangulaire dans un parc. Le chêne se trouve à 35 m du marronnier. L'angle formé par l'érable et le marronnier à partir du chêne est de 58°. L'angle formé par le chêne et le marronnier à partir de l'érable est de 49°.

a) Fais un schéma. Pourquoi le triangle formé par les trois arbres n'est-il pas rectangle?

b) Est-il nécessaire de penser au cas ambigu? Explique ta réponse.

c) Détermine les distances inconnues, au dixième de mètre près. S'il y a plus d'une réponse possible, détermine chacune.

41. À midi, deux voitures s'éloignent de l'intersection de deux routes de campagne qui forment un angle de 34°. La voiture A se déplace à 80 km/h et la voiture B, à 100 km/h. Deux heures plus tard, les deux conducteurs voient un avion dans le ciel. L'angle de dépression de l'avion vers la voiture A est de 20°, et la distance entre eux est de 100 km. Détermine la distance de l'avion à la voiture B.

42. Isra gare sa motocyclette au coin de l'avenue du Canal et de la rue Principale. Elle marche 60 m vers l'ouest jusqu'à l'avenue des Érables, puis elle tourne de 40° vers la gauche et longe l'avenue des Érables sur 90 m jusqu'à l'immeuble où elle travaille. De la fenêtre de son bureau, au 18e étage, elle voit sa motocyclette. Chaque étage a 5 m de hauteur.

a) Représente la situation par un schéma. Inscris-y toutes les mesures.

b) À quelle distance, en ligne droite, Isra se trouve-t-elle de sa motocyclette?

43. Démontre chaque identité.

a) $\dfrac{1}{\sin^2 \theta} + \dfrac{1}{\cos^2 \theta} = \left(\tan \theta + \dfrac{1}{\tan \theta} \right)^2$

b) cosec $\theta \left(\dfrac{1}{\text{cotan } \theta} + \dfrac{1}{\sec \theta} \right)$

= sec θ + cotan θ

Chapitre 5 Les fonctions trigonométriques

44. a) Esquisse le graphique d'une fonction périodique $f(x)$ de période 4, dont la valeur maximale est 5 et dont la valeur minimale est −3.

b) Attribue une valeur a à x, et détermine $f(a)$.

c) Détermine deux autres valeurs, b et c, telles que $f(a) = f(b) = f(c)$.

45. En visite dans une ville côtière, Benoît remarque que le niveau de l'eau au quai varie pendant la journée selon les marées. Sur un des piliers du quai, des marques indiquent une marée haute de 4,8 m (à 6 h 30), une marée basse de 0,9 m (à 12 h 40), puis une autre marée haute (à 18 h 50).

a) Estime la période de la variation du niveau de l'eau.

b) Estime l'amplitude de ce phénomène.

c) Prédis le moment de la prochaine marée basse.

46. Soit les fonctions suivantes.

I) $y = 4 \sin\left(\frac{1}{3}(x + 30°)\right) - 1$

II) $y = -\frac{1}{2} \cos(4(x + 135°)) + 2$

a) Quelle est l'amplitude de chaque fonction?

b) Quelle est la période de chaque fonction?

c) Décris le déphasage de chaque fonction.

d) Décris le déplacement vertical de chaque fonction.

e) **Technologie** Représente graphiquement chaque fonction. Compare les graphiques aux caractéristiques attendues.

47. Une fonction sinusoïdale a une amplitude de 6 unités, une période de 150° et un maximum en (0, 4).

a) Représente-la par l'équation d'une fonction sinus.

b) Représente-la par l'équation d'une fonction cosinus.

48. Une personne monte à bord d'une grande roue. On peut représenter sa hauteur h au-dessus du sol, en mètres, au bout de t secondes, par la fonction $h(t) = 9 \sin(2(t - 30)) + 10$.

a) **Technologie** Trace le graphique de la fonction.

b) Détermine:

I) les hauteurs maximale et minimale de la personne au-dessus du sol,

II) la hauteur de la personne après 30 s,

III) le temps nécessaire à la grande roue pour faire un tour complet.

49. Au cours de physique, Marina construit une mini-génératrice à courant alternatif actionnée par une manivelle. Lorsqu'elle tourne la manivelle 4 fois à la seconde, elle réussit à alimenter une ampoule de 6 V. On peut représenter la tension par une fonction sinusoïdale de la forme $y = a \sin(k(x - c)) + d$.

a) Quelle est la période du courant produit par la génératrice?

b) Détermine la valeur de k.

c) Quelle est l'amplitude de la fonction?

d) Représente la tension par une fonction sinusoïdale ayant subi les transformations appropriées.

e) **Technologie** Trace le graphique de la fonction sur deux cycles. Explique ce que l'échelle de chaque axe représente.

Chapitre 6 Les fonctions discrètes

50. Détermine le 9e terme de chaque suite.

a) $t_n = \frac{n^2 - 1}{2n}$

b) $f(n) = (-3)^{n-2}$

51. Écris les 5 premiers termes de chaque suite.

a) $t_1 = 3$, $t_n = \frac{t_{n-1}}{0{,}2}$

b) $f(1) = \frac{2}{5}$, $f(n) = f(n - 1) - 1$

52. Après une chirurgie, une personne reçoit 400 mg d'un antidouleur aux 5 h pendant 3 jours. Ce médicament a une demi-vie d'environ 5 h, c'est-à-dire qu'après ce temps, il en reste environ la moitié dans le corps de la personne.

a) Crée une table de valeurs qui représente la quantité de médicament dans le corps de la personne au bout de chaque période de 5 heures.

b) Exprime la quantité de médicament au bout de chaque période de 5 h sous la forme d'une suite. Représente cette suite par une formule récursive.

c) Représente graphiquement cette suite.

d) Avec le temps, qu'arrive-t-il à la quantité de médicament dans le corps?

Pour les questions 53 et 54, reporte-toi au triangle de Pascal.

53. Développe chaque expression.

a) $(x - y)^6$

b) $\left(\frac{x}{3} - 2x\right)^4$

54. Écris chaque expression comme la somme de deux termes, de la forme $t_{n,r}$.

a) $t_{5,2}$ **b)** $t_{10,7}$

55. a) Indique si chaque suite est arithmétique ou non. Explique tes réponses.

  I) 9, 5, 1, -3, …

  II) $\dfrac{1}{5}$, $\dfrac{3}{5}$, 1, $\dfrac{7}{5}$, $\dfrac{9}{5}$, …

  III) $-4{,}2$, $-3{,}8$, $-3{,}5$, $-3{,}3$, $-3{,}2$, …

b) Écris la formule du terme général de chaque suite arithmétique.

56. Détermine la formule du terme général de chaque suite géométrique, puis indique la valeur de t_{10}.

a) 90, 30, 10, …

b) $\dfrac{1}{4}$, $\dfrac{1}{6}$, $\dfrac{1}{9}$, …

c) $-0{,}003\ 5$, $0{,}035$, $-0{,}35$, …

57. Détermine la somme des 10 premiers termes de chaque série arithmétique.

a) $a = 2$, $d = -3$, $t_{10} = 56$

b) $a = -5$, $d = 1{,}5$

58. Détermine la somme de chaque série géométrique.

a) $45 + 15 + 5 + … + \dfrac{5}{729}$

b) $1 - x + x^2 - x^3 + … - x^{15}$

59. Une balle qui tombe sur une surface dure rebondit et atteint $\dfrac{3}{5}$ de sa hauteur précédente. Suppose que la balle tombe d'une hauteur de 45 m.

a) Quelle hauteur la balle atteint-elle à son 7$^\text{e}$ rebond ?

b) Quelle distance totale la balle aura-t-elle parcourue au moment de son 13$^\text{e}$ rebond ?

Chapitre 7 Les applications financières

60. Richard dépose 1 000 $ dans un certificat de placement garanti (CPG) qui génère un intérêt annuel simple de 4,5 %.

a) Élabore un modèle linéaire du montant en fonction du temps. Indique sa partie constante et sa partie variable. Représente graphiquement cette fonction.

b) Calcule le temps requis, au mois près, pour que le montant placé double.

c) Quel taux d'intérêt annuel fera doubler le montant en 6 ans ?

61. Tu souhaites placer 2 500 $ pour 6 ans. Deux options s'offrent à toi :

- Banque première : 6 % par année, composé trimestriellement ;
- Coop Crédit plus : 5,8 % par année, composé hebdomadairement.

Quelle option choisirais-tu ? Pourquoi ?

62. Il y a cinq ans, Léo a placé de l'argent à un taux annuel de 6,75 % composé annuellement. Aujourd'hui, ce placement vaut 925 $.

a) Quelle somme Léo avait-il placée ?

b) Quel est le total de l'intérêt accumulé ?

63. À la fin de chaque mois, pendant 5 ans, Cassandra dépose 120 $ dans un compte qui rapporte 5,25 % d'intérêt par année, composé mensuellement.

a) Représente cette annuité par une ligne du temps.

b) Détermine le solde du compte au bout de 5 ans.

c) Quel est le total de l'intérêt accumulé ?

64. Murielle prévoit retirer 700 $ à la fin de chaque trimestre, pendant 5 ans, d'un compte qui rapporte 7 % d'intérêt composé trimestriellement.

a) Représente cette annuité par une ligne du temps.

b) Détermine sa valeur actuelle.

c) Quel est le total de l'intérêt accumulé ?

Annexe Connaissances préalables

L'évaluation d'expressions

Pour calculer le pourcentage d'un nombre, écris le pourcentage sous la forme d'un nombre décimal, puis multiplie-le par le nombre.

16% de $50 = 0,16 \times 50 = 8$

1. Évalue chaque expression.

a) 45% de 120 b) 3% de 64 c) 20% de 95

d) $5,5\%$ de $2\,036$ e) $4,25\%$ de 600 f) 140% de 230

Pour additionner ou soustraire deux nombres rationnels sous la forme de fractions, détermine le plus petit dénominateur commun, et multiplie chaque fraction par un facteur pour obtenir des fractions équivalentes. Ensuite, additionne ou soustrais les numérateurs.

Évalue $\dfrac{3}{8} - \dfrac{7}{12}$ à l'aide du plus petit dénominateur commun, 24.

$$\dfrac{3}{8} - \dfrac{7}{12} = \dfrac{9}{24} - \dfrac{14}{24}$$ Reporte-toi à la section Les expressions comportant des fractions.

$$= -\dfrac{5}{24}$$

Pour multiplier deux nombres rationnels sous la forme de fractions, multiplie les numérateurs puis les dénominateurs. Pour les diviser, multiplie la première fraction par l'inverse de la deuxième fraction. Avant d'effectuer tout calcul, remplace les nombres fractionnaires par des fractions équivalentes.

$$-\dfrac{5}{6} \div 2\dfrac{1}{2} = -\dfrac{5}{6} \div \dfrac{5}{2} = -\dfrac{5}{6} \times \dfrac{2}{5} = -\dfrac{10}{30} = -\dfrac{1}{3}$$

2. Évalue chaque expression.

a) $\dfrac{3}{4} + \left(-\dfrac{1}{2}\right)$ b) $1\dfrac{2}{3} - \dfrac{5}{12}$ c) $-\dfrac{5}{8} + \left(-1\dfrac{1}{6}\right)$

d) $\dfrac{7}{9} \times \left(-\dfrac{3}{4}\right)$ e) $3\dfrac{1}{8} \div \left(-1\dfrac{1}{4}\right)$ f) $-1\dfrac{1}{5} \div 6$

L'exposant nul et les exposants négatifs

Toute base autre que zéro affectée d'un exposant nul est égale à 1.
$3^0 = 1$

Une base affectée d'un exposant négatif est égale à l'inverse de cette base affectée de la valeur positive de l'exposant.

1. Évalue chaque expression.

a) $10^3 \times 10^0$ b) 4^{-3} c) -7^0

d) 5^{-2} e) $(3^{-3})^2$ f) $6^4 \times 6^{-3} \times 6^2$

g) $2^3 \div 2^{-2}$ h) $2(3^4)^{-1}$ i) $\left(\dfrac{2}{3}\right)^{-2}$

2. Simplifie chaque expression. Exprime tes réponses à l'aide d'exposants positifs uniquement.

a) $3x^{-4}$

b) $(5y^{-2})^2$

c) $2(3x)^{-3}$

d) $\dfrac{4x^5y^6}{8x^2y^8}$

e) $\dfrac{(3a^{-4})2b^3}{6ab^{-3}}$

f) $\left(\dfrac{4m^3n^{-2}}{3m^{-4}n}\right)^{-3}$

L'utilisation de rapports trigonométriques

Il est possible de résoudre divers problèmes portant sur des triangles rectangles à l'aide des rapports trigonométriques.

D'une hauteur de 450 m au-dessus du sol, un avion amorce sa descente vers la piste d'atterrissage selon un angle de dépression de 18°. Quelle distance horizontale sépare l'avion de son point d'atterrissage ?

Esquisse un schéma et inscris-y les données fournies.
Trouve la valeur de x à l'aide de la tangente.

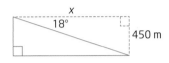

$\tan 18° = \dfrac{450}{x}$

$x = \dfrac{450}{\tan 18°}$

$\approx 1\ 385$

Environ 1 385 m séparent l'avion de son point d'atterrissage.

1. Un câble de 6,2 m est fixé au haut du mât d'un drapeau et au sol. Il forme un angle de 75° avec le sol. Quelle est la hauteur du mât ?

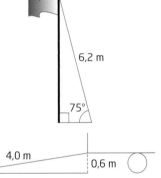

2. Une rampe de 4 m est fixée à l'arrière d'un camion, à 0,6 m au-dessus du sol. Quel est l'angle d'inclinaison de la rampe ?

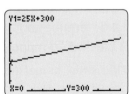

La croissance linéaire et la croissance exponentielle

Voici le graphique de $y = 25x + 300$.
Il représente une fonction affine. L'ordonnée à l'origine est 300 et la pente est 25.

Les premières différences sont constantes.

x	y	Premières différences
0	300	
		325 – 300 = 25
1	325	
		350 – 325 = 25
2	350	
		375 – 350 = 25
3	375	

Voici le graphique de $y = 50(1,04)^x$.
Il représente une fonction exponentielle.
L'ordonnée à l'origine est 50.

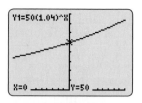

La table de valeurs indique les premières différences,
les deuxièmes et les rapports des termes.

x	y	Premières différences	Deuxièmes différences	Rapports
0	50			
		52 – 50 = 2		$\frac{52}{50} = 1,04$
1	52		2,08 – 2 = 0,08	
		54,08 – 52 = 2,08		$\frac{54,08}{52} = 1,04$
2	54,08		2,163 – 2,08 = 0,083	
		56,243 – 54,08 = 2,163		$\frac{56,243}{54,08} = 1,04$
3	56,243			

Pour obtenir les premières et les deuxièmes différences consécutives,
on multiplie par 1,04. Le rapport est toujours égal à 1,04.

1. Représente graphiquement la fonction $y = 30x + 200$.

   a) De quel type de fonction s'agit-il ?

   b) Détermine la pente et l'ordonnée à l'origine.

   c) Crée une table de valeurs pour $x = 0$, 1, 2 et 3.

   d) Calcule les premières différences et décris la régularité qu'elles présentent.

2. Représente graphiquement la fonction $y = 25(1,1)^x$.

   a) De quel type de fonction s'agit-il ?

   b) Détermine l'ordonnée à l'origine.

   c) Crée une table de valeurs pour $x = 0$, 1, 2 et 3.

   d) Calcule les premières et les deuxièmes différences et décris les régularités qu'elles présentent.

   e) Calcule les rapports des termes consécutifs et décris la régularité qu'ils présentent.

La détermination de la mesure d'un angle à partir d'un rapport trigonométrique

Détermine la mesure d'un angle aigu à l'aide des touches des fonctions arc sinus ($\sin^{-1}$), arc cosinus ($\cos^{-1}$) et arc tangente ($\tan^{-1}$) d'une calculatrice scientifique ou d'une calculatrice à affichage graphique.

Si sin A = 0,389 7, alors
m∠A = $\sin^{-1}$ 0,389 7
m∠A ≈ 22,9°

1. Détermine la mesure de chaque angle aigu, au degré près.

a) $\cos A = 0{,}259\ 8$ **b)** $\sin Q = 0{,}833\ 9$ **c)** $\tan T = 2{,}459\ 1$

d) $\cos P = 0{,}766\ 2$ **e)** $\sin X = 0{,}347\ 8$ **f)** $\tan C = 0{,}626\ 4$

La distributivité

La distributivité est la propriété selon laquelle, $a(x + y) = ax + ay$.
Pour développer une expression factorisée, multiplie chaque terme de la parenthèse par le terme extérieur. Par exemple, $3(x + 7) = 3x + 21$.

1. Développe chaque expression.

a) $2(a + b)$ **b)** $6(x - 4)$ **c)** $4(k^2 + 5)$ **d)** $-3(x - 2)$

e) $5(x^2 - 2x + 1)$ **f)** $2x(3x - 4)$ **g)** $8a(3 + a)$ **h)** $-2x(x + y - 3)$

La factorisation d'expressions de degré 2

Pour factoriser une expression du second degré :
- vérifie s'il y a des facteurs communs,
- si l'expression est sous la forme $x^2 + bx + c$, détermine deux nombres, m et n, dont le produit est c (il s'agit de déterminer les diviseurs de c) et dont la somme est b, puis factorise l'expression sous la forme $(x + m)(x + n)$,
- si l'expression est sous la forme $ax^2 + bx + c$, détermine deux nombres, m et n, dont le produit est ac (facteurs de ac) et dont la somme est b, réécris l'expression sous la forme $ax^2 + mx + nx + c$, puis factorise par une double mise en évidence,
- vérifie s'il s'agit du résultat d'un produit particulier, par exemple une différence de carrés ou un carré parfait.

Pour factoriser $x^2 + 2x - 15$, remarque que $(5)(-3) = -15$ et que $5 + (-3) = +2$.
Par conséquent, $x^2 + 2x - 15 = (x + 5)(x - 3)$.

Dans l'expression $12x^2 - 60x + 75$, le nombre 3 est un facteur commun.
Ainsi, $12x^2 - 60x + 75 = 3(4x^2 - 20x + 25)$.
Puisque les coefficients du premier et du dernier terme sont des carrés parfaits, le trinôme entre parenthèses pourrait être un carré parfait.
Puisque le coefficient du terme du milieu, -20, est égal au double du produit des racines carrées 2 et 5, alors il s'agit d'un trinôme carré parfait.
Par conséquent, $12x^2 - 60x + 75 = 3(2x - 5)^2$.

1. Factorise entièrement chaque expression.

a) $x^2 + 6x + 8$ **b)** $x^2 - 7x + 12$ **c)** $2x^2 + 6x - 36$

d) $3x^2 - 48$ **e)** $3x^2 - 11x + 10$ **f)** $x^2 - 6x + 9$

g) $4x^2 - 100$ **h)** $2x^2 + 3x - 20$ **i)** $4x^2 - 15x + 14$

La loi des sinus et la loi du cosinus

On applique la loi des sinus pour résoudre tout triangle acutangle dont on connaît:
- la mesure de deux angles et la longueur d'un côté, ou
- la longueur de deux côtés et la mesure de l'angle opposé à l'un de ces côtés.

Pour déterminer la longueur du côté p, détermine d'abord la mesure de $\angle P$.

Sers-toi de la somme des angles d'un triangle.

$m\angle P = 180° - 44° - 75°$
$= 61°$

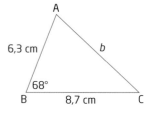

Applique ensuite la loi des sinus.

$$\frac{p}{\sin 61°} = \frac{4,6}{\sin 44°}$$

$$p = \frac{4,6 \sin 61°}{\sin 44°}$$

$$\approx 5,8$$

La longueur du côté p est d'environ 5,8 cm.

On applique la loi du cosinus pour résoudre tout triangle dont on connaît:
- la longueur de deux côtés et la mesure de l'angle formé par ces deux côtés, ou
- la longueur des trois côtés.

Applique la loi du cosinus pour déterminer b.

$b^2 = a^2 + c^2 - 2ac \cos B$
$b^2 = 8,7^2 + 6,3^2 - 2(8,7)(6,3) \cos 68°$
$b^2 \approx 74,316$
$b \approx 8,6$

La longueur du côté b est d'environ 8,6 cm.

1. Détermine la mesure de l'angle ou la longueur du côté.

a) longueur de s

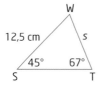

b) mesure de $\angle B$

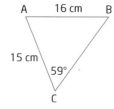

c) mesure de $\angle M$

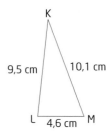

La résolution d'équations

Pour résoudre $4(x + 2) = x + 5$, développe l'expression factorisée de façon à enlever les parenthèses, puis isole la variable.

$4(x + 2) = x + 5$	
$4x + 8 = x + 5$	Développe l'expression.
$3x + 8 = 5$	Soustrais x des deux membres de l'équation.
$3x = -3$	Soustrais 8 des deux membres.
$x = -1$	Divise les deux membres par 3.

Pour vérifier ton résultat, substitue -1 à x dans l'équation initiale.

M. G. $= 4(x + 2)$
$\quad\quad = 4(-1 + 2)$
$\quad\quad = 4(1)$
$\quad\quad = 4$

M. D. $= x + 5$
$\quad\quad = -1 + 5$
$\quad\quad = 4$

Puisque M. G. $=$ M. D., la solution est $x = -1$.

Pour résoudre $\dfrac{x + 5}{2} - \dfrac{x}{3} = 1$, multiplie les deux membres de l'équation par le dénominateur commun, 6, afin d'éliminer les fractions.

$$\dfrac{x + 5}{2} - \dfrac{x}{3} = 1$$

$$6 \times \left(\dfrac{x + 5}{2} - \dfrac{x}{3} \right) = 6$$

$$3(x + 5) - 2x = 6$$

$$3x + 15 - 2x = 6 \qquad \text{Développe l'expression.}$$

$$x + 15 = 6$$

$$x = -9 \qquad \text{Soustrait 15 des deux membres de l'équation.}$$

Pour résoudre $600(1 + i)^5 = 747{,}72$, isole d'abord le terme entre parenthèses.

$$600(1 + i)^5 = 747{,}72$$

$$(1 + i)^5 = \dfrac{747{,}72}{600} \qquad \text{Divise les deux membres de l'équation par 600.}$$

$$(1 + i)^5 = 1{,}246\ 2$$

$$\sqrt[5]{(1 + i)^5} = \sqrt[5]{1{,}246\ 2} \qquad \text{Extrais la racine cinquième des deux membres.}$$

$$1 + i \approx 1{,}045\ 0 \qquad \text{Simplifie l'expression.}$$

$$i \approx 0{,}045\ 0$$

1. Résous chaque équation et vérifie ton résultat.

a) $7x - 5 = 3x - 17$

b) $3x - 7 = 5(x - 3)$

c) $\dfrac{x + 1}{3} + \dfrac{x + 5}{5} = 4$

d) $\dfrac{x + 1}{2} - \dfrac{x - 7}{6} = 3$

2. Résous chaque équation. Arrondis tes réponses au dix-millième près, si nécessaire.

a) $\dfrac{850}{w - 5} = 200$

b) $-6(p - 3)^2 = -31{,}74$

c) $275{,}38 = 200(1 + i)^{10}$

d) $\dfrac{2\ 026{,}12}{(k + 4)^3} = 5$

La résolution d'équations rationnelles

Pour résoudre $\dfrac{200}{x} = 10$, isole x.

$$\dfrac{200}{x} = 10$$

$$200 = 10x \qquad \text{Multiplie les deux membres de l'équation par } x.$$

$$20 = x \qquad \text{Divise les deux membres par 10.}$$

1. Résous chaque équation.

a) $\dfrac{16}{x} = 8$ **b)** $\dfrac{a}{5} = 7$ **c)** $45 = \dfrac{135}{c}$

d) $\dfrac{12}{r} = \dfrac{4}{9}$ **e)** $\dfrac{k}{20} = \dfrac{3}{8}$ **f)** $\dfrac{36}{t} = \dfrac{2}{15}$

La résolution de systèmes d'équations du premier degré

Pour déterminer le point d'intersection d'un système d'équations du premier degré, on peut représenter graphiquement les fonctions ou résoudre le système algébriquement.

Pour résoudre graphiquement le système d'équations $y = \dfrac{4}{5}x$ et $6x - 5y = 10$, détermine le point d'intersection des deux droites. Réécris d'abord la deuxième équation sous la forme $y = mx + b$.

$$6x - 5y = 10$$
$$-5y = -6x + 10$$
$$y = \dfrac{6}{5}x - 2$$

Trace chaque droite à partir de la pente et de l'ordonnée à l'origine. Détermine ensuite le point d'intersection, $(5, 4)$.

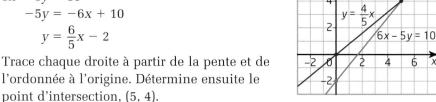

On peut résoudre algébriquement un système d'équations du premier degré par substitution ou par élimination.

La méthode par substitution est la plus appropriée quand une des variables est déjà isolée. Pour résoudre le système d'équations qui suit, la méthode par élimination est la plus appropriée.

$$5x + 2y = 5$$
$$2x + 3y = 13$$

Pour obtenir des coefficients identiques de y, multiplie la première équation par 3 et la deuxième équation par 2. Soustrais ensuite de façon à éliminer les termes en y.

$$5x + 2y = 5 \quad ① \times 3 \rightarrow \qquad 15x + 6y = \ 15 \ ③$$
$$2x + 3y = 13 \quad ② \times 2 \rightarrow \qquad \underline{4x + 6y = \ 26 \ ④}$$
$$11x \qquad = -11 \ ③ - ④$$
$$x \qquad = -1$$

Substitue -1 à x dans ①.

$$5(-1) + 2y = 5$$
$$2y = 10$$
$$y = 5$$

Le point d'intersection est $(-1, 5)$.

1. Trace les droites définies et détermine leur point d'intersection.

a) $y = 3x - 5$ **b)** $x + y = 1$ **c)** $x - 3y - 2 = 0$

$\ y = 2x - 4$ $\ y = \dfrac{2}{5}x - 6$ $\ 2x + y = 4$

2. Résous algébriquement chaque système.

a) $x - 2y = 7$
$2x - 3y = 13$

b) $y = 2x - 7$
$3x + y = -17$

c) $4x - 7y = 20$
$x - 3y = 10$

d) $4x - 3y = 8$
$6x - 3y = 18$

e) $4x + 3y = -2$
$4x + y = -6$

f) $5x - 2y = 20$
$2x + 5y = 8$

La somme des angles d'un triangle

Sachant que la somme des angles intérieurs d'un triangle est égale à 180°, on peut déterminer la mesure d'un angle x.

$x + 58° + 71° = 180°$
$x = 180° - 129°$
$x = 51°$

1. Détermine la mesure de chaque angle x.

a)

b)

c)

La transformation de formules

Pour isoler une variable dans une formule, suis les mêmes étapes que pour résoudre une équation.

Isole a dans la formule $I = \dfrac{50d}{a + b}$.

$$I = \dfrac{50d}{a + b}$$

$I(a + b) = 50d$ Multiplie les deux membres de l'équation par $(a + b)$.

$a + b = \dfrac{50d}{I}$ Divise les deux membres par I.

$a = \dfrac{50d}{I} - b$ Soustrais b des deux membres.

1. Dans chaque formule, isole la variable indiquée.

a) $y = -4x + 5$, isole x **b)** $P = 2\ell + 2L$, isole L **c)** $x^2 + y^2 = r^2$, isole y

d) $V = \dfrac{1}{3}\pi r^2 h$, isole h **e)** $s = \dfrac{2 - 10e}{t}$, isole e **f)** $A = P(1 + rt)$, isole r

La variation directe et la variation partielle

Dans une variation directe, une des variables est un multiple constant de l'autre variable. $y = 4x$ est un exemple de variation directe. Il s'agit d'une relation du premier degré dont le graphique passe par l'origine.

Une variation partielle est une relation du premier degré entre deux variables qui fait intervenir une quantité constante et une quantité variable.

Un plombier demande 60 $ pour un déplacement, et 40 $ de plus par heure travaillée.
L'équation de la relation est $C = 40t + 60$, où C représente le coût total, en dollars, et t représente le temps de travail, en heures.

La quantité constante est 60 et la quantité variable est 40t.

Représente graphiquement la relation à partir d'une table de valeurs.

Temps (h)	Coût ($)
0	60
1	100
2	140
3	180

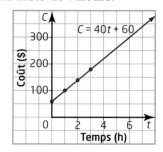

La pente de la droite est $\dfrac{100 - 60}{1 - 0} = 40$.

L'ordonnée à l'origine est 60.

La pente correspond au coefficient de la variable et représente le coût horaire. L'ordonnée à l'origine correspond à la quantité constante et représente le coût initial (coût du déplacement).

1. Le prix d'une petite annonce est de 25 $, et 12 $ de plus par jour de publication.

    a) Écris une équation qui représente le coût total, C, en dollars, d'une petite annonce en fonction du nombre de jours de publication, n.

    b) Détermine la quantité constante et la quantité variable.

    c) Représente graphiquement la relation.

    d) Trouve la pente et l'ordonnée à l'origine du graphique.

    e) Explique le lien entre les réponses en b) et en d).

2. Irène travaille à temps partiel dans un magasin de vêtements. Elle gagne 200 $ par semaine, et une commission de 5 % sur ses ventes.

    a) Écris une équation qui représente son salaire hebdomadaire en fonction de ses ventes.

    b) Détermine la quantité constante et la quantité variable.

    c) Représente graphiquement cette relation.

    d) Trouve la pente et l'ordonnée à l'origine du graphique.

    e) Explique le lien entre les réponses en b) et en d).

Le théorème de Pythagore

Selon le théorème de Pythagore, dans un triangle rectangle, le carré de la longueur de l'hypoténuse est égal à la somme des carrés des longueurs des deux autres côtés.

Pour déterminer la longueur du côté b, au dixième près, écris une équation à l'aide du théorème de Pythagore.

$b^2 + 6^2 = 14^2$

$b^2 + 36 = 196$

$b^2 = 160$

$b = \sqrt{160}$ $b \approx 12{,}6$

La longueur du côté b est de 12,6 m, au dixième de mètre près.

1. Détermine la longueur inconnue. Arrondis ta réponse au dixième près, si nécessaire.

a)

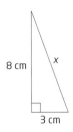

8 cm

x

3 cm

b)

21 mm

h

18 mm

c)

19 m

p

25 m

Les différences finies

Pour déterminer le type de relation qui existe entre deux variables, on calcule les différences finies à partir d'une table de valeurs dans laquelle les valeurs de x changent à intervalles réguliers. Pour déterminer les premières différences, on soustrait les valeurs consécutives de y. Si les premières différences sont constantes, on dit de la fonction qu'elle est «affine». Pour déterminer les deuxièmes différences, on soustrait les premières différences consécutives. Si les deuxièmes différences sont constantes, on dit de la fonction qu'elle est «du second degré». Autrement, la fonction n'est ni affine ni du second degré.

x	y	Premières différences
1	−3	
		3 − (−3) = 6
2	3	
		13 − 3 = 10
3	13	
		27 − 13 = 14
4	27	
		45 − 27 = 18
5	45	

Les premières différences ne sont pas constantes. Il ne s'agit donc pas d'une fonction affine.

x	y	Premières différences	Deuxièmes différences
1	−3		
		3 − (−3) = 6	
2	3		10 − 6 = 4
		13 − 3 = 10	
3	13		14 − 10 = 4
		27 − 13 = 14	
4	27		18 − 14 = 4
		45 − 27 = 18	
5	45		

Les deuxièmes différences sont constantes. Il s'agit donc d'une fonction du second degré.

1. À partir des différences finies, détermine si chaque fonction est affine, du second degré, ou ni l'un ni l'autre.

a)

x	y
1	5
2	1
3	−3
4	−7
5	−11

b)

x	y
1	−2
2	2
3	18
4	52
5	110

c)

x	y
1	15
2	28
3	39
4	48
5	55

Les droites

On représente graphiquement une fonction affine à partir:
- d'une table de valeurs,
- de la pente et de l'ordonnée à l'origine, ou
- des coordonnées à l'origine.

Pour représenter graphiquement $y = 2x - 3$, remplace x par quelques valeurs simples dans l'équation et calcule les valeurs correspondantes de y afin de créer une table de valeurs.

x	y
0	−3
1	−1
2	1
3	3

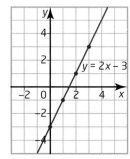

Trace les quatre points, puis la droite qui passe par ces quatre points.

Trace la droite d'équation $y = -\dfrac{3}{4}x + 5$, à l'aide de l'ordonnée à l'origine, 5, et de la pente,

ou $\dfrac{\text{déplacement vertical}}{\text{déplacement horizontal}}$, $\dfrac{-3}{4}$.

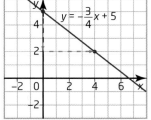

À partir du point $(0, 5)$ sur l'axe des y, détermine un autre point de la droite à l'aide de la pente. Dans ce cas-ci, un déplacement de 3 unités vers le bas et de 4 unités vers la droite mène au point $(4, 2)$. Trace ensuite la droite qui passe par les deux points.

Trace le graphique de $2x - 3y = 6$, à l'aide des coordonnées à l'origine. L'abscisse à l'origine est la valeur de x quand $y = 0$.

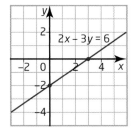

$$2x - 3(0) = 6$$
$$2x = 6$$
$$x = 3$$

L'abscisse à l'origine est 3. Un des points de la droite est donc $(3, 0)$.

L'ordonnée à l'origine est la valeur de y quand $x = 0$.
$$2(0) - 3y = 6$$
$$-3y = 6$$
$$y = -2$$

L'ordonnée à l'origine est -2. Un autre point de la droite est donc $(0, -2)$. Trace la droite qui passe par ces deux points.

1. Trace chaque droite, à l'aide de la méthode appropriée.

a) $y = \frac{2}{3}x - 4$ **b)** $y = -3x + 6$ **c)** $x + 2y = 8$

d) $5x - 3y = 15$ **e)** $y = -\frac{1}{2}x + 5$ **f)** $y = 4x - 7$

Pour déterminer l'équation qui définit une droite donnée, trouve l'ordonnée à l'origine et la pente. Écris ensuite l'équation sous la forme pente-ordonnée à l'origine, $y = mx + b$.

L'ordonnée à l'origine de cette droite, qui passe par le point (5, 5), est 1. À partir de l'ordonnée à l'origine, le déplacement vertical est de 4 vers le haut et le déplacement horizontal est de 5 vers la droite.

La pente est de $\frac{4}{5}$.

L'équation de la droite est $y = \frac{4}{5}x + 1$.

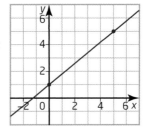

Si deux points de la droite sont donnés, détermine l'équation de la droite à partir de la pente et de l'ordonnée à l'origine.

Calcule la pente de la droite qui passe par $(-3, 6)$ et $(15, 2)$.

$$m = \frac{\text{Variation de } y}{\text{Variation de } x} = \frac{2 - (-6)}{15 - 3} = \frac{8}{12} \text{ ou } \frac{2}{3}$$

Par conséquent, $y = \frac{2}{3}x + b$.

Pour déterminer la valeur de b, substitue aux variables les coordonnées d'un point, $(3, -6)$.

$$-6 = \frac{2}{3}(3) + b$$
$$-6 = 2 + b$$
$$b = -8$$

L'équation de la droite est $y = \frac{2}{3}x - 8$.

2. Détermine l'équation de chaque droite, sous la forme $y = mx + b$.

a)

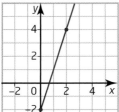

b)

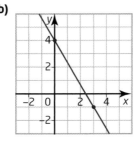

3. Écris l'équation sous la forme $y = mx + b$ de la droite qui passe par les points de chaque paire.

a) $(1, 9)$ et $(3, 13)$ **b)** $(3, 1)$ et $(-12, 8)$ **c)** $(-5, -14)$ et $(10, -5)$

Les expressions comportant des fractions

Pour évaluer ou simplifier des expressions qui comportent l'addition ou la soustraction de fractions, il est préférable de déterminer le plus petit dénominateur commun, ce qui revient à déterminer le plus petit commun multiple (PPCM) des dénominateurs.

Pour déterminer le PPCM de 24 et de 30, écris chaque nombre sous la forme d'un produit de facteurs et détermine le plus grand commun diviseur (PGCD).

$24 = 2 \times 2 \times 2 \times 3$
$30 = 2 \times 3 \times 5$

Le PGCD est 2×3, ou 6. Détermine le PPCM en multipliant ce PGCD par les autres facteurs des nombres initiaux.

$2 \times 3 \times 2 \times 2 \times 5 = 120$
Le PPCM est 120.

Pour déterminer le PPCM de $x^2 + x - 12$ et de $x^2 - 8x + 15$, factorise chaque expression et détermine le PGCD.

$x^2 + x - 12 = (x + 4)(x - 3)$
$x^2 - 8x + 15 = (x - 3)(x - 5)$
Le PGCD est $(x - 3)$. Le PPCM est $(x - 3)(x + 4)(x - 5)$.

Pour additionner ou soustraire des nombres rationnels sous la forme de fractions, détermine le PPCM des dénominateurs, multiplie les numérateurs en conséquence pour obtenir des fractions équivalentes, puis additionne ou soustrais les numérateurs.

Pour simplifier $\dfrac{3x}{4} + \dfrac{2y}{10}$, détermine d'abord le PPCM de 4 et de 10.

$\dfrac{3x}{4} + \dfrac{2y}{10} = \dfrac{3x \times 5}{4 \times 5} + \dfrac{2y \times 2}{10 \times 2}$

Le PPCM est $2 \times 2 \times 5 = 20$. Multiplie par un facteur qui donne des fractions dont le dénominateur est 20.

$\qquad = \dfrac{15x}{20} + \dfrac{4y}{20}$

Simplifie l'expression.

$\qquad = \dfrac{15x + 4y}{20}$

1. Détermine le PPCM de chaque ensemble.

   a) 24, 40   **b)** $-10x^2, 35x, -55x^3$ **c)** $x^2 + 7x + 12, x^2 - 9$

2. Effectue l'addition ou la soustraction indiquée.

   a) $\dfrac{5}{9} + \dfrac{5}{6}$ **b)** $\dfrac{5}{24} - \dfrac{7}{60}$ **c)** $\dfrac{3a}{16} + \dfrac{5b}{36}$ **d)** $\dfrac{4x}{45} - \dfrac{k}{18}$

Pour simplifier $\left(-\dfrac{14}{9}\right)\left(\dfrac{6}{7}\right)$, réduis les fractions à l'aide des facteurs communs.

Ensuite, multiplie les numérateurs et les dénominateurs.

$\left(-\dfrac{14}{9}\right)\left(\dfrac{6}{7}\right) = \left(-\dfrac{\overset{2}{14}}{\underset{3}{9}}\right)\left(\dfrac{\overset{2}{6}}{\underset{1}{7}}\right)$

Divise par les facteurs communs.

$\qquad = -\dfrac{4}{3}$

Simplifie l'expression.

Pour diviser, multiplie la première fraction par l'inverse de la deuxième fraction.

3. Simplifie chaque expression.

a) $\left(\dfrac{8}{15}\right)\left(\dfrac{3}{4}\right)$ b) $\left(\dfrac{5}{6}\right)\left(-\dfrac{3}{10}\right)$ c) $\dfrac{3}{8} \div \left(-\dfrac{9}{20}\right)$ d) $-\dfrac{11}{30} \div \dfrac{33}{9}$

Les facteurs communs

Pour factoriser une expression algébrique, détermine le plus grand facteur commun (PGFC) des termes.

Pour factoriser $6m^2 - 15m$, écris chaque terme sous la forme d'un produit de facteurs.
$6m^2 = 2 \times 3 \times m \times m$
$15m = 3 \times 5 \times m$

Le PGFC est 3m.
Divise chaque terme de l'expression initiale par le PGFC pour déterminer le deuxième facteur.
$\dfrac{6m^2}{3m} - \dfrac{15m}{3m} = 2m - 5$

Par conséquent, $6m^2 - 15m = 3m(2m - 5)$.
Un facteur commun peut comporter plus d'un terme. Par exemple,
$3(x - 2) + x^2(x - 2) = (x - 2)(3 + x^2)$.

1. Détermine le PGFC des termes de chaque ensemble.

a) $8x$, $12y$

b) $-12a^3$, $6a^2b$, $9ab$

c) $10xy^3$, $35x^3y^2$

d) $24m^3n^2$, $-72m^2n^4$, $96m^2n^3$

e) $6(a^2 + 3)$, $-5(a^2 + 3)$

f) $3x^2y + 12xy$, $15xy^3 - 6x^2y$

2. Factorise entièrement chaque expression.

a) $16x^2 + 20x$

b) $5x^2y^2 + 10xy^3$

c) $3a^3 - 9a^2$

d) $4r^5s^2 + 16r^2s$

e) $8a^3b - 10ab + 4a^2b^2$

f) $-6x^3y - 18x^4y^3 - 36x^2y^4$

g) $12p(p + 3q) - q(p + 3q)$

h) $8x(y - 2x^2) + 20xy(y - 2x^2)$

Les fonctions du second degré

Une équation sous la forme canonique $y = a(x - h)^2 + k$ ou sous la forme générale $y = ax^2 + bx + c$, où $a \neq 0$, représente une fonction du second degré. Son graphique est une courbe distinctive appelée « parabole ».

Dans la forme canonique de l'équation, (h, k) représente les coordonnées du sommet de la parabole, $x = h$ est l'équation de l'axe de symétrie, et a représente le rapport d'agrandissement vertical. Si a est positif, la parabole est ouverte vers le haut; si a est négatif, la parabole est ouverte vers le bas.

Dans la fonction du second degré $y = -3(x + 2)^2 + 5$, les coordonnées du sommet sont $(-2, 5)$ et l'axe de symétrie est $x = -2$. L'agrandissement vertical est de rapport 3 et la parabole est ouverte vers le bas, car a est négatif.

Pour déterminer la valeur de l'ordonnée à l'origine, substitue 0 à x.

$y = -3(0 + 2)^2 + 5$

$\quad = -3(4) + 5$

$\quad = -7$

L'ordonnée à l'origine est -7.

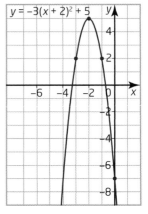

Pour esquisser le graphique, situe le sommet au point $(-2, 5)$. Substitue -1 à x, ce qui donne $y = 2$. Par symétrie, un autre point de la parabole est $(-3, 2)$. Situe l'ordonnée à l'origine. Trace ensuite une courbe en forme de U qui passe par les quatre points.

1. Pour chaque fonction du second degré, détermine :

    I) les coordonnées du sommet,

    II) l'équation de l'axe de symétrie,

    III) l'orientation de la parabole,

    IV) l'ordonnée à l'origine.

    Ensuite, représente graphiquement la fonction.

    a) $y = 2(x - 3)^2 - 8$ **b)** $y = -4(x + 1)^2 + 3$ **c)** $y = 3(x - 5)^2 + 1$

2. Compare le graphique de chaque relation avec celui de $y = x^2$. Détermine l'orientation de la parabole et indique si elle a subi un agrandissement ou un rétrécissement vertical. Explique tes réponses.

    a) $y = 5x^2$ **b)** $y = -\dfrac{1}{4}(x - 1)^2$ **c)** $y = -3(x + 5)^2 + 2$

Pour déterminer les coordonnées du sommet d'une fonction du second degré à partir de la forme générale de l'équation, complète le carré afin de réécrire l'équation sous sa forme canonique.

Si $a = 1$, complète le carré en suivant les étapes à partir de l'étape 2.

Si a est un autre nombre que 1, il faut d'abord le mettre en évidence.

Réécris $y = 2x^2 - 12x + 19$ sous la forme canonique de la façon suivante.

$y = 2\left(x^2 - 6x + \dfrac{19}{2}\right)$ Mets a (c'est-à-dire 2) en évidence.

$\quad = 2\left(x^2 - 6x + 9 - 9\right) + \dfrac{19}{2}$ Divise le coefficient de x par 2, puis élève le résultat au carré, ce qui donne 9. Ajoute ce nombre à l'expression entre parenthèses, puis soustrais-le de l'expression.

$\quad = 2(x - 3)^2 + 2(-9) + 19$ Factorise le carré parfait, $x^2 - 6x + 9$. Distrbue a (c'est-à-dire 2) à toute l'expression.

$\quad = 2(x - 3)^2 + 1$ Simplifie l'expression.

Le sommet est situé au point $(3, 1)$.

3. Complète le carré afin d'écrire chaque fonction du second degré sous la forme $y = a(x - h)^2 + k$. Détermine ensuite les coordonnées du sommet.

a) $y = x^2 + 4x + 7$

b) $y = x^2 - 12x + 3$

c) $y = 3x^2 + 18x - 2$

d) $y = -2x^2 + 16x + 9$

Les lois des exposants

Pour multiplier des puissances ayant la même base, additionne les exposants.
$$x^3 \times x^2 = x^{3+2} = x^5$$

Pour diviser des puissances ayant la même base, soustrais les exposants.
$$x^6 \div x^2 = x^{6-2} = x^4$$

Pour élever une puissance à une autre puissance, multiplie les exposants.
$$(x^2)^3 = x^{2 \times 3} = x^6$$

1. Simplifie chaque expression en appliquant les lois des exposants. Exprime tes réponses sous la forme exponentielle.

a) $2^3 \times 2^4$

b) $5^2 \times 5^4$

c) $3^5 \div 3^2$

d) $4^8 \div 4^3$

e) $(6^4)^2$

f) $(9^3)^7$

g) $a^5 \times a^5$

h) $z^4 \times z^4$

i) $3x^2 \times 2x^3$

j) $y^8 \div y^5$

k) $(p^3)^6$

l) $n^6 \div n$

m) $(12x^7) \div (-3x^4)$

n) $(2t^4)^3$

o) $(-4x^2)^4$

2. Évalue chaque expression.

a) $8^6 \div 8^4$

b) $2^2 \times 2^3 \div 2^4$

c) $3^9 \div 3^3$

d) $(2^4)^2$

e) $(4^2)^3$

f) $\left(\dfrac{1}{4}\right)^3$

Les polynômes

Pour développer $2(x - 5)(x + 4)$, multiplie d'abord les expressions entre parenthèses, puis multiplie par le terme extérieur.

$$2(x - 5)(x + 4) = 2(x^2 + 4x - 5x - 20)$$
$$= 2(x^2 - x - 20) \quad \text{Regroupe les termes semblables.}$$
$$= 2x^2 - 2x - 40 \quad \text{Multiplie par 2.}$$

Un trinôme carré parfait peut être exprimé sous la forme générale $a^2 + 2ab + b^2$ et sous la forme factorisée $(a + b)^2$.

Pour factoriser $4x^2 + 20x + 25$, vérifie la forme générale.

$4x^2 = (2x)^2 \qquad 20x = 2(2x)(5) \qquad 25 = 5^2$

Par conséquent, $4x^2 + 20x + 25 = (2x + 5)^2$.

1. Développe et simplifie chaque expression.

a) $3(x + 2)(x + 5)$

b) $-2(x - 4)(x + 7)$

c) $(x - 6)^2$

2. Factorise entièrement chaque expression.

a) $x^2 + 3x - 10$

b) $x^2 + 14x + 49$

c) $9y^2 - 25$

d) $3a^2 + 48a + 192$

e) $25x^2 - 60x + 36$

f) $-p^2 - 20p - 100$

3. Pour quelle valeur de k chaque expression est-elle un trinôme carré parfait?

a) $x^2 + 16x + k$ **b)** $x^2 - 30x + k$ **c)** $x^2 + 40x + k$

d) $4x^2 + 12x + k$ **e)** $x^2 - 7x + k$ **f)** $9x^2 - 4x + k$

Les rapports trigonométriques de base

Pour définir les rapports trigonométriques de base de $\angle A$, détermine la longueur du troisième côté à l'aide du théorème de Pythagore.

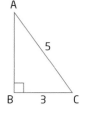

$c^2 = 5^2 - 3^2$

$c = \sqrt{16}$ (racine positive)

   $= 4$

$$\sin A = \frac{\text{opposé à } \angle A}{\text{hypoténuse}} \qquad \cos A = \frac{\text{adjacent à } \angle A}{\text{hypoténuse}} \qquad \tan A = \frac{\text{opposé à } \angle A}{\text{adjacent à } \angle A}$$

$$= \frac{3}{5} \qquad\qquad\qquad = \frac{4}{5} \qquad\qquad\qquad = \frac{3}{4}$$

1. Détermine les rapports trigonométriques de base de $\angle P$.

a)

b)

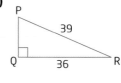

Détermine les rapports trigonométriques de base d'un angle quelconque à l'aide d'une calculatrice. Pour un angle de 25°, $\sin 25° \approx 0{,}422\ 6$, $\cos 25° \approx 0{,}096\ 3$ et $\tan 25° \approx 0{,}466\ 3$, arrondis au dix-millième près.

2. Détermine les rapports trigonométriques de base de chaque angle à l'aide d'une calculatrice. Arrondis chaque réponse au dix-millième près.

a) 58°   **b)** 79°   **c)** 15°

Les régularités

1. Détermine les trois prochains termes de chaque suite.

a) Z, ZY, ZYX, …   **b)** $-3, 2, 7, 12, …$ **c)** $3, 9, 27, …$

d) $19, 11, 3, -5, …$ **e)** $\frac{1}{2}, -\frac{2}{3}, \frac{3}{4}, -\frac{4}{5}, …$ **f)** $54x, 18x^2, 6x^3, …$

Les triangles

On peut classer les triangles selon la longueur de leurs côtés ou la mesure de leurs angles.

Classement selon la longueur des côtés

- Équilatéral : trois côtés congrus
- Isocèle : au moins deux côtés congrus
- Scalène : aucun côté congru

Classement selon la mesure des angles

- Triangle rectangle : un angle de 90°
- Triangle acutangle : trois angles inférieurs à 90°
- Triangle obtusangle : un angle supérieur à 90°

Un triangle rectangle scalène

Un triangle isocèle acutangle

Un triangle scalène obtusangle

1. Classe chaque triangle selon ses côtés et ses angles.

a)

b)
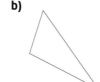

c)

Les triangles semblables

Des triangles semblables ont des angles homologues égaux et des côtés homologues proportionnels.

Les triangles ci-contre sont semblables, car leurs angles homologues sont égaux. Détermine la longueur du côté d en écrivant une proportion à partir des côtés homologues.

$$\frac{d}{13} = \frac{12}{15}$$

$$d = 13 \times \frac{12}{15} = 10{,}4$$

La longueur du côté d est de 10,4 cm.

1. Détermine la longueur inconnue dans chaque triangle à l'aide des triangles semblables. Si nécessaire, arrondis ta réponse au dixième près.

a)
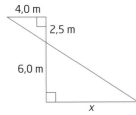

b)

Annexe Technologie

Table des matières

Le logiciel de géométrie *Cybergéomètre*

Les calculatrices à affichage graphique TI-83 Plus et TI-84 Plus

Le logiciel de géométrie *Cybergéomètre*

La barre de menus

1 Menu **Fichier** – ouvrir/sauvegarder/ imprimer une esquisse.

2 Menu **Édition** – annuler ou rétablir une action/définir les préférences.

3 Menu **Affichage** – modifier l'apparence des objets d'une esquisse.

4 Menu **Construction** – créer des objets géométriques à partir d'objets existants dans l'esquisse.

5 Menu **Transformation** – faire subir des transformations géométriques aux objets sélectionnés.

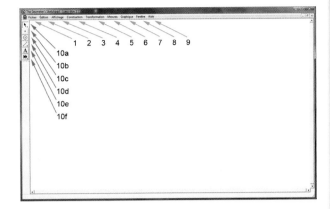

6 Menu **Mesures** – déterminer diverses mesures dans une esquisse.

7 Menu **Graphique** – créer un plan cartésien et y reporter des points.

8 Menu **Fenêtre** – modifier la disposition des fenêtres ou passer d'une fenêtre à une autre.

9 Menu **Aide** – consulter les rubriques d'aide, un excellent guide de référence.

10 **Boîte à outils** – choisir un outil qui permet de créer, de sélectionner ou de transformer des points, des cercles ou des objets linéaires (segments de droite, demi-droites et droites) ; inclut également un outil texte et des outils d'information.

10a **Outils flèches** (flèche) – permettent de sélectionner et de transformer les objets.

10b **Outil point** (point) – permet de créer des points.

10c **Outil compas** (cercle) – permet de tracer des cercles.

10d **Outils rectilignes** – permettent de construire des segments, des demi-droites et des droites.

10e **Outil texte** (lettre A) – permet de nommer les points et de créer du texte.

10f **Outils créer** (chevron double) – permettent de créer et d'utiliser des outils personnalisés.

Créer une esquisse

• Dans le menu **Fichier**, choisis **Nouvelle esquisse** pour ouvrir une page blanche.

Définir les préférences

• Dans le menu **Édition**, choisis **Préférences**.
• Clique sur l'onglet **Unités de mesure**.
• Choisis les unités de mesure et la précision des angles, des distances et des valeurs calculées.
• Clique sur l'onglet **Texte.**
• Si tu veux que le *Cybergéomètre* nomme les points à mesure que tu les crées, assure-toi que l'option **pour tous les nouveaux points** est cochée.
• Si tu veux que le logiciel nomme également chaque mesure que tu demandes, assure-toi que l'option **lorsque les objets sont mesurés** est cochée.

Tu peux choisir d'appliquer ces options uniquement à l'esquisse en cours ou à toute nouvelle esquisse créée.

N'oublie pas de cliquer sur **OK** pour appliquer tes préférences.

Sélectionner des points et des objets

• Choisis l'**Outil flèche de sélection**. Le curseur prendra la forme d'une flèche.

Pour sélectionner un point :
• Amène le curseur sur le point et clique dessus.
Le point sélectionné s'affiche alors sous la forme d'un point plus foncé, semblable à une cible ⊙.

Pour sélectionner un objet tel qu'un segment de droite ou un cercle :
• Amène le curseur sur l'objet pour qu'il prenne la forme d'une flèche horizontale.
• Clique sur l'objet. Celui-ci changera d'apparence pour indiquer qu'il est sélectionné.

Pour sélectionner plusieurs points ou plusieurs objets :
• Sélectionne chaque point ou objet à tour de rôle en cliquant dessus. (Tu peux aussi sélectionner plusieurs points ou objets en les entourant d'un rectangle de sélection. Pour cela, place le curseur au coin supérieur gauche du rectangle voulu, enfonce le bouton gauche de la souris, puis déplace la souris en diagonale pour afficher le rectangle. Lorsque tous les objets à sélectionner se trouvent à l'intérieur du rectangle, relâche le bouton de la souris.)

Pour annuler la sélection d'un point ou d'un objet :
• Amène le curseur sur le point ou l'objet, puis clique avec le bouton gauche de la souris.
• Pour annuler toute sélection, clique dans une zone vide de l'espace de travail.

Masquer des points et des objets

Ouvre une nouvelle esquisse. Construis plusieurs objets tels que des points et des segments de droite.

Pour masquer un point :
• Sélectionne le point.
• Dans le menu **Affichage**, clique sur **Masquer le point**.

Pour masquer un objet :
• Sélectionne un point et un segment de droite.
• Dans le menu **Affichage**, clique sur **Masquer les objets**.

Raccourci clavier : Pour masquer n'importe quel objet sélectionné, appuie sur **Ctrl-H**.

Tu peux faire réapparaître les objets cachés en sélectionnant l'option **Afficher les objets masqués** dans le menu **Affichage**.

Utiliser le plan cartésien

- Dans le menu **Graphique**, clique sur **Afficher la grille**.

Par défaut, le plan cartésien a son origine au centre de l'écran et un point unitaire en (1, 0). Fais glisser l'origine pour déplacer le plan cartésien et fais glisser le point unitaire pour modifier l'échelle.

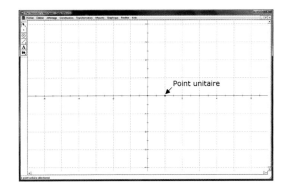

Représenter graphiquement des relations

Soit les fonctions $y = 2x^2 - 3$ et $y = 2^{-x}$.
- Dans le menu **Graphique**, clique sur **Afficher la grille**.
- Dans le menu **Graphique**, sélectionne **Tracer une nouvelle fonction**.

La calculatrice s'affiche.

Saisis l'équation de la première fonction : $2 * x \wedge 2 - 3$.
- Clique sur **OK**. Le graphique de la fonction s'affiche, de même que son équation en notation fonctionnelle. Tu peux amener l'équation près de la courbe.

Procède de la même façon pour représenter graphiquement $y = 2^{-x}$.

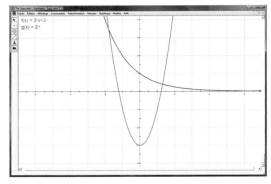

Situer des points

- Dans le menu **Graphique**, clique sur **Afficher la grille**.
- Si tu désires situer les points exactement aux intersections du quadrillage, sélectionne également **Accrocher les points**.
- Choisis l'**Outil point**.

Si tu as sélectionné l'option **Accrocher les points**, tout point créé ira se placer à l'intersection la plus proche dès que tu déplaces le curseur.

- Clique avec le bouton gauche de la souris pour créer un point.

Tu peux également saisir les coordonnées d'un point pour le situer dans le plan.

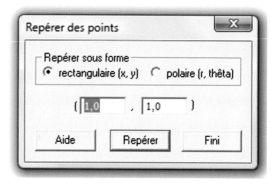

- Dans le menu **Graphique**, choisis **Repérer des points**. Une boîte de dialogue s'affiche. Saisis l'abscisse et l'ordonnée du point aux endroits appropriés. Clique ensuite sur **Repérer**.
- Une fois que tu as saisi les coordonnées de tous les points voulus, clique sur **Fini**.

Déterminer un point d'intersection

Soit les fonctions $y = 1\ 400(1 + 0{,}12x)$ et $y = 2\ 000(1 + 0{,}06x)$.

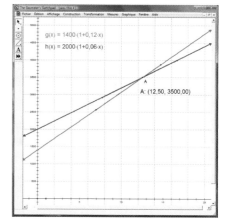

- Affiche le quadrillage, puis représente graphiquement les deux fonctions.
- À l'aide de l'**Outil point**, crée deux points sur chaque droite. Assure-toi que les deux points sur une même droite se trouvent de part et d'autre de l'intersection.
- Sélectionne les deux points sur l'une des droites. Dans le menu **Construction**, clique sur **Segment**. Procède de la même façon pour construire un segment sur l'autre droite.
- Sélectionne les deux segments. Dans le menu **Construction**, choisis **Intersection**. Le point d'intersection s'affiche.
- Sélectionne le point d'intersection. Dans le menu **Mesures**, choisis **Coordonnées**. Les coordonnées du point d'intersection s'affichent.

Utiliser le menu Mesures

Pour mesurer la distance entre deux points :
- Assure-toi qu'aucun objet n'est sélectionné.
- Sélectionne les deux points.
- Dans le menu **Mesures**, choisis **Distance**.

Le *Cybergéomètre* affiche la distance selon l'unité de mesure et la précision choisies dans la fenêtre **Préférences** accessible dans le menu **Édition**.

Pour déterminer la longueur d'un segment de droite :
- Assure-toi qu'aucun objet n'est sélectionné.
- Sélectionne le segment de droite (mais pas ses extrémités).
- Dans le menu **Mesures**, choisis **Longueur**.

Pour mesurer un angle :
- Assure-toi qu'aucun objet n'est sélectionné.
- Sélectionne les trois points qui définissent l'angle de façon que le deuxième point sélectionné soit le sommet (tels que les points B, C et D, dans l'ordre, pour l'angle BCD).
- Dans le menu **Mesures**, choisis **Angle**.

Pour calculer le rapport entre deux longueurs :
- Sélectionne les deux longueurs à comparer.
- Dans le menu **Mesures**, choisis **Rapport**.

Pour déterminer l'aire d'un triangle ou d'une autre figure fermée :
- À l'aide de l'**Outil rectiligne**, construis un triangle.
- Sélectionne les points qui forment les sommets du triangle.
- Dans le menu **Construction**, choisis **Intérieur du triangle.**
- Sélectionne l'intérieur du triangle.
- Dans le menu **Mesures**, choisis **Aire**.

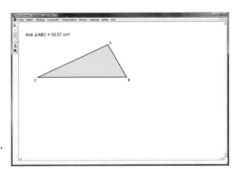

Tu peux construire d'autres figures fermées et en déterminer l'aire de la même façon.

Pour déterminer la pente d'une droite, d'un segment de droite ou d'une demi-droite :
- Sélectionne la droite, la demi-droite ou le segment de droite.
- Dans le menu **Mesures**, choisis **Pente**.

Nommer un point

Pour nommer un point, tel que l'extrémité d'un segment de droite :
- Sélectionne l'**Outil texte**.
- Amène le curseur sur une extrémité du segment et clique dessus.
- Une lettre s'affiche.
- Amène le curseur sur l'autre extrémité du segment de droite et clique dessus.
- La lettre suivante de l'alphabet s'affiche.
- Pour choisir la lettre (ou autre nom) à associer à un point, double-clique sur le point. Dans la boîte de dialogue, tape la lettre voulue sous Étiquette.
- Clique sur **OK**.

Changer le nom d'une mesure

- Clique sur la mesure avec le bouton droit de la souris. Clique sur **Propriétés** dans le menu contextuel, puis sur l'onglet **Étiquette**.
- Saisis le nom à donner à la mesure.
- Clique sur **OK**.

Utiliser la calculatrice intégrée

La calculatrice intégrée permet d'effectuer des calculs à partir de mesures, de constantes et de fonctions.

Pour déterminer le sinus d'un angle à partir de la longueur de deux côtés :

- Sélectionne les deux mesures. Choisis ensuite **Calcul** dans le menu **Mesures.**
- Clique sur le bouton **Valeurs**, puis sélectionne la première mesure.
- Clique sur (÷).
- Clique sur le bouton **Valeurs**, puis sélectionne la deuxième mesure.
- Clique sur **OK**. Le sinus de l'angle s'affiche.

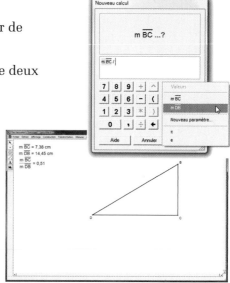

Utiliser l'option Disposer en tableau

- Clique sur les mesures dans l'ordre où elles doivent figurer dans le tableau. Elles seront alors surlignées à l'écran.
- Dans le menu **Graphique**, choisis **Disposer en tableau**.
- Un tableau s'affiche et présente une rangée de données.
- Sélectionne un sommet et manipule l'objet.
- Double-clique sur le tableau pour ajouter une rangée de données.

  Remarque : La rangée du bas est toujours la rangée active. Son contenu change lorsque tu manipules l'objet. Pour ajouter une rangée au tableau, tu peux aussi sélectionner uniquement le tableau, puis choisir **Ajouter des données au tableau** dans le menu **Graphique**.

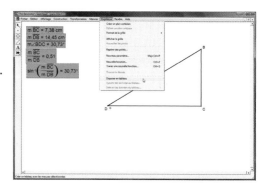

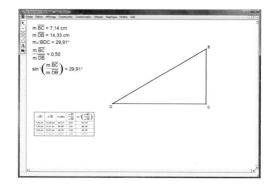

Créer une glissière pour une fonction

Pour créer une glissière associée à une fonction de la forme $y = a(x - h)^2 + k$:
- Construis une droite qui passe par deux points.
- Nomme les points A et B à l'aide de l'**Outil texte**.
- À l'aide du menu **Construction**, crée un autre point sur la droite, entre les points A et B.
- Nomme ce point C.
- Clique, dans l'ordre, sur les points A, B et C.
- Dans le menu **Mesures**, sélectionne **Rapport**.
- Clique dans une zone vide de l'espace de travail pour annuler la sélection du rapport. Clique sur la droite et le point B pour les sélectionner.
- Masque la droite et le point B en appuyant sur **Ctrl-H**. Les points A et C ainsi que le rapport restent affichés.
- Construis un segment de droite qui relie A à C.
- Sélectionne l'**Outil texte** et double-clique sur le rapport.
- Change le nom du rapport; nomme-le a.

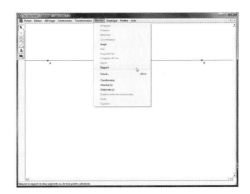

- Clique sur les extrémités du segment de droite pour masquer les lettres A et C.
- Choisis l'**Outil flèche de sélection**, puis clique dans une zone vide de l'espace de travail pour annuler la sélection du rapport.
- Amène la mesure de a près du segment de droite.
- Sélectionne le point de droite et déplace-le. **Remarque:** la valeur de a est positive lorsque ce point est à droite de l'autre point, mais négative lorsqu'il est à gauche.
- Ajuste la glissière pour donner au paramètre a une valeur de 0,5.
- Sélectionne la mesure et la glissière du paramètre a en maintenant le bouton gauche de la souris enfoncé et en déplaçant la souris pour tracer un rectangle, comme sur la figure.

- Dans le menu **Édition**, sélectionne **Copier**.
- Dans le menu **Édition**, sélectionne **Coller** pour insérer une copie de la glissière dans le document.
- Place la copie sous l'original.
- Dans le menu **Édition**, sélectionne **Coller** pour insérer une autre copie de la glissière dans le document.
- Place cette copie sous la copie précédente.

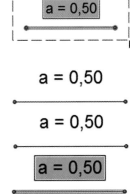

- Clique dans une zone vide de l'espace de travail pour annuler la sélection.
- Sélectionne l'**Outil texte** et double-clique sur la mesure de la glissière du milieu.
- Change le nom de cette mesure ; nomme-la h.
- Clique sur **OK**.
- Double-clique sur la dernière mesure.
- Change le nom de cette mesure, nomme-la k.
- Clique sur **OK**.

$$a = 0{,}50$$

$$h = 0{,}50$$

$$k = 0{,}50$$

- Clique sur l'**Outil flèche de sélection**.
- Amène les glissières et leur valeur à la gauche de l'écran.
- Dans le menu **Graphique**, sélectionne **Afficher la grille**.
- Clique sur les mesures a, h et k l'une après l'autre (non sur les segments de droite).
- Dans le menu **Graphique**, sélectionne **Tracer une nouvelle fonction**.

- Clique sur (x) ^ 2 pour saisir une partie de l'équation de la fonction du second degré.
- À l'aide de la touche fléchée gauche, amène le curseur à gauche de l'expression.
- Clique sur le bouton **Valeurs** et sélectionne le paramètre a.
- Insère un signe de multiplication (*) entre le a et la parenthèse ouvrante.
- À l'aide de la touche fléchée droite, amène le curseur à la droite de x.
- Insère un signe de soustraction (–).
- Clique sur le bouton **Valeurs** et sélectionne le paramètre h.
- À l'aide de la touche fléchée droite, amène le curseur à droite de l'expression.
- Insère un signe d'addition (+).
- Clique sur le bouton **Valeurs** et sélectionne le paramètre k.
- Clique sur **OK**. L'équation de la fonction et son graphique s'affichent sur l'esquisse et sont sélectionnés.
- Déplace l'extrémité de droite d'une des glissières pour modifier la valeur du paramètre correspondant et le graphique de la fonction.

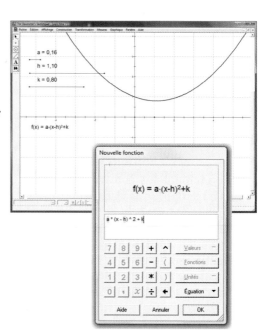

Modifier la valeur d'un paramètre

- Dans le menu **Graphique**, sélectionne **Nouveau paramètre**. Nomme le paramètre b et attribue-lui une valeur initiale de 3. Clique sur **OK**.
- Dans le menu **Graphique**, choisis **Tracer une nouvelle fonction**. Clique sur le paramètre b, puis sur **^x** et sur **OK**.
- Clique sur le paramètre b et utilise les touches ⟨ + ⟩ et ⟨ – ⟩ du clavier de l'ordinateur pour augmenter ou réduire la valeur de b de 1 unité à la fois.
- Clique sur le paramètre b avec le bouton droit de la souris et choisis **Éditer le paramètre** pour définir la valeur du paramètre.
- Clique sur le paramètre b avec le bouton droit de la souris et choisis **Animer le paramètre**. Observe la variation continue de b à l'aide du **contrôleur de mouvement**.

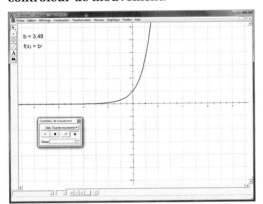

Faire tourner le côté terminal d'un angle trigonométrique

- Dans le menu **Graphique**, clique sur **Afficher la grille**.
- Amène le curseur sur une gradation de l'un des axes. Tu peux ensuite modifier l'échelle des deux axes en faisant glisser ce point, ce qui te permettra de créer un grand cercle unitaire (cercle de rayon 1).
- Trace un cercle unitaire de centre (0, 0) à l'aide de l'**Outil compas**.
- Construis un point sur le cercle unitaire, puis relie ce point à l'origine par un segment de droite pour former le côté terminal d'un angle.
- Pour créer le côté initial de l'angle:
  - Sélectionne l'axe des x et l'extrémité du côté terminal qui se trouve sur le cercle unitaire. Dans le menu **Construction**, clique sur **Droite perpendiculaire**.
  - Sélectionne la droite perpendiculaire et l'axe des x. Dans le menu **Construction**, choisis **Intersection**. Sélectionne l'origine et le point d'intersection. Dans le menu **Construction**, choisis **Segment**. Le côté initial de l'angle devrait s'afficher et former un triangle rectangle avec le côté terminal et la droite perpendiculaire.
- Sélectionne les trois points, en t'assurant de sélectionner l'origine entre les deux autres points. Dans le menu **Mesures**, sélectionne **Angle** (déplace le point sur le cercle unitaire pour t'assurer que l'angle est de 45°).
- Sélectionne le côté terminal. Dans le menu **Transformation**, sélectionne **Rotation**. La figure montre le résultat d'une rotation de 90°.

Les calculatrices à affichage graphique TI-83 Plus et TI-84 Plus

Le clavier

Les touches des calculatrices TI-83 Plus et TI-84 Plus sont colorées pour t'aider à repérer les différentes fonctions.

- Les touches blanches comprennent les touches numériques, le point décimal et le signe négatif. Quand tu saisis des valeurs négatives, utilise la touche blanche ⟨(-)⟩ et non la touche ⟨ − ⟩.
- Les touches grises (ou bleues) à droite correspondent aux opérations mathématiques.
- Les touches grises (ou bleues) en haut du clavier servent à la représentation graphique.
- La fonction principale de chaque touche est indiquée en blanc sur la touche.
- La fonction secondaire de chaque touche est indiquée en bleu (ou en jaune) au-dessus de la touche. Tu peux l'activer en appuyant sur la touche ⟨2nd⟩. Par exemple, pour déterminer la racine carrée [√] d'un nombre, appuie sur ⟨2nd⟩ ⟨x^2⟩.
- La fonction alpha de chaque touche est indiquée en vert au-dessus de la touche. Tu peux l'activer en appuyant sur la touche verte ⟨ALPHA⟩.

Représenter graphiquement une relation ou une fonction

Appuie sur ⟨Y=⟩, puis saisis l'équation. Pour que le graphique s'affiche, appuie sur ⟨GRAPH⟩.

Par exemple, saisis $y = 2x^2 - 3x + 1$ en appuyant sur ⟨Y=⟩ **2** ⟨X, T, θ, n⟩ ⟨x^2⟩ ⟨ − ⟩ **3** ⟨X, T, θ, n⟩ ⟨ + ⟩ **1**. Appuie sur ⟨GRAPH⟩.

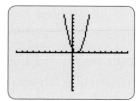

Définir les paramètres d'affichage

La touche (WINDOW) permet de définir l'apparence d'un graphique. La saisie d'écran ci-contre fait voir les paramètres d'affichage standard (par défaut).

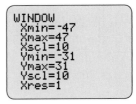

Pour changer les paramètres d'affichage :
• Appuie sur (WINDOW). Saisis les paramètres d'affichage désirés.

Dans l'exemple ci-contre :
• la valeur minimale de x est -47 ;
• la valeur maximale de x est 47 ;
• l'échelle de l'axe des x est de 10 (une graduation aux 10 unités);
• la valeur minimale de y est -31 ;
• la valeur maximale de y est 31 ;
• l'échelle de l'axe des y est de 10 ;
• la résolution est de 1, de sorte qu'un point du graphique est défini à chaque pixel horizontal.

Remarque : Plus la résolution est élevée, plus le traçage du graphique est rapide parce qu'on omet des pixels horizontaux.

Créer une table de valeurs

La saisie d'écran ci-contre fait voir les paramètres par défaut d'une table de valeurs. Cette fonction permet de définir les valeurs de x dans la table.

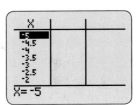

Pour modifier les paramètres d'une table :
• Appuie sur (2nd) (WINDOW). Saisis les valeurs désirées.

Dans l'exemple ci-contre :
• la première valeur de x est -5,
• la valeur de x augmente de 0,5 à chaque rangée.

• Appuie sur (2nd) (GRAPH).
La table de valeurs présentée à droite s'affiche.

Utiliser la commande Trace

• Appuie sur (Y=), puis saisis l'équation de la fonction.
• Appuie sur (TRACE).
• Appuie sur (◄) et (►) pour déplacer le curseur le long du graphique.

L'abscisse et l'ordonnée des points s'affichent au bas de l'écran.

S'il y a plus d'un graphique à l'écran, amène le curseur sur le graphique de ton choix à l'aide des touches (▲) et (▼).

Pour désactiver l'affichage des graphes statistiques avant d'utiliser la commande **Trace** pour examiner le graphique d'une fonction :
• Appuie sur (2nd) (Y=) pour afficher le menu **STAT PLOTS**. Sélectionne **4:PlotsOff**.
• Appuie sur (ENTER).

Utiliser la commande Zoom

La touche (ZOOM) permet de modifier la portion visible du graphique.

Pour définir une portion de graphique à agrandir :
- Appuie sur (ZOOM). Sélectionne **1:ZBox**. Le graphique s'affiche à l'écran, et le curseur clignote.
- Si le curseur n'est pas visible, appuie sur les touches (▶), (◀), (▲) et (▼) pour qu'il apparaisse à l'écran.
- Amène le curseur à la limite de la portion que tu désires agrandir.
- Appuie sur (ENTER) pour marquer ce point.
- À l'aide des touches (▶), (◀), (▲) et (▼), déplace le curseur pour modifier les dimensions du cadre et ainsi délimiter la portion à agrandir.
- Appuie sur (ENTER) lorsque tu as terminé. Une vue agrandie de la portion choisie s'affiche.

Pour agrandir une portion du graphique sans la délimiter à l'aide d'un cadre :
- Appuie sur (ZOOM). Choisis **2:Zoom In**.

Pour afficher une plus grande portion du graphique :
- Appuie sur (ZOOM). Choisis **3:Zoom Out**.

Pour afficher une portion du graphique de sorte que l'origine se situe au centre de l'écran et que les axes des x et des y se divisent également :
- Appuie sur (ZOOM). Choisis **4:ZDecimal**.

Pour afficher le graphique en choisissant les valeurs minimale et maximale de y pour qu'elles correspondent à l'échelle de l'axe des x, sans changer les valeurs minimale et maximale de x, de manière à obtenir un quadrillage carré :
- Appuie sur (ZOOM). Choisis **5:ZSquare**.

Pour rétablir l'échelle des axes selon les paramètres d'affichage standard :
- Appuie sur (ZOOM). Choisis **6:ZStandard**.

Pour adapter l'échelle des axes au graphique d'une fonction trigonométrique :
- Appuie sur (ZOOM). Choisis **7:ZTrig**.

Pour afficher le graphique en choisissant les valeurs minimale et maximale de y qui conviennent le mieux, sans changer les valeurs minimale et maximale de x :
- Appuie sur (ZOOM). Choisis **0:ZoomFit**.

Définir le format graphique

Pour définir le format graphique :
- Appuie sur (2nd) (ZOOM) pour voir les options disponibles.

La saisie d'écran montre que certains paramètres sont activés par défaut tandis que d'autres ne le sont pas.

Pour afficher le quadrillage :
- Appuie sur (2nd) (ZOOM). Déplace le curseur vers le bas, puis vers la droite pour mettre **GridOn** en surbrillance.
- Appuie sur (ENTER).
- Appuie sur (GRAPH) pour voir le quadrillage.
- Appuie sur (2nd) et (MODE) pour quitter l'écran graphique.

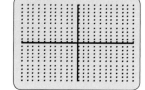

Saisir des données sous la forme de listes

Pour saisir des données :
- Appuie sur (STAT) pour afficher le menu **EDIT**.
- Appuie sur **1** ou sur (ENTER) pour sélectionner **1:Edit**.

Ainsi, tu pourras saisir des données dans les listes **L1** à **L6**.

Par exemple, appuie sur (STAT), et sélectionne **1:Edit**. Entre ensuite les données dans la liste **L1**.
- Déplace-toi dans l'écran à l'aide des touches fléchées.
- Confirme chaque donnée saisie en appuyant sur (ENTER).
- Une fois toutes les données saisies, appuie sur (2nd) (MODE) pour quitter l'éditeur de listes.

Effectuer des opérations à partir de listes

L'éditeur de listes permet d'effectuer des opérations mathématiques sur une liste pour en générer une autre, ce qui peut être très utile.

Par exemple, si tu veux déterminer l'aire d'un terrain rectangulaire de 120 m de périmètre :

largeur = $(120 - 2 \times \text{longueur}) \div 2$

aire = longueur $\times$ largeur

Détermine tout d'abord les différentes largeurs.
- Appuie sur (STAT) pour ouvrir l'éditeur de listes.
- Saisis les longueurs données dans la liste **L1**, soit 0, 10, 20, 30, 40, 50 et 60 dans le présent exemple.
- Appuie sur (►), puis amène le curseur sur l'en-tête de la liste **L2**.
- Appuie sur (( ) **120** (−) **2** (2nd) **1** ( )) (÷) **2** (ENTER).

Les largeurs s'affichent dans la liste **L2**.

Détermine ensuite les aires correspondantes.
- Appuie sur (►), puis amène le curseur sur l'en-tête de la liste **L3**.
- Appuie sur (2nd) **1** (×) (2nd) **2** (ENTER).

Les aires s'affichent dans la liste **L3**.

Cette méthode peut servir à générer les données d'un problème lié à l'intérêt simple ou composé.

Effacer le contenu de listes

Pour effacer le contenu de toutes les listes sans réinitialiser la mémoire :
- Appuie sur (2nd) (+). Dans le menu **MEM**, sélectionne **4:ClrAllLists**. La commande **ClrAllLists** est copiée dans l'écran principal de la calculatrice.
- Appuie sur (ENTER).

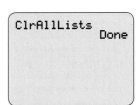

Tu peux aussi effacer le contenu d'une seule liste avant d'y saisir des données. Par exemple, pour effacer le contenu de **L1** :
- Appuie sur (STAT) et sélectionne **4:ClrList**.
- Appuie sur (2nd) **1** pour [L1], puis appuie sur (ENTER).

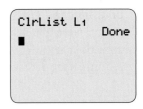

Déterminer les premières et les deuxièmes différences

La calculatrice peut déterminer les premières et les deuxièmes différences d'une liste.

- Appuie sur (STAT), puis sélectionne **1:Edit**.
- Saisis les valeurs de x dans la liste **L1**.
- Saisis les valeurs de y dans la liste **L2**.

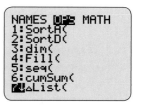

Pour déterminer les premières différences :
- Appuie sur (►), puis amène le curseur sur l'en-tête de la liste **L3**.
- Appuie sur (2nd) (STAT). Amène le curseur sur **OPS**. Sélectionne **7:Δ List(** pour associer cette commande à **L3**.

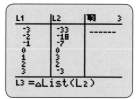

- Appuie sur (2nd) 2 ( ) (ENTER) pour obtenir les premières différences de la liste **L2**.

Pour déterminer les deuxièmes différences :
- Appuie sur (►), puis amène le curseur sur l'en-tête de la liste **L4**.
- Appuie sur (2nd) (STAT). Amène le curseur sur **OPS**. Sélectionne **7:Δ List(** pour associer cette commande à **L4**.

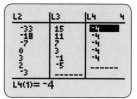

- Appuie sur (2nd) 2 ( ) (ENTER) pour obtenir les deuxièmes différences de la liste **L2** (c'est-à-dire les premières différences de la liste **L3**).

Désactiver les graphiques statistiques

Pour désactiver tous les graphiques (graphes) statistiques sans réinitialiser la mémoire :
- Appuie sur (2nd) (Y=) et sélectionne **4:PlotsOff**.
- Appuie sur (ENTER).

Modifier l'apparence d'un graphique

Par défaut, les graphiques prennent l'apparence d'un trait fin et continu. Le style d'un graphique est affiché à la gauche de son équation. Il y a sept options pour définir l'apparence d'un graphique.

Trait fin
Trait épais
Trait pointillé
Ombrage au-dessus
Ombrage en dessous
Animation avec trace
Animation sans trace

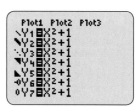

- Appuie sur (Y=) et efface toute équation existante.
  Saisis l'équation $2x^2 + 2x + 1$ pour **Y1**.
  Saisis l'équation $-3x^2 + 4x - 1$ pour **Y2**.
- Appuie sur (◄) pour amener le curseur à gauche de **Y2=**.
- Appuie sur (ENTER) à plusieurs reprises jusqu'à ce qu'un trait épais et continu apparaisse.
- Appuie sur (GRAPH).

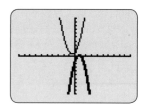

Faire disparaître le graphique d'une fonction

Dans l'éditeur Y=, place le curseur sur le signe d'égalité de l'équation de la fonction dont tu veux faire disparaître le graphique.
- Appuie sur (ENTER) pour désactiver l'affichage du graphique.

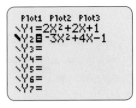

- Appuie sur (GRAPH).

Remarque : Seuls les graphiques définis par une équation dont le signe d'égalité est en surbrillance sont tracés.

Déterminer une ordonnée à l'origine

Pour déterminer l'ordonnée à l'origine du graphique d'une fonction :
Saisis $(2x - 3)(x + 2)$ pour **Y1**.
- Appuie sur (GRAPH).
- Appuie sur (TRACE) **0** (ENTER).

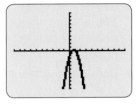

Déterminer un point d'intersection

L'éditeur Y= doit contenir au moins deux équations.
- Appuie sur (Y=) et saisis l'équation des fonctions **Y1** et **Y2**.
Assure-toi de régler correctement les paramètres d'affichage.
- Appuie sur (GRAPH).

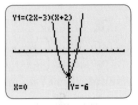

Remarque : Pour que la calculatrice puisse déterminer les coordonnées d'un point d'intersection, celui-ci *doit* être visible. Si ce n'est pas le cas, modifie les paramètres d'affichage.

Pour déterminer un des points d'intersection :
- Appuie sur (2nd) (TRACE) et sélectionne **5:Intersect**.
- Appuie trois fois sur (ENTER).

Les coordonnées du point d'intersection s'affichent au bas de l'écran.

Pour déterminer l'autre point d'intersection :
- Appuie sur (2nd) (TRACE) et sélectionne **5:Intersect**.
- Maintiens la touche (◄) ou (►) enfoncée pour amener le curseur près de ce point d'intersection.
- Appuie trois fois sur (ENTER).

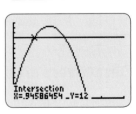

Créer un nuage de points

Pour créer un nuage de points :
- Saisis les deux ensembles de données dans les listes **L1** et **L2**.
- Appuie sur (2nd) (Y=) pour afficher le menu **STAT PLOTS**.
- Appuie sur **1** ou (ENTER) pour sélectionner **1:Plot1**.
- Appuie sur (ENTER) pour choisir **On**.
- Déplace le curseur d'une ligne vers le bas, puis appuie sur (ENTER) pour sélectionner le type de graphique en haut à gauche, soit un nuage de points.
- Déplace le curseur vers le bas et appuie sur (2nd) **1** pour saisir **L1** vis-à-vis **Xlist**.
- Déplace le curseur vers le bas et appuie sur (2nd) **2** pour saisir **L2** vis-à-vis **Ylist**.
- À la ligne suivante (**Mark**), choisis l'apparence des points et appuie sur (ENTER).
- Appuie sur (2nd) (MODE) pour quitter le menu **STAT PLOTS**.

Pour afficher le nuage de points :
- Appuie sur (Y=) et efface toute équation à l'aide de la touche (CLEAR).
- Appuie sur (2nd) (MODE) pour quitter l'éditeur Y=.
- Appuie sur (ZOOM) et sélectionne **9:ZoomStat**. La calculatrice affiche alors le nuage de points correspondant aux données saisies dans les listes.
- Appuie sur (WINDOW) pour modifier **Xscl** et **Yscl** afin que les graduations de chaque axe soient visibles si ce n'est déjà le cas.

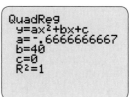

Activer l'affichage des données de diagnostic

Pour activer l'affichage des données de diagnostic :
- Appuie sur (2nd) **0** pour afficher le menu **CATALOG**.
- Appuie sur (x^{-1}) pour voir la liste des commandes dont le nom commence par la lettre « D ».
- Fais défiler la liste vers le bas jusqu'à **DiagnosticOn**.
- Appuie sur (ENTER) pour coller cette commande dans l'écran d'accueil.
- Appuie sur (ENTER) pour activer l'affichage des données de diagnostic.

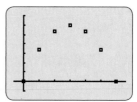

Remarque : Quand l'affichage des données de diagnostic est activé, la calculatrice affiche les valeurs de r et de r^2 pour toute régression linéaire, et la valeur de R^2 pour toute régression du second degré.

Désactiver l'affichage des données de diagnostic

Pour désactiver l'affichage des données de diagnostic :
- Appuie sur (2nd) **0** pour afficher le menu **CATALOG**.
- Appuie sur (x^{-1}) pour voir la liste des commandes dont le nom commence par la lettre « D ».
- Fais défiler la liste vers le bas jusqu'à **DiagnosticOff**.
- Appuie sur (ENTER) pour coller cette commande dans l'écran d'accueil.
- Appuie sur (ENTER) pour désactiver l'affichage des données de diagnostic.

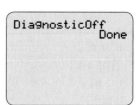

Déterminer la courbe ou la droite la mieux ajustée

Tu peux superposer à un nuage de points la droite ou la courbe la mieux ajustée, en utilisant un modèle approprié.

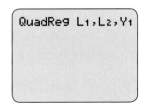

- Affiche le nuage de points et appuie ensuite sur (STAT) (▶) pour accéder au menu **CALC**.
- Choisis le modèle qui correspond le mieux aux données représentées par le nuage de points :
  4:LinReg(ax+b) pour une régression linéaire,
  5:QuadReg pour une régression du second degré,
  0:ExpReg pour une régression exponentielle,
  C:SinReg pour une régression sinusoïdale.
- Appuie sur (2nd) 1 pour la liste **L1**, puis sur (,).
- Appuie sur (2nd) 2 pour la liste **L2**, puis sur (,).
- Appuie sur (VARS) (▶) pour accéder au menu **Y-VARS**. Sélectionne **1:Function**, puis **1:Y1**.
- Appuie sur (ENTER) pour effectuer l'analyse de régression.
- Appuie sur (GRAPH) pour que le modèle s'affiche.

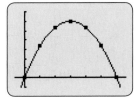

Déterminer les zéros, le maximum ou le minimum

L'éditeur Y= doit contenir au moins une équation.
- Appuie sur (Y=).
Dans l'exemple, l'équation définit une parabole.

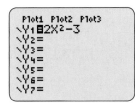

Pour que la calculatrice puisse déterminer un zéro (une abscisse à l'origine), un maximum ou un minimum, le point correspondant *doit* être visible.
- Appuie sur (GRAPH).

Remarque : Si le point correspondant n'est pas visible, modifie les paramètres d'affichage.

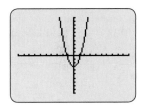

Pour déterminer un zéro :
- Appuie sur (2nd) (TRACE) 2.
- Amène le curseur à la gauche du point correspondant en maintenant la touche fléchée gauche enfoncée.
- Appuie sur (ENTER).

- Amène le curseur à la droite du point en maintenant la touche fléchée droite enfoncée.
- Appuie sur (ENTER).

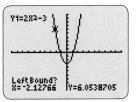
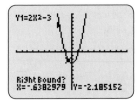

Pour déterminer le zéro (l'abscisse à l'origine) à partir d'une approximation :
- Appuie sur (ENTER).
Le zéro (l'abscisse à l'origine) s'affiche au bas de l'écran.

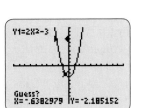
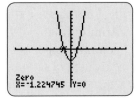

Pour déterminer le minimum :
- Appuie sur (2nd) (TRACE) **3**.
- Amène le curseur à la gauche du minimum en maintenant la touche fléchée gauche enfoncée.
- Appuie sur (ENTER).

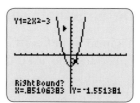

- Amène le curseur à la droite du minimum en maintenant la touche fléchée droite enfoncée.
- Appuie sur (ENTER).

Pour déterminer le minimum à partir d'une approximation :
- Appuie sur (ENTER).
Les coordonnées du minimum s'affichent au bas de l'écran.

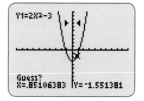

Parfois, la valeur de x ou celle de y ne sont pas exactes en raison de la méthode utilisée par la calculatrice. Dans l'exemple, la valeur de x affichée par la calculatrice est $-1.938E-6$, c'est-à-dire $-1,938 \times 10^{-6}$ en notation scientifique. Si on déplace la virgule de six positions vers la gauche, on obtient $-0,000\ 001\ 938$. Dans ce cas, on peut présumer que l'abscisse du minimum est 0, et non $-0,000\ 001\ 938$.

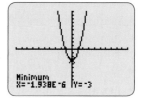

Pour déterminer le maximum :
- Appuie sur (2nd) (TRACE) **4**. Procède ensuite comme pour un minimum.

Déterminer la somme d'une série arithmétique ou géométrique

Pour déterminer S_{10}, saisis d'abord les dix premiers termes dans la liste **L1**.
- Appuie sur (2nd) (STAT), puis amène le curseur sur **OPS**.
Soit une série arithmétique telle que $a = 2$ et $d = 4$:
- Sélectionne **5:seq(** et saisis $2 + (x - 1) \times 4$, x, 1, 10, 1).
- Appuie sur (STO▶) (2nd) **1** (ENTER).
Soit une série géométrique telle que $a = 20$ et $r = -3$:
- Sélectionne **5:seq(** et saisis $20 \times (-3)^{x-1}$, x, 1, 10, 1).
- Appuie sur (STO▶) (2nd) **1** (ENTER).

Tu peux maintenant déterminer la somme.
- Appuie sur (2nd) (STAT), puis amène le curseur sur **MATH**.
- Sélectionne **5:sum(** et saisis **L1)**.
- Appuie sur (ENTER).

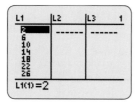

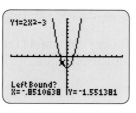
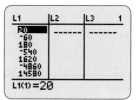

Reprendre un calcul pour un nouveau scénario

- Appuie sur (2nd) (ENTER) pour afficher de nouveau la dernière expression saisie. À l'aide des touches fléchées, de la touche (DEL) et de la commande [INS], modifie l'expression pour l'adapter au nouveau scénario.
- Appuie sur (ENTER) pour effectuer le nouveau calcul.
  Dans l'exemple présenté, on a modifié l'expression une première fois, puis on a appuyé à deux reprises sur (2nd) (ENTER) pour afficher de nouveau l'expression initiale (écran de droite).

```
2600((1+0.06)^15
-1)/0.06
        60517.5217
650((1+0.015)^60
-1)/0.015
        62539.52361
650((1+0.015)^60
-1)/0.015
```

```
2600((1+0.06)^15
-1)/0.06
        60517.5217
650((1+0.015)^60
-1)/0.015
        62539.52361
2600((1+0.06)^15
-1)/0.06
```

Les applications financières : le TVM Solveur

Le **TVM Solveur** permet d'effectuer des calculs liés à des annuités (par exemple des emprunts personnels ou hypothécaires et des placements comportant des versements périodiques). Il permet également de faire des calculs associés à des emprunts ou des placements sans versements périodiques. **TVM** signifie, en anglais, *Time Value of Money* (valeur de l'argent dans le temps).

Pour ouvrir le TVM Solveur :

- Appuie sur (APPS) **1** puis **1**.

Les variables du TVM Solveur

Lorsqu'il y a des versements périodiques (annuités simples et hypothèques)

N	Nombre de versements
I%	Taux d'intérêt annuel
PV	Valeur actuelle
PMT	Montant de chaque versement
FV	Valeur finale
P/Y	Nombre de versements par année
C/Y	Nombre de périodes de capitalisation par année
PMT : END BEGIN	Moment des versements (en fin de période [END] pour les annuités simples)

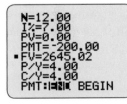

Un compte de placement dans lequel on dépose 200 $ chaque trimestre pendant 3 ans et qui rapporte un intérêt de 7 %, composé trimestriellement, a une valeur finale de 2 645,02 $.

Lorsqu'il n'y a pas de versements périodiques

N	Nombre d'années
I%	Taux d'intérêt annuel
PV	Valeur actuelle, ou capital
PMT	Toujours utiliser **PMT=0.00**
FV	Valeur finale, ou montant final
P/Y	Toujours utiliser **P/Y=1.00**
C/Y	Nombre de périodes de capitalisation par année
PMT : END BEGIN	FIN ou DÉBUT

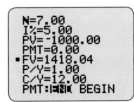

Une somme de 1 000 $ placée pour 7 ans à un taux d'intérêt de 5 % composé mensuellement a une valeur finale de 1 418,04 $.

Les placements et les emprunts (sans versements périodiques)

La valeur finale Si tu connais le capital (ou la valeur actuelle), le taux d'intérêt, la fréquence de capitalisation et la durée d'un placement ou d'un emprunt, tu peux déterminer sa valeur finale.

Par exemple, voici les étapes à suivre pour déterminer la valeur finale d'un placement de **2 500 $** qui rapporte **5 %** d'intérêt, **composé semestriellement**, pendant **3 ans** :

Ouvre le **TVM Solveur** et entre les valeurs connues :

Pour obtenir la valeur finale, amène le curseur sur **FV=0.00** et appuie sur (ALPHA) (ENTER).

La durée est de 3 ans.
Le taux d'intérêt annuel est de 5 %.
Le capital est de 2 500 $.
La valeur finale est inconnue.
Il y a deux périodes de capitalisation par année.

La valeur actuelle (capital) Si tu connais la valeur finale, le taux d'intérêt, la fréquence de capitalisation et la durée d'un placement ou d'un emprunt, tu peux déterminer sa valeur actuelle.

Ouvre le **TVM Solveur** et entre les valeurs connues. Pour obtenir la valeur actuelle, amène le curseur sur **PV=0.00** et appuie sur (ALPHA) (ENTER).

La valeur finale est de 2 899,23 $.

Le taux d'intérêt Pour déterminer le taux d'intérêt annuel, saisis les valeurs connues de **N**, **PV**, **FV** et **C/Y**. Définis les autres valeurs comme suit : **I%=0.00**, **PMT=0.00** et **P/Y=1.00**. Amène ensuite le curseur sur **I%=0.00** et appuie sur (ALPHA) (ENTER).

La durée Pour déterminer la durée (ou l'échéance), en années, saisis les valeurs connues de **I%**, **PV**, **FV** et **C/Y**. Définis les autres valeurs comme suit : **N=0.00**, **PMT=0.00** et **P/Y=1.00**. Amène ensuite le curseur sur **N=0.00** et appuie sur (ALPHA) (ENTER).

Remarques importantes au sujet du TVM Solveur
* Assure-toi de régler le nombre de décimales à 2.
* Il faut attribuer une valeur à chacune des variables.
* Les sommes payées (pour rembourser un prêt, par exemple) sont négatives.
* Les sommes reçues, comme la valeur finale d'un placement, sont positives.
* Pour quitter le **TVM Solveur** et revenir à l'écran principal, appuie sur (2nd) (MODE).

Les annuités simples (avec versements ou retraits périodiques)

La valeur finale Entre les valeurs connues de **N**, **I%**, **PMT**, **P/Y** et **C/Y**. Définis les autres valeurs comme suit : **PV=0.00**, **FV=0.00** et **PMT:END**. Amène le curseur sur **FV=0.00** et appuie sur (ALPHA) (ENTER).

La valeur actuelle Entre les valeurs connues de **N**, **I%**, **PMT**, **P/Y** et **C/Y**. Définis les autres valeurs comme suit : **PV=0.00**, **FV=0.00** et **PMT:END**. Amène le curseur sur **PV=0.00** et appuie sur (ALPHA) (ENTER).

Le moment de chaque versement ou retrait Pour déterminer le montant de chaque versement (ou retrait) périodique d'une annuité dont tu connais la valeur actuelle ou la valeur finale, entre les valeurs connues de **N**, **I%**, **PV** (ou **FV**), **P/Y** et **C/Y**. Définis les autres valeurs comme suit : **FV=0.00** (ou **PV=0.00**) et **PMT:END**. Amène le curseur sur **PMT=0.00** et appuie sur (ALPHA) (ENTER).

Réponses

Chapitre 1

Connaissances préalables, pages 2 et 3

1. a)

b)

c)

d)

2. a) $y = 2x - 3$ **b)** $y = -\dfrac{1}{3}x + 2$

3. a) $y = -\dfrac{5}{4}x + 8$ **b)** $y = -3x + 4$

    c) $y = \dfrac{5}{4}x - 6$

4. a) $(-1, 2)$ **b)** $(4, -3)$ **c)** $(2, 2)$

5. a) $(1, 8)$ **b)** $(5, 9)$ **c)** $(5, -1)$

6. a) $x^2 + 4x + 4$ **b)** $n^2 - 9$

    c) $\dfrac{1}{2}t^2 - 4t + 8$ **d)** $3x^2 + 3x - 18$

    e) $4k^2 - 4$ **f)** $4x^2 + \dfrac{14}{3}x - 2$

7. a) $(x + 5)(x - 3)$ **b)** $(x + 3)^2$

    c) $(3n + 5)(3n - 5)$ **d)** $-(x + 4)(x - 3)$

    e) $3(t + 1)^2$ **f)** $-5(x - 4)^2$

8. a) Non   **b)** Oui ; $(x - 6)^2$

    c) Non   **d)** Non

    e) Oui ; $(x + 2)^2$ **f)** Oui ; $(2n + 3)^2$

9. a) 16   **b)** 25   **c)** 1   **d)** 49

    e) $\dfrac{25}{4}$ **f)** $\dfrac{121}{4}$ **g)** $\dfrac{1}{4}$ **h)** $\dfrac{9}{4}$

10. a) $\dfrac{1}{2}(x^2 - 3x)$ **b)** $\dfrac{2}{3}\left(x^2 + \dfrac{15}{2}x\right)$

    c) $-\dfrac{1}{5}(x^2 + 10x)$ **d)** $-\dfrac{3}{4}(x^2 - 12x)$

11. a)   **I)** $(-1, -3)$ **II)** $x = -1$

     III) Vers le haut   **IV)** -1

    b)   **I)** $(3, 1)$ **II)** $x = 3$

     III) Vers le bas   **IV)** -14

12. a) $y = -(x - 2)^2 + 3$ **b)** $y = (x + 5)^2 - 1$

13. a) $y = (x + 2)^2 - 3$; $(-2, -3)$

    b) $y = (x - 5)^2 - 30$; $(5, -30)$

14. a) Le graphique de $y = (x + 5)^2 + 2$ est celui de $y = (x + 5)^2$ après une translation verticale de 2 unités vers le haut.

    b) Le graphique de $y = x^2 - 4x$ est celui de $y = x^2 - 4x + 3$ après une translation verticale de 3 unités vers le bas.

15. a)

b)

---

1. a) Cette relation est une fonction. On ne peut tracer aucune droite verticale qui passe par plus d'un point de la droite.

    b) Cette relation est une fonction. On ne peut tracer aucune droite verticale qui passe par plus d'un point du graphique.

    c) Cette relation est une fonction. On ne peut tracer aucune droite verticale qui passe par plus d'un point de la courbe.

    d) Cette relation n'est pas une fonction. On peut tracer un nombre infini de droites verticales qui passent par plus d'un point de la courbe.

2. a) Cette relation est une fonction. On ne peut tracer aucune droite verticale qui passe par plus d'un point de la droite.

    b) Cette relation n'est pas une fonction. On peut tracer un nombre infini de droites verticales qui passent par plus d'un point de la courbe.

    c) Cette relation est une fonction. On ne peut tracer aucune droite verticale qui passe par plus d'un point de la courbe.

    d) Cette relation n'est pas une fonction. On peut tracer un nombre infini de droites verticales qui passent par plus d'un point du cercle.

3. a) Domaine : {5, 6, 7, 8, 9}, image : {5, 6, 7, 8, 9} ; cette relation est une fonction, car à chaque valeur du domaine correspond une et une seule valeur de l'image.

    b) Domaine : {3, 4, 5, 6}, image : {−1} ; cette relation est une fonction, car à chaque valeur du domaine correspond une et une seule valeur de l'image.

    c) Domaine : {1}, image : {−14, −8, 0, 6, 11} ; cette relation n'est pas une fonction, car à la valeur $x = 1$ correspondent cinq valeurs de y.

    d) Domaine : {1, 3, 4, 5, 11}, image : {1, 4, 5, 9, 11} ; cette relation est une fonction, car à chaque valeur du domaine correspond une et une seule valeur de l'image.

    e) Domaine : {1, 2, 3}, image : {−2, −1, 0, 1, 2} ; cette relation n'est pas une fonction, car aux valeurs $x = 2$ et $x = 3$ correspondent deux valeurs de y.

4. a) Cette relation est une fonction, car à chaque valeur du domaine correspond une et une seule valeur de l'image.

    b) Cette relation est une fonction, car à chaque valeur du domaine correspond une et une seule valeur de l'image.

c) Cette relation n'est pas une fonction. Le domaine a trois éléments et l'image en a cinq. Donc, à une ou plusieurs valeurs du domaine correspond plus d'une valeur de l'image.

d) Cette relation n'est pas une fonction. Le domaine a un élément et l'image en a cinq. Donc, la valeur du domaine est associée à chaque valeur de l'image.

5. a) Domaine : $\{x \in \mathbb{R}\}$, image : $\{y \in \mathbb{R}\}$

b) Domaine : $\{x \in \mathbb{R}\}$, image : $\{y \in \mathbb{R} \mid y \geq 0\}$

c) Domaine : $\{x \in \mathbb{R} \mid x \geq 0\}$, image : $\{y \in \mathbb{R}\}$

d) Domaine : $\{x \in \mathbb{R}\}$, image : $\{y \in \mathbb{R} \mid y \leq -1\}$

e) Domaine : $\{x \in \mathbb{R} \mid x \neq 3\}$, image : $\{y \in \mathbb{R} \mid y \neq 0\}$

6. a) Domaine : $\{x \in \mathbb{R}\}$, image : $\{y \in \mathbb{R}\}$

b) Domaine : $\{x \in \mathbb{R}\}$, image : $\{y \in \mathbb{R} \mid y \geq -4\}$

c) Domaine : $\{x \in \mathbb{R}\}$, image : $\{y \in \mathbb{R} \mid y \leq 1\}$

d) Domaine : $\{x \in \mathbb{R} \mid -3 \leq x \leq 3\}$; image : $\{y \in \mathbb{R} \mid -3 \leq y \leq 3\}$

e) Domaine : $\{x \in \mathbb{R} \mid x \neq -3\}$, image : $\{y \in \mathbb{R} \mid y \neq 0\}$

f) Domaine : $\{x \in \mathbb{R} \mid x \geq -0,5\}$, image : $\{y \in \mathbb{R} \mid y \geq 0\}$

7. Les réponses varieront.

8. a) $A = -2x^2 + 45x$

b) Domaine : $\{0 < x < 22,5\}$, image : $\{0 < A < 253,125\}$

9. a) Cette relation est une fonction, car à chaque valeur du domaine correspond une et une seule valeur de l'image.
Variable indépendante : le nombre de billets vendus ; variable dépendante : la somme amassée.

b) Cette relation n'est pas une fonction. Pour chaque niveau scolaire, il y a des élèves d'âges différents.

c) Cette relation est une fonction, car à chaque valeur du domaine correspond une et une seule valeur de l'image.
Variable indépendante : la vitesse de marche de Jung Yoo ; variable dépendante : le temps nécessaire pour se rendre à l'école.

10. Les réponses varieront. Exemple :

a) Les 14 sections de 3 m de clôture peuvent être assemblées de sorte que la longueur sera de 12 m et la largeur, de 9 m, à savoir une aire de 108 m².

b) Puisque les sections mesurent 3 m de longueur, elles peuvent être assemblées pour créer une aire de 12 m sur 9 m. Toutefois, la plus grande aire qu'il est possible de délimiter avec 42 m de clôture est l'aire obtenue quand la longueur et la largeur mesurent toutes les deux 10,5 m. Cette aire maximale est de 110,25 m².

11. a) Image : $\{0, 6, 12, 18, 24\}$ **b)** Image : $\{-3, 0, 5, 12, 21\}$

c) Image : $\{3\}$ **d)** Image : $\{-1, 1, 7, 17, 31\}$

e) Image : $\left\{ \dfrac{1}{7}, \dfrac{1}{6}, \dfrac{1}{5}, \dfrac{1}{4}, \dfrac{1}{3} \right\}$

f) Image : $\left\{ -2\sqrt{6}, -\sqrt{21}, -4, -3, 0, 3, 4, \sqrt{21}, 2\sqrt{6} \right\}$

12. a)

b)

c) Les réponses varieront. Exemple : La relation $x = y^2 - 3$ peut être définie à partir des relations $y = \sqrt{x + 3}$ et $y = -\sqrt{x + 3}$.

d) Aux valeurs $x = 6$, 1 et -2 correspondent deux valeurs de y.

13. Les réponses varieront.

14. Les réponses varieront. Exemple :

a) Un graphique représentant un seul point a un élément dans le domaine et un élément dans l'image.

b) Un graphique représentant une droite verticale a un élément dans le domaine et plusieurs éléments dans l'image.

c) Un graphique représentant une droite horizontale a plusieurs éléments dans le domaine et un élément dans l'image.

15. Les réponses varieront. Exemple :

a) $y = -x^2 + 5$ **b)** $x^2 + y^2 = 9$

16. a) $S = 0,002m + 400$:
domaine : $\{m \in \mathbb{R} \mid 0 \leq m < 100\ 000\}$,
image : $\{S \in \mathbb{R} \mid 400 \leq S < 600\}$.
$S = 0,0025m + 400$;
domaine : $\{m \in \mathbb{R} \mid m \geq 100\ 000\}$,
image : $\{S \in \mathbb{R} \mid S \geq 650\}$

b) Chaque relation est une fonction, car à chaque valeur du domaine correspond une et une seule valeur de l'image.

c)

d) Les réponses varieront. Exemple : Quand $m = 100\ 000$, il y a une discontinuité dans le graphique. Pour ce montant de ventes, le salaire hebdomadaire du vendeur passe de 600 $ à 650 $, et si le montant des ventes est supérieur à 100 000 $, le salaire du vendeur augmentera plus rapidement que pour des ventes de moins de 100 000 $.

17. Les réponses varieront. Exemple : Oui. La fonction $y = (x + 2)^2 + 5$ a comme domaine $\{x \in \mathbb{R}\}$ et comme image $\{y \in \mathbb{R} \mid y \geq 5\}$. La fonction $y = (x - 2)^2 + 5$ a comme domaine $\{x \in \mathbb{R}\}$ et comme image $\{y \in \mathbb{R} \mid y \geq 5\}$. Le domaine et l'image des deux fonctions sont les mêmes.

18. a) Domaine: $\{\theta \in \mathbb{R}\}$, image: $\{y \in \mathbb{R} \mid 1 \leq y \leq 5\}$; la relation est une fonction.

b) Domaine: $\{x \in \mathbb{R} \mid -5 \leq x \leq 5\}$, image: $\{y \in \mathbb{R} \mid -4 \leq y \leq 4\}$; la relation n'est pas une fonction.

19. $\{x \in \mathbb{R} \mid 3 \leq x < 5\}$

20. 160 \$

21. 48 facteurs

22. $-2 \leq x < 2$

1.2 La notation fonctionnelle, pages 16 à 24

1. a) $\dfrac{63}{5}$, 9, $\dfrac{161}{15}$ **b)** 57, 66, 1 **c)** 128, 2, $\dfrac{200}{9}$

d) -6, -6, -6 **e)** $\dfrac{1}{4}$, $-\dfrac{1}{5}$, $-\dfrac{3}{2}$ **f)** 3, 0, $\sqrt{\dfrac{13}{3}}$

2. a) 4 **b)** 0

c) -4 **d)** -1

e) -6 **f)** $\dfrac{70}{3}$

3. a) -4; $y = -4x$ **b)** 3; $y = 3x$

c) $\dfrac{2}{3}$; $y = \dfrac{2}{3}x$ **d)** -1; $y = -x$

4. Les réponses varieront. Exemple: Un exemple de fonction affine est $y = 2x + 3$ et un exemple de fonction constante est $y = 2$. Le domaine de cas fonctions est le même $\{x \in \mathbb{R}\}$, mais leurs images diffèrent. L'image de la fonction $y = 2x + 3$ est $\{y \in \mathbb{R}\}$ et celle de la fonction $y = 2$ est $\{y \in \mathbb{R} \mid y = 2\}$.

5. a) **b)**

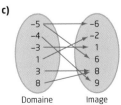 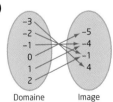

c) **d)**

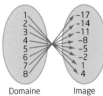 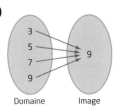

6. a)-b) La relation est une fonction, car à chaque valeur du domaine correspond une et une seule valeur de l'image.

c) La relation n'est pas une fonction. À la valeur $x = -5$ correspondent deux valeurs de y.

d) La relation est une fonction, car à chaque valeur du domaine correspond une et une seule valeur de l'image.

7. a) $\{(1, 1), (2, 4), (3, 9), (4, 16)\}$

b) $\{(-5, 11), (-4, 6), (-2, -4), (0, -14), (2, -24)\}$

c) $\{(-4, 6), (1, 6), (3, 6), (5, 6)\}$

8. a) La relation est une fonction, car à chaque valeur du domaine correspond une et une seule valeur de l'image.

b) La relation est une fonction, car à chaque valeur du domaine correspond une et une seule valeur de l'image.

c) La relation est une fonction, car à chaque valeur du domaine correspond une et une seule valeur de l'image.

9. Les réponses varieront. Exemple: Un diagramme sagittal est la représentation visuelle d'une relation définie par un ensemble de couples. Pour les apprenantes et apprenants visuels, il est plus facile de déterminer si une relation représentée par un diagramme sagittal est une fonction, car il suffit de vérifier qu'une et une seule flèche est tracée à partir de chaque élément du domaine.

10. a) $f: X \to Y: x \to -x + 4$ **b)** $g: X \to Y: x \to x^2 + 5x - 3$

c) $s: X \to Y: x \to \sqrt{4x - 4}$ **d)** $r: K \to Y: k \to -\dfrac{1}{2k - 1}$

11. Les réponses varieront. Exemple: Une relation est une fonction si chaque valeur du domaine correspond à une et une seule valeur de l'image. Dans un diagramme sagittal, une relation est une fonction si une et une seule flèche est tracée à partir de chaque élément du domaine.

12. a) **b)**

c)

$y = 3x^2 - 2x + 3$

d)

13. a)

b) Les réponses varieront. Exemple : Cette relation est une fonction, car à chaque valeur du domaine correspond une et une seule valeur de l'image.

c) Les réponses varieront. Exemple : Oui. Chaque valeur du domaine correspond à une et une seule valeur de l'image.

14. a) Domaine : $\{P \in \mathbb{R} \mid P \geq 0\}$, image : $\{v \in \mathbb{R} \mid v \geq 0\}$

b)

15. a) 24 000 $ **b) I)** 3 090,91 $ **II)** 2 769,23 $

c) 22 ans

d) Les réponses varieront. Exemple : La relation est une fonction, car à chaque valeur du domaine correspond une et une seule valeur de l'image.

16. a) Domaine : $\{i \in \mathbb{R} \mid i \geq 0\}$,
image : $\{C \in \mathbb{R} \mid 0 < C < 100\}$

b)

c) 95,24 $ **d)** 11,1 %

17.–18. Les réponses varieront.

19.

Cote, c Âge, n	1	2	3	4	5
40	570	560	550	540	530
41	572	562	552	542	532
42	574	564	554	544	534
43	576	566	556	546	536
44	578	568	558	548	538
45	580	570	560	550	540

21. a) Domaine : $\{d \in \mathbb{R} \mid d > 0\}$,
image : $\{v \in \mathbb{R} \mid v > 8\}$

b)

c) Les réponses varieront. Exemple : Cette relation est une fonction, car à chaque valeur du domaine correspond une et une seule valeur de l'image.

22. D   **23.** 65   **24.** C

1.3 Le maximum ou le minimum d'une fonction du second degré, pages 25 à 32

1. a) $y = (x + 2)^2 - 4$ **b)** $f(x) = \left(x + \frac{7}{2}\right)^2 - \frac{5}{4}$

c) $g(x) = \left(x - \frac{3}{2}\right)^2 - \frac{5}{4}$ **d)** $y = \left(x - \frac{11}{2}\right)^2 - \frac{137}{4}$

e) $f(x) = \left(x + \frac{13}{2}\right)^2 - \frac{161}{4}$ **f)** $y = \left(x - \frac{9}{2}\right)^2 - \frac{117}{4}$

2. a) $(-5, -19)$; minimum   **b)** $(-3, -2)$; minimum

c) $(1, 4)$; maximum   **d)** $(6, 31)$; maximum

e) $(-1, 2)$; maximum   **f)** $\left(-4, -\frac{7}{3}\right)$; minimum

3. a) $(1, 8)$; minimum   **b)** $(2, 5)$; maximum

c) $\left(3, \frac{7}{2}\right)$; minimum   **d)** $\left(\frac{3}{2}, -\frac{25}{4}\right)$; maximum

e) $\left(5, -\frac{3}{2}\right)$; minimum   **f)** $\left(-7, \frac{22}{5}\right)$; maximum

4. Les réponses varieront.   **5.** 1 000 $

6. 130   **7.** 2,4 m

8. 83 km/h   **9.** 12 m sur 6 m

10. Petit côté : 5 m, grand côté : 10 m

11. 25

12. a) Domaine : $\{n \in \mathbb{R} \mid 0 \leq n \leq 60\}$;
image : $\{e \in \mathbb{R} \mid 0 \leq e \leq 10\}$

b) Sommet : $(30, 10)$; maximum ; les réponses varieront. Exemple : Le graphique est une parabole ouverte vers le bas, donc le sommet est un maximum.

c) Les réponses varieront. Exemple : Après 30 diffusions, on atteint l'efficacité maximale du message publicitaire télévisé.

d)

13. Les réponses varieront. Exemples :

a) $y = 2x^2 + 4x$

$y = 2x^2 + 2x$

$y = 2x^2$

$y = 2x^2 - 2x$

$y = 2x^2 - 4x$

b) Les cinq paraboles sont congruentes et sont ouvertes vers le haut.

c) $(-1, -2)$; $(-0,5, -0,5)$; $(0, 0)$; $(0,5, -0,5)$; $(1, -2)$

d) L'abscisse de chaque sommet est donnée par la valeur de b multipliée par $-\frac{1}{4}$.

14. 7,5 cm

15. Les réponses varieront.

16. C   **17.** C   **18.** B

1.4 Les opérations sur les expressions comportant des radicaux, pages 34 à 40

1. a) $12\sqrt{5}$ **b)** $5\sqrt{6}$ **c)** $-2\sqrt{35}$

   d) $-20\sqrt{15}$ **e)** $6\sqrt{6}$ **f)** $6\sqrt{22}$

2. a) $2\sqrt{3}$ **b)** $11\sqrt{2}$ **c)** $7\sqrt{3}$

   d) $2\sqrt{5}$ **e)** $6\sqrt{7}$ **f)** $14\sqrt{2}$

3. a) $\sqrt{3}$ **b)** $-4\sqrt{5}$ **c)** 0

   d) $5\sqrt{2} - 4\sqrt{5}$ **e)** $4\sqrt{6} - 5\sqrt{2}$ **f)** $-3\sqrt{10} + \sqrt{5}$

4. a) $4\sqrt{2}$ **b)** $37\sqrt{2}$ **c)** $-3\sqrt{5} - 6\sqrt{3}$

   d) $9\sqrt{7} + 8\sqrt{6}$ **e)** $14\sqrt{3} - 4\sqrt{2}$ **f)** $5\sqrt{11} + 5\sqrt{22}$

5. a) $30\sqrt{2}$ **b)** $-16\sqrt{7}$ **c)** $40\sqrt{2}$

   d) $-18\sqrt{5}$ **e)** $55\sqrt{6}$ **f)** -24

6. a) $24 - 3\sqrt{5}$ **b)** $5\sqrt{6} + 12$ **c)** $3\sqrt{2} - 3$

   d) $-8\sqrt{5} - 30$ **e)** $64 + 48\sqrt{6}$ **f)** $6\sqrt{21} - 15\sqrt{6}$

7. a) $27 + 10\sqrt{2}$ **b)** $-12 - 4\sqrt{2}$

   c) $5\sqrt{3} + 5\sqrt{6} + 10\sqrt{2} + 20$

   d) $-5 - 7\sqrt{5}$ **e)** -4 **f)** $-17 + \sqrt{7}$

8. a) $-\dfrac{1}{2}\sqrt{6}$ **b)** $2\sqrt{5}$ **c)** $2\sqrt{2}$

   d) $\sqrt{5} - 4\sqrt{3}$

9. a) $3\sqrt{2}$ **b)** $60\sqrt{2}$ **c)** 45 **d)** 2π

10. Les réponses varieront. Exemple :
$$\sqrt{2\,880} = \sqrt{576 \times 5} = \sqrt{576} \times \sqrt{5} = 24\sqrt{5}.$$

11. $15\sqrt{3}$ cm

12. 100

13. Aire : $12\sqrt{7}$ cm² ; périmètre : $12 + 4\sqrt{7}$ cm

14. Les réponses varieront.

15. a) Les réponses varieront. Exemple : Oui. $1 + \sqrt{3}$ est une solution de l'équation $x^2 - 2x - 2 = 0$.

   Remplace x par $1 + \sqrt{3}$ dans le membre de gauche de l'équation. Alors
$$\left(1 + \sqrt{3}\right)^2 - 2\left(1 + \sqrt{3}\right) - 2$$
$$= 1 + 2\sqrt{3} + 3 - 2 - 2\sqrt{3} - 2$$
$$= 0$$

16. a) $2 + 3\sqrt{5}$ **b)** $3 - \sqrt{6}$ **c)** $\sqrt{7}$

   d) $3 - \sqrt{3}$ **e)** $-2 + \sqrt{2}$

17. a) $3\sqrt[3]{2}$ **b)** $10\sqrt[3]{3}$ **c)** $5\sqrt[3]{9}$

18. Les explications varieront.

   a) $\sqrt{a} < a$ pour $\{a \in \mathbb{R} \mid a > 1\}$.

   b) $\sqrt{a} > a$ pour $\{a \in \mathbb{R} \mid 0 < a < 1\}$.

19. D   **20.** C   **21.** C   **22.** 1

1.5 La résolution d'équations du second degré, pages 43 à 51

1. a) $-3, 1$ **b)** $-5, 2$ **c)** $-3, 3$

   d) $\dfrac{4}{3}, 1$ **e)** $\dfrac{1}{5}, \dfrac{1}{3}$ **f)** $-\dfrac{5}{2}, -\dfrac{2}{3}$

2. Les réponses varieront.

3. a) $\dfrac{17 \pm \sqrt{73}}{4}$ **b)** $\dfrac{3 \pm \sqrt{137}}{8}$

   c) $\dfrac{-1 \pm \sqrt{29}}{2}$ **d)** $-3 \pm \sqrt{13}$

   e) $\dfrac{-1 \pm \sqrt{133}}{6}$ **f)** $4 \pm \sqrt{14}$

4. a) Aucune racine réelle   **b)** Une racine double

   c) Deux racines   **d)** Deux racines

5. a) $\dfrac{-3 - \sqrt{57}}{12}, \dfrac{-3 + \sqrt{57}}{12}$

   b) $6 - 2\sqrt{3}, 6 + 2\sqrt{3}$

   c) $-2, \dfrac{14}{3}$ **d)** 4

6. a) Deux racines réelles distinctes

   b) Deux racines réelles identiques (racine double)

   c) Aucune racine réelle

   d) Deux racines réelles distinctes

7. Les réponses varieront. Exemple :

   a) Factorisation ; $-\dfrac{3}{2}, 4$ **b)** Factorisation ; ± 5

   c) Formule quadratique, compléter le carré ou calculatrice à affichage graphique ; $\dfrac{-3 \pm \sqrt{17}}{4}$

   d) Factorisation ; $-8, 0$

   e) Formule quadratique, compléter le carré ou calculatrice à affichage graphique ; aucune solution

   f) Factorisation ; 2

   g) Formule quadratique, compléter le carré ou calculatrice à affichage graphique ; $\dfrac{3,7 \pm \sqrt{19,39}}{1,14}$

   h) Factorisation ; $\dfrac{4}{3}$

8. a) $k = -6, k = 6$ **b)** $k < -6, k > 6$

9. a)   **b)**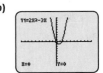

   c)

   d) $-1,1, 2,6$ **e)** $\dfrac{3 - \sqrt{57}}{4}, \dfrac{3 + \sqrt{57}}{4}$

10. Les réponses varieront.

11. a) $-8, 8, -7, 7, -13, 13$ **b)** $-7, 7, -2, 2$

   c) Les réponses varieront. Exemple : Si k peut s'écrire sous la forme $k = ab$, où $a + b = -3$, alors les solutions de l'équation sont $k = -2, 0, 4, 10, 18, 24, 28, 40, 54, 70, 88, 108, \ldots$

12. 4,1 s

13. a) 64,0 km/h   **b)** 95,2 km/h   **c)** 111,5 km

14. a) 10 m   **b)** 8,7 m

15. Largeur : 3,6 m ; longueur : 5,6 m

16. 23,0 m   **17.** 6 m   **18.** 1 413 km

19. a) Oui, c'est possible. Ce volume d'actions est atteint au bout de 16,3 semaines et de 33,7 semaines.

b) Non, ce n'est pas possible. Un volume de 400 000 actions ne sera jamais atteint.

20. a) $x = -26$; deux racines réelles distinctes

b) $x = -25$; une racine réelle double

c) Aucune racine réelle

22. Les réponses varieront.

23. Longueur d'arête : 10,1 cm ; volume : 1 030,3 cm^2

24. a) 3,71 m   **b)** 15,39 m^2

25. B

26. D

27. Aire$_{KROQ}$ = $\frac{1}{4}$ Aire$_{MNOP}$

1.6 La détermination d'une équation du second degré à partir de ses racines, pages 52 à 59

1. a) $f(x) = a(x + 6)(x - 3)$

b) $f(x) = a(x + 1)(x + 1)$

c) $f(x) = a(x + 4)(x + 3)$

2. a) $f(x) = a(x^2 + 3x - 18)$

b) $f(x) = a(x^2 + 2x + 1)$

c) $f(x) = a(x^2 + 7x + 12)$

3. a) $f(x) = \frac{3}{7}(x + 3)(x - 5)$

b) $f(x) = 1,2(x + 4)(x - 7)$

c) $f(x) = 5x(3x + 2)$

4. a) $f(x) = \frac{3}{7}x^2 - \frac{6}{7}x - \frac{45}{7}$

b) $f(x) = \frac{6}{5}x^2 - \frac{18}{5}x - \frac{168}{5}$

c) $f(x) = 15x^2 + 10x$

5. a) $f(x) = 3x^2 - 6x - 30$ **b)** $f(x) = x^2 + 4x - 3$

c) $f(x) = -2x^2 - 20x - 46$

6. a) $f(x) = \frac{1}{2}(x - 1)^2 - 2$ **b)** $f(x) = -2\left(x + \frac{1}{2}\right)^2 + \frac{9}{2}$

c) $f(x) = \frac{1}{3}(x + 1)^2 - \frac{16}{3}$

7. a) $f(x) = -\frac{3}{140}x^2 + \frac{4\ 107}{560}$

b) 7,3 m   **c)** 18,5 m

d) $f(x) = -\frac{3}{140}x^2 + \frac{111}{140}x$

e) Les graphiques en a) et d) sont congruents.

Le graphique de $f(x) = -\frac{3}{140}x^2 + \frac{111}{140}x$ est celui de $f(x) = -\frac{3}{140}x^2 + \frac{4\ 107}{560}$, après une translation de 18,5 unités vers la droite.

f)

8. a) $f(x) = -\frac{1}{2}x^2 + \frac{1}{2}x + 3$

b) $f(x) = 3x^2 + 15x - 18$

c) $f(x) = -4x^2 - 8x + 60$

9. Les graphiques varieront.

10. Les réponses varieront.

11. a) $f(x) = -\frac{2}{25}x^2$ **b)** $f(x) = 3(x - 5)^2$

c) $f(x) = \frac{2}{3}(x + 1)^2$

12. a)

b)

c)

13. $c = \frac{25}{4a}$

14. a) $f(x) = -2x^2 + 28x - 90$

b) $f(x) = -2x^2 + 28x - 68$

c) Pour $x = 6$, $y = 28$; pour $x = 7$, $y = 30$

15. a)

b) $f(x) = -\frac{2}{5x^2} + \frac{72}{5}$

c) 14,4 m

16. a) $f(x) = -\dfrac{2}{5}x^2 + \dfrac{24}{5}x$

b) 14,4 m ; la hauteur maximale est la même dans les deux cas.

17. Les réponses varieront. Exemple : Le graphique de l'équation de l'arche déterminée à la question 16 et celui de l'arche de la question 15 sont congruents. On obtient le graphique de la question 16 en faisant subir à celui de la question 15 une translation horizontale de 6 unités vers la droite.

19. a) Oui. Les explications varieront. Exemple : On peut déterminer l'équation de la fonction du second degré qui a l'abscisse 5 et le sommet (3, 2) en substituant 5 à x, 0 à y, 3 à p et 2 à q dans $y = a(x - p)^2 + q$ et en résolvant l'équation, ce qui donne $a = -\dfrac{1}{2}$. L'équation est donc $f(x) = -\dfrac{1}{2}(x - 3)^2 + 2$.

b) Oui. Les explications varieront. Exemple : On peut déterminer l'équation de la fonction du second degré dont le sommet est situé en (2, 4) et qui passe par (5, 7) en substituant 5 à x, 7 à y, 2 à p et 4 à q dans $y = a(x - p)^2 + q$ et en résolvant l'équation, ce qui donne $a = -\dfrac{1}{3}$. L'équation est donc $f(x) = \dfrac{1}{3}(x - 2)^2 + 4$.

c) Oui. Il faut remplacer et résoudre trois équations de forme $y = ax^2 + bx + c$ pour obtenir a, b et c.

20. Les réponses varieront. Exemple :
$f(x) = x^2 + \dfrac{2}{3}x - \dfrac{2}{3}$ **21.** Les réponses varieront.

1.7 La résolution d'un système formé d'une équation du premier degré et d'une équation du second degré, pages 60 à 69

1. a) (4, 3), (5, 5) **b)** (2, 17), (6, 49)
c) (−4, 13), (2, −5) **d)** (−4, 6), (1, 1)

2. Les réponses varieront.

3. a) Les fonctions n'ont aucun point d'intersection.
b) Les fonctions ont un seul point d'intersection.
c) Les fonctions ont deux points d'intersection.
d) Les fonctions ont deux points d'intersection.

4. a)   **b)**

c)   **d)**

5. a) 6 **b)** −4 **c)** $-\dfrac{3}{2}$ **d)** $\dfrac{2}{3}$
6. Les réponses varieront.
7. (−11, 265), (3, 55)

8. Oui, aux points (117, −24 524) et (−262, −214 024)
9. Les réponses varieront.
10. a) $k > -6$ **b)** $k = -6$ **c)** $k < -6$
11. a) $k > -\dfrac{1}{2}$ **b)** $k = -\dfrac{1}{2}$ **c)** $k < -\dfrac{1}{2}$
12. 49
13. Les réponses varieront. Exemple : La droite verticale $x = 2$ coupe le graphique de $y = x^2 - 9$ de sorte qu'une partie de la droite se trouve au-dessus de la courbe de $y = x^2 - 9$ et l'autre partie se trouve en dessous.

14. a)   **b)** (12, 36)
c) La clôture devrait se trouver à 37,1 m du bas de la colline.

15. 7,5 s
16. $11 < x < 15$, ou entre 11 h et 15 h
18. a) (2, 1), (5, 0) **b)**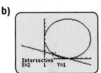

19. (5, −7), (6, 0) **20.** B

Révision du chapitre 1, pages 70 et 71

1. a) Domaine : $\{x \in \mathbb{R} \mid -2 \le x \le 2\}$, image : $\{y \in \mathbb{R} \mid -3 \le y \le 3\}$
b) Domaine : $\{-2, 3, 5, 11\}$, image : $\{1, 2, 3, 7\}$
c) Domaine : $\{1, 2, 3, 4, 5\}$, image : $\{4, 6, 10, 18, 29\}$
d) Domaine : $\{x \in \mathbb{R}\}$, image : $\{y \in \mathbb{R} \mid y \ge 11\}$

2. a) N'est pas une fonction **b)** N'est pas une fonction
c) Les réponses varieront. Exemple : Cette relation est une fonction, car à chaque valeur du domaine correspond une et une seule valeur de l'image.
d) Les réponses varieront. Exemple : Cette relation est une fonction, car à chaque valeur du domaine correspond une et une seule valeur de l'image.

3. a) $y = 4x - 3$
b) Les réponses varieront. Exemple : Il se peut qu'il existe une autre fonction qui donne les mêmes valeurs, mais il ne s'agit pas d'une fonction affine.

4. a)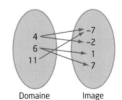

Domaine   Image

b) Les réponses varieront. Exemple : Cette relation n'est pas une fonction. Les valeurs $x = 4$ et $x = 6$ ont deux valeurs correspondantes de y.

5. 160

6. a) 10 A   **b)** 500 W

7. a) $-70 + 8\sqrt{3}$ **b)** $-9 - 15\sqrt{6}$

   c) 22   **d)** $-12 + 43\sqrt{2}$

8. a) $5\sqrt{6} - 2$ unités carrées   **b)** $\dfrac{27\pi}{2}$ unités carrées

9. a) $\dfrac{1 - \sqrt{7}}{3}, \dfrac{1 + \sqrt{7}}{3}$ **b)** $\dfrac{4}{3}, \dfrac{5}{2}$

10. a) Deux racines réelles distinctes

   b) Deux racines réelles distinctes

   c) Une racine réelle double

11. Les réponses varieront. Exemple : Jessica n'a pas raison. Puisque $\sqrt{2} + \sqrt{2} = 2\sqrt{2} \approx 2{,}8$ et $\sqrt{2} \times \sqrt{2} = 2$, alors $\sqrt{2} + \sqrt{2} \neq \sqrt{2} \times \sqrt{2}$.

12. a) $f(x) = -\dfrac{1}{2}x^2 + \dfrac{3}{2}x + 5$

   b) $f(x) = -5x^2 - 20x + 5$

13. a) $f(x) = -\dfrac{1}{40}x^2 + \dfrac{53}{40}x$ **b)** 17,6 m

   c) Les réponses varieront. Exemple : Oui. La fonction du second degré est $f(x) = -\dfrac{1}{40}x^2 + \dfrac{2\,809}{40}$.

14. Les réponses varieront.

15. a) $(2, 6), (3, 11)$ **b)** $(-1, -2), (7, -26)$

16. $b = -4$

17. Les réponses varieront. Exemple : Non. La droite de $y = 2x + 1$ et la parabole de $y = x^2 - 3$ n'ont pas de point d'intersection.

Test préparatoire du chapitre 1, pages 72 et 73

1. a) Faux   **b)** Vrai   **c)** Vrai

   d) Faux   **e)** Faux

2. A   **3.** B   **4.** C   **5.** B   **6.** B

7. a) $y = -x^2 + 3$

   b) $x^2 + y^2 = 25$

8. a) Domaine : $\{x \in \mathbb{R}\}$, image : $\{y \in \mathbb{R} \mid y \geq 0\}$

   b) Domaine : $\{0, 1, 2, 3\}$, image : $\{-5, -8, -12, -21\}$

9. a) Domaine : $\{L \in \mathbb{R} \mid L \geq 0\}$, image : $\{T \in \mathbb{R} \mid T \geq 0\}$;

   b)

---

c) Les réponses varieront. Exemple : Oui. Chaque valeur de L possède une et une seule valeur correspondante de T.

10. $\{(1, 3), (3, 2), (4, 2), (4, 3), (7, 2), (7, 3)\}$. Les explications varieront. Exemple : Non. Cette relation n'est pas une fonction. Aux valeurs $x = 4$ et $x = 7$ correspondent deux valeurs de y.

11. a) $(4, 11)$

   b) Maximum ; la parabole est ouverte vers le bas.

   c) Deux abscisses à l'origine

12. a) 3,75 m sur 5 m   **b)** 18,75 m²

13. a) $R(x) = -10x^2 + 200x + 15\,000$

   b) 40 $ **c)** 16 000 $

14. a) $-18 + 6\sqrt{6}$ **b)** $2 - x^2$

15. $\sqrt{x} + \sqrt{x} = \sqrt{x} \times \sqrt{x}$ est vraie pour $x = 4$. $\sqrt{4} + \sqrt{4} = 2 + 2 = 4$ et $\sqrt{4} \times \sqrt{4} = 2 \times 2 = 4$.

16. a) $-2, 10$

   b) Les réponses varieront. Exemple : $(4, 18)$

   c)

17. 5 m sur 13 m

18. $f(x) = 8x^2 + 80x + 176$

19. a) $f(x) = -\dfrac{2}{5}x^2 + \dfrac{8}{5}x + \dfrac{24}{5}$ **b)** 6,4

20. $(-3, -16), (6, 2)$

21. a) Les réponses varieront.

   b) Les réponses varieront. Exemple : L'équation doit être modifiée de $f(x) = 3x^2 - 4$ à $f(x) = 3x^2 - 12$.

   c) $f(x) = a\left(x^2 - \dfrac{7}{5}\right)$

22. Les réponses varieront. Exemple : Non. La fonction du second degré qui représente la trajectoire de la balle de baseball ne coupe pas la droite de la vue de coupe des gradins dans le premier quadrant. La balle retombe au sol avant d'avoir atteint les gradins.

Chapitre 2

Connaissances préalables, pages 76 et 77

1. a) Vers le haut ; agrandissement vertical de rapport 3, car $a = 3$

   b) Vers le bas ; rétrécissement vertical de rapport 0,5, car $a = -0{,}5$

   c) Vers le haut ; rétrécissement vertical de rapport 0,1, car $a = 0{,}1$

   d) Vers le haut ; rétrécissement vertical de rapport $\dfrac{3}{5}$, car $a = \dfrac{3}{5}$

2. a) $(5, 10)$ **b)** $(-6, 20)$

   c) $(1, -5)$ **d)** $(-3, -4)$

3. a)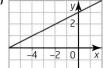

b)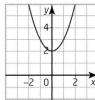

c)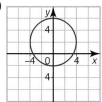

d)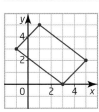

4. a)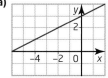

b)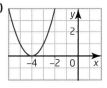

c)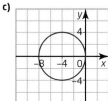

d)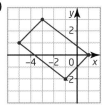

5. a)

b)

c)

d)

6. a) $15x^2 - 24x$ **b)** $60x^3y - 120x^2y^2$

    c) $-12x^3 - 39x^2 + 21x$ **d)** $6x^2 - 7x - 20$

    e) $16x^2 - 25$ **f)** $52x^2 - 39x$

7. a) 8 **b)** 3 **c)** 12

    d) $4xy^2$ **e)** $x^2 + 2x$ **f)** $x + 4$

8. a) $5x(3x + 2)$ **b)** $-5x^2(7x + 9)$

    c) $6y^3(3x^2 - 6x + 1)$ **d)** $-5x^2(x^3 + 20x^2 + 6)$

    e) $2(2x + 5)(2x - 5)$ **f)** $(6 - 11x)(x - 1)$

9. a) $(x + 2)(x + 3)$ **b)** $(x + 2)(x - 6)$

    c) $(x + 9)(x - 3)$ **d)** $(x - 7)(x - 7)$

    e) $(x + 8)(x - 8)$ **f)** $3(x + 5)(x - 8)$

    g) $2(x + 5)(x + 5)$ **h)** $4(x + 8)(x - 8)$

10. a) $(2x + 3)(x - 5)$ **b)** $(3x + 4)(3x + 4)$

    c) $2(3x + 1)(2x - 1)$ **d)** $2(3x + 1)(3x - 10)$

    e) $2(2x - 3)(x + 4)$ **f)** $(5x + 8)(4x + 3)$

11. a) 630 **b)** $12x^2y^2$

    c) $(x + 8)(x - 5)(x - 6)$

12. a) $\dfrac{17}{15}$ **b)** $\dfrac{23}{36}$

    c) $\dfrac{2x + 3y}{12}$ **d)** $\dfrac{16x - 9y}{24}$

13. a) $-\dfrac{1}{8}$ **b)** $\dfrac{16}{5}$ **c)** $\dfrac{128}{27}$ **d)** 10

14. a) $r = \pm\sqrt{\dfrac{A}{\pi}}$ **b)** $\ell = \dfrac{P - 2L}{2}$

    c) $y = \pm\sqrt{16 - x^2}$ **d)** $y = \pm\sqrt{y + 20}$

    e) $x = \pm\sqrt{y^2 + 5}$ **f)** $h = \dfrac{A - 2\pi r^2}{2\pi r}$

2.1 Les expressions algébriques équivalentes, pages 78 à 85

1. a)

Oui, les fonctions semblent équivalentes.

b)

Non, les fonctions ne semblent pas équivalentes.

c)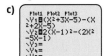

Non, les fonctions ne semblent pas équivalentes.

d)

Oui, les fonctions semblent équivalentes.

e)

Non, les fonctions ne semblent pas équivalentes.

2. a) Les réponses varieront.

    b) $f(0) = 14$; $g(0) = -14$ **c)** $f(0) = 0$; $g(0) = 3$

    d) Les réponses varieront. **e)** $f(3) = -26$; $g(3) = -17$

3. a) $x \neq 3$ **b)** $x \neq -2$

4. a) $x \geq 1$, $x \neq 5$ **b)** $x \neq -3$, $x \neq -2$

5. a) Oui ; $x \neq -6$

    b) Non ; $f(x) = \dfrac{x + 4}{x - 4}$, $x \neq 4$

    c) Non ; $f(x) = x + 1$, $x \neq -5$

    d) Oui ; $x \neq -8$, $x \neq 6$

e) Oui ; $x \neq 0$, $x \neq \dfrac{2}{3}$

f) Non ; $f(x) = x - 5$, $x \neq -\dfrac{2}{5}$

6. a) $\dfrac{1}{x - 5}$, $x \neq 5$, $x \neq 8$ **b)** $3(x - 7)$, $x \neq 7$, $x \neq 10$

c) $\dfrac{x + 3}{x + 7}$, $x \neq -7$, $x \neq 6$ **d)** $\dfrac{x + 9}{x + 5}$, $x \neq -5$, $x \neq 2$

e) $\dfrac{1}{x - 2}$, $x \neq -8$, $x \neq 2$

f) $\dfrac{5x + 4}{2(x + 3)}$, $x \neq -3$, $x \neq \dfrac{2}{5}$

7. a) 32, 33, 34, 37, 44

b) -4, non définie, 0, 6, 20 ; l'expression ne peut pas être évaluée pour $x = -1$, car sa forme simplifiée est $2x$, où $x \neq -5$ et $x \neq -1$.

8. a) $A = \pi r^2 - 9\pi$

b) Domaine : $\{r \in \mathbb{R} \mid r > 3\}$, image : $\{A \in \mathbb{R} \mid A > 0\}$

9. a) $V(x) = (2x + 0{,}5)(x - 0{,}5)(x + 0{,}5)$

b) $A_t(x) = 2(2x + 0{,}5)(x - 0{,}5)$
$+ 2(2x + 0{,}5)(x + 0{,}5) + 2(x - 0{,}5)(x + 0{,}5)$

c) 0,625 m³, 6,625 m² ; 1,875 m³, 11,5 m² ; 7 m³, 25 m²

d) $V(x)$: domaine : $\{x \in \mathbb{R} \mid x > 0{,}5\}$,
image : $\{V \in \mathbb{R} \mid V > 0\}$;
$A_t(x)$: domaine : $\{x \in \mathbb{R} \mid x > 0{,}5\}$,
image : $\{A_t \in \mathbb{R} \mid A_t > 3\}$

10. a) $f(x) = (18 + x)(12 - x)$

b) $(18 + x)(12 - x) = 216 - 6x - x^2$

c) 15 feux verts à l'heure

11. a)

x	x² + 1	x² – 1	2x	(x² + 1)² = (x² – 1)² + (2x)²
2	5	3	4	$5^2 = 3^2 + 4^2$
3	10	8	6	$10^2 = 8^2 + 6^2$
4	17	15	8	$17^2 = 15^2 + 8^2$

b) L'hypoténuse est $x^2 + 1$; dans les trois cas, c'est le côté le plus long

c) Les réponses varieront.

12. a)

b) La valeur de l'expression au dénominateur ne peut pas être égale à zéro.

c) Les réponses varieront.

13. La forme simplifiée de la fonction est $f(x) = 2x + 3$, où $x \neq -6$ et $x \neq 2$. Sa représentation graphique est la droite d'équation en $y = 2x + 3$, avec un trou en point $(-6, -9)$ et en $(2, 7)$.

14. $A(x) = 100 - x^2$; domaine : $\{x \in \mathbb{R} \mid \sqrt{50} < x < 10\}$, image : $\{A \in \mathbb{R} \mid 0 < A < 50\}$

15. La division par zéro à la dernière ligne : $a^2 - ab = a(a - b)$ vaut zéro, car $a = b$.

16. $(2, 0)$

2.2 Les opérations sur les expressions rationnelles, pages 88 à 96

1. a) $\dfrac{22y^2}{x^2}$, $x \neq 0$ **b)** $25x^6$, $x \neq 0$

c) $\dfrac{5b}{2}$, $b \neq 0$ **d)** $\dfrac{1}{b}$, $a \neq 0$, $b \neq 0$

2. a) $2y$, $x \neq 0$, $y \neq 0$ **b)** $330x^3$, $x \neq 0$, $y \neq 0$

c) $\dfrac{2b^2}{a^4}$, $a \neq 0$, $b \neq 0$ **d)** $8ac^2$, $a \neq 0$, $b \neq 0$, $c \neq 0$

3. a) 5, $x \neq -10$ **b)** 2, $x \neq 0$, $x \neq 1$

c) $\dfrac{x + 5}{x + 7}$, $x \neq -7$, $x \neq 3$ **d)** 1, $x \neq -8$, $x \neq -\dfrac{3}{2}$

4. a) $\dfrac{x}{3(x + 10)}$, $x \neq -10$, $x \neq -\dfrac{3}{2}$, $x \neq 0$

b) $\dfrac{16x}{x + 8}$, $x \neq -8$, $x \neq -6$, $x \neq 0$

c) 1, $x \neq -7$, $x \neq -3$, $x \neq -2$

d) 1, $x \neq -5$, $x \neq 3$, $x \neq 6$

5. a) 2, $x \neq -1$, $x \neq 0$ **b)** x, $x \neq 3$

c) $\dfrac{x - 5}{x + 10}$, $x \neq -12$, $x \neq -10$, $x \neq 5$

d) 1, $x \neq -3$, $x \neq 7$

6. a) $\dfrac{x + 15}{4}$, $x \neq -6$, $x \neq 0$ **b)** $\dfrac{1}{6}$, $x \neq 0$, $x \neq 9$

c) $\dfrac{5x(x + 13)}{x - 5}$, $x \neq -2$, $x \neq 0$, $x \neq 5$

d) $\dfrac{x + 8}{x - 8}$, $x \neq -3$, $x \neq 1$, $x \neq 8$

7. a) $\dfrac{7x + 3}{90}$, pas de restrictions

b) $\dfrac{-x + 18}{20}$, pas de restrictions

c) $\dfrac{5}{12x}$, $x \neq 0$ **d)** $\dfrac{37}{24x}$, $x \neq 0$

e) $\dfrac{12 + 5a}{4ab}$, $a \neq 0$, $b \neq 0$

f) $\dfrac{26b + 55a^2}{20a^2b^2}$, $a \neq 0$, $b \neq 0$

g) $\dfrac{6b + 3ab + 4a - a^2}{3a^2b^2}$, $a \neq 0$, $b \neq 0$

h) $\dfrac{7 - ab}{9ab}$, $a \neq 0$, $b \neq 0$

8. a) $\dfrac{12}{(x - 6)(x + 6)}$, $x \neq -6$, $x \neq 6$

b) $\dfrac{15x - 84}{(x + 8)(x - 9)}$, $x \neq -8$, $x \neq 9$

c) $\dfrac{23x + 22}{(x - 6)(x + 4)}$, $x \neq -4$, $x \neq 6$

d) $\dfrac{2(x + 4)(x - 1)}{(x + 1)(x - 2)}$, $x \neq -1$, $x \neq 2$

9. a) $\dfrac{3x - 2}{(x - 1)(x - 8)}$, $x \neq 1$, $x \neq 8$

b) $\dfrac{x^2 + 2x - 4}{(x + 5)(x - 2)}$, $x \neq -5$, $x \neq 2$

c) $\dfrac{-2x^2 + 3x + 4}{(x + 1)(x + 2)(x + 7)}$, $x \neq -7$, $x \neq -2$, $x \neq -1$

d) $\dfrac{-(x - 23)(x - 1)}{(x + 11)(x - 11)(x - 3)}$, $x \neq -11$, $x \neq 3$, $x \neq 11$

10. a) Durée totale $= \dfrac{20x - 20}{x(x - 2)}$, où $x > 2$

b) 2,25 h

11. a) $\dfrac{2}{x - 2}$, $x \neq 2$ **b)** $\dfrac{x + 2}{x - 3}$, $x \neq 3$

c) $\dfrac{-2a + 3}{2a - 5}$, $a \neq \dfrac{5}{2}$ **d)** $\dfrac{b - 3}{4b - 1}$, $b \neq \dfrac{1}{4}$

12. a) $V(x) = x(80 - 2x)(100 - 2x)$

b) $A_t(x) = 2x(80 - 2x) + (80 - 2x)(100 - 2x)$
$\quad + 2x(100 - 2x)$

c) $\dfrac{V(x)}{A_t(x)} = \dfrac{x(40 - x)(50 - x)}{2\,000 - x^2}$

d) $x \neq 20\sqrt{5}$, mais dans le contexte $0 < x < 40$

13. a) $R_T = \dfrac{R_1 R_2 R_3}{R_1 R_2 + R_1 R_3 + R_2 R_3}$

b) Les réponses varieront. Exemple : $R_T = \dfrac{R_1}{3}$

c) Les réponses varieront. Exemple : $R_T = \dfrac{2R_3}{3}$

14. a) $\dfrac{V(r)}{A_t(r)} = \dfrac{r h}{2(r + h)}$ **b)** $r > 0$, $h > 0$

15. a) $\dfrac{800}{v}$ **b)** $\dfrac{400}{v - 0,5} + \dfrac{400}{v + 0,5}$

c) Non. Une fois simplifiée, l'expression en b) donne $\dfrac{800v}{(v - 0,5)(v + 0,5)}$; elle n'est pas équivalente à celle en a).

16. a)   **b)** $f(x) = \dfrac{2x}{(x + 2)(x - 2)}$

c) Les réponses varieront. Exemple : Les deux graphiques sont identiques. Les restrictions dans les deux cas sont $x \neq -2$ et $x \neq 2$. Les deux graphiques ont une discontinuité en $x = -2$ et en $x = 2$.

18. a) $\dfrac{V_{\text{sphère}}(r)}{V_{\text{cylindre}}(r)} = \dfrac{2}{3}$ **b)** $\dfrac{A_{t\,\text{sphère}}(r)}{A_{t\,\text{cylindre}}(r)} = \dfrac{2}{3}$

c) Les réponses varieront. Exemple : Les rapports sont les mêmes en a) et en b).

19. $\dfrac{-x^2 - 7x - 7}{(2x + 5)(x + 2)}$, $x \neq -8$, $x \neq -3$, $x \neq -\dfrac{5}{2}$, $x \neq -2$, $x \neq 3$

20. a) 2,718 279 57

b) 2,718 281 828… La réponse en a) est égale à e^1 pour les 4 premières décimales.

c) Le résultat s'approche de plus en plus de e.

$$1 + \cfrac{1}{6 + \cfrac{1}{1 + \cfrac{1}{1 + \cfrac{1}{8}}}}$$

21. B   **22.** A   **23.** -34 **24.** A

2.3 La translation horizontale ou verticale du graphique d'une fonction, pages 97 à 104

1. a)

x	$f(x) = \sqrt{x}$	$r(x) = f(x) + 7$	$s(x) = f(x - 1)$
0	0	7	aucune valeur
1	1	8	0
4	2	9	$\sqrt{3}$
9	3	10	$\sqrt{8}$

b)

c) Les réponses varieront. Exemple : Puisque $r(x)$ résulte d'une translation de 7 unités vers le haut de $f(x)$, l'ordonnée de chaque point de $r(x)$ a 7 de plus que l'ordonnée correspondante de $f(x)$. Puisque $s(x)$ résulte d'une translation de 1 unité vers la droite de $f(x)$, l'abscisse de chaque point de $s(x)$ a 1 de plus que l'abscisse correspondante de $f(x)$.

2. a) A'$(-4, 7)$, B'$(-2, 7)$, C'$(-1, 3)$, D'$(1, 3)$, E'$(2, 4)$, F'$(4, 4)$

b) A'$(-4, -5)$, B'$(-2, -5)$, C'$(-1, -9)$, D'$(1, -9)$, E'$(2, -8)$, F'$(4, -8)$

c) A'$(4, 2)$, B'$(6, 2)$, C'$(7, -2)$, D'$(9, -2)$, E'$(10, -1)$, F'$(12, -1)$

d) A'$(-10, 2)$, B'$(-8, 2)$, C'$(-7, -2)$, D'$(-5, -2)$, E'$(-4, -1)$, F'$(-2, -1)$

3. a) A'$(-1, 8)$, B'$(1, 8)$, C'$(2, 4)$, D'$(4, 4)$, E'$(5, 5)$, F'$(7, 5)$

b) A'$(-2, -8)$, B'$(0, -8)$, C'$(1, -12)$, D'$(3, -12)$, E'$(4, -11)$, F'$(6, -11)$

c) A'$(-9, 6)$, B'$(-7, 6)$, C'$(-6, 2)$, D'$(-4, 2)$, E'$(-3, 3)$, F'$(-1, 3)$

d) A'$(-16, -1)$, B'$(-14, -1)$, C'$(-13, -5)$, D'$(-11, -5)$, E'$(-10, -4)$, F'$(-8, -4)$

4. a) A'$(-4, 1)$, B'$(-3, 3)$, C'$(-1, 1)$, D'$(0, 3)$

b) A'$(-4, -8)$, B'$(-3, -6)$, C'$(-1, -8)$, D'$(0, -6)$

c) A'$(0, -2)$, B'$(1, 0)$, C'$(3, -2)$, D'$(4, 0)$

d) A'$(-11, -2)$, B'$(-10, 0)$, C'$(-8, -2)$, D'$(-7, 0)$

5. a) A'$(-2, 8)$, B'$(-1, 10)$, C'$(1, 8)$, D'$(2, 10)$

b) A'$(1, -11)$, B'$(2, -9)$, C'$(4, -11)$, D'$(5, -9)$

c) A'$(-12, 7)$, B'$(-11, 9)$, C'$(-9, 7)$, D'$(-8, 9)$

d) A'$(-5, -13)$, B'$(-4, -11)$, C'$(-2, -13)$, D'$(-1, -11)$

6. a) $f(x) = x$; $y = f(x) - 9$; translation de 9 unités vers le bas

 domaine : $\{x \in \mathbb{R}\}$, image : $\{y \in \mathbb{R}\}$

b) $f(x) = x$; $y = f(x) + 12$; translation de 12 unités vers le haut

domaine: $\{x \in \mathbb{R}\}$, image: $\{y \in \mathbb{R}\}$

c) $f(x) = x^2$; $y = f(x) + 8$; translation de 8 unités vers le haut

domaine: $\{x \in \mathbb{R}\}$, image: $\{y \in \mathbb{R} \mid y \geq 8\}$

d) $f(x) = \sqrt{x}$; $y = f(x) - 12$; translation de 12 unités vers le bas

domaine: $\{x \in \mathbb{R} \mid x \geq 0\}$, image: $\{y \in \mathbb{R} \mid y \geq -12\}$

e) $f(x) = x^2$; $y = f(x - 6)$; translation de 6 unités vers la droite

domaine: $\{x \in \mathbb{R}\}$, image: $\{y \in \mathbb{R} \mid y \geq 0\}$

f) $f(x) = \frac{1}{x}$; $y = f(x) + 5$; translation de 5 unités vers le haut

domaine: $\{x \in \mathbb{R} \mid x \neq 0\}$, image: $\{y \in \mathbb{R} \mid y \neq 5\}$

g) $f(x) = \sqrt{x}$; $y = f(x + 10)$; translation de 10 unités vers la gauche

domaine: $\{x \in \mathbb{R} \mid x \geq -10\}$, image: $\{y \in \mathbb{R} \mid y \geq 0\}$

h) $f(x) = \frac{1}{x}$; $y = f(x - 2)$; translation de 2 unités vers la droite

domaine: $\{x \in \mathbb{R} \mid x \neq 2\}$, image: $\{y \in \mathbb{R} \mid y \neq 0\}$

i) $f(x) = \sqrt{x}$; $y = f(x - 9) - 5$; translation de 9 unités vers la droite et de 5 unités vers le bas

domaine: $\{x \in \mathbb{R} \mid x \geq 9\}$, image: $\{y \in \mathbb{R} \mid y \geq -5\}$

j) $f(x) = \frac{1}{x}$; $y = f(x + 3) - 8$; translation de 3 unités vers la gauche et de 8 unités vers le bas

domaine: $\{x \in \mathbb{R} \mid x \neq -3\}$, image: $\{y \in \mathbb{R} \mid y \neq -8\}$

7. Les réponses varieront. Exemple: La translation à la question 6 a) pourrait être de 9 unités vers le bas ou de 9 unités vers la droite. La translation à la question 6 b) pourrait être de 12 unités vers le haut ou de 12 unités vers la gauche.

8. a) Translation de 9 unités vers la gauche et de 3 unités vers le bas; $g(x) = f(x + 9) - 3$; $f(x)$: domaine: $\{x \in \mathbb{R} \mid 0 \leq x \leq 8\}$, image: $\{y \in \mathbb{R} \mid 0 \leq y \leq 4\}$; $g(x)$: domaine: $\{x \in \mathbb{R} \mid -9 \leq x \leq -1\}$, image: $\{y \in \mathbb{R} \mid -3 \leq y \leq 1\}$

b) Translation de 4 unités vers la droite et de 3 unités vers le bas; $g(x) = f(x - 4) - 3$; $f(x)$: domaine: $\{x \in \mathbb{R}\}$, image: $\{y \in \mathbb{R} \mid y \geq 0\}$; $g(x)$: domaine: $\{x \in \mathbb{R}\}$, image: $\{y \in \mathbb{R} \mid y \geq -3\}$

c) Translation de 4 unités vers la gauche et de 2 unités vers le haut; $g(x) = f(x + 4) + 2$; $f(x)$: domaine: $\{x \in \mathbb{R} \mid x \geq 0\}$, image: $\{y \in \mathbb{R} \mid y \geq 0\}$; $g(x)$: domaine: $\{x \in \mathbb{R} \mid x \geq -4\}$, image: $\{y \in \mathbb{R} \mid y \geq 2\}$

d) Translation de 6 unités vers la droite et de 3 unités vers le bas; $g(x) = f(x - 6) - 3$; $f(x)$: domaine: $\{x \in \mathbb{R} \mid 0 \leq x \leq 12\}$, image: $\{y \in \mathbb{R} \mid -3 \leq y \leq 3\}$; $g(x)$: domaine: $\{x \in \mathbb{R} \mid 6 \leq x \leq 18\}$, image: $\{y \in \mathbb{R} \mid -6 \leq y \leq 0\}$

9. a) Une translation de 8 unités vers la gauche et une de 12 unités vers le haut
Les réponses varieront en b) et c). Exemples:

b) A$(-1, 1)$, B$(0, 0)$, C$(1, 1)$; A'$(-9, 1)$, B'$(-8, 0)$, C'$(-7, 1)$; A''$(-9, 13)$, B''$(-8, 12)$, C''$(-7, 13)$

c) A$(-1, 1)$, B$(0, 0)$, C$(1, 1)$; A'$(-1, 13)$, B'$(0, 12)$, C'$(1, 13)$; A''$(-9, 13)$, B''$(-8, 12)$, C''$(-7, 13)$. Les images finales des points sont les mêmes, quel que soit l'ordre des translations. Ainsi, l'ordre des translations n'importe pas.

d)

e) Les réponses varieront.

10. Les translations horizontales ont le même effet que les translations verticales quand $d = -c$. Les réponses varieront.

11. a) $n(x) = x - 10$ **b)** $r(x) = x + 11$
c) $s(x) = x - 1$ **d)** $t(x) = x - 7$

12. a) $n(x) = (x - 4)^2 - 6$ **b)** $r(x) = (x + 2)^2 + 9$
c) $s(x) = (x + 6)^2 - 7$ **d)** $t(x) = (x - 11)^2 + 4$

13. a) $n(x) = \sqrt{x - 4} - 6$ **b)** $r(x) = \sqrt{x + 2} + 9$

c) $s(x) = \sqrt{x + 6} - 7$ **d)** $t(x) = \sqrt{x - 11} + 4$

14. a) $n(x) = \dfrac{1}{x - 4} - 6$, $x \neq 4$

b) $r(x) = \dfrac{1}{x + 2} + 9$, $x \neq -2$

c) $s(x) = \dfrac{1}{x + 6} - 7$, $x \neq -6$

d) $t(x) = \dfrac{1}{x - 11} + 4$, $x \neq 11$

15. a) La voiture hybride devrait avoir une longueur d'avance de 33,6 m.

b)

16. a) Domaine : $\{x \in \mathbb{N} \mid x \geq 0\}$; le nombre d'unités fabriquées et vendues est supérieur ou égal à 0 unité; image : $\{c \in \mathbb{R} \mid c \geq 500\}$; le coût de fabrication est supérieur ou égal à 500 $.

b) $c(x) = \sqrt{x + 10} + 500$

c) À une translation de 10 unités vers la gauche

d) Domaine : $\{x \in \mathbb{N} \mid x \geq 0\}$,
image : $\{c \in \mathbb{R} \mid c \geq 503,16\}$

17. Les réponses varieront.

18. D **19.** D **20.** B

2.4 La réflexion du graphique d'une fonction, pages 105 à 112

1. a)

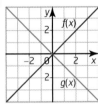
$f(x)$: domaine : $\{x \in \mathbb{R}\}$,
image : $\{y \in \mathbb{R}\}$;
$g(x)$: domaine : $\{x \in \mathbb{R}\}$,
image : $\{y \in \mathbb{R}\}$

b)

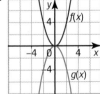
$f(x)$: domaine : $\{x \in \mathbb{R}\}$,
image : $\{y \in \mathbb{R} \mid y \geq 0\}$;
$g(x)$: domaine : $\{x \in \mathbb{R}\}$,
image : $\{y \in \mathbb{R} \mid y \leq 0\}$

c)
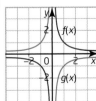
$f(x)$:
domaine : $\{x \in \mathbb{R} \mid x \neq 0\}$,
image : $\{y \in \mathbb{R} \mid y \neq 0\}$;
$g(x)$:
domaine : $\{x \in \mathbb{R} \mid x \neq 0\}$,
image : $\{y \in \mathbb{R} \mid y \neq 0\}$

d)
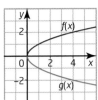
$f(x)$:
domaine : $\{x \in \mathbb{R} \mid x \geq 0\}$,
image : $\{y \in \mathbb{R} \mid y \geq 0\}$;
$g(x)$:
domaine : $\{x \in \mathbb{R} \mid x \leq 0\}$,
image : $\{y \in \mathbb{R} \mid y \geq 0\}$

e)
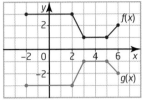

$f(x)$: domaine : $\{x \in \mathbb{R} \mid -2 \leq x \leq 6\}$,
image : $\{y \in \mathbb{R} \mid 1 \leq y \leq 3\}$;
$g(x)$: domaine : $\{x \in \mathbb{R} \mid -2 \leq x \leq 6\}$,
image : $\{y \in \mathbb{R} \mid -3 \leq y \leq -1\}$

f)
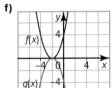
$f(x)$: domaine : $\{x \in \mathbb{R}\}$,
image : $\{y \in \mathbb{R} \mid y \geq 0\}$;
$g(x)$: domaine : $\{x \in \mathbb{R}\}$,
image : $\{y \in \mathbb{R} \mid y \leq 0\}$

2. a)

$f(x)$: domaine : $\{x \in \mathbb{R}\}$,
image : $\{y \in \mathbb{R}\}$;
$g(x)$: domaine : $\{x \in \mathbb{R}\}$,
image : $\{y \in \mathbb{R}\}$

b)

$f(x)$: domaine : $\{x \in \mathbb{R}\}$,
image : $\{y \in \mathbb{R} \mid y \geq 0\}$;
$g(x)$: domaine : $\{x \in \mathbb{R}\}$,
image : $\{y \in \mathbb{R} \mid y \geq 0\}$

c)

$f(x)$:
domaine : $\{x \in \mathbb{R} \mid x \neq 0\}$,
image : $\{y \in \mathbb{R} \mid y \neq 0\}$;
$g(x)$:
domaine : $\{x \in \mathbb{R} \mid x \neq 0\}$,
image : $\{y \in \mathbb{R} \mid y \neq 0\}$

d)

$f(x)$:
domaine : $\{x \in \mathbb{R} \mid x \geq 0\}$,
image : $\{y \in \mathbb{R} \mid y \geq 0\}$;
$g(x)$:
domaine : $\{x \in \mathbb{R} \mid x \leq 0\}$,
image : $\{y \in \mathbb{R} \mid y \geq 0\}$

e)

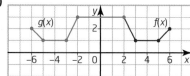

$f(x)$: domaine : $\{x \in \mathbb{R} \mid -2 \le x \le 6\}$,
image : $\{y \in \mathbb{R} \mid 1 \le y \le 3\}$;
$g(x)$: domaine : $\{x \in \mathbb{R} \mid -6 \le x \le 2\}$,
image : $\{y \in \mathbb{R} \mid 1 \le y \le 3\}$

f)

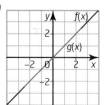

$f(x)$: domaine : $\{x \in \mathbb{R}\}$,
image : $\{y \in \mathbb{R} \mid y \ge 0\}$;
$g(x)$: domaine : $\{x \in \mathbb{R}\}$,
image : $\{y \in \mathbb{R} \mid y \ge 0\}$

3. a)

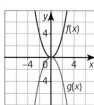

$f(x)$: domaine : $\{x \in \mathbb{R}\}$,
image : $\{y \in \mathbb{R}\}$;
$g(x)$: domaine : $\{x \in \mathbb{R}\}$,
image : $\{y \in \mathbb{R}\}$

b)

$f(x)$: domaine : $\{x \in \mathbb{R}\}$,
image : $\{y \in \mathbb{R} \mid y \ge 0\}$;
$g(x)$: domaine : $\{x \in \mathbb{R}\}$,
image : $\{y \in \mathbb{R}, y \le 0\}$

c)

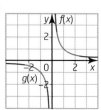

$f(x)$:
domaine : $\{x \in \mathbb{R} \mid x \ne 0\}$,
image : $\{y \in \mathbb{R} \mid y \ne 0\}$;
$g(x)$:
domaine : $\{x \in \mathbb{R} \mid x \ne 0\}$,
image : $\{y \in \mathbb{R} \mid y \ne 0\}$

d)

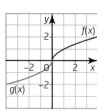

$f(x)$:
domaine : $\{x \in \mathbb{R} \mid x \ge 0\}$,
image : $\{y \in \mathbb{R} \mid y \ge 0\}$;
$g(x)$:
domaine : $\{x \in \mathbb{R} \mid x \le 0\}$,
image : $\{y \in \mathbb{R} \mid y \le 0\}$

e)

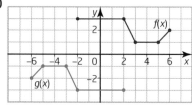

$f(x)$: domaine : $\{x \in \mathbb{R} \mid -2 \le x \le 6\}$,
image : $\{y \in \mathbb{R} \mid 1 \le y \le 3\}$;
$g(x)$: domaine : $\{x \in \mathbb{R} \mid -6 \le x \le 2\}$,
image : $\{y \in \mathbb{R} \mid -3 \le y \le -1\}$

f)

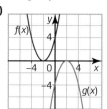

$f(x)$: domaine : $\{x \in \mathbb{R}\}$,
image : $\{y \in \mathbb{R} \mid y \ge 0\}$;
$g(x)$: domaine : $\{x \in \mathbb{R}\}$,
image : $\{y \in \mathbb{R} \mid y \le 0\}$

4. a) $g(x) = -\sqrt{x + 4} + 4$ **b)** $g(x) = (-x + 1)^2 - 4$

c) $g(x) = -(-x - 5)^2 - 9$ **d)** $g(x) = -\dfrac{1}{(-x - 3)} + 6$

e) $g(x) = -\sqrt{-x - 2} + 5$ **f)** $g(x) = -\sqrt{-x + 9} + 1$

5. a) $g(x) = f(-x)$; réflexion par rapport à l'axe des y

b) $g(x) = -f(x)$; réflexion par rapport à l'axe des x

c) $g(x) = -f(-x)$; réflexion par rapport à l'axe des x suivie d'une réflexion par rapport à l'axe des y

6. Si le plan cartésien a son origine au centre horizontal et vertical du logo, « az » résulte d'une réflexion de « Te » par rapport à l'axe des x, suivie d'une réflexion par rapport à l'axe des y.

7. Les réponses varieront. Exemple : Une réflexion par rapport à l'axe des x n'a pas d'effet sur le domaine, mais l'image peut changer. Une réflexion par rapport à l'axe des y n'a pas d'effet sur l'image, mais le domaine peut changer.

8. a) I) $(-1, 0)$ et $(5, 0)$ **II)** $(0, -5)$

b) Les réponses varieront. Exemple : $f(x) = x^3$

9. a) Puisque $g(x) = f(-x)$, $g(x)$ est une réflexion de $f(x)$ par rapport à l'axe des y.

b) Puisque $g(x) = f(-x)$, $g(x)$ est une réflexion de $f(x)$ par rapport à l'axe des y.

c) Puisque $g(x) = -f(x)$, $g(x)$ est une réflexion de $f(x)$ par rapport à l'axe des x.

d) Puisque $g(x) = -f(x)$, $g(x)$ est une réflexion de $f(x)$ par rapport à l'axe des x.

e) Puisque $g(x) = -f(x)$, $g(x)$ est une réflexion de $f(x)$ par rapport à l'axe des x. Puisque $g(x) \ne f(-x)$, $g(x)$ n'est pas une réflexion de $f(x)$ par rapport à l'axe des y. Puisque $g(x) \ne -f(-x)$, $g(x)$ n'est pas une réflexion de $f(x)$ par rapport aux deux axes.

f) Puisque $g(x) = f(-x)$, $g(x)$ is a reflection of $f(x)$ par rapport à l'axe des y.

10. Les réponses varieront.

11. a) Les réponses varieront. Exemple : On multiplie par -1 l'abscisse et l'ordonnée de chaque couple de la fonction, ce qui donne chaque couple de la fonction réfléchie par rapport à l'origine.

b)

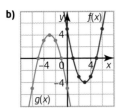

12. a)

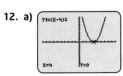

b) $g(x) = (-x - 4)^2$

c) Translation de $f(x)$ de 8 unités vers la gauche

d) Le résultat de la translation de 8 unités vers la gauche de $f(x) = (x - 4)^2$ est $h(x) = (x + 4)^2$.

$$g(x) = (-x - 4)^2$$
$$= [-1(x + 4)]^2$$
$$= (-1)^2(x + 4)^2$$
$$= (x + 4)^2$$

e) Les réponses varieront. Exemple : Non, elles changent l'orientation de la parabole.

f) Les réponses varieront. Exemple : Oui, c'est le cas de toute fonction qui est symétrique par rapport à une droite verticale.

14. a)

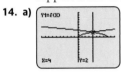

b)

15. 0

16. D

17. Les réponses varieront.

18. Domaine : $\{x \in \mathbb{R} \mid x \neq -2, x \neq 3\}$, image : $\{y \in \mathbb{R}\}$

19. C

2.5 Les transformations qui modifient la forme, pages 113 à 122

1. a)

x	$f(x) = x^2$	$g(x) = 5f(x)$	$h(x) = f\left(\dfrac{1}{4}x\right)$
0	0	0	0
2	4	20	$\dfrac{1}{4}$
4	16	80	1
6	36	180	$\dfrac{9}{4}$

b)

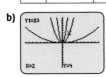

c) Les réponses varieront. Exemple : Le graphique de $g(x)$ résulte d'un agrandissement vertical de

rapport 5 du graphique de $f(x)$. Chaque ordonnée de $g(x)$ est 5 fois plus éloignée de l'axe des x que l'ordonnée correspondante de $f(x)$. Le graphique de $h(x)$ résulte d'un agrandissement horizontal de rapport 4 du graphique de $f(x)$. Chaque abscisse de $h(x)$ est 4 fois plus éloignée de l'axe des y que l'abscisse correspondante de $f(x)$.

2. a)

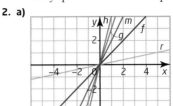

b)

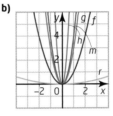

c)

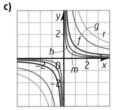

d)

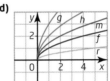

3. a) $a = 10$; le graphique de $g(x)$ résulte d'un agrandissement vertical de rapport 10 du graphique de $f(x)$.

b) $k = 9$; le graphique de $g(x)$ résulte d'un rétrécissement horizontal de rapport $\dfrac{1}{9}$ du graphique de $f(x)$.

c) $a = \dfrac{1}{5}$; le graphique de $g(x)$ résulte d'un rétrécissement vertical de rapport $\dfrac{1}{5}$ du graphique de $f(x)$.

d) $k = \dfrac{1}{20}$; le graphique de $g(x)$ résulte d'un agrandissement horizontal de rapport 20 du graphique de $f(x)$.

4. a) $f(x) = x$; $a = 10$; agrandissement vertical de rapport 10

b) $f(x) = x^2$; $k = 5$; rétrécissement horizontal de rapport $\dfrac{1}{5}$

c) $f(x) = \sqrt{x}$; $k = \dfrac{1}{3}$; agrandissement horizontal de rapport 3

d) $f(x) = \dfrac{1}{x}$; $a = 4$;

agrandissement vertical
de rapport 4

e) $f(x) = \sqrt{x}$; $k = 16$;
rétrécissement horizontal

de rapport $\dfrac{1}{16}$

f) $f(x) = x$; $a = \dfrac{1}{4}$;

rétrécissement vertical

de rapport $\dfrac{1}{4}$

5. a)

b)

6. a) Agrandissement vertical de rapport 3

b) Agrandissement vertical de rapport 5

7. Les réponses varieront. Exemples :

a) A(-2, 4), B(0, 0), C(2, 4)

b) A'(-2, 16), B'(0, 0), C'(2, 16) ; A"(-1, 16), B"(0, 0), C"(1, 16)

c) A'(-1, 4), B'(0, 0), C'(1, 4) ; A"(-1, 16), B"(0, 0), C"(1, 16)

d) Les graphiques en b) et en c) sont identiques.

e) Oui, agrandissement vertical de rapport 16

f) Les réponses varieront.

8. a)

b) Environ 4,4 m/s

c) Environ 198,0 m/s

9. a)

b) 13,8 km/h

10. Les réponses varieront. Exemple : Chaque abscisse de $g(x)$ est $\dfrac{1}{k}$ fois plus éloignée de l'axe des y que l'abscisse correspondante de $f(x)$.

11. a) Domaine : $\{t \in \mathbb{R} \mid 0 \le t \le 2{,}02\}$,
image : $\{h \in \mathbb{R} \mid 0 \le h \le 20\}$

b) $h(t) = -6{,}2t^2 + 20$

c) Le domaine et l'image de la fonction en b) sont les mêmes que le domaine et l'image de la fonction donnée.

12. Les réponses varieront.

13. a)

b) $g(x) = 3x^3 - 9x$; $h(x) = 27x^3 - 9x$

c)

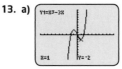

d) Non

14. B   **15.** A   **16.** A   **17.** (2, 1)   **18.** $y = \dfrac{7}{5}x + 6$

2.6 Les combinaisons de transformations, pages 125 à 131

1. a) $a = 4$, $k = 1$, $c = 3$, $d = 0$; un agrandissement vertical de rapport 4, puis une translation de 3 unités vers la droite

b) $a = \dfrac{1}{3}$, $k = 1$, $c = 0$, $d = 1$; un rétrécissement vertical de rapport $\dfrac{1}{3}$, puis une translation de 1 unité vers le haut

c) $a = 1$, $k = 1$, $c = -5$, $d = 9$; une translation de 5 unités vers la gauche, puis de 9 unités vers le haut

d) $a = 1$, $k = \dfrac{1}{4}$, $c = 0$, $d = 2$; un agrandissement horizontal de rapport 4, puis une translation de 2 unités vers le haut

e) $a = 1$, $k = 5$, $c = 0$, $d = -2$; un rétrécissement horizontal de rapport $\dfrac{1}{5}$, puis une translation de 2 unités vers le bas

f) $a = 2$, $k = 1$, $c = 0$, $d = -7$; un agrandissement vertical de rapport 2, puis une translation de 7 unités vers le bas

2. a) $a = 3$, $k = 2$, $c = 0$, $d = -1$; un agrandissement vertical de rapport 3, un rétrécissement horizontal de rapport $\dfrac{1}{2}$, puis une translation de 1 unité vers le bas

b) $a = -2$, $k = 1$, $c = 0$, $d = 1$; une réflexion par rapport à l'axe des x, un agrandissement vertical de rapport 2, puis une translation de 1 unité vers le haut

c) $a = \dfrac{1}{2}$, $k = 1$, $c = 4$, $d = 5$; un rétrécissement vertical de rapport $\dfrac{1}{2}$, puis une translation de 4 unités vers la droite et de 5 unités vers le haut

d) $a = 1$, $k = -3$, $c = 0$, $d = 4$; une réflexion par rapport à l'axe des y, un rétrécissement horizontal de rapport $\dfrac{1}{3}$, puis une translation de 4 unités vers le haut

e) $a = -1$, $k = \frac{1}{2}$, $c = 0$, $d = -3$; une réflexion par rapport à l'axe des x, un agrandissement horizontal de rapport 2, puis une translation de 3 unités vers le bas

f) $a = \frac{1}{4}$, $k = 3$, $c = 0$, $d = -6$; un rétrécissement vertical de rapport $\frac{1}{4}$, un rétrécissement horizontal de rapport $\frac{1}{3}$, puis une translation de 6 unités vers le bas

3. a) Un agrandissement vertical de rapport 4, puis un rétrécissement horizontal de rapport $\frac{1}{3}$;
$g(x) = 4\sqrt{3x}$

b) Une translation de 1 unité vers la droite, puis un de 2 unités vers le haut; $g(x) = \dfrac{1}{x-1} + 2$

c) Un agrandissement horizontal de rapport 4, puis une translation de 2 unités vers la gauche;
$g(x) = \dfrac{1}{16}(x+2)^2$

d) Une réflexion par rapport à l'axe des x, un agrandissement vertical de rapport 5, puis une translation de 3 unités vers le bas;
$g(x) = -5x - 3$

4. a) Une réflexion par rapport à l'axe des x, un rétrécissement vertical de rapport $\frac{1}{2}$, un rétrécissement horizontal de rapport $\frac{1}{2}$, puis une translation de 1 unité vers la gauche et de 3 unités vers le bas; $g(x) = -x - 4$

b) Une réflexion par rapport à l'axe des x, un agrandissement vertical de rapport 2, un rétrécissement horizontal de rapport $\frac{1}{3}$, puis une translation de 4 unités vers la droite

et de 1 unité vers le bas;
$g(x) = -18(x - 4)^2 - 1$

c) Un rétrécissement vertical de rapport $\frac{1}{2}$, un agrandissement horizontal de rapport $\frac{1}{2}$, puis une translation de 3 unités vers la gauche et de 5 unités vers le haut;
$g(x) = \dfrac{1}{2}\sqrt{\dfrac{1}{2}(x+3)} + 5$

d) Un agrandissement vertical de rapport 2, une réflexion par rapport à l'axe des y, puis une translation de 3 unités vers la droite et de 4 unités vers le haut;
$g(x) = -\dfrac{2}{x-3} + 4$

5. a) $f(x) = x$
$f(x)$: domaine: $\{x \in \mathbb{R}\}$,
image: $\{y \in \mathbb{R}\}$;
$b(x)$: domaine: $\{x \in \mathbb{R}\}$,
image: $\{y \in \mathbb{R}\}$

b) $f(x) = x^2$
$f(x)$: domaine: $\{x \in \mathbb{R}\}$,
image: $\{y \in \mathbb{R} \mid y \geq 0\}$;
$e(x)$: domaine: $\{x \in \mathbb{R}\}$,
image: $\{y \in \mathbb{R} \mid y \geq -5\}$

c) $f(x) = x^2$
$f(x)$: domaine: $\{x \in \mathbb{R}\}$,
image: $\{y \in \mathbb{R} \mid y \geq 0\}$;
$h(x)$: domaine: $\{x \in \mathbb{R}\}$,
image: $\{y \in \mathbb{R} \mid y \geq 0\}$

d) $f(x) = \sqrt{x}$
$f(x)$:
domaine: $\{x \in \mathbb{R} \mid x \geq 0\}$,
image: $\{y \in \mathbb{R} \mid y \geq 0\}$;
$j(x)$:
domaine: $\{x \in \mathbb{R} \mid x \geq 7\}$,
image: $\{y \in \mathbb{R} \mid y \geq 0\}$

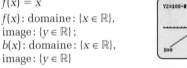

e) $f(x) = \dfrac{1}{x}$
$f(x)$:
domaine: $\{x \in \mathbb{R} \mid x \neq 0\}$,
image: $\{y \in \mathbb{R} \mid y \neq 0\}$;
$m(x)$:
domaine: $\{x \in \mathbb{R} \mid x \neq -8\}$,
image: $\{y \in \mathbb{R} \mid y \neq 0\}$

f) $f(x) = \dfrac{1}{x}$
$f(x)$:
domaine: $\{x \in \mathbb{R} \mid x \neq 0\}$,
image: $\{y \in \mathbb{R} \mid y \neq 0\}$;
$r(x)$:
domaine: $\{x \in \mathbb{R} \mid x \neq 3\}$,
image: $\{y \in \mathbb{R} \mid y \neq 1\}$

6. a)

b) Non. Le deuxième parachutiste ne rattrapera pas le premier avant qu'ils n'ouvrent leur parachute à 800 m.

c) $g(t)$: domaine : $\{t \in \mathbb{R} \mid t \geq -10\}$, image : $\{g \in \mathbb{R} \mid 0 \leq g \leq 4\,000\}$; $h(t)$: domaine : $\{t \in \mathbb{R} \mid t \geq 0\}$, image : $\{h \in \mathbb{R} \mid 0 \leq h \leq 4\,000\}$

7.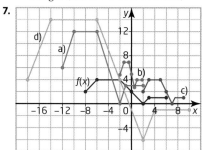

8. a) Environ 121 Hz

b) Domaine : $\{v \in \mathbb{R} \mid 0 \leq v \leq 40\}$, image : $\left\{f \in \mathbb{R} \mid \dfrac{83\,000}{93} \leq f \leq \dfrac{83\,000}{73}\right\}$

9. Les réponses varieront.

10. a) **b)** 11 666,67 $

c) I) 8 750 $ **II)** 7 000 $ **III)** 2 692,31 $

12. a)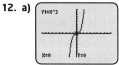

b) I) $g(x) = 3(x + 2)^3$ **II)** $h(x) = -64(x - 3)^3 + 5$

13. a) Effectue une translation de 2 unités vers la droite et une translation de 1 unité vers le haut pour obtenir le cercle d'équation $x^2 + y^2 = 25$.

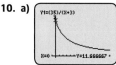

b) Effectue une translation de 4 unités vers la gauche et une translation de 5 unités vers le haut pour obtenir le cercle d'équation $x^2 + y^2 = 9$.

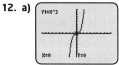

14. Les réponses varieront.

15. C

2.7 La réciproque d'une fonction, pages 132 à 141

1. a) $\{(5, 1), (2, 4), (-3, 5), (0, 7)\}$; fonction : domaine : $\{1, 4, 5, 7\}$, image : $\{-3, 0, 2\ 5\}$ réciproque : domaine : $\{-3, 0, 2\ 5\}$, image : $\{1, 4, 5, 7\}$

b) $\{(5, 3), (0, 4), (-5, 5), (-10, 6)\}$; fonction : domaine : $\{3, 4, 5, 6\}$, image : $\{-10, -5, 0, 5\}$ réciproque : domaine : $\{-10, -5, 0, 5\}$, image : $\{3, 4, 5, 6\}$

c)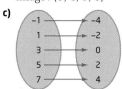

fonction : domaine : $\{-4, -2, 0, 2, 4\}$, image : $\{-1, 1, 3, 5, 7\}$ réciproque : domaine : $\{-1, 1, 3, 5, 7\}$, image : $\{-4, -2, 0, 2, 4\}$

d)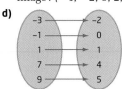

fonction : domaine : $\{-2, 0, 1, 4, 5\}$, image : $\{-3, -1, 1, 7, 9\}$ réciproque : domaine : $\{-3, -1, 1, 7, 9\}$, image : $\{-2, 0, 1, 4, 5\}$

2. a)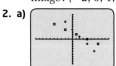

fonction : domaine : $\{-5, -2, 1, 4, 7\}$, image : $\{-2, 0, 2, 4, 6\}$ réciproque : domaine : $\{-2, 0, 2, 4, 6\}$, image : $\{-5, -2, 1, 4, 7\}$

b)

fonction : domaine : $\{-6, -4, -1, 2, 5\}$, image : $\{2, 3, 4, 5\}$ réciproque : domaine : $\{2, 3, 4, 5\}$, image : $\{-6, -4, -1, 2, 5\}$

3. a) 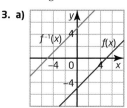 La réciproque de $f(x)$ est une fonction, car elle réussit le test de la droite verticale.

b) 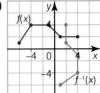 La réciproque de $f(x)$ n'est pas une fonction, car elle ne réussit pas le test de la droite verticale.

c) 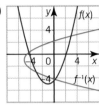 La réciproque de $f(x)$ n'est pas une fonction, car elle ne réussit pas le test de la droite verticale.

4. a) $f^{-1}(x) = \dfrac{x}{2}$ **b)** $f^{-1}(x) = \dfrac{x + 5}{6}$

  c) $f^{-1}(x) = -x + 10$ **d)** $f^{-1}(x) = \dfrac{5x - 4}{2}$

5. a) $f^{-1}(x) = \pm\sqrt{x - 6}$ **b)** $f^{-1}(x) = \pm\sqrt{\dfrac{x}{4}}$

  c) $f^{-1}(x) = \pm\sqrt{x} - 8$ **d)** $f^{-1}(x) = \pm\sqrt{2x - 20}$

6. a) $f^{-1}(x) = \pm\sqrt{x - 6} - 3$

  b) $f^{-1}(x) = \pm\sqrt{-x + 1} + 10$

  c) $f^{-1}(x) = \pm\sqrt{\dfrac{x + 75}{2}} - 6$

  d) $f^{-1}(x) = \pm\sqrt{\dfrac{x - 8}{-3}} - 6$

7. a) I) $f^{-1}(x) = \dfrac{-x + 6}{5}$ **II)**

   III) La réciproque de $f(x)$ est une fonction, car elle réussit le test de la droite verticale.

  b) I) $f^{-1}(x) = 3x + 24$ **II)**

   III) La réciproque de $f(x)$ est une fonction, car elle réussit le test de la droite verticale.

  c) I) $f^{-1}(x) = \pm\sqrt{x - 16} + 8$

   II)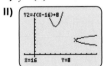

   III) La réciproque de $f(x)$ n'est pas une fonction, car elle ne réussit pas le test de la droite verticale. Pour $x = 20$, il y a deux valeurs correspondantes de y.

d) I) $f^{-1}(x) = \pm\sqrt{-x + 36} + 10$

  II)

  III) La réciproque de $f(x)$ n'est pas une fonction, car elle ne réussit pas le test de la droite verticale.

8. a) Domaine : $\{v \in \mathbb{R} \mid v \geq 0\}$, image : $\{d \in \mathbb{R} \mid d \geq 0\}$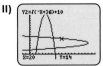

  b) $v = \sqrt{10d}$: domaine : $\{d \in \mathbb{R} \mid d \geq 0\}$, image : $\{v \in \mathbb{R} \mid v \geq 0\}$. La réciproque représente la vitesse initiale, en mètres à la seconde, en fonction de la distance, en mètres, parcourue par le projectile.

  c) Les réponses varieront.

9. a) Domaine approximatif : $\{t \in \mathbb{R} \mid t \geq 1\}$, image : $\{d \in \mathbb{R} \mid d \geq 0\}$

  b) Les réponses varieront. Exemple : Au cours de la première seconde, seule l'accélération entre en ligne de compte.

  c) $t = \dfrac{d + 12,5}{11,8}$; domaine : $\{d \in \mathbb{R} \mid d \geq 0\}$; image approximative : $\{t \in \mathbb{R} \mid t \geq 1\}$

  d) Oui. L'entraîneur de Bolt est près de la vérité. La réciproque de la fonction montre que Bolt pourrait avoir couru le 100 m en 9,53 s.

10. Les réponses varieront.

11. a) $g(x)$ n'est pas la réciproque de $f(x)$, car $g(x)$ n'est pas la réflexion de $f(x)$ par rapport à la droite d'équation $y = x$.

  b) $g(x)$ est la réciproque de $f(x)$, car $g(x)$ est la réflexion de $f(x)$ par rapport à la droite d'équation $y = x$.

  c) $g(x)$ n'est pas la réciproque de $f(x)$, car $g(x)$ n'est pas la réflexion de $f(x)$ par rapport à la droite d'équation $y = x$.

  d) $g(x)$ est la réciproque de $f(x)$, car $g(x)$ est la réflexion de $f(x)$ par rapport à la droite d'équation $y = x$.

12. a) $y = \dfrac{5}{9}(x - 32)$; x représente la température en degrés Fahrenheit ; y représente la température en degrés Celsius.

b)

c) $-40°$. Les réponses varieront. Exemple : La fonction initiale et sa réciproque se croisent en $(-40, -40)$.

13. a) $t = 5 + \sqrt{\dfrac{-d + 70}{2,8}}$; la réciproque représente le temps t, en secondes, écoulé avant que les freins ne soient appliqués, pour une distance de freinage donnée.

b) Fonction : domaine : $\{t \in \mathbb{R} \mid 5 \leq t \leq 10\}$, image : $\{d \in \mathbb{R} \mid 0 \leq d \leq 70\}$

réciproque : domaine : $\{d \in \mathbb{R} \mid 0 \leq d \leq 70\}$, image : $\{t \in \mathbb{R} \mid 5 \leq t \leq 10\}$

c) Les réponses varieront. Exemple : La distance parcourue diminue d'un intervalle de temps à l'autre.

14. Voiture d'Ève : $\sqrt{40}$ s ;

Voiture de Billy avec 1 s d'avance : $\sqrt{80} - 1$ s

Voiture de Billy avec 2 s d'avance : $\sqrt{80} - 2$ s

Voiture de Billy avec 3 s d'avance : $\sqrt{80} - 3$ s

Voiture de Billy avec 4 s d'avance : $\sqrt{80} - 4$ s

15. a) I) $f^{-1}(x) = \pm\sqrt{\dfrac{x}{2}}$ **II)**

III) $\{x \in \mathbb{R} \mid x \geq 0\}$ **IV)**

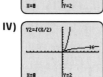

b) I) $f^{-1}(x) = \pm\sqrt{x - 2}$

II)

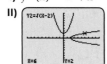

III) $\{x \in \mathbb{R} \mid x \geq 0\}$ **IV)**

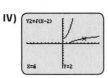

c) I) $f^{-1}(x) = \pm\sqrt{x} + 3$

II)

III) $\{x \in \mathbb{R} \mid x \geq 3\}$ **IV)**

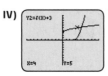

16. a) $f^{-1}(x) = \dfrac{x - 7}{3}$

b) $f(f^{-1}) = x$ et $f^{-1}(f) = x$

c) $f^{-1}(x) = \pm\sqrt{x + 6}$; $f(f^{-1}) = x$ et $f^{-1}(f) = x$

d) Les réponses varieront. Exemple : Pour une fonction affine ou une fonction du second degré, f, et sa réciproque, f^{-1}, $f(f^{-1}) = x$ et $f^{-1}(f) = x$.

18. a) $f^{-1}(x) = x^2 - 3$, $x \geq 0$

b) Fonction : domaine : $\{x \in \mathbb{R} \mid x \geq -3\}$, image : $\{y \in \mathbb{R} \mid y \geq 0\}$

réciproque : domaine : $\{x \in \mathbb{R} \mid x \geq 0\}$, image : $\{y \in \mathbb{R} \mid y \geq -3\}$

c)

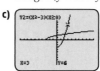

19. a) $r = \sqrt[3]{\dfrac{3V}{4\pi}}$, la réciproque de l'équation représente le rayon d'une sphère, r, en fonction de son volume, V.

b) $V = \dfrac{4}{3}\pi r^3$; domaine : $\{r \in \mathbb{R} \mid r \geq 0\}$, image : $\{V \in \mathbb{R}, V \geq 0\}$;

$r = \sqrt[3]{\dfrac{3V}{4\pi}}$; domaine : $\{V \in \mathbb{R} \mid V \geq 0\}$, image : $\{r \in \mathbb{R} \mid r \geq 0\}$

20. a) $f^{-1}(x) = \dfrac{1}{x}$

b) Les réponses varieront. Exemple : Le graphique de $f(x)$ est une réflexion de lui-même par rapport à la droite d'équation $y = x$. La réciproque de $f(x) = \dfrac{1}{x}$ est donc la même fonction : $f^{-1}(x) = \dfrac{1}{x}$.

21. a) $f^{-1}(x) = \dfrac{1}{x} + \dfrac{16}{5}$

b) $f(x)$: domaine : $\left\{x \in \mathbb{R} \mid x \neq \dfrac{16}{5}\right\}$, image : $\{y \in \mathbb{R} \mid y \neq 0\}$;

$f^{-1}(x)$: domaine : $\{x \in \mathbb{R} \mid x \neq 0\}$, image : $\left\{y \in \mathbb{R} \mid y \neq \dfrac{16}{5}\right\}$

22. a) I) $g(x)$ et $f(x)$ sont la réciproque l'une de l'autre.

II) $g(x)$ et $f(x)$ sont la réciproque l'une de l'autre.

III) $g(x)$ et $f(x)$ sont la réciproque l'une de l'autre.

IV) $g(x)$ et $f(x)$ sont la réciproque l'une de l'autre.

b) I)

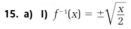

II) f et g sont des réciproques si le domaine de f est restreint à $x \geq 5$.

III)

IV) f et g sont des réciproques si le domaine de g est restreint à $x \geq 0$.

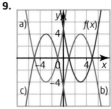

23. A **24.** A **25.** C

26. $(3, 4)$ et $(4, 3)$

Révision du chapitre 2, pages 142 et 143

1. a) Équivalentes **b)** Non équivalentes

2. a) $\dfrac{1}{x + 3}, x \neq -7, x \neq -3$

b) $x + 8, x \neq 8$

3. a) $1\,600 - 4x^2$ **b)** $0 < x < 20$

4. a) $xy, x \neq 0, y \neq 0$ **b)** $10a^2b^4, a \neq 0, b \neq 0$

c) $\dfrac{2x + 15}{6x^2}, x \neq 0$

d) $\dfrac{x + 2}{(x - 4)(x - 6)}, x \neq 4, x \neq 6$

5. a) $\dfrac{x(x + 1)}{3}, x \neq -7, x \neq -2$

b) $2, x \neq -10, x \neq 2, x \neq 6$

c) $\dfrac{-5x^2 - 22x - 6}{(x + 5)(x + 2)(x - 2)}, x \neq -5, x \neq -2, x \neq 2$

d) $\dfrac{2x(x + 62)}{(x + 16)(x + 2)(x - 10)}, x \neq -16, x \neq -2, x \neq 10$

6. $\dfrac{V}{A_t} = \dfrac{x(40 - 2x)}{(40 + 2x)}, 0 < x < 20$

7. a) A'$(0, 6)$, B'$(1, 7)$, C'$(4, 8)$, D'$(9, 9)$

b) A'$(3, 0)$, B'$(4, 1)$, C'$(7, 2)$, D'$(12, 3)$

8. a) $f(x) = x^2$; $y = f(x + 7) - 8$; translation de 7 unités vers la gauche et de 8 unités vers le bas;
$f(x)$: domaine: $\{x \in \mathbb{R}\}$, image: $\{y \in \mathbb{R} \mid y \geq 0\}$; $g(x)$: domaine: $\{x \in \mathbb{R}\}$, image: $\{y \in \mathbb{R} \mid y \geq -8\}$

b) $f(x) = \sqrt{x}$; $y = f(x - 6) + 3$; translation de 6 unités vers la droite et de 3 unités vers le haut;
$f(x)$: domaine: $\{x \in \mathbb{R} \mid x \geq 0\}$, image: $\{y \in \mathbb{R}, y \geq 0\}$; $g(x)$: domaine: $\{x \in \mathbb{R} \mid x \geq 6\}$, image: $\{y \in \mathbb{R}, y \geq 3\}$

c) $f(x) = \dfrac{1}{x}$; $y = f(x + 3) + 1$; translation de 3 unités vers la gauche et de 1 unité vers le haut;

$f(x)$: domaine: $\{x \in \mathbb{R} \mid x \neq 0\}$, image: $\{y \in \mathbb{R} \mid y \neq 0\}$; $g(x)$: domaine: $\{x \in \mathbb{R} \mid x \neq -3\}$, image: $\{y \in \mathbb{R} \mid y \neq 1\}$

9. ... $f(x)$: domaine: $\{x \in \mathbb{R}\}$, image: $\{y \in \mathbb{R} \mid y \geq -4\}$

a) domaine: $\{x \in \mathbb{R}\}$, image: $\{y \in \mathbb{R} \mid y \geq -4\}$
b) domaine: $\{x \in \mathbb{R}\}$, image: $\{y \in \mathbb{R} \mid y \leq 4\}$
c) domaine: $\{x \in \mathbb{R}\}$, image: $\{y \in \mathbb{R} \mid y \leq 4\}$

10. a) I) $g(x) = -\sqrt{x} - 5$ **II)** $g(x) = -\dfrac{1}{x} + 7$

b) I) $h(x) = \sqrt{-x} + 5$ **II)** $h(x) = -\dfrac{1}{x} - 7$

11. a) $a = 4$; $g(x) = 4x^2$;
$f(x)$: domaine: $\{x \in \mathbb{R}\}$, image: $\{y \in \mathbb{R} \mid y \geq 0\}$; $g(x)$: domaine: $\{x \in \mathbb{R}\}$, image: $\{y \in \mathbb{R} \mid y \geq 0\}$

b) $k = 5$; $g(x) = (5x)^2$;
$f(x)$: domaine: $\{x \in \mathbb{R}\}$, image: $\{y \in \mathbb{R} \mid y \geq 0\}$; $g(x)$: domaine: $\{x \in \mathbb{R}\}$, image: $\{y \in \mathbb{R} \mid y \geq 0\}$

c) $k = \dfrac{1}{3}$; $g(x) = \left(\dfrac{1}{3}x\right)^2$;
$f(x)$: domaine: $\{x \in \mathbb{R}\}$, image: $\{y \in \mathbb{R} \mid y \geq 0\}$; $g(x)$: domaine: $\{x \in \mathbb{R}\}$, image: $\{y \in \mathbb{R} \mid y \geq 0\}$

d) $a = \dfrac{1}{4}$; $g(x) = \dfrac{1}{4}x^2$;
$f(x)$: domaine: $\{x \in \mathbb{R}\}$, image: $\{y \in \mathbb{R}, y \geq 0\}$; $g(x)$: domaine: $\{x \in \mathbb{R}\}$, image: $\{y \in \mathbb{R}, y \geq 0\}$

12. a) $f(x) = x$; agrandissement vertical de rapport 5

b) $f(x) = \dfrac{1}{x}$; rétrécissement horizontal de rapport $\dfrac{1}{4}$

c) $f(x) = x^2$; rétrécissement horizontal de rapport $\dfrac{1}{3}$

d) $f(x) = \sqrt{x}$; rétrécissement horizontal de rapport $\frac{1}{9}$

13. a) Un agrandissement vertical de rapport 3, puis une translation de 6 unités vers la gauche ; $g(x) = 3\sqrt{x + 6}$

b) Une réflexion par rapport à l'axe des x, un rétrécissement horizontal de rapport $\frac{1}{6}$, puis une translation de 5 unités vers le bas ; $g(x) = -6x - 5$

c) Un rétrécissement vertical de rapport $\frac{1}{5}$ puis une translation de 4 unités vers le haut ; $g(x) = \frac{1}{5}\left(\frac{1}{x}\right) + 4$ ou $g(x) = \frac{1}{5x} + 4$

d) Une réflexion par rapport à l'axe des x, un agrandissement vertical de rapport 2, un rétrécissement horizontal de rapport $\frac{1}{3}$, puis une translation de 4 unités vers la gauche et de 6 unités vers le bas ; $g(x) = -2(3(x + 4))^2 - 6$

14. a) $f(x) = x$;
$f(x)$: domaine : $\{x \in \mathbb{R}\}$, image : $\{y \in \mathbb{R}\}$;
$g(x)$: domaine : $\{x \in \mathbb{R}\}$, image : $\{y \in \mathbb{R}\}$

b) $f(x) = \frac{1}{x}$;
$f(x)$:
domaine : $\{x \in \mathbb{R} \mid x \neq 0\}$, image : $\{y \in \mathbb{R}, y \neq 0\}$;
$g(x)$: domaine : $\{x \in \mathbb{R} \mid x \neq -4\}$, image : $\{y \in \mathbb{R} \mid y \neq 0\}$

c) $f(x) = \sqrt{x}$;
$f(x)$: domaine : $\{x \in \mathbb{R} \mid x \geq 0\}$, image : $\{y \in \mathbb{R}, y \geq 0\}$;
$g(x)$: domaine : $\{x \in \mathbb{R} \mid x \geq 0\}$, image : $\{y \in \mathbb{R} \mid y \leq 1\}$

d) $f(x) = x^2$;
$f(x)$: domaine : $\{x \in \mathbb{R}\}$, image : $\{y \in \mathbb{R} \mid y \geq 0\}$;
$g(x)$: domaine : $\{x \in \mathbb{R}\}$, image : $\{y \in \mathbb{R} \mid y \geq 0\}$

15. a) **I)** $f^{-1}(x) = \frac{x + 5}{7}$ **II)**

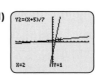

III) Oui. $f^{-1}(x)$ est une fonction.

b) **I)** $f^{-1}(x) = \pm\sqrt{\frac{x - 9}{2}}$ **II)**

III) Non. $f^{-1}(x)$ n'est pas une fonction.

c) **I)** $f^{-1}(x) = \pm\sqrt{x - 15} - 4$

II)

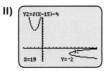

III) Non. $f^{-1}(x)$ n'est pas une fonction.

d) **I)** $f^{-1}(x) = \pm\sqrt{\frac{x + 30}{5}} - 2$

II)

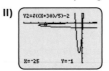

III) Non. $f^{-1}(x)$ n'est pas une fonction.

16. a) $S = 600 + 0{,}05v$, où S représente le salaire hebdomadaire de Jade, en dollars, en fonction de ses ventes, v, en dollars.

b) $v = \frac{S - 600}{0{,}05}$

c) La réciproque représente les ventes hebdomadaires de Jade, v, en dollars, en fonction de son salaire hebdomadaire, S, en dollars.

d) 3 500 \$

Test préparatoire du chapitre 2, pages 144 et 145

1. B   **2.** C   **3.** D   **4.** C   **5.** B

6. Les réponses varieront. Exemple : La première expression n'est pas définie pour $x = 7$. La deuxième expression est définie pour $x = 7$. On peut simplifier la première expression en $6x + 15$. On peut simplifier la deuxième expression en $5x + 15$. Comme les expressions simplifiées ne sont pas équivalentes, les expressions données ne sont pas équivalentes.

7. La réciproque de $f(x)$ n'est pas une fonction.

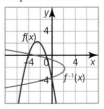

8. a) $\dfrac{x - 8}{(x + 7)(x - 3)}$, $x \neq -15$, $x \neq -7$, $x \neq 3$

b) $\dfrac{(x + 10)(x + 2)}{(x + 5)(x - 3)}$, $x \neq -10$, $x \neq -5$, $x \neq 3$

c) $\dfrac{-x + 57}{(x - 7)(x - 2)}$, $x \neq 2$, $x \neq 7$

d) $\dfrac{x^2 + 15x + 42}{(x + 6)(x + 3)}$, $x \neq -6$, $x \neq -3$

9. a) $f(x) = x$

b) Un agrandissement vertical de rapport 4, un rétrécissement horizontal de rapport $\dfrac{1}{3}$, puis une translation de 2 unités vers la gauche et de 9 unités vers le haut

c) $f(x)$: domaine: $\{x \in \mathbb{R}\}$, image: $\{y \in \mathbb{R} \mid y \geq 0\}$; $g(x)$: domaine: $\{x \in \mathbb{R}\}$, image: $\{y \in \mathbb{R} \mid y \geq 9\}$

10. a) $f(x) = \sqrt{x}$

b) Un rétrécissement vertical de rapport $\dfrac{1}{5}$, un rétrécissement horizontal de rapport $\dfrac{1}{2}$, puis une translation de 8 unités vers la droite et de 3 unités vers le bas

c) $f(x)$: domaine: $\{x \in \mathbb{R} \mid x \geq 0\}$, image: $\{y \in \mathbb{R} \mid y \geq 0\}$; $g(x)$: domaine: $\{x \in \mathbb{R} \mid x \geq 8\}$, image: $\{y \in \mathbb{R} \mid y \geq -3\}$

11. a) $f(x) = \dfrac{1}{x}$

b) Un agrandissement vertical de rapport 2, un rétrécissement horizontal de rapport 2, puis une translation de 5 unités vers le haut

c) $f(x)$: domaine: $\{x \in \mathbb{R} \mid x \neq 0\}$, image: $\{y \in \mathbb{R} \mid y \neq 0\}$; $g(x)$: domaine: $\{x \in \mathbb{R} \mid x \neq 0\}$, image: $\{y \in \mathbb{R} \mid y \neq 5\}$

12. a) I) $f^{-1}(x) = \dfrac{x - 8}{3}$ II)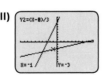

III) Oui. $f^{-1}(x)$ est une fonction.

b) I) $f^{-1}(x) = \pm\sqrt{\dfrac{x - 8}{6}} + 9$

II)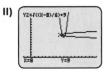

III) Non, $f^{-1}(x)$ n'est pas une fonction.

c) I) $f^{-1}(x) = \pm\sqrt{\dfrac{x + 100}{3}} - 6$

II)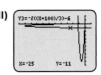

III) Non, $f^{-1}(x)$ n'est pas une fonction.

13. a) $R = (80 + 5x)(120 - 15x)$

b) R: domaine: $\{x \in \mathbb{Z} \mid 0 \leq x \leq 8\}$, image: $\{R \in \mathbb{R} \mid 0 \leq R \leq 10\ 800\}$

c) $x = \pm\sqrt{\dfrac{R - 10\ 800}{-75}} - 4$; le nombre d'augmentations de 5 \$ en fonction du revenu, R, en dollars; domaine: $\{R \in \mathbb{R} \mid 0 \leq R \leq 10\ 800\}$, image: $\{x \in \mathbb{Z} \mid 0 \leq x \leq 8\}$

d) 2 augmentations de 5 \$

14. a) $T = \dfrac{19\ 200}{(160 + v)(160 - v)}$; domaine: $\{v \in \mathbb{R} \mid -160 < v < 160\}$, image: $\{T \in \mathbb{R} \mid T \geq 0{,}75\}$

b)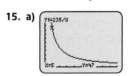

c) Les réponses varieront. Exemple: Non; le plus court voyage aller-retour ne subit pas l'effet de vents dominants. Même si le pilote rattrape un certain temps, au retour, le trajet complet nécessite plus de temps en cas de vents.

15. a)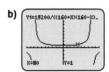

b) Pour des valeurs plus petites de l, en litres aux 100 km, le graphique a de plus grandes valeurs de m, en miles au gallon.

c) $m_{\text{impérial}} = \dfrac{235}{1{,}2\ l}$

d) Les réponses varieront. Exemple: un rétrécissement horizontal de rapport $\dfrac{1}{1{,}2}$

Chapitre 3

Connaissances préalables, pages 148 et 149

1. a) C   **b)** A   **c)** B

2. Les réponses varieront.

3. a) x^5 **b)** y^9 **c)** m^2 **d)** h

e) a^7b^6 **f)** x^2y^2 **g)** $a^4b^8c^{12}$ **h)** $9u^2v^6$

i) $\dfrac{a^2b^4}{16}$ **j)** $-\dfrac{27w^6}{64r^9}$

4. a) 128   **b)** 729   **c)** 32 000   **d)** 1

e) 64   **f)** 5   **g)** 6 561   **h)** 64

5. a) Valeurs manquantes de la variable y: 4, 2, 1

b) Les réponses varieront. Exemple : Chacun des termes est égal à la moitié du précédent.

c) Valeurs manquantes de la variable y :

$$4, 2, 1, \frac{1}{2^2}, \frac{1}{2^3}, \frac{1}{2^n}$$

6. a) 1   **b)** $\frac{1}{16}$ **c)** $-\frac{1}{216}$ **d)** $\frac{1}{9}$

e) 1   **f)** -1 **g)** $\frac{25}{16}$ **h)** $\frac{1}{9}$

7. a) $\frac{1}{x}$ **b)** $\frac{1}{y^6}$ **c)** $\frac{u}{v}$ **d)** $\frac{1}{16a^4b^2}$

8. a)   **I)** $\{x \in \mathbb{R}\}$ **II)** $\{y \in \mathbb{R}\}$

    III) Abscisse à l'origine : 8 ; ordonnée à l'origine : 4

b)   **I)** $\{x \in \mathbb{R}\}$ **II)** $\{y \in \mathbb{R} \mid y \geq -5\}$

    III) Abscisses à l'origine : -8 et 2 ; ordonnée à l'origine : -2

9. a)   **I)** $\{x \in \mathbb{R}\}$

    II) $\{y \in \mathbb{R} \mid y \geq -9\}$

    III) Abscisses à l'origine : -3 et 3 ; ordonnée à l'origine : -9

b)   **I)** $\{x \in \mathbb{R} \mid x \geq -4\}$

    II) $\{y \in \mathbb{R} \mid y \geq 0\}$

    III) Abscisse à l'origine : -4 ; ordonnée à l'origine : 2

10. Translation de 2 unités vers la droite et de 1 unité vers le bas

11. a) 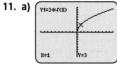   **b)**

   c)   **d)**

   e)   **f)**

3.1 La croissance exponentielle, pages 150 à 157

1. a)

Jour	Population	Premières différences	Deuxièmes différences
0	20		
		60	
1	80		180
		240	
2	320		720
		960	
3	1 280		2 880
		3 840	
4	5 120		11 520
		15 360	
5	20 480		

Les réponses en b) à e) varieront. Exemple :

b) Oui ; dans chaque colonne, la valeur des différences finies est multipliée par 4.

c) Le rapport entre les différences finies consécutives de chaque colonne est de 4.

d) Oui

e)

Troisièmes différences	Quatrièmes différences
540	
	1 620
2 160	
	6 480
8 640	

Oui

2. Les réponses varieront. Exemple : Puisque $10^3 = 1\,000$, $10^2 = 100$ et $10^1 = 10$, si on applique la régularité (division par 10) au terme suivant, on obtient $10^0 = 1$.

3. a) $\dfrac{a \times a \times a}{a \times a \times a}$ **b)** 1   **c)** a^0

d) Les réponses varieront. Exemple : $a^0 = 1$

4. a) 1   **b)** 1   **c)** 1   **d)** 1

5. a) et b) Les réponses varieront.

   c) I) 81   **II)** 19 683   **d)** 6   **e)** 6

6. a)   **I)** $\{x \in \mathbb{R} \mid x > 0\}$ **II)** $\{y \in \mathbb{R} \mid y = 0\}$

    III) Droite horizontale le long de l'axe des x

b)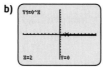

c) Les réponses varieront. Exemple : La commande **Trace** ne donne aucune valeur pour $x = 0$.

7. a) I) 10 personnes   **II)** 20 personnes

b) Les réponses varieront.

c) Les réponses varieront. Exemple : Oui, le rapport entre les différences finies consécutives est de 2.

8. Les réponses varieront. Exemple : Le double prix ; c'est celui qui a la plus grande valeur au bout de 2 semaines.

9. a) $p = 200 \times 3^t$ **b)**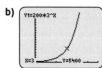

Les réponses en c) et d) varieront. Exemple :

c) 961 ; le graphique est plus facile à utiliser.

d) 106 288 200 ; l'équation est plus facile à utiliser.

10. a) 0,05 ; $M = C(1,05)^t$

b) et c)

Nombre de périodes de capitalisation (années)	Montant ($)	Premières différences	Deuxièmes différences
0	100		
		5	
1	105		0,25
		5,25	
2	110,25		0,26
		5,51	
3	115,76		0,28
		5,79	
4	121,55		

d)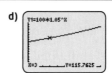

Les réponses en e) et f) varieront. Exemple :

e) Les points du graphique situés entre les valeurs de la table n'ont pas de sens puisque le versement des intérêts n'est pas continu.

f) La fonction est exponentielle, car chaque valeur de la table est égale à la valeur précédente multipliée par 1,05.

11. a) 2 249,73 $ **b)** 2 737,14 $

12. a) Environ 10,24 ans

b) Environ 4 ans de plus

13. Les réponses varieront.

14. a) Environ 5,7 jours ; environ 25 600 bactéries

b) B la dépasserait environ 2,6 fois plus vite.

15. Les réponses varieront. Exemple :

a) Le double prix est toujours le meilleur choix, parce qu'il rapporte quand même plus.

b) 0,03 $

16. C   **17.** D   **18.** B

19. $\dfrac{1}{9}$

20. $\dfrac{1}{2} + \dfrac{1}{3} + \dfrac{1}{6}$; $\dfrac{1}{4} + \dfrac{1}{4} + \dfrac{1}{2}$

3.2 La décroissance exponentielle : comprendre les exposants négatifs, pages 160 à 169

1. a) $\dfrac{1}{3}$ **b)** $\dfrac{1}{x}$ **c)** $\dfrac{1}{y^2}$

d) $\dfrac{1}{ab}$ **e)** $-\dfrac{1}{x^2}$ **f)** $\dfrac{1}{x^2}$

2. a) 5^{-2} **b)** k^{-3}

3. a) $\dfrac{1}{36}$ **b)** $\dfrac{1}{32}$ **c)** $\dfrac{1}{10\,000}$

d) $\dfrac{1}{729}$ **e)** $\dfrac{1}{2}$ **f)** $\dfrac{5}{8}$

4. a) 16   **b)** $\dfrac{1}{256}$ **c)** 100 000

d) $\dfrac{1}{5}$ **e)** 49   **f)** $\dfrac{1}{16}$

g) 9   **h)** 4

5. a) m **b)** $-\dfrac{6}{v^9}$ **c)** p^7

d) $\dfrac{3}{w^2}$ **e)** k^{12} **f)** $\dfrac{b^6}{4a^2}$

6. a) 64   **b)** $\dfrac{1\,000\,000}{729}$ **c)** $\dfrac{16}{81}$

d) $-\dfrac{8}{125}$ **e)** 8   **f)** 1 600

7. a) a^2b^2 **b)** $512u^3$ **c)** $\dfrac{w^4}{g^8}$

d) $\dfrac{27b^6}{64a^9}$ **e)** $\dfrac{b^9}{27a^6}$ **f)** $\dfrac{x^4}{y^2}$

8. a)

Temps (jours)	Quantité restante de ^{187}W (mg)
0	100
1	50
2	25
3	12,5
4	6,25

b) $Q(t) = 100\left(\dfrac{1}{2}\right)^t$, où Q est la quantité de ^{187}W qui reste, en mg, au temps t, en jours.

c)

d) 0,781 25 mg   **e)** 4,3 jours

f) La fonction $Q(t) = 100(2^{-t})$ peut aussi être utilisée, puisque $\left(\dfrac{1}{2}\right)^t = (2^{-1})^t = 2^{-t}$.

9. a) I) $\dfrac{1}{9}$ II) $\dfrac{1}{27}$ **b)** $\dfrac{1}{243}$ **c)** $\dfrac{1}{243}$

d) Les réponses varieront. Exemple : Les réponses en b) et c) sont les mêmes. Donc, la règle du produit de puissances est valable pour les exposants négatifs.

e) Les réponses varieront.

10. et 11. Les réponses varieront.

12. a) 20 000 est la valeur initiale de l'automobile ; 0,7 représente la valeur restante de l'automobile (en pourcentage) à la fin de chaque année ; t représente le temps écoulé depuis l'achat, en années.

b) I) 14 000 $ **II)** 9 800 $

c)   **d)** Environ 6,5 années

13. a) Les réponses varieront. Exemple : En attribuant une valeur négative à n, on peut déterminer la quantité de ^{239}Pu avant le début de l'étude.

b) I) 100 mg   **II)** 400 mg

14. et 15. Les réponses varieront.

17. 767,90 $

18. $2,1 \times 10^{20}$ N

19. a) $F = \dfrac{GMm}{r^2}$

b) Les réponses varieront. Exemple : Il s'agit d'un exemple de la loi de l'inverse du carré parce que la force qui s'exerce entre deux objets est proportionnelle à l'inverse du carré de la distance r qui les sépare.

c) Les réponses varieront.

20. Les réponses varieront.

21. A   **22.** D   **23.** B

3.3 Les exposants rationnels, pages 170 à 177

1. a) 4   **b)** -10 **c)** $\dfrac{1}{2}$ **d)** $\dfrac{2}{3}$

2. a) 3   **b)** $\dfrac{2}{5}$ **c)** 2   **d)** -10

3. a) 4   **b)** 16   **c)** $-1\,024$ **d)** $\dfrac{1}{1\,000}$

4. a) $\dfrac{1}{2}$ **b)** $\dfrac{1}{125}$ **c)** 128

d) 4   **e)** $\dfrac{27}{1\,000}$ **f)** $\dfrac{9}{4}$

5. a) $x^{\frac{1}{2}}$ **b)** $m^{\frac{13}{12}}$ **c)** $w^{\frac{1}{6}}$

d) $a^{\frac{1}{2}}b^{\frac{5}{3}}$ **e)** $y^{\frac{1}{3}}$ **f)** $u^{\frac{1}{6}}v^{\frac{1}{9}}$

6. a) k **b)** $\dfrac{1}{p^{\frac{3}{2}}}$ **c)** $\dfrac{1}{y^2}$

d) $w^{\frac{2}{3}}$ **e)** $\dfrac{4}{3}x^{\frac{1}{3}}$ **f)** $\dfrac{5}{49}y^{\frac{4}{3}}$

7. 4 000 cm²

8. a) $A = a^2$ **b)** $a = A^{\frac{1}{2}}$

c) I) 6 m **II)** 13 cm **III)** $4\sqrt{5}$ m

d) $A_t = 6a^2,\ a = \left(\dfrac{A_t}{6}\right)^{\frac{1}{2}}$

e) I) 5 m **II)** 10 cm **III)** $5\left(\dfrac{5}{3}\right)^{\frac{1}{2}}$ m

9. a) $V = a^3$ **b)** $a = V^{\frac{1}{3}}$

c) I) 4 m **II)** 7 cm **III)** Environ 2,49 m

10. a) B et C

Les réponses en b) et c) varieront. Exemple :

b) Puisque B et C sont équivalentes, elles sont toutes les deux bonnes.

c) Elle s'appelle ainsi parce que le carré du volume est proportionnel au cube de l'aire totale.

11. a) I) 600 cm² **II)** Environ 205,2 m²

Les réponses en b) à d) varieront. Exemple :

b) J'ai utilisé $A_t = 6V^{\frac{2}{3}}$, parce qu'elle donne l'aire totale en fonction du volume.

c) I) 343 m³ **II)** Environ 15,2 cm³

d) J'ai utilisé $V = \left(\dfrac{A_t}{6}\right)^{\frac{3}{2}}$, parce qu'elle donne le volume en fonction de l'aire totale.

12. a) $1{,}72 \times 10^{-17}$ **b)** 1,9 fois la longueur d'une année terrestre

c) $1{,}1 \times 10^{11}$ m

13. a) $r = \left(\dfrac{T}{k}\right)^{\frac{2}{3}}$ **b)** $7{,}87 \times 10^{11}$ m

15. a) $V = \pi r^2 h$ **b)** $r = \sqrt{\dfrac{V}{\pi h}}$

16. a) $A_t = 2\pi r^2 + 2\pi rh$

b) $A_t = \dfrac{2V}{h} + 2\sqrt{\pi hV}$

c) $A_t = \dfrac{1}{5}v + 2\sqrt{10\pi V}$

d) 554,5 m²

17. a) $V = \sqrt[3]{\dfrac{850}{P^2}}$ **b)** 2,04 m³

c)

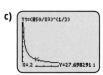

d) Les réponses varieront. Exemple : Cette relation est une fonction puisqu'à chaque valeur de la pression est associée une et une seule valeur du volume.

18. A **19.** 5

3.4 Les caractéristiques des fonctions exponentielles, pages 178 à 187

1. a) B **b)** D **c)** C **d)** A

2. a) Les réponses varieront.

b) Les réponses varieront. Exemple : Non ; de nombreuses fonctions exponentielles ont ces caractéristiques.

3. a) Les réponses varieront.

b) Les réponses varieront. Exemple : Non ; de nombreuses fonctions exponentielles ont ces caractéristiques.

4. $y = 4(2^x)$

5. $y = 24\left(\dfrac{1}{2}\right)^x$

6. a) C **b)** Environ 2,2 mg

7. a)

I) $\{x \in \mathbb{R}\}$

II) $\{y \in \mathbb{R} \mid y > 0\}$

III) Pas d'abscisse à l'origine ; ordonnée à l'origine : 1
IV) Toujours décroissante **V)** $y = 0$

b)

I) $\{x \in \mathbb{R}\}$

II) $\{y \in \mathbb{R} \mid y > 0\}$

III) Pas d'abscisse à l'origine ; ordonnée à l'origine : 2
IV) Toujours décroissante **V)** $y = 0$

c)

I) $\{x \in \mathbb{R}\}$

II) $\{y \in \mathbb{R} \mid y < 0\}$

III) Pas d'abscisse à l'origine ; ordonnée à l'origine : −1
IV) Toujours croissante **V)** $y = 0$

8. a) I) **II)**

Les réponses en b) et c) varieront. Exemple :

b) Ils ont tous les deux une asymptote horizontale en $y = 0$. Ils diffèrent parce que la fonction $f(x)$ est croissante pour tout $x \in \mathbb{R}$ et que $r(x)$ est décroissante dans les intervalles $x < 0$ et $x > 0$ ($r(x)$ n'est pas définie pour $x = 0$). $r(x)$ a aussi une asymptote en $x = 0$.

c) C'est la même asymptote horizontale.

9. a) I) **II)**

Les réponses en b) et c) varieront. Exemple :

b) Ils ont tous les deux une asymptote horizontale en $y = 0$. Ils diffèrent parce que la fonction $g(x)$ est croissante pour tout $x \in \mathbb{R}$ et que $r(x)$

est décroissante dans les intervalles $x < 0$ et $x > 0$ ($r(x)$ n'est pas définie pour $x = 0$). $r(x)$ a aussi une asymptote en $x = 0$.

c) C'est la même asymptote horizontale.

10. Les réponses varieront. Exemple :

   a) Les deux graphiques seront identiques.

   b)

   c) Puisque $\dfrac{1}{3} = 3^{-1}$, alors $\left(\dfrac{1}{3}\right)^x = (3^{-1})^x$, ce qui donne, sous sa forme simplifiée, 3^{-x}.

11. a) $\{t \in \mathbb{R} \mid t \geq 0\}$ **b)** $\{T \in \mathbb{R} \mid 0 < T \leq 2\}$

   c) 2 V   **d)** 0 V

   e) Environ 1 ms

12. Les réponses varieront. Exemple :

   a) Le nombre 0,75 est la base de la fonction exponentielle, et le 2 indique un rétrécissement horizontal de rapport $\dfrac{1}{2}$.

   b)

   c) La base de la fonction exponentielle est située entre 0 et 1, donc le nombre de rotations à la minute diminue.

   d) I) 2 250   **II)** 712

13. a) $\dfrac{1}{4}$

   b) Les réponses varieront. Exemple : Remplacer t par 0 et T par 2 pour déterminer T_0. Puis remplacer t par 0,001 et T par 1 (à partir du graphique), de même que R et C par les valeurs données, pour déterminer b.

   c)

   d) Domaine : $\{t \in \mathbb{R}\}$, image : $\{T \in \mathbb{R} \mid T > 0\}$

   e) Domaine : $\{t \in \mathbb{R} \mid t \geq 0\}$, image : $\{T \in \mathbb{R} \mid 0 < T \leq 2\}$.
Les réponses varieront. Exemple : La restriction tient au fait que le circuit ne commence à se décharger qu'à $t = 0$.

14. a) $c = \dfrac{(3V)^{\frac{1}{2}}}{5}$

   b) Les réponses varieront. Exemple : domaine : $\{V \in \mathbb{R} \mid V > 0\}$

   c) La longueur de côté de la base sera multipliée par $\sqrt{2}$.

15. a) $A_t = 2V + 2(V\pi)^{\frac{1}{2}}$

   b) $A_t \approx 4{,}77$ m^2 ; $d \approx 1{,}00$ m

c) $\{V \in \mathbb{R} \mid V > 0\}$ **d)**

16. 1, 3   **17.** A   **18.** A

3.5 Les transformations de fonctions exponentielles, pages 188 à 198

1. a) Une translation de 2 unités vers le haut

   b) Une translation de 3 unités vers la droite

   c) Une translation de 4 unités vers la gauche

   d) Une translation de 1 unité vers la droite et de 5 unités vers le bas

2. a) 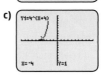   **b)**

   c) 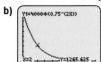   **d)**

3. a) $y = 5^x - 3$ **b)** $y = 5^{x-2}$

   c) $y = 5^{x+\frac{1}{2}}$ **d)** $y = 5^{x+2,5} + 1$

4. a) Un rétrécissement vertical de rapport $\dfrac{1}{2}$

   b) Un rétrécissement vertical de rapport $\dfrac{1}{4}$

   c) Une réflexion par rapport à l'axe des x

   d) Une réflexion par rapport à l'axe des y et un rétrécissement horizontal de rapport $\dfrac{1}{2}$

5. a) 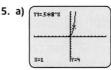   **b)**

   c)   **d)**

6. a) $y = -7^x$ **b)** $y = 3(7^x)$

   c) $y = 7^{\frac{x}{2,4}}$ **d)** $y = 7(7^{-x})$

7.

8.

9. a)

b) $T = 20$; la température de la pièce

c) Environ 28,7 minutes

10. a)

b) I) $\{x \in \mathbb{R}\}$

II) $\{y \in \mathbb{R} \mid y > -1\}$

III) $y = -1$

11. a)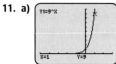

b) $y = 3^{2x}$; on comprime horizontalement le graphique de $y = 3^x$ dans un rapport de $\frac{1}{2}$.

c) $y = 81^{\frac{1}{2}x}$; on étire horizontalement le graphique de $y = 81^x$ dans un rapport de 2.

d) Les réponses varieront. Exemple : Puisque 3^{2x} et $81^{\frac{1}{2}x}$ sont toutes les deux égales à 9^x, les trois fonctions sont équivalentes.

12. Les réponses varieront. Exemple :

a) $y = 2^{3x}$, $y = 64^{\frac{1}{2}x}$

b) Puisque 2^{3x} et $64^{\frac{1}{2}x}$ sont toutes les deux égales à 8^x, les trois fonctions sont équivalentes.

13. Les réponses varieront. Exemple :

a) $y = 2^{x+1} + 4$

b) Il existe plusieurs possibilités ; de nombreuses transformations de diverses fonctions peuvent produire la fonction donnée en a).

14. Les réponses varieront. Exemple :

a) $y = 2(2^x)$ **b)** $y = 2^x + 1$, $y = 2^{x+1}$

c) Toutes les fonctions ont 2 comme base, et quand on remplace x par 0 dans chacune des équations, le résultat est $y = 2$.

15. Les réponses varieront.

16. a)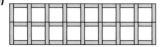

b) Les réponses varieront. Exemple : Le nombre de carrés croît exponentiellement comme une puissance de 2.

c) $c = 2^n$ **d) I)** 32   **II)** 1 024

17. a) et b)

Rang du terme (n)	Nombre de cure-dents	Premières différences	Deuxièmes différences
1	7		
		5	
2	12		5
		10	
3	22		10
		20	
4	42		

c)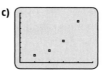

Les réponses en d) à f) varieront. Exemple :

d) La fonction qui permet d'exprimer c en fonction de n est exponentielle, puisque le rapport entre les différences finies consécutives est toujours 2.

e) $c = 5(2^{n-1}) + 2$

f) Cette fonction est le résultat d'un agrandissement vertical de rapport 5 et d'une translation de 1 unité vers la droite et de 2 unités vers le haut.

18. et 19. Les réponses varieront.

21. Les réponses varieront. Exemple :

a) 2 carrés blancs, 3 rectangles horizontaux courts, 2 rectangles verticaux courts, 2 rectangles verticaux un peu plus longs

b) Les modèles de croissance de chacun des types de pièces semblent tous exponentiels.

c) $p = 7(2^{n-1}) + 2$

d) Ce sont toutes des translations de la fonction $y = 2^n$. La fonction déterminée en c) résulte d'un agrandissement vertical de la fonction de la question 16 de rapport 5, et d'une translation de 1 unité vers la droite et de 2 unités vers le haut. La fonction déterminée en c) est le résultat d'un agrandissement vertical de rapport $\frac{7}{5}$ et d'une translation de $\frac{4}{5}$ d'unité vers le bas de la fonction de la question 17.

22. a)

Les réponses en b) à f) varieront. Exemple :

b) Ce graphique ressemble à celui d'une fonction du second degré.

c) $y = 0,006x^2 + 0,399\,8$

d)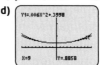

e) Les graphiques sont semblables, mais la fonction du second degré est un peu plus basse que la fonction caténaire pour le domaine représenté.

f) Cette différence augmente lorsque x augmente, positivement ou négativement.

23. 117   **24.** B   **25.** $\{y \in \mathbb{R} \mid y > -3\}$ **26.** A

3.6 Des outils et des stratégies d'application des modèles exponentiels, pages 199 à 209

1. a) D   **b)** C   **c)** A

2. Les réponses varieront.

3. Les réponses varieront. Exemple :

a) Oui ; les données semblent être exponentielles.

b) J'estime que $a = 100$ et que $b = 1,1$. J'ai déterminé ces valeurs en calculant le rapport entre les différences finies consécutives.

d) 259,37 $

e) Environ 7 ans

4. a)

Temps (intervalles d'une demi-heure)	Nombre de personnes qui viennent d'apprendre la nouvelle
0	1
1	2
2	4
3	8
4	16
5	32

Les réponses en b) à d) varieront. Exemple :

b) 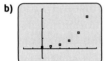 La tendance est croissante.

c) Les données semblent correspondre à une fonction exponentielle, puisque le rapport entre les premières différences consécutives est constant.

d) $P = 2^n$, où P représente le nombre de personnes qui sont au courant et n, le nombre d'intervalles d'une demi-heure.

5. Les réponses varieront. Exemple :

a) Non, puisqu'à un moment donné, tout le monde dans l'entreprise sera au courant.

b)

Au début de la période de 24 heures, seule Gina est au courant. Après chaque intervalle d'une demi-heure, deux fois plus de personnes apprennent la nouvelle, ce qui donne les points $(0, 1)$, $(1, 2)$, $(2, 4)$, $(3, 8)$, $(4, 16)$, $(5, 32)$ et $(6, 64)$. Puisque $1 + 2 + 4 + 8 + 16 + 32 + 64 = 127$, après 6 intervalles d'une demi-heure, seules $250 - 127 = 123$ personnes ne connaissent pas encore la nouvelle. Toutes ces personnes l'apprendront dans la demi-heure qui suivra, au point $(7, 123)$. À partir de ce moment, plus personne n'apprendra la nouvelle, et pour tous les autres couples, $y = 0$.

6. et 7. Les réponses varieront.

8. Les réponses varieront. Exemple :

a) 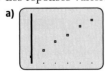 Les données semblent correspondre à une relation du premier degré.

b) Les données semblent correspondre à une relation du premier degré, puisque la valeur de y augmente toujours de 30 à 40 koalas par année. L'équation $K = 35x + 800$ correspond à

un modèle linéaire, et l'équation $K = 800(1,04^x)$ correspond à un modèle exponentiel, où x est le nombre d'années et K, le nombre de koalas.

c) Modèle du premier degré : 1 220 koalas ; modèle exponentiel : environ 1 281 koalas

d) Les réponses varieront. Exemple : modèle du premier degré : 34,3 ans ; modèle exponentiel : 23,4 ans

9. Les réponses varieront. Exemple :

a) $y = 100(1,023)^x$, où y représente l'IPC et x représente le temps, en années (2002 correspond à $x = 0$).

b) Le revenu moyen de la population canadienne croît à un rythme légèrement plus rapide que l'IPC, puisque la valeur de la base de la puissance est légèrement plus élevée.

10. Les réponses varieront.

11. Les réponses varieront. Exemple :

a) Le revenu de la population ontarienne est plus élevé que le revenu de la population canadienne.

b) La seule province qui a un revenu hebdomadaire moyen plus élevé que l'Ontario est l'Alberta. Les trois territoires ont toujours eu un revenu hebdomadaire moyen plus élevé que l'Ontario.

12. à 15. Les réponses varieront.

Révision du chapitre 3, pages 210 et 211

1. D

2. Les réponses varieront.

3. a) 1   **b)** Les réponses varieront.

4. a) $Q = 250\left(\dfrac{1}{2}\right)^t$, où t est le nombre d'années et Q, la quantité restante de substance radioactive, en milligrammes.

b) 0,244 mg   **c)** Environ 2,3 années

5. Les réponses varieront. Exemples :

a) $Q = 250(2^{-t})$

b) Puisque $b^{-x} = \dfrac{1}{b^x}$, ce qui peut être réécrit $\left(\dfrac{1}{b}\right)^x$, alors $\left(\dfrac{1}{2}\right)^t = 2^{-t}$, donc les équations sont équivalentes.

6. a) $\dfrac{1}{10}$ **b)** $\dfrac{1}{16}$ **c)** $\dfrac{2}{9}$

d) $\dfrac{126}{125}$ **e)** 5   **f)** $\dfrac{64}{27}$

7. a) $\dfrac{1}{x^3}$ **b)** $\dfrac{6}{k}$ **c)** $\dfrac{1}{w}$

d) uv^5 **e)** z^6 **f)** $\dfrac{b^2}{4a^2}$

8. a) 4   **b)** 5   **c)** -5

d) $\dfrac{1}{2}$ **e)** 9   **f)** 10 000

g) $-\dfrac{1}{64}$ **h)** $\dfrac{16}{9}$ **i)** $\dfrac{25}{9}$

9. a) $x = 2^{\frac{1}{2}} U^{\frac{1}{2}} k^{-\frac{1}{2}}$

b) $x = \sqrt{\dfrac{2U}{k}}$ **c)** 8 cm

10. a)

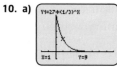

b) I) $\{x \in \mathbb{R}\}$ **II)** $\{y \in \mathbb{R} \mid y > 0\}$

III) Pas d'abscisse à l'origine ; ordonnée à l'origine : 27

IV) La fonction décroît sur tout son domaine.

V) $y = 0$

11. $y = 10(2)^{2x}$ ou $y = 10(4^x)$

12. a)

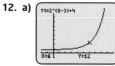

b) I) $\{x \in \mathbb{R}\}$

II) $\{y \in \mathbb{R} \mid y > 4\}$

III) $y = 4$

13. a) Un agrandissement vertical de rapport 2

b) Un rétrécissement horizontal de rapport $\frac{1}{2}$

c) Une réflexion par rapport à l'axe des x et à l'axe des y

d) Une réflexion par rapport à l'axe des y, un rétrécissement horizontal de rapport $\frac{1}{5}$ et translation de 2 unités vers la gauche

14. a)

Nombre de bonds, n	Hauteur, h (cm)	Premières différences	Deuxièmes différences
0	100		
		−24	
1	76		5
		−19	
2	57		5
		−14	
3	43		3
		−11	
4	32		3
		−8	
5	24		

Les réponses en b) à f) varieront. Exemple :

b)

Les données semblent suivre une courbe exponentielle.

c) $h = 100,74(0,75)^n$

d) I) Selon le modèle mathématique, la balle ne devrait jamais arrêter de rebondir, puisqu'elle rebondit toujours à 75 % de la hauteur du bond précédent, donc la hauteur du bond n'atteindra jamais 0.

II) Dans la situation concrète, la balle finit par cesser de rebondir.

e) La résistance de l'air et le frottement entraînent aussi une légère perte d'énergie. C'est ce qui fait que la balle cesse de rebondir à un certain moment.

Test préparatoire du chapitre 3, pages 212 et 213

1. B   **2.** C   **3.** A   **4.** A

5. a) 7   **b)** $\frac{1}{125}$ **c)** 1   **d)** 2

e) -32 **f)** $\frac{256}{81}$ **g)** $\frac{4}{3}$ **h)** $\frac{625}{16}$

6. a) $\frac{1}{x^3}$ **b)** $\frac{1}{p^5}$ **c)** $\frac{1}{2k^4}$

d) $a^{\frac{7}{6}}$ **e)** $\frac{1}{y^4}$ **f)** $\frac{v^6}{u}$

7. Les réponses varieront, mais doivent être présentées sous la forme $y = a(2^x)$ pour certaines valeurs de a.

8. a) C   **b)** A   **c)** D   **d)** B

9. a)

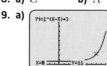

b) I) $\{x \in \mathbb{R}\}$

II) $\{y \in \mathbb{R} \mid y > 3\}$

III) $y = 3$

10. a) Un rétrécissement vertical de rapport $\frac{1}{3}$

b) Un rétrécissement horizontal de rapport $\frac{1}{3}$

c) Une réflexion par rapport à l'axe des y et une réflexion par rapport à l'axe des x

d) Une réflexion par rapport à l'axe des y, un rétrécissement horizontal de rapport $\frac{1}{3}$, une translation de 2 unités vers la gauche

11. Les réponses varieront. Exemple :

a) $Q = 80\left(\frac{1}{2}\right)^{\frac{t}{2,5}}$, Q étant la masse restante, en milligrammes, après t jours.

b)

La fonction est une fonction exponentielle décroissante : lorsque t croît, la valeur de Q diminue.

c) $\{t \in \mathbb{R} \mid t \geq 0\}$ **d) I)** Environ 5 mg

II) Environ 1,25 mg

e) Environ 10,8 jours

12. a)

b) I) $\{x \in \mathbb{R}\}$

II) $\{y \in \mathbb{R} \mid y < -1\}$

III) $y = -1$

13. 30 m

14. Les réponses varieront. Exemple :

a)

Oui ; les données semblent être de nature exponentielle puisque y n'augmente pas selon une relation du premier degré.

b) $P = 1\,987,6(1,080\,5)^x$ **c)** $\{t \in \mathbb{R} \mid t \geq 0\}$

d) Environ 3 417

e) Environ 9 ans, si on présume que la population croît au même rythme

Révision des chapitres 1 à 3, pages 214 à 217

1. a) Domaine $\{x \in \mathbb{R} \mid -4 \leq x \leq 4\}$, image $\{y \in \mathbb{R} \mid -3 \leq y \leq 3\}$; ce n'est pas une fonction, car on peut tracer une droite verticale qui coupe le graphique de la relation en plus d'un point.

b) Domaine $\{-2, -1, 0, 1, 2\}$, image $\{1, 4, 9, 16, 25\}$; c'est une fonction car à chaque valeur du domaine est associée une et une seule valeur de l'image.

c) Domaine $\{x \in \mathbb{R}\}$, image $\{y \in \mathbb{R} \mid y \geq -4\}$; c'est une fonction car toute droite verticale coupe le graphique de la relation en un point exactement.

2. a) $f: x \to \sqrt{1 - 3x}$; $f(-1) = 2$

b) $f: x \to \dfrac{2x + 1}{x^2 - 4}$; $f(-1) = \dfrac{1}{3}$

3. a) Domaine $\{i \in \mathbb{R} \mid i \geq 0\}$,
image $\{C \in \mathbb{R} \mid 0 \leq C \leq 1\,500\}$

b)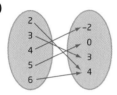

c) Environ 1 456,31 $

d) 50 %

4. a)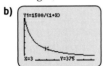

b) Puisqu'à chaque valeur du domaine est associée une et une seule valeur de l'image, c'est une fonction.

5. 333,3 m sur 500 m

6. a) 17,50 $ **b)** 9 187,50 $

7. a) $x = \dfrac{2 \pm \sqrt{10}}{2}$ **b)** $x = \dfrac{6 \pm 2\sqrt{6}}{3}$

8. a) 2   **b)** 2   **c)** 2

9. La longueur est d'environ 8,81 m et la largeur est d'environ 2,27 m.

10. a) $f(x) = \dfrac{1}{3}x^2 - \dfrac{1}{3}x - 4$ **b)** $f(x) = 2x^2 - 8x + 2$

11. a) [graphique]   **b)** $f(x) = 9 - x^2$

     c) 9 m

12. a) $\left(\dfrac{5 + \sqrt{33}}{4}, \dfrac{15 + \sqrt{33}}{2} \right), \left(\dfrac{5 - \sqrt{33}}{4}, \dfrac{15 - \sqrt{33}}{2} \right)$

b) $\left(\dfrac{17 + \sqrt{321}}{4}, \dfrac{-9 - \sqrt{321}}{8} \right),$

$\left(\dfrac{17 - \sqrt{321}}{4}, \dfrac{-9 + \sqrt{321}}{8} \right)$

13. $k = 5$

14. a) Oui   **b)** Non

15. a)

A'(0, 4), B'(1, 5), C'(4, 6), D'(9, 7), E'(16, 8)

b)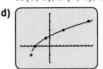

A'(2, 0), B'(3, 1), C'(6, 2), D'(11, 3), E'(18, 4)

c) [graphique]

A'(6, 3), B'(7, 4), C'(10, 5), D'(15, 6), E'(22, 7)

d) [graphique]

A'(−5, −1), B'(−4, 0), C'(−1, 1), D'(4, 2), E'(11, 3)

16. a) [graphique]   Domaine $\{x \in \mathbb{R}\}$, image $\{y \in \mathbb{R} \mid y \geq -4\}$

b) [graphique]   Domaine $\{x \in \mathbb{R}\}$, image $\{y \in \mathbb{R} \mid y \leq 4\}$

c) [graphique]   Domaine $\{x \in \mathbb{R}\}$, image $\{y \in \mathbb{R} \mid y \leq 4\}$

17. a) **I)** $f(x) = x^2$

    II) $g(x) = f(x + 2) - 1$; translation de 2 unités vers la gauche et de 1 unité vers le bas

    III)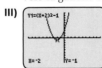

    IV) $f(x)$: domaine $\{x \in \mathbb{R}\}$, image $\{y \in \mathbb{R} \mid y \geq 0\}$; $g(x)$: domaine $\{x \in \mathbb{R}\}$, image $\{y \in \mathbb{R} \mid y \geq -1\}$

b) **I)** $f(x) = \sqrt{x}$

    II) $g(x) = f(x + 3) - 4$; translation de 3 unités vers la gauche et de 4 unités vers le bas

    III)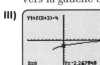

IV) $f(x)$: domaine $\{x \in \mathbb{R} \mid x \geq 0\}$,
image $\{y \in \mathbb{R} \mid y \geq 0\}$;
$g(x)$: domaine $\{x \in \mathbb{R} \mid x \geq -3\}$,
image $\{y \in \mathbb{R} \mid y \geq -4\}$

c) I) $f(x) = \dfrac{1}{x}$

II) $g(x) = f(x - 4) + 6$; translation de 4 unités
vers la droite et de 6 unités vers le haut

III)

IV) $f(x)$: domaine $\{x \in \mathbb{R} \mid x \neq 0\}$,
image $\{y \in \mathbb{R} \mid y \neq 0\}$;
$g(x)$: domaine $\{x \in \mathbb{R} \mid x \neq 4\}$,
image $\{y \in \mathbb{R} \mid y \neq 6\}$

d) I) $f(x) = x^2$

II) $g(x) = f(x - 7) + 3$; translation de 7 unités
vers la droite et de 3 unités vers le haut

III)

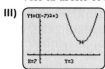

IV) $f(x)$: domaine $\{x \in \mathbb{R}\}$, image $\{y \in \mathbb{R} \mid y \geq 0\}$;
$g(x)$: domaine $\{x \in \mathbb{R}\}$, image $\{y \in \mathbb{R} \mid y \geq 3\}$

18. a) $t = \dfrac{20}{v + 1{,}5}$ **b)** $t = \dfrac{20}{v}$

c)

d) Le temps de Simon serait d'environ
48 min

19. a) I) $g(x) = -2x^2 + 7x - 3$ **II)** $h(x) = 2x^2 + 7x + 3$

b) I) $g(x) = -\sqrt{x} + 3$ **II)** $h(x) = \sqrt{-x} - 3$

c) I) $g(x) = -\dfrac{1}{x + 2}$ **II)** $h(x) = -\dfrac{1}{x - 2}$

20. a) $a = 2$; $g(x) = 2x^2$;
domaine $\{x \in \mathbb{R}\}$,
image $\{y \in \mathbb{R} \mid y \geq 0\}$

b) $k = 3$; $g(x) = (3x)^2$
ou $g(x) = 9x^2$;
domaine $\{x \in \mathbb{R}\}$,
image $\{y \in \mathbb{R} \mid y \geq 0\}$

c) $k = \dfrac{1}{4}$; $g(x) = \left(\dfrac{x}{4}\right)^2$
ou $g(x) = \dfrac{1}{16}x^2$;
domaine $\{x \in \mathbb{R}\}$,
image $\{y \in \mathbb{R} \mid y \geq 0\}$

d) $a = \dfrac{1}{3}$; $g(x) = \dfrac{1}{3}x^2$;
domaine $\{x \in \mathbb{R}\}$,
image $\{y \in \mathbb{R} \mid y \geq 0\}$

21. a) Fonction de base $f(x) = x$;
élongation (agrandissement)
verticale de rapport 7

b) Fonction de base $f(x) = \dfrac{1}{x}$;
compression (rétrécissement)
horizontale de rapport $\dfrac{1}{5}$

c) Fonction de base $f(x) = x^2$;
compression (rétrécissement)
horizontale de rapport $\dfrac{1}{3}$

d) Fonction de base $f(x) = \sqrt{x}$;
compression (rétrécissement)
horizontale de rapport $\dfrac{1}{6}$

22. Les réponses varieront. Exemple:

a) Un agrandissement vertical de rapport 4, une
translation horizontale de 3 unités vers la gauche

b) Une réflexion par rapport à l'axe des x,
un rétrécissement horizontal de rapport $\dfrac{1}{5}$, une
translation verticale de 2 unités vers le bas

c) Une réflexion par rapport à l'axe des x,
un agrandissement vertical de rapport 3,
un rétrécissement horizontal de rapport $\dfrac{1}{2}$,
une translation de $\dfrac{9}{2}$ unités vers la gauche et
de 4 unités vers le bas

23. a) I) $f^{-1}(x) = \dfrac{x + 3}{11}$

    II) 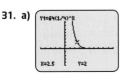   **III)** Fonction

b) I) $f^{-1}(x) = \pm\sqrt{\dfrac{x - 4}{3}}$

    II)   **III)** Pas une fonction

c) I) $f^{-1}(x) = \pm\sqrt{x - 19} - 8$

    II)   **III)** Pas une fonction

d) I) $f^{-1}(x) = \pm\sqrt{\dfrac{1}{2}\left(x - \dfrac{103}{8}\right)} + \dfrac{3}{4}$

    II)   **III)** Pas une fonction

24. a) $R(x) = 450 + 0{,}06v$ **b)** $R^{-1}(v) = \dfrac{v - 450}{0{,}06}$

    c) La réciproque représente le total des ventes d'Issa en fonction de son revenu hebdomadaire total.

    d) 9 500 $

25. a) $y = 3^x$ **b)** $y = x^2$

    c) $y = \left(\dfrac{1}{3}\right)^x$ **d)** $y = 3x$

26. C

27. a) $Q(t) = 200\left(\dfrac{1}{2}\right)^{\frac{t}{3}}$ **b)** Environ 19,8 mg

    c) Environ 10 ans

    d) $Q(t) = 200(2)^{-\frac{t}{3}}$

    e) Puisque $b^{-x} = \dfrac{1}{b^x}$, qui peut être réécrit sous la forme $\left(\dfrac{1}{b}\right)^x$, alors $\left(\dfrac{1}{2}\right)^{\frac{t}{3}} = 2^{-\frac{t}{3}}$.

28. a) $\dfrac{1}{9}$ **b)** $\dfrac{1}{25}$ **c)** $\dfrac{1}{8}$

    d) $\dfrac{28}{27}$ **e)** 25   **f)** $\dfrac{243}{32}$

29. a) $\dfrac{1}{x^5}$ **b)** $\dfrac{1}{2n^5m^8}$ **c)** a

    d) $\dfrac{b}{mn^4}$ **e)** s^{20} **f)** $\dfrac{b^6}{9a^2}$

30. a) 3   **b)** -10 **c)** -2

    d) 7   **e)** $\dfrac{5}{6}$ **f)** 27

    g) 16   **h)** $-\dfrac{1}{625}$ **i)** $\dfrac{243}{32}$

31. a)

b) I) $\{x \in \mathbb{R}\}$ **II)** $\{y \in \mathbb{R} \mid y > 0\}$

    III) Pas d'abscisse à l'origine ; ordonnée à l'origine : 64

    IV) La fonction est décroissante pour toutes les valeurs de x.

    V) $y = 0$

    c) $y = 64(4)^{-x}$; puisque $b^{-x} = \dfrac{1}{b^x}$, qui peut être réécrit sous la forme $\left(\dfrac{1}{b}\right)^x$, alors $\left(\dfrac{1}{4}\right)^x = 4^{-x}$.

32. a)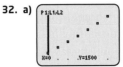

    Oui ; c'est une courbe exponentielle qui décrit le mieux les données.

    b) $y = 1\,500(1{,}05)^x$

    c) $\{x \in \mathbb{R} \mid x \geq 0\}$

    d) Environ 2 327, si la population augmente au même rythme

    e) Environ 14,2 ans, si la population augmente au même rythme

33. a) $M(t) = 100\left(\dfrac{1}{2}\right)^{\frac{t}{1{,}5}}$

    b)   La courbe décroît de façon exponentielle.

    c) $\{t \in \mathbb{R} \mid t \geq 0\}$

    d) I) Environ 2,48 mg

        II) Environ 0,16 mg

    e) Environ 7,6 jours

Chapitre 4

Connaissances préalables, pages 220 et 221

1. a) Scalène, rectangle   **b)** Isocèle

    c) Équilatéral   **d)** Isocèle, rectangle

2. a) $60°$ **b)** $70°$, $70°$

    c) $60°$, $60°$, $60°$ **d)** $45°$, $45°$

3. a) 17 m   **b)** 8,5 cm

4. a) 8 cm   **b)** 3,6 m

5. a) $\sin A = \dfrac{3}{5}$, $\cos A = \dfrac{4}{5}$, $\tan A = \dfrac{3}{4}$, $\sin C = \dfrac{4}{5}$,

    $\cos C = \dfrac{3}{5}$, $\tan C = \dfrac{4}{3}$

    b) $\sin A = \dfrac{12}{13}$, $\cos A = \dfrac{5}{13}$, $\tan A = \dfrac{12}{5}$, $\sin C = \dfrac{5}{13}$,

    $\cos C = \dfrac{12}{13}$, $\tan C = \dfrac{5}{12}$

6. a) $\sin 30° = 0{,}5$, $\cos 30° = 0{,}866\ 0$,
$\tan 30° = 0{,}577\ 4$

b) $\sin 45° = 0{,}707\ 1$, $\cos 45° = 0{,}707\ 1$, $\tan 45° = 1$

c) $\sin 60° = 0{,}866\ 0$, $\cos 60° = 0{,}5$,
$\tan 60° = 1{,}732\ 1$

7. a) 32°   **b)** 41°   **c)** 30°

8. a)

Les réponses varieront.
Exemple : La tangente,
parce que le côté opposé
est donné et que c'est
le côté adjacent qui
est demandé.

b) 6,7 cm   **c)** 40°

9. Les réponses varieront. Exemple :

a)

b) Oui

c) À l'aide du sinus, j'obtiens un angle sécuritaire de 75°.

10. 16,4 m   **11.** 10,4 m

12. a) Les réponses varieront. Exemple : La loi du cosinus, parce que je connais deux côtés et l'angle formé par eux.

b) 14 m   **c)** 82°

13. Les réponses varieront. Exemple : La somme des deux angles donnés est de 90°, donc le troisième angle mesure 90°. Je peux déterminer c, qui mesure à peu près 21,4 cm, à l'aide des rapports trigonométriques de base.

4.1 Les angles remarquables, pages 222 à 231

1. Les réponses varieront. Exemple : Toutes les valeurs exactes sont identiques à celles données par une calculatrice, ou s'avèrent identiques lorsque la valeur exacte est calculée avec un LCF.

2. Dans tous les cas, les valeurs exactes sont identiques à celles données par une calculatrice.

3. a)

$\sin 30° = \dfrac{1}{2}$, $\cos 30° = \dfrac{\sqrt{3}}{2}$,
$\tan 30° = \dfrac{1}{\sqrt{3}}$

b)

$\sin 60° = \dfrac{\sqrt{3}}{2}$, $\cos 60° = \dfrac{1}{2}$,
$\tan 60° = \sqrt{3}$

4.

θ	sin θ Exacte	sin θ Calculatrice	cos θ Exacte	cos θ Calculatrice	tan θ Exacte	tan θ Calculatrice
0°	0	0	1	1	0	0
30°	$\dfrac{1}{2}$	0,5	$\dfrac{\sqrt{3}}{2}$	0,866 0	$\dfrac{1}{\sqrt{3}}$	0,577 4
45°	$\dfrac{1}{\sqrt{2}}$	0,707 1	$\dfrac{1}{\sqrt{2}}$	0,707 1	1	1
60°	$\dfrac{\sqrt{3}}{2}$	0,866 0	$\dfrac{1}{2}$	0,5	$\sqrt{3}$	1,732 1
90°	1	1	0	0	non définie	erreur

5. a) 60°

b) $\sin 120° = \dfrac{\sqrt{3}}{2}$, $\cos 120° = -\dfrac{1}{2}$,
$\tan 120° = -\sqrt{3}$

6.

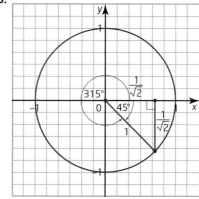

$\sin 315° = -\dfrac{1}{\sqrt{2}}$, $\cos 315° = \dfrac{1}{\sqrt{2}}$,
$\tan 315° = -1$

7.

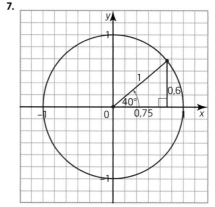

sin 40° Schéma	sin 40° Calculatrice	cos 40° Schéma	cos 40° Calculatrice	tan 40° Schéma	tan 40° Calculatrice
0,6	0,642 8	0,75	0,766 0	0,8	0,839 1

8.

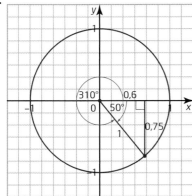

	sin 310°		cos 310°		tan 310°
Schéma	**Calculatrice**	**Schéma**	**Calculatrice**	**Schéma**	**Calculatrice**
0,75	−0,766 0	0,6	0,642 8	−1,25	−1,191 8

9.

θ	sin θ	cos θ	tan θ
0°	0	1	0
90°	1	0	non définie
180°	0	−1	0
270°	−1	0	non définie
360°	0	1	0

10. Quadrant I: sin θ, cos θ et tan θ; quadrant II: sin θ; quadrant III: tan θ; quadrant IV: cos θ

11. a)   **b)** 5 m

10 m

60°

ombre

12. a) $12\sqrt{2}$ km

b) Les réponses varieront. Exemple: À l'aide du théorème de Pythagore, on obtient $12\sqrt{2}$ km.

13. a)

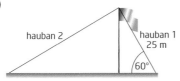

hauban 2   hauban 1 25 m

60°

b) 43,3 m

c) Les réponses varieront. Exemple: Il n'est pas nécessaire de connaître l'angle que forme le deuxième hauban avec le sol, car on peut déterminer la longueur des haubans à l'aide de triangles semblables ou du théorème de Pythagore.

d) 30°

14. a)

θ	sin θ	Quadrant	Signe
30°	0,5	I	+
150°	0,5	II	+
210°	−0,5	III	−
330°	−0,5	IV	−

b) Oui

c) I) 30°   **II)** −30°

d)

θ	cos θ	Quadrant	Signe
60°	0,5	I	+
120°	−0,5	II	−
240°	−0,5	III	−
300°	0,5	IV	+

e) Les réponses varieront. Exemple:

θ	tan θ	Quadrant	Signe
45°	1	I	+
135°	−1	II	−
225°	1	III	+
315°	−1	IV	−

15. Les réponses varieront.

16. 30°, 30 m

17. 40 m

19.–21. Les réponses varieront.

22. B   **23.** A   **24.** C

4.2 Les angles co-terminaux et les angles associés, pages 232 à 240

1. a) $\sin \theta = \dfrac{12}{13}$, $\cos \theta = \dfrac{5}{13}$, $\tan \theta = \dfrac{12}{5}$

b) $\sin \theta = \dfrac{4}{5}$, $\cos \theta = -\dfrac{3}{5}$, $\tan \theta = -\dfrac{4}{3}$

c) $\sin \theta = -\dfrac{4}{5}$, $\cos \theta = -\dfrac{3}{5}$, $\tan \theta = \dfrac{4}{3}$

d) $\sin \theta = \dfrac{5}{\sqrt{29}}$, $\cos \theta = \dfrac{2}{\sqrt{29}}$, $\tan \theta = \dfrac{5}{2}$

e) $\sin \theta = -\dfrac{3}{\sqrt{10}}$, $\cos \theta = -\dfrac{1}{\sqrt{10}}$, $\tan \theta = 3$

2. a) $\sin \theta = \dfrac{3}{5}$, $\cos \theta = -\dfrac{4}{5}$, $\tan \theta = -\dfrac{3}{4}$

b) $\sin \theta = -\dfrac{4}{5}$, $\cos \theta = \dfrac{3}{5}$, $\tan \theta = -\dfrac{4}{3}$

c) $\sin \theta = -\dfrac{8}{17}$, $\cos \theta = -\dfrac{15}{17}$, $\tan \theta = \dfrac{8}{15}$

d) $\sin \theta = -\dfrac{5}{\sqrt{34}}$, $\cos \theta = \dfrac{3}{\sqrt{34}}$, $\tan \theta = -\dfrac{5}{3}$

e) $\sin \theta = \dfrac{2}{\sqrt{5}}$, $\cos \theta = \dfrac{1}{\sqrt{5}}$, $\tan \theta = 2$

f) $\sin \theta = -\dfrac{1}{\sqrt{10}}$, $\cos \theta = \dfrac{3}{\sqrt{10}}$, $\tan \theta = -\dfrac{1}{3}$

3. a) $\cos A = \dfrac{15}{17}$, $\tan A = \dfrac{8}{15}$

b) $\sin B = -\dfrac{4}{5}$, $\tan B = -\dfrac{4}{3}$

c) $\sin C = \dfrac{5}{13}$, $\cos C = -\dfrac{12}{13}$

d) $\cos D = -\dfrac{\sqrt{5}}{3}$, $\tan D = \dfrac{2}{\sqrt{5}}$

e) $\sin E = \dfrac{\sqrt{11}}{6}$, $\tan E = -\dfrac{\sqrt{11}}{5}$

f) $\sin F = \dfrac{12}{\sqrt{193}}$, $\cos F = \dfrac{7}{\sqrt{193}}$

4. Les réponses varieront. Exemple :
    a) $315°$ **b)** $30°$ **c)** $660°$ **d)** $80°$ **e)** $590°$ **f)** $170°$

5. Les réponses varieront. Exemple :
    a) $480°, 840°, 1\,200°$ **b)** $-30°, -390°, -750°$

6. a) $\sin A = -\dfrac{1}{\sqrt{2}}$, $\cos A = \dfrac{1}{\sqrt{2}}$, $\tan A = -1$

    b) $\sin B = -\dfrac{\sqrt{3}}{2}$, $\cos B = -\dfrac{1}{2}$, $\tan B = \sqrt{3}$

    c) $\sin C = 0$, $\cos C = -1$, $\tan C = 0$

    d) $\sin D = \dfrac{1}{\sqrt{2}}$, $\cos D = \dfrac{1}{\sqrt{2}}$, $\tan D = 1$

    e) $\sin E = \dfrac{\sqrt{3}}{2}$, $\cos E = \dfrac{1}{2}$, $\tan E = \sqrt{3}$

    f) $\sin F = 1$, $\cos F = 0$, $\tan F$ est non définie

7. $150°, 210°$

8. $135°, 315°$

9. $45°, 315°$

10. $90°, 270°$

11. a) $\sin A = \dfrac{9}{\sqrt{97}}$, $\cos A = -\dfrac{4}{\sqrt{97}}$, $\tan A = -\dfrac{9}{4}$;

    $\sin B = \dfrac{9}{\sqrt{97}}$, $\cos B = \dfrac{4}{\sqrt{97}}$, $\tan B = \dfrac{9}{4}$

b)

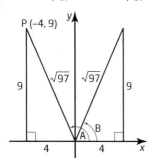

$\angle A = 114°$, $\angle B = 66°$

12. a) $\sin E = -\dfrac{5}{\sqrt{34}}$, $\cos E = -\dfrac{3}{\sqrt{34}}$, $\tan E = \dfrac{5}{3}$;

    $\sin F = \dfrac{5}{\sqrt{34}}$, $\cos F = \dfrac{3}{\sqrt{34}}$, $\tan F = \dfrac{5}{3}$

b)

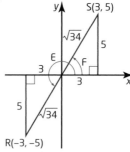

$\angle E = 239°$, $\angle F = 59°$

13. Les réponses varieront.

14. a) $\sqrt{p^2 + q^2}$

    b) $\sin \theta = \dfrac{q}{\sqrt{p^2 + q^2}}$, $\cos \theta = \dfrac{p}{\sqrt{p^2 + q^2}}$, $\tan \theta = \dfrac{q}{p}$

    c)

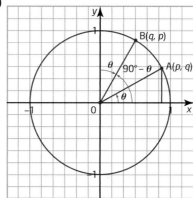

    d) $\sin (90° - \theta) = \dfrac{p}{\sqrt{p^2 + q^2}}$,

      $\cos (90° - \theta) = \dfrac{q}{\sqrt{p^2 + q^2}}$,

      $\tan (90° - \theta) = \dfrac{p}{q}$

    e) Le sinus et le cosinus sont inversés, et les tangentes sont l'inverse l'une de l'autre.

15. $90°$, 40 m

17. $\sqrt{3}\,c$

18. $\sqrt{2 + \sqrt{2}}\,c$

19. Les réponses varieront.

20. A   **21.** C   **22.** C

4.3 Les rapports trigonométriques inverses, pages 243 à 248

    1. a) $\sin 20° = 0{,}342$, $\cos 20° = 0{,}940$,
        $\tan 20° = 0{,}364$, $\operatorname{cosec} 20° = 2{,}924$,
        $\sec 20° = 1{,}064$, $\operatorname{cotan} 20° = 2{,}747$

b) $\sin 42° = 0{,}669$, $\cos 42° = 0{,}743$,
$\tan 42° = 0{,}900$, $\operatorname{cosec} 42° = 1{,}494$,
$\sec 42° = 1{,}346$, $\operatorname{cotan} 42° = 1{,}111$

c) $\sin 75° = 0{,}966$, $\cos 75° = 0{,}259$,
$\tan 75° = 3{,}732$, $\operatorname{cosec} 75° = 1{,}035$,
$\sec 75° = 3{,}864$, $\operatorname{cotan} 75° = 0{,}268$

d) $\sin 88° = 0{,}999$, $\cos 88° = 0{,}035$,
$\tan 88° = 28{,}636$, $\operatorname{cosec} 88° = 1{,}001$,
$\sec 88° = 28{,}654$, $\operatorname{cotan} 88° = 0{,}035$

e) $\sin 153° = 0{,}454$, $\cos 153° = -0{,}891$,
$\tan 153° = -0{,}510$, $\operatorname{cosec} 153° = 2{,}203$,
$\sec 153° = -1{,}122$, $\operatorname{cotan}\ 153° = -1{,}963$

f) $\sin 289° = -0{,}946$, $\cos 289° = 0{,}326$,
$\tan 289° = -2{,}904$, $\operatorname{cosec} 289° = -1{,}058$,
$\sec 289° = 3{,}072$, $\operatorname{cotan} 289° = -0{,}344$

2. $\sin 315° = -\dfrac{1}{\sqrt{2}}$, $\cos 315° = \dfrac{1}{\sqrt{2}}$, $\tan 315° = -1$,

$\operatorname{cosec} 315° = -\sqrt{2}$, $\sec 315° = \sqrt{2}$,
$\operatorname{cotan} 315° = -1$

3. $\sin 120° = \dfrac{\sqrt{3}}{2}$, $\cos 120° = -\dfrac{1}{2}$, $\tan 120° = -\sqrt{3}$,

$\operatorname{cosec} 120° = \dfrac{2}{\sqrt{3}}$, $\sec 120° = -2$,

$\operatorname{cotan} 120° = -\dfrac{1}{\sqrt{3}}$

4. $\sin 270° = -1$, $\cos 270° = 0$, $\tan 270°$ est non définie, $\operatorname{cosec} 270° = -1$, $\sec 270°$ est non définie, $\operatorname{cotan} 270° = 0$

5. a) $42°$ **b)** $53°$ **c)** $67°$
d) $63°$ **e)** $41°$ **f)** $53°$

g) L'angle n'existe pas, car la cosécante est positive dans le quadrant I.

h) L'angle n'existe pas, car l'inverse d'une sécante de $\dfrac{2}{5}$ serait un cosinus de $\dfrac{5}{2}$, ce qui est supérieur à 1 (valeur maximale du cosinus).

6. $135°$, $225°$

7. $135°$, $315°$

8. a) $\sin \theta = \dfrac{12}{13}$, $\cos \theta = -\dfrac{5}{13}$, $\tan \theta = -\dfrac{12}{5}$,

$\operatorname{cosec} \theta = \dfrac{13}{12}$, $\sec \theta = -\dfrac{13}{5}$, $\operatorname{cotan} \theta = -\dfrac{5}{12}$

b) $\sin \theta = -\dfrac{3}{5}$, $\cos \theta = -\dfrac{4}{5}$, $\tan \theta = \dfrac{3}{4}$,

$\operatorname{cosec} \theta = -\dfrac{5}{3}$, $\sec \theta = -\dfrac{5}{4}$, $\operatorname{cotan} \theta = \dfrac{4}{3}$

c) $\sin \theta = \dfrac{15}{17}$, $\cos \theta = -\dfrac{8}{17}$, $\tan \theta = -\dfrac{15}{8}$,

$\operatorname{cosec} \theta = \dfrac{17}{15}$, $\sec \theta = -\dfrac{17}{8}$, $\operatorname{cotan} \theta = -\dfrac{15}{8}$

d) $\sin \theta = -\dfrac{7}{25}$, $\cos \theta = \dfrac{24}{25}$, $\tan \theta = -\dfrac{7}{24}$,

$\operatorname{cosec} \theta = -\dfrac{25}{7}$, $\sec \theta = \dfrac{25}{24}$, $\operatorname{cotan} \theta = -\dfrac{24}{7}$

e) $\sin \theta = \dfrac{40}{41}$, $\cos \theta = \dfrac{9}{41}$, $\tan \theta = \dfrac{40}{9}$,

$\operatorname{cosec} \theta = \dfrac{41}{40}$, $\sec \theta = \dfrac{41}{9}$, $\operatorname{cotan} \theta = \dfrac{9}{40}$

f) $\sin \theta = -\dfrac{3}{\sqrt{13}}$, $\cos \theta = -\dfrac{2}{\sqrt{13}}$, $\tan \theta = \dfrac{3}{2}$,

$\operatorname{cosec} \theta = -\dfrac{\sqrt{13}}{3}$, $\sec \theta = -\dfrac{\sqrt{13}}{2}$, $\operatorname{cotan} \theta = \dfrac{2}{3}$

g) $\sin \theta = -\dfrac{3}{\sqrt{34}}$, $\cos \theta = \dfrac{5}{\sqrt{34}}$, $\tan \theta = -\dfrac{3}{5}$,

$\operatorname{cosec} \theta = -\dfrac{\sqrt{34}}{3}$, $\sec \theta = \dfrac{\sqrt{34}}{5}$, $\operatorname{cotan} \theta = -\dfrac{5}{3}$

h) $\sin \theta = \dfrac{7}{\sqrt{53}}$, $\cos \theta = -\dfrac{2}{\sqrt{53}}$, $\tan \theta = -\dfrac{7}{2}$,

$\operatorname{cosec} \theta = \dfrac{\sqrt{53}}{7}$, $\sec \theta = -\dfrac{\sqrt{53}}{2}$, $\operatorname{cotan} \theta = -\dfrac{2}{7}$

9. $\sin P = \dfrac{15}{17}$, $\cos P = \dfrac{8}{17}$, $\tan P = \dfrac{15}{8}$;

$\operatorname{cosec} P = \dfrac{17}{15}$, $\sec P = \dfrac{17}{8}$, $\operatorname{cotan} P = \dfrac{15}{8}$

10. $12°$, $168°$

11. $102°$, $258°$

12. $162°$, $342°$

13. $124°$

14. Les réponses varieront.

15. $90°$, 60 m

17. Les réponses varieront.

18. $\sin B = \dfrac{d}{\sqrt{c^2 + d^2}}$, $\cos B = -\dfrac{c}{\sqrt{c^2 + d^2}}$,

$\tan B = -\dfrac{d}{c}$, $c \neq 0$, $\operatorname{cosec} B = \dfrac{\sqrt{c^2 + d^2}}{d}$, $d \neq 0$,

$\sec B = -\dfrac{\sqrt{c^2 + d^2}}{c}$, $c \neq 0$

19. $\sin A = -\dfrac{2\sqrt{t}}{t + 1}$, où $t \geq 0$

20. a) 14 **b)** 23 **c)** 300 m²

d) Les réponses varieront. Exemple : Comme les places en dents de scie occuperaient plus de 3 m de largeur, une grande partie de la rue serait occupée par le stationnement.

e) 707 m², ce qui correspond à la prédiction faite en d), pour les raisons données.

21. a)

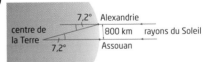

Les réponses varieront. Exemple : On présume que les rayons du Soleil sont parallèles lorsqu'ils atteignent la Terre, ce qui est plausible étant donné la distance entre la Terre et le Soleil. On présume aussi que la distance de 800 km entre les deux villes est linéaire plutôt que courbe, ce qui est aussi valable puisque cette distance est courte relativement aux dimensions de la Terre.

b) $6\ 370$ km **c)** $6\ 378$ km **d)** $24°$ nord

22. $\sqrt{22}$ **23.** 58 **24.** 65 km

4.4 Les problèmes en deux dimensions, pages 249 à 258

1. a) Puisqu'il s'agit d'un triangle rectangle, les rapports trigonométriques de base sont les relations les plus appropriées.

b) Puisqu'on connaît deux angles et un côté, la relation la plus appropriée est la loi des sinus.

c) Puisqu'on connaît deux angles et un côté, la relation la plus appropriée est la loi des sinus.

d) Puisqu'on connaît deux côtés et l'angle formé par ceux-ci, la relation la plus appropriée est la loi du cosinus.

2. a) 6,3 cm   **b)** 5,2 m   **c)** 10,6 cm   **d)** 16,8 km

3. 53°

4. Les réponses varieront. Exemple : Le golfeur doit frapper la balle à au moins 67 m pour lui faire franchir l'obstacle. Puisqu'il ne peut la frapper qu'à 60 m, il devrait contourner l'obstacle.

5. a) 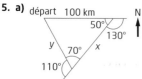   **b)** 274 km

6. a)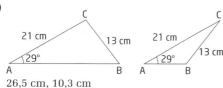
26,5 cm, 10,3 cm

b)

18,3 m. Les explications varieront. Exemple : Le deuxième schéma ne peut pas être résolu parce que la somme de l'angle donné et de la valeur calculée du deuxième angle (un angle obtus) est supérieure à 180°.

7. $20\sqrt{181 + 90\sqrt{2}}$ m

8. $50(\sqrt{3} - 1)$ m

9. 32,2°

10. 38 m

11. a) 42 km   **b)** 22,7° à l'ouest du sud

12. $25(\sqrt{2} - 1)$ m

13. Les réponses varieront.

14. a) Les réponses varieront. Exemple : Puisque l'angle donné n'est pas formé par les côtés donnés, il existe deux triangles possibles.

b)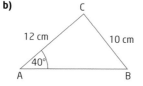

c) 15,6 cm, 2,8 cm ; les deux solutions sont justes.

d) Les réponses varieront. Exemple : Il n'existe qu'une solution valable ; il est impossible de dessiner le deuxième triangle.

e) 18,4 cm

15. a) Les réponses varieront. Exemple : Il n'existe pas de solution ; le côté de 7 cm n'est pas assez long pour former un triangle.

b) 7,713 5 cm

16. Les réponses varieront.

17. 55°, 50 m

18. 74 min

19. a) 23,5° est l'angle d'inclinaison de l'axe de rotation de la Terre.

b)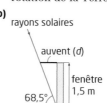

c) 0,59 m   **d)** 1,27 m

20. a)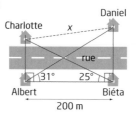

b) Les réponses varieront. Exemple : On peut déterminer la distance entre la maison d'Albert et celle de Charlotte, ainsi qu'entre la maison de Biéta et celle de Daniel à l'aide des rapports trigonométriques de base. La différence entre ces deux mesures représente la longueur d'une des cathètes d'un triangle rectangle, dont l'autre cathète mesure 200 m. Le théorème de Pythagore permet de déterminer l'hypoténuse, qui représente la distance demandée.

c) 202 m

22. Les réponses varieront.

23. 3,8°

24. a)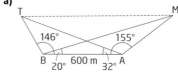

b) Les réponses varieront. Exemple : Déterminer la mesure des angles manquants du triangle à partir des angles connus. Appliquer la loi des sinus à chaque triangle pour déterminer les côtés manquants, puis la loi du cosinus pour déterminer la distance entre T et M.

c) 11 074 m

25. a) À 10 h 14 et 13 h 46

b) Les réponses varieront. Exemple: L'ombre peut se trouver d'un côté ou de l'autre du mât, ce qui signifie qu'à un même nombre d'heures et de minutes avant et après midi, l'ombre aura la longueur demandée.

26. Les réponses varieront.

27. B

28. 7 min 45 s

29. B

4.5 Les problèmes en trois dimensions, pages 261 à 269

1. 38°

2. a) $\sqrt{3} + 1$ m

b) $2 + 2\sqrt{3}$ m

c) $4\sqrt{2 + \sqrt{3}}$ m

3. 47,8°

4. a)

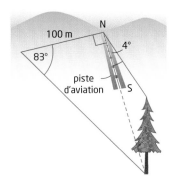

b) Les réponses varieront. Exemple: Je calculerai la distance entre le début de la piste et le pied de l'arbre (814,4 m) à l'aide de la tangente.

c) 57 m

d) La vitesse d'ascension lui permettra d'éviter les arbres, mais il ne s'agit pas d'un décollage sécuritaire.

5. 35,3°

6. a) 3,3 km   **b)** 3,3 km   **c)** 173 m

d) Les réponses varieront. Exemple: Je présume que la hauteur de la falaise est trop petite pour avoir un effet sur le rayon du cercle. Cette hypothèse est plausible étant donné les valeurs calculées.

7. José, en 3 min 10 s environ (contre 3 min 33 s environ pour Léna)

8. a)

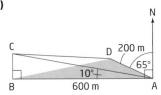

b) 9 min 30 s

9. a)–b) Les réponses varieront.

c) 109,5°

d) Les réponses varieront.

10. a)

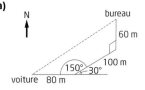

b) 184 m

11. $\theta = 45°$, 50 m

12. 56,8 m

13.–14. Les réponses varieront.

15. $\sqrt{3}R - 2r$

16. $\sqrt{\dfrac{2}{3}}a$

17. 49,1°

18. a) Les réponses varieront. Exemple: Puisque les sommets du triangle ne se trouvent pas sur une surface plane, la somme des angles n'est pas égale à 180°. Autrement dit, ce n'est pas vraiment un triangle.

b) La somme des angles est supérieure à 180°, car la surface de la Terre est convexe.

19. Les réponses varieront. Exemple:

a) L'intersection de deux sphères prend la forme d'un cercle, car les deux surfaces se coupent selon un rayon constant.

b) Le troisième satellite crée deux points d'intersection avec le cercle formé par l'intersection des deux premières sphères.

c) Le dernier satellite permet d'éliminer l'un des deux points d'intersection entre les trois sphères et de limiter la position à un point unique.

20. Le navire de la garde côtière, en 20 min 47 s

21. B   **22.** C

4.6 Les identités trigonométriques, pages 270 à 275

1. Les réponses varieront.

2. Le graphique est une droite horizontale en $y = 1$.

3.–10. Les réponses varieront.

11. Les réponses varieront. Exemple: Non, puisque le graphique montre simplement que l'expression se vérifie pour les valeurs affichées par la calculatrice. Il faudrait démontrer qu'elle se vérifie pour toutes les valeurs du domaine.

12.–13. Les réponses varieront.

14. 30°, 20 m

15.–16. Les réponses varieront.

18. Les réponses varieront. Exemple:

a) Puisque la représentation graphique du deuxième membre couvre celle du premier, il semble s'agir d'une identité.

b) $\sin 60° = 2 \sin 30° \cos 30°$,
$\sin 90° = 2 \sin 45° \cos 45°$,
$\sin 180° = 2 \sin 90° \cos 90°$. Donc l'équation se
vérifie pour les angles donnés.

19. Les réponses varieront. Exemple :
  a) Puisque la représentation graphique du
  deuxième membre couvre celle du premier, il
  semble s'agir d'une identité.
  b) $\cos 30° = \sin 60°$, $\cos 45° = \sin 45°$,
  $\cos 60° = \sin 30°$. Donc l'équation se vérifie
  pour les angles donnés.
  c) Dans le cercle unitaire, on peut voir que le côté
  opposé à θ est le côté adjacent à $90° - \theta$.
  d) $\sin \theta = \cos (90° - \theta)$, $\tan \theta = \dfrac{1}{\tan(90° - \theta)}$

20. Les réponses varieront. Exemple :
  a) Puisque la représentation graphique du
  deuxième membre couvre celle du premier, il
  semble s'agir d'une identité.
  b) $\sin 30° = \sin 150°$, $\sin 45° = \sin 135°$,
  $\sin 90° = \sin 90°$. Donc l'équation se vérifie
  pour les angles donnés.
  c) À l'aide du cercle unitaire, on peut voir que la
  relation se vérifie.
  d) $\cos \theta = -\cos (180° - \theta)$

21. C   **22.** C   **23.** D

Révision du chapitre 4, pages 276 et 277

1. $\sin 210° = -\dfrac{1}{2}$, $\cos 210° = -\dfrac{\sqrt{3}}{2}$, $\tan 210° = \dfrac{1}{\sqrt{3}}$

2. $5(\sqrt{3} - \sqrt{2})$ m, ou environ 1,6 m

3. **a)** $\sin \theta = \dfrac{12}{13}$, $\cos \theta = -\dfrac{5}{13}$, $\tan \theta = -\dfrac{12}{5}$

  b) $\sin \theta = -\dfrac{4}{5}$, $\cos \theta = \dfrac{3}{5}$, $\tan \theta = -\dfrac{4}{3}$

  c) $\sin \theta = -\dfrac{4}{5}$, $\cos \theta = \dfrac{3}{5}$, $\tan \theta = -\dfrac{4}{3}$

  d) $\sin \theta = -\dfrac{3}{\sqrt{13}}$, $\cos \theta = -\dfrac{2}{\sqrt{13}}$, $\tan \theta = \dfrac{3}{2}$

  e) $\sin \theta = -\dfrac{5}{\sqrt{26}}$, $\cos \theta = \dfrac{1}{\sqrt{26}}$, $\tan \theta = -5$

  f) $\sin \theta = \dfrac{4}{\sqrt{65}}$, $\cos \theta = -\dfrac{7}{\sqrt{65}}$, $\tan \theta = -\dfrac{4}{7}$

4. **a)** $\cos A = \dfrac{3}{5}$, $\tan A = \dfrac{4}{3}$

  b) $\sin B = -\dfrac{15}{17}$, $\tan B = -\dfrac{15}{8}$

  c) $\sin C = \dfrac{12}{13}$, $\cos C = -\dfrac{5}{13}$

  d) $\cos D = -\dfrac{\sqrt{33}}{7}$, $\tan D = \dfrac{4}{\sqrt{33}}$

5. **a)** $194°$, $346°$ **b)** $37°$, $323°$ **c)** $212°$, $32°$

6. **a)** $\sin \theta = -0,923\ 1$, $\cos \theta = -0,384\ 6$, $\tan \theta = 2,4$,
  $\operatorname{cosec} \theta = -1,083\ 3$, $\sec \theta = -2,6$,
  $\operatorname{cotan} \theta = 0,416\ 7$

b) $\sin \theta = 0,6$, $\cos \theta = -0,8$, $\tan \theta = -0,75$,
  $\operatorname{cosec} \theta = 1,666\ 7$, $\sec \theta = -1,25$,
  $\operatorname{cotan} \theta = -1,333\ 3$
c) $\sin \theta = 0,882\ 4$, $\cos \theta = 0,470\ 6$, $\tan \theta = 1,875$,
  $\operatorname{cosec} \theta = 1,133\ 3$, $\sec \theta = 2,125$,
  $\operatorname{cotan} \theta = 0,533\ 3$
d) $\sin \theta = -0,96$, $\cos \theta = 0,28$, $\tan \theta = -3,428\ 6$,
  $\operatorname{cosec} \theta = -1,041\ 7$, $\sec \theta = 3,571\ 4$,
  $\operatorname{cotan} \theta = -0,291\ 7$

7. $104°$, $256°$

8. **a)** Oui ; il y a un seul angle possible.
  b) $270°$

9. **a)**

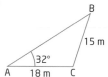

  b) La loi du cosinus, puisqu'on connaît deux côtés
  et l'angle qu'ils forment.
  c) $10\sqrt{3}$ km, 17,3 km

10. **a)** Les réponses varieront.
  b)

  c) 27 m, 4 m

11. 321 m

12. **a)** 11,7 km   **b)** $8,2°$

13.–15. Les réponses varieront.

Test préparatoire du chapitre 4, pages 278 et 279

1. B   **2.** D   **3.** D   **4.** D   **5.** C

6. **a)**

P(-5, 7)

b) $\sin A = \dfrac{7}{\sqrt{74}}$, $\cos A = -\dfrac{5}{\sqrt{74}}$, $\tan A = -\dfrac{7}{5}$,
  $\operatorname{cosec} A = \dfrac{\sqrt{74}}{7}$, $\sec A = -\dfrac{\sqrt{74}}{5}$

7. **a)**

montgolfière

300 m · montgolfière
200 m
45° 60°

  b) $50(3 - 2\sqrt{2})$ m

c) Du point initial (300 m de câble à 60°), la distance horizontale est de 150 m. Du deuxième point (200 m de câble à un angle de 45°), elle est de 141,4 m. La montgolfière s'est donc déplacée horizontalement en s'approchant du point d'attache.

8. a)

b) Les réponses varieront. Exemple : Une fois le schéma décomposé en triangles, je détermine la distance à laquelle se trouve la maison à l'aide des rapports trigonométriques de base et de la loi du cosinus.

c) 12,0 km   **d)** 45,2° à l'ouest du sud

9. 3,6 km

10. 2,3 km

11.–13. Les réponses varieront.

Chapitre 5

Connaissances préalables, pages 282 et 283

1. a) 2,6 cm   **b)** 5 cm   **c)** 10 cm

2. a) $\sin 30° = \dfrac{1}{2}$, $\cos 30° = \dfrac{\sqrt{3}}{2}$,

$\sin 60° = \dfrac{\sqrt{3}}{2}$, $\cos 60° = \dfrac{1}{2}$

b) $\sin 120° = \dfrac{\sqrt{3}}{2}$, $\cos 120° = -\dfrac{1}{2}$, $\sin 150° = \dfrac{1}{2}$,

$\cos 150° = -\dfrac{\sqrt{3}}{2}$, $\sin 210° = -\dfrac{1}{2}$,

$\cos 210° = -\dfrac{\sqrt{3}}{2}$, $\sin 240° = -\dfrac{\sqrt{3}}{2}$,

$\cos 240° = -\dfrac{1}{2}$, $\sin 300° = -\dfrac{\sqrt{3}}{2}$, $\cos 300° = \dfrac{1}{2}$,

$\sin 330° = -\dfrac{1}{2}$, $\cos 330° = \dfrac{\sqrt{3}}{2}$

c) $\sin 45° = \dfrac{1}{\sqrt{2}}$, $\cos 45° = \dfrac{1}{\sqrt{2}}$, $\sin 135° = \dfrac{1}{\sqrt{2}}$,

$\cos 135° = -\dfrac{1}{\sqrt{2}}$, $\sin 225° = -\dfrac{1}{\sqrt{2}}$,

$\cos 225° = -\dfrac{1}{\sqrt{2}}$, $\sin 315° = -\dfrac{1}{\sqrt{2}}$,

$\cos 315° = \dfrac{1}{\sqrt{2}}$

d) $\sin 0° = 0$, $\cos 0° = 1$, $\sin 90° = 1$, $\cos 90° = 0$, $\sin 180° = 0$, $\cos 180° = -1$, $\sin 270° = -1$, $\cos 270° = 0$

3. Domaine : $\{x \in \mathbb{R}\}$, image : $\{y \in \mathbb{R} \mid y \geq 0\}$

4. Les réponses varieront. Exemple : $y = \sqrt{25 - x^2}$

5. a)

b) La deuxième fonction résulte d'une translation de la première fonction de 3 unités vers le haut, et la troisième fonction résulte d'une translation de la première fonction de 2 unités vers le bas.

6. a)

b) La deuxième fonction résulte d'une translation de la première fonction de 3 unités vers la droite, et la troisième fonction résulte d'une translation de la première fonction de 2 unités vers la gauche.

7. a) $y = (x + 5)^2 - 3$ **b)** $y = (x - 4)^2 + 7$

8. La parabole a subi une translation de 2 unités vers la droite et de 2 unités vers le haut. L'équation de la transformée est $y = (x - 2)^2 + 2$. Le sommet de la parabole transformée se situe en $(2, 2)$.

9. a)

b) La deuxième fonction résulte d'un agrandissement vertical de rapport 2 de la première fonction, et la troisième fonction résulte d'un rétrécissement vertical de rapport $\dfrac{1}{2}$ de la première fonction.

10. a)

b) La deuxième fonction résulte d'un agrandissement vertical de rapport 2 de la première fonction, et la troisième fonction résulte d'un rétrécissement vertical de rapport $\dfrac{1}{2}$ de la première fonction.

11. $y = 4x^2$

12. $y = 9(x - 4)^2$

13. a)

b) Les réponses varieront. Exemple : La deuxième fonction est la réflexion de la première fonction par rapport à l'axe des x.

14. a) I) $y = (x + 2)^2$ **II)** $y = (x - 2)^2$

b) Les réponses varieront. Exemple : Chaque fonction est la réflexion de l'autre par rapport à l'axe des y.

15. a) $y = \frac{1}{2}(x + 4)^2 + 1$ **b)**

16. Un agrandissement vertical de rapport 3, une réflexion par rapport à l'axe des x, une translation de 4 unités vers la droite et une translation de 8 unités vers le haut.

17. $k = 12$

18. $k = 10\ 800$

5.1 La modélisation d'un comportement périodique, pages 284 à 293

1. a) Périodique ; les valeurs de y se répètent à intervalles réguliers.

b) Non périodique ; les valeurs de y ne se répètent pas à intervalles réguliers.

c) Périodique ; les valeurs de y se répètent à intervalles réguliers.

d) Périodique ; les valeurs de y se répètent à intervalles réguliers.

2. a) Amplitude : 1,5 ; période : 5

b) Amplitude : 1 ; période : 6

c) Amplitude : 0,75 ; période : 3,5

3.–4. Les réponses varieront.

5. Les réponses varieront. Exemple : Mes graphiques ont certaines caractéristiques en commun avec ceux des autres, mais ils sont différents parce qu'on peut représenter une infinité de fonctions périodiques pour chaque ensemble de caractéristiques.

6. a) -3 **b)** 2   **c)** 8

d) Les réponses varieront. Exemple : Cette valeur est impossible à déterminer, parce que $x = 40$ n'est pas un multiple de la période additionné ou soustrait de l'une des abscisses des points connus de la fonction.

7. Les réponses varieront.

8. Les réponses varieront. Exemple : Non, parce que les deux points n'ont peut-être pas la même position relative sur la courbe représentative de la fonction. Dans le graphique, $f(-2) = f(1)$. Cependant, la période est de 6, et non de $1 - (-2) = 3$.

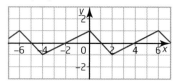

9. a)

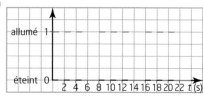

b) Il est périodique parce que les valeurs de y se répètent à intervalles réguliers.

c) 8 s   **d)** 0,5

10. a)

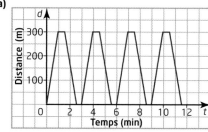

b) 3 min   **c)** 150 m

11. Les réponses varieront. Exemple :

a) Son comportement pourrait être périodique, car les saisons ont une influence sur le prix des légumes. Cependant, en raison de facteurs comme la sécheresse, il pourrait ne pas l'être.

b) Les taux d'intérêt tendent à varier en fonction de facteurs économiques qui ne sont pas périodiques.

c) Les phases de la Lune font que le pourcentage illuminé de sa surface varie de façon périodique.

d) Tant que la respiration est normale, le volume d'air dans les poumons en fonction du temps est périodique.

12. Les réponses varieront. Exemple : L'activité solaire est un phénomène périodique. Le nombre de taches solaires varie de façon cyclique. La longueur d'un cycle est d'environ 11 ans en moyenne.

13. Les réponses varieront. Exemple : Non, si on se base sur la définition d'une fonction périodique. Cependant, les scientifiques qualifient certains mouvements, comme le mouvement harmonique amorti, de « périodiques » même si leur amplitude croît ou décroît de façon continue. Voir l'exemple donné à la question 23 de la page 293.

14. a) Environ 12 h 20 min

b) 1,3 m   **c)** 1 h

15. Les réponses varieront. Exemple :

a) La distance est nulle au départ. Elle augmente jusqu'à un maximum de 12 800 km, puis elle diminue pour redevenir nulle lorsque Quito revient à son point de départ. À chaque rotation subséquente, d reprend les mêmes valeurs que pendant la première rotation, de sorte que la relation se répète.

b) 24 h   **c)** 6 400 km

d) La loi du cosinus convient bien, puisque la longueur y de deux côtés du triangle est constante, et que l'angle varie. Je choisis un intervalle approprié (1 h, par exemple) et je détermine l'angle entre les deux côtés du triangle. Je calcule ensuite la valeur de d à l'aide de la loi du cosinus. Je fais la même chose pour les 24 h.

16. Les réponses varieront. Exemple :

a) À Ottawa, en Ontario, la température mensuelle moyenne maximale est d'environ 21 °C (en juillet) et la température mensuelle moyenne minimale est d'environ −11 °C (en janvier). L'amplitude est de 16 °C (la moitié de la différence entre le maximum et le minimum).

b) La période est de 12 mois, puisque les caractères du temps à un endroit se répètent habituellement d'une année à l'autre.

17. Les réponses varieront.

18. a) L'onde de la note jouée a une forme périodique.

b) 0,002 s

c) Lorsque la fréquence de la note augmente, la période diminue. La fréquence est l'inverse de la période.

19. Les réponses varieront.

20. Les réponses varieront. Exemple :

a) En raison de l'inclinaison de l'axe de rotation de la Terre, la durée du jour à n'importe quel endroit dépend de la position de la Terre le long de son orbite autour du Soleil. Comme la Terre met 1 an (environ 365 jours) pour faire le tour du Soleil, les données varient de façon périodique sur plusieurs années.

b) Un peu plus de 14 h

c) Environ 12 h 30 min

22. a) 1 s, 200 m

b)

Angle du faisceau (degrés)	Temps (secondes)	Distance parcourue (mètres)
30	1	200
60	2	115,5
90	3	100
120	4	115,5
150	5	200

c) Lorsque l'angle de rotation s'approche de 180°, la distance parcourue par le faisceau devient très grande. À 180°, le faisceau ne touche plus la falaise.

d) Au bout de 6 s, le faisceau revient à 0°. Il recommence ensuite à balayer la falaise.

e) Le graphique représente la fonction de 0° à 180°. De 180° à 360°, le faisceau n'atteint pas la falaise.

f) Les réponses varieront. Exemple : La fonction est périodique parce que le phénomène se répète toutes les 12 s (c'est la période de la fonction).

g) Les réponses varieront. Exemple : La fonction n'a pas d'amplitude, car elle n'a pas de maximum.

23. Les réponses varieront. Exemple :

a)

x	y
17	2
70	1,25
135	1
195	0,9
250	0,6
315	0,4
365	0,25

b)

c) Les données semblent suivre un modèle exponentiel.

d) $y = 2,146(0,99)^x$

e)

La courbe n'est pas parfaitement ajustée, mais elle semble bien montrer le comportement des données de façon générale.

24. C   **25.** B   **26.** C   **27.** A

5.2 Les fonctions sinus et cosinus, pages 294 à 301

1. Les réponses varieront. Exemple :

a)

Une fonction cosinus représente le déplacement horizontal, car celui-ci est de 8 m au départ et diminue jusqu'à devenir nul à 90°, ce qui est propre à la fonction cosinus.

b)

Une fonction sinus représente le déplacement vertical, car celui-ci est nul au départ et augmente pour atteindre son maximum à 90°, ce qui est propre à la fonction sinus.

2. a)

b) Les réponses varieront. Exemple : Le graphique de la fonction plus complexe a une forme plus modulée, d'où un son plus complexe. Les deux fonctions ont une période de 360°, et toutes les abscisses à l'origine du graphique de $y = \sin x$ sont aussi des abscisses à l'origine du graphique de la fonction plus complexe (qui a cependant davantage d'abscisses à l'origine).

c)

Les réponses varieront. Exemple : Ici aussi, la deuxième harmonique est beaucoup plus complexe que la fonction $y = \sin x$. Son graphique comporte plus d'abscisses à l'origine et a une forme encore plus modulée que celle du graphique de $y = \sin x + \sin 2x$. La deuxième harmonique et $y = \sin x$ ont la même période, et toutes les abscisses à l'origine du graphique de $y = \sin x$ sont aussi des abscisses à l'origine du graphique de la deuxième harmonique.

3. a)

b)

c) 6 cycles

d) 72 cycles

4. a)

x	tan x
0	0
10	0,176
20	0,364
30	0,577
40	0,839
50	1,192
60	1,732
70	2,747

x	tan x
75	3,732
80	5,671
85	11,430
86	14,301
87	19,081
88	28,636
89	57,290

b) Les réponses varieront. Exemple : Lorsque l'angle s'approche de 90°, la valeur de la fonction tangente devient de plus en plus grande. Cela signifie que lorsque x s'approche de 90°, la valeur de la fonction tangente tend vers l'infini. La fonction tangente n'est pas définie pour $x = 90°$.

c) Les tables de valeurs des élèves varieront ; mais elles devraient toutes générer le même graphique en d).

d)

e)

f)

Les asymptotes sont en $x = 450°$ et $x = 630°$.

g)

Les asymptotes sont en $x = -90°$, $x = -270°$, $x = -450°$ et $x = -630°$.

h) Les réponses varieront. Exemple : Oui, la fonction tangente est périodique, car les valeurs de y se répètent régulièrement. Sa période est de 180°.

5. Les réponses varieront. Exemple :

a) Toute droite verticale ne coupe la courbe de $y = \tan x$ qu'en un seul point. C'est donc une fonction.

b) Comme la fonction tangente ne comporte ni minimum ni maximum, on ne peut pas en déterminer l'amplitude.

c) La fonction tangente est croissante sur les intervalles [0°, 90°], [90°, 270°] et [270°, 360°]. Elle n'est pas définie en $x = 90°$ et en $x = 270°$.

d)

e)

f) Domaine : $\{x \in \mathbb{R} \mid x \neq 90 + 180n, n \in \mathbb{Z}\}$, image : $\{y \in \mathbb{R}\}$

6. a)

b) Les réponses varieront. Exemple : Le graphique de $y = \operatorname{cosec} x$ a des asymptotes là où la fonction sinus a une valeur de 0, ainsi que des minimums de 1 et des maximums de -1 aux endroits appropriés entre les asymptotes. À l'approche des asymptotes, il tend soit vers l'infini positif au-dessus de l'axe des x, soit vers l'infini négatif en dessous de l'axe des x.

c)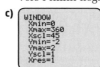

d) Les réponses varieront. Exemple : $y = \operatorname{cosec} x$ est une fonction. On ne peut pas tracer une droite verticale qui coupe son graphique en plus d'un point.

e) Domaine : $\{x \in \mathbb{R} \mid x \neq 180n, n \in \mathbb{Z}\}$, image : $\{y \in \mathbb{R} \mid |y| \geq 1\}$

7. a)

b) Les réponses varieront. Exemple : Le graphique de $y = \sec x$ a des asymptotes là où la fonction cosinus a une valeur de 0, ainsi que des minimums de 1 et des maximums de -1 aux endroits appropriés entre les asymptotes. À l'approche des asymptotes, il tend soit vers l'infini positif au-dessus de l'axe des x, soit vers l'infini négatif en-dessous de l'axe des x.

c)

e) Domaine : $\{x \in \mathbb{R} \mid x \neq 90 + 180n, n \in \mathbb{Z}\}$, image : $\{y \in \mathbb{R} \mid |y| \geq 1\}$

8. a)

b) Les réponses varieront. Exemple : Le graphique de $y = \cotan x$ a des asymptotes là où la fonction tangente a une valeur de 0. Là où la fonction tangente a des asymptotes, la fonction cotangente a une valeur de 0. Là où la fonction tangente a une valeur de 1 ou de -1, la fonction cotangente a la même valeur.

c)

e) Domaine : $\{x \in \mathbb{R} \mid x \neq 180n, n \in \mathbb{Z}\}$, image : $\{y \in \mathbb{R}\}$

9. a) 1　　　**b)** $(135 + 180n)°$, où $n \in \mathbb{Z}$

c)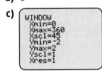

10. $0 \leq x \leq 45°$, ou $225° \leq x \leq 360°$

11. $-45°$ et $45°$

12. C

5.3 Les transformations des fonctions sinus et cosinus, pages 304 à 312

1. a)

Agrandissement de rapport 4, amplitude : 4

b)

Agrandissement de rapport $\frac{3}{2}$, amplitude : $\frac{3}{2}$

c)

Agrandissement de rapport 5, amplitude : 5

d)

Agrandissement de rapport $\frac{5}{4}$, amplitude : $\frac{5}{4}$

2. a)

Agrandissement de rapport 3, amplitude : 3

b)

Rétrécissement de rapport $\frac{1}{2}$, amplitude : $\frac{1}{2}$

c)

Agrandissement de rapport 2, amplitude : 2

d)

Rétrécissement de rapport $\frac{2}{3}$, amplitude : $\frac{2}{3}$

3. a) Rétrécissement de rapport $\frac{1}{5}$, période : 72°

b) Agrandissement de rapport $\frac{3}{2}$, période : 540°

c) Agrandissement de rapport 6, période : 2 160°

d) Agrandissement de rapport 2, période : 720°

e) Aucun, période : 360°

f) Rétrécissement de rapport $\frac{1}{8}$, période : 45°

g) Rétrécissement de rapport $\frac{1}{12}$, période : 30°

h) Agrandissement de rapport $\frac{4}{3}$, période : 480°

4. Les réponses varieront. Exemple :

a) $y = 5 \sin 3x$; $y = 5 \cos (3(x + 90°))$

b) $y = -3 \sin 4x$; $y = 3 \cos (4(x + 67,5°))$

5. Les réponses varieront. Exemple :

a) $y = 4 \cos 2x$; $y = 4 \sin (2(x + 45°))$

b) $y = -2 \cos 3x$; $y = 2 \sin (3(x - 30°))$

6. a) 50° vers la droite, 3 unités vers le haut

b) 45° vers la gauche, 1 unité vers le bas

c) 25° vers la droite, 4 unités vers le haut

d) 60° vers la gauche, 2 unités vers le bas

7. a) 30° vers la gauche, aucun déplacement vertical

b) 32° vers la droite, 6 unités vers le haut

c) 120° vers la gauche, 5 unités vers le bas

d) 150° vers la droite, 7 unités vers le haut

8. a) **I)** 100° vers la gauche, 1 unité vers le haut

II) Aucun déphasage, 3 unités vers le haut

III) 45° vers la gauche, 2 unités vers le bas

IV) 120° vers la droite, 2 unités vers le haut

b) **I)** **II)** **III)** **IV)**

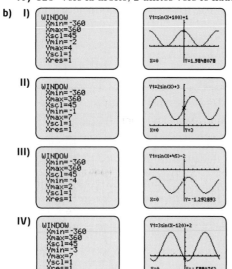

9. a) **I)** Aucun déplacement vertical, amplitude : 1

II) 1 unité vers le bas, amplitude : 3

III) 2 unités vers le haut, amplitude : 1

IV) 3 unités vers le bas, amplitude : 4

b) **I)** **II)** **III)** **IV)**

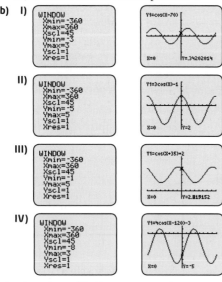

10. a) 10 cm   **b)** 90 cm   **c)** 0,5 s

d) La valeur de k passe de 720 à 240, donc l'équation devient $y = 40 \sin 240t + 50$.

11. a) **I)** Amplitude : 5, période : 90°, déphasage : 60° vers la gauche, déplacement vertical : 2 unités vers le bas

II) Amplitude : 2, période : 180°, déphasage : 1 500° vers la gauche, déplacement vertical : 5 unités vers le bas

III) Amplitude : 0,5, période : 720°, déphasage : 60° vers la droite, déplacement vertical : 1 unité vers le haut

IV) Amplitude : 0,8, période : 100°, déphasage : 40° vers la droite, déplacement vertical : 0,4 unité vers le bas

b) **I)** **II)** **III)** **IV)**

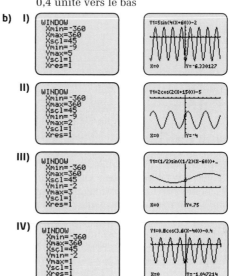

12. a) Physique : $y = \sin\left(\dfrac{360}{23}t\right)$; émotionnel :

$y = \sin\left(\dfrac{360}{28}t\right)$; intellectuel : $y = \sin\left(\dfrac{360}{33}t\right)$

b)

c) Les réponses varieront. Exemple : les jours 6, 75, 120 et 141

d) Les réponses varieront. Exemple : les jours 20, 61, 89, 108 et 132

13. a) $y = 4 \sin kt$ **b)** $y = \sin kt$

c) À 16 m de la source

14. a) $y = 4 \sin x + 4$ **b)** 30° vers la droite

c) Les réponses varieront. Exemple : Non, car peu importe la période de la fonction, l'ordonnée à l'origine de $\sin kx = 0$ est toujours 0, pour toute valeur de k.

15.–16. Les réponses varieront.

18. a) Les réponses varieront. Exemple : Il y a cinq points d'intersection, car les fonctions ont trois zéros communs et leurs courbes se coupent aussi en un point dans les deux intervalles entre les zéros, ce qui donne cinq.

b)

Oui, ma prédiction était juste.

c) $\left(60°, \dfrac{\sqrt{3}}{2}\right)$

d) Les réponses varieront. Exemple : Il y a neuf points d'intersection, car les fonctions ont cinq zéros communs et leurs courbes se coupent aussi en un point dans les quatre intervalles entre les zéros, ce qui donne neuf.

e)

Oui, ma prédiction était juste.

f) Les réponses varieront. Exemple : Il y a sept points d'intersection, car les fonctions ont trois zéros communs et leurs courbes se coupent en deux points entre chaque paire de zéros adjacents.

19. Les réponses varieront.

20. C

21. Les réponses varieront.

5.4 L'équation de fonctions sinusoïdales, pages 313 à 321

1. a) Amplitude : 5, période : 90°, déphasage : 25° vers la droite, déplacement vertical : 3 unités vers le haut

b) Amplitude : 2, période : 20°, déphasage : 40° vers la gauche, déplacement vertical : 5 unités vers le bas

c) Amplitude : 3, période : 3°, déphasage : 30° vers la droite, déplacement vertical : 2 unités vers le haut

d) Amplitude : $\dfrac{3}{4}$, période : 540°, déphasage : 60° vers la droite, déplacement vertical : $\dfrac{1}{2}$ unité vers le haut

2. a) Amplitude : 3, période : 72°, déphasage : 45° vers la droite, déplacement vertical : 4 unités vers le haut

b) Amplitude : 2, période : 15°, déphasage : 80° vers la gauche, déplacement vertical : 1 unité vers le bas

c) Amplitude : 3, période : 5°, déphasage : 10° vers la droite, déplacement vertical : 3 unités vers le haut

d) Amplitude : $\dfrac{5}{2}$, période : 480°, déphasage : 40° vers la droite, déplacement vertical : $\dfrac{1}{2}$ unité vers le haut

3. a) Les réponses varieront. Exemple : Une amplitude de 3, un déplacement vertical de 1 unité vers le bas et un rétrécissement horizontal de rapport $\dfrac{1}{2}$

b) $f(x)$: domaine $\{x \in \mathbb{R}\}$, image $\{y \in \mathbb{R} \mid -1 \leq x \leq 1\}$
$g(x)$: domaine $\{x \in \mathbb{R}\}$, image $\{y \in \mathbb{R} \mid -4 \leq x \leq 2\}$

c) $h(x) = 3 \sin (2(x + 60°)) - 1$

4. a) Une amplitude de 4, un déplacement vertical de 2 unités vers le bas et un rétrécissement horizontal de rapport $\dfrac{1}{3}$

b) $f(x)$: domaine $\{x \in \mathbb{R}\}$, image $\{y \in \mathbb{R} \mid -1 \leq x \leq 1\}$
$g(x)$: domaine $\{x \in \mathbb{R}\}$, image $\{y \in \mathbb{R} \mid -6 \leq x \leq 2\}$

c) $h(x) = 4 \cos (3(x - 60°)) - 2$

5. a) $y = 5 \sin (3(x + 30°)) - 2$ **b)** $y = 5 \cos 3x - 2$

6. a) $y = \dfrac{1}{2} \sin \left(\dfrac{1}{2}(x + 180°)\right) + 1$

b) $y = \dfrac{1}{2} \cos \dfrac{1}{2}x + 1$

7. a) $y = 4 \cos (3(x + 30°)) - 1$

b)

8. a) Amplitude : 10, période : 360°, déphasage : 45° vers la droite, déplacement vertical : 10 unités vers le haut

b) Maximum : 20, minimum : 0

c) 315°, 675°, 1 035°   **d)** 2,93

9. a) Amplitude : 5, période : 180°, déphasage : 30° vers la droite, aucun déplacement vertical

b) Maximum : 5, minimum : −5

c) 75°, 165°, 255°   **d)** 2,5

10. Les réponses varieront.

11. a) Une amplitude de 5, $y = 5 \sin x$; un déplacement vertical de 4 unités vers le bas, $y = 5 \sin x - 4$; un rétrécissement horizontal de rapport $\dfrac{1}{6}$, $y = 5 \sin 6x - 4$; un déphasage de 120° vers la droite, $y = 5 \sin (6(x - 120°)) - 4$

b) $f(x)$: domaine $\{x \in \mathbb{R}\}$, image $\{y \in \mathbb{R} \mid -1 \le x \le 1\}$

$g(x)$: domaine $\{x \in \mathbb{R}\}$, image $\{y \in \mathbb{R} \mid -9 \le x \le 1\}$

c)

12. a) Une amplitude de 6, $y = 6 \cos x$; un déplacement vertical de 2 unités vers le haut, $y = 5 \cos x + 2$; un rétrécissement horizontal de rapport $\frac{1}{5}$, $y = 6 \cos 5x + 2$; un déphasage de 60° vers la gauche, $y = 6 \cos (5(x + 60°)) + 2$

b) $f(x)$: domaine $\{x \in \mathbb{R}\}$, image $\{y \in \mathbb{R} \mid -1 \le x \le 1\}$

$g(x)$: domaine $\{x \in \mathbb{R}\}$, image $\{y \in \mathbb{R} \mid -4 \le x \le 8\}$

c)

13. a) Les réponses varieront. Exemple: $y = -2 \cos 3x$

b)

14. a) $y = 2 \sin (4(x - 30°)) + 3$

b) Les réponses varieront. Exemple:

$y = 2 \cos (4(x - 52,5°)) + 3$

15. Les réponses varieront. Exemple:

a) La courbe représentative de $y = \sin x$ et celle de $y = 2 \sin x$ ont la même période, mais des amplitudes différentes. L'amplitude de $y = 2 \sin x$ est égale à deux fois celle de $y = \sin x$.

b) L'amplitude de la deuxième courbe est moins grande que celle de la première. Les deux courbes sont légèrement déphasées l'une par rapport à l'autre.

c) Les réponses varieront.

16. Les réponses varieront. Exemple:

a) $y = 4 \cos 30x + 10$

b) $y = 4 \sin (30(x + 3)) + 10$

c) $y = 4 \sin (30(x - 3)) + 10$

d) $y = 4 \cos (30(x - 6)) + 10$

e) Les réponses varieront.

18. Les réponses varieront. Exemple: Non. Si p est un zéro de la fonction (donc si $q = 0$), ce n'est pas possible, mais ce l'est pour tous les autres points. Si $q \ne 0$, alors $a = \dfrac{q}{\sin p}$.

19. Les réponses varieront. Exemple:

a)

b) Il manquera des sections au graphique, là où $y = \sin x$ prend des valeurs négatives de y.

c)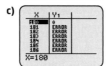

d) Comme tout le graphique de la fonction se trouve au-dessus de l'axe des x, la courbe est complète.

e)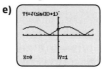

20. Les réponses varieront. Exemple:

a) Trois transformations sont nécessaires: un rétrécissement horizontal de rapport $\frac{1}{2}$, un déphasage de 45° vers la droite et un déplacement vertical de 1 unité vers le bas, ce qui donne l'équation $y = \sin (2(x - 45°)) - 1$.

b) Trois transformations sont nécessaires: un rétrécissement horizontal de rapport $\frac{1}{2}$, un déphasage de 45° vers la gauche et un déplacement vertical de 1 unité vers le bas, ce qui donne l'équation $y = \sin (2(x + 45°)) - 1$.

21. 75°   **22.** C   **23.** B

5.5 La collecte et la modélisation de données, pages 322 à 332

Dans les réponses qui suivent, les données sont représentées par des fonctions sinus. Elles peuvent aussi l'être par des fonctions cosinus.

1. Les réponses varieront. Exemple :
  a) Maximum : 3 m, minimum : 1,5 m, amplitude : 0,75
  b) 2,25 m vers le haut
  c) Environ 0,4 s vers la droite
  d) Période : 2 s ; $k = 180$
  e) $y = 0,75 \sin (180(x - 0,4)) + 2,25$
  f)

2. Les réponses varieront. Exemple :
  a) Maximum : 3 m, minimum : 0,5 m, amplitude : 1,25
  b) 1,75 m vers le haut
  c) Environ 0,2 s vers la droite
  d) Période : 2,5 s ; $k = 144$
  e) $y = 1,25 \sin (144(x - 0,2)) + 1,75$
  f)

3. a) Maximum : 12 m, minimum : 2 m
  b) Marée haute à 8 h, marée basse à 14 h
  c) 11,3 m
  d) 0 h 46, 3 h 14, 12 h 46, 15 h 14
4. a) Maximum : 13 000, minimum : 3 000
  b) Maximum : en octobre, en $t = 10$; minimum : en avril, en $t = 4$
  c) 23 300 personnes
  d) Le 6 janvier, en $t = 6$ jours, et le 24 juillet, en $t = 7$ mois et 24 jours
5. Les réponses varieront. Exemple :
  a) $y = 181 \sin(30(t - 3)) + 199$
  b) Domaine $\{x \in \mathbb{R} \mid 1 \le x \le 12\}$, image $\{y \in \mathbb{R} \mid 18 \le y \le 380\}$
6. a) $y = 10 \sin (x - 120°) + 14$
  b) $y = 10 \cos (x - 210°) + 14$
  c) Le déphasage des courbes augmentera de 30°. $y = 10 \sin (x - 150°) + 14$; $y = 10 \cos (x - 240°) + 14$

7. Les nouvelles équations seront :
  a) $y = 10 \sin (x - 120°) + 16$
  b) $y = 10 \cos (x - 210°) + 16$
8. a) $\dfrac{1}{30}$ s
  b) Maximum : 70 mm, minimum : −30 mm, amplitude : 50 mm
  c) Maximum : à $\dfrac{1}{120}$ s, minimum : à $\dfrac{1}{40}$ s
  d) 70 cm
9. a) Elle est multipliée par $\sqrt{2}$.
  b) Il faut réduire la longueur dans un rapport de 4.
  c) Les réponses varieront.
  d) La période sera multipliée par $\sqrt{6}$.
10.–11. Les réponses varieront.
12. a) Période : 24 h. Les explications varieront. Exemple : Le smog résulte souvent de l'activité humaine, qui se répète habituellement d'un jour à l'autre. Un cycle de 24 h est donc approprié.
  b) Maximum : 55, minimum : −5, amplitude : 30
  c) Maximum : à 10 h, minimum : à 22 h
  d) Les réponses varieront. Exemple : De 7 h 45 à 12 h 45
13.–16. Les réponses varieront.
18. a) Les réponses varieront. Exemple : $y = 10 \cot(15(12 - x))$, où $6 < x \le 12$
  b)

19. B   **20.** D   **21.** D

5.6 La modélisation de phénomènes périodiques ne comportant pas d'angles, pages 333 à 342

1. a) $y = 8 \sin (30(t - 2,5))$
  b) Marée haute à 17 h 30, marées basses à 11 h 30 et à 23 h 30
2. a) $y = 5 \cos 30t$
  b) Les réponses varieront. Exemple : la courbe de $y = 5 \sin (30(t + 3))$ et celle de $y = 5 \cos 30t$ sont identiques.
3. Les réponses varieront. Exemple : Pendant un creux, la tension diminue. Cela signifie que l'amplitude de la fonction diminue. Toutes les autres caractéristiques de la fonction restent inchangées. Par exemple, $T = 100 \sin 21\,600t$, où la tension baisse de 170 V à 100 V.

4. a) Maximum : 850, minimum : 250, amplitude : 300

  b) 550 vers le haut **c)** $c = 0$

  d) 6 ans ; $k = 60$ **e)** $y = 300 \sin 60x + 550$

  f) Les réponses varieront, mais tout graphique devrait correspondre au graphique donné.

5. a) Maximum : 26 m, minimum : 2 m **b)** 12 h

  c)

  d) De 1 h 13 à 2 h 47 et de 13 h 13 à 14 h 47

  e) Les réponses varieront. Exemple : Des facteurs comme les vents et la circulation maritime dans le bassin doivent être pris en compte.

6. a) $y = 8 \sin (30(x - 2)) + 14$

  b)

  c) Les réponses varieront. Exemple : Puisque la profondeur minimale est de 6 m, et que la profondeur sécuritaire n'est que de 3 m, un hydravion peut toujours se poser à cette période de l'année.

7. a) $\dfrac{1}{50}$ s **b)** $k = 18\ 000$ **c)** 240 V

  d) $T = 240 \sin 18\ 000t$

  e)

  Les réponses varieront. Exemple : Le domaine défini est de 0 s à $\dfrac{1}{25}$ s, et chaque graduation représente $\dfrac{1}{100}$ s. Chaque graduation de l'axe des y représente 100 V.

8. a) $\dfrac{1}{3}$ s **b)** $k = 1\ 080$

  c) 6 **d)** $T = 6 \sin 1\ 080t$

  e)

  Les réponses varieront. Exemple : Le domaine défini est de 0 s à $\dfrac{2}{3}$ s, et chaque graduation représente $\dfrac{1}{6}$ s. Chaque graduation de l'axe des y représente 5 V.

9. Les réponses varieront. Exemple :

  a) $y = 75 \sin (36(x - 18)) + 85$

  b)

  c) Les réponses varieront.

10. Les réponses varieront. Exemple :

  a) 2011, 2021 et 2031

  b) 2016, 2026 et 2036

  c) Les valeurs maximales varient d'environ 107 à 162, et les valeurs minimales, d'environ 8 à 12.

11. a) $N(t) = 25 \sin (90(t - 1)) + 75$

  b)

  c) Les réponses varieront. Exemple : Il y a un déphasage vers la droite parce que la population de prédateurs augmente lorsque le nombre de proies (sa nourriture) augmente. Les prédateurs se multiplient jusqu'à ce qu'ils commencent à faire diminuer le nombre de proies, ce qui entraîne une diminution du nombre de prédateurs.

12. Les réponses varieront.

13. Les réponses varieront. Exemple :

  a) $y = 700\ 000 \cos (30(t - 2)) + 900\ 000$

  b)

  c) 1 250 000 m³

14. a)

  b) Les réponses varieront. Exemple :
  $y = 4,19 \sin (30(x + 8,98)) + 12,35$

  c)

  d) Les réponses varieront. Exemple : 9 h 21 min

15. Les réponses varieront.

16. Les réponses varieront. Exemple :

  a) $y = \sin 7\ 200t + 1,4$

  b)

c) 0,028 s et 0,047 s

17. a)

b) Les réponses varieront. Exemple : sin x détermine l'amplitude de sin $10x$ de sorte que la courbe présente une série de maximums et de minimums groupés avec une amplitude qui croît jusqu'à un maximum, puis décroît jusqu'à un minimum à l'intérieur de chaque groupe. La courbe se répète deux fois sur un intervalle de 360°, car $y = \sin 10x$ comporte plus de formes d'onde entre 0° et 360°, mais ces formes sont déterminées par la forme d'onde unique de $y = \sin x$ dans le même domaine.

c) Les réponses varieront.

18. Les réponses varieront.

19. a) $y = 24 \sin 9\,720t + 94$

b)

c) 0,001 5 s et 0,017 0 s

20. a)

b) Les réponses varieront. Exemple : Les deux fonctions combinées sont complètement déphasées l'une par rapport à l'autre, ce qui signifie qu'en les additionnant, on aura toujours $y = 0$. C'est pourquoi le revêtement ne réfléchit pas la lumière.

c) $y = \cos (x + 90°)$

21. Les réponses varieront.

22. D **23.** 121

Révision du chapitre 5, pages 344 et 345

1. a) La fonction est périodique parce que les valeurs de y se répètent régulièrement.

b) 3 **c)** Maximum : 5, minimum : 1

d) 2 **e)** 360°

2. a)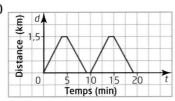

b) 0,75 km

c) Les réponses varieront. Exemple : Il faudrait moins de temps à la navette pour faire le trajet entre l'aéroport et le stationnement, donc il y aurait plus de cycles dans une période de 20 minutes. Cela ne changerait pas les parties

du graphique associées aux arrêts à l'aéroport et au stationnement.

3.

4.

5. a) 1 **b)** 360°

c) 60° vers la gauche **d)** 3 unités vers le haut

e)

f) La nouvelle équation est $y = \cos (x - 60°) - 3$. Le graphique est décalé de 120° vers la droite et de 6 unités vers le bas par rapport à celui de $y = \cos (x + 60) + 3$.

6. a) Amplitude : 30, période : 1 s, déphasage : 0,25 vers la droite, déplacement vertical : 45 cm vers le haut

b) 15 cm

c) Domaine $\{t \in \mathbb{R}\}$, image $\{y \in \mathbb{R} \mid 15 \leq y \leq 75\}$

d) Le déplacement vertical doit passer de 45 cm à 50 cm. La nouvelle équation est $y = 30 \sin (360(t - 0,25)) + 50$.

7. a)

Mois (21ᵉ jour)	Heure (notation décimale)
1	7,67
2	7,07
3	6,28
4	5,42
5	4,78
6	4,62
7	4,92
8	5,47
9	6,02
10	6,60
11	7,25
12	7,72

b) $y = 1,55 \sin (30(x - 9)) + 6,17$; amplitude : 1,55, période : 12 mois, déphasage : 9 vers la gauche, déplacement vertical : 6,17 vers le haut

c)

8. 7 h 40 le 7 janvier et 4 h 40 le 7 juillet

9. a) $y = 40 \sin 360t + 90$

b)

c) 4,8 l

d) $y = 40 \cos (360(t - 0,25)) + 90$

e) $y = 40 \sin (720t) + 90$

f) Les réponses varieront. Exemple : L'amplitude ne change pas parce que le volume maximal et le volume minimal de sang dans le ventricule gauche ne changent pas, quelle que soit l'augmentation du rythme cardiaque.

Test préparatoire du chapitre 5, pages 346 et 347

1. D   **2.** B   **3.** C   **4.** A   **5.** C   **6.** B   **7.** C   **8.** A

9. a) 3   **b)** 90°

c) 60° vers la gauche   **d)** 2 unités vers le bas

e)

f) Domaine $\{x \in \mathbb{R}\}$, image $\{y \in \mathbb{R} \mid -5 \le y \le 1\}$

10. Les réponses varieront. Exemple :

a) $y = 4 \cos 4x - 2$

b) $y = 4 \sin (4(x + 22,5°)) - 2$

11. a) $y = \frac{1}{4} \sin\left[\frac{1}{2}(x + 180°)\right] + \frac{1}{2}$

b)

12. a) Amplitude : 2, période : 120°, déphasage : 120° vers la droite, aucun déplacement vertical

b) Maximum : 2, minimum : −2

c) 30°, 90°, 150°   **d)** 2

13. a) $y = 2 \sin (6(x - 15°)) + 1$

b) Les réponses varieront. Exemple de réponse : La période de la fonction passe de 60° à 30°. L'équation devient donc :
$y = 2 \sin (12(x - 15°)) + 1$.

14. Les réponses varieront. Exemple :

a) $y = 17 \sin (30(x - 4)) + 79$
amplitude : 17, période : 12, déphasage : 4, déplacement vertical : 79

b)

La courbe est bien ajustée aux données.

c) Le taux d'emploi sera d'environ 95 % le 15 juin.

d) La fonction périodique sera amortie. Son amplitude à chaque mois sera réduite à 90 % de celle du mois précédent, en raison de la baisse de 10 %.

15. a) $y = 9 \sin (x - 90°) + 11$

b) $y = 9 \sin (x - 135°) + 11$

c)

Les réponses varieront. Exemple : Ressemblances : l'amplitude, la période et le déplacement vertical sont identiques, parce que la roue conserve ses caractéristiques quel que soit l'endroit où on fait embarquer les gens. Différence : le déphasage diffère, parce que la plate-forme d'embarquement a changé de position.

Révision des chapitres 4 et 5, pages 348 et 349

1. a) $\sin 315° = -\frac{1}{\sqrt{2}}$, $\cos 315° = \frac{1}{\sqrt{2}}$, $\tan 315° = -1$

b) $\sin 315° = -0,707\ 1$, $\cos 315° = 0,707\ 1$, $\tan 315° = -1$

2. a) $\sin 255° \approx -0,95$, $\cos 255° \approx -0,25$, $\tan 255° \approx 3,8$

b) $\sin 255° = -0,965\ 9$, $\cos 255° = -0,258\ 8$, $\tan 255° = 3,732\ 1$

3. $\sin \theta = -\frac{1}{\sqrt{10}}$, $\cos \theta = \frac{3}{\sqrt{10}}$, $\tan \theta = -\frac{1}{3}$,

$\operatorname{cosec} \theta = -\sqrt{10}$, $\sec \theta = \frac{\sqrt{10}}{3}$, $\cotan \theta = -3$

4. $\cos Q = -\frac{8}{17}$, $\tan Q = -\frac{15}{8}$

5. $\theta = 159,4°$ et $339,4°$

6. 187,2° et 352,8°

7. a)

b) Environ 280 km

8. a)

B
3,2 cm   2,4 cm
28°
A   C

B
3,2 cm   2,4 cm
28°
A   C

b) Premier triangle : $m\angle C = 39°$, $m\angle B = 113°$, $b = 4,7$ cm ; second triangle : $m\angle C = 141°$, $m\angle B = 11°$, $b = 1,0$ cm

9. 3 km

10. 32,3 m, 11,4 m

11.–12. Les réponses varieront.

13. a) Les valeurs de y se répètent à intervalles.

    b) 7   **c)** Maximum : 3, minimum : -4

    d) 3,5   **e)** 2

14. a) 45° et $-135°$

    b)

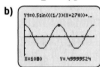

15. a) 3   **b)** 180°

    c) 45° vers la droite   **d)** 1 unité vers le bas

    e)

    f) L'équation devient $y = 3 \sin (4(x - 45°)) - 1$.

16. a) $y = \dfrac{1}{2} \sin \left(\dfrac{1}{3}(x + 270°) \right) + \dfrac{1}{4}$

    b)

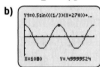

17. a) Amplitude : 2, période : 120°, déphasage : 120° vers la droite, aucun déplacement vertical

    b) Maximum : $\dfrac{1}{4}$, minimum : $-\dfrac{1}{4}$

    c) 45°, 135°, 225°   **d)** $-\dfrac{1}{4}$

18. Les réponses varieront. Exemple :

    a) $d = 1,5 \sin 24t + 0,2$

    b) Amplitude : 1,5, période : 15 s, aucun déphasage, déplacement vertical : 0,2 vers le haut

    c) 1,5 m

19. Les réponses varieront. Exemple :

    a) $A = 2\,000 \sin 30x + 3\,000$

    b)

    c) Toutes les caractéristiques de la fonction restent les mêmes, sauf le déphasage. Exemple de fonction : $A = 2\,000 \cos (30(x - 3)) + 3\,000$

Chapitre 6

Connaissances préalables, pages 352 et 353

1. a) **b)**

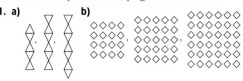

    c) EEEEE, FFFFFF, GGGGGGG

    d) PQRST, PQRSTU, PQRSTUV

    e) 15, 18, 21   **f)** $-25, 30, -35$

    g) $-9, -13, -17$ **h)** $\dfrac{1}{6}, \dfrac{1}{7}, \dfrac{1}{8}$

    i) $5x, 6x, 7x$

2. a) 2   **b)** -10 **c)** $\dfrac{1}{2}$ **d)** $\dfrac{-m + 7}{m + 2}$

3. a) 2   **b)** $\dfrac{1}{4}$ **c)** $2^{\frac{1}{3}}$ **d)** $2^{\frac{t-1}{3}}$

4. a) 1   **b)** 5

    c) $t^2 - 7t + 11$ **d)** $4t^2 - 6t + 1$

5. a)   **b)**

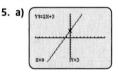 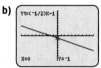

    c)   **d)**

    e)   **f)**

    g)   **h)**

 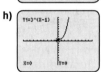

6. a) $y = -\dfrac{3}{7}$ **b)** $t = 0$ **c)** $a = \dfrac{3}{2}$ **d)** $x = 44$ **e)** $x = 6$

7. a) 4,8   **b)** 105   **c)** 0,48

    d) 20   **e)** 0,0511   **f)** 980

8. a) $\dfrac{4}{5}$ **b)** $-\dfrac{3}{14}$ **c)** $\dfrac{24}{5}$

    d) $-\dfrac{39}{2}$ **e)** $\dfrac{1}{6}$ **f)** $\dfrac{11}{5}$

9. a) Du second degré   **b)** Du premier degré

    c) Ni l'un ni l'autre

10. Les réponses varieront. Exemple : Pour une fonction affine, les premières différences sont constantes. La valeur des premières différences de la fonction affine $y = 3x - 1$ est 3. La pente de la droite définie par $y = 3x - 1$ est aussi égale à 3. La valeur des premières différences d'une fonction affine est égale à la valeur de m dans son équation de la forme $y = mx + b$.

11. Les réponses varieront. Exemple : Pour une fonction du second degré, les deuxièmes différences sont constantes. La valeur des deuxièmes différences de la fonction du second degré $y = 2x^2 - 5x - 3$ est 4. La valeur des deuxièmes différences d'une fonction du second degré est égale à la valeur de 2a dans son équation de la forme $y = ax^2 + bx + c$.

12. a) $(3, 1)$　**b)** $\left(-\dfrac{8}{3}, \dfrac{49}{3}\right)$

c) $\left(\dfrac{228}{13}, -\dfrac{112}{3}\right)$　**d)** $(5, 4)$

6.1 Les suites en tant que fonctions discrètes, pages 354 à 363

1. a) 2, 5, 8　**b)** $-3, -8, -13$　**c)** 1, 3, 9

d) $\dfrac{1}{2}, \dfrac{1}{4}, \dfrac{1}{8}$　**e)** $1, \dfrac{1}{2}, \dfrac{1}{3}$　**f)** 24, 48, 96

2. a) -35　**b)** 29　**c)** 142

d) $\dfrac{13}{12}$　**e)** 168　**f)** $-2\ 048$

3. Les réponses varieront. Exemple :

a) Le premier terme est 4. Multiplier chaque terme par 4 pour obtenir le terme suivant.

Trois prochains termes : 1 024, 4 096, 16 384

b) Le premier terme est 7. Soustraire 1 de chaque terme pour obtenir le terme suivant.

Trois prochains termes : 3, 2, 1

c) Le premier terme est -3. Soustraire 3 de chaque terme pour obtenir le terme suivant.

Trois prochains termes : $-15, -18, -21$

d) Le premier terme est 100. Diviser chaque terme par 10 pour obtenir le terme suivant.

Trois prochains termes : 0,01, 0,001, 0,000 1

e) Le premier terme est 5. Pour obtenir chaque terme subséquent, ajouter 5 à la valeur absolue du terme précédent, puis multiplier le résultat par $(-1)^{n+1}$.

Trois prochains termes : 25, -30, 35

f) Le premier terme est $\dfrac{1}{3}$. Multiplier chaque terme par $\dfrac{1}{3}$ pour obtenir le terme suivant.

Trois prochains termes : $\dfrac{1}{243}, \dfrac{1}{729}, \dfrac{1}{2\ 187}$

g) Le premier terme est x. Additionner $2x$ à chaque terme pour obtenir le terme suivant.

Trois prochains termes : $9x, 11x, 13x$

h) Le premier terme est 4. Additionner 4 à chaque terme pour obtenir le terme suivant.

Trois prochains termes : 20, 24, 28

i) Le premier terme est a. Multiplier chaque terme par r pour obtenir le terme suivant.

Trois prochains termes : ar^4, ar^5, ar^6

j) Le premier terme est 0,2. Pour obtenir chaque terme subséquent, ajouter 0,02 à la valeur absolue du terme précédent, puis multiplier le résultat par $(-1)^{n+1}$.

Trois prochains termes : 1, $-1,2$, 1,4

4. a)

Rang du terme, n	Terme, t_n	Premières différences
1	2	
2	4	2
3	6	2
4	8	2

$f(n) = 2n$; domaine : $\{n \in \mathbb{N}^*\}$

b)

Rang du terme, n	Terme, t_n	Premières différences
1	2	
2	1	-1
3	0	-1
4	-1	-1

$f(n) = -n + 3$; domaine : $\{n \in \mathbb{N}^*\}$

c)

Rang du terme, n	Terme, t_n	Premières différences
1	3	
2	6	3
3	9	3
4	12	3

$f(n) = 3n$; domaine : $\{n \in \mathbb{N}^*\}$

d)

Rang du terme, n	Terme, t_n	Premières différences	Deuxièmes différences
1	0		
2	3	3	
3	8	5	2
4	15	7	2

$f(n) = n^2 - 1$; domaine : $\{n \in \mathbb{N}^*\}$

e)

Rang du terme, n	Terme, t_n	Premières différences	Deuxièmes différences
1	3		
2	6	3	
3	11	5	2
4	18	7	2

$f(n) = n^2 + 2$; domaine : $\{n \in \mathbb{N}^*\}$

f)

Rang du terme, n	Terme, t_n	Premières différences	Deuxièmes différences
1	-10		
2	-9	1	
3	0	9	8
4	17	17	8

$f(n) = 4n^2 - 11n - 3$; domaine : $\{n \in \mathbb{N}^*\}$

5. a) $f(n) = n^2$; domaine : $\{1, 2, 3, 4\}$

b) $f(n) = 2n$; domaine : $\{1, 2, 3, 4\}$

c) $f(n) = \dfrac{1}{2}n - \dfrac{3}{2}$; domaine : $\{1, 2, 3, 4\}$

d) $f(n) = 4n - 11$; domaine : $\{1, 2, 3, 4\}$

6. a) Discrète. Les explications varieront. Exemple : Le graphique est un ensemble de points distincts.

b) Continue. Les explications varieront. Exemple : Le graphique est une droite continue.

c) Discrète. Les explications varieront. Exemple : Le graphique est un ensemble de points distincts.

7. Les réponses varieront. Exemple :

a) Le premier terme et tous les autres termes de rang impair ont la valeur 1. Les termes de rang pair forment l'ensemble des nombres naturels non nuls.

Trois prochains termes : 5, 1, 6

b) Le premier terme et les autres termes de rang impair forment l'ensemble des nombres naturels non nuls. Le deuxième terme de la suite est 5 et chaque terme de rang pair est égal à 5 de plus que le terme de rang pair précédent.

Trois prochains termes : 4, 20, 5

c) Le premier terme de la suite est 3. Multiplier chaque terme par $\sqrt{5}$ pour obtenir le terme suivant.

Trois prochains termes : $75\sqrt{5}$, 375, $375\sqrt{5}$

d) Le premier terme de la suite est $\frac{1}{2}$. Multiplier chaque autre terme par $\frac{1}{2}$ pour obtenir le terme suivant.

Trois prochains termes : $\frac{1}{32}$, $\frac{1}{64}$, $\frac{1}{128}$

8. Les réponses varieront. Exemple : Chaque terme de la suite est un multiple de 7.

a) Le nombre 98 fait partie de la suite, car il est un multiple de 7.

b) Le nombre 110 ne fait pas partie de la suite, car il n'est pas un multiple de 7.

c) Le nombre 378 fait partie de la suite, car il est un multiple de 7.

d) Le nombre 575 ne fait pas partie de la suite, car il n'est pas un multiple de 7.

9. a)

b) Les réponses varieront. Exemple : Le graphique est une courbe exponentielle. Si le taux de croissance était plus grand, la courbe serait plus abrupte.

c) 6,577 2, 6,656 1, 6,736, 6,816 8, 6,898 6, 6,981 4, 7,065 2, 7,15, 7,235 8, où chaque nombre représente des milliards.

10. a) et b)

Année	Valeur
0	35 000,00
1	28 000,00
2	22 400,00
3	17 920,00
4	14 336,00
5	11 468,80
6	9 175,04
7	7 340,03
8	5 872,03
9	4 697,62
10	3 758,10
11	3 006,48
12	2 405,18
13	1 924,15
14	1 539,32
15	1 231,45

c)

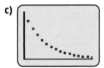

d) $f(n) = 35\ 000\ (0,80)^n$

e) Cette fonction est discrète. La valeur dépréciée de la voiture est calculée sur une base annuelle.

11. $\frac{1}{2}$, $\frac{1}{3}$, $\frac{1}{4}$, $\frac{1}{5}$, $\frac{1}{6}$

12. a) Les réponses varieront.

b)

Étape	Longueur du segment de droite	Nombre de segments de droite	Périmètre du flocon de neige
1	1	3	3
2	$\frac{1}{3}$	12	4
3	$\frac{1}{9}$	48	$\frac{16}{3}$
4	$\frac{1}{27}$	192	$\frac{64}{9}$
5	$\frac{1}{81}$	768	$\frac{256}{27}$
6	$\frac{1}{243}$	3 072	$\frac{1\ 024}{81}$

c) Longueur du segment de droite : $f(n) = \left(\frac{1}{3}\right)^{n-1}$; nombre de segments de droite : $f(n) = 3(4)^{n-1}$; périmètre du flocon de neige : $f(n) = 3\left(\frac{4}{3}\right)^{n-1}$

d) Longueur du segment de droite : $1,062\ 2 \times 10^{-11}$; nombre de segments de droite : $2,111\ 1 \times 10^{14}$; périmètre du flocon de neige : $2\ 242,395\ 4$

13. Les réponses varieront. Exemple :

a) $f(n) = (-4)(-2)^{n-1}$; $-65\ 536$

b) $f(n) = \frac{n}{2n-1}$; $\frac{15}{29}$

c) $f(n) = \sqrt{n}$; $\sqrt{15}$

d) $f(n) = 2^{n-1}$; 16 384

e) $f(n) = \dfrac{1}{n}$; $\dfrac{1}{15}$

f) $f(n) = (-1)^{n-1}$; 1

14. Les réponses varieront.

15. a) 50, 100, 200, 400, 800, 1 600

b) $f(n) = 50(2)^{n-1}$

c) 409 600 $. Les explications varieront. Exemple : Non. Ce montant semble trop élevé pour les ventes de la 14e journée d'activité d'une nouvelle petite entreprise.

16. $f(n) = 2\,100 - 110n$; 12 années

17. a) 1,732 1, 1,316 1, 1,147 2

b) Les réponses varieront. Exemple : Les nombres diminuent et tendent vers 1.

c) 1

18. $f(n) = \dfrac{n(n+1)(2n+1)}{6}$

19. B   **20.** B   **21.** B

6.2 Les techniques récursives, pages 365 à 372

1. a) 4, 7, 10, 13

b) 7, 13, 25, 49

c) -3, $-1{,}8$, $-1{,}56$, $-1{,}512$

d) 50, 25, 12,5, 6,25

e) 8, -20, 66, -190

f) 100, 5 000, 250 000, 12 500 000

2. a) 9, 7, 5, 3   **b)** -1, 3, -9, 27

c) 3, $\dfrac{3}{2}$, $\dfrac{1}{2}$, $\dfrac{1}{8}$ **d)** 18, 20, 22, 24

e) 0,5, $-0,5$, 0,5, $-0,5$ **f)** 25, $-12,5$, 6,25, $-3,125$

3. a) $t_1 = 4$, $t_n = t_{n-1} - 3$; $f_1 = 4$, $f_n = f_{n-1} + 3$

b) $t_1 = 4$, $t_n = 2t_{n-1}$; $f_1 = 4$, $f_n = 2f_{n-1}$

c) $t_1 = -5$, $t_n = -3t_{n-1}$; $f_1 = -5$, $f_n = -3f_{n-1}$

4. a) 40, 70, 100, 130, …; $t_1 = 40$, $t_n = t_{n-1} + 30$

b) 1, -2, 4, -8; $t_1 = 1$, $t_n = t_{n-1}(-2)$

5. Les réponses varieront. Exemple :

$t_1 = 206$, $t_n = t_{n-1}$

6. a) 50, 54, 62, 74, …

b) Les réponses varieront. Exemple : Il y a 50 sièges dans la première rangée. Le nombre de sièges de la deuxième rangée est égal à 4 de plus que le nombre de sièges de la première rangée. Le nombre de sièges de la troisième rangée est égal à 8 de plus que le nombre de sièges de la deuxième rangée. Le nombre de sièges de la quatrième rangée est égal à 12 de plus que le nombre de sièges de la troisième rangée. Le nombre de sièges de chaque rangée suivante est égal au nombre de sièges de la rangée précédente plus 4 fois le résultat obtenu en soustrayant 1 du numéro de la rangée.

c) $t_1 = 50$, $t_n = t_{n-1} + 4(n-1)$

7. a)

Année	Valeur de la maison ($)
0	250 000
1	250 000 + 0,03 × 250 000 = 257 500
2	257 500 + 0,03 × 257 500 = 265 225
3	265 225 + 0,03 × 265 225 = 273 181,75
4	273 181,75 + 0,03 × 273 181,75 = 281 377,20
5	281 377,20 + 0,03 × 281 377,20 = 289 818,52
6	289 818,52 + 0,03 × 289 818,52 = 298 513,08
7	298 513,08 + 0,03 × 298 513,08 = 307 468,47
8	307 468,47 + 0,03 × 307 468,47 = 316 692,52
9	316 692,52 + 0,03 × 316 692,52 = 326 193,30
10	326 193,30 + 0,03 × 326 193,30 = 335 979,10

b) 257 500, 265 225, 273 181,75, 281 377,20, 289 818,52, 298 513,08, 307 468,47, 316 692,52, 326 193,30, 335 979,10

c) $t_n = 1{,}03t_{n-1}$; 389 491,86 $

8. a) 1, 7, 58, 3 376   **b)** 8, 4, 2, 1

c) 3, 6, 12, 24   **d)** -5, 14, -24, 52

e) $\dfrac{1}{2}$, 4, 18, 74

f) $a + 3b$, $a + 7b$, $a + 11b$, $a + 15b$

9. a) 2, 2, 6, 10   **b)** 1, 2, 2, 4

c) 5, 7, -2, 9   **d)** -2, 3, -3, 6

e) 1, -4, -4, 16   **f)** 3, 1, 7, -3

10. 0, 2, 5, 9, 14, 20; $t_1 = 0$, $t_n = t_{n-1} + n$

11. $t_1 = 1$, $t_n = t_{n-1} + 2n - 1$

12. a) -8, -12, -20, -36

b) $t_1 = -8$, $t_n = 2t_{n-1} + 4$

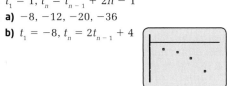

13. Les réponses varieront. Exemple :

a) 1, 9, 25, 49; $t_1 = 1$, $t_n = t_{n-1} + 8(n-1)$

b) 2, $\dfrac{5}{2}$, $\dfrac{10}{3}$, $\dfrac{17}{4}$; $t_1 = 2$, $t_n = t_{n-1} + \dfrac{n(n-1) - 1}{n(n-1)}$

c) $\dfrac{1}{3}$, $\dfrac{1}{9}$, $\dfrac{1}{27}$, $\dfrac{1}{81}$; $f(1) = \dfrac{1}{3}$, $f(n) = \dfrac{f(n-1)}{3}$

d) 4, 7, 10, 13; $t_1 = 4$, $t_n = t_{n-1} + 3$

e) -3, 0, 5, 12; $f(1) = -3$, $f(n) = f(n-1)$

f) 2, 8, 32, 128; $f(1) = 2$, $f(n) = 4f(n-1)$

14. a) 3, 7, 15, 31; $t_n = 4(2^{n-1}) - 1$

b) 1, $\dfrac{1}{2}$, $\dfrac{1}{4}$, $\dfrac{1}{8}$; $t_n = \dfrac{1}{2^{n-1}}$

c) 10, 0, -10, -20; $t_n = 20 - 10n$

d) -2, $-\dfrac{5}{2}$, $-\dfrac{8}{3}$, $-\dfrac{11}{4}$; $t_n = \dfrac{1 - 3n}{n}$

15. a) Les réponses varieront.

b) Aire $= \dfrac{3}{4}$ unité carrée

c) Les réponses varieront.

d) 1, $\dfrac{3}{4}$, $\dfrac{9}{16}$, $\dfrac{27}{64}$, $\dfrac{81}{256}$, …; formules :

$t_1 = 1$, $t_n = \dfrac{3}{4}t_{n-1}$; et $f(n) = \left(\dfrac{3}{4}\right)^{n-1}$

16. Les réponses varieront. Exemple :

   a) $t_1 = 2$, $t_n = t_{n-1} + 2n$

   b) $t_1 = 3$, $t_n = t_{n-1} + n^2$

   c) $t_1 = 2$, $t_n = (t_{n-1})^2 + 1$

   d) $t_1 = -1$, $t_n = t_{n-1} + 3^{n-2}$

18. a) $1{,}5$, -3, 6, -12, 24 **b)** -4, 0, 9, 25

19. Les réponses varieront.

20. a) La suite des nombres exacts :

$$1, 1, 2, \frac{3}{2}, \frac{5}{3}, \frac{8}{5}, \frac{13}{8}, \frac{21}{13}, \dots ;$$

   la suite des nombres approximatifs : 1, 1, 2, 1,5, 1,667, 1,6, 1,625, 1,615, … ;

   Les réponses varieront. Exemple : La suite est convergente et tend vers 1,618.

   b) Les réponses varieront.

21. a) Les réponses varieront.

   b) $\frac{\pi}{4}$, $\frac{\pi}{4}$, π, $\frac{9\pi}{4}$, $\frac{25\pi}{4}$, 16π ; 26π unités carrées

22. Les réponses varieront.

6.3 Le triangle de Pascal et le développement d'un binôme, pages 373 et 379

1. 6. Les explications varieront. Exemple : Le nombre qui ne fait pas partie de la diagonale est égal à la somme des trois nombres qui en font partie. Les exemples varieront.

2. a) 256   **b)** 4 096

   c) 1 048 576   **d)** 2^n

3. a) $t_{5,4}$ **b)** $t_{9,6}$

   c) $t_{26,18}$ **d)** $t_{a+1,b+1}$

4. a) $t_{3,1} + t_{3,2}$ **b)** $t_{11,8} + t_{11,9}$

   c) $t_{27,13} + t_{27,14}$ **d)** $t_{16,x-1} + t_{16,x}$

5. a) $x^5 + 10x^4 + 40x^3 + 80x^2 + 80x + 32$

   b) $y^4 - 12y^3 + 54y^2 - 108y + 81$

   c) $4\,096 + 6\,144t + 3\,840t^2 + 1\,280t^3 + 240t^4 + 24t^5 + t^6$

   d) $1 - 5m + 10m^2 - 10m^3 + 5m^4 - m^5$

   e) $16x^4 - 96x^3y + 216x^2y^2 - 216xy^3 + 81y^4$

   f) $a^{10} + 20a^8 + 160a^6 + 640a^4 + 1\,280a^2 + 1\,024$

6. a) 1   **b)** 26   **c)** 16   **d)** $n + 1$

7. a) 1   **b)** 7   **c)** 4   **d)** 495

8. a) 8   **b)** 11   **c)** 14   **d)** 16

9. Les réponses varieront. Exemple :

   a) $t_{5,2} - t_{4,1}$ **b)** $t_{7,3} - t_{6,2}$

   c) $t_{13,9} - t_{12,8}$ **d)** $t_{29,14} - t_{28,15}$

10. a) Rangée supérieure : 8, 1 ; rangée inférieure : 45, 10

   b) Rangée du milieu, case gauche : 35 ; case inférieure droite : 28 ; case centrale : 21

   c) Rangée du milieu : 11, 55, 165 ; rangée inférieure : 66, 220

   d) Case supérieure gauche : 21 ; rangée du milieu, case droite : 70 ; rangée inférieure : 84, 126

11. Les réponses varieront.

12. Les réponses varieront. Exemple : Si on écrit le triangle de Pascal sous la forme d'un triangle rectangle, les sommes des diagonales forment la suite de Fibonacci, 1, 1, 2, 3, 5, 8, 13, …

13. Rangée 0 : 1 ; rangée 1 : 2 ; rangée 2 : 6 ; rangée 3 : 20 ; rangée 4 : 70 ; 1, 2, 6, 20, 70. Les réponses varieront. Exemple : Les nombres se trouvent au centre d'une rangée sur deux dans le triangle de Pascal. Les réponses varieront. Exemple :

$$t_n = t_{2(n-1),\,n-1}$$

14. $x = -2$; $n = 9$

15. Les réponses varieront. Exemple : Le terme du haut est 1. On obtient les premier et dernier termes de la rangée n en augmentant de 1 le dénominateur des premier et dernier termes de la rangée $n - 1$. Tout autre terme d'une rangée est obtenu en soustrayant le terme qui se trouve directement à sa droite du terme qui se trouve directement au-dessus de lui et à sa droite. Selon cette régularité, les trois prochaines rangées de cet arrangement triangulaire sont :

$$\frac{1}{6} \quad \frac{1}{30} \quad \frac{1}{60} \quad \frac{1}{60} \quad \frac{1}{30} \quad \frac{1}{6}$$

$$\frac{1}{7} \quad \frac{1}{42} \quad \frac{1}{105} \quad \frac{1}{140} \quad \frac{1}{105} \quad \frac{1}{42} \quad \frac{1}{7}$$

$$\frac{1}{8} \quad \frac{1}{56} \quad \frac{1}{168} \quad \frac{1}{280} \quad \frac{1}{280} \quad \frac{1}{168} \quad \frac{1}{56} \quad \frac{1}{8}$$

16. Les réponses varieront. Exemple : Les nombres des rangées où le premier terme après le 1 est un nombre premier sont des multiples de ce nombre premier.

17. 89 trajets

18. C   **19.** B   **20.** A

6.4 Les suites arithmétiques, pages 380 à 387

1. a) $a = 12$, $d = 3$; 21, 24, 27, 30

   b) $a = 6$, $d = -2$; 0, -2, -4, -6

   c) $a = 0{,}2$, $d = 0{,}15$; 0,65, 0,8, 0,95, 1,1

   d) $a = -30$, $d = 6$; -12, -6, 0, 6

   e) $a = 5$, $d = -6$; -13, -19, -25, -31

   f) $a = \frac{1}{2}$, $d = \frac{1}{2}$; 2, $\frac{5}{2}$, 3, $\frac{7}{2}$

2. a) Arithmétique ; le premier terme est $a = 3$ et la raison arithmétique est $d = 2$.

   b) Pas arithmétique ; le premier terme est $a = 2$, mais la différence entre des termes consécutifs n'est pas constante.

   c) Pas arithmétique ; le premier terme est $a = 4$, mais la différence entre des termes consécutifs n'est pas constante.

   d) Arithmétique ; le premier terme est $a = 13$ et la raison arithmétique est $d = -6$.

   e) Arithmétique ; le premier terme est $a = -12$ et la raison arithmétique est $d = 7$.

   f) Arithmétique ; le premier terme est $a = 0$ et la raison arithmétique est $d = 1{,}5$.

3. a) 5, 7, 9 ; $t_n = 2n + 3$

   b) -2, -6, -10 ; $t_n = -4n + 2$

   c) 9, 5,5, 2 ; $t_n = -3{,}5n + 12{,}5$

   d) 0, $-\frac{1}{2}$, -1 ; $t_n = -\frac{1}{2}n + \frac{1}{2}$

   e) 100, 110, 120 ; $t_n = 10n + 90$

   f) $\frac{3}{4}$, $\frac{5}{4}$, $\frac{7}{4}$; $t_n = \frac{1}{2}n + \frac{1}{4}$

g) $10, 10 + t, 10 + 2t$; $t_n = tn + 10 - t$

h) $x, 3x, 5x$; $t_n = 2nx - x$

4. a) 40 **b)** -47 **c)** $\dfrac{15}{2}$ **d)** 2

5. a) $-1, 1, 3$ **b)** $-2, -3, -4$

c) $2, 0, -2$ **d)** $-7, -9, -11$

e) $0,75, 1,25, 1,75$ **f)** $0,3, 0,5, 0,7$

6. t_{32}

7. a) 40 **b)** 30 **c)** 89 **d)** 35

8. Les réponses varieront.

9. a) $a = \dfrac{5}{2}, d = \dfrac{1}{2}$; $1, \dfrac{1}{2}, 0$

b) $a = -6, d = \dfrac{5}{2}$; $\dfrac{3}{2}, 4, \dfrac{13}{2}$

c) $a = 2a, d = -b$; $2a - 3b, 2a - 4b, 2a - 5b$

10. a) $a = 5, d = 4$; $t_n = 4n + 1$

b) $a = -4, d = 6$; $t_n = 6n - 10$

c) $a = -8, d = -3$; $t_n = -3n - 5$

d) $a = 3 - 22x, d = 4,5x$; $t_n = 4,5xn + 3 - 26,5x$

11. a) $t_1 = 5, t_n = t_{n-1} + 4$

b) $t_1 = -4, t_n = t_{n-1} + 6$

c) $t_1 = -8, t_n = t_{n-1} - 3$

d) $t_1 = 3 - 22x, t_n = t_{n-1} + 4,5x$

12. a) $t_n = 2n$ **b)** $t_n = 10n$

c) $t_n = -10n + 5$ **d)** $t_n = -3n + 2$

13. a) $5\ 500\ \$$

b) 20. Les réponses varieront. Exemple : La 20e personne gagnera $500\ \$$. Il restera $0\ \$$ après que ce montant aura été versé.

14. $130\ 500\ \$$, si $n = 0$ représente son salaire initial et $n = 1$ représente son salaire à la fin de la première année.

15. 822 membres

16. $-9, -27$

17. 83

18. Les réponses varieront. Exemple :

a) Arithmétique ; on obtient chaque terme, après le premier terme, en additionnant la raison arithmétique, 3, au terme précédent.

b) Pas arithmétique ; on obtient chaque terme, après les deux premiers, en multipliant le terme précédent par 4 et en additionnant le terme qui vient avant le terme précédent. Cette suite n'a pas de raison arithmétique.

c) Pas arithmétique ; on obtient chaque terme en élevant au carré le terme précédent. Cette suite n'a pas de raison arithmétique.

d) Pas arithmétique ; on obtient chaque terme, après le premier terme, en multipliant le terme précédent par -2 et en soustrayant 5. Cette suite n'a pas de raison arithmétique. Les observations varieront.

19. $\dfrac{7x + 10y}{4}, \dfrac{5x + 6y}{2}, \dfrac{13x + 14y}{4}$

20. $x = 5$; les trois premiers termes sont $5, 9,5$ et 14.

21. $4, 11, 18, 25, \ldots$

22. a) $(-1, 2)$ **b)** $(-1, 2)$

c) Les réponses varieront.

23. C

24. Les réponses varieront.

25. B   **26.** C   **27.** D

6.5 Les suites géométriques, pages 388 à 394

1. a) Arithmétique ; le premier terme est $a = 5$ et la raison arithmétique est $d = -2$.

b) Géométrique ; le premier terme est $a = 5$ et la raison géométrique est $r = -2$.

c) Géométrique ; le premier terme est $a = 4$ et la raison géométrique est $r = \dfrac{1}{10}$.

d) Géométrique ; le premier terme est $a = \dfrac{1}{2}$ et la raison géométrique est $r = \dfrac{1}{3}$.

e) Ni l'un ni l'autre ; le premier terme est $a = 1$, mais il n'y a pas de différence constante ou de rapport constant entre les termes consécutifs.

f) Ni l'un ni l'autre ; le premier terme est $a = 1$, mais il n'y a pas de différence constante ou de rapport constant entre les termes consécutifs.

2. a) 2 ; $16, 32, 64$

b) -3 ; $-243, 729, -2\ 187$

c) -1 ; $\dfrac{2}{3}, -\dfrac{2}{3}, \dfrac{2}{3}$

d) $-0,5$; $37,5, -18,75, 9,375$

e) 1 ; $-15, -15, -15$

f) 10 ; $3\ 000, 30\ 000, 300\ 000$

g) $0,5$; $4,5, 2,25, 1,125$

h) x^2 ; x^9, x^{11}, x^{13}

3. a) $t_n = 54\left(\dfrac{1}{3}\right)^{n-1}$; $\dfrac{2}{243}$

b) $t_n = 4(5)^{n-1}$; $1\ 562\ 500$

c) $t_n = \left(\dfrac{1}{6}\right)\left(\dfrac{6}{5}\right)^{n-1}$; $0,716\ 636\ 16$

d) $t_n = 0,002\ 5(10)^{n-1}$; $250\ 000$

4. a) $5, 10, 20, 40$

b) $500, -2\ 500, 12\ 500, -62\ 500$

c) $0,25, -0,75, 2,25, -6,75$

d) $2, 2\sqrt{2}, 4, 4\sqrt{2}$

e) $-1, -0,2, -0,04, -0,008$

f) $-100, 20, -4, 0,8$

5. a) 7 **b)** 6 **c)** 12

d) 21 **e)** 8 **f)** 7

6. a) Arithmétique ; $a = x$, $d = 2x$

b) Géométrique ; $a = 1$, $r = \dfrac{x}{2}$

c) Ni l'un ni l'autre

d) Géométrique ; $a = \dfrac{5x}{10}$, $r = \dfrac{1}{100}$

7. 10

8. 7

9. Après 14 périodes de 7 h, le nombre de bactéries sera de $1,64 \times 10^6$.

10. a) $\dfrac{100}{9}$ Ci/km^2

b) $1 = \dfrac{100}{9}\left(\dfrac{1}{2}\right)^{\frac{t}{30}}$; 104,2 ans

c) Les réponses varieront.

11. 46 656

12. a) Les réponses varieront.

b) $A = 1\left(\dfrac{8}{9}\right)^{n-1}$

c) 0,106 684 unité carrée

d) Les réponses varieront.

13. a) Soit É, le nombre d'électrices et d'électeurs :
$É = (1\,000\,000)(1,026)^{n-1}$, où n est le nombre de périodes de 4 ans depuis 1850.

b) Les réponses varieront. Exemple : Discrète ; les élections ont lieu tous les 4 ans.

c) 2 791 865

14. a) 25   **b)** 12, 36 et 108

16. $y = \dfrac{1}{5}$, $y = 6$

17. a) $x = 6$, $y = 24$; $x = -6$, $y = -24$

b) $x = 16$, $y = -128$

18. $x^2 + x$, $x^3 + x^2$, $x^4 + x^3$

19. 22,47 % par année

20. Cas 1 : $x = 2$, $y = 12$; cas 2 : $x = 8$, $y = 24$

21. C   **22.** B   **23.** $50\sqrt[3]{2}$

6.6 Les séries arithmétiques, pages 395 et 401

1. a) 39   **b)** -12 **c)** -90

d) 130   **e)** $-\dfrac{49}{6}$ **f)** $180x$

2. a) $a = 5$, $d = 4$ et $S_{20} = 860$

b) $a = 20$, $d = 5$ et $S_{20} = 1\,350$

c) $a = 45$, $d = -6$ et $S_{20} = -240$

d) $a = 2$, $d = 0,2$ et $S_{20} = 78$

e) $a = \dfrac{1}{2}$, $d = \dfrac{1}{4}$ et $S_{20} = 57,5$

f) $a = -5$, $d = -1$ et $S_{20} = -290$

3. a) 18   **b)** 1 020   **c)** 270   **d)** 1 120

4. a) 375   **b)** 2 170   **c)** $-1\,480$ **d)** 0

5. a) 4 564   **b)** $-3\,630$ **c)** $-35\,409,3$ **d)** 87

6. $-27, -22, -17$

7. 3 925

8. a) $1\,190\sqrt{7}$ **b)** $-550x$ **c)** $22b$ **d)** $\dfrac{90}{x}$

9. Les réponses varieront. Exemple :

a) Pas arithmétique ; le premier terme est -2, mais la différence entre les quatre termes de la série n'est pas constante.

b) Arithmétique ; le premier terme est $2x^2$ et la raison arithmétique est x^2.

c) Arithmétique ; le premier terme est a et la raison arithmétique est $2b$.

d) Pas arithmétique ; le premier terme est $\dfrac{17}{20}$, mais la différence entre les trois termes de la série n'est pas constante.

10. 68 boîtes

11. 1 860 cm

12. a) 22   **b)** Les réponses varieront.

13. $S_n = \dfrac{n}{2}(3n - 1)$

14. a) $x = 0$, $x = 4$

b) Si $x = 0$, la somme $= 45$; si $x = 4$, la somme $= 305$

16. $S_n = \dfrac{7}{2}n^2 - \dfrac{13}{2}n$

17. 124 ; 15

18. $2 + 6 + 10 + 14 + \ldots$

19. A

20. C

21. 14 706

22. $x = 7$

23. Les réponses varieront.

24. $\dfrac{20}{21}$

6.7 Les séries géométriques, pages 402 et 409

1. a) Géométrique ; le premier terme est $a = 4$ et la raison géométrique est $r = 5$.

b) Géométrique ; le premier terme est $a = -150$ et la raison géométrique est $r = -\dfrac{1}{10}$.

c) Pas géométrique ; le premier terme est $a = 3$, mais le rapport entre des termes consécutifs n'est pas constant.

d) Géométrique ; le premier terme est $a = 256$ et la raison géométrique est $r = -\dfrac{1}{4}$.

2. a) $a = 2$, $r = 3$ et $S_8 = 6\,560$

b) $a = 24$, $r = -\dfrac{1}{2}$ et $S_{10} = \dfrac{1\,023}{64}$

c) $a = 0,3$, $r = 0,01$ et $S_{15} \approx \dfrac{10}{33}$

d) $a = 1$, $r = -\dfrac{1}{3}$ et $S_{12} = \dfrac{132\,860}{177\,147}$

e) $a = 2,1$, $r = -2$ et $S_9 = 359,1$

f) $a = 8$, $r = -1$ et $S_{40} = 0$

3. a) 3 066   **b)** $-2\,730$

c) 2 615 088 483   **d)** $2,999\,999\,97 \times 10^{10}$

e) 10 922,5   **f)** $\dfrac{29\,524}{81}$

4. a) $\dfrac{9\,841}{243}$ **b)** $\dfrac{889}{64}$ **c)** $\approx 1\,333,3$ **d)** $\dfrac{6\,305}{6\,561}$

5. a) 2 735 **b)** -510 **c)** 64 125 **d)** $\dfrac{463}{729}$

6. a) $\dfrac{-242\sqrt{3}}{\sqrt{3}+1}$ **b)** $\dfrac{63\sqrt{2}x}{\sqrt{2}-1}$ **c)** $\dfrac{3(x^{15}-1)}{x-1}$

7. a) $\dfrac{1\,275}{64}$ **b)** $\dfrac{31\,248\sqrt{5}}{\sqrt{5}-1}$ **c)** $\dfrac{1(x^k-1)}{x-1}$

8. 7 termes

9. $\dfrac{58\,025}{48}$

10. $r=2$; $S_k=3(2^k-1)$ ou $r=-3$, $S_k=\dfrac{-3}{4}[(-3)^k-1]$

11. a) $S=25(2^x-1)$, où S est la somme totale remise en prix et x est le nombre de billets tirés.

b)

On peut remettre 16 prix si la somme totale à remettre est de 2 millions de dollars.

12. a) $\dfrac{1\,280}{729}$ m **b)** Environ 98,6 m

13. a)

Étape	Longueur des segments de droite (L_{seg})	Longueur totale (L_{tot})
1	1	1
2	$\dfrac{1}{3}$	3
3	$\dfrac{1}{9}$	9
4	$\dfrac{1}{27}$	27
5	$\dfrac{1}{81}$	81
6	$\dfrac{1}{243}$	243

b) $L_{seg}=\left(\dfrac{1}{3}\right)^{n-1}$; $\dfrac{1}{243}$ unité

c) $L_{tot}=(3)^{n-1}$; 243 unités

d) Les réponses varieront.

15. $a=5$, $b=10$, $c=20$ ou $a=20$, $b=10$, $c=5$

16. $3+6+12$ ou $3-6+12$

17. $a=6$, $r=2$, $t_{10}=3\,072$ et $S_{10}=6\,138$

18. $n=8$

19. Suite 1: $b=-\dfrac{1}{3}$, $S_5=-\dfrac{11}{6}$;

suite 2: $b=3$, $S_5=124$

Révision du chapitre 6, pages 410 et 411

1. a) 6, 12, 22, 36 **b)** 1, $\dfrac{3}{2}$, $\dfrac{5}{3}$, $\dfrac{7}{4}$

2. a)

Rang du terme, n	Terme, t_n	Premières différences
1	−8	
2	−11	−3
3	−14	−3
4	−17	−3

$f(n)=-3n-5$;
domaine $=\{n\in\mathbb{N}^*\}$

b)

Rang du terme, n	Terme, t_n	Premières différences	Deuxièmes différences
1	3		
2	2	−1	
3	−3	−5	−4
4	−12	−9	−4

$f(n)=-2n^2+5n$;
domaine $=\{n\in\mathbb{N}^*\}$

3. a) 5, 1, −3, −7 **b)** 3, 4, 5, 6

4. a) $t_1=-2$, $t_n=t_{n-1}+9$

b) $t_1=1$, $t_n=-3t_{n-1}$

5. a) $x^5+20x^4+160x^3+640x^2+1\,280x+1\,024$

b) $y^4-24y^3+216y^2-864y+1\,296$

c) $m^4+8m^3n+24m^2n^2+32mn^3+16n^4$

d) $729p^6-1\,458p^5q+1\,215p^4q^2-540p^3q^3$ $+135p^2q^4-18pq^5+q^6$

6. a) 35, 56

b)

```
                    1
                 1     1
              1     2     1
           1     3     3     1
        1     4     6     4     1
     1     5    10    10     5     1
  1     6    15    20    15     6     1
1     7    21    35    35    21     7     1
1  8   28   56   70   56   28   8   1
```

On trouve les nombres tétraédriques dans les quatrièmes diagonales du triangle de Pascal, qui partent des 1 aux extrémités de la rangée 3. Les nombres tétraédriques sont 1, 4, 10, 20, 35, 56, 84, ... Les deux diagonales ont en commun la valeur 20.

7. a) $a=3$, $d=-2$; $t_n=5-2n$; −5, −7, −9, −11

b) $a=\dfrac{2}{3}$, $d=\dfrac{1}{4}$; $t_n=\dfrac{n}{4}+\dfrac{5}{12}$; $\dfrac{5}{3}$, $\dfrac{23}{12}$, $\dfrac{13}{6}$, $\dfrac{29}{12}$

8. a) 1, 5, 9 **b)** 1, −3, −7

 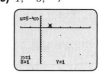

9. a) 145 sièges **b)** 245 sièges

10. a) Arithmétique; le premier terme est $a=-1$ et la raison arithmétique est $d=10$.

b) Ni l'un ni l'autre; le premier terme est $a=1$, mais il n'y a pas de différence constante ou de rapport constant entre les termes consécutifs.

c) Géométrique ; le premier terme est $a = -2$ et la raison géométrique est $r = -3$.

11. a) $-2, 2, -2$ **b)** $-12, -24, -48$

12. 177,3 m

13. a) $a = 50, d = -5$; 50   **b)** $a = -27, d = 6$; 600

14. 48 985 $

15. a) $-1\,450$ **b)** 120

16. a) 94 158 416   **b)** $-2\,728$

17. a) 272,221 95   **b)** 9 841,499 924

18. 1 023 cm^2

Test préparatoire du chapitre 6, pages 412 et 413

1. D   **2.** B   **3.** B   **4.** C   **5.** B

6. a) $4, -1, -6, -11, -16$ **b)** $1, 10, 23, 40, 61$

c) $\frac{1}{8}, \frac{1}{2}, 2, 8, 32$ **d)** $1, 1,2, 1,4, 1,6, 1,8$

e) $2,5, 3, 3,5, 4, 4,5$

f) $-6, -12, -24, -48, -96$

7. a) $f(n) = 64\left(\frac{1}{2}\right)^{n-1}$; $t_1 = 64, t_n = t_{n-1} \times \frac{1}{2}$

b) $f(n) = -23 + 3n$; $t_1 = -20, t_n = t_{n-1} + 3$

c) $f(n) = 84 - 4n$; $t_1 = 80, t_n = t_{n-1} - 4$

d) $f(n) = -4\,000\left(-\frac{1}{4}\right)^{n-1}$; $t_1 = -4\,000$,

$t_n = t_{n-1} \times \left(-\frac{1}{4}\right)$

e) $f(n) = -3(2)^{n-1}$; $t_1 = -3, t_n = t_{n-1} \times 2$

f) $f(n) = -14\sqrt{2} + 2\sqrt{2}n$; $t_1 = -12\sqrt{2}$,

$t_n = t_{n-1} + 2\sqrt{2}$

8. a) 46   **b)** $-3\,072$ **c)** 5 120   **d)** -55

9. a) 86 093 442   **b)** 425

c) $1,0 \times 10^{-29}$ **d)** $-11,25$

10. a) 20   **b)** 15

11. a) 1,6, 1,68, 1,764

b) $t_1 = 1,6, t_n = 1,05t_{n-1}$; 1,944 81 t

12. a) $\frac{25\,575}{64}$ **b)** -855

13. a) $-2\,470$ **b)** 2 592

14. a) $\frac{671\,846}{81}$ **b)** 5 115

15. a) $b^5 - 15b^4 + 90b^3 - 270b^2 + 405b - 243$

b) $64x^6 - 960x^5y + 6\,000x^4y^2 - 20\,000x^3y^3 + 37\,500x^2y^4 - 37\,500xy^5 + 15\,625y^6$

16. a) 8   **b)** -7

17. 1 380

18. Les réponses varieront. Exemple : La série A est égale à la série B. On peut factoriser chaque paire de nombres de la série A en une différence de carrés de cette façon :

$A = (50 + 49)(50 - 49) + (48 + 47)(48 - 47) + \dots$
$+ (4 + 3)(4 - 3) + (2 + 1)(2 - 1)$
$= (99)(1) + (95)(1) + \dots + (7)(1) + (3)(1)$
$= 99 + 95 + \dots + 7 + 3.$

La somme de cette série est 1 275. La somme de la série B est $50 + 49 + 48 + 47 + \dots + 2 + 1$, c'est-à-dire 1 275.

19. 32 trajets

20. 66,8 %

21. 3 930

22. 54 908,48 $

23. Les réponses varieront.

Chapitre 7

Connaissances préalables, pages 416 et 417

1. a) Du premier degré

b) $m = 40, b = 400$

c) et **d)**

x	$y = 40x + 400$	Premières différences
0	400	
1	440	40
2	480	40
3	520	40
4	560	40

Les premières différences sont constantes.

2. a) 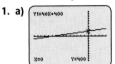 Exponentielle

b) $(0, 100)$

c) et **d)**

x	$y = 100(1,05)^x$	Premières différences	Deuxièmes différences
0	100		
1	105	5,00	
2	110,25	5,25	0,25
3	115,76	5,51	0,26
4	121,55	5,79	0,28

Ni les premières différences ni les deuxièmes différences ne sont constantes.

e) $\frac{105}{100} = 1,05, \frac{110,25}{105} = 1,05, \frac{115,75}{110,25} = 1,05,$

$\frac{121,55}{115,76} = 1,05.$ Toutes les raisons géométriques

ont la même valeur, soit 1,05.

3. a) Fonction affine ; les premières différences sont constantes.

b) Fonction exponentielle ; le rapport entre deux valeurs consécutives de y est toujours de 0,9.

4. a) Directe   **b)** Partielle
   c) Partielle   **d)** Directe

5. a) $C = d + 3$

b) Partie constante : 3 $; partie variable : 1 $ le km

c)

d) Pente = 1, ordonnée à l'origine = 3

e) Les réponses varieront. Exemple : La pente est le coefficient de la partie variable de la relation, et l'ordonnée à l'origine est la partie constante.

6. a) La différence entre deux termes consécutifs est constante.

    b) $a = 7$, $d = 3$ **c)** $t_n = 3n + 4$

7. a) $-2, 3, 8, 13$ **b)** $a = -2$, $d = 5$

8. 25 050

9. a) C'est une suite géométrique parce que le rapport entre deux termes consécutifs est constant.

    b) $a = 3$, $r = 2$ **c)** $t_n = 3(2)^{n-1}$

10. a) $-2, -6, -18, -54$ **b)** $a = -2$, $r = 3$

11. 21,578 563 59

12. $a = 2$

13. a) 80   **b)** 780   **c)** $\dfrac{250}{1,32}$ **d)** 0,065

14. a) 153,579 1   **b)** $-0,92$

    c) 0,032 8 ou $-2,032$ 8   **d)** $\pm 1,030$ 9

15. a) 36 mois   **b)** $\dfrac{15}{52}$ d'année

    c) $\dfrac{26}{73}$ d'année   **d)** 39 semaines

    e) $\dfrac{240}{73}$ mois   **f)** $\dfrac{75}{13}$ mois

16. a) 104   **b)** 4   **c)** 42

    d) 12   **e)** 4   **f)** 7

7.1 L'intérêt simple, pages 418 et 425

1. a) 117 $ **b)** 21,88 $ **c)** 15,99 $ **d)** 14,10 $

2. a) 212 $, 224 $, 236 $, 248 $ et 260 $

    b) $a = 212$, $d = 12$

    c) $t_n = 200 + 12n$; il s'agit d'un modèle linéaire qui représente le montant du placement à la fin de la $n$ième année.

3. a) Toutes les premières différences sont de 39 $, ce qui représente l'intérêt simple généré chaque année.

    b) 650 $; $t = 0$ représente le moment où le capital a été placé.

    c) 6 %

4. a) $M = 650 + 39t$

    b) Les réponses varieront. Exemple : La variation est partielle, car le montant initial n'est pas de 0 $. Le modèle linéaire comprend une partie constante, 650, et une partie variable, $39t$.

    c) 16 ans et 8 mois

5. a) 1 500 $ **b)** 8 %

    c) $M = 120t + 1\ 500$ **d)** 12 ans et 6 mois

6. a) $I = 120t$

    b) 12 ans et 6 mois ; même réponse qu'à la question 5 d)

7. a) $M = 11,25t + 250$ **b)**

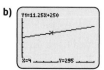

c) Environ 4 ans et 5 mois

d) Environ 8,2 %

8. a) 561,88 $ **b)** 61,88 $

    c) Dans 14 mois environ

9. Environ 10,7 %

10. a) 280 $ **b)** 2 280 $

11. 17,8 mois

12. a) Banque : $M = 5\ 500 + 682t$; concessionnaire : $M = 5\ 700 + 605t$

    b)

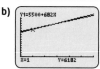

    c) Les réponses varieront. Exemple : Le prêt de la banque est la meilleure option si Daniel le rembourse en moins de 2,6 ans. Sinon, le prêt du concessionnaire est la meilleure option.

13. a) $r = \dfrac{M - C}{Ct}$ **b)** Environ 5,4 %

    c) Les réponses varieront.

14. a) $t = \dfrac{M - C}{Cr}$ **b)** Les réponses varieront.

7.2 L'intérêt composé, pages 426 à 435

1. a) 632,66 $ **b)** 132,66 $

2. a) 1 222,01 $ **b)** 372,01 $

3. a) 0,007 5   **b)** 0,02   **c)** 0,03   **d)** 0,005

4. a) 12   **b)** 8   **c)** 9

    d) 14   **e)** 6

5. a) $n = 6$, $i = 0,087$ 5   **b)** $n = 12$, $i = 0,015$

    c) $n = 24$, $i = 0,002$ **d)** $n = 15$, $i = 0,022$ 5

6. a) 1 661,54 $ **b)** 261,54 $ **c)** 241,50 $

7. 2,06 $

8. a) **I)** 360 $ **II)** 457,41 $

    III) 483,67 $ **IV)** 490,02 $

    L'ordre des options de la moins coûteuse à la plus coûteuse est le même que l'ordre dans l'énoncé du problème : I, II, III, IV.

    b) Les réponses varieront. Exemple : Plus la capitalisation est fréquente, plus l'intérêt s'accumule.

9. Environ 11 %

10. Environ 8 %

11. Les réponses varieront. Exemple : La Banque provinciale, parce qu'elle verse plus d'intérêt.

12. a) 2 149,19 $ **b)** 149,19 $

    c) Les réponses varieront. Exemple : Le compte chèques rapporte 130,81 $ de moins, mais Chloé peut en retirer de l'argent sans pénalité.

13. a) **I)** 9 ans   **II)** 8 ans   **III)** 6 ans

    b) Les réponses varieront. Exemple : La règle de 72 donne une réponse approximative. La formule de l'intérêt composé donne ces résultats : I. 9 ans, II. 8,04 ans et III. 6,12 ans.

14. Environ 4,36 ans

16. et 17. Les réponses varieront.

18. A   **19.** C

20. a) 1 610,51 $ **b)** 1 645,31 $
   c) 1 648,61 $ **d)** 1 648,72 $

7.3 La valeur actuelle, pages 436 à 443

1. a) 548,47 $ **b)** 885,57 $

2. 400 $

3. a) 516,85 $ **b)** 290,36 $

4. a) 2 499,98 $ **b)** 921,42 $

5. Annuelle

6. Environ 5 ans et 4 mois

7. a) Placement A : 7 712,54 $; placement B : 7 808,59 $
   b) Les réponses varieront. Exemple : Le placement A parce qu'il rapporte plus d'intérêt.

8. L'offre de la banque A est meilleure, car Jacques paiera un peu mois d'intérêt. La banque A lui prêterait 1 533,65 $, et la banque B, 1 531,10 $

9. a) 314,63 $ **b)** 126,65 $

10. 712,02 $

11. Environ 13,3 %

12. a) Les réponses varieront. Exemple : Plus le nombre de périodes de capitalisation augmente, plus la valeur actuelle diminue.
   b) Les réponses varieront. Exemple : Plus la capitalisation est fréquente, moins la somme à placer pour avoir un montant donné au bout de 5 ans est élevée.

13. a) 2 $ **b)** 0,14 $

14. 27 683,79 $

15. a) 4 429,19 $
   b) 7 570,81 $; c'est la valeur finale du dernier placement de Chloé.
   c) 6 %

16. a) $VA = \dfrac{800}{(1,06)^t}$ **b)**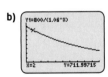

La pente du graphique décroît exponentiellement.
   c) Les réponses varieront. Exemple : L'échelle horizontale représente le temps en années.
   d) Les réponses varieront. Exemple : Le graphique renseigne sur la valeur actuelle du placement.
   e) Les réponses varieront. Exemple : Non, dans le contexte, toute valeur négative de t correspond à un moment où la valeur finale dépasserait 800 $.

18. Les réponses varieront. Exemple : Le nouveau graphique est une image obtenue par réflexion du graphique initial. Il montre une croissance exponentielle et représente la valeur finale d'un placement de 800 $ en fonction du temps. L'intérêt est de 6 % par année, composé annuellement.

19. $VA = \dfrac{VF}{1 + dt}$

20. 3 402,67 $

21. D

7.4 Les annuités, pages 444 à 455

1. 2 653,19 $

2. a) Une ligne du temps qui représente la valeur finale d'une annuité, où $R = 250$, $n = 6$ et $i = 0,045$.
   b) 1 679,22 $ **c)** 179,22 $

3. a) Une ligne du temps qui représente la valeur finale d'une annuité, où $R = 35$, $n = 104$ et $i = 0,001$.
   b) 3 834 $ **c)** 194 $

4. 2 277 45 $

5. 449,44 $

6. a) 3 289,83 $ **b)** 6 %

7. De 1,6 point de pourcentage

8. a) 42 059,39 $ **b)** 13 259,39 $

9. Les réponses varieront. Exemple : Je suis d'accord avec la conseillère, car une plus grande fréquence des dépôts et de la capitalisation fera augmenter la valeur de l'annuité. Maurice placera également davantage chaque année en déposant 40 $ par semaine, puisque 40 $ × 52 = 2 080 $ alors que 160 $ × 12 = 1 920 $.

10. Les réponses varieront. Exemple : Les dépôts hebdomadaires lui rapporteront davantage au bout de 7 ans que les deux autres options.

11. L'option A rapporte 533 704,47 $ de plus.

12. a) 87,33 $ **b)** Les réponses varieront.

13. a) Y1=(100(1.05^X-1))/0.05   Le graphique montre une croissance exponentielle.
   X=2   Y=205
   b) Les réponses varieront.
   c) Les versements périodiques sont de 100 $ et le taux d'intérêt est de 5 % par année.
   d) Les réponses varieront.

14. a) $C = 100n$ **b)** Y2=100X
   X=5   Y=500
   c) Les réponses varieront. Exemple : L'intérêt accumulé est égal à la différence entre les deux fonctions. $I(n) = \dfrac{100(1,05^n - 1)}{0,05} - 100n$

15. B

16. A

17. (0, 10), (6, 2), (10, 0)

18. B

7.5 La valeur actuelle d'une annuité, pages 456 à 463

1. 106 593,02 $

2. a) Une ligne du temps qui représente la valeur actuelle d'une annuité, où $R = 1\ 000$, $n = 4$ et $i = 0,08$.
   b) 3 312,13 $

3. a) Une ligne du temps qui représente la valeur actuelle d'une annuité, où $R = 650$, $n = 20$ et $i = 0,016$.
   b) 11 050,38 $ **c)** 1 949,62 $

4. 1 614,14 $

5. 2 830,60 $

6. 152 917,37 $

7. a) Les réponses varieront. Exemple : Non, elle n'a pas assez d'argent pour prendre sa retraite et vivre de ses gains de loterie.

　b) 1 242 519,27 $

8. Environ 8 %

9. Environ 20,1 %

10. a) Option A : 567,36 $; option B : 187,33 $

　b) Option A : 808,32 $; option B : 743,88 $

　c) Les réponses varieront. Exemple : L'option A produit plus d'intérêt, mais l'option B permet à Jordan de retirer plus d'argent.

11. 8 217,75 $

12. 1 585,60 $

13. a) Les réponses varieront. **b)** Les réponses varieront.

　c) 632 490,38 $　　　**d)** 54 274,33 $

　e) Les réponses varieront.

15. Les réponses varieront.

16. a) 0,412 392 % par mois

　b) 1 163,21 $

17. a) 1 022,99 $　　　**b)** 235,58 $

　c) 156 254 $

Révision du chapitre 7, pages 464 et 465

1. a) 102,60 $　　　**b)** 822,60 $

2. Environ 2 ans et 10 mois

3. a)

　b) Les réponses varieront. Exemple : C'est une relation du premier degré, car le graphique est une droite.

　c) L'ordonnée à l'origine est 750 $; c'est le capital emprunté.

　d) La pente est de 48,75 $; c'est l'intérêt accumulé chaque année.

4. a) 1 241,15 $　　　**b)** 406,15 $

5. a) Le graphique montre une croissance exponentielle en fonction du temps.

　b) L'ordonnée à l'origine est 1 000 $; c'est le solde initial.

　c) La pente augmente en fonction du temps.

6. a) 10 ans et 9 mois

　b) Les réponses varieront. Exemple : Non. Le taux d'intérêt et la période de capitalisation ne changent pas, et le rapport du montant au capital est toujours de 2 : 1.

7. 816,30 $

8. a) 33 758,66 $　　　**b)** 11 241,34 $

9. Environ 6,15 %

10. La capitalisation est trimestrielle.

11. a) Une ligne du temps qui représente la valeur finale d'une annuité, où $R = 2\,400$, $n = 4$ et $i = 0,043$.

　b) Les réponses varieront. Exemple : C'est une série géométrique parce que le rapport entre deux termes consécutifs est constant.

　c) 10 237,14 $　　　**d)** 637,14 $

12. a) 48 100,11 $　　　**b)** 9 700,11 $

13. 341,94 $

14. a) 6 ans

　b) 6 % ; 4 périodes de capitalisation par année

　c) 5 007,60 $　　　**d)** 992,40 $

15. 109 449,87 $

16. 1 798,97 $

Test préparatoire du chapitre 7, pages 466 et 467

1. D　**2.** B　**3.** B　**4.** C　**5.** A

6. a) 33,60 $　　　**b)** 223,20 $

　c) 15,05 %

7. 516,99 $

8. a) 3 ans, puisque 36 mois sont représentés.

　b) 6 %, avec 12 périodes de capitalisation par année

　c) 15 734,44 $　　　**d)** 1 334,44 $

9. Les réponses varieront. Exemple : L'option A est la meilleure, parce qu'elle produit plus d'intérêt.

10. Environ 6,9 %

11. Environ 5,97 %

12. a) 808,35 $　　　**b)** 151,81 $

13. 3 115,83 $

14. 817 jours

15. a) Une ligne du temps qui représente la valeur finale d'une annuité, où $R = 200$, $n = 1\,040$ et $i = 0,000\,5$.

　b) 272 723,63 $　　**c)** 64 723,63 $

16. a) Une ligne du temps qui représente la valeur actuelle d'une annuité, où $R = R$, $n = 1\,040$ et $i = 0,000\,5$.

　b) 336,36 $

　c) 141 814,40 $

17. a) Une ligne du temps qui représente la valeur finale d'une annuité, où $R = R$, $n = 52$ et $i = 0,002\,5$.

　b) 93,77 $

18. 33,6 %

19. 52,04 $

Révision des chapitres 6 et 7, pages 468 et 469

1. a) 1, 4, 7 ; les réponses varieront.

　b) 5, 17, 65 ; les réponses varieront.

　c) −11, 4, 29 ; les réponses varieront.

　d) $\frac{5}{2}$, 6, $\frac{31}{2}$; les réponses varieront.

　e) 1, 7, 19 ; les réponses varieront.

　f) −2, −4, 8 ; les réponses varieront.

2. a)

b)

c)

d)

e)

f)

3. a) 38 250 $; 36 377,50 $; 34 520,63 $

b) $V(n) = 38\ 250(0,95)^{n-1}$

c) 14 433,78 $. Les réponses varieront.

4. $1, -1, 3, -5\,; f(1) = 1, f(n) = f(n-1) + (-2)^{n-1}$

5. a) $t_n = 2n + 3\,; t_1 = 5, t_n = t_{n-1} + 2$

b) $t_n = 2^{2^{n-1}}\,; t_1 = 2, t_n = (t_{n-1})^2$

6. Les réponses varieront.

7. a) $128x^7 + 2\ 240x^6 + 16\ 800x^5 + 70\ 000x^4$
$+ 175\ 000x^3 + 262\ 500x^2 + 218\ 750x + 78\ 125$

b) $a^{10} - 15a^8b + 90a^6b^2 - 270a^4b^3 + 405a^2b^4$
$- 243b^5$

c) $\dfrac{64}{x^6} + \dfrac{192}{x^3} + 240 + 160x^3 + 60x^6 + 12x^9 + x^{12}$

d) $625 - \dfrac{1\ 500}{\sqrt{n}} + \dfrac{1\ 350}{n} - \dfrac{540}{n\sqrt{n}} + \dfrac{81}{n^2}$

8. a) Ni l'un ni l'autre

b) Arithmétique ; $t_n = 4n - 7, t_{12} = 41$

c) Géométrique ; $t_n = 3(4)^{n-1}, t_{12} = 12\ 582\ 912$

d) Géométrique ; $t_n = 2\ 657\ 205\left(-\dfrac{1}{3}\right)^{n-1}, t_{12} = -15$

9. $t_1 = -15, t_2 = -8$

10. 13 termes

11. a) $t_n = 175n - 45$ **b)** 830 membres

c) Au bout de 12 semaines

12. a) 335 **b)** $-8\ 138\ 020$

c) 511,5 **d)** $-\dfrac{155}{6}$

13. a) 26,84 cm **b)** 1 383,71 cm

14. a) Le capital est la somme initialement placée ou empruntée.

b) Le montant est la valeur d'un placement ou d'un emprunt à la fin d'une période donnée.

c) L'intérêt simple est l'intérêt calculé uniquement sur le capital initial à l'aide de la formule $I = Cdt,$ où I représente l'intérêt en dollars, $C,$ le capital en dollars, $d,$ le taux d'intérêt annuel sous forme décimale, et $t,$ le temps en années.

d) L'intérêt composé est un intérêt calculé à intervalles réguliers.

e) Une annuité est une série d'un nombre donné de versements ou de retraits périodiques.

f) La valeur actuelle est le capital qu'il faut placer ou emprunter aujourd'hui à des conditions données (taux d'intérêt, période de capitalisation, durée, versements) pour avoir un montant final déterminé.

g) La période de capitalisation est la période à la fin de laquelle on calcule l'intérêt composé.

15. a) 33,33 $ **b)** 15,38 $ **c)** 118,36 $

16. a) $M = 500 + 15t$

b) **c)** 8 mois

17. 186,90 $

18. a) Compte A : 8 407,29 $; Compte B : 8 523,25 $

b) Les réponses varieront. Exemple : Le compte A est le meilleur choix parce qu'il exige un plus petit capital initial.

19. 1 839,94 $

20. 7 031,73 $

21. 4,2 %

22. 17 808,46 $

23. 2 378,99 $

Révision globale, pages 471 à 477

1. a) Domaine : $\{x \in \mathbb{R} \mid x \neq 9\}$, image : $\{y \in \mathbb{R} \mid y \neq 0\}$

b) Domaine : $\{x \in \mathbb{R} \mid x \leq 2\}$, image : $\{y \in \mathbb{R} \mid y \geq -4\}$

2. C

3. a) I) 24 ans **II)** 12 ans **III)** 8 ans

b)

c) Domaine : $\{r \in \mathbb{R} \mid r > 0\}$, image : $\{n \in \mathbb{R} \mid n > 0\}$

4. a) Minimum $\left(-\dfrac{3}{2}, -\dfrac{23}{4}\right)$ **b)** Maximum $(3, 2)$

5. 150 articles

6. a) $-4\sqrt{3}$ **b)** $7\sqrt{3} - \dfrac{26}{3}\sqrt{5}$

7. a) $39 + 10\sqrt{15}$ **b)** $3\sqrt{6} - 2$

8. 6π

9. a) à **d)** Toutes les solutions sont $x = 2$ et $x = 25$.

10. 2,1 m sur 7,1 m

11. a) $y = -6x^2 + 24x - 6$ **b)** $y = \dfrac{2}{3}x^2 - 2x - \dfrac{8}{3}$

12. a)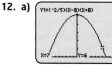

b) $y = -\dfrac{2}{5}(x - 8)(x + 8)$

c) 25,6 m

13. Les réponses varieront. Exemple : Oui, car les graphiques se croisent à une distance horizontale d'environ 142 m.

14. a) **I)** Les fonctions semblent équivalentes.

II) Algébriquement, elles sont équivalentes.

III) Les fonctions semblent générer le même graphique.

b) **I)** Les fonctions semblent équivalentes.

II) Algébriquement, elles ne sont pas équivalentes.

III) Les fonctions génèrent le même graphique, sauf en $x = 5$.

15. a) $-\dfrac{7x}{8}$, $x \neq 0$, $x \neq 1$

b) $\dfrac{-4x(x - 4)}{x + 2}$, $x \neq -9$, $x \neq -2$, $x \neq 0$, $x \neq 2$

c) $\dfrac{(x - 5)(x - 2)}{3}$, $x \neq -5$, $x \neq 4$

16. a) $f(x) = \dfrac{1}{x}$; $y = f(x + 5) - 1$; translation de 5 unités vers la gauche et de 1 unité vers le bas; domaine : $\{x \in \mathbb{R} \mid x \neq -5\}$, image : $\{y \in \mathbb{R} \mid y \neq -1\}$

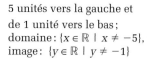

b) $f(x) = \sqrt{x}$, $y = f(x + 7) - 9$; translation de 7 unités vers la gauche et de 9 unités vers le bas; domaine $\{x \in \mathbb{R} \mid x \geq -7\}$, image $\{y \in \mathbb{R} \mid y \geq -9\}$

17. a) Réflexion par rapport à l'axe des x puis à l'axe des y

b) Réflexion par rapport à l'axe des y

18. a) **I)** $g(x) = 4x^2$; une réflexion par rapport à l'axe des y et une élongation verticale de rapport 4; domaine : $\{x \in \mathbb{R}\}$, image : $\{y \in \mathbb{R} \mid y \geq 0\}$

II) $h(x) = \dfrac{1}{4}x^2$; une compression verticale de rapport $\dfrac{1}{4}$; domaine : $\{x \in \mathbb{R}\}$, image : $\{y \in \mathbb{R} \mid y \geq 0\}$

III) $g(x) = 4\sqrt{-x}$; une réflexion par rapport à l'axe des y et une élongation verticale de rapport 4; domaine : $\{x \in \mathbb{R} \mid x \leq 0\}$, image : $\{y \in \mathbb{R} \mid y \geq 0\}$

IV) $h(x) = \dfrac{1}{4}\sqrt{x}$; une compression verticale de rapport $\dfrac{1}{4}$; domaine : $\{x \in \mathbb{R} \mid x \geq 0\}$, image : $\{y \in \mathbb{R} \mid y \geq 0\}$

V) $g(x) = -\dfrac{4}{x}$; une réflexion par rapport à l'axe des y et une élongation verticale d'un rapport 4; domaine : $\{x \in \mathbb{R} \mid x \neq 0\}$, image : $\{y \in \mathbb{R} \mid y \neq 0\}$

VI) $h(x) = \dfrac{1}{4x}$; une compression verticale de rapport $\dfrac{1}{4}$; domaine : $\{x \in \mathbb{R} \mid x \neq 0\}$, image : $\{y \in \mathbb{R} \mid y \neq 0\}$

b) **I)** $g(x) = 16x^2$; une compression horizontale de rapport $\dfrac{1}{4}$; domaine : $\{x \in \mathbb{R}\}$, image : $\{y \in \mathbb{R} \mid y \geq 0\}$

II) $h(x) = -\dfrac{1}{16}x^2$; une réflexion par rapport à l'axe des x et une élongation horizontale de rapport 4; domaine : $\{x \in \mathbb{R}\}$, image : $\{y \in \mathbb{R} \mid y \leq 0\}$

III) $g(x) = \sqrt{4x}$; une compression horizontale de rapport $\dfrac{1}{4}$; domaine : $\{x \in \mathbb{R} \mid x \geq 0\}$, image : $\{y \in \mathbb{R} \mid y \geq 0\}$

IV) $h(x) = -\sqrt{\dfrac{1}{4}x}$; une réflexion par rapport à l'axe des x et une élongation horizontale de rapport 4 ;
domaine : $\{x \in \mathbb{R} \mid x \geq 0\}$,
image : $\{y \in \mathbb{R} \mid y \leq 0\}$

V) $g(x) = \dfrac{1}{4x}$; une compression horizontale de rapport $\dfrac{1}{4}$;
domaine : $\{x \in \mathbb{R} \mid x \neq 0\}$,
image : $\{y \in \mathbb{R} \mid y \neq 0\}$

VI) $h(x) = -\dfrac{4}{x}$; une réflexion par rapport à l'axe des x et une élongation horizontale de rapport 4 ;
domaine : $\{x \in \mathbb{R} \mid x \neq 0\}$,
image : $\{y \in \mathbb{R} \mid y \neq 0\}$

19. a) Domaine : $\{t \in \mathbb{R} \mid 0 \leq t \leq 2{,}56\}$,
image : $\{h \in \mathbb{R} \mid 0 \leq h \leq 32\}$

b) $h(t) = -5{,}6t^2 + 32$

c) Les réponses varieront. Exemple : Seul le domaine est différent ; il devient $\{t \in \mathbb{R} \mid 0 \leq t \leq 2{,}39\}$.

20. a) Une réflexion par rapport à l'axe des x, une élongation verticale de rapport 2, une compression horizontale de rapport $\dfrac{1}{3}$, puis une translation de 4 unités vers la droite et de 1 unité vers le bas ; $g(x) = -6x + 23$

b) une compression verticale de rapport $\dfrac{1}{3}$, une élongation horizontale de rapport 4, puis une translation de 2 unités vers la droite et de 3 unités vers le haut ;
$g(x) = \dfrac{4}{3(x - 2)} + 3$

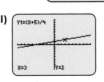

21. a) **I)** $f^{-1}(x) = \dfrac{x + 5}{4}$ **II)**

III) La réciproque est une fonction.

b) **I)** $f^{-1}(x) = \pm\sqrt{\dfrac{x + 9}{3}} + 2$

II)

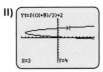

III) La réciproque n'est pas une fonction.

22. a) Domaine : $\{r \in \mathbb{R} \mid r \geq 0\}$, image : $\{A \in \mathbb{R} \mid A \geq 0\}$

b) $r = \sqrt{\dfrac{A}{\pi}}$; domaine : $\{A \in \mathbb{R} \mid A \geq 0\}$,
image : $\{r \in \mathbb{R} \mid r \geq 0\}$

23. a)

Jour	Nombre de bactéries
0	20
1	60
2	180
3	540
4	1 620
5	4 860
6	14 580
7	43 740

b) $y = 20(3)^t$

c)

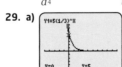

C'est une fonction, car chaque valeur du domaine est associée à une et une seule valeur de l'image.

d) **I)** 95 659 380 **II)** 209 207 064 100

e) Les réponses varieront. Exemple : Dans les colonnes des différences, chaque valeur est le triple de la précédente.

24. Dans 40 ans environ

25. a) $\dfrac{1}{2^5} = \dfrac{1}{32}$ **b)** $3^{11} = 177\ 147$

c) $\dfrac{3^4}{2^6} = \dfrac{81}{64}$ **d)** 6

26. a) $-12n^3$ **b)** $\dfrac{4c^2}{5}$ **c)** $\dfrac{b^6}{27a^6}$ **d)** $-\dfrac{243q^{20}}{32p^{15}}$

27. a) $\dfrac{1}{8}$ **b)** $\dfrac{3}{2}$ **c)** $\dfrac{25}{4}$

28. a) $\dfrac{b^{\frac{7}{3}}}{a^{\frac{9}{4}}}$ **b)** $\dfrac{v^{\frac{3}{20}}}{u^{\frac{2}{5}}}$ **c)** $w^{\frac{13}{8}}$

29. a)

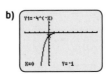

Domaine : $\{x \in \mathbb{R}\}$, image : $\{y \in \mathbb{R} \mid y > 0\}$, pas d'abscisse à l'origine, ordonnée à l'origine : 5 ; fonction toujours décroissante ; asymptote : $y = 0$

b)

Domaine : $\{x \in \mathbb{R}\}$, image : $\{y \in \mathbb{R} \mid y < 0\}$, pas d'abscisse à l'origine, ordonnée à l'origine : -1 ; fonction toujours croissante ; asymptote : $y = 0$

30. a) $Q = 300\left(\dfrac{1}{2}\right)^t$ **b)** Domaine: $\{t \in \mathbb{R} \mid t \geq 0\}$

31. a)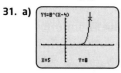

Aucun effet sur le domaine, l'image et l'asymptote

b)

Aucun effet sur le domaine, mais l'asymptote devient $y = 1$ et l'image devient $\{y \in \mathbb{R} \mid y > 1\}$.

32. a) $y = -4(11)^x$ **b)** $y = 11^{-\frac{3}{4}x}$

33. a)

Temps (intervalles de 1 heure)	Nombre de nouveaux cas
0	1
1	3
2	9
3	27
4	81
5	243
6	729
7	2 187

b)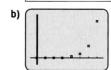

c) Exponentielle

d) $y = 3^t$

34. a) $30°$

b) $\sin 240° = -\dfrac{\sqrt{3}}{2}$, $\cos 240° = -\dfrac{1}{2}$, $\tan 240° = \sqrt{3}$; $\sin 210° = -\dfrac{1}{2}$, $\cos 210° = -\dfrac{\sqrt{3}}{2}$, $\tan 210° = \dfrac{1}{\sqrt{3}}$

35. a) $15\sqrt{2}$ km **b)** Les réponses varieront.

36. $60°$, $120°$

37. a) $\sin A = \dfrac{7}{\sqrt{53}}$, $\cos A = -\dfrac{2}{\sqrt{53}}$, $\tan A = -\dfrac{7}{2}$

$\sin B = \dfrac{7}{\sqrt{53}}$, $\cos B = \dfrac{2}{\sqrt{53}}$, $\tan B = \dfrac{7}{2}$

b) $\angle A = 106°$, $\angle B = 74°$

38. a) 13 cm

b) $\sin P = \dfrac{12}{13}$, $\cos P = \dfrac{5}{13}$, $\tan P = \dfrac{12}{5}$

$\operatorname{cosec} P = \dfrac{13}{12}$, $\sec P = \dfrac{13}{5}$, $\operatorname{cotan} P = \dfrac{5}{12}$

c) $\sin R = \dfrac{5}{13}$, $\cos R = \dfrac{12}{13}$, $\tan R = \dfrac{5}{12}$

$\operatorname{cosec} R = \dfrac{13}{5}$, $\sec R = \dfrac{13}{12}$, $\operatorname{cotan} R = \dfrac{12}{5}$

39. a) $25°$, $155°$ **b)** $100°$, $260°$ **c)** $156°$, $336°$

40. a)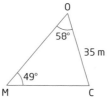

Le triangle est oblique parce qu'il n'a aucun angle droit.

b) Il n'est pas nécessaire de penser au cas ambigu, car on connaît deux angles et la longueur d'un côté.

c) 39,3 m, 44,3 m

41. 38,7 km

42. a)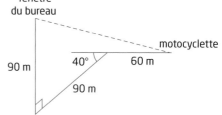

b) 167,6 m

43.–44. Les réponses varieront.

45. a) 12 h et 20 min

b) 1,95 m **c)** 1:00 h

46. a) I) 4 **II)** $\dfrac{1}{2}$

b) I) 1 080° **II)** 90°

c) I) 30° vers la gauche **II)** 135° vers la gauche

d) I) 1 unité vers le bas **II)** 2 unités vers le haut

e)

47. a) $y = 6 \sin\left[\dfrac{12}{5}(x + 37,5°)\right] - 2$

b) $y = 6 \cos\left(\dfrac{12}{5}x\right) - 2$

48. a)

b) I) Maximum: 19 m, minimum: 1 m

II) 10 m **III)** 3 min

49. a) 0,25 s **b)** 1 440

c) 6 V **d)** $T = 6 \sin 1\,440t$

e)

Chaque graduation de l'axe des x représente 0,125 s. Chaque graduation de l'axe des y représente 1 V.

50. a) $\dfrac{40}{9}$ **b)** $-2\,187$

51. a) 3, 15, 75, 375, 1 875

   b) $\frac{2}{5}, -\frac{3}{5}, -\frac{8}{5}, -\frac{13}{5}, -\frac{18}{5}$

52. a)

Intervalles de 5 heures	Quantité de médicament
0	400
1	600
2	700
3	750
4	775
5	787,5
6	793,75
7	796,875
8	798,437 5
9	799,218 75
10	799,609 375
11	799,804 687 5
12	799,902 343 8
13	799,951 171 9
14	799,975 585 9

   b) 400, 600, 700, 750, 775, …, 799,975 585 9 ;
   $t_n = 400 + 0,5t_{n-1}$

   c)
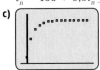

   d) Les réponses varieront. Exemple : Avec le temps,
   la quantité de médicament dans le corps se met
   à varier entre 800 mg (juste après la prise d'une
   dose) et 400 mg (juste avant la prise d'une dose).

53. a) $x^6 - 6x^5y + 15x^4y^2 - 20x^3y^3 + 15x^2y^4 - 6xy^5 + y^6$

   b) $\frac{x^4}{81} - \frac{8x^4}{27} + \frac{24x^4}{9} - \frac{32x^4}{3} + 16x^4 = \frac{625}{81}x^4$

54. a) $t_{4,1} + t_{4,2}$ **b)** $t_{9,6} + t_{9,7}$

55. a) I) Oui ; le premier terme est 9 et la différence
   entre deux termes consécutifs est toujours
   de -1.

   II) Oui ; le premier terme est $\frac{1}{5}$ et la différence
   entre deux termes consécutifs est toujours de $\frac{2}{5}$.

   III) Non ; le premier terme est $-4,2$ et la
   différence entre deux termes consécutifs n'est
   pas constante.

   b) I) $t_n = -4n + 13$ **II)** $t_n = \frac{2}{5}n - \frac{1}{5}$

56. a) $t_n = 90\left(\frac{1}{3}\right)^{n-1}, t_{10} = \frac{10}{2\ 187}$

   b) $t_n = \frac{1}{4}\left(\frac{2}{3}\right)^{n-1}, t_{10} = \frac{128}{19\ 683}$

   c) $t_n = -0,003\ 5(-10)^{n-1}, t_{10} = 3\ 500\ 000$

57. a) -115 **b)** 17,5

58. a) $67\frac{362}{729}$ **b)** $\frac{x^{16} - 1}{-(x+1)}$

59. a) Environ 1,26 m

   b) Environ 179,7 m

60. a) $M = 1\ 000 + 45t$, où 1 000 représente la partie
   fixe et $45t$, la partie variable

   b) 22 ans et 3 mois   **c)** 16,7 %

61. Les réponses varieront. Exemple : La Banque
   première, car cette option produit plus d'intérêt.

62. a) 667,27 $ **b)** 257,73 $

63. a) Une ligne du temps qui représente la valeur
   finale d'une annuité, où $R = 120$, $n = 60$ et
   $i = 0,004\ 375$.

   b) 8 213 $ **c)** 1 013 $

64. a) Une ligne du temps qui représente la valeur
   actuelle d'une annuité, où $R = 700$, $n = 20$ et
   $i = 0,017\ 5$.

   b) 11 727,02 $ **c)** 2 272,98 $

Annexe Connaissances préalables, pages 478 à 495

L'évaluation d'expressions

1. a) 54   **b)** 1,92   **c)** 19

   d) 111,98   **e)** 25,5   **f)** 322

2. a) $\frac{1}{4}$ **b)** $\frac{5}{4}$ **c)** $-\frac{43}{24}$

   d) $-\frac{7}{12}$ **e)** $-\frac{5}{2}$ **f)** $-\frac{1}{5}$

L'exposant nul et les exposants négatifs

1. a) 1 000   **b)** $\frac{1}{64}$ **c)** -1

   d) $\frac{1}{25}$ **e)** $\frac{1}{729}$ **f)** 216

   g) 32   **h)** $\frac{2}{81}$ **i)** $\frac{9}{4}$

2. a) $\frac{3}{x^4}$ **b)** $\frac{25}{y^4}$ **c)** $\frac{2}{27x^3}$

   d) $\frac{x^3}{2y^2}$ **e)** $\frac{b^6}{a^5}$ **f)** $\frac{27n^9}{64m^{21}}$

L'utilisation de rapports trigonométriques

1. 6,0 m   **2.** 8,6°

La croissance linéaire et la croissance exponentielle

1.

   a) Affine

   b) Pente : 30 ; ordonnée à l'origine : 200

   c)

x	y	Premières différences
0	200	
1	230	30
2	260	30
3	290	30

   d) Les premières différences sont toutes égales
   à 30.

2.

a) Exponentielle

b) Ordonnée à l'origine : 25

c)

x	y	Premières différences	Deuxièmes différences	Rapports
0	25			
1	27,5	2,5		1,1
2	30,25	2,75	0,25	1,1
3	33,275	3,025	0,275	1,1

d) Le rapport est égal à 1,1 dans tous les cas.

La détermination de la mesure d'un angle à partir d'un rapport trigonométrique

1. a) $75°$ **b)** $57°$ **c)** $70°$

d) $40°$ **e)** $20°$ **f)** $32°$

La distributivité

1. a) $2a + 2b$ **b)** $6x - 24$ **c)** $4k^2 + 20$

d) $-3x + 6$ **e)** $5x^2 - 10x + 5$ **f)** $6x^2 - 8x$

g) $24a + 8a^2$ **h)** $-2x^2 - 2xy + 6x$

La factorisation d'expressions de degré 2

1. a) $(x + 4)(x + 2)$ **b)** $(x - 3)(x - 4)$

c) $2(x + 6)(x - 3)$ **d)** $3(x + 4)(x - 4)$

e) $(3x - 5)(x - 2)$ **f)** $(x - 3)(x - 3)$

g) $4(x + 5)(x - 5)$ **h)** $92x - 5)(x + 4)$

i) $(x - 2)(4x - 7)$

La loi des sinus et la loi du cosinus

1. a) $9,6$ cm   **b)** $53,5°$ **c)** $69,3°$

La résolution d'équations

1. a) $x = -3$ **b)** $x = 4$ **c)** $x = 5$ **d)** $x = 4$

2. a) $w = 9,25$ **b)** $p = 0,7$ ou $p = 5,3$

c) $i = -2,032\ 5$ ou $i = 0,032\ 5$ **d)** $k = 3,4$

La résolution d'équations rationnelles

1. a) $x = 2$ **b)** $a = 35$ **c)** $c = 3$

d) $r = 27$ **e)** $k = \dfrac{15}{2}$ **f)** $t = 270$

La résolution de systèmes d'équations du premier degré

1. a) $(1, -2)$ **b)** $(5, -4)$ **c)** $(2, 0)$

2. a) $(5, -1)$ **b)** $(-2, -11)$ **c)** $(-2, -4)$

d) $(5, 4)$ **e)** $(-2, 2)$ **f)** $(4, 0)$

La somme des angles d'un triangle

1. a) $x = 76°$ **b)** $x = 76°$ **c)** $x = 36°$

La transformation de formules

1. a) $x = \dfrac{-y + 5}{4}$ **b)** $L = \dfrac{P - 2\ell}{2}$

c) $y = \pm\sqrt{r^2 - x^2}$ **d)** $h = \dfrac{3v}{\pi r^2}$

e) $e = \dfrac{2 - st}{10}$ **f)** $r = \dfrac{A - P}{Pt}$

La variation directe et la variation partielle

1. a) $C(n) = 25 + 12n$

b) Quantité constante $= 25$ (25 \$) ; quantité variable $= 12$ (12 \$ par jour)

c)

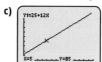

d) pente $= 12$, ordonnée à l'origine : 25

e) Les réponses varieront. Exemple : La pente du graphique correspond à la quantité variable dans l'équation. L'ordonnée à l'origine correspond à la quantité constante.

2. a) $R = 200 + 0,05v$, où R représente le revenu total de Irène et v représente ses ventes.

b) Quantité constante $= 200$ (200 \$) ; quantité variable $= 0,105$ (5 % de commission)

c)

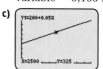

d) Pente : 0,05, ordonnée à l'origine : 200

e) Les réponses varieront. Exemple : La pente du graphique correspond à la quantité variable dans l'équation. L'ordonnée à l'origine correspond à la quantité constante.

Le théorème de Pythagore

1. a) $8,5$ cm   **b)** $10,8$ mm   **c)** $16,2$ m

Les différences finies

1. a) Les premières différences, égales à 4, sont constantes. Il s'agit donc d'une fonction affine.

b) Les premières différences ne sont pas constantes. Il ne s'agit donc pas d'une fonction affine. Les deuxièmes différences ne sont pas constantes. Il ne s'agit donc pas d'une fonction du second degré.

c) Les premières différences ne sont pas constantes. Il ne s'agit donc pas d'une fonction affine. Les deuxièmes différences, égales à -2, sont constantes. Il s'agit donc d'une fonction du second degré.

Les droites

1. a)

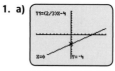

b)

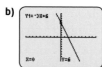

c)

d)

e)

f)

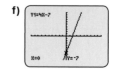

2. a) $y = 3x - 2$ **b)** $y = -\dfrac{5}{3}x + 4$

3. a) $y = 2x + 7$ **b)** $y = -\dfrac{7}{15}x + \dfrac{12}{5}$

c) $y = \dfrac{3}{5}x - 11$

Les expressions comportant des fractions

1. a) 120 **b)** $770x^4$

c) $(x + 3)(x + 4)(x - 3)$

2. a) $\dfrac{25}{18}$ **b)** $\dfrac{11}{120}$

c) $\dfrac{27a + 20b}{144}$ **d)** $\dfrac{8x - 5y}{90}$

3. a) $\dfrac{2}{5}$ **b)** $-\dfrac{1}{4}$ **c)** $-\dfrac{5}{6}$ **d)** $-\dfrac{1}{10}$

Les facteurs communs

1. a) 4 **b)** 3a **c)** $5xy^2$

d) $24m^2n^2$ **e)** $a^2 + 3$ **f)** $3xy$

2. a) $4x(4x + 5)$ **b)** $5xy^2(x + 2y)$

c) $3a^2(a - 3)$ **d)** $4r^2s(r^3s + 4)$

e) $2ab(4a^2 - 5 + 2ab)$ **f)** $-6x^2y(x + 3x^2y^2 + 6y^3)$

g) $(p + 3q)(12p - q)$ **h)** $4x(2 + 5y)(y - 2x^2)$

Les fonctions du second degré

1. a) I) $(3, -8)$ **II)** $x = 3$

III) Vers le haut **IV)** 10

b) I) $(-1, 3)$ **II)** $x = -1$

III) Vers le bas **IV)** -1

c) I) $(5, 1)$ **II)** $x = 5$

III) Vers le haut **IV)** 76

2. a) Vers le haut, agrandissement vertical de rapport 5. Puisque $a > 0$ $(a = 5)$, la parabole est ouverte vers le haut. Puisque $|a| > 1$, la parabole a subi un agrandissement vertical de rapport 5.

b) Vers le bas, rétrécissement vertical de rapport $\dfrac{1}{4}$; Puisque $a < 0$ $\left(a = -\dfrac{1}{4}\right)$ la parabole est ouverte vers le bas. Puisque $0 < |a| < 1$, la parabole a subi un rétrécissement vertical de rapport $\dfrac{1}{4}$.

c) Vers le bas, agrandissement vertical de rapport 3. Puisque $a < 0$ $(a = -3)$, la parabole est ouverte vers le bas. Puisque $|a| > 1$, la parabole a subi un agrandissement vertical de rapport 3.

3. a) $y = (x + 2)^2 + 3 ; (-2, 3)$

b) $y = (x - 6)^2 - 33 ; (6, -33)$

c) $y = 3(x + 3)^2 - 29 ; (-3, -29)$

d) $y = -2(x - 4)^2 + 41 ; (4, 41)$

Les lois des exposants

1. a) 2^7 **b)** 5^6 **c)** 3^3

d) 4^5 **e)** 6^8 **f)** 9^{21}

g) a^{10} **h)** z^8 **i)** $6x^5$

j) y^3 **k)** p^{18} **l)** n^5

m) $-4x^3$ **n)** $8t^{12}$ **o)** $256x^8$

2. a) 64 **b)** 2 **c)** 729

d) 256 **e)** 4 096 **f)** $\dfrac{1}{64}$

Les polynômes

1. a) $3x^2 + 21x + 30$ **b)** $-2x^2 - 6x + 56$

c) $x^2 - 12x + 36$

2. a) $(x + 5)(x - 2)$ **b)** $(x + 7)(x + 7)$

c) $(3y + 5)(3y - 5)$ **d)** $3(a + 8)(a + 8)$

e) $(5x - 6)(5x - 6)$ **f)** $-(p + 10)(p + 10)$

3. a) 64 **b)** 225 **c)** 400

d) 9 **e)** $\dfrac{49}{4}$ **f)** $\dfrac{4}{9}$

Les rapports trigonométriques de base

1. a) $\sin P = \dfrac{24}{25} ; \cos P = \dfrac{7}{25} ; \tan P = \dfrac{24}{7}$

b) $\sin P = \dfrac{12}{13} ; \cos P = \dfrac{5}{13} ; \tan P = \dfrac{12}{5}$

2. a) $\sin 58° = 0{,}848\,0 ; \cos 58° = 0{,}529\,9 ;$ $\tan 58° = 1{,}600\,3$

b) $\sin 79° = 0{,}981\,6 ; \cos 79° = 0{,}190\,8 ;$ $\tan 79° = 5{,}144\,6$

c) $\sin 15° = 0{,}258\,8 ; \cos 15° = 0{,}965\,9 ;$ $\tan 15° = 0{,}267\,9$

Les régularités

1. a) ZYXW, ZYXWV, ZYXWVU

b) 17, 22, 27 **c)** 81, 243, 729

d) $-13, -21, -29$ **e)** $\dfrac{5}{6}, -\dfrac{6}{7}, \dfrac{7}{8}$

f) $2x^4, \dfrac{2}{3}x^5, \dfrac{2}{9}x^6$

Les triangles

1. a) triangle acutangle isocèle

b) triangle obtusangle scalène

c) triangle équilatéral

Les triangles semblables

1. a) $x = 9{,}6$ m **b)** $s = 12$ cm

Glossaire

A

abscisse à l'origine (f.) L'abscisse (première coordonnée) du point où une droite ou une courbe coupe l'axe des x.

agrandissement (f.) Une transformation par laquelle la distance entre l'axe des x et chaque point est multipliée par un facteur supérieur à 1 (agrandissement vertical) ou par laquelle la distance entre l'axe des y et chaque point est multipliée par un facteur supérieur à 1 (agrandissement horizontal). Aussi appelé *élongation*.

amplitude (f.) La moitié de la distance entre les valeurs maximale et minimale d'une fonction périodique.

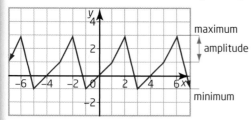

angle d'élévation (m.)
L'angle formé par la direction horizontale et la ligne de visée en un point d'observation vers un objet situé au-dessus de l'horizontale.

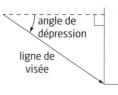

angle de dépression (m.)
L'angle formé par la direction horizontale et la ligne de visée en un point d'observation vers un objet situé au-dessous de l'horizontale.

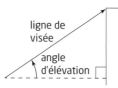

angle obtus (m.) Un angle qui mesure plus de 90° mais moins de 180°.

angle plat (m.) Un angle qui mesure 180°.

angle rentrant (m.) Un angle qui mesure plus de 180° mais moins de 360°.

angle trigonométrique (m.) Un angle de rotation dont le sommet est situé à l'origine d'un plan cartésien et dont le côté initial est sur la partie positive de l'axe des x.

angles co-terminaux (m. pl.) Des angles trigonométriques dont les côtés terminaux coïncident.

annuité (f.) Une série d'un nombre donné de versements ou de retraits périodiques.

annuité de fin de période (f.) Une annuité dont les versements sont effectués à la fin de chaque période.

annuité simple (f.) Une annuité dont la période de capitalisation est l'intervalle entre les versements.

associativité (f.) La propriété qui permet de regrouper les termes d'une addition ou d'une multiplication de différentes façons sans changer le résultat, ainsi $a + (b + c) = (a + b) + c$ et $a \times (b \times c) = (a \times b) \times c$.

asymptote (f.) Une droite de laquelle une courbe s'approche de plus en plus, sans jamais la toucher.

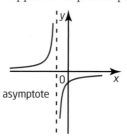

axe de symétrie (m.) Une droite qui divise un graphique ou une figure en deux parties symétriques.

B

base (d'une puissance) (f.) Un nombre multiplié plusieurs fois par lui-même, tel que 6 dans 6^3.

binôme (m.) Un polynôme qui comporte deux termes (monômes), tel que $3x + 4$.

C

calculatrice à affichage graphique (f.) Un appareil portatif capable d'effectuer diverses opérations mathématiques, comme représenter graphiquement une équation et faire des calculs statistiques. Plusieurs calculatrices à affichage graphique peuvent être reliées à des appareils (sondes ou capteurs) qui permettent de recueillir des données matérielles relatives, par exemple, à la position, à la température ou à la force. Aussi appelée *calculatrice à capacité graphique*.

capital (m.) La somme initialement placée ou empruntée.

carré parfait (m.) Un nombre qui est le carré d'un nombre naturel.

cercle (m.) La figure géométrique formée de l'ensemble de tous les points d'un plan équidistants d'un point fixe, qui est le centre du cercle.

cercle unitaire (m.) Un cercle, centré à l'origine, dont le rayon mesure 1 unité. Aussi appelé *cercle trigonométrique*.

coefficient (m.) Le facteur par lequel une variable est multipliée, tel que 8 dans $8y$ et a dans ax.

commutativité (f.) La propriété qui permet de modifier l'ordre des termes d'une addition ou d'une multiplication sans changer le résultat, ainsi $a + b = b + a$ et $ab = ba$.

compléter le carré (v.) Une des étapes du processus par lequel on convertit une fonction du second degré de la forme générale à la forme canonique.

contre-exemple (m.) Un exemple qui contredit une hypothèse.

coordonnées à l'origine (f. pl.) Dans un plan cartésien, la distance entre l'origine et le point où une droite ou une courbe coupe un axe donné. Voir *abscisse à l'origine* et *ordonnée à l'origine*.

cosécante (f.) En trigonométrie, le rapport inverse du sinus d'un angle : $\operatorname{cosec} A = \dfrac{1}{\sin A}$

cosinus (m.) Dans un triangle rectangle, le rapport de la longueur du côté adjacent à un angle à la longueur de l'hypoténuse. Voir *rapports trigonométriques de base*.

cotangente (f.) En trigonométrie, le rapport inverse de la tangente d'un angle : $\operatorname{cotan} A = \dfrac{1}{\tan A}$

côté initial (m.) Le côté d'un angle trigonométrique qui se trouve sur la partie positive de l'axe des x.

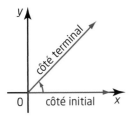

côté terminal (m.) Le côté d'un angle trigonométrique qui rencontre le côté terminal à l'origine et qui résulte d'une rotation. Voir l'illustration sous *côté initial*.

croissance exponentielle (f.) Un modèle de croissance où chaque terme est multiplié par une valeur constante supérieure à 1 pour produire le suivant.

cycle (m.) La partie répétitive de la courbe d'une fonction périodique.

 D

décroissance exponentielle (f.) Un modèle de décroissance où chaque terme est multiplié par une valeur constante située entre 0 et 1 pour produire le suivant.

demi-vie (f.) Le temps nécessaire pour qu'une quantité donnée d'une substance radioactive diminue de moitié par désintégration.

déphasage (m.) La translation (ou le glissement) horizontale d'une fonction trigonométrique.

dépréciation (f.) La perte de valeur d'un bien.

deuxièmes différences (f. pl.) Dans une table de valeurs, les différences entre les premières différences successives pour des valeurs de x à intervalles réguliers. Voir la table sous *différences finies*.

diagramme sagittal (m.) Une représentation graphique qui relie les éléments d'un premier ensemble (le domaine) à ceux d'un deuxième ensemble (l'image) par des flèches orientées du domaine vers l'image. Chaque flèche représente un couple de la relation.

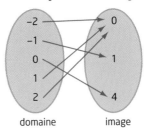

domaine   image

différences finies (f. pl.) Dans une table de valeurs, les différences entre les valeurs de y pour des valeurs de x à intervalles réguliers. Voir aussi *premières différences* et *deuxièmes différences*.

x	y	Premières différences	Deuxièmes différences
1	2		
		5 − 2 = 3	
2	5		5 − 3 = 2
		10 − 5 = 5	
3	10		7 − 5 = 2
		17 − 10 = 7	
4	17		9 − 7 = 2
		26 − 17 = 9	
5	26		

discontinuité (f.) La propriété d'une fonction qui n'est pas définie en un point ou dans un intervalle donné. Le graphique de la fonction est interrompu en cet endroit. $f(x) = \dfrac{1}{x}$ présente une discontinuité en $x = 0$.

discriminant (m.) Dans la formule quadratique, l'expression sous le radical, soit $b^2 - 4ac$.

distributivité (f.) La propriété selon laquelle $a(b + c) = ab + ac$ et $(b - c) \div a = (b \div a) - (c \div a)$.

domaine (m.) Dans une relation, l'ensemble de toutes les valeurs des abscisses des couples, c'est-à-dire des valeurs possibles de la variable indépendante.

équation du second degré (f.) Une équation de la forme $ax^2 + bx + c = 0$, où a, b et $c \in \mathbb{R}$ et $a \neq 0$.

équation exponentielle (f.) Une équation dont un terme est affecté d'une variable en exposant.

$3^x = 81$ est une équation exponentielle.

équation sous la forme pente-ordonnée à l'origine (f.) Une équation du premier degré de forme $y = mx + b$, où m représente la pente et b, l'ordonnée à l'origine. Aussi appelée *équation sous la forme fonctionnelle*.

équation trigonométrique (f.) Une équation qui comporte un ou plusieurs rapports trigonométriques.

exposant (m.) Un nombre surélevé qui indique une multiplication répétée de la base, tel que 4 dans $3x^4$.

expression rationnelle (f.) Une expression algébrique dans laquelle les variables ne sont pas des arguments d'un radical, telle que $\dfrac{3}{k-1}$ et $\dfrac{a^2 + b^2}{a + b}$, où k, a et $b \neq 0$.

expressions équivalentes (f. pl.) Des expressions qui sont égales pour toutes les valeurs de la ou des variables.

extrapoler (v.) Estimer des valeurs en dehors de l'étendue des données connues.

F

facteur (m.) Chaque nombre ou expression algébrique qui intervient dans une multiplication.

factoriser (v.) Écrire un nombre (ou une expression algébrique) sous la forme du produit de deux ou plusieurs nombres (ou expressions algébriques). On dit aussi *décomposer en facteurs*.

fonction (f.) Une relation dans laquelle chaque valeur de la variable indépendante (abscisse) est associée à une et une seule valeur de la variable dépendante (ordonnée).

fonction continue (f.) Une fonction qui associe des nombres réels à des nombres réels et dont la représentation graphique est une courbe sans discontinuité (trou ou saut), c'est-à-dire une courbe continue.

fonction de base (f.) La forme la plus simple d'une fonction, qui n'a subi aucune transformation : la fonction affine $f(x) = x$, la fonction du second degré $f(x) = x^2$, la fonction radicale $f(x) = \sqrt{x}$, la fonction rationnelle $f(x) = \dfrac{1}{x}$.

fonction discrète (f.) Une fonction représentée par des points distincts non reliés entre eux.

fonction du second degré (f.) Une fonction définie par une équation du second degré.

Sous la forme générale : $y = ax^2 + bx + c$, où a, b et $c \in \mathbb{R}$ et $a \neq 0$.

Sous la forme factorisée : $y = a(x - r)(x - s)$, où $a \neq 0$ et les abscisses à l'origine correspondent à r et $s \in \mathbb{R}$.

Sous la forme canonique : $y = a(x - h)^2 + k$, où $a \neq 0$ et le sommet se trouve en (h, k).

fonction exponentielle (f.) Une fonction dont un terme est affecté d'une variable en exposant. Elle peut être définie par une équation de la forme $y = ab^x$, où $a \neq 0$, $b > 0$ et $b \neq 1$.

fonction périodique (f.) Une fonction dont les ordonnées se répètent à intervalles réguliers.

fonction sinusoïdale (f.) Une fonction dont la courbe représentative a la forme d'une sinusoïde ; on l'utilise pour modéliser des données périodiques.

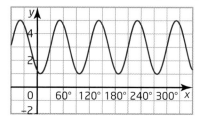

formule du terme général (f.) Une équation qui représente le terme général d'une suite, t_n, selon son rang, n, où $n \in \mathbb{N}^*$.

formule quadratique (f.) La formule $x = \dfrac{-b \pm \sqrt{b^2 - 4ac}}{2a}$, qui indique les racines d'une équation du second degré de la forme $y = ax^2 + bx + c$, où $a \neq 0$.

formule récursive (f.) Une formule qui permet de déterminer chaque terme d'une suite à partir du ou des termes précédents. Ainsi, $t_1 = 1$, $t_n = t_{n-1} + 3$ décrit la suite arithmétique 1, 4, 7, 10, ...

fractale (f.) Une forme non linéaire obtenue en remplaçant chaque côté d'une forme initiale par un générateur et en répétant le processus à l'infini.

généraliser (v.) Déduire une règle ou tirer une conclusion à partir d'exemples.

graphique continu (m.) Une droite ou une courbe sans discontinuité qui représente une fonction. On peut le tracer sans lever le crayon.

hypoténuse (f.) Le côté opposé à l'angle droit d'un triangle rectangle. C'est le côté le plus long.

hypothèse (f.) **1.** Une proposition tenue pour vraie qui est à la base de la démonstration d'un nouvel énoncé. **2.** Une généralisation, ou une estimation éclairée, effectuée à partir des données disponibles.

I

identité (f.) Une équation qui se vérifie pour toutes les valeurs qu'on peut attribuer à la variable en fonction de laquelle les membres de l'équation sont définis.

identité de Pythagore (ou pythagoricienne) (f.) En trigonométrie, l'égalité $\sin^2 \theta + \cos^2 \theta = 1$, qui se vérifie pour toutes les valeurs de θ.

identité quotient (f.) En trigonométrie, l'égalité $\frac{\sin \theta}{\cos \theta} = \tan \theta$, qui se vérifie pour toutes les valeurs de θ.

image (d'un point) (f.) Tout point obtenu par la transformation d'un point d'une figure ou d'un graphique initial.

image (d'une relation) (f.) L'ensemble de toutes les ordonnées des couples d'une relation.

inéquation (f.) Un énoncé mathématique qui comporte une ou des variables et une relation d'inégalité. Les signes suivants sont utilisés : $<, \leq, >, \geq$.

intérêt composé (m.) Un intérêt calculé à intervalles réguliers, qui s'ajoute au capital pour le calcul de l'intérêt à la période suivante.

intérêt simple (m.) Un intérêt calculé uniquement sur le capital initial à l'aide de la formule $I = Ctd$, où I représente l'intérêt en dollars, C, le capital en dollars, d, le taux d'intérêt annuel, exprimé comme un nombre décimal, et t, le temps en années.

interpoler (v.) Estimer des valeurs situées entre des éléments d'un ensemble de données connues. Interpoler à partir d'une table de valeurs numériques, c'est estimer une valeur intermédiaire non indiquée dans la table.

intervalle (m.) **1.** L'ensemble des nombres compris entre deux nombres donnés, qui sont les bornes de l'intervalle. **2.** Une portion ininterrompue de la droite des nombres réels. Par exemple : $-3 < x < 5$.

inverses (adj. pl.) Se dit de deux nombres ou expressions dont le produit est 1, tels que x et $\frac{1}{x}$, où $x \neq 0$.

L

ligne du temps (f.) Un diagramme qui montre l'évolution d'une annuité.

logiciel de représentation graphique (m.) Un logiciel doté de fonctions semblables à celles d'une calculatrice à affichage graphique.

loi des sinus (f.) Dans un triangle quelconque, la relation entre la longueur des côtés et la mesure des angles qui leur sont opposés.

$$\frac{a}{\sin A} = \frac{b}{\sin B} = \frac{c}{\sin C}$$

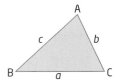

loi du cosinus (f.) Dans un triangle quelconque, la relation entre la longueur des côtés et le cosinus d'un des angles du triangle.

$$a^2 = b^2 + c^2 - 2bc \cos A$$
$$b^2 = a^2 + c^2 - 2ac \cos B$$
$$c^2 = a^2 + b^2 - 2ab \cos C$$

M

modèle mathématique (m.) La description mathématique d'une situation réelle à l'aide d'un schéma, d'un graphique, d'une table de valeurs, d'une équation, d'une formule, d'un modèle concret ou d'un modèle informatique.

modélisation algébrique (f.) La représentation d'une relation par une équation ou une formule, ou la représentation d'une régularité numérique par une expression algébrique.

modélisation mathématique (f.) L'action de décrire mathématiquement une situation réelle.

monôme (m.) Une expression algébrique qui ne comporte qu'un seul terme. $7x$ est un monôme.

montant (m.) La valeur d'un placement ou d'un emprunt à la fin d'une période donnée ; il est égal à la somme du capital et de l'intérêt.

moyenne arithmétique (f.) La somme des valeurs d'un ensemble divisée par le nombre de valeurs de cet ensemble. La moyenne de 2, 4, 6 et 8 est 5.

moyenne géométrique (f.) Si a, x et b sont des termes consécutifs d'une suite géométrique, alors x est la moyenne géométrique de a et b. C'est aussi la racine $n$ième du produit de n termes d'une suite géométrique.

nombre entier (m.) Tout élément de l'ensemble des nombres naturels et de leurs opposés, noté $\mathbb{Z}$.

nombre irrationnel (m.) Un nombre réel qui ne peut pas être écrit sous la forme $\frac{a}{b}$, où a et $b \in \mathbb{Z}$ et $b \neq 0$.

$\sqrt{2}$, $\sqrt{3}$ et π sont des nombres irrationnels.

nombre naturel (m.) Tout nombre de l'ensemble $\{0, 1, 2, 3, 4, ...\}$, noté $\mathbb{N}$.

nombre naturel non nul (m.) Tout élément de l'ensemble $\{1, 2, 3, 4, ...\}$, noté $\mathbb{N}^*$.

nombre premier (m.) Un nombre naturel supérieur à 1 qui a exactement deux facteurs naturels, lui-même et 1.

2, 5 et 13 sont des nombres premiers.

nombre rationnel (m.) Tout nombre qui peut être exprimé sous la forme du quotient de deux nombres entiers, où le diviseur n'est pas zéro.

0,75, $\frac{3}{8}$ et -2 sont des nombres rationnels.

nombre réel (m.) Tout élément de l'ensemble des nombres rationnels et irrationnels, noté $\mathbb{R}$.

ordonnée à l'origine (f.) L'ordonnée (deuxième coordonnée) du point où une droite ou une courbe coupe l'axe des y.

origine (f.) 1. Dans un plan cartésien, le point d'intersection de l'axe des x et de l'axe des y. 2. Le zéro sur une droite numérique.

parabole (f.) La courbe symétrique, en forme de U, représentative d'une fonction du second degré. Son domaine est l'ensemble des nombres réels.

pente (f.) La mesure de l'inclinaison d'une droite. La pente m d'une droite qui passe par les points $P(x_1, y_1)$ et $Q(x_2, y_2)$ correspond à :

$$\frac{\text{déplacement vertical}}{\text{déplacement horizontal}} = \frac{\Delta y}{\Delta x} = \frac{y_2 - y_1}{x_2 - x_1}, \text{ où } x_2 \neq x_1$$

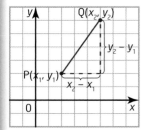

période (f.) 1. La longueur horizontale d'un cycle d'une fonction périodique.
2. Le temps que met un pendule à faire une oscillation complète.

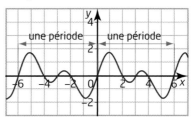

période de capitalisation (f.) La période à la fin de laquelle on calcule l'intérêt composé. Aussi appelée *période de calcul de l'intérêt composé*.

plus petit commun multiple (PPCM) (m.) Le plus petit multiple commun à deux ou plusieurs nombres ou expressions. Le PPCM de $2x$ et de $3x^2$ est $6x^2$.

plus petit dénominateur commun (PPDC) (m.) Le plus petit multiple commun aux dénominateurs de deux ou plusieurs fractions ou expressions rationnelles.

point d'intersection (m.) 1. Le point commun de droites non parallèles. 2. Tout point commun de courbes non confondues.

point invariant (m.) Un point non modifié par une transformation. Aussi appelé *point fixe*.

point milieu (m.) Le point qui divise un segment de droite en deux parties égales.

polynôme (m.) Une expression algébrique formée par l'addition ou la soustraction de monômes.

polynôme de degré 2 (m.) Une expression algébrique de la forme $ax^2 + bx + c$, où a, b et $c \in \mathbb{R}$ et $a \neq 0$.

premières différences (f. pl.) Dans une table de valeurs, les différences entre les valeurs successives de y pour des valeurs de x à intervalles réguliers. Voir la table sous *différences finies*.

prisme (m.) Un solide dont les deux bases sont des polygones congruents et parallèles. Son nom varie selon la forme de ses bases : prisme (à base) rectangulaire, prisme (à base) triangulaire, etc.

prisme droit (m.) Un prisme dont les arêtes latérales sont perpendiculaires aux bases.

proportion (f.) Une expression qui indique l'égalité entre deux rapports.

propriété du produit nul (f.) La propriété selon laquelle si le produit de deux nombres réels est nul, au moins un de ces nombres est nul. Si $ab = 0$, alors $a = 0$ ou $b = 0$.

puissance (f.) Le produit d'une base multipliée par elle-même une ou plusieurs fois.

5^3, x^6 et a^m sont des puissances.

Q

quadrant (m.) Chacune des quatre régions formées par l'intersection de l'axe des x et de l'axe des y.

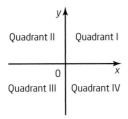

R

racine (f.) Toute solution d'une équation.

racine carrée (f.) Un nombre que l'on multiplie par lui-même pour obtenir un autre nombre.

Dans $a^2 = b$, a est la racine carrée de b.

racine carrée arithmétique (f.) La racine carrée positive d'un nombre réel. $\sqrt{4} = 2$ parce que $2 \times 2 = 4$.

racine cubique (f.) Un nombre que l'on multiplie par lui-même deux fois pour obtenir un autre nombre.

Ainsi, $\sqrt[3]{8} = 2$, parce que $2 \times 2 \times 2 = 8$.

racine double (f.) La solution d'une équation du second degré qui a deux racines identiques.

L'équation $(x - a)^2 = 0$ a une racine double en $x = a$.

radical (m.) Une expression qui comporte la racine carrée ou la racine $n$ième d'une valeur exprimée à l'aide du symbole $\sqrt{}$ ou $\sqrt[n]{}$.

radicande (m.) Le nombre ou l'expression qui se trouve sous le symbole d'un radical.

Dans $\sqrt{ab}$, le radicande est ab.

radicaux semblables (m. pl.) Des nombres qui ont le même radicande, tels que $2\sqrt{3}$ et $8\sqrt{3}$.

raison arithmétique (f.) La différence entre deux termes consécutifs d'une suite arithmétique.

La raison arithmétique de la suite 1, 4, 7, 10, ... est 3.

raison géométrique (f.) Le rapport entre deux termes consécutifs d'une suite géométrique.

La raison géométrique de la suite 1, 2, 4, 8, 16, ... est 2.

rapport (m.) La comparaison de deux quantités de même nature.

rapports trigonométriques de base (m. pl.) Le sinus, le cosinus et la tangente définis dans un triangle rectangle.

$$\sin A = \frac{\text{côté opposé à l'angle A}}{\text{hypoténuse}}$$

$$\cos A = \frac{\text{côté adjacent à l'angle A}}{\text{hypoténuse}}$$

$$\tan A = \frac{\text{côté opposé à l'angle A}}{\text{côté adjacent à l'angle de A}}$$

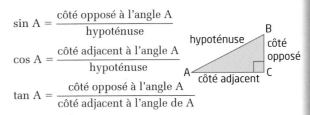

rapports trigonométriques inverses (m. pl.) Les rapports inverses des rapports trigonométriques de base.

$$\operatorname{cosec} \theta = \frac{1}{\sin \theta}, \sec \theta = \frac{1}{\cos \theta}, \operatorname{cotan} \theta = \frac{1}{\tan \theta}$$

réciproque (d'une fonction) (f.) Une fonction et sa réciproque s'annulent l'une l'autre. Une fonction f et sa réciproque f^{-1} sont telles que si $f(a) = b$, alors $f^{-1}(b) = a$. Lorsque la réciproque d'une fonction est elle-même une fonction, on utilise aussi le terme *fonction réciproque*.

réflexion (f.) Une transformation dans laquelle une figure est rabattue par rapport à un axe. Aussi appelée *symétrie*.

règle de correspondance (f.) Une règle qui décrit la façon dont les éléments du domaine d'une fonction sont associés aux éléments de l'image, telle que $f: X \rightarrow Y: x \rightarrow 2x^2 - 3$.

règle du produit (de puissances) (f.) La règle selon laquelle pour multiplier des puissances de même base, il suffit d'additionner leurs exposants.

$x^a \times x^b = x^{a+b}$, où $x \neq 0$

règle du quotient (de puissances) (f.) La règle selon laquelle pour diviser des puissances de même base, il suffit de soustraire leurs exposants.

$x^a \div x^b = x^{a-b}$, où $x \neq 0$

relation (f.) Un lien entre deux variables qui peut être représenté par des couples, par une table de valeurs, par un graphique, par une équation ou par une flèche dans un diagramme sagittal.

relation du premier degré (f.) Une relation entre deux variables, dont la représentation graphique dans un plan cartésien est une droite. Aussi appelée *relation affine*.

relation non affine (f.) Une relation entre deux variables dont la représentation graphique dans un plan cartésien n'est pas une droite.

restriction (f.) Toute contrainte imposée aux valeurs d'une variable, c'est-à-dire la ou les valeurs que la variable ne peut pas prendre.

Dans $\frac{8y}{y+1}$, la restriction $y \neq -1$ s'applique.

retraits périodiques (m. pl.) Des retraits égaux effectués à intervalles réguliers.

rétrécissement (m.) Une transformation par laquelle la distance entre l'axe des x et chaque point est multipliée par un facteur entre 0 et 1 (rétrécissement vertical) ou par laquelle la distance entre l'axe des y et chaque point est multipliée par un facteur entre 0 et 1 (rétrécissement horizontal). Aussi appelé *compression*.

sécante (f.) En trigonométrie, le rapport inverse du cosinus d'un angle : $\sec A = \dfrac{1}{\cos A}$.

sécante (à une courbe) (f.) Une droite qui coupe une courbe en au moins deux points.

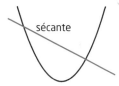
sécante

série (f.) L'expression de la somme des termes d'une suite.

série arithmétique (f.) L'expression de la somme des termes d'une suite arithmétique. $S_n = \dfrac{n}{2}[2a + (n - 1)d]$ donne la somme des n premiers termes d'une série arithmétique de premier terme a et de raison d.

série géométrique (f.) L'expression de la somme des termes d'une suite géométrique. $S^n = \dfrac{a(r^n - 1)}{r - 1}$ donne la somme des n premiers termes d'une série géométrique de premier terme a et de raison r.

sinus (m.) Dans un triangle rectangle, le rapport de la longueur du côté opposé à un angle à la longueur de l'hypoténuse. Voir *rapports trigonométriques de base*.

sinusoïde (f.) Une trajectoire obtenue en déroulant un cercle le long d'un axe donné.

sommet (d'une parabole) (m.) Le point où une parabole coupe son axe de symétrie. C'est le minimum d'une parabole ouverte vers le haut, et le maximum d'une parabole ouverte vers le bas.

suite (f.) Un ensemble de nombres, de termes ou d'éléments ordonnés selon une régularité ou une règle définie. Les termes d'une suite sont généralement séparés par des virgules.

suite arithmétique (f.) Une suite dans laquelle la différence entre deux termes consécutifs est constante.

suite de Fibonacci (f.) La suite dont les deux premiers termes sont 1 et 1 et dont chaque terme subséquent est la somme des deux termes précédents : 1, 1, 2, 3, 5, 8, ...

suite géométrique (f.) Une suite dans laquelle le rapport entre deux termes consécutifs est constant.
1, 3, 9, 27, ... est une suite géométrique de raison 3.

symétrie (f.) 1. Une réflexion du graphique d'une fonction. **2.** La qualité d'une figure plane que l'on peut replier le long d'un axe de manière qu'une moitié de la figure en recouvre exactement l'autre moitié.

système d'équations (m.) Deux ou plusieurs équations examinées ensemble.

tangente (f.) Dans un triangle rectangle, le rapport de la longueur du côté opposé à un angle à la longueur du côté adjacent à ce même angle. Voir *rapports trigonométriques de base*.

tangente (à une courbe) (f.) Une droite qui touche une courbe en un seul point et forme un angle nul avec la courbe en ce point.

taux d'intérêt (m.) Le pourcentage appliqué à un capital afin de calculer l'intérêt à recevoir ou à verser sur ce capital pour une période donnée.

taux d'intérêt annuel (m.) Le pourcentage d'intérêt appliqué à une somme chaque année.

terme (m.) 1. Chacun des éléments (nombre, variable, produit ou quotient de nombres ou de variables) à l'intérieur d'une expression. L'expression $x^2 + 5x$ comporte deux termes : x^2 et $5x$. **2.** Chacun des éléments d'une suite.

terme constant (m.) Un terme qui ne comporte aucune variable.

termes semblables (m. pl.) Des termes qui ont la ou les mêmes variables affectées du ou des mêmes exposants.
$3x^2$, $-x^2$ et $2{,}5x^2$ sont des termes semblables.

test de la droite verticale (m.) Un procédé qui sert à déterminer si une relation est une fonction. Si chaque droite verticale coupe le graphique d'une relation en un et un seul point, alors cette relation est une fonction.

théorème de Pythagore (m.) La proposition selon laquelle, dans un triangle rectangle, le carré de la longueur de l'hypoténuse est égal à la somme des carrés des longueurs des deux autres côtés.

transformation (f.) Une modification appliquée à une figure ou à une relation, qui entraîne un déplacement ou un changement de forme de la figure ou du graphique de la relation.

translation (f.) Une transformation qui entraîne un déplacement de la figure ou du graphique initial, sans modifier sa forme ou son orientation. La translation peut être horizontale ou verticale et s'appelle également *glissement horizontal* ou *vertical*.

triangle acutangle (m.) Un triangle dont les trois angles intérieurs sont aigus.

triangle de Pascal (m.) Un ensemble de nombres disposés pour former un triangle avec le nombre 1 au sommet, puis 1 et 1 dans la deuxième rangée. Chaque nombre des rangées suivantes correspond à la somme des deux nombres qui se trouvent au-dessus de lui.

$$\begin{array}{ccccccccc} & & & & 1 & & & & \\ & & & 1 & & 1 & & & \\ & & 1 & & 2 & & 1 & & \\ & 1 & & 3 & & 3 & & 1 & \\ 1 & & 4 & & 6 & & 4 & & 1 \end{array}$$

triangle isocèle (m.) Un triangle qui a exactement deux côtés congrus.

triangle oblique (m.) Un triangle qui n'a pas d'angle droit.

triangle obtusangle (m.) Un triangle dont un des angles intérieurs est obtus.

triangle rectangle (m.) Un triangle qui comporte un angle de 90°.

triangle scalène (m.) Un triangle dont tous les côtés sont de longueurs différentes.

triangles semblables (m. pl.) Des triangles qui sont de même forme mais pas nécessairement de même taille. Leurs côtés correspondants sont proportionnels et leurs angles homologues sont congrus.

trinôme (m.) Un polynôme qui est composé de trois termes. $x^2 + 3x - 1$ est un trinôme.

trinôme carré parfait (m.) Un trinôme obtenu par l'élévation au carré d'un binôme.

TVM Solveur (m.) Une application des calculatrices à affichage graphique pour effectuer des calculs financiers.

valeur absolue (f.) La distance qui sépare un nombre de l'origine sur une droite numérique. Elle est toujours positive ou nulle.
$$|3| = 3 \text{ et } |-3| = 3$$

valeur actuelle (f.) Le capital qu'il faut placer ou emprunter aujourd'hui à des conditions données (taux d'intérêt, période de capitalisation, durée, versements) pour avoir un montant final déterminé.

valeur actuelle d'une annuité (f.) Le capital qu'il faut placer aujourd'hui pour permettre des retraits périodiques pendant une durée déterminée.

valeur finale (f.) Le montant total accumulé ou versé à la suite du placement ou de l'emprunt d'un capital, compte tenu du taux d'intérêt, de la période de capitalisation et de la durée.

variable (f.) Une lettre ou un symbole, par exemple x, utilisé pour représenter un nombre ou un terme indéterminé.

variable dépendante (f.) Dans une relation, la variable dont la valeur dépend de celle de la variable indépendante. Dans un plan cartésien, ses valeurs se trouvent sur l'axe vertical. Ainsi, dans $d = 4,9t^2$, d est la variable dépendante.

variable indépendante (f.) Dans une relation, la variable dont la valeur détermine celle de la variable dépendante. Dans un plan cartésien, ses valeurs se trouvent sur l'axe horizontal. Ainsi, dans $d = 4,9t^2$, la variable indépendante est t.

versements périodiques (m. pl.) Des versements égaux effectués à intervalles réguliers.

zéro (d'une fonction) (m.) Toute valeur de x pour laquelle la valeur d'une fonction est égale à zéro, c'est-à-dire toute valeur de x telle que $f(x) = 0$.

Index

agrandissement, 98, 113–122, 124–129, 190–192, 195

aire
    fonction, 10–11, 13
    formule, 11

amplitude, 285, 289

angle(s)
    co-terminaux, 236–237
    cercle unitaire, 245
    côté initial, 223, 227
    côté terminal, 223, 227
    d'élévation, 280
    de référence, 223
    rapports trigonométriques, 223–227, 243–246
    somme d'un triangle, 263
    trigonométriques, 223

annuité, 444–452 456–460, 470

associativité, 37

asymptote, 9, 100, 180, 181, 184, 189–190

axe de symétrie, 27

B

becquerel (Bq), 388

binôme, 373–377

C

calcul de distance-vitesse-temps, 92–93

capital, 418–423, 426–431

carré(s)
    compléter le, 26, 30
    différences, 37
    parfait, 26, 34–35, 38

cas ambigu, 249–254

cercle
    angle de référence, 223
    démontrer une identité, 270–271
    équation, 10

cercle unitaire, 222–224, 226–227, 245, 294–295, 302–303

classifier des fonctions, 286–287

commutativité, 37

compléter le carré, 26, 30

conjugués, 37

cosécante, 243–245

cosinus
    courbe, 298
    loi, 221–222, 241, 249, 253–254, 264
    relation, 234, 237, 244
    transformations, 308

cotangente, 243–244

côté–côté–angle, 249

côté initial, 223, 227

côté terminal, 223, 227, 236–237

courbe la mieux ajustée, 201–202, 204–205

croissance exponentielle, 150–154, 199–203, 206

Cybergéomètre, 123–124, 193, 222–223, 227, 259–260, 355

cycle, 285, 289

D

décroissance exponentielle, 160–169, 183, 203–206

demi–vie, 160–164, 183, 218, 368, 388

dépréciation, 203–205, 359

diagramme sagittal, 18–19

discriminant, 47–48, 61, 65, 67

distance, 92, 136–137

distributivité, 37–38

domaine, 8–15, 100
    agrandissement et rétrécissement, 115–116, 128
    déterminer le, 8–11
    diagramme sagittal, 18–19
    réciproque d'une fonction, 134
    restrictions, 9, 11

données
    fonction sinusoïdale, 322–324, 327
    liens, 4–5

E

équation(s)
    déterminer, 54–55
    du second degré, 52–59
    résolution, 43–51

essais systématiques, 163

exposant(s)
    base fractionnaire, 165
    binômes, 373–377
    demi–vie, 160–164, 183
    effets sur un graphique, 178–179
    négatifs, 164–166
    nul, 153–154
    rationnels, 170–177
    représenter la croissance, 150–154
    représenter la décroissance, 160–169, 183
    sous forme de fractions, 171–174

expressions rationnelles, 81–83
    additionner et soustraire, 90–93
    avec des polynômes, 89–93
    multiplier et diviser, 88–90, 93

F

factorisation partielle, 27–28

famille de fonctions du second degré, 53–54, 57

Fathom™, 201–203

fonction continue, 358

fonction(s) discrète(s), 351, 354–360

fonction(s) du second degré, 25–33
    équation, 52–59
    factorisation partielle, 27–28
    famille, 53–54, 57
    forme canonique, 25–26
    forme factorisée, 25, 27–28
    forme générale, 25
    formes, 25
    maximum ou minimum, 25–33

Sources

g = à gauche d = à droite

1 Daniel Stein/iStock, 3 © Steve Prezant/Corbis, 4 Gordon M. Grant / Alamy, 10 Gordon M. Grant / Alamy, 15 JUPITERIMAGES/ Comstock Images / Alamy, 16 Science Museum of Brussels/Wikipedia Commons, 25 Dieter K. Henke/iStock, 43 THE CANADIAN PRESS / COC ANDRE FORGET, 52 © Michel Van Loon | Dreamstime.com, 60 gkphotography / Alamy, 66 © CORBIS SYGMA, 69 Reimar / Alamy, 74 Visions of America, LLC / Alamy, 75 © Giorgio Fochesato/iStock, 77 © Stefan Witas/iStock, 78 DETLEV VAN RAVENSWAAY / SCIENCE PHOTO LIBRARY, 92 © Ankevanwyk | Dreamstime.com, 97 © Alvaro García Gamero/Maxx Images, 122 © Kay Ransom/iStock, 125 © Francis G. Mayer/CORBIS, 128 © Jacom Stephens/iStock, 132 Mike Greenslade, 139 Bill Frakes /Sports Illustrated/ Getty Images, 146 Robert Fried / Alamy, 147 NASA / SCIENCE PHOTO LIBRARY, 149 © Stocktrek Images/Corbis, 150 Michael Cogliantry/Photonica/ Getty Images, 154 Tischenko Irina/Shutterstock, 157 © Visuals Unlimited/Corbis, 160 Pickering Nuclear, photo fournie à titre gracieux par Ontario Power Generation, 169 Noel Hendrickson/Digital Vision/ Getty Images, 170 © NASA/ESA/Kalas and Graham/ epa/Corbis, 176 WARNER BROS / THE KOBAL COLLECTION, 178 © Caro / Alamy, 188 Roland W. Meisel, 199 © Ana Abejon/iStock, 218 © CORBIS/ Maxx Images, 219 David Maisel Photography/ UpperCut Images/Getty Images, 222 © Blaine Harrington III/CORBIS, 231 © Atsuko Tanaka/Corbis, 232 © G. Bowater/Corbis, 243 Kim Steele/Getty Images, 249 Wilbur E. Garrett/National Geographic/ Getty Images, 256 © Zheng Dong | Dreamstime.com, 257 Nick Gregory / Alamy, 261 Michael Dunning/ Photographer's Choice/Getty Images, 265 © Marco Manzini/iStock, 267 Brian Bailey/Taxi/Getty Images, 268 © Tammy Peluso/iStock, 269 © Firefly Productions/CORBIS, 270 Pascal Rondeau/Getty Images, 277 Dick Hemingway, 278 © Sherri Camp/ iStock, 279 Arco Images GmbH / Alamy, 280 © Oleg Albinsky/iStock, 281 Altrendo Nature/Getty Images, 283 Leslie Garland Picture Library / Alamy, 284 CP PHOTO/Belleville Intelligencer - Jeremy Ashley, 292 RIA NOVOSTI / SCIENCE PHOTO LIBRARY, 294 © Fancy/Veer/Corbis, 301 Jonathan Kirn/Getty Images, 304 © 2009 Gary Schultz/AlaskaStock.com, 311 Srdjan Draskovic / Alamy, 313 Michael Taylor, 322 AP Photo/Rene Macura, 329 Stephen Dorey

ABIPP / Alamy, 331 THE CANADIAN PRESS/Frank Gunn, 332 Karl Weatherly/Getty Images, 333 SALLY BENSUSEN (1987) / SCIENCE PHOTO LIBRARY, 334 John Elk III/Lonely Planet Images/Getty Images, 336 © Tom Brakefield/zefa/Corbis, 338 © Wendy Holden/iStock, g 341 Peter Dazeley/Stone/Getty Images, d 341 CP PHOTO - Steve White, d 342 Leslie Garland Picture Library / Alamy, g 342 ECKHARD SLAWIK / SCIENCE PHOTO LIBRARY, 345 Richard Levine / Alamy, 347 © Eric Hood/iStock, 348 Lawrence Berkeley National Laboratory, 349 CP PICTURE ARCHIVE/Lethbridge Herald - Rob Olson, 350 Roland W. Meisel, 351 Dr. Wolfgang Beyer/ Wikipedia Commons, 354 Liz Van Steenburgh/ Shutterstock, 359 © Drive Images / Alamy, 365 Photolibrary/Getty Images, 368 Pete Saloutos/ Uppercut Images/Getty Images, 373 Wikipedia Commons, 380 © Laura Young/iStock, 387 Andreas Kindler/Johner Images/Getty Images, 388 CENTRE JEAN PERRIN / SCIENCE PHOTO LIBRARY, 395 Olga Skalkina/Shutterstock, 402 Kevin C. Cox/Getty Images, 414 © Thevinman | Dreamstime.com, 415 © Paul Thompson; Eye Ubiquitous/CORBIS, 417 Copyright © David Young-Wolff / PhotoEdit, 418 © Sean Locke/iStock, 426 © Suprijono Suharjoto/ iStock, 436 © Spencer Grant / PhotoEdit, 444 Scott Maxwell / LuMaxArt/Shutterstock, 455 © John Foxx/ Maxx Images, 456 Bernd Fuchs/Firstlight, 467 © Eric Hood/iStock, 470 © FogStock / Alamy